10th Edition

POWER MANUAL SERIES

의사국가고시 | 레지던트시험 | 내과 전문의시험 준비를 위한

Korea Medical Licensing | 소화기, 순환기
Examination

POWER
Internal Medicine

1

Gastroenterology,
Cardiology

군자출판사

파워 내과 01

(Power Internal Medicine 10th ed)

첫째판　　1쇄 발행 ｜ 1999년　9월　30일
다섯째판　5쇄 발행 ｜ 2004년　3월　15일
여섯째판　4쇄 발행 ｜ 2006년　7월　31일
일곱째판　2쇄 발행 ｜ 2008년　2월　25일
여덟째판　3쇄 발행 ｜ 2011년　3월　25일
아홉째판　3쇄 발행 ｜ 2017년　11월　10일
열째판　　1쇄 발행 ｜ 2019년　5월　31일
열째판　　2쇄 발행 ｜ 2020년　8월　30일
열째판　　3쇄 발행 ｜ 2023년　1월　31일

저　　　자　신규성
발 행 인　장주연
출 판 기 획　김도성
표지디자인　김재욱
발 행 처　군자출판사(주)
　　　　　등록 제4-139호(1991. 6. 24)
　　　　　본사 (10881) **파주출판단지** 경기도 파주시 회동길 338(서패동 474-1)
　　　　　전화 (031) 943-1888　　　팩스 (031) 955-9545
　　　　　홈페이지 ｜ www.koonja.co.kr

ISBN　979-11-5955-450-6
　　　　979-11-5955-449-0(세트)

정가　55,000원

세트　185,000원

머리말

7년 만에 파워내과의 10번째 개정판이 나오게 되었습니다. 3~4년 전에 나왔어야 하는 개정판이 이렇게 늦어진 점에 대해 우선 깊은 사과를 드립니다. 그동안 대부분의 질병에서 진단과 치료에 큰 변화가 있었고, 특히 감염 부분은 수많은 새로운 항생제와 더불어 병원체의 분류에서도 제법 변화가 있었습니다. 예전보다 훨씬 많은 정성과 시간을 들이다보니 페이지가 많이 늘어나고 출간도 늦어지게 되었습니다.

최근의 시험 경향을 보면 실제 환자 진료 상황을 표현한 문제해결형 문제가 대부분을 차지하며, 진단 및 치료에서 가장 중요한 부분을 답으로 요구하는 경우가 많습니다. 이는 공부할 때도 각 질병에 대한 단편적 암기보다는 관련된 여러 질병과 진단기법, 치료법들에 대해 잘 이해하고 있어야 쉽게 해결할 수 있습니다. 반대로 많은 문제풀이를 통해 질병에 대한 이해를 높일 수도 있지만, 결국에는 체계적으로 정리하면서 기억하고 있어야 시험 대비는 물론 환자를 진료할 때도 도움이 됩니다. 파워내과는 그러한 체계적 정리에 도움을 주기위해 만들어져 왔고, 점점 첨단화되면서 방대해진 내용들을 쉽게 찾아보며 공부할 수 있도록 정리했습니다. 수많은 연구 결과, 가이드라인, 전문교과서들을 참고하고 일부는 거의 메타분석 수준의 노력도 늘여가며 우리나라 실정에 맞는 가장 업데이트된 지식을 실었습니다. 최근에는 NGS, 표적치료제의 확대 보급, CAR-T세포 치료 등 진단과 치료에서 획기적인 발전이 있었습니다. 또한 올해 전 세계를 뒤흔들고 있는 COVID-19, 그 전까지 대부분의 병원에서 골칫거리였던 CPE 등 최신 감염관련 문제를 포함하여, 시험에 많이 나오지는 않더라도 그런 중요한 분야의 소개에 많은 지면을 할애했습니다. 의사국가고시만을 목표로 간략히 정리하고 넘어가면 오히려 제대로 이해하기 어려운 내용들도 많기 때문에, 내과전문의시험 수준까지 충분히 대비할 수 있도록 심도 깊게 정리했습니다.

내과는 임상의학의 밑바탕이 되는 가장 중요한 과목이므로 열심히 공부해놓으면 다른 과목들의 학습에도 큰 도움이 될 것입니다. 다만 인공지능, 원격의료, 해묵은 의료수가문제, 워라밸 등에 따라 내과를 지원하는 학생이 크게 줄어든 것은 가슴 아픈 현실입니다. COVID-19 등 점점 심각해지는 감염병들, 고령화 사회에 따른 만성질환의 증가, 기타 환경 사회적인 많은 문제들을 앞에 두고 뿌리 깊은 복지부 적폐 공무원들과도 대결해야하는 의사의 현실은 고달프지만, 묵묵히 환자를 위해 노력하는 것만이 의사의 소명일 것입니다.

정신없이 살다 보니 기쁜 일도 있었지만 슬픈 일도 많았고, 어느덧 파워내과도 20년째를 맞이하게 되었습니다. 그동안 부족한 이 책으로 공부해주신 많은 분들께 깊은 감사드립니다. 끝으로 이번 개정판이 나오기까지 애써주신 군자출판사의 장주연 사장님과 김도성 차장님을 포함한 모든 직원들께도 감사를 드립니다.

2020년 8월 14일
신 규 성

■ **파워내과의 활용분야**
  1. 내과학의 처음 입문에서 완성까지 학습의 방향을 제시
  2. 의사국가고시의 기초 준비에서 마지막 정리까지 완성
  3. 내과 전문의시험, 레지던트 선발시험, 각 의대의 시험 등 준비
  4. 전공의, 공중보건의, 군의관, 타과 전문의 등의 최신 내과 지견 update
  5. 치과의사, 한의사, 약사, 전문간호사 등 의료인의 내과계 지식 학습

■ **안내**
  1. 여러 시험에 출제가 되었거나 출제 가능성이 높은 부분들은
     ★, !, **굵은 글자**, 밑줄 등으로 중요 표시를 하였으니 학습할 때
     꼭 확인을 하시기 바랍니다.
  2. 내과전문의 1차 시험에도 대비하기 위해 일부 자세한 부분도 있으니
     학생 수준에서는 그냥 참고만 하고 넘어가셔도 괜찮습니다.
  3. 각종 약자는 별책의 약자풀이 편을 참고하시기 바랍니다.
     약자나 용어는 대한의협 및 각 학회에서 사용되는 것과 실제 임상에서
     통용되는 것을 함께 사용하여 학습의 편의를 도모하였습니다.
  4. 책의 오류, 오자, 개선해야할 부분 등이 있으면 군자출판사(admin@kooja.co.kr)로
     문의를 해주시면 감사하겠습니다. 책의 발전에 도움을 주신 순서대로
     10분을 선정하여 다음 개정판을 증정하도록 하겠습니다.

■ 파워내과의 본분에는 네이버(NHN)의 나눔글꼴이 사용되었습니다.

목차
contents

소화기내과

Part I

위장관 질환

1 서론

- 두 다리를 약간 굽혀서 복벽에 제대로 힘을 주지 않도록 함
- 시진, 청진, 타진, 촉진의 순서로 시행
- 통증이 없는 부위에서 시작하여, 있는 부위로 진행
- 복통이 심해 환자가 만지지 못하게 하면 → 기침을 시켜서 복통 발생 부위를 가리키게 함
  (c.f., 기침이나 가벼운 타진시 복통이 발생하면 복막염을 시사)

1. 시진

- 장의 연동운동이 보이면 → 위장관 폐쇄 의심
- 배꼽 돌출 ; 복강내 압력 증가 (e.g., 복수, 임신, 난소종양)
- caput medusae ; portal HTN (e.g., LC)
- Cullen's sign ; 복강내/후복막내 출혈 (e.g., 급성췌장염, 자궁외임신 파열)
- Grey-Turner's sign ; 출혈성 췌장염, 장의 strangulation, 근육괴사 등

2. 청진

- 장음의 정상 빈도 : 5~34회/분
- 장음 증가 ; 기계적 장폐쇄 초기, 설사 등
- 장음 감소/소실 ; 마비성 장폐쇄, strangulated 장폐쇄, 복막염 등
- 금속성 장음(metallic sound) ; 기계적 장폐쇄 (초기)
- 복명(borborygmi) : 연동(peristalsis) 증가시의 꾸르륵거리는 소리
- 진탕음(succussion splash) : 장관 내에 물이 고였을 때 복벽을 흔들면 들리는 출렁거리는 물소리
  (e.g., 유문부 협착증, 위마비)

3. 타진

- 간과 비장의 크기 파악
- ┌ 복수 → 이동 탁음 (최소 500 mL의 복수를 탐지할 수 있음)
  └ 장 유착을 동반한 복수 (e.g., 결핵성 복막염) → 편측성 이동탁음
- tympanic sound → 장내 유리공기(bowel obstruction)를 더 시사함

4. 촉진

- 정상적으로 촉진될 수 있는 장기 ; 간(일부에서), 신장, 맹장, 하행결장, 복부대동맥, 요추 등
- 종괴 ; 췌장의 가성낭종, 농양(게실염, IBD), 악성종양, 복부대동맥의 동맥류
  (복부에 힘을 주었을 때 종괴가 만져지면 → 복벽내 종괴)
- 압통(tenderness)

  - 심와부 중앙 ; 소화성 궤양, 췌장염
  - 우상복부 ; 간이나 담도 질환
  - 우하복부 ; 급성충수염 (종괴 동반시 CD, lymphoma 의심)
  - 좌하복부 ; S상결장의 게실염

- 반발압통(rebound tenderness) ; 복막염 (→ 장파열, 복강내농양, 장경색 등 의심)

5. 직장수지검사

- 직장수지검사(digital rectal exam.; DRE)도 기본으로 시행함
- 전립선, 괄약근, 직장/골반강 내의 종괴, 대변내 혈액 등을 봄
- 측벽의 종괴 & 압통 ; 급성충수염, 게실염, IBD, 악성종양 등

c.f.) 복통의 위치

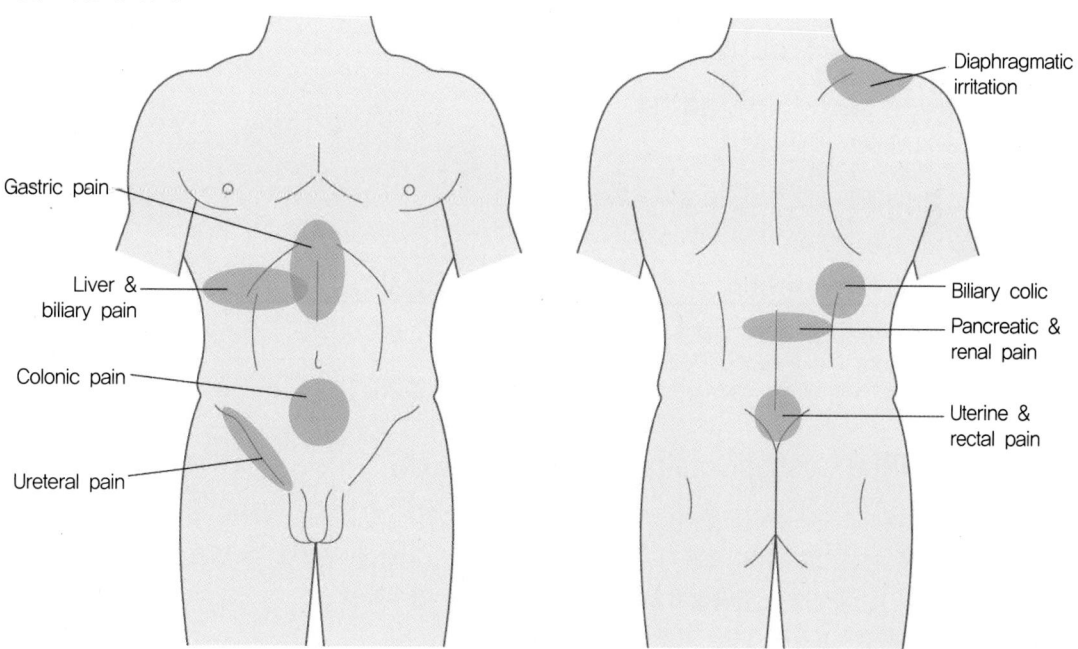

Gastric pain
Liver & biliary pain
Colonic pain
Ureteral pain
Diaphragmatic irritation
Biliary colic
Pancreatic & renal pain
Uterine & rectal pain

* 복벽의 통증 ; 압통점이 일정하고, 최대 압통점의 크기는 작음(직경 <2 cm), Carnett's sign (+)

* Carnett's sign : 피검자가 이완된 상태로 누워 있다가 복부근육을 긴장시킬 때 압통점의 통증이

  - 증가하면 양성 → 압통의 원인이 복벽에 있는 것으로 판정
  - 감소하면 음성 → 압통의 원인이 복강 내 장기에 있는 것으로 판정

내시경(Endoscopy)

1. 적응증(진단)

1. **Esophagogastroduodenocopy (EGD) : Upper endoscopy**
   소화불량(dyspepsia) ; 치료에 반응이 없거나, 기질적 질환 의심시,
      45세 이상(new onset), 복부 종괴 or 림프절비대, 상부 위장관 종양의 가족력
   상부 위장관 출혈, 지속적 구토, 조기 포만감, 연하곤란, 체중감소(>10%), 흡수장애, 빈혈
   PUD, 위암 수술 등의 과거력
   방사선 조영검사(upper GI) 이상 소견의 조직검사
   Barrett's esophagus 감시(F/U)
   Gastrostomy, 십이지장 조직/액 채취
   부식제(산, 염기) 섭취시 손상 정도의 평가

2. **Colonoscopy**
   하부 위장관 출혈, 빈혈, 설사, 변비, 폐쇄 증상
   방사선 조영검사(barium enema) 이상 소견의 조직검사
   암 선별검사 (e.g., 대변잠혈반응검사 양성)
   암 감시 (e.g., 가족력, 과거력, UC 환자)
   Inflammatory bowel diseases
   급성 염증기가 아닌 diverticulitis
   (c.f., diverticula의 평가나 colonic stricture의 정확한 측정에는
   barium enema가 더 정확함)

3. **Endoscopic Retrograde Cholangiopancreatography (ERCP)**
   황달, 담관염, 담관결석, 담도 수술후 증상 호소시
   췌장염 (원인 불명, 담석 동반, 극심한 통증 때)
   유두(팽대부) 주위 종양
   Oddi 괄약근과 담관의 내압 검사, 담즙 채취

4. **Endoscopic Ultrasonography (EUS)**
   암의 병기(staging) 결정
   점막하 병변의 확인 및 조직검사, 위 점막 주름의 이상
   담관 결석, 만성 췌장염, 가성낭종(pseudocyst)의 배액
   항문의 연속성
   종격동, 복강, 후복막강 등의 병변

* 소장내시경 검사 : 흔히 원인불명의 위장관 출혈 환자에서 시행 (→ I-3장 참조)
  ① push enteroscopy : mid-jejunum까지 도달 가능
  ② double-balloon enteroscopy, capsule endoscopy : 전체 소장을 관찰 가능

2. 내시경초음파(endoscopic ultrasonography, EUS)

• 내시경에 연결된 초음파장비를 통하여 위장관의 병소나 주위의 림프절을 정확히 검사하는 방법으로
  해상력이 매우 높음, 고주파의 초음파를 이용하여 위장벽의 각층을 구분할 수 있으므로 암의 심달도
  진단에 유용하며, 내시경적 점막절제술을 시행하는 데에도 필수적임
• EUS가 진단/평가에 도움이 되는 질환 ★
  ① esophageal, gastric, pancreatic, bile duct, rectal ca.의 preop. local staging!
  ② submucosal GI lesions
  ③ bile duct stones
  ④ GB diseases
  ⑤ chronic pancreatitis

- EUS-guided fine-needle aspiration (e.g., 종격동, 복부, 골반 등의 종괴/림프절)
  - 수술전 local tumor 및 nodal staging 평가에 가장 정확한 방법
  - NSCLC의 종격동 림프절 침범도 EUS with transesophageal needle biopsy로 확인 가능
- 위장관벽의 EUS layers ★

EUS layer		Echo 특성	Subepithelial lesions
1st	Mucosa (M) / superficial mucosa	Echo-rich	Carcinoid
2nd	Muscularis mucosae (MM) / deep mucosa	Echo-Poor	Leiomyoma, Carcinoid, Varix
3rd	Submucosa (SM)	Echo-rich	Lipoma, Carcinoid, Pancreatic rest, Varix
4th	Muscularis propria (MP)	Echo-Poor	GIST, Leiomyoma, Glomus tumor
5th	Serosa (S)	Echo-rich	Duplication cyst

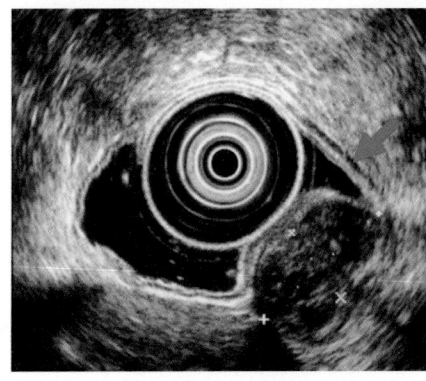

EUS 4th layer (MP)에 위치한
GIST mass

■ 점막하 종양(submucosal tumor, SMT) = 상피하 병변(subepithelial lesion)

- GIST ; 대부분 4th layer (근육층 기원), 대개 악성
  - high risk : 크기 >3 cm, 표면/외연 불규칙, 부정형, 궤양 동반 등 (→ 수술)
- leiomyoma ; 위에는 드묾, 2nd or 4th layers
- varices ; 2nd or 3rd layers, 둥글거나 길죽한 낭성 구조물, Echo-poor~absent
- lipoma ; 3rd layer, 양성, pillow sign (누르면 쉽게 눌러짐), 노랑, 경계 명확, Echo-rich, 균질
- carcinoid ; 1~3 layers, 매끈하고 둥글고 노란 색조를 띤 딱딱한 조직
  - type 3 (gastrin level 정상) : 악성 (→ 수술)
- pancreatic rest (= ectopic pancreas) ; 3rd layer, 중앙에 작은 함몰, 크기 다양, Echo-poor, 불균일, 경계 불분명, 종양 내부에 정상 췌장 조직(→ 관 구조, salt & pepper appearance)

* 추가검사가 필요 없는 subepithelial lesion (→ 경과관찰)
  ; 크기 1 cm 미만, lipoma, varix, pancreatic rest, duplication cyst
* 악성 ; lymphoma, leiomyosarcoma, GIST (>3 cm), carcinoid type 3 등 (→ 수술)

c.f.) 상부 위장관에서 SMT의 빈도 ; 위(60%) > 식도(30%) > 십이지장(10%)

3. 치료적 내시경의 이용

(1) hemostasis (bleeding control)

(2) luminal restoration (dilatation, ablation, stenting)

(3) lesion removal (e.g., foreign body, polypectomy)

(4) ERCP ; sphincterotomy (pancreaticobiliary drainage), stone removal

(5) sigmoid volvulus - endoscopic reduction

(6) palliate neoplasm

* NOTES (natural orifice transluminal endoscopic surgery)
   - 위장관(위, 대장 등) 벽을 통과하여 내시경을 복강내 장기의 진단/치료에 이용하는 것
   - 예 ; percutaneous endoscopic gastrostomy (PEG), endoscopic pancreatic necrosectomy,
     endoscopic appendectomy, cholecystectomy, tubal ligation ...

4. 색소내시경검사

(1) indigo carmine (Evan's blue) ; 색소가 점막의 요철에 모여 점막 표면을 보다 자세히 관찰 가능

c.f.) Indigo carmine의 적응	1. Sessile polyp의 내시경절제술 전/후에 상세히 표시 2. 점막 표면의 irregularities or ulceration을 강조 3. Barrett's esophagus의 생검 부위를 강조 4. Polyp의 pit pattern 분석 5. 위/대장 표면의 malignancy or dysplasia 발견	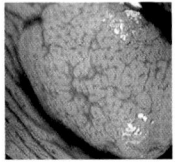

(2) acetic acid ; 염증/dysplasia 부위를 하얗게 염색함, Barrett's esophagus 평가에 유용

(3) Lugol's iodine solution ; 정상 식도점막의 glycogen과 반응하여 흑갈색으로 변색됨
   (식도암, dysplasia, gastric metaplasia 등에서는 변색되지 않으므로 식도암의 조기 진단에 유용)

(4) methylene blue ; 정상 소장/대장점막에 염색되므로 intestinal metaplasia 발견에 유용,
   위에서는 위암, 장화생(intestinal metaplasia) / 식도에서는 Barrett's esophagus의 장화생 발견에
   사용 (정상 위점막은 염색 안 됨)

(5) toluidine blue ; Lugol's solution에 보조적으로 사용, 식도의 암 및 dysplasia 조직에 염색됨

(6) crystal violet ; indigo carmine과 같은 용도 → 둘 다 확대내시경으로 조직형 예측에 사용

(7) Congo red ; 위산과 반응하여 흑청색으로 변색됨 (위산분비가 없는 atrophic gastritis, epithelial
   dysplasia, fundus 등에서는 변색되지 않음)

(8) phenol red ; urea와 같이 산포하면 *H. pylori* 감염 부위는 붉게 염색됨

5. 고해상도내시경, IEE (image-enhanced endoscopy)

(1) 확대 내시경(magnifying endoscopy) :
   - 기존 내시경보다 80~100배 이상 병소를 확대하여 관찰
   - 점막 형태와 혈관상 등 표면 미세구조를 정밀하게 관찰 가능
   - 조기 식도암과 조기 위암에서 병변의 범위 진단과 분화도 예측에 유용
   - 조기 위암 ; regular subepithelial capillary network pattern (SECN)의 소실,
     irregular microvascular pattern, 암과 비암 부위의 demarcation line 등의 소견

(2) 협대역영상(narrow band image, NBI) 내시경
- 특수 광학필터를 이용하여 단파장의 청색(blue)광을 강화하여 영상을 재구성한 것
- 점막 표면을 매우 섬세하게 관찰 가능, 확대 내시경과 연동 사용 가능

(3) 최적대역영상(optimal band image, OBI) 내시경
- 분광추정기술(computed spectral estimation technology)을 이용하여 특정 파장을 통해 영상을 재구성한 것, 간단한 스위치 조작으로 다양한 파장을 선택할 수 있는 장점
- FICE (FUJI Intelligent ChromoEndoscopy)

(4) 자가형광영상(autofluorescence image, AFI) 내시경
- 자가형광 & 녹색/적색 반사광의 합성 image로 정상과 병변 조직을 쉽게 감별하도록 재구성한 것
- 형광증강물질 투여 필요 없음 → 선별검사 용도로 유용
- 색의 차이로 종양을 쉽게 관찰 가능 (but, 위양성이 많고, 해상도가 낮음)

(5) i-scan
- 고해상도 영상에 S/W 적으로 color digital filter를 적용하여 원 영상을 변환시키고 강조하여 병변을 돋보이게 하는 내시경
- 모드 ; CE (contrast enhancement), SE (surface enhancement), TE (tone enhancement) 등

(6) 공초점 현미경내시경(confocal endomicroscopy)
- laser 광원 및 형광물질을 사용하여 원하는 위치의 초점이 맞은 image 만을 획득 가능
- 점막 표면 및 표면하층의 세포 및 조직 구조를 실시간으로 관찰하여 광학적 조직 진단 가능

6. 진정 내시경검사

- 진정약물로 졸리지만 말할 수 있는 의식하 진정상태(conscious sedation)를 유도하여 내시경 시행
- 목적/장점 ; 검사/시술시 불편/고통 감소, 검사 자체를 기억하지 못해 향후 검사에 대한 호응도↑
- 진정약물 ; benzodiazepine 계열인 midazolam이 m/c

진정제	약효발생	지속시간	감량이 필요한 경우	중요 부작용	길항제
Midazolam (D)	1~2분 후	20~60분	고령, 저알부민혈증, 간기능저하, cytochrome P450 억제 약물 병용	호흡억제, 무호흡, 역설반응(5%)*	flumazenil (C)
Propofol (B)	30~45초	4~8분	고령, 심장기능저하 (간이나 신장 기능의 영향은 안받음)	심장수축↓(저혈압), 무호흡	없음
Meperidine (B)	1~3분 후	2~4시간	**마약성 진통제로 주로 진통의 목적으로 midazolam or propofol과 병용	호흡억제	naloxone (B)
Fentanyl (C)	1.5분 이내	1~2시간			

(B, C, D는 임신시 약물안전 category임)

C.f.) 진정 단계	Minimal sedation	Moderate sedation	Deep sedation	General anesthesia
반응	말소리에 정상 반응	말소리나 가벼운 자극에 반응	아픈 또는 반복적 자극에 반응	아픈 자극에도 반응 없음
기도 확보	불필요	불필요	필요할 수도 있음	필요
자발 호흡	가능	가능	부적절할 수 있음	부적절함
심혈관기능	영향 없음	대개 유지됨	대개 유지됨	영향 받을 수 있음

* 역설반응 : 진정되지 않고 수다, 흥분, 분노, 적대감, 난폭함, 경련 등을 보이는 것 (깨어난 뒤 대부분 기억 못함)
 ‒ 저산소증으로 인한 고통 반응과는 감별해야!
 ‒ 고용량, 알코올 섭취, 고령, 여자, 소아, 성격장애자 등에서 상대적으로 흔함
 ‒ 적정 용량 투여 시에도 발생한 경우 → 길항제인 flumazenil을 투여하여 진정을 깨움 & 추후 다른 진정제 사용

7. 내시경시술의 합병증

(1) 일반적인 합병증 ; bleeding, perforation, bacteremia, sedation에 의한 심폐기능저하 등
 • 진단 목적의 위내시경과 대장내시경 모두 출혈과 천공 위험은 매우 낮음(<0.1%)
 • 치료 목적의 내시경시술(e.g., 지혈, 확장, 용종제거, EMR/ESD)에서는 위험 증가(0.5~5%)
 • flexible sigmoidoscopy는 위험이 매우 낮음
 • 진단 목적의 EUS (without FNA)의 위험도는 위내시경과 비슷함
(2) 특수한 합병증
 • ERCP ; pancreatitis (m/c, 5%, SOD 환자는 ~25%), bleeding (sphincterotomy의 1%에서),
    ascending cholangitis, pseudocyst infection, retroperitoneal perforation, abscess ...
    (post-ERCP pancreatitis → II-10장 참조)
 • percutaneous endoscopic gastrostomy (PEG) (10~15%) ; wound infection (m/c), fasciitis,
    peritonitis, pneumonia, bleeding, buried bumper syndrome, colonic injury ...
  c.f.) Buried bumper syndrome (0.3~2.4%) ; 위루관 내부완충기 위로 위점막이 과다 형성되면서
     위루관이 막히고 복벽 내로 위치하게 되는 것, PEG 시술 후 보통 3개월~1년 뒤에 발생

8. 위장관 내시경검사의 금기 사항

① 환자가 거부하거나, 협조가 부족할 때 (예; 정신병자)
② 인후나 식도 상부의 통과 장애나 협착이 의심되는 경우 주의를 요함
③ 의식장애가 있거나 거동이 불편한 환자도 시행은 가능하나 조심해야
④ 내시경 조작이 위험을 초래할 수 있는 다른 중한 질환의 동반시
   (예; 고령, AMI 직후, 부정맥, 심부전, 대동맥류, 호흡곤란)
⑤ 위장관 천공/폐쇄, 위장관 수술 직후
   (검사의 이득이 위험성보다 클 때에는 시행 가능)

9. 내시경 시술시 예방적 항생제요법

 • 대부분에서 infectious Cx. (e.g., infective endocarditis)은 드물다
 • 적응증
  ‒ percutaneous endoscopic gastrostomy (feeding tube placement) 시행시에는 모든 환자에서
   예방적 항생제 권장!
  ‒ (1) 담도폐쇄 환자에서 불완전 배출 예상 ERCP 시행(e.g., sclerosing cholangitis, hilar stricture)
    (2) 췌관과 교통하는 췌액 저류 환자에서 ERCP 시행(e.g., pseudocyst, necrosis)
    (3) 췌액 저류 환자에서 transmural drainage 시행
    (4) 위장관계의 낭성 종양 (종격동 포함) 환자에서 EUS-FNA 시행
    (5) 위장관출혈을 동반한 간경화 환자에서 모든 내시경 시술 시행시.. 등에도 예방적 항생제 권장

[기타: 참고]	Procedures	
환자 상태	High-risk	Low-risk
High risk 인공 판막 심내막염의 과거력 Systemic-pulmonary shunt 인공 혈관 이식 (1년 이내) 복합 청색증형 선천성 심장병	**권장(recommanded)**	선택적(optional)
Moderate risk 기타 선천성 심장병 후천성 판막질환(e.g., rheumatic heart dz.) MVP with insufficiency, HCMP 간경화(복수) 등의 면역저하 환자	선택적(optional)	필요 없음
Low risk Pacemaker, implantable defibrillator (ICD) CABG 과거력, 교정된 중격결손 or PDA MVP without insufficiency, 인공 관절	필요 없음	필요 없음
High-risk procedures	Stricture dilatation, Variceal sclerotherapy EUS with fine-needle aspiration (EUS-FNA) ERCP for biliary obstruction (endoscopic sphincterotomy; EST) Biliary tract surgery, Surgical op. involving intestinal mucosa	
Low-risk procedures	Biopsy, Polyp removal, Variceal ligation (EVL) ERCP without sphincterotomy 등	

- 표준 항생제 요법
  - 1시간 전 amoxicillin PO 또는 30분 전 ampicillin IV
  - penicillin allergy 환자는 1시간 전 clindamycin (or cephalexin, cefadroxil, azithromycin, clarithromycin) PO 또는 30분 전 clindamycin (or cephazolin, vancomycin) IV

10. 항혈전제(antithrombotic drugs) 복용 환자의 내시경 시술

환자 상태 (혈전색전증 위험도)		Procedures	
		High-risk	Low-risk
Aspirin	High or Low-risk	계속 복용 (환자가 low-risk 면 중단을 고려할 수도)	계속 복용
Thienopyridines	High or Low-risk	Clopidogrel or Ticagrelor은 5일 전, Prasugrel은 7일 전, Ticlopidine은 10~14일 전 복용 중단	계속 복용
Dipyridamole	High or Low-risk	시술 2~7일 전 복용 중단	계속 복용
Warfarin	High-risk	시술 3~7 (대개 5)일 전 복용 중단 시술 전 INR 1.5 이하로 떨어져야 됨 필요시 heparin으로 대치(bridging therapy)	계속 복용 (INR이 치료범위를 초과하면 예정 시술은 연기 or FFP로 INR을 감소시킴)
	Low-risk	시술 3~7일 전 복용 중단 (시술 후에 warfarin 다시 복용)	
New oral anticoagulants	High or Low-risk	약제 및 환자 상태 (신장 기능; Cr) 에 따라 1~5일 전 복용 중단	계속 복용
Heparin	High or Low-risk	Unfractionated haparin은 4~6시간 전 중단	계속 복용
LMWH	High or Low-risk	최소한 8시간 전에 복용 중단 (1 dose skip)	계속 복용

환자 상태 (혈전색전증 위험도)		Procedures	
High-risk	Low-risk	High-risk	Low-risk
판막질환에서 발생한 AF 승모판의 기계판막 Thromboembolism 병력이 있는 기계판막 환자 최근 3개월 이내의 venous thromboembolism 병력 1년 이내의 coronary stent Acute coronary syndrome Thrombophilia syndromes	판막질환과 관련 없는 단순/발작성 AF 대동맥판의 기계판막 생체인공판막 DVT	EGD/colonoscopy with dilatation, polypectomy, thermal ablation Percutaneous endoscopic gastrostomy ERCP with sphincterotomy or pseudocyst drainage EUS-FNA EMR or ESD Tumor ablation Hemostasis, Varices 치료	EGD/colonoscopy (± biopsy) ERCP with stenting EUS without FNA Argon coagulation Barrett's ablation

• aspirin & NSAIDs 복용 환자는 출혈성 질환의 과거력이 없으면 계속 복용해도 괜찮음

복강경(Laparoscopy) 검사

• 적응증(진단) ; 만성 간질환의 평가, 암의 병기 결정, 원인 불명의 복수, FUO, TB peritonitis ...

절대적 금기	상대적 금기
심한 심혈관계 질환 (e.g., AMI) 장폐쇄 세균성 복막염 복막 유착	비협조적인 환자 심한 출혈성 질환 복귀되지 않는 탈장 큰 전복벽 탈장 횡격막 탈장

• 합병증 ; 복벽 혈종, 간 생검 부위의 출혈, 담즙 복막염, 장 천공, 주혈관 손상 ...

위장관 운동성

1. 위장관 운동 생리

(1) 식후 위의 운동(postprandial gastric motor activity)

① 위 상부의 receptive relaxation : 음식을 섭취하면 위 상부의 확장 reflex 발생
  → gastric accommodation : 위 상부가 내압 증가 거의 없이 점진적으로 확장되는 것
② 위 상부의 지속적인 low tonic contraction : 내용물을 위 하부로 내려 보냄, liquid emptying
③ 위 하부(antrum)의 강력한 peristaltic waves : 내용물(solid)을 부수고 위액과 섞고, pylorus로
  내려 보냄(solid food emptying), 음식물을 대개 1 mm 이하로 부순 뒤 소장으로 배출함
④ terminal antrum 이완 → pylorus 개방 → 위 내용물 소장으로 배출

■ **공복시 위의 운동 (gastric MMC)** : 60~120분 간격으로 cyclic motor activity를 보임
  ┌ MMC phase 1 ; 가장 긴 시기, slow waves, no phasic contractions
  │ MMC phase 2 ; phasic contractions 시작 (postprandial pattern과 비슷)
  └ MMC phase 3 (activity front) ; 약 10~20분 지속, 위 상부와 하부의 조화로운 cyclical burst
    – 십이지장의 late phase 2 & phase 3와 동시에 발생 (위가 수축할 때는 십이지장은 정지)
      → phase 3가 ileum에 도달하면 다음의 phase 3가 위와 십이지장에서 시작됨
    – 소화되지 않고 남아있던 위의 음식 덩어리를 배출 (최대 25 mm까지 배출 가능)
    – 음식을 섭취하면 MMC는 정지되고, postprandial motor activity로 전환됨

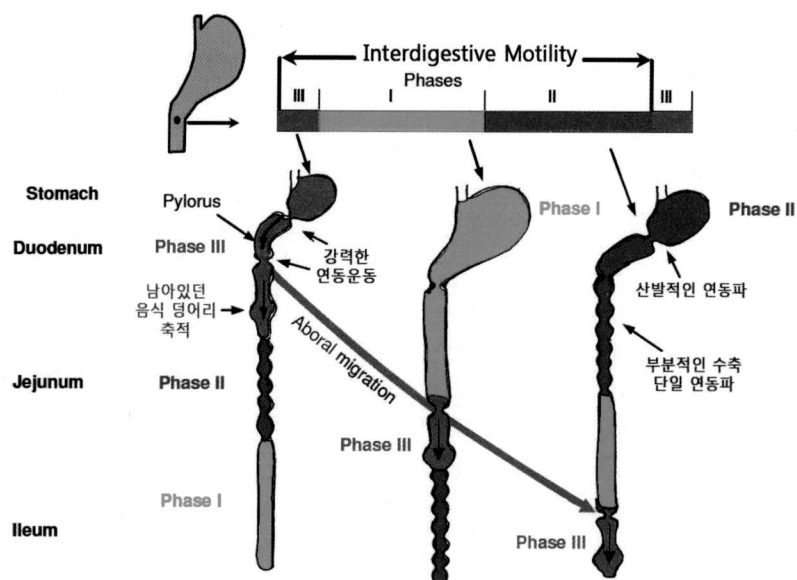

(2) 소장의 운동

① segmentation contraction ; 장 내용물을 mixing (주요 역할) & 아래쪽으로 내려 보냄
② peristalsis ; propulsive movement, gastroenteric reflex가 유발

③ migrating motor complex (MMC) : interdigestive motility (phase 3만 MMC로 부르기도 함)
- **공복시** 나타나는 위전정부와 소장의 주기적인 cyclic motor activity, 60~120분마다 반복됨
  - MMC phase 1 ; 운동이 없는 조용한 시기, 가장 김
  - MMC phase 2 ; 간헐적이고 불규칙적인 수축
  - MMC phase 3 (m/i) ; 짧고 강력한 연속 수축 (cyclical burst of contractions), 평균 4분
- 소화되지 않은 위와 소장의 음식물을 대장으로 내려 보내는 역할을 함 (음식물 축적 방지)
- 주로 vagus nerve, gastric pH↑, motilin 등이 MMC를 증가시킴
- 당뇨병성 위장장애시에는 MMC가 소실됨
④ muscularis mucosa에 의한 villi 길이 변동 → 접촉면적 변화로 흡수기능↑

■ **위배출 시간(gastric emptying time)** : 위 내용물이 십이지장으로 비워지는 속도
- 음식 종류에 따른 위배출 속도 : 탄수화물 > 단백질 > 지방
- 위배출시간 측정법/위의 운동성검사(motility test)
  (1) 삽관법(intubation technique) : 튜브를 위내에 삽관한 뒤 위 내용물을 흡인하여 분석
    (침습적이고 많은 시간이 필요하므로 거의 쓰이지 않음)
  (2) 영상검사(imaging technique)
    - 신티그래피(scintigraphy) ; gold standard, ^{99m}Tc-sulfur colloid, ^{111}In-DTPA, ^{111}InCl$_3$ 등
    - barium study, 초음파, MRI 등
  (3) wireless motility capsule methods
  (4) 전도검사 ; electrical impedance epigastrography, electrical impedance tomography
  (5) 간접적검사 ; 약물흡수역동검사, 동위원소호기검사(isotopic breath test) 등
  c.f.) 소장의 운동성 검사
    ; barium transit, small-bowel contrast radiography, wireless capsule techniques,
    small-intestinal manometry 등

(3) 대장의 운동
- 상부 위장관과는 반대로 대장은 지속적인 digestive state를 유지하고 있음
- 대장의 수축 운동은 크게 2가지로 구분됨
  (1) phasic contractions : background contractility
    - short (<15초) or long (>40~60초), 서로 독립적으로 or 조합되어 발생
    - 불규칙적이고, 전파되지 않고, 주로 mixing 기능을 함
  (2) giant migrating contractions : HAPCs (high-amplitude propagated contractions)
    - 대장의 주요 운반/추진(propulsion) 운동
    - 정상적으로 하루 5회 정도, 보통 아침에 잠에서 깰 대와 식사 후에 발생
    - 발생 빈도가 증가하면 diarrhea or urgency 유발
- 식사 후 대장의 운동성 증가 (1~2시간 지속됨)
  (1) gastrocolic reflex (처음 10분) ; 위의 기계적 팽창에 반응하여 vagus nerve에 의해 매개됨
  (2) caloric stimulation ; 500 kcal 이상의 음식 섭취시 유발, 위/십이지장 점막의 접촉에 의해
  (3) hormonal mediation ; gastrin, serotonin 등

2. 위장관 운동 장애

위 운동 장애 ★	
위 배출 시간 지연	**위 배출 시간 단축**
Gastroparesis (→ 뒷 부분 참조)	Dumping syndrome
Mechanical obstruction	Pancreatic insufficiency
(e.g., pyloric stenosis, tumor, constriction)	Celiac sprue
Reflux esophagitis/GERD	Zollinger-Ellison synd. (gastrinoma)
Tachygastria	Duodenal ulcer
Anorexia nervosa, Bulimia	Dopamine antagonist
Cyclic vomiting syndrome	Erythromycin
Rumination syndrome	Hyperthyroidism

소장 운동 장애	대장 운동 장애
운동성 감소	**통과시간 지연**
Hollow visceral myopathy (primary intestinal pseudo-obstruction)	Increased segmenting contraction
	Primary constipation
Progressive systemic sclerosis (late)	Irritable bowel syndrome (spastic)
Amyloidosis	Diverticular disease
Muscular dystrophy; Duchenne's, Myotonic	Antral outlet obstruction
Hypothyroidism	Congenital ; Hirschsprung's disease
Jejeunal diverticulosis	Acquired
Jejeunoileal bypass	Decreased segmenting contractions
	Irritable bowel syndrome (inertia)
운동성 증가 또는 부조화	Primary colonic pseudo-obstruction
Primary visceral neuropathy	Ogilvie's syndrome
Carcinoma-associated visceral neuropathy	DM
Progressive systemic sclerosis (early)	Progressive systemic sclerosis
Irritable bowel syndrome	Spinal cord injury
DM	
Infectious diarrhea	**통과시간 단축**
Mass lesion of brain stem	Functional diarrhea
Amyloidosis	Bile salt diarrhea
Hyperthyroidism	Laxative abuse
Carcinoid syndrome	
Shy-Drager syndrome	

위장관 운동성에 영향을 미치는 Neurotransmitters와 Peptides	
Excitatory	**Inhibitory**
Acetylcholine	Vasoactive inhibitory polypeptide (VIP)
Neurokinins	Nitric oxide
Gastrin	Calcitonin gene-related peptide
Gastrin-releasing peptide	Adenosine triphosphate (ATP)
Neurotensin	Neurotensin
Enkephalin	Enkephalin
Cholecystokinin	Somatostatin (high dose)
5-Hydroxytryptamine (5-HT)	Neuropeptide Y
Somatostatin (low dose)	Peptide YY
	Glucagon

위장관 운동 조절 약물				
약물	위	소장	대장	작용기전
Acetylcholine analogues	자극	자극	자극	Muscle cells의 muscarinic receptors에 대한 agonist
Neostigmine	자극	자극	자극	Acetylcholine esterase inhibitor
Metoclopramide	자극	자극	자극	Dopamine antagonist (central, peripheral)
Domperidone	자극	자극	영향없음	Dopamine antagonist (peripheral)
Cisapride	자극	자극	자극	5-HT$_4$ agonist
Macrolide antibiotics (EM)	자극	자극	?	Motilin receptor에 결합
Octreotide (low dose)	영향없음	자극	?	Inhibitory neurons의 억제
Leuprolide acetate (Lupron®)	?	자극	?	Progesterone과 relaxin 감소
Atropine (anticholinergics)	억제	억제	억제	Muscarinic receptor의 antagonist
Papaverine	?	?	억제	모름
CCB	억제	억제	억제	Voltage-operated calcium channels을 block
Nitrate compounds	?	억제	억제	Receptor-operated calcium channels을 block ; intracellular cGMP ↑
Peppermint oil	?	억제	억제	Calcium channels block
Cholecytokinin antagonist	?	?	?	CCK receptors block

■ 위마비(gastroparesis)

(1) 개요

- 위장의 기능 장애에 의해 음식물의 <u>위 배출이 지연</u>되는 경우 (functional obstruction)
- 임상양상 ; N/V, 조기 포만감, 식후 팽만감, 상복부 통증, 복부팽창(bloating), succussion splash
  - 보통 음식섭취와 관련되어 발생함
  - 심한 경우 (대개 평활근장애) 심한 팽창, 체중 감소, 영양 결핍 등도 동반 가능
  - 설사나 변비도 동반되면 위의 범위를 넘어선 motility disorder를 의심해야

Gastroparesis의 원인 ★	
신경장애	근육장애
침윤 ; Systemic sclerosis, Amyloidosis 위수술 ; Post-vagotomy 신경 ; Brain stem lesions, Parkinson dz., Porphyria, 　Multiple sclerosis, 척수 절단, 중금속 중독 ... 내분비 ; DM, Hypothyroidism, Hypoparathyroidism Paraneoplastic syndrome ; SCLC, Carcinoid syndrome 감염 ; CMV, EBV, Norwalk virus, Chagas dz. ... 약물 ; TCA, Narcotics, Opioids (e.g., loperamide), 　Dopamine agonists, 항고혈압제, Laxatives, Vincristine, 　β-agonists, Amylin agonists, GLP-1 agonist, Nicotine ... Familial visceral neuropathies Idiopathic	자가면역질환 ; sclerosis, Amyloidosis, 　SLE, Dermatomyositis, 　Ehlers-Danlos syndrome ... Familial visceral myopathies Metabolic myopathies Myotonia Idiopathic

* D/Dx ; mechanical obstruction, functional GI disorders, anorexia nervosa, bulimia, rumination syndrome (음식 먹고 0~30분 뒤에 힘들이지 않고 토하는 것을 반복함) ...

(2) 진단/평가

- 약물 복용, 기저 질환, 과거력, 가족력 등 파악
- mechanical obstruction R/O ; X-ray, 내시경, barium study, CT/MRI enterography
- 위/소장 motility 평가 ; gastric emptying study (scintigraphy), radioisotope (^{13}C) breath test, gastroduodenal manometry, wireless motility capsule (WMC) ...
- pathogenesis 파악
  - 원인모를 신경장애 ; autonomic test, ANNA-1 (→ paraneoplastic) ...
  - 원인모를 근육장애 ; 가족력, topoisomerase I (→ SS), ANA (→ SLE 등 자가면역질환), fat biopsy (→ amyloidosis), CK, lactate (→ metabolic myopathy), muscle biopsy ...
- 합병증 파악 ; bacterial overgrowth, dehydration, malnutrition 등

(3) 치료

- 식사조절 ; 소량을 자주 식사, 유동식, 저지방/저섬유 식이
  (필요시 iron, folate, vitamin B_{12}/D/K, 단백질 등의 영양소 보충)
- 약물치료
  ① dopamine antagonists → 식사 30분 전에 복용
  - <u>metoclopramide</u> (1st line) ; 중추신경계와 위의 dopamine (D_2) receptor antagonist, $5HT_4$ agonist, weak $5HT_3$ antagonist 등 여러 경로로 위장관운동 촉진, 항구토 작용
    3개월까지만 사용 (∵ 위장관운동 촉진 작용은 내성 발생, 부작용)
    * 부작용 ; 불안, 초조, 우울증, 수면장애, hyperprolactinemia, QT↑, dystonia 등
  - **domperidone** (metoclopramide가 효과 없거나 부작용 발생시 고려, 미국은 허가×)
    ; 말초성 dopamine (D_2) receptor antagonist), BBB 통과 안하므로 CNS 부작용 적음, hyperprolactinemia가 주요 부작용, QT prolong 환자에서는 금기
  ② **erythromycin** : motilin receptor 자극, gastric emptying↑ (MMC phase 3 유발)
  - oral EM ; 내성(tachyphylaxis) 발생이 빠르므로 4주까지만 사용
  - IV EM ; 불응성 위마비 or 위마비의 급성 악화 때 투여하면 가장 강력한 위배출 효과
  - azithromycin ; EM보다 반감기 긺, 위장관운동 촉진 효과는 비슷함
  ③ antiemetics ; antihistamines (e.g., diphenhydramine, promethazine, meclizine) ...
  * cisapride ; $5HT_4$ agonist, 효과적인 약이었지만 부정맥 유발 위험으로 사용 금지되었음
- 기타 ; venting gastrostomy, botulinum toxin injection, gastric electric stimulation ...
- diabetic gastroparesis 때는 혈당 조절도 (∵ hyperglycemia가 위 배출을 지연시킴)

구역(Nausea)/구토(Vomiting)

N/V의 흔한 원인	
복강 내	폐쇄 ; 유문, 소장, 대장, superior mesensteric artery syndrome 감염 ; 바이러스, 세균 염증 ; 담낭염, 췌장염, 충수염, 간염 감각운동 기능장애 ; 위마비(gastroparesis), 가성 장폐쇄, GERD, chronic idiopathic vomiting, 　　functional vomiting, cyclic vomiting syndrome 쓸개급통증(biliary colic), 복부방사선조사
복강 외	심폐질환 ; 심근병증, 심근경색 미로(labyrinthine)질환 ; 멀미, 미로염, 암 뇌 장애 ; 암, 출혈, 종양, 물뇌증(수두증) 정신질환 ; 식욕부진과 신경성 병적 과식(anorexia & bulimina nervosa), 우울증 수술 후 구토
약물 및 대사장애	약물 ; 항암제, 항생제, 항부정맥제, digoxin, 경구혈당강하제, 경구피임약 내분비/대사질환 ; 임신, 요독증, ketoacidosis, 갑상선/부갑상선질환, 부신부전(adrenal insufficiency) 독소 ; 간부전(liver failure), ethanol

- 구토와 관련된 neurotransmitters ; neurokinin NK_1, serotonin $5-HT_3$, vasopressin

- N/V의 치료제

분류	기전	예	적응	부작용
Antiemetics	Antihistamine	Dimenhydrinate, Meclizine	멀미, 내이장애	진정, 구강건조
	Anticholinergic	Scopolamine	멀미, 내이장애	진정
	Antidopaminergic	Prochlorperazine, Thiethylperazine	광범위	진정, 불안
	$5-HT_3$ antagonist	Ondansetron, Granisetron	항암제,RTx,수술	두통, 졸음, 변비
	NK_1 antagonist	Aprepitant	항암제 구토	무력, 두통, 불면
	TCA	Amitriptyline, Nortriptyline	기능성 N/V	진정,건조,두통,변비
	기타 항우울제	Mirtazapine	기능성, 위마비	졸음, 체중증가
Prokinetics	$5-HT_3$ agonist & antidopa.	Metoclopramide	위마비	파킨슨양 효과
	Motilin agonist	Erythromycin	위마비, 장폐쇄	고용량은 경련 유발
	Peripheral antidopaminergic	Domperidone	위마비	prolactin ↑
	Somatostatin analogue	Octreotide	가성 장폐쇄	설사, 복통, 탈모
	Acetylcholinesterase inhibitor	Pyridostigmine	소장 운동장애	설사, 복통
ETC	Benzodiazepines	Lorazepam	항암제 예기구토	졸음, 두통 ...
	Glucocorticoids	Methylprednisolone,Dexamethasone	항암제 구역	고혈당, 체중증가
	Cannabinoids	Tetrahydrocannabinol	항암제 구역	감각/신경 장애

* cyclic vomiting syndrome
    - 특별한 원인 없이 주기적으로 심한 구토가 반복되는 것, migraine을 동반하기도 함
    - 이전 episode와 비슷한 임상양상 및 발생 시간을 보임
    - 치료
        ① 예방 ; TCA, cyproheptadine, β-blockers ...
        ② 급성 증상기 ; IV $5-HT_3$ antagonists + benzodiazepine (e.g., lorazepam)
        ③ antimigrane agents ; $5-HT_3$ agonist (e.g., sumatriptan)
        ④ anticonvulsants ; zonisamide, levetiracetam

소화불량 (Dyspepsia)

- 정의 : 상복부 or 명치부위의(epigastric) pain or discomfort (GERD의 heartburn과는 다름)
- 원인(D/Dx)
  ① functional or nonulcer dyspepsia (NUD) : m/c
  ② peptic ulcer dz. (PUD)
  ③ gastroesophageal reflux dz. (GERD)
  ④ gastric or esophageal cancer
  ⑤ 기타 위장관 질환 ; chronic *H. pylori* infection, aerophagia, gastroparesis, gastric volvulus, paraesophageal hernia, lactose intolerance, intestinal angina (만성장간막허혈), 기생충감염
  ⑥ 췌장 ; chronic pancreatitis, pancreatic ca.
  ⑦ 담도 ; cholelithiasis, choledocholithiasis, biliary dyskinesia
  ⑧ 기타 ; 임신, DM, hypothyroidism, hypercalcemia, renal insufficiency, aortic dissection, myocardial ischemia, intraabdominal malignancy
  ⑨ 음식/약물 ; 과식, 빠른 식사, 고지방식, 알코올 or 커피 과다섭취, 항생제, aspirin, NSAIDs, steroids, digoxin, theophylline, iron, narcotics ...

■ 기능성 소화불량 (functional dyspepsia, NUD)

(1) 개요

- 정의: 소화불량 증상은 있으나 기질적/전신적/대사 질환이 없는 것
- 전체 인구의 20~30%에서 발생, 남≒여
- 병태생리
  ① 운동기능의 이상 ; 약 50%에서 고형식에 대한 위배출 지연
  ② 내장 과민성(hypersensitivity) ; 위 팽창에 대한 pain threshold 감소
  ③ 염증
  ④ 뇌-장관 상호작용, 뇌-장관 peptides
  ⑤ 정신 사회학적 요인 (e.g., 스트레스, 우울증, 불안장애가 흔함)
- 음식, 흡연, 음주, NSAID 등과의 관련성은 불명확
- *H. pylori*와의 관련성은 논란 (일부에서 *H. pylori* 제균치료가 효과적)
- 위산 분비는 정상임

(2) 진단 및 아형 (로마 III 기준)

아래의 증상이 6개월 이전에 시작되고, 지난 3개월간 지속됐을 때
1. 다음 증상 중 1개 이상 　① 성가신 식후 충만감 (bothersome postprandial fullness) 　② 조기 포만 (early satiation) 　③ 상복부 통증 (epigastric pain) 　④ 상복부 쓰림 (epigastric burning) 2. 위 증상을 설명할 수 있는 구조적 질환이 없음 (내시경을 포함한 검사에서)

아형A. 식후고통증후군(postprandial distress syndrome)
: 아래 중 1개 이상이 적어도 매주 수차례 발생

① 통상의 식사량 후에 발생하는 성가신 식후 충만감
② 통상의 식사를 마치지 못하게 하는 조기 포만

아형B. 상복부통증증후군(epigastric pain syndrome)
: 통증과 쓰림이 아래 5가지를 모두 만족할 때

① 간헐적(intermittent)
② 상복부에서 발생(매주 한번 이상, moderate severity 이상)
③ 전반적 또는 흉복부의 다른 위치에 국한된 것이 아님
④ 배변이나 방귀에 의해 완화되지 않음
⑤ 담낭이나 오디괄약근 장애에 속하지 않음

(3) 임상양상

- 증상 ; 식후 불쾌감/포만감 (m/c), 상복부 팽만감, 트림, 조기 포만감, 식후 상복부 통증/쓰림 …
- 대부분 호전과 악화를 반복, 음식이나 스트레스 등에 의한 변화가 심함
- 증상을 일으킬 만한 기질적인 병변을 R/O한 뒤 진단
- 과민성 장증후군(IBS) or GERD와 혼동 또는 겹칠 수 있음

(4) 치료

① 생활 습관의 변화 ; 술/담배 피함, 규칙적인 생활/운동, 스트레스 해소
② 식이 요법
  - 본인에게 맞는 음식을 먹고, 맞지 않는 음식은 피함
  - 맵고 자극성이 심한 음식은 좋지 않다
  - 고지방식은 위배출을 느리게 하거나 장운동 변화를 일으켜 복통을 일으킬 수도 있으므로 주의
  - 커피 및 탄산가스가 포함된 음료수의 과음을 금함
③ *H. pylori* 제균요법 (→ I-5장 소화성궤양 편 참조)
④ 위산 분비 억제제(e.g., H_2-RA, PPI) 및 제산제(e.g., sucralfate)
⑤ 위장 운동 촉진제

	작용기전	상품명 예
Metoclopramide	5-HT$_4$ agonist central& peripheral D$_2$ antagonist	Macperan, Mexolon, Gasrobi
Domperidone	peripheral dopamine D$_2$ antagonist	Motilium
Itopride	peripheral D$_2$ antagonist, ACE inhibitor	Ganaton
Mosapride	5-HT$_4$ agonist	Gasmotin
Levosulpiride	central& peripheral D$_{2,3,4}$ antagonist	Levopride

c.f) cisapride : 과거에 많이 쓰였으나 부정맥(QT prolong, TdP)의 부작용 때문에 퇴출되었음

⑥ 내장 진통 약물 (visceral analgesics)

Peripheral action	Spinal action	Supraspinal action
5-HT$_3$ antagonist	Octreotide	Low-dose tricyclics
Kappa opioid	Clonidine	SSRI
Octreotide	Mexilitene	Anxiolytics or sedatives
		Leuprolide

⑦ 정신과적 치료

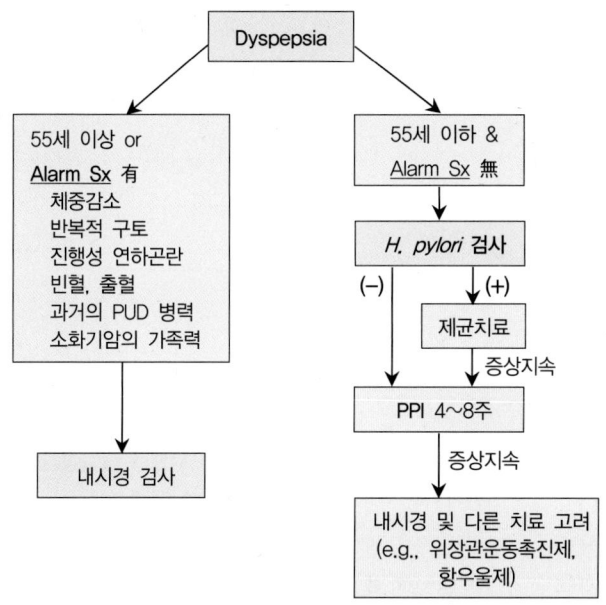

2 설사 및 변비

급성 설사

1. 개요

- 설사의 정의 : 대변양이 200 g/day 이상 (or 배변 횟수가 하루 4회 이상)
  - 급성(acute) : 2주 미만
  - 지속성(persistent) : 2~4주 지속
  - 만성(chronic) : 4주 이상 지속
- 대부분은 mild & self-limited!, 감염이 m/c 원인 (80~90%)

급성 감염성 설사의 원인 ★		
	비염증성(noninflammatory) 설사	염증성(Inflammatory) 설사
바이러스	Norovirus (m/c), Rotavirus	Cytomegalovirus
기생충	*Giardia lamblia, Crytosporidium*	*Entamoeba histolytica*
세균	1. *Preformed enterotoxin* 생산 *S. aureus* *Bacillus cereus* *Clostridium perfringens* *Clostridium botulinum* 2. *Enterotoxin* 생산 Enterotoxigenic *E. coli* (ETEC) *Vibrio cholerae* *Klebsiella pneumoniae* *Aeromonas* spp.	1. *Cytotoxin* 생산 STEC (Shiga toxin-producing *E. coli*) ; EHEC, ST-EAEC 포함 └ O157:H7 (m/c), O104:H4, O121, O26 등 *Vibrio parahaemolyticus* *Clostridium difficile* 2. *Mucosal invasion* ***Salmonella, Shigella***, Enteroinvasive *E. coli* (EIEC) ***Campylobacter jejuni***, *Vibrio parahaemolyticus* *Yersinia enterocolitica, Chlamydia* *Neisseria gonorrhoeae, Listeria monocytogenes*

설사를 일으키는 흔한 약물
1. GI drugs ; Magnesium 함유 제산제, Laxatives, Misoprostol, Olsalazine, Lactulose, Cholinergic drugs
2. Cardiac drugs ; Digitalis, Quinidine, Procainamide, Hydralazine, β-blockers, ACEi, Diuretics
3. Antibiotics
4. Hypolipidemic agents ; Clofibrate, Gemfibrozil, Lovastatin, Probucol
5. Neuropsychiatric drugs ; Lithium, Fluoxetine, Alprazolam, Valproic acid, Ethosuximide, L-Dopa
6. Chemotherapeutic agents
7. Others ; Theophylline, Thyroid hormones, Colchicine, NSAID, alcohol

- 입원환자에서 설사가 발생한 경우 흔한 원인이므로 반드시 약물 부작용을 의심해 봐야됨

특징	소장	대장
Pain의 위치	diffuse or periumbilical	lower abdomen
Tenesmus	없다	있다
Stool volume	1 L/day 이상	1 L/day 이하
Stool의 형태	watery	mucoid or bloody
Fecal leukocytes	드물다	흔하다
Proctosigmoidoscopy	정상	erythema, ulceration, hemorrhage
주요 원인균	*Salmonella, Vibrio,* pathogenic *E. coli*	*Shigella, C. difficile, Campylobacter*

전염성 설사의 임상적 특징	
다량의 cholera양 설사	*Vibrio cholerae*, ETEC, *Shigella* (초기), *Salmonella* (변형된 위 생리를 가진 환자)
구토	*S. aureus* or *B. cereus* 식중독, 바이러스성 위장관염
고열	*Shigella, Salmonella,Campylobacter, Yersinia, Clostridium difficile*
이질 (혈성변)	*Shigella, Salmonella,Campylobacter, Yersinia, Vibrio parahemolyticus, C. difficile*
심한 설사 (3주)	바이러스성 위장관염, EPEC, *Giardia*, 소장의 세균 과증식에 의한 설사

2. 진단

- evaluation의 적응 ★
  ① 탈수를 동반한 대량 설사
  ② 육안적 혈변
  ③ 발열 (>38.5℃)
  ④ 호전 없이 48시간 이상 지속
  ⑤ 최근의 항생제 사용
  ⑥ 새로운 집단 발병
  ⑦ 50세 이상에서 심한 복통과 동반
  ⑧ 70세 이상 노인 or 면역저하자
- inflammatory와 noninflammatory의 감별이 제일 중요!
  - **inflammatory** ; fever, bloody or mucoid stool, fecal leukocytes, fecal lactoferrin↑
  - tenesmus (후중, 뒤무직) → rectum의 염증 e.g.) shigellosis
  - profuse, "rice-water" → cholera or cholera-like toxin
- fecal leukocytes test (FLT) : Wright's or methylene blue stain, 진단 민감도/특이도는 별로임
  ┌ 많이 나오는 경우 ; *Shigella, Campylobacter*, enteroinvasive *E. coli* (EIEC)
  │ 보통~적게 나오는 경우 ; *Salmonella, Yersinia, C. difficile*, non-cholera *Vibrios* ...
  └ noninflammatory diarrhea에서는 안 나옴
- inflammatory diarrhea가 의심되면 반드시 대변 배양, toxin assay, PCR 등의 검사 시행
- 대변 배양검사 (−)면 flexible sigmoidoscopy with biopsy & upper endoscopy with duodenal aspirates/biopsies 시행 가능!

- 원인모를 persistent diarrhea 환자 (→ IBD R/O) 또는 noninfectious acute diarrhea (e.g., ischemic colitis, diverticulitis, 부분 장폐쇄 등) 의심시 구조적검사(e.g., sigmoidoscopy, colonoscopy, CT/MRI) 시행 고려
- noninflammatory diarrhea 대부분은 자연 치유되고, 대증요법으로 치료할 수 있기 때문에 원인균을 반드시 규명할 필요는 없음 (심한 경우에는 검사 ; *V. cholerae* 의심시 TCBS agar에 대변 배양, enterotoxigenic *E. coli* 의심시 배변 배양 & enterotoxin assay 등)

3. 치료

```
┌ inflammatory ; rehydration, antibiotics
└ noninflammatory ; rehydration, antimotility drug
```

(1) 수분과 전해질의 교정 (m/i)
- WHO 경구수액보충요법(ORS) = water 1 L + glucose 20 g (설탕 40 g:4숟가락) + NaCl 4 g + KCl 2 g + NaHCO$_3$ 2 g
- 여러 상업적인 용액이나 이온음료도 경구수액제로 사용 가능
- 심한 경우 IV fluid (5% DW 1 L + KCl 35 mEq + NaHCO3 45 mEq) 추천

(2) 대증요법
- 영양공급 ; 음식에 의해 유발된 설사이외에 금식은 필요 없다
- 지사제
  ① bismuth subsalicylate (장분비↓)
  → 면역저하자 or 신기능저하자에서는 금기 (∵ bismuth encephalopathy 발생 위험)
  ② loperamide or diphenoxylate (장운동↓ & 장분비↓)
  → 염증성 설사에서는 병의 경과를 길게 하거나 악화시킬 수 있으므로 금기!
  ③ 기타 ; KTB (Kaolin, Tannalbin, Bismuth subnitrate), aluminum hydroxide ...
- 복통완화 ; anticholinergics (Buscopan® 등)

(3) 항생제
- 감염의 증거가 있거나 의심되면 사용 (e.g., fever, bloody diarrhea, leukocytosis, fecal WBC)
- 감염의 증거가 없더라도 고령, 면역저하자, 인공심장판막, 최근의 인조혈관수술 등의 경우에는 항생제를 사용함
- 경험적 항생제 ; <u>fluoroquinolone</u> (e.g., ciprofloxacin, levofloxacin), azithromycin, rifaximin
  (태국 여행시에는 fluoroquinolone-resistant *Campylobacter* 위험 → azithromycin)
- 항생제 사용 병력이 있으면 PMC 고려하여 metronidazole or vancomycin
- EHEC 의심시에는 항생제 금기!, 특히 소아에서
  (∵ 효과 없고, 항생제가 Shiga toxin 방출 유발 가능 / 소아에서는 HUS 발생 위험)

■ 여행자 설사(Traveler's diarrhea)
- 고위험지역 ; 라틴아메리카, 아프리카, 중동, 아시아 등의 열대지방
- 특히 20대 젊은 여행자에서 호발, 도착 3~5일 후에 m/c
- 증상 ; watery diarrhea, abdominal cramps, anorexia, nausea (때때로 vomiting)

(fever, mucus or bloody stool은 드물다)

- 원인균 : <u>enterotoxigenic *E. coli* (ETEC)</u> (m/c), *Campylobacter, Shigella, Aeromonas,* norovirus, coronavirus, *Salmonella* ... (러시아 → *Giardia*, 네팔 → *Cyclospora*)
- 대부분 <u>toxin</u>에 의한 것이지만(noninflammatory), 항생제 치료가 증상기간 단축에 도움 됨
- 치료 ; 경미한 물설사만 있는 경우에는 oral fluid & 짭짤한 크래커만
  - 복통 동반시 → bismuth subsalicylate or loperamide
  - 심한 설사(2회/day 이상) → 항생제 + loperamide
  - fever or dysentery (bloody stool) → 항생제 (loperamide는 금기)
  - 구토가 주인 경우 → bismuth subsalicylate
- 예방적 항생제 투여 (목적지 도착 전날 ~ 떠난 다음날까지)
  - 대상 ; 면역저하자, IBD, hemochromatosis, gastric achlorhydria 환자 등
  - ciprofloxacin, azithromycin, rifaximin (→ 여행자에서 세균성 설사 90% 감소)

■ 식중독(Food poisoning)

- 정의 : 섭취한 음식에 존재하는 미생물 or toxins에 의해 발생한 질환
- 임상적으로 진단 : 동일 그룹이 같은 음식을 섭취하고 단시간 내에 발병
- 잠복기/음식에 따른 원인균 ★

잠복기	원인균	원인음식
1~6시간	*S. aureus*	햄, 닭고기, 감자와 달걀 샐러드, 마요네즈, 빵/과자, 김밥, 떡
	Bacillus cereus (구토형)	볶음밥, 김밥, 떡
8~16시간	*C. perfringens*	쇠고기, 닭고기, legumes, 고깃국물
	Bacillus cereus (복통,설사형)	고기, 야채, 말린 콩, 곡물
16시간 이상	*Vibrio cholerae*	조개, 굴
	Enterotoxigenic *E. coli*	샐러드, 치즈, 고기, 물
	Enterohemorrhagic *E. coli* (혈성 설사)	갈은 쇠고기, 구운 고기, 살라미 소시지, 생우유, 생야채, 사과주스
	Salmonella	소/돼지/닭고기, 계란, 낙농제품
	Shigella	감자와 달걀 샐러드, 상치, 생야채
	Campylobacter jejuni	닭고기, 생우유
	Vibrio parahemolyticus	해산물
	<u>Norovirus</u> (과거 Norwalk-like virus)	감염자의 손, 변, 구토물 등이 오염된 음식

* *Salmonella*와 *Vibrio parahemolyticus*는 6~8시간 이후부터 가능

- *S. aureus, Bacillus cereus*
  - 오염된 음식에 존재하는 preformed enterotoxin이 원인 (noninflammatory)
  - 음식을 끓여도 소용없다 (∵ heat resistant toxin)
  - 구토, 복통, 설사가 주 증상이며, 대개 fever는 없다
  - 잠복기 가장 짧다(2~6시간)
  - 대부분 24시간 내에 자연 회복 (치료 : 수분과 전해질 공급뿐)

- 음식을 끓여 먹어도 발생 가능한 식중독 (∵ preformed enterotoxin)
  ; *S. aureus, Bacillus cereus, C. perfringens, C. botulinum ...*

급성 세균성 설사/식중독

원인균	잠복기 (시간)	구토	설사	발열	미생물학/병인	원인음식	임상양상/치료
Staphylococcus aureus	1~8	+++	+	–	음식내에서 균증식 enterotoxin 생산	육가공품 육류, 김밥 도시락, 떡	갑자기 심한 구토 발생 대개 1~2일 내 자연 회복 같은 음식을 먹고 집단 발병
Bacillus cereus	1~8	+++	+	–	enterotoxin	재가열한 볶음밥 김밥, 떡	섭취후 1~6시간은 구토, 8~16시간은 설사가 주증상 대개 1일 이내에 회복
Clostridium perfringens	8~24	±	+++	–	음식내에서 균증식 enterotoxin 생산	재가열한 육류	갑자기 심한 설사 발생 대개 1~4일 내 자연 회복
Clostridium botulinum	18~36	±	드묾	–	혐기성 환경하의 음식내에서 균증식 toxin 생산 (매우 독성 강함)	통조림 병조림 상한 음식	복시, 연하곤란, 호흡곤란 등의 신경증상 보존적 치료 및 antitoxin 사망률 높음
Clostridium difficile	?	–	+++	+	항생제 사용 관련	–	원인 항생제 중단 vancomycin 또는 metronidazole 경구 투여
E. coli	12~48	±	+	–	장내에서 균증식 enterotoxin 생산 invasion도 가능	환자/분변 오염가능한 모든 식품	Traveler's diarrhea (ETEC) 대개 1~3일 내 자연 회복 fluoroquinolone에 반응
Vibrio para-haemolyticus	6~96	+	+	±	enterotoxin 생산 or invasion	생선 어패류	같은 생선/어패류를 먹고 집단으로 설사 발생
Vibrio cholerae (mild case)	24~72	+	+++	–	enterotoxin 생산	어패류 굴	유행지역에서 수양성 설사 즉시 수액요법 필요 TC – 균배설 기간 단축
Campylobacter jejuni	2~10일	–	+++	+	?	오염된 육류, 우유, 물 등	RLQ 복통 (→ 급성충수염 으로 오인 가능) 심한 경우 EM or quinolone
Shigella species (mild case)	24~72	±	+	+	enterotoxin 생산 및 invasion	채소 샐러드	혈성 및 점성 설사, 복통, tenesmus, lethargy fluoroquinolone이 효과적
Salmonella species	8~48	±	+	+	장내에서 증식 toxin은 생산 안함 경미한 invasion	소, 돼지 닭, 달걀 낙농식품	전신 침범 의심시에만 항생제(quinolone) 사용 장기 보균자 흔함
Yersinia enterocolitica	?	±	+	+	저온에서 균증식↑ enterotoxin 생산	돼지, 소 생우유 등 다양	위장관염 (심한 복통) or 창자간막 림프절염 다발관절염, 결절홍반 ...

* 각 원인균에 대한 자세한 내용은 감염내과 부분을 참고하세요.

* Rotavirus : 겨울철 소아에서 흔히 유행하는 설사의 원인균 → 소아과 참조

* Norovirus (과거 norwalk-like virus) : 성인에서 바이러스성 위장관염의 m/c 원인, 식중독은 겨울철에 호발, 잠복기 12시간~3일 → 감염내과 V-3장 참조

* Pseudomembranous colitis (*Clostridium difficile*) → 감염내과 Ⅱ-4장 참조

만성 설사

• 4주 이상 지속되는 설사 (소아는 3주), irritable bowel syndrome이 m/c 원인

만성 설사의 분류 ★		
병태생리	임상양상	예
1. Osmotic diarrhea 　Nonabsorbed or 　nondigested 　intraluminal solute 　(삼투작용으로 장관 내로 　수분 이동)	금식하면 설사 호전! Bulky, greasy, foul- 　smelling stools Weight loss Nutrient deficiencies 대변 osmotic gap 증가	설사제 ; Mg^{2+}, PO_4^{-3}, SO_4^{-2} 제산제 ; $Mg(OH)_2$ Lactase 등의 이당류 결핍 비흡수성 탄수화물 : lactulose (lactase def.), 　sorbitol, fructose, mannitol, polyethylene glycol **지방 흡수장애 (지방변)** ; 췌장 부전 (만성 췌장염), 　bacterial overgrowth, short bowel syndrome, 　간질환, 비만 수술, 점막 흡수불량, 　림프관 폐색(intestinal lymphangiectasia), 　Celiac dz., tropical sprue, Whipple's dz., 　MAC 감염 (AIDS), abetalipoproteinemia
2. Secretory diarrhea 　소화액(전해질)의 과다 분비	다량의(>1 L/day) 　watery diarrhea 금식해도 설사 지속! 대변 내 Na^+, K^+↑ 　(→ osmotic gap 정상!) Hypokalemia Dehydration Hormones의 다른 　systemic effects	자극성 설사제 남용 ; senna, cascara, 　bisacodyl, ricinoleic acid (castor oil) 만성 음주 (∵ 장세포 손상) 장 절제, 점막 질환, enterocolic fistula 　(∵ 수분/전해질 흡수 면적↓, 식사하면 악화됨) 회장만 침범한 CD (ileitis) 　(∵ 회장말단의 bile acid 흡수↓→ 대장분비↑) idiopathic secretory diarrhea (∵ bile acid 흡수↓)* 부분 장 폐쇄, ostomy stricture, fecal impaction 　(∵ fluid 과다 분비) 호르몬 생산 종양 ; carcinoid syndrome, 　Zollinger-Ellison syndrome (gastrinoma), 　VIPoma, medullary carcinoma of thyroid, 　mastocytosis, colorectal villous adenoma Addison's disease 선천성 전해질 흡수 장애 장독소에 의한 감염성 설사(e.g., 여행자 설사, 콜레라) 일부 약물/독소 : arsenic
3. Inflammatory diarrhea 　Mucosal & submucosal 　inflammation 　Damaged epithelium 　일부에선 장 흡수장애와 　과다 분비	Fever, abdominal pain, 　대변 내 blood 　and/or leukocytes	IBD (UC, CD) Microscopic colitis (lymphocytic, collagenous) 면역관련 점막 질환 ; 면역저하증, 음식 allergy, 　eosinophilc gastroenteritis, GVHD 감염 ; 침습성 세균(e.g., *Salmonella*, *Shigella*), 　바이러스, 기생충 Behçet' dz., Radiation enterocolitis 위장관 악성종양, Cronkhite-Canada syndrome
4. Motility disorder 　(1) Rapid transit 　(2) Slow transit 　　(→ bacterial overgrowth)	설사와 변비의 반복 Neurologic symptoms ; 　bladder involvement	IBS (postinfectious IBS 포함)…만성설사의 m/c 원인 Hyperthyroidism, Carcinoid syndrome Neurologic dz., Postvagotomy, DM, sclerosis … 일부 약물 ; prostaglandins, prokinetic agents
5. Factitious 　Self-induced	대개 여성, 정신과 병력 저혈압과 hypokalemia 　동반이 흔함	Munchausen syndrome Eating disorders 설사제 남용 (secretory diarrhea 유발)

* idiopathic bile acid malabsorption은 원인불명 만성 설사의 약 40%를 차지함

- 약 1/3의 환자는 Hx, P/Ex, 기본(routine) 검사 이후에도 원인을 찾지 못함
- 정량적 대변 수집과 분석 (대변양이 200 g/day 이상이면 시행)
 ; electrolytes, pH, occult blood, leukocyte (or leukocyte protein assay), fat 정량, laxative screen

> **Stool osmotic gap** = measured osmolality − estimated osmolality
>
> - 정상 : < 50 mosm/kg
> - estimated stool osmolality = stool $(Na^+ + K^+) \times 2$
> - osmotic gap 증가 ; osmotic diarrheas, malabsorptions
> - osmotic gap 정상 ; secretory diarrheas

	금식시	설사의 양	osmotic gap
Osmotic diarrhea	호전	적다 (< 1 L/day)	↑ (≥50)
Secretory diarrhea	지속	많다 (1~10 L/day)	정상(<50)

- 치료 : 원인 질환/기전에 대한 치료 or 잘 모르면 경험적 치료
  - mild~moderate watery diarrhea → <u>mild opiates</u> (e.g., diphenoxylate, loperamide)
  - severe diarrhea → codeine, tincture of opium
  - severe IBD에서는 위의 antimotility agents 금기 (∵ toxic megacolon 유발 위험)
  - diabetic diarrhea → clonidine (α_2-adrenergic agonist)
  - bile acid에 의한 diarrhea (e.g., 회장 절제) → cholestyramine
  - IBS diarrhea & urgency → 5-HT$_3$ antagonists (e.g., alosetron)
  - chronic steatorrhea → 지용성 비타민 보충도 필요

■ Microscopic colitis

- 육안(내시경)상 정상인 대장의 <u>조직검사</u>(무작위 multiple)에서 염증 소견이 관찰됨 (2가지 type)
  - collagenous microscopic colitis : subepithelial collagen deposition (band), 남<여
  - lymphocytic microscopic colitis : intraepithelial lymphocytes accumulation, 남=여
- <u>chronic watery diarrhea</u>의 원인으로 증가 추세 (inflammatory or secretory)
- 특히 NSAID, statin, PPI, SSRI 등을 복용하거나 흡연하는 중년~노년 여성에서 호발!
- 설사형 IBS, celiac sprue, drug-induced enteropathy 등과 비슷한 양상을 보일 수 있음
 (celiac sprue 환자의 약 15%에서 microscopic colitis 동반)
- 치료 (대개 자연 호전되지만, 재발이 흔함)
  ① 지사제 ; loperamide (opioid agonist) 등
  ② budesonide (가장 효과적) or bismuth subsalicylate, 5-aminosalicylates (e.g., mesalamine)
  ③ 반응 없는 경우 ; corticosteroids (e.g., prednisone), azathioprine, anti-TNF Ab
  ④ 최후로 fecal steam diversion surgery 고려

변비 (Constipation)

1. 원인

1. **가장 흔한 원인** ; 저섬유소 식이, 잘못된 배변습관
2. **변비 우세형 과민대장증후군(IBS-C)** : normal colonic transit constipation
3. **서행성 변비(slow colonic transit)** ; Idiopathic, Psychogenic, Chronic intestinal pseudo-obstruction (CIPO)
4. **출구폐쇄형 변비(outlet obstruction/delay, evacuation d/o)** ; 골반저 기능부전(pelvic floor dysfunction, anismus), 대장게실(rectocele), Rectal intussusception or prolapse, Perineal descent
5. **구조적 이상 (장관폐쇄)**
   Perianal disease : fissure, abscess, hemorrhoid
   Colonic mass (e.g., adenocarcinoma), stricture (e.g., diverticulosis, radiation, ischemia, IBD/UC)
   Intussusception, Congenital megacolon (Hirschsprung's disease)
6. **전신적 원인**
   내분비 : hypopituitarism, hypothyroidism, hyperparathyroidism, DM, pheochromcytoma
   대사 : hypokalemia, hypercalcemia, uremia, porphyria
   신경 : paraplegia, Parkinson's disease, multiple sclerosis, pelvic surgery로 인한 pelvic nerve 손상,
      척추손상, 척추종양, 뇌종양, meningocele
   기타 : amyloidosis, scleroderma, dermatomyositis, 납중독
7. **근육기능 약화** ; 폐기종에 의한 횡격막 운동장애, 복부수술, 임신, 복부종물, 복수
8. **약물** ; opiates (아편제제), 이뇨제, 철분제, Calcium channel blockers, Anticholinergics, 항우울제(TCA),
      제산제(calcium, aluminum), Bismuth, 피임약, 장기간 복용하는 하제

■ **기능성 변비 : 기질적 질환이 없는 것**
  • Rome III criteria : 6개월 이전에 시작된 증상으로 최근 3개월 동안 증상이 있을 때
    (1) 다음 중 2가지 이상에 해당되는 경우
      ① 배변시 과도한 힘주기가 전체 배변 횟수의 25% 이상
      ② 덩어리변이나 단단한 변이 전체 배변 횟수의 25% 이상
      ③ 배변 후 잔변감이 전체 배변 횟수의 25% 이상
      ④ 배변시 항문의 폐쇄나 막혀있는 느낌이 전체 배변 횟수의 25% 이상
      ⑤ 배변을 돕기 위한 수조작이 필요한 경우가 전체 배변 횟수의 25% 이상
         (e.g., 대변을 손가락으로 파기, 골반저를 지지하는 조작)
      ⑥ 1주일에 3회 미만의 배변
    (2) 하제를 사용하지 않는 경우 묽은 변은 거의 없어야 한다
    (3) 과민성 장증후군의 진단 기준에 부적합하여야 한다

■ **기능성 출구폐쇄 = 골반저 기능부전(pelvic floor dysfunction), 항문연축증(anismus), 협동장애**
  • 배변시 항문 괄약근이 정상적으로 이완되지 못하거나 역설적으로 수축되는 것
  • 다음 중 적어도 2개 이상의 소견을 동반
    ① balloon expulsion test ; 풍선 배출 못함 (dyssynergia, 협동운동장애)
    ② colonic transit time study ; outlet obstruction type (marker들이 골반 부위에 모여 있음)
    ③ 배변조영술(defecography) ; 치골직장근(puborectalis muscle)의 역행성 수축,
        항문직장각(rectoanal angle)이 열리지 않음, 바륨 배출이 잘 안됨

■ **서행성 변비(slow-transit constipation), 대장무력증(colonic inertia)**
- 기질적인 원인이 없으면서, 대장 전체 통과시간(transit time)이 72시간 이상으로 지연된 경우
- 식도, 위, 소장, 대장, 항문, 방광의 기능이상이나 기립성 저혈압과 동반되는 경우도 많음
- 식후 대장운동이 거의 없음

2. 평가/검사

변비의 Evaluation
Initial
History & P/Ex.
Serum potassium, calcium, glucose, creatinine
Thyroid function tests
Chest & abdominal X-ray
Colonoscopy (or flexible sigmoidoscopy + barium enema)
Intermediate
Colonic transit marker study
Anorectal & pelvic floor의 기능적 검사
┌ Balloon expulsion test
│ Anorectal manometry
│ Defecography, Proctography, Dynamic MRI
└ EMG

- 우선 colonoscopy (m/g) or "barium enema + sigmoidoscopy"를 시행하여 기질적인 질환을 R/O!
- 정상이면 (기질적인 원인이 없으면) 기능적 평가!
  ① colonic transit time (marker study, 대장통과시간 측정)
    (정상 : radiopaque markers 섭취 5일 뒤 단순복부촬영에서 markers의 80% 이상이 배설됨)
  ② colonic transit time 지연이 있으면 anorectal & pelvic floor의 기능적 검사 시행
    ⓐ balloon expulsion test (풍선배출검사) … anorectal dysfunction의 m/g screening test
      : 50 mL의 물/공기를 넣은 풍선을 배출하도록 시킴 → 배출 못하면 기능성출구폐쇄 시사
    ⓑ anorectal manometry (항문직장내압검사)
    ⓒ 위 검사가 이상이면 배변조영술(defecography) 시행 (rectoanal angle 측정 등)
    ⓓ 치골직장근(puborectalis muscle)의 이완 장애 (pelvic outlet obstruction의 m/c 원인) 확진을
      위해서는 dynamic study 필요 ; defecation proctography, dynamic MRI 등
    ⓔ 대변실금(incontinence)의 확인에는 신경학적 검사(e.g., EMG)가 도움

3. 합병증

Hemorrhoids	Fecal impaction
Anal fissures	Colonic obstruction
Rectal prolapse	Urinary tract obstruction
Cecal perforation	Stercoral ulceration
Volvulus	Fecal incontinence
Ischemic colitis	Decubitus ulcers
Laxative use	Urinary tract infection
Cathartic colon	
Melanosis coli	

4. 내과적 치료

(1) 일반적 치료방법

- 만성 변비의 대부분(>90%)은 기저질환/기질적원인이 없고, 일반적인 처치로 호전됨
- 다른 치료에 앞서 대개 1개월 정도 일반적인 처치를 실시
- 배변습관과 생활양식의 변화
- 고섬유질(>30 g/day) 식이와 수분 섭취
  (고섬유질 식이의 금기 ; GI obstruction, megacolon or megarectum)

(2) 약물요법

: <u>bulk or osmotic laxatives</u>가 부작용이 적고 장기간 사용 가능!

① **부피형성하제(bulk laxatives)** … 가장 먼저 사용
  - bran powder, psyllium fiber, methylcellulose, calcium polycarbophil
  - 충분한 양의 물과 함께 복용하여야 하고, 장기간 사용해야
  - 일시적인 변비를 빠르게 해소하는 데는 부적합
  - bowel obstruction or impaction에서는 금기

② **삼투성하제(osmotic laxatives)**
  - lactulose ; 투여 2~3일 후에 효과
  - magnesium ; 투여 6시간 이내에 배설
  - 기타 ; sorbitol, sodium phosphate, PEG (polyethylene glycol) solution (대장세척액)

③ **자극성하제(stimulant laxatives)**
  - anthraquinone 제제 (senna, 알로에 등)
    - 복용 후 6~8시간 내에 배변 유도
    - Cx ; 알레르기반응, 전해질손실, 대장무력증, 대장흑색소증(melanosis coli : <u>lipofuscin</u> 침착)
    - 알로에는 선천성 기형과도 관련 있음
    - 일시적 변비 환자에서 한두번 사용하는 것이 적당
  - 기타 ; diphenylmethane 유도체(<u>bisacodyl</u> [Dulcolax®], phenolphthalein), 피마자유(caster oil),
    표면활성제, ricinoleic acid   ↳ 장기간 사용시 대장무력증 발생

④ **윤활성하제**
  - 종류 ; 광유(mineral oil), docusate sodium (대변연화제)
  - 부작용 ; 지용성 비타민 흡수장애, 흡인성 폐렴, pruritus ani

⑤ **장운동항진제(prokinetic agents)**
  - domperidone, metoclopramide, bethanechol 등
  - 하제 용량을 감소시키는 효과, 단독으로는 별 효과 없다!

⑥ serotonin (5-HT$_4$) agonist ; <u>prucalopride</u> [Resolor®], ATI-7505 (cisapride와 비슷), velusetrag
   (TD-5108) (c.f., cisapride와 tegaserod는 치명적인 심혈관계 부작용으로 퇴출되었음)
   → 다양한 아형의 만성 변비에 효과적, complete spontaneous bowel movements (CSBM)↑

⑦ Cl channel (ClC)-2 activator (<u>lubiprostone</u> [Amitiza®]) : 분비성하제, PGE$_1$ 유도체
   → 대변을 무르게 하고 장운동 증가시킴, 만성 변비와 변비형 IBS에 효과적, 복통 완화에도 도움

⑧ guanylate cyclase-C (GC-C) agonist (<u>linaclotide</u> [Linzess®], plecanatide) : 분비성하제
   → 상행결장 통과 시간을 감소시킴, 여러 증상도 개선, 만성 변비와 변비형 IBS에 효과적

(3) Biofeedback therapy (pelvic floor rehabilitation)
- 전기 혹은 기계적 장치를 이용하여 배변에 관여하는 근육들을 훈련시킴
- Ix ; 출구폐쇄형 변비 (기능성출구폐쇄, 협동장애 배변), 신경인성 대변실금(incontinence)
- 만성 normal (단순) or slow transit time (서행성) 변비 환자에도 효과적임

(4) 관장(enema)
- 직장을 팽창시켜 대변을 보게 하는 작용, 배변기능 연습에 도움을 줄 수
- 첨가물이 없는 단순한 물을 한번에 500 cc 정도 사용하면 안전

5. 외과적 치료

(1) 천수 신경 자극(sacral nerve stimulation, SNS)
- 일반적인 치료에 불응인 난치성 변비 환자에서 시도해 볼 수
- 직장 감각능 저하를 동반한 변비와 서행성 변비에서 치료 효과가 비교적 좋음

(2) 대장 절제술
- 증상이 매우 심한 난치성 서행성 변비 환자에서 선별적으로 시도
- 수술 후 환자의 만족도는 비교적 좋은 편

■ 기능성 변비의 치료

(1) 대장 통과시간 지연 변비/서행성 변비(slow-transit constipation, colonic inertia)
- 약물치료 : bulk laxatives를 처음 시도하고, 2차적으로 다른 약물들을 시도
- 식후 대장운동이 거의 없기 때문에 식이섬유나 설사제 투여에 반응이 없는 경우가 많음
- 대장절제술(laparoscopic colectomy with ileorectostomy)
  - 3~6개월의 내과적 치료에도 반응이 없고 증상이 심한 난치성 서행성 변비에서 고려
  - 서행성 + 출구폐쇄형 혼합형 변비에서도 마찬가지

(2) 기능성 출구 폐쇄 (골반저 기능부전/협동장애)
- biofeedback이 m/g 치료법 (70~80% 효과적)
- 배변시 골반저 횡문근을 이완하게 훈련하고, 소량의 대변에 의한 직장 팽창을 인식할 수 있게 하며 복압을 효과적으로 상승할 수 있도록 환자를 교육
- 수술이나 botulinum toxin 주사 치료는 치료 효과가 떨어져 거의 사용 안함

3 위장관 출혈

정의/증상

1. 토혈(Hematemesis)

- 구토시 gross blood가 관찰되는 상태
- Treitz ligament (duodenojejunal junction) 상부 (upper GI)의 출혈을 의미
- hematemesis가 있으면 보통 melena도 나타남
  - but, melena가 있는 환자의 1/2 미만에서만 hematemesis를 동반
  - 일반적으로 두 증상이 같이 존재하면 예후가 더 불량함

2. 흑색변(Melena)

- 변성된 혈액에 의해 특징적인 냄새를 지닌 tarry ("sticky") black stool
- 보통 100~200 mL 이상 (최소한 50 mL)의 출혈과 장내에서 8시간 이상 머물러야 발생
- 약 90%가 Treitz ligament 상부 (upper GI)의 출혈이 원인
- GI transit time이 지연되면 lower GI bleeding도 melena를 일으킬 수 있음 (e.g., 노인)
- 출혈이 멈춰도 흑색변은 7일 동안 지속 가능
- 대변색이 정상화되어도 7일 까지는 occult blood (+)일 수 있음

  * GI bleeding 없이 흑색변을 보이는 경우 ; bismuth, iron, charcoal, 감초, black cherry, 들쭉나무
    열매(bilberry), 다량의 적포도주, 다량의 담즙 ...

3. 혈변(Hematochezia)

- 항문을 통해 red blood가 나오는 것
- 약 90%가 Treitz ligament 하부 (lower GI)의 출혈이 원인
- Treitz ligament 상부 (upper GI)라도 대량의 급격한 출혈의 경우는 hematochezia를 일으킬 수 있음
  (hematochezia의 약 10%)

  * upper GI bleeding이 melena를 일으키려면 50~100 mL 정도의 출혈로도 가능하나, hematochezia
    를 일으키려면 적어도 1000 mL 이상의 급성 출혈이 있어야 함

* active UGI bleeding의 단서
  ① hematemesis시 붉은 색의 fresh blood 발견
  ② 장운동항진(hyperperistalsis) : 소장의 지속적인 자극 때문
  ③ BUN↑ : volume depletion 및 소장에서 혈액 단백질의 흡수 때문

원인

1. 상부위장관 출혈(upper GIB)

(1) PUD (m/c, ~50%) ; 위/십이지장 궤양 (재출혈률 10~20%, 사망률 5~10%)

(2) esophageal varix (6~39%)

(3) hemorrhagic or erosive gastropathy/gastritis (2~18%) ; NSAIDs, alcohol, stress 등
  - 심각한 출혈은 드물고 대부분 경미한 출혈
  - stress-related gastric mucosal injury는 크게 감소 (∵ 중환자 치료의 발전)

(4) Mallory-Weiss syndrome (2~10%)

(5) gastric carcinoma

(6) 기타 ; angiodysplasia, esophagitis, erosive duodenitis, neoplasms, diverticula, aortoenteric
  fistulas, vascular lesions, Dieulafoy's lesion, prolapse gastropathy, hemobilia ...

c.f.) 소화성궤양 출혈의 사망률이 현저히 감소되지 않는 이유
  ① 환자의 고령화
  ② 동반질환(e.g., HTN, DM, 심혈관계질환, 악성종양) 증가
  ③ 항혈소판제(e.g., aspirin, clopidogrel), NSAIDs, steroid 등의 약물 복용 증가
  ④ *H. pylori* negative PUD의 증가

2. 하부위장관 출혈(lower GIB)

(1) anorectal dz. [hemorrhoid (m/c), fissure, fistula] : 간헐적인 소량의 출혈

(2) diverticulosis : 보통 급성으로 다량의 출혈, 70~80%는 저절로 멈춤
  (경미한 출혈의 hemorrhoid를 제외하고 diverticulosis를 lower GIB의 m/c 원인으로 많이 봄)

(3) vascular ectasia (angiodysplasia) : 퇴행성 변화, 대개 다발성

(4) neoplasms : 소량 출혈 or occult blood (+)

(5) inflammatory bowel dz.

(6) infectious colitis : *C. jejuni, Salmonella, Shigella*, EIEC, *C. difficile* ...

(7) ischemic or radiation-induced colitis

(8) 기타 ; post-polypectomy bleeding, rectal ulcer, NSAIDs, trauma, varices, lymphoid nodular
  hyperplasia, vasculitis, aortocolic fistulas, intussusception ...

평가 및 치료

1. 혈역학적 상태

- vital signs (HR, BP, postural change)이 실혈 정도 예측에 가장 중요!
- 건강한 성인에서 500 mL 미만의 출혈은 보통 무증상
- orthostatic hypotension (기립시 systolic BP 10 mmHg 이상 감소 or HR 20 이상 증가)
  → total blood volume의 20% 이상 (약 1 L)의 소실을 의미
- shock (현저한 tachycardia, hypotension, peripheral vasoconstriction 등)
  → total blood volume의 40% (약 2 L)의 소실
- but, β-blocker나 CCB 등을 사용 중인 경우에는 이러한 clinical sign이 안 나타날 수도 있다

2. 검사

- blood typing & cross-matching
- hemoglobin & hematocrit (24~72시간이 지나야 감소)
  - acute blood loss의 정도를 잘 반영하지 못한다
  - 심한 blood loss에도 불구하고 처음에는 정상일 수 있음
    (∵ extravascular fluid의 equilibration과 hemodilution에 8시간 이상 소요)
- mild leukocytosis & thrombocytosis (실혈에 대한 반응) : 출혈 6시간 후 나타남
- BUN↑ (∵ UGI bleeding시 장내세균에 의한 blood 분해, GFR 약간 감소 때문)
- PT, PTT 등의 coagulation study (→ clotting defects를 R/O)

* 분변(대변)잠혈검사 (fecal occult blood test, FOBT)
  (1) 생화학적 검출법 (전통적) : guaiac 법 (대변 내의 peroxidase 측정) 등
    - 대개 10 mL/day 이상의 출혈이 있어야 (+)
    - sensitivity 낮고 (30~50%) 위양성/위음성이 많음, 간편하고 저렴
    ┌ false (+) ; 철분제제, 생고기, 생선, 다량의 조리된 육류, 생야채, bismuth, sucralfate,
    │   cimetidine, 한약(감초), 하제, 동, 변기살균제 ...
    └ false (−) ; vitamin C, 3일 이상의 변비, 오래되거나 건조된 stool, 칼슘 ...
  (2) 면역화학법 (Hb-specific Ab 이용) : fecal immunochemical test (FIT) for Hb
    - ELISA, hemagglutination, latex 응집법 등 → 정량 검사 가능
    - sensitivity 높고 (70~90%) 위양성/위음성 거의 없음, 식이제한으로부터 자유로움

3. 응급 치료

(1) intravascular volume 회복 … 가장 먼저!
  - IV route 확보 : large-bore (14 or 16 gauge) cannula
  - **normal saline** or colloid
  - potassium은 섞지 않는 것이 좋고, vitamin은 절대 혼합하지 않는다

(2) transfusion

- 심한 출혈이 지속되어 colloid replacement 만으로는 적절한 circulatory volume과 tissue oxygenation을 유지하기 어려울 때
- 제한적인 적응(Hb <7 g/dL시 적혈구 수혈, 목표 Hb 7~9 g/dL)이 사망률과 재출혈을 더 낮춤
  - 심한 출혈에 의한 저혈압이나 심혈관질환 동반시에는 목표 Hb 9~10 g/dL이 권장됨
  - platelet count >50,000/μL 및 INR <2 유지하기 위해 platelet and/or FFP도 수혈
- 응급으로 교차시험을 할 여유가 없을 때에는 universal donor인 Rh(-) O형 혈액을 수혈

4. 비위관(nasogastric [NG] tube) 삽입

(1) gastric aspiration

- stomach을 비우고, 출혈이 Treitz ligament 상부에서인지 보기 위해
- but, UGI bleeding 이라도 혈액이 나오지 않을 수 있음 (~18%에서) → 대개 십이지장 출혈!

(2) gastric lavage

- gastric aspirate (+)일 때, stomach을 saline으로 irrigation
- 목적 ; 출혈 양(속도) 파악, 내시경검사시 시야를 깨끗하게 하기 위해
  (iced saline은 효과 없다! 오히려 local hemostatic mechanism의 장애와 hypothermia 유발 위험)

5. 상부위장관 출혈의 진단

(1) 내시경(esophagogastroduodenoscopy: EGD)

- 85%에서는 출혈이 자연히 멈추지만, 그것을 예측할 수는 없으므로 모든 upper GI bleeding 환자에서 가능한 빨리 시행 (vital signs이 안정된 후 시행하는 것이 바람직)
- 병소의 직접 관찰, 원인 질환 확진, 지혈 치료 가능
- 안전하며, 수혈·수술의 필요성을 감소시키며 사망률도 낮출 수 있다

(2) angiography

- 출혈이 계속되어 내시경검사가 어려울 때 시행
- 적어도 출혈 양이 0.5 mL/min 이상 되어야 발견 가능
- therapeutic angiography : vasopressin infusion, embolization (gelfoam)

(3) upper GI barium radiography

- 내시경검사를 할 수 있으면 시행할 필요 없다
- endoscopy나 angiography시 방해가 될 수 있으므로, 시행하려면 적어도 출혈이 멈춘 지 48시간 이후에 시행해야 됨

■ Upper GI bleeding의 치료 ★

- 심각한 출혈, 고위험 내시경소견(e.g., varices, ulcers with active bleeding or visible vessel)
  ⇨ 내시경 지혈술(e.g., laser/전기응고, epi. 국소주입, ligation 등) 필요! & 3일 이상 입원
- 저위험 내시경소견(e.g., 깨끗한 ulcers, nonbleeding MW tear, erosive/hemorrhagic gastropathy)
  + vital sign & Hb 안정 ⇨ 내시경 지혈술 불필요, 퇴원 가능

- PPI (e.g., omeprazole, pantoprazole, esomeprazole) IV (3일 high-dose continuous infusion)
  - 위산(→ 혈액응고 과정 방해, 응집된 혈소판과 섬유소를 용해) 분비를 억제하여 위내 pH를
    6 이상 유지시키면 clot stability가 향상됨 ⇨ 가능하면 일찍, 내시경 대기하면서 투여 시작
  - 내시경 전 PPI 사용은 병변의 severity를 낮추고 내시경 지혈술의 필요성을 감소시킴
    (but, 내시경 전 PPI 사용이 재출혈률, 수술률, 사망률 등을 감소시키는 것은 아님)
  - 고위험 내시경 소견(병변)의 환자에서는, 성공적인 내시경 지혈술 이후 고용량 PPI IV 사용이
    재출혈 및 사망률을 감소시킴 (저위험 병변 환자는 oral PPI도 가능)
- erythromycin IV (장운동항진제) : 내시경 시야를 좋게 함 (but, 재출혈률이나 사망률 감소×)
- octreotide (somatostatin analogue) : 식도정맥류 출혈의 지혈에는 매우 효과적이지만,
  소화성궤양 출혈에는 별 도움 안됨
- H. pylori 제균치료 → 출혈성 궤양의 재출혈률 감소
- asprin 및 NSAIDs는 반드시 중단 (but, 심혈관질환 2차 예방 등에 반드시 필요한 경우는 중단×)

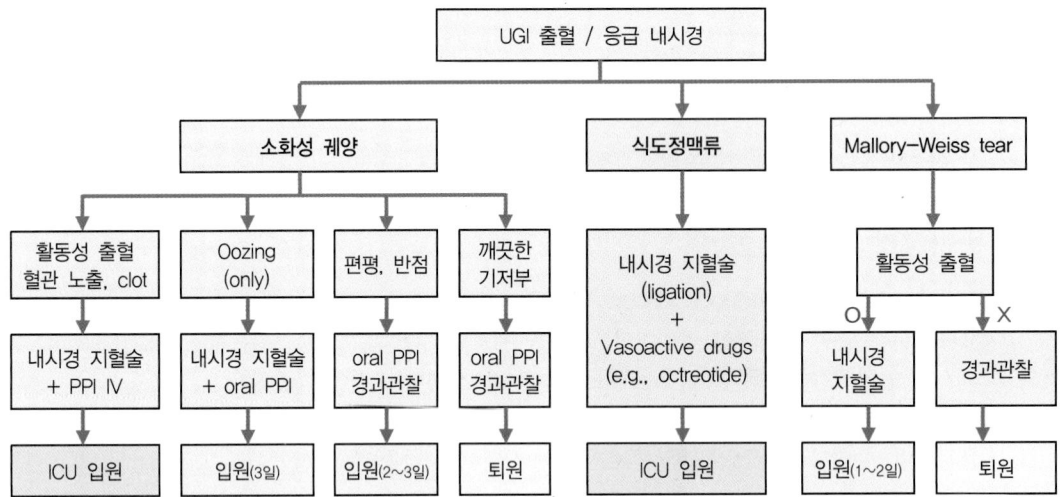

■ 소화성 궤양의 내시경 소견 : modified Forrest classification

내시경 소견			재출혈률	내시경 지혈술
Active bleeding	Ⅰa :	Spurting bleeding	90%	필요
	Ⅰb :	Oozing bleeding	30%	
Stigmata (sing) of recent bleeding	Ⅱa :	Visible vessel	40~50%	
	Ⅱb :	Adherent clot	20~35%	
	Ⅱc :	Pigmentation (spot) or hematin	5~10%	불필요
No sign of bleeding	Ⅲ :	Clean base	<5%	

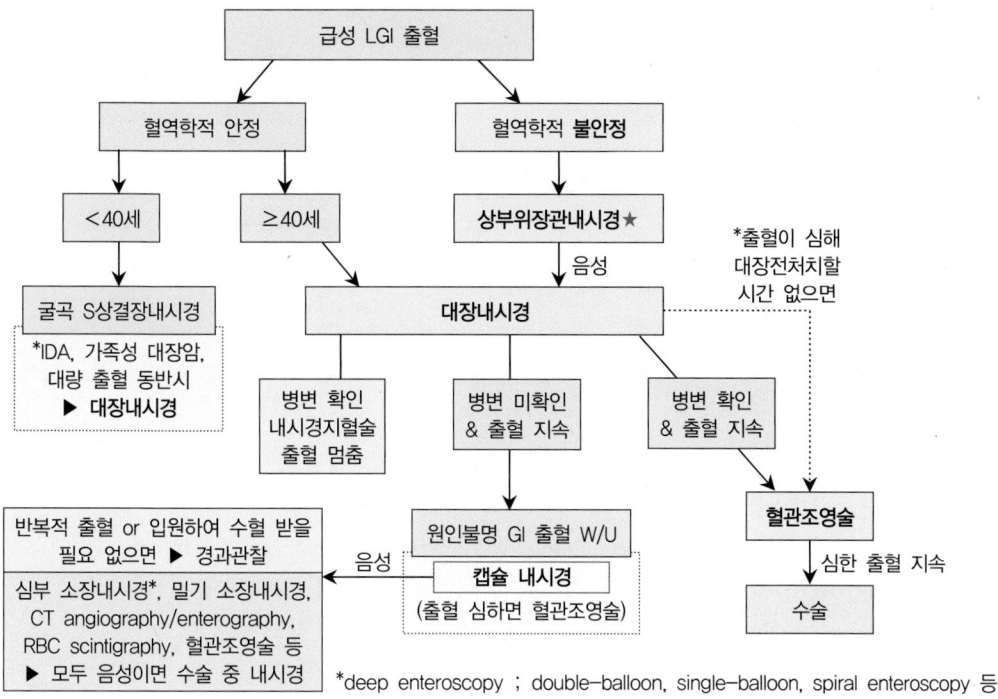

6. 하부위장관 출혈의 진단

(1) 직장수지검사(rectal examination), anoscopy & sigmoidoscopy
- 40세 미만의 minor bleeding (혈역학적으로 안정)시에 유용
- anorectal dz., IBD, infectious colitis 등을 R/O

(2) colonoscopy
- 40세 이상의 minor bleeding (혈역학적으로 안정)시에 유용
- severe/active bleeding으로 시행이 어려우면 angiography를 먼저 시행함
- 응급으로 시행할 수도 있지만, 전처치(rapid high-volume colonic lavage)를 해야 시야 깨끗해짐

(3) esophagogastroduodenoscopy (EGD)
- 혈역학적으로 불안정한 경우 upper GI bleeding을 R/O하기 위해 우선 시행!
- 혈변이 주증상일 때 upper GI bleeding을 시사하는 소견
  ① 혈역학적으로 불안정
  ② Hb 감소
  ③ 장음 증가 (hyperactive bowel sound)
  ④ BUN 증가 (∵ 체액량 감소 및 소장에서 혈액의 흡수 때문)

(4) angiography

- active/severe bleeding 시에 유용 (1~6시간마다 1 unit의 수혈 필요시 시행)
- 0.5 mL/min 이상의 출혈만 발견 가능
- intraarterial vasopressin or embolization으로 치료도 가능한 것이 장점
- ^{99m}Tc-RBC scan 등의 다른 검사를 먼저 시행하고 양성인 경우에도 시행 가능
- 출혈이 멈춘 뒤라도 vascular anomalies or tumor vessel 등의 발견에 쓰일 수 있음

(5) radionuclide scans (e.g., ^{99m}Tc-RBC scan)

- 소량의 lower GI bleeding의 진단 및 위치추정에 유용
  (12시간 내에 1 unit 이하의 수혈이 필요한 경우에 시행)
- 0.1 mL/min 이상의 출혈을 발견 가능, 주사 후 수시간 내에 출혈시 검출 가능

7. 원인 불명 위장관 출혈(obscure GI bleeding)

- 정의 : 통상적인 내시경(EGD, colonoscopy)에서 원인이 밝혀지지 않은 GI bleeding
  - obscure-overt form GI bleeding : 토혈, 흑색변, 혈변 등의 증상 존재시
  - obscure-occult form GI bleeding : fecal OB(+) or 지속적 IDA
- 전체 GI bleeding 환자의 약 5%, 대부분 소장이 원인
- 원인 ; 혈관이형성, 궤양, 종양, CD, celiac sprue, 게실, 정맥류, 림프혈관종, 방사선장염 ...
- 진단
  ① 영상 or 핵의학 검사(radionuclide scans) ; 현성 출혈일 때만 진단 가능
    - 최근에는 MDCT angiography, CT/MR enterography가 흔히 이용됨
    - massive obscure bleeding의 경우는 angiography가 initial choice!
    - Meckcl 게실 진단에는 ^{99m}Tc-pertechnetate scintigraphy가 유용 (특히 젊은 환자에서)
  ② 캡슐 내시경(capsule endoscopy) ; 소장 출혈 진단의 choice! (진단율 60~80%)
    - 장점 ; 소장질환의 진단율 높음, 환자의 불편함/통증 無
    - 단점 ; 병변의 위치 추정 불가능, 소장내 공기/이물에 의한 해상도 저하 가능, 조직검사 및
      치료 불가능, 소장 폐쇄 동반시 사용 불가능, 일회용, 고가
  ③ 가압성/밀기 소장내시경(push enteroscopy) ; jejunum 중간까지만 검사 가능 (Treitz 인대 후방
      15~160 cm 정도까지), 통증이 심함, 진단율은 capsule endoscopy보다 떨어짐(30~40%)
  ④ 이중풍선 소장내시경(double-balloon enteroscopy) ; 경구 or 경항문
    - 두개의 라텍스 풍선에 공기 압력을 가함에 따라 소장을 지지하면서 아코디언처럼 소장을 단축
      시키면서 내시경검사를 시행하는 것 (검사시간이 길어 일반적으로 두 번에 나누어 시행)
    - 장점 ; 전체 소장의 자세한 관찰 가능, 병변의 조직검사 및 내시경적 치료 가능
      (capsule endoscopy과 진단율 비슷함)
    - 단점 ; 검사시간 긺, 검사과정 복잡, 검사자의 숙련도 필요, 침습적(환자의 불편함/통증↑)
  ⑤ 위의 검사들로도 원인이 발견 안 되면 intraop. endoscopy 고려

상부위장관 출혈의 경과/예후

1. 급성 상부위장관 출혈

┌─ 저절로 멈춤 (80%) ─────→ 生
└─ 계속 출혈 or 재발 (20%) ╱→ 死 (8~10%)

2. 상부위장관 출혈의 내시경 치료 결과

- 재출혈률, 수술률, 사망률 등을 감소시킴
- 내시경 치료의 실패 요인 ; PUD의 과거력, 궤양 출혈의 과거력, shock, 활동성 출혈,
  궤양 직경 >1~3 cm, 혈관 >2 mm, 위소만 상부 or 십이지장구부 상부/후부에 위치한 궤양 등
- 내시경 지혈술 24시간 이내의 2차 내시경(2nd-look endoscopy) : 최근에는 권장 안됨
  (임상적으로 재출혈 징후가 있거나, 초기 치료 효과가 불확실한 경우에만 고려)

3. 예후가 나쁜 경우 (사망률↑) ★

(1) 원인 질환별 사망률

┌─ esophageal varix   30%
│   gastric carcinoma   14%
│   gastric ulcer   6%
│   gastric erosin   7%
└─ Mallory-Weiss syndrome   2%

(2) 고령
(3) 나쁜 내시경 소견 ; Forrest classification, Rockall scoring system 참고!
(4) 출혈량↑ ; 맥박↑, 혈압↓, Hb↓, 수혈량↑, 토혈, NG lavage에서 fresh blood
    (c.f., 흑색변만 있는 경우는 토혈에 비해 예후 좋음)
(5) 동반질환 ; 심장(e.g., 심부전, 허혈성심장질환), 폐(e.g., COPD), 간 (e.g., LC),
    신장(e.g., 신부전: creatinine↑), disseminated carcinoma, coagulopathy ...

4. Clinical scoring system

(1) Rockall scoring system for UGI bleeding

Score		0	1	2	3
초기 점수	연령	<60세	60~79	>80세	
	심박수 및 수축기혈압	<100회/분 ≥100 mmHg	≥100회/분 ≥100 mmHg	<100 mmHg	
	동반질환	없음		허혈성심질환, 심부전, 다른 모든 주요질환	신부전, 간부전, 악성종양(전이성)
추가 점수 (내시경)	SRH (stigmata of recent hemorrhage)	없음 or dark spot		**활동성 출혈, 혈관 노출, 혈괴 부착**	
	진단	MW tear, 병변 없음	나머지 모두 (e.g., PUD, varix)	UGI 악성종양	

- 내시경 시행 전 … 초기 평가 점수 (최대 7점) : low risk ≤2점, high risk >3점
- 내시경 시행 후 … 완전 평가 점수 (최대 11점) : good Px ≤3점, poor Px ≥8점

(2) Glasgow-Blatchford score

Score	BUN (mmol/L)	Hb (g/dL),男	Hb (g/dL),女	SBP (mmHg)	기타
0	<6.5	>13	>12	≥110	PR <100
1		12~13	10~12	100~109	PR ≥100, melena
2	6.5~7.9			90~99	syncope, 간질환, 심부전
3	8.0~9.9	10~11.9		<90	
4	10.0~24.9				
6	≥25.0	<10	<10		

- 경과관찰 & 퇴원 가능한 low risk 환자를 선별하는 것이 주목적 (총점수 0)

(3) AIMS65 scoring system

Risk factor	Risk factor 수	사망률
1. Albumin <3.0 g/dL	0	0.3%
2. INR >1.5	1	1%
3. Mental status 변화 : Glasgow coma score <14	2	3%
	3	9%
4. Systolic BP ≤90 mmHg	4	15%
5. 65세 이상	5	25%

- upper GIB 환자에서 입원 중 사망률 예측에 유용

4 식도 질환

1. 꿈틀운동/연동(peristalsis)

(1) primary peristalsis : swallowing 후 순차적으로 일어나는 연동운동

(2) secondary peristalsis : 식도중간에 음식물이 걸렸을 때 (local distention) 발생

→ 역류된 위 내용물을 내려 보내는데 중요

(3) tertiary peristalsis : nonspecific, irregular

2. UES (upper esophageal sphincter, 상부식도괄약근/조임근)

┌ constrictor m. : cricopharyngeus m.과 inf. pharyngeal constrictor m.로 구성
└ dilator m. : geniohyoid m.을 포함한 여러 개의 suprahyoid m.로 구성

- constrictor m.은 10번 뇌신경이, dilator m.은 12, 5, 7번 뇌신경이 innervation
  (c.f., 구강근육은 5, 7번 뇌신경, 혀근육은 12번 뇌신경, 인두근육은 9, 10번 뇌신경)
- 구강, 인두, UES, cervical esophagus의 근육은 가로무늬근/횡문근(striated m.)임
- 평상시엔 닫혀 있다 (∵ wall의 elastic properties, neurogenic tonic contraction)

3. LES (lower esophageal sphincter, 하부식도괄약근/조임근)

- thoracic esophagus와 LES는 민무늬근/평활근(smooth m.)임
- physiologic sphincter (해부학적인 구조 없음)
- 10번 뇌신경의 parasympathetic excitatory & inhibitory pathways에 의해 innervation

┌ excitatory nerves의 신경전달물질 ; acetylcholine, substance P
└ inhibitory nerves의 신경전달물질 ; VIP, NO (nitric oxide)

- 평상시엔 닫혀있음 (∵ intrinsic myogenic tone)
- diaphragmatic crura muscle : external LES로 작용
- resting LES pr. : 10~20 mmHg

* <u>interstitial cell of Cajal (ICC)</u> : mesenchymal cells (c-kit+)
  - 신경과 평활근 사이의 상호작용을 조절 (pacemaker 역할)
  - myenteric plexus에 가장 많이 분포하나, circular muscle layer의 deep muscle plexus에도 존재
  - LES에서 ICC가 감소되면 LEX relaxation 장애를 일으킴(→ achalasia)

LES pr. 증가 (LES 이완 억제)	LES pr. 감소 (LES 이완 촉진 → GERD 발생위험 증가) ★	

복강내 압력 증가
고단백식
Acetylcholine
Gastrin
Pancreatic polypeptide (PP)
α-adrenergic agonist
Muscarinic (M_2, M_3) agonist
Dopamine antagonist
$PGF_{2\alpha}$
Substance P
GABA-B agonist (e.g., baclofen)
	흡연(nicotine)
	알코올
	임신
	고지방식
	Esophagitis
	Scleroderma-like diseases
	만성 가성 장폐쇄증과 관련된
	    myopathy
	식도 손상 (e.g., Balloon
	    dilatation, Myotomy)
	Xanthine을 많이 함유한 음료
	    (e.g., coffee, tea, cola)
	Peppermint
		Glucagon, Secretin, CCK, VIP
		Calcitonin-gene-related
		    peptide (CGRP)
		PGE_1, PGE_2
		Anticholinergics
		Calcium channel blocker (CCB)
		β-adrenergic agonist, α-blocker
		Adenosine, Nitric oxide, Nitrates
		Aminophylline
		Opiate
		Dopamine, Benzodiazepine
		Phosphodiesterase-5 inhibitor
		    (e.g., <u>sildenafil</u>)

4. 식도성 통증

(1) 가슴쓰림/흉골하작열감(heartburn, pyrosis) ; reflux esophagitis의 주 증상
  - 악화 ; 앞으로 구부림, 긴장, 드러누움, 식후 ...
  - 완화 ; 서있음, 침이나 물을 삼킴, 제산제 ...

(2) 삼킴통증/연하통(odynophagia) ; nonreflux (fungal, viral, pill-induced) esophagitis, peptic ulcer (Barrett's ulcer), cancer, drugs, caustic damage, perforation 등이 원인
  - dysphagia와 같이 발생되는 경우가 흔함

(3) 흉통(chest pain) ; reflux esophagitis (m/c), esophageal motility d/o, spasm, peptic ulcer, cancer 등이 원인 (→ 반드시 CAD를 R/O 해야!)

5. 연하곤란(dysphagia)의 분류 ★

(1) **mechanical (structural) dysphagia** : 좁아진 내강, 큰 음식덩어리, 외부 압박 등에 의한 dysphagia
  - 크기가 큰 고형식 → 작은 고형식 → 유동식 순으로 연하곤란이 발생!
  - 원인
    ① wall defects ; Zenker's diverticulum, esophageal diverticulum, tracheoesophageal fistula
    ② intrinsic narrowing
      - 염증성 식도염 ; virus (HSV, VZV, CMV), 세균, 진균, 부식 식도염, 호산구성 식도염
      - webs & rings ; Plummer-Vinson syndrome, Schatzki ring (하부식도 mucosal ring)
      - 양성 협착 ; peptic stricture, 부식, 약제, 염증(CD, candida), 허혈, 수술, 방사선 ...
      - 종양 ; 식도암, 분문부 위암(gastric cardia cancer)
    ③ extrinsic compression ; 혈관 압박, 후종격동 종괴, postvagotomy 혈종 & 섬유화

(2) **motor (propulsive) dysphagia** : peristalsis 또는 deglutitive inhibition의 장애로 인한 dysphagia
  - 처음부터 고형식과 유동식 모두 연하곤란이 나타나는 경우가 많음
  - 원인
    ① 평활근 or 자극성신경의 장애 ; scleroderma, myopathy, metabolic neuromyopathy (e.g., amyloid), drugs, hypertensive peristalsis (nutcracker esophagus) ...

② 억제성신경의 장애 ; diffuse esophageal spasm, achalasia (primary & 2ndary),
　　하부식도 contractile (muscular) ring ...

③ GERD with weak peristalsis

④ 횡문근 장애 (식도 상부 1/3) ; pharyngeal paralysis, globus pharyngeus ...

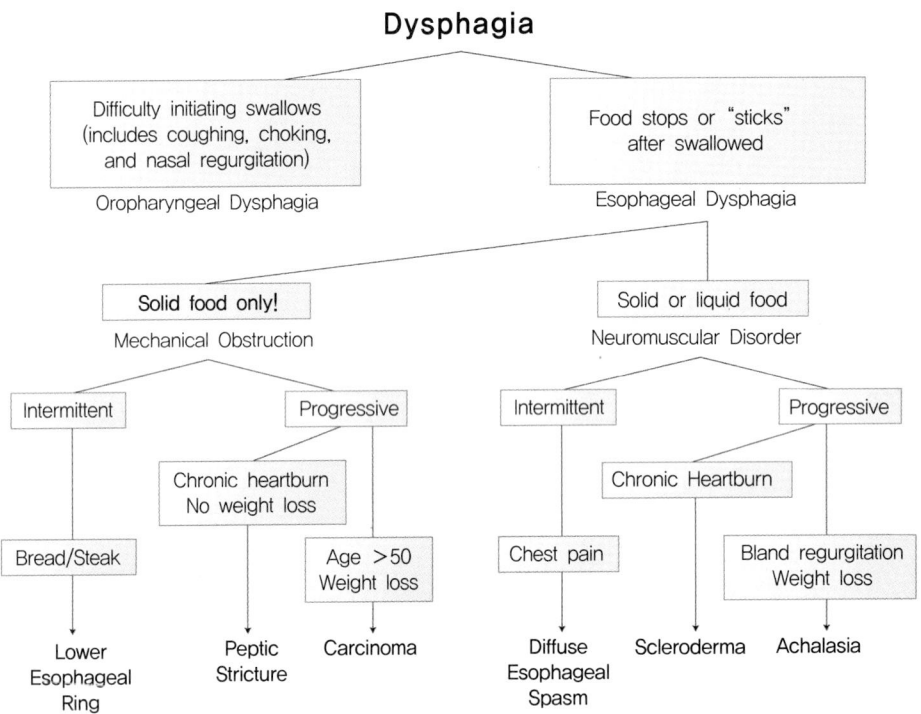

6. 진단적 검사

(1) 영상검사

　• videofluoroscopic swallow study (VFSS) : oral & pharyngeal dysphagia 진단에 유용!

　• esophagogram : barium swallow, double-contrast (점막병변 발견에 유용)

　　(c.f., peristalsis 검사는 누운 자세에서 시행함)

(2) 식도내시경(esophagoscopy) : barium study보다 점막병변 발견율 높고, 조직검사도 가능

(3) 식도내압검사(manometry, motility test)

　• 3~5 cm 간격으로 pressure sensors가 있는 catheter를 삽입하고 압력을 측정

　• achalasia, diffuse esophageal spasm, scleroderma 등의 식도 운동성질환 진단에 도움

　　(mechanical dysphagia 진단 시엔 도움 안 됨)

　• GERD에서는 LES의 압력을 측정하고 식도체부 운동능력의 상태를 파악하는데 도움

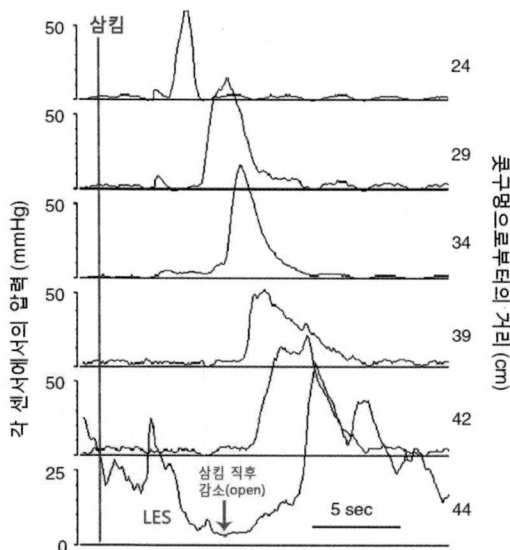

Normal Manometry

센서 사이의 간격이 멀어서(3~5 cm)
식도 모든 부분의 압력을 반영하지 못하는
것이 단점

* X축은 시간

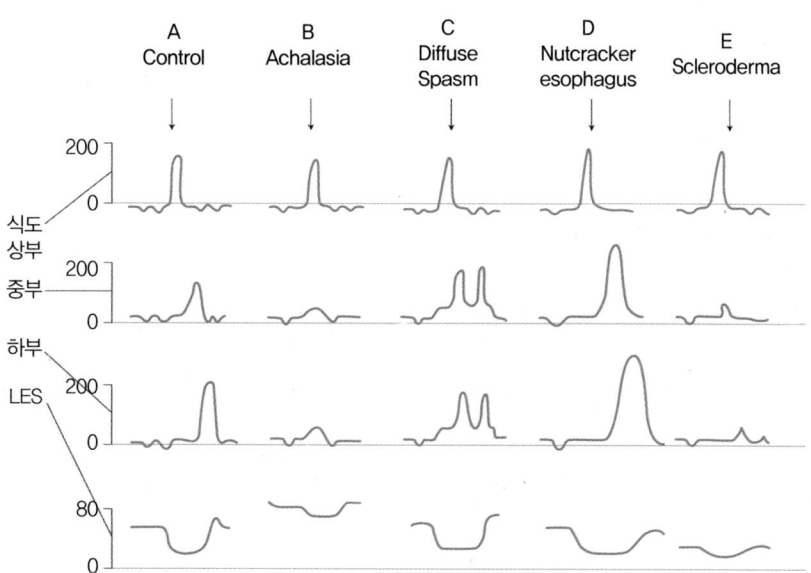

■ **대표적인 식도운동질환의 manometry 양상 : swallow (↓)**

- Achalasia : 식도 중하부의 amplitude 감소, simultaneous-onset contraction, LES의 불완전 이완(압력 증가)
- Diffuse esophageal spasm : 삼킴 뒤 baseline pr. 상승, 식도 중하부의 amplitude & duration 증가, repetitive simultaneous-onset contraction
- Nutcracker esophagus : 식도 중하부의 amplitude & duration 증가, 정상 peristalsis!
- Scleroderma : 식도 중하부의 amplitude 감소, LES 압력 감소

(4) <u>고해상도 식도내압검사</u>(high-resolution manometry [HRM], esophageal pressure topography)

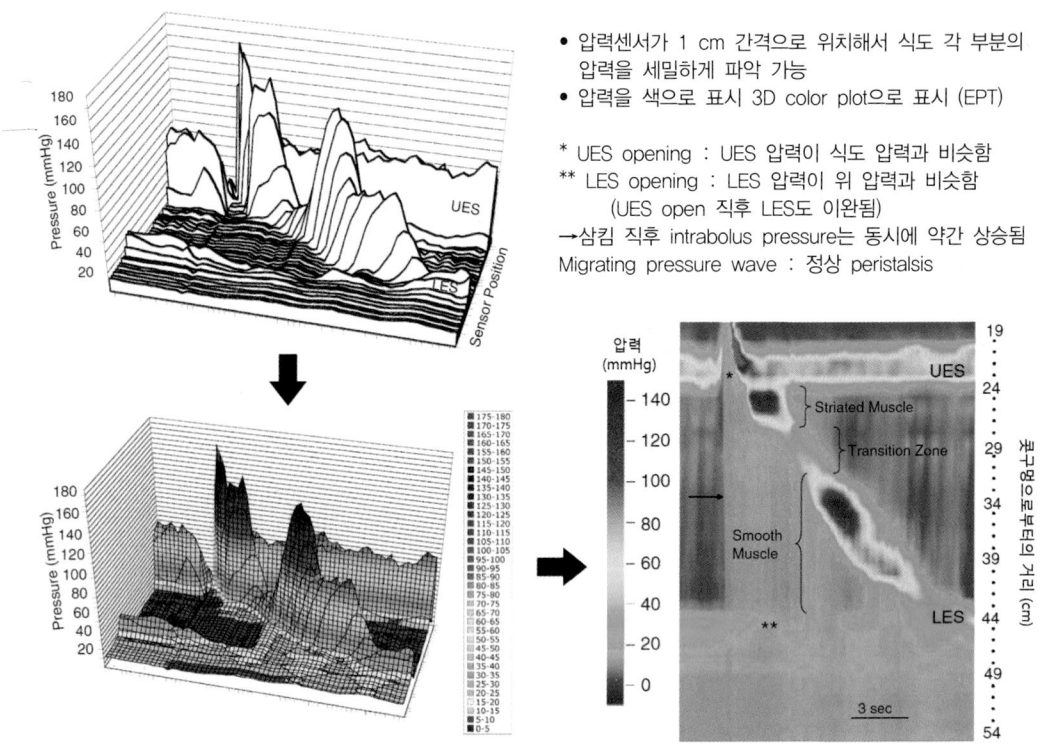

- 압력센서가 1 cm 간격으로 위치해서 식도 각 부분의 압력을 세밀하게 파악 가능
- 압력을 색으로 표시 3D color plot으로 표시 (EPT)

* UES opening : UES 압력이 식도 압력과 비슷함
** LES opening : LES 압력이 위 압력과 비슷함
 (UES open 직후 LES도 이완됨)
→삼킴 직후 intrabolus pressure는 동시에 약간 상승됨
Migrating pressure wave : 정상 peristalsis

- 누운 자세에서 5 mL의 물을 연속으로 10회 삼키고 기록
- Clouse plot : Chicago classification에 쓰이는 key landmarks 및 측정값

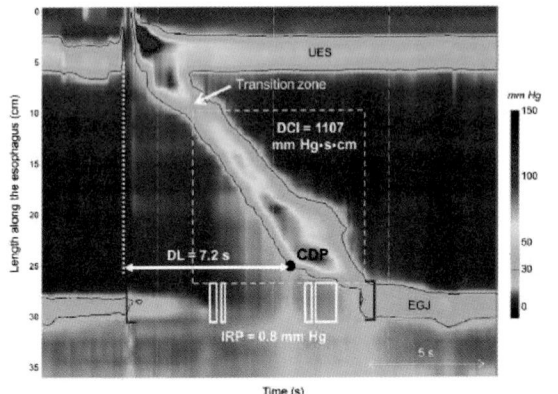

<u>IRP</u> (integrated relaxation pr, 통합 이완압력)
 : deglutitive LES 이완시 4초 동안의 (연속/불연속)
 평균 EGJ 압력(mmHg)
CDP (contractile deceleration point, 수축 감속점)
 : 30-mmHg 등압선(isobaric contour)이 원위부에서
 급격히 꺾이는 (전파속도가 감속되는) 지점
<u>DL</u> (distal latency, 원위부 지연시간)
 : 삼킴(UES 이완)부터 CDP까지의 간격(sec)
<u>DCI</u> (distal contractile integral, 원위부 수축 적분)
 : 원위부 연동파를 둘러싸는 space-time box 내의
 평균압력(mmHg) × 시간(sec) × 길이(cm)
Transition zone (이행대) : 식도 근위부와 원위부의
 수축 사이 이행대(fragmented peristalsis시 소실)

■ 식도운동질환의 Chicago classification (v3.0, 2015)

 * 단계적 평가

 (1) deglutitive LES relaxation 측정 : IRP (mmHg)

 (2) propagation 평가 : DL (sec)

 (3) contractile vigor 측정 : DCI (mmHg·cm·sec)

 (4) peristaltic integrity 평가 : pressure break (20-mmHg 등압선의 결손 부위) – transition 無

 (5) pressurization pattern 평가 : 30-mmHg 등압선의 모양으로

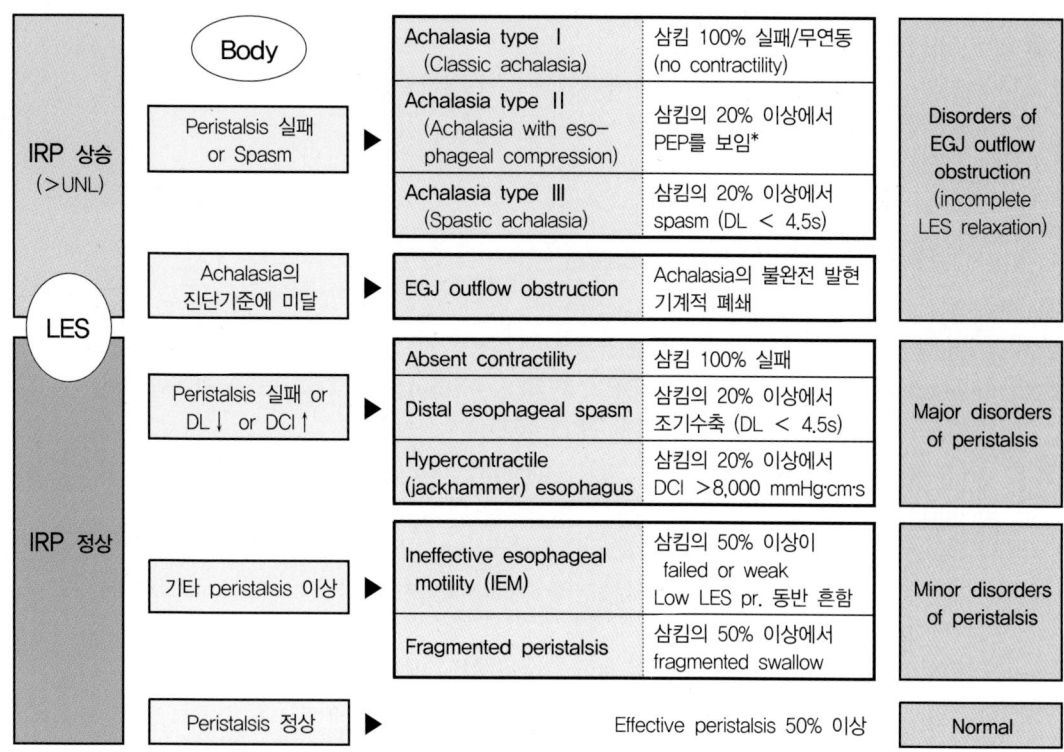

*PEP (panesophageal pressurization) : EUS~LES 사이의 압력이 모두 균일한 것

식도 운동성질환 (Motor disorders)

1. 가로무늬근/횡문근(striated muscle) 장애

(1) 인두마비 (pharyngeal paralysis)
- 원인 : CVA, poliomyelitis, post-polio syndrome, polyneuritis, myasthenia gravis, polymyositis, dermatomyositis, myopathies
- Sx : oropharyngeal dysphagia, nasal regurgitation, swallowing시 tracheobronchial aspiration (일부는 laryngeal muscle을 침범하여 hoarseness를 일으킬 수도 있음)
- Dx : Hx, videofluoroscopic swallow study (VFSS), manometry (인두와 식도상부의 압력↓)
- Tx : 원인질환 치료, 영양공급(NG tube, gastrostomy 등으로)

(2) cricopharyngeal bar (dysfunction)
- 연하시 cricopharyngeus의 이완 불능
- Sx : 음식물이 인두를 잘 통과하지 못함
- barium study에서는 인두 후벽에 뚜렷한 압박 소견이 보임
- 정상인에서도 Valsalva maneuver시 나타날 수 있음
- persistent cricopharyngeal bar는 fibrosis가 원인 (→ myotomy로 치료)

(3) 인두 이물감 (globus pharyngeus)

- 연하곤란은 없으나, 지속적으로 인두 부위에 무엇이 걸려있는 느낌
- barium study or manometry는 정상
- Tx : 심리적으로 안심시킴

2. 식도이완불능증(Achalasia)

(1) 병태생리

- esophageal body, LES smooth muscle 부분의 신경손상(denervation)
  - interstitial cell of Cajal (ICC) 감소 : n-NOS (neuronal NO synthase) 감소와 비례
    - ↳ LES 평활근 조직 면역염색에서 KIT (CD117)+ 감소
  - 주로 intramural inhibitory (VIP, NO) ganglionic neurons의 손상
    - ┌ Auerbach's plexus의 ganglion cells의 후천적인 변성/감소/소실
    - └ vagus nerve와 dorsal motor nucleus의 denervation
    - ⇨ LES가 swallowing시 relaxation 안됨, 정상 peristalsis가 비정상 contraction으로 바뀜
      - (→ 식도내 음식물 정체)
- 신경손상의 기전 ; 퇴행성, 자가면역(antineuronal Ab), 바이러스감염(e.g., HSV-1)
- classic achalasia가 vigorous achalasia보다 neural damage가 심하다

* secondary achalasia (pseudoachalasia)의 원인
  ; 위암의 식도 침범(m/c), lymphoma, Chagas' dz, viral infection, eosinophilic gastroenteritis, pseudo-obstruction, amyloidosis, neurofibromatosis, post-vagotomy, irradiation ...
  (SCLC는 antineuronal Ab [anti-Hu] 분비에 의한 paraneoplastic Sx.으로도 일으킬 수 있음)

(2) 임상양상

; 30~60대에 호발, 남=여
① 연하곤란(dysphagia)
- chronic (1년 이상 : cancer와 감별점), gradual, solid & liquid 모두
- 스트레스나 급히 먹을 때 악화됨
- Valsalva maneuver시 식도 내압의 증가로 음식물이 위로 넘어가는데 도움이 됨 (증상 호전)
② chest pain : angina와 같이 NG 설하 투여에 반응을 보일 수 있음
③ regurgitation (→ pulmonary aspiration), 트림 못함, 체중 감소 ...
④ CXR ; 위 내의 air bubble 無, 기립시 종격동(식도내)에 air-fluid level

* chronic achalasia (식도 확장이 매우 심한 경우) → esophageal ca. (SCC) 발생 위험 17배↑

(3) 진단

① 식도조영술(barium esophagography)
- severe esophageal dilatation (type I), type Ⅲ는 DES와 비슷한 모양
- 식도 하부 2/3에서 정상 peristalsis 소실
- 식도 끝부분이 "bird's beak" (새부리) 모양 : nonrelaxing LES

② 식도내압검사(manometry) … m/i
- basal LES pr. <u>정상 or ↑</u> (>45 mmHg)
- swallowing시 <u>LES relaxation의 소실/감소</u> (불완전 이완)
- swallowing시 <u>식도 체부의 normal peristalsis 상실</u> &
  비정상적인 simultaneous-onset (100%) contractions 발생
  ┌ classic achalasia : low amplitude
  └ vigorous achalasia : large amplitude (>40 mmHg) & long duration

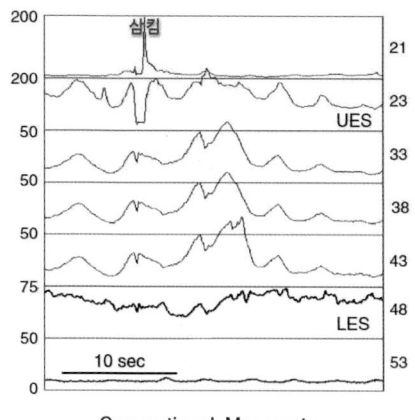

Conventional Manometry

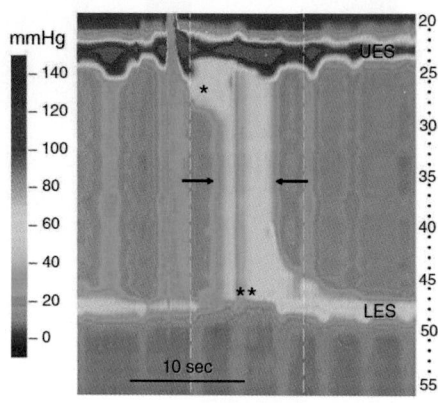

High-Resolution Manometry (HRM)

Incomplete LES relaxation (pressure ↑) ★
식도 체부에서 정상 연동운동 대신 simultaneous isobaric pressure waves가 관찰됨 (화살표)
횡문근에서는 정상 연동운동 발생(*), LES가 위쪽으로 약간 올라감 (**) → 식도 짧아짐

- HRM (esophageal pressure topography) : 식도 체부의 압력에 따라 3가지 subtypes으로 분류
  (a) type I (classic achalasia) : 체부 압력 낮음 (pressurization 無)
  (b) type II (achalasia with esophageal compression) : 체부 전체의 압력 높음(pressurization)
  (c) type III (spastic/vigorous achalasia) : 체부 압력이 급격히 상승하는 경련성 수축

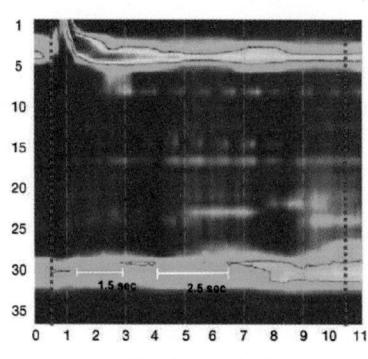

I. Classic achalasia

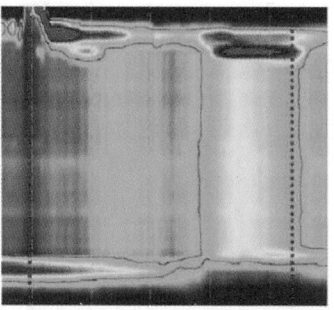

II. Achalasia with esophageal compression

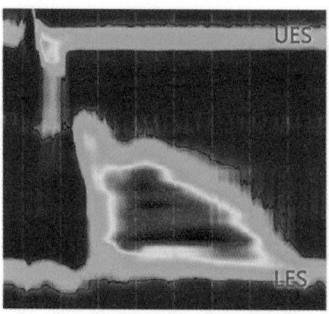

III. Spastic achalasia

모두 LES의 정상적인 이완이 없음 (압력이 계속 증가되어있음) ★
식도 내압이 위 내압보다 높음!

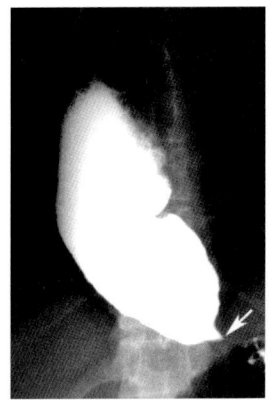
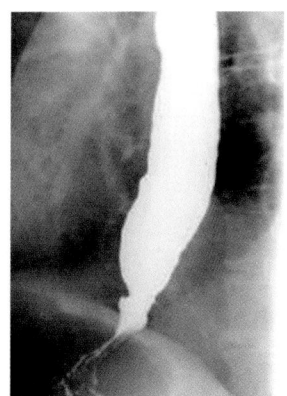
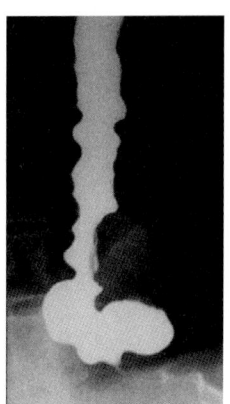

type I	type II	type III
심한 식도 확장	식도 확장이 없거나 경미함	DES와 같은 corkscrew 모양

Achalasia **식도조영술** (식도 끝이 <u>새부리</u> 모양)

③ 약물투여검사

- mecholyl 투여검사 (cholinergic muscarinic agonist) → basal esophageal pr.의 심한 증가
    → chest pain, 식도내 잔유물의 역류가 일어남
- <u>CCK (cholecystokinin)</u> 투여 검사 → LES의 <u>paradoxical contraction</u> (정상적으론 LES pr. ↓)

④ secondary achalasia (e.g., cancer) R/O ; <u>내시경</u>, CT, EUS 등

(4) 치료

① nitrate (sublingual NG, isosorbide dinitrate), CCB (nifedipine), sildenafil 등의 식전 투여
  : 일시적인 호전을 보이지만, 부작용 등으로 현실적으로는 사용에 제한적임

② botulinum toxin을 LES에 주입 (내시경을 이용) : <u>일시적</u> 호전 가능
  (but, 장기간 사용하면 fibrosis를 일으켜 수술을 어렵게 함)

③ <u>balloon (pneumatic) dilatation</u> : ~85%에서 효과적, secondary achalasia에도 효과적
  - peristalsis는 회복 안 됨, 25%는 반복 치료 필요
  - 부작용 ; perforation (0.5~5%), bleeding

④ <u>laparoscopic Heller myotomy (LHM)</u> : 80% 이상에서 효과적 (balloon dilatation과 비슷함!)
  - 위산 역류 방지를 위해 대개 partial fundoplication도 병행함
  - 부작용 ; GERD와 peptic stricture 유발↑

⑤ <u>내시경 식도근절개술</u>(per oral endoscopic/esophageal myotomy, POEM) : ③/④와 효과 비슷함
  - LHM 대비 장점 ; GEJ 및 횡격막 손상×, 회복이 빠름 (but, 고난이도의 내시경 기술 필요)
  - 부작용 ; perforation, bleeding, mucosal injury, GERD

⑥ 매우 심한 환자에서 모두 효과 없으면
  → 식도절제술(esophagectomy) 후 위를 끌어 올리거나 대장으로 대체하는 수술

* soft foods, sedatives, anticholinergics 등은 대개 효과 없다!

3. 미만성식도경련/광범위식도연축(Diffuse[or distal] esophageal spasm, DES)

(1) 병태생리

- inhibitory nerves의 dysfunction (→ nonperistaltic contractions)
  : nerve process에 국한된 patchy neural degeneration
    (c.f., achalasia : nerve cell body의 prominent degeneration)
- cholinergic or myogenic hyperactivity (→ hypertensive peristaltic contractions, hypertensive or hypercontracting LES)
- cholinergic agonist (e.g., methacholine, bethanechol, carbachol) or choline esterase
  (e.g., edrophonium) 투여시 식도경련(spasm) 발생
- * 최근 DES의 진단기준이 매우 엄격해졌기 때문에, DES는 achalasia보다 훨씬 드물며
  과거 spastic (type Ⅲ) achalasia가 DES로 잘못 진단된 경우가 많음

(2) 임상양상

① chest pain : 주로 휴식시에 발생하고, 식사나 스트레스에 의해서도 발생 가능
  → CAD (angina, AMI)와 감별해야 되며, NG에 의해서 완화됨
② dysphagia : solid & liquid
③ 정신과적 문제를 가지고 있는 경우가 많음(e.g., 불안장애, 우울증, 신체화장애)

(3) 진단

① barium esophagography : distal esophagus의 uncoordinated simultaneous contractions
  → 전형적인 "corkscrew", "rosary bead", "curling" 등의 모양을 나타냄
    - but, esophageal spasm에서는 정상으로 나오는 경우도 흔함
    - corkscrew esophagus 소견은 실제로는 spastic (type Ⅲ) achalasia인 경우가 많음

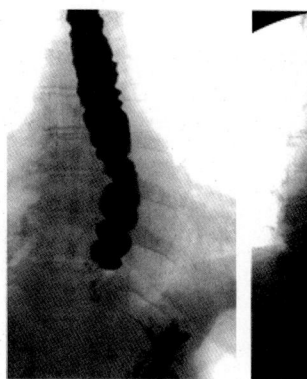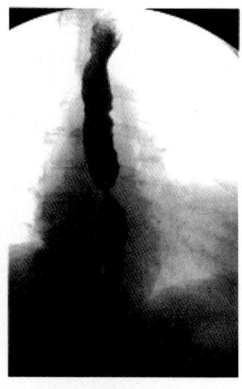

② conventional manometry : 식도 하부 2/3의 high-amplitude & repetitive nonperistaltic
  contraction (simultaneous onset) → wet swallow (WS)의 30~99%에서 발생해야 됨
  (c.f., dry swallow 때는 정상인에서도 동시 수축 현상이 흔하게 관찰됨)

③ HRM & esophageal pressure topography (EPT) … m/i
  - 진단기준 : 삼킴의 20% 이상에서 premature contraction = short (<4.5s) distal latency (DL)
  - DL이 DES를 가장 잘 반영하고, 증상(dysphagia, chest pain)과의 상관성이 좋음
    (rapid contraction만 있고 DL이 정상이면 DES 증상과의 상관성이 떨어짐)

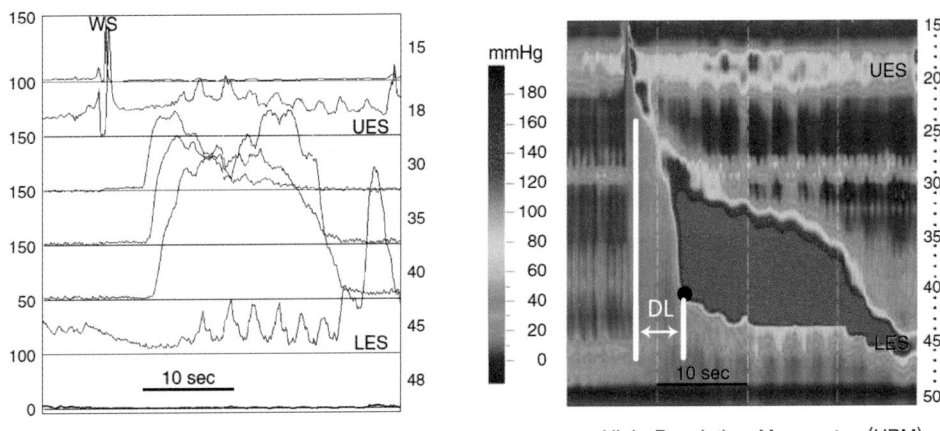

Conventional Manometry

High-Resolution Manometry (HRM)

Diffuse/Distal esophageal spasm (DES)

High-amplitude & long-duration pressure wave가 식도 하부로 매우 빨리 전파됨
▶ 식도 하부의 rapid (simultaneous) & premature contractions = short DL [distal latency] (<4.5초)
식도 상부는 정상 연동운동을 보이고, LES relaxation도 정상임

■ Jackhammer esophagus (hypercontractile esophagus, esophageal hypercontractility)
- 정의 : 삼킴의 20% 이상에서 distal contractile integral (DCI) >8,000 mmHg·cm·sec를 보임
- strong multi-peaked contractions 양상으로 나타나는 경우가 흔함
- 과거 호두까기 식도(nutcracker esophagus) or hypertensive peristalsis의 용어를 대치함
c.f.) nutcracker esophagus : conventional manometry 상 prolonged (>6초) & high-amplitude
    peristalsis를 보임, mean peristaltic amplitude >220 mmHg (≒ DCI 5,000 mmHg·cm·sec)
    → but, 정상인의 약 5%에서도 나타나므로 DCI 기준을 8,000으로 높였음

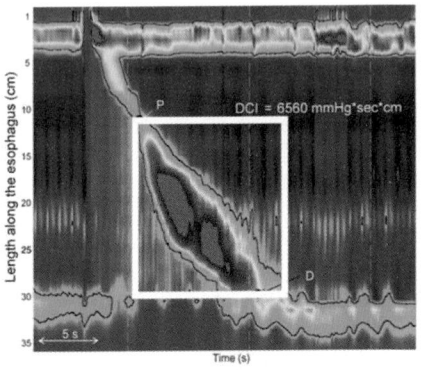

Nutcracker Esophagus (DCI >5000)

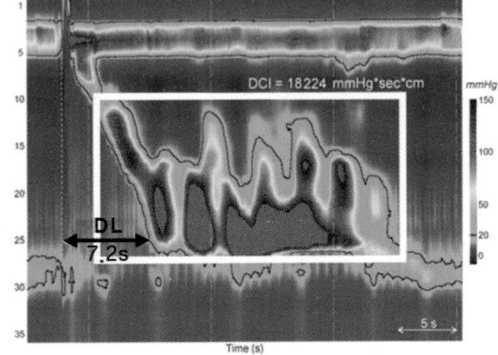

Jackhammer esophagus (DCI >8000)

High-resolution manometry (HRM) & esophageal pressure topography (EPT)

③ 유발검사 (∵ 간헐적으로 발생하므로 manometry에서 정상으로 나올 수 있음)
    ┌ cold swallow → 흉통만 발생 (not spasm)
    └ solid bolus, edrophonium → 흉통 & 식도경련(spasm) 발생
    - but, 증상과 일치하지 않는 경우가 많아 제한적임

(4) 치료

: 뚜렷이 효과적인 치료법이 없어 완치는 어렵지만, 생명을 위협할 수준의 병은 아님

① 약물치료

- 평활근 이완제 or NO 증강제 ; hydralazine, sublingual NG, isosorbide dinitrate, calcium channel blocker (e.g., nifedipine) ...
- 항불안제 ; trazodone hydrochloride, imipramine ...
- anticholinergics는 별 도움 안 됨 (∵ inhibitory neural degeneration)
- 찬 음식 섭취는 흉통을 악화시킬 수 있으므로 피함, 유동식은 증상 호전에 도움

② 식도 체부의 botulinum toxin injection

③ dysphagia가 주증상 or LES의 불완전 이완 → pneumatic dilatation or botulinum toxin

④ 수술(longitudinal myotomy or esophagectomy) : achalasia or GERD 동반하며 수술 필요시

　* 치료에 반응 없는 심한 증상(체중감소, 흉통)의 경우 botulinum toxin or POEM 고려

　　(→ DES 만으로 수술이 필요한 경우는 거의 없음)

c.f.) 강직성 식도 질환(spastic esophageal disorders) ; type Ⅲ achalasia, DES, jackhammer 식도

4. 피부경화증(Scleroderma)

- 식도 하부 2/3의 weakness & LES incompetence
- 식도 평활근의 atrophy & fibrosis가 특징 (myopathy보다 신경조직의 이상이 선행함)
- Sx ; dysphagia (solid), heartburn, regurgitation, 기타 GERD의 증상들
  - Raynaud's phenomenon 흔하다
- barium esophagography
  - 식도 하부 2/3의 dilatation 및 peristalsis 소실
  - LES는 벌어져 있고, GE reflux가 자유롭게 발생 가능

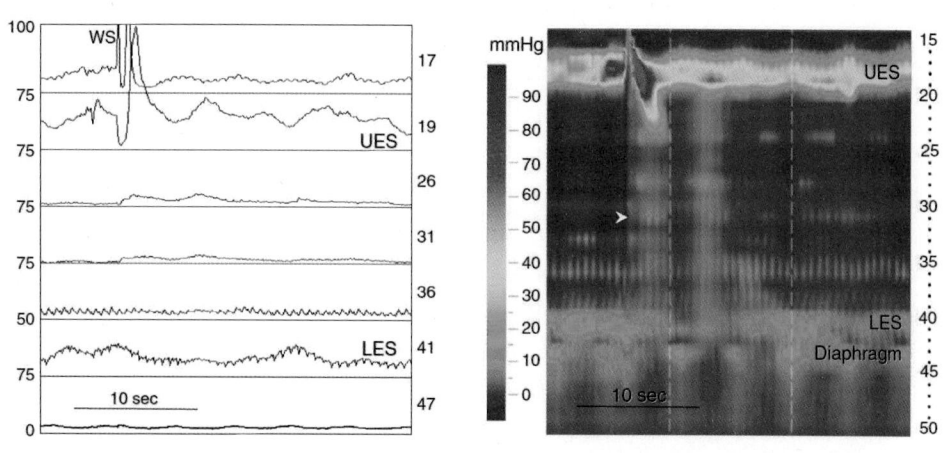

Scleroderma

식도 하부 2/3의 평활근 수축(peristalsis) 소실, LES pressure 감소 (relaxation은 적절하지만)
UES relaxation과 식도 상부 연동운동은 정상임

- manometry
  - smooth muscle contraction의 심한 감소
  - resting LES pr.↓ (sphincter relaxation은 정상)
- 혈청 autoantibody 검사가 진단에 도움 (e.g., anti-Scl-70)
- Tx : soft food diet가 도움
  - motility disorder에 대한 효과적인 치료는 없다
  - GERD에 대한 aggressive therapy

위식도역류질환(Gastroesophageal reflux disease, GERD)

- 정의 : 위내용물이 역류되어 불편한 증상(e.g., 흉통, 연하곤란)을 일으키거나 합병증(e.g., 식도염, 천식, 흡인폐렴, 인후염)이 발생한 상태
- 유병률 (우리나라) : 3~11%, 남>여, 증가 추세 (∵ 비만↑, *H. pylori* 감염률↓)

1. 병태생리/위험인자

(1) anti-reflux mechanism : 식도위접합부(EGJ = <u>LES</u> + <u>crural diaphragm</u>) ··· m/i
   [esophageal hiatus를 둘러싸서 external LES로서 기능함 ↵]

① tLESR (transient LES relaxation) : 위 팽창에 따라 vagovagal reflex에 의해 LES가 이완됨
- hiatal hernia가 없는 GERD 환자의 tLESR 빈도는 정상인과 비슷하나 (역류의 약 90%), tLESR 때 위산역류 동반이 더 흔함, 대부분의 역류는 식후에 발생함("postprandial reflux")
- acid pocket : 위 상부에서 음식물 위에 있는 위산층으로 음식물의 중화를 벗어나 pH가 낮음
  - 식후 식도로 역류되는 위산의 저장소 역할
  - 식후 ~2시간까지 지속
  - GERD 환자는 정상인보다 acid pocket이 흔하고, 더 상부이고, 더 큼(높이 4~6 cm ↔ 2 cm)

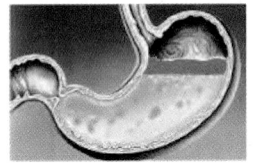

② LES hypotension (→ 앞 개요의 LES 부분 참조)
   ; 실제 LES pr.는 정상인 경우가 많으며, tLESR (transient LES relaxation)이 발병에 중요
③ EGJ의 해부학적 변형 ; <u>hiatal hernia</u> (EGJ가 diaphragmatic hiatus 아래에 위치)

(2) gastric factors
- 위 용적의 증가 ; 과식, pyloric obstruction, gastric emptying 지연(gastric stasis)
- 위 내용물이 GEJ 가까이에 위치 ; 눕거나 구부렸을 때, hiatal hernia
- 위 압력의 상승 (복압 상승) ; 복부비만, 임신, 복수, 꽉 끼는 옷
- 위산(HCl) 과다분비 : 대개 식도염 발생의 주요 인자는 아님
  - 예외 : ZE syndrome은 약 50%에서 심한 식도염 발생
  - 만성 *H. pylori* 감염 (→ 위축성 위험 → 위산↓) → GERD↓
- 위 분비물 내의 pepsin, bile, pancreatic enzyme 등도 식도상피를 손상시킬 수 있지만, 부식성은 위산보다 약하거나 위산이 있어야 활성화됨
  * bile : 예외적으로 위산 분비가 억제되어도 활성 유지, Barrett's metaplasia와 adenoca. 발생의 보조인자
     → 부식성(causticity)은 위산보다 큼

(3) reflux clearing mechanism의 기능 감소
- 식도 연동운동의 장애(ineffective esophageal motility), gravity
- 침에 의한 위산 중화(chemical clearing) : 구강건조증 환자에서 GERD 호발
- 식도점막의 방어능력 (e.g., Sjögren's dz. : mucosal atrophy)

* 흡연 → LES pr.↓ & 타액분비↓ → GERD↑

2. 임상양상

(1) 가슴쓰림/흉골하작열감 (heartburn, m/c : >75%)
- 주로 식후 및 밤에 발생, 물을 마시면 호전됨
- 증상이 특징적이면 바로 약물치료를 시도해도 좋다
- 일부에서는 angina-like or atypical chest pain도 발생 가능
- esophagitis의 severity와 heartburn의 빈도/크기는 비례 안함!

(2) 역류(regurgitation) : 인두, 입, 코 등으로 쓴 물이 넘어옴

(3) dysphagia (solid) → peptic stricture 발생 시사
- 급속히 진행하는 dysphagia와 체중감소는 adenoca.의 발생을 시사

(4) bleeding : erosion or Barrett's ulcer에 의해 발생 가능

(5) 식도 외 증상 (기전: 역류물의 직접 접촉 or 식도 신경의 자극에 의한 vagovagal reflex 유발)
- 만성기침, 기관지수축, 부정맥, morning hoarseness, 인두 이물감, 인두염, 후두염, 기관지염, 흡인성 폐렴, 굴염(부비동염), 치아우식 등
- 반복적 폐 흡인 → 폐렴, 폐섬유화, 만성 기관지염, 천식, COPD 등을 일으키거나 악화시킬 수

* angina-like chest pain을 호소하나 CAD (coronary artery dz.)가 배제된 경우 GERD (reflux esophagitis)가 m/c 원인 (→ GERD도 배제되면 전신신체학적 검사 시행)

3. 진단

(1) 병력 : 가장 중요! (typical Sx : heartburn, regurgitation)

(2) PPI trial : 치료 용량 2배를 1주일 투여 → 증상이 50% 이상 호전되면 진단 가능 (empirical Tx.)

(3) endoscopy : esophagitis의 정도, 합병증의 유무 관찰 위해!
- 적응 ; 심한 증상, PPI trial에 반응×, 장기간 지속(e.g., Barrett's esophagus 위험)
- reflux esophagitis의 소견 ; redness, friability, erosion, ulcer, exudates ...

LA classification of esophageal erosion (1994)
Group A : erosion ≤5 mm
Group B : erosion >5 mm
Group C : semi-circumferential (<75%) erosion
Group D : circumferential (≥75%) erosion

- Group 0 (mild) : 색조변화, 발적, 울혈, friability 등
- 합병증(ulcer, stricture, Barrett's esophagus 등)은 따로 명시

* esophagitis (or erosion) 유무/정도와 증상의 빈도/중증도는 비례하지 않음!

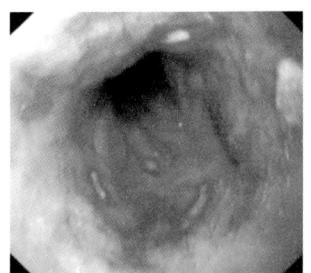
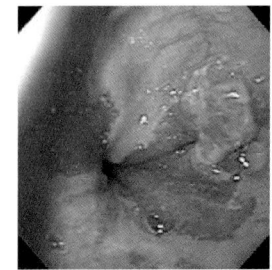

식도 점막의 발적과 미란(erosion)   Barrett's esophagus

- GERD 환자의 60% 이상은 정상임! : "nonerosive esophagitis (NERD)"
  ⇨ mucosal biopsy, PPI trial, manometry, 24hr (impedance +) pH monitoring 등 고려

 * mucosal Bx. (LES 5 cm 상부 이상에서 시행) : esophagitis 확인, 바렛식도나 dysplasia 의심시

(4) Bernstein test (provocation test)
- reflux와 증상과의 연관성 확인 (endoscopy상 정상인 경우 진단에 유용)
- 양성 : 0.1 N HCl 100 cc를 식도로 주입 → heartburn 증상 발생
  (정상인에서는 대개 증상 발생 안함)
- 민감도가 낮고 표준화가 어려워 최근에는 사용 감소

(5) 24시간 보행성 식도산도검사(ambulatory esophageal pH recording) : 증상도 같이 기록함
- GERD의 진단 (acid reflux와 증상과의 연관성 확인)에 가장 정확
- 전체 측정 시간 동안 pH <4인 시간이 5% 이상이면 진단 가능
- 유용한 경우
  ① 비전형적인 or 식도 외 증상 (reflux와의 인과관계가 불확실)
  ② 의심되는 증상은 있으나, 내시경 검사에서 정상인 경우
  ③ PPI 치료에 반응하지 않는 불응성 GERD 환자
- 단점 : 위산 역류로 인해 식도의 pH가 4 이하가 되어야 검출 가능
  (약산 or 알칼리성 소장액의 역류 시에는 진단하지 못할 수 있음)
- 이상이 없이 역류 증상이 지속되면 bile reflux의 존재를 의심 가능

 * 무선 pH monitoring (Bravo capsule test)
  − catheter 대신 pH 측정용 캡슐을 식도에 장착하고 무선으로 측정
  − 48시간 이상 monitoring (→ 진단율↑)
  − 진단 뿐 아니라 치료에 대한 반응도 확인 가능

(6) impedance-산도검사 : combined MII-pH monitoring (MII: multichannel intraluminal impedance)
- tLESR with reflux의 빈도 및 pH를 측정 가능
- pH 단독 monitoring보다 reflux-증상 연관성 확인에 더 유용 (GERD 진단 민감도 더 높음!)
  → PPI 치료에 반응 없는 환자에서 증상의 원인이 GERD인지를 확인할 때도 권장됨
- weak acid or nonacid reflux (e.g., alkaline, 액체, 공기)도 측정 가능!

(7) 식도내압검사(esophageal manometry)
- incompetent LES : mean LES pr. <10 mmHg (but, 환자의 약 60%는 정상임)
- HRM ; LES 압력, 식도의 운동성(peristalsis), hiatal hernia, tLESR 등을 더 잘 파악할 수 있음

- 다른 motor disorder (e.g., achalasia, scleroderma) R/O
- 수술 예정인 환자에서는 반드시 시행해야 됨 (연동운동 기능 평가)

(8) barium esophagography : 대부분 정상, GERD 진단에는 필요 없음

(9) ^{99m}Tc-sulfur colloid scan (scintigraphy) : reflux의 양을 측정 가능하나, 부정확해 거의 안 쓰임

■ 전형적인 증상(또는 내시경 소견)이 있고, alarm Sx 없으면 특별한 검사 없이 바로 치료 시작!

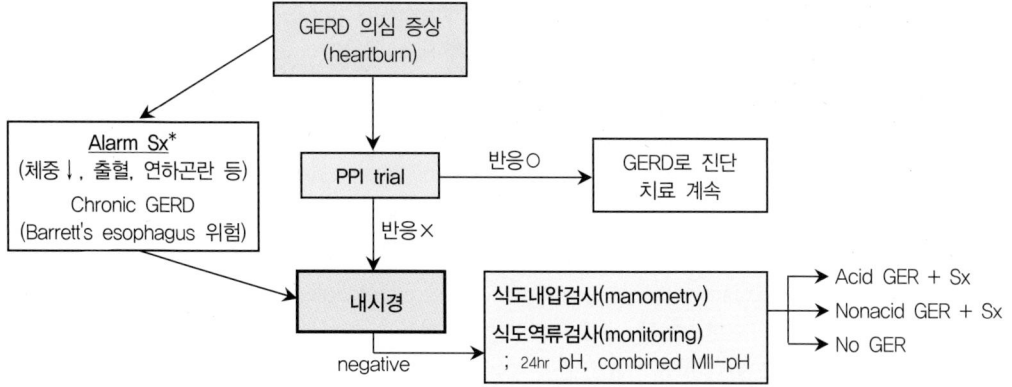

    * Alarm Sx ; 연하통(odynophagia), 체중감소, 반복적 구토, 위장관 출혈, 황달,
        palpable mass or adenopathy, 위장관 악성종양의 가족력

4. 합병증

(1) Barrett's esophagus (4~10%), adenocarcinoma

(2) peptic stricture (~10%)

- Sx ; solid dysphagia, heartburn은 감소 (∵ stricture가 reflux 막아)
- 다른 dz. (Schatzki ring, cancer)와 감별위해 반드시 내시경 시행
- Tx ; endoscopic dilation, 강력한 antireflux therapy

(3) erosive esophagitis

(4) ulcer (5%), bleeding (<2%)

(5) asthma, aspiration pneumonia

5. 치료

(1) 생활습관 조절

- 비만인 경우 체중감량
- LES pr.를 낮추는 음식이나 약물은 피한다
  ; 담배, 고지방식, 술(특히 red wine), 커피, 차/콜라/초콜릿 등의 caffeine, 오렌지주스,
  박하(peppermint), 토마토, anticholinergics, CCB, smooth m. relaxants ...
- 과식/밤참은 피하고, 식사시 과량의 물을 마시는 것도 피한다
- 식후 3시간 이내에는 누우면 안됨
- 취침시 상체를 높게 한다 (semi-Fowler 체위) : 침대 머리쪽을 6인치 정도 높임

• 수면 중 왼쪽으로 눕는 것도 GERD 예방에 약간 도움
• 몸에 꼭 조이는 옷은 입지 말고, 몸을 숙이는 행동도 피함

(2) 내과적 치료

• antiacid (e.g., Mylanta) ; 위산 중화 & LES pr.↑
• alginate-antacid : Gaviscon [Al(OH)₃, NaHCO₃, Mg trisilicate, alginate]
  – 위산과 접촉하면 젤 형태의 mechanical barrier를 형성 → acid pocket을 원위부로 하강시킴,
    reflux 횟수 감소, first reflux 지연, 위산 중화(refluxate의 pH↑)
  – 작용이 빠르고 지속시간이 4시간 이상으로 길, 부작용 적음
  – mild heartburn/reflux 환자, 식후 reflux 증상 완화 용도로 사용
• H₂-RA (6~12주) ; 위산 분비↓
  – 약제 ; cimetidine, ranitidine, famotidine, nizatidine
  – GERD에서 증상 호전에 도움 되지만, PPI가 더 효과적이고 치료기간도 짧음
• PPI (8주) ; 위산 분비↓ & 위 용적↓ … GERD의 주 치료제!
  – 약제 ; omeprazole, lansoprazole, pantoprazole, esomeprazole, rabeprazole, dexlansoprazole
  – 4주 이후에 호전 없으면 PPI를 아침, 저녁으로 투여 (or 취침 전 H₂-RA 추가 고려)
  – 8주 이후에도 호전 없으면 용량을 2배로 증량 (c.f., PPIs 제제간의 효과 차이는 거의 없음)
  – erosive esophagitis의 90%가 치유됨
  – 초치료 뒤 1년 이내 재발률이 80%에 이르므로 유지요법 필요 (재발 방지에도 PPI가 m/g)
  ┌ LA 분류 A/B → 재발시에만 다시 치료 or 저용량으로 장기 복용
  └ LA 분류 C/D → 초치료(full-dose)를 그대로 장기 치료로 지속
  – esophagitis의 유무에 관계없이 증상은 지속될 수 있으므로, 필요하면 무기한으로도 복용 가능
  * PPI 장기 투여시 부작용 (대개는 경미) ; 흡수장애(vitamin B₁₂, calcium, iron), 폐렴(CAP),
    위장관 감염(e.g., *C. difficile* colitis), 고관절 골절 등   → I-5장 참조
    (carcinoid tumor or gastrinoma 발생 위험은 증가 안 됨!)
  * 위산억제치료의 단점 ; reflux 방지 못함, heartburn은 좋아지지만 regurgitation은 반응×
• prokinetic agents (e.g., metoclopramide, bethanechol) ; LES pr.↑, esophageal clearance↑,
    gastric emptying↑ 효과는 있지만, reflux를 의미 있게 감소시키지는 못하며
    부작용 때문에 GERD에서는 권장 안 됨
• GABA agonist (baclofen) ; tLESR을 억제하여 reflux도 감소시킴 (부작용이 많은 것이 문제)
• acid pocket 조절 ; prokinetics, alginates (위 참조) → acid pocket 하방 이동

(3) 외과적 치료 (antireflux surgery)

• Ix ┌ 약물치료에 실패했거나, 반응은 하지만(의존적) 부작용이 심한 경우
     │ 재발성의 식도협착 (반복적인 dilatation을 요구)
     └ 흡인성 폐렴 발생, Barrett's esophagus 등의 합병증 …
  – 수술 전 impedance-산도검사에서 병적 역류가 객관적으로 증명되었어야 하고,
    manometry에서 체부의 연동운동은 정상이어야 함
• laparoscopic Nissen's fundoplication (위저부주름술) : 약 90%의 성공률 (PPI와 효과 비슷)
  – Barrett's esophagus의 재발도 예방 가능
• 기타 ; Belsey repair, Hill repair

(4) 내시경 치료

- 수술이나 내시경 치료는 위산억제치료에 비해 regurgitation 증상 치료에 효과적임
- endoscopic fundoplication (m/c) ; EsophyX® transoral incisionless fundoplication (TIF), Medigus ultrasonic surgical endostapler (MUSE™ system)
- energy-based LES augmentation ; Stretta system (고주파로 LES 근육을 리모델링)
- laparoscopic fundoplication에 실패한 경우에는 TIF 만이 효과적임

(5) alkaline (bile) reflux esophagitis의 치료

- 일반적인 antireflux 치료
- bile salts 중화 ; sucralfate (m/g), cholestyramine, aluminum hydroxide

6. 바렛식도(Barrett's esophagus)

(1) 개요/병인

- 정의 : 식도 하부의 정상 squamous epithelium이 columnar epithelium으로 대치된 것 (장상피화생, intestinal metaplasia), 배세포(goblet cell)도 발견되면 더 확실
- 심한 위산 노출과 관련, 거의 대부분 hiatal hernia도 동반
- 식도 말단부 LES 윗부분에 호발
  - 장분절(long-segment) 바렛식도 (>3 cm) : GERD 환자의 약 1.5%에서 발생
  - 단분절(short-segment) 바렛식도 (<3 cm) : GERD 환자의 약 10~15%에서 발생
- 유병률 : 전체인구의 1.3~1.6%, 백인에서 더 호발, 우리나라는 드묾 (0.1~0.3%)
- risk factor ; 흔하고 지속적인 역류증상, 흡연, 남성, 고령, 중심성 비만
- transcription factor CDX2 (위산 및 담즙에 의해 유도) : columnar epithelium 발생 촉진
- 일부에서는 유전경향도 보임 (대개 AD 양상)

(2) 임상양상

- 젊을 때 역류증상 발생, 역류증상 기간↑, 야간 증상, 이전의 GERD Cx (e.g., esophagitis, ulcer, stricture) 등이 Barrett's esophagus 가능성을 시사 (but, 일반 GERD와 구별 어려움)
- 암 발생 위험이 매우 높은 편은 아님 (2~5%만 adenocarcinoma로 진행)
  - long-segment 환자의 암 발생률은 0.5%/yr
  - high-grade dysplasia : 약 20%에서 암으로 진행
- 암(adenocarcinoma) 발생위험이 증가하는 경우
  ① 식도점막의 침범 길이 (>3 cm)
  ② dysplasia 존재
  ③ 노인 or 증상이 있는 경우
- 내시경 소견 : squamo-columnar junction (SCJ)이 식도위접합부(EGJ)보다 상부로 이동
  → 그 사이의 점막은 위점막과 비슷한 연어빛(salmon-pink appearance)을 띰
  * Lugol's solution을 살포하면 정상 식도점막만 착색되고, 바렛식도는 착색 안 됨!

(3) 치료

- Barrett's esophagus를 예방하기 위해서도 reflux esophagitis를 적극적으로 치료해야 됨
- 내과적 치료의 핵심은 강력한 위산억제치료 : PPI (모든 환자에게 지속적으로 투여)
  - 증상 호전 & esophagitis 치유 효과
  - Barrett's esophagus 조직소견은 약간 호전되지만 정상화는 안 됨, 암 발생도 예방할 수 없음! (c.f., PPI 치료에도 불구하고 약 25%의 환자에서는 acid exposure가 지속됨)
- dysplasia or cancer의 조기발견을 위한 내시경 추적검사가 중요!
  : Barrett's segment 전체에서 2 cm 간격으로 4-quadrant biopsy 시행
  ① no dysplasia → 처음 1년 이내 1~2회, 이후에는 3년마다 내시경 F/U biopsy
  ② low-grade dysplasia → 처음 1년은 6개월마다, 이후에는 1년마다 내시경 F/U biopsy
  ③ high-grade dysplasia → 내시경 치료(endoscopic mucosal resection [EMR] and/or radiofrequency ablation), 치료 후에는 3개월마다 내시경 F/U biopsy
    * 수술(Barrett's segment의 esophagectomy)은 내시경 치료가 실패한 경우 고려

식도 염증성질환

1. 감염식도염(Infectious esophagitis)

(1) Viral esophagitis

- HSV ┌ 면역 정상 → HSV-1
       └ 면역 저하 → HSV-1 or HSV-2
  - Sx ; chest pain, odynophagia, dysphagia, 전신증상, 코/입술의 수포
  - Dx (endoscopy) ; vesicles, small punched-out (분화구 모양) ulcers
      → biopsy (ulcer margin에서 시행) : ground-glass nuclei, eosinophilic Cowdry's type A inclusion bodies, giant cells
      → culture, PCR (culture보다 sensitive)
  - Tx ; 대개 self-limited (1~2주), oral acyclovir or valacyclovir로 증상기간 단축
      (심한 경우 IV acyclovir → 반응 없으면 IV foscarnet, oral famciclovir)
- CMV (면역저하자에서만 발생)
  - Dx (endoscopy) ; serpiginous (뱀이 기어가는 모양) ulcers, 특히 식도 하부에 발생
      → biopsy (ulcer base에서 시행) : large nuclear or cytoplasmic inclusion bodies
  - Tx (대개 3~6주) ; IV ganciclovir (TOC), oral valganciclovir, IV foscarnet
- 기타 ; VZV, HIV ...

(2) Bacterial esophagitis

: 면역저하자에서 *Lactobacillus*와 β-hemolytic streptococci에 의한 식도염을 제외하고는 드물다

(3) Candida esophagitis

- 식도 진균증의 m/c 원인 (*Candida albicans*가 m/c)

- 유발인자
  - *Candida*는 정상 상재균이지만, 면역저하자에서는 식도염을 일으킴
  - AIDS, 장기이식, 악성종양(특히 lymphoma, leukemia), 면역억제제, steroids, 광범위 항생제, DM, hypothyroidism, SLE, hemoglobinopathy, 부식식도염, 식도정체 …
- 임상양상 ; odynophagia (painful swallowing), dysphagia
  (odynophagia → non-reflux esophagitis의 특징)
- 합병증 (드묾) ; ulcer에 의한 bleeding (m/c), perforation, stricture, systemic invasion
- 진단
  - barium esophagography ; 다양한 크기의 multiple nodular filling defects
  - 내시경 (m/g) ; linear & nodular white plaques (백태) with friability
    → plaque or exudate 도말에서 진균의 균체/균사 증명 : Gram, PAS, GMS (Gomori methenamine silver) 등 염색 (biopsy는 도말 검사에 비해 sensitivity 낮음!)

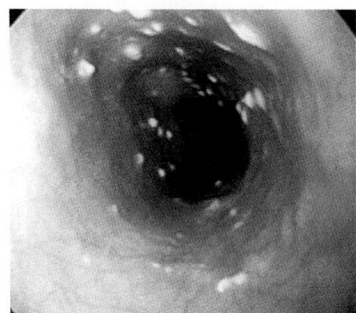 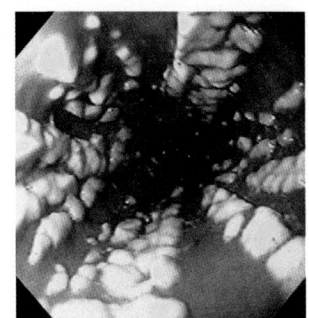

- 치료
  - oral fluconazole (2~3주) → 반응 없으면 itraconazole, voriconazole, posaconazole 등
  - oral therapy에 반응하지 않거나 복용할 수 없으면 → IV echinocandin (e.g., caspofungin)
  - 심한 경우 IV amphotericin B
  - oral thrush : topical agents (nystatin oral suspension)
    → 반응 없으면 amphotericin lozenge + nystatin/fluconazole

* 면역저하자에서 식도염(연하통, 연하곤란)의 원인 ; *Candida*, HSV, CMV, VZV esophagitis

2. 약제원인식도염(Pill-induced esophagitis)

(1) 원인

식도염이나 식도손상을 일으키는 흔한 약물
항생제 (1/2 이상 차지) ; <u>TC 및 유도체</u>, DC, minocycline, penicillin, clindamycin, rifampin …
항바이러스제 ; zalcitabine, zidovudine, nelfinavir …
NSAIDs ; aspirin, indomethacin, naproxen, ibuprofen …
Bisphosphonates ; alendronate, etidronate, pamidronate …
항암제 ; dactinomycin, bleomycin, cytarabine, 5-FU, MTX, vincristine …
기타 ; potassium chloride, quinidine, theophylline, steroid, ferrous sulfate, alprenolol, ascorbic acid (vitamin C), multivitamins, pinaverium bromide, 경구피임약 …

- 삼킨 알약이 식도 내에 장기간 머무를 때 점막 손상 초래
- 대동맥이나 기관용골(carina) 근처의 식도 중간 부위에 가장 흔히 걸림
- 유발인자 ; 복용후 바로 누움, 물을 적게 마신 경우, 장기간 침상 생활(e.g., 노인),
  구조적 장애(e.g., stricture, diverticulum, prominent aortic arch), 운동성 장애

(2) 증상

- severe retrosternal chest pain, odynophagia, dysphagia 등이 갑자기 발생
  (몇 시간 지속되거나 잠에서 깰 정도로 아픈 것이 특징)
- 물 없이 삼키거나, 누운 상태에서 삼킬 때 발생 증가

(3) 치료

- 원인이 되는 약물의 중단, 그 외 특별히 효과적인 치료는 없음
- sucralfate suspension or cocktail (viscous lidocaine, antacid, diphenhydramine)
- PPI : 동반된 GERD에 의해 악화되는 것을 방지
- 예방 : 선 자세로 많은 양의 물과 함께 알약을 삼킴

3. 부식식도염(Corrosive esophagitis)

(1) 원인

- strong alkalies (lye: 양잿물), acids, detergents, Clorox ...
- 강산과 강알칼리는 모두 식도, 위, 십이지장의 손상을 일으킬 수 있음
  (강산은 위 손상이 더 심하고, 강알칼리는 식도 손상이 더 심함)

(2) 임상양상

- severe burning, chest pain, gaging, dysphagia, drooling, aspiration (→ stridor, wheezing)
- 심하면 perforation, bleeding, 사망도 가능
- 치유되면서 대개 stricture (long & rigid)를 형성
- lye stricture → 식도암의 위험 증가

(3) 평가

- laryngoscopy, chest & abdominal X-ray 등으로 자세히 검사
  (→ 식도 천공, 파열이 발생하나 면밀히 관찰)
- endoscopy (식도의 강도가 유지되는 12~48시간 이내에 시행, 5일 이후에는 천공 위험 증가)
  - 손상 범위와 정도를 파악하여 치료 방침 결정 위해 시행
    (정상 소견을 보이면 식도협착 발생 가능성이 매우 낮음)
  - 구강 손상의 정도는 식도 손상의 정도와 관계없다
  - shock, 심한 하인두부 부종/괴사, 호흡곤란, 복막염, 종격동염 등이 있는 경우에는 금기
- 식도조영술 : 협착 발견을 위해 2~3주 후 시행 (이후엔 3달 간격으로)

(4) 치료

- initial Tx : supportive (IV fluid, analgesics)
  - gastric lavage나 oral antidotes는 금기! (희석법은 해도 된다)
  - steroid는 권장 안됨 (∵ 협착 예방×, 치유 지연, 감염↑)
  - 항생제 : 감염이나 천공이 있는 경우에만 사용 (예방적으로는 투여 안함)

- 심한 경우는 수술(esophagogastrectomy)
- 협착(stricture)의 치료 – 만성기(4주 이상, fibrosis 진행)에
  ① bougienation (dilatation) 시행
    - 94%에서 효과적이지만, 재발률이 높은 것이 문제
    - 합병증 ; bleeding, perforation, sepsis
  ② 수술 : 식도를 소장이나 대장으로 대체, dilatation 치료에 반응하지 않고 자주 재발하는 경우

4. 방사선식도염(Radiation esophagitis)

- 흉부 종양의 방사선 치료 후 흔히 발생
- 발생 위험인자 ; radiation dose↑, radiosensitizing drugs 병용
  (e.g., doxorubicin, bleomycin, cyclophosphamide, cisplatin)
- 치료
  ① acute phase : viscous lidocaine (→ 통증 감소)
  ② indomethacin → radiation damage 감소

5. 호산구성식도염(Eosinophilic esophagitis)

- 주로 소아 및 젊은 성인에서 발생, 백인 남성에서 호발, 남:여 = 3:1
- 주로 food allergen이 발병에 관여, eosinophilia 동반, serum IL-5, eotaxin, TARC 등 상승 가능
- 대부분 food allergy, 천식, 피부반응(eczema), allergic rhinitis 등의 아토피 병력 동반
- 증상 ; dysphagia (solid), food impaction, heartburn/chest pain (PPI에 반응×)
  - 식도 내경 감소, fibrosis, stricture 등도 발생 가능
  - 소아에서는 음식 거부, 역류, 구토가 / 청소년에서는 heartburn, dysphagia가 흔함
- 진단 ; 내시경 (multiple esophageal rings, linear furrows, punctate exudates 등 다양)

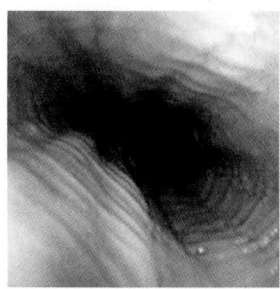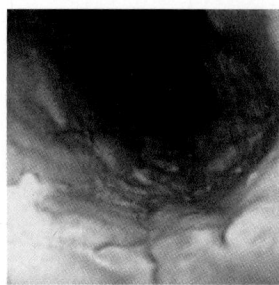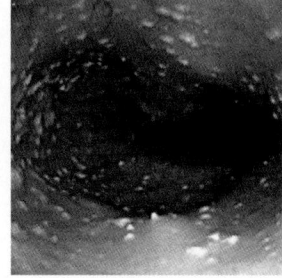

  - mucosal biopsy에서 eosinophils 증가(>15/HPF) or eosinophilic microabscess
  - 원인 allergen을 찾기 위한 skin test or RAST도 시행해야 됨 (specificity는 떨어짐)
  - 2ndary esophageal eosinophilia R/O해야 (e.g., GERD, 약물 과민반응, CTD, HES, 감염)
- 치료 : 우선 PPI trial (GERD R/O 위해) → 반응 없음
  - topical steroid (fluticasone propionate, budesonide)가 매우 효과적이나, 끊으면 재발이 흔함
  - 원인 음식의 섭취 제한 (특히 소아에서 효과적)
  - 위 치료에 반응 없거나 심하면 systemic steroid
  - 기타 면역조절치료 ; leukotriene modifier, monoclonal Ab to IL-5
  - esophageal dilation ; stricture 환자에서 조심해서 시행 (∵ 식도 천공 위험)

기타 식도질환

1. 식도 게실/곁주머니(diverticulum)

┌ true diverticulum : wall이 전층으로 다 구성 - traction type
└ false diverticulum : wall이 일부의 층으로 구성 - pulsion type

* 위치에 따른 분류
┌ 경부 게실 (Zenker 게실) : 70% (m/c)
│ 흉부 게실 : 22%
└ 횡격막 상부 게실 : 8%

(1) hypopharyngeal (Zenker's) diverticulum

- UES 바로 위 post. hypopharyngeal wall의 약한 부위(killian's triangle)에서, 인두 점막층이
  근육층 사이로 밀려나온 것 (false, pulsion type), 주로 고령에서 발생
- 병인 : UES elasticity↓ (cricopharyngeus muscle tone↓) → 인두의 연동운동과 UES의 부조화
- Sx ; 구취(halitosis), regurgitation (며칠 전에 먹은 소화되지 않은 음식), 목의 이물감
  (throat discomfort), dysphagia, aspiration (→ 기침, 폐렴) ...
- Dx : 식도조영술(barium esophagogram)
  ┌ stage Ⅰ : 점막의 작은 돌출 (간과되기 쉬움)
  │ stage Ⅱ : 돌출이 깊어져 false lumen 형성 (false lumen 축은 식도축에 직각)
  └ stage Ⅲ : 게실(false lumen)의 축이 하강하여 식도축을 대체 (→ 식도축은 전방으로 밀려남),
      음식물이 들어있을 수도 있음
- endoscopy : double lumen 소견, 천공을 일으킬 수 있으므로 매우 조심해야

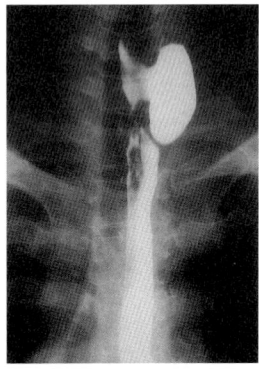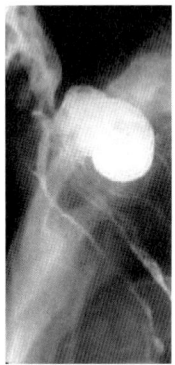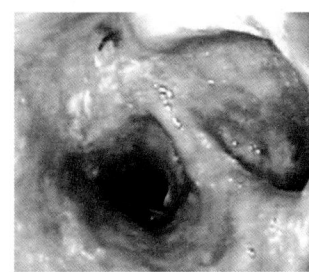

내시경 :
Double lumen,
게실 내강에서
음식물이 보일
수도 있음

- Cx ; aspiration pneumonia, bronchiectasis, lung abscess
- Tx : 수술(diverticulectomy + crycopharyngeal myotomy) or 내시경 조대술(marsupialization ;
  stapling diverticulotomy, flexible endoscopy 등 … 크기 5cm 미만인 경우)

(2) midesophageal diverticulum

┌ traction type (true) : 주위 조직의 염증에 의한 유착으로 발생 (많다)
└ pulsion type : motor disorders와 관련
- 대부분 작고 무증상 → 치료 불필요

(3) epiphrenic diverticulum (횡격막 상부 게실)

- pulsion type (false), 대부분 작고 무증상 (→ 치료 불필요)
- achalasia와 동반될 수 → manometry 필요 → 게실제거술(diverticulectomy) + 식도근절개술

(4) diffuse intramural pseudodiverticulosis

- 수많은 작은 플라스크 모양의 outpouching을 보이는 것, 드묾
- 식도 염증 or 폐쇄 → 점막하 점액선 분비관의 확장
- 무증상 or dysphagia, 치료는 원인 질환의 교정

2. 막과 고리 (Web & rings)

(1) Plummer-Vinson syndrome

- hypopharyngeal web (dysphagia) + IDA
- glossitis, angular stomatitis, achlorohydria
- 중년 여성에서 호발
- 예후 나쁨, spure와 인두/식도의 암(SCC) 발생 위험 증가

(2) lower esophageal mucosal ring (Schatzki ring)

- 위식도 경계부의 squamocolumnar juction에 위치한 thin (2 mm), web-like constriction (원주상의 띠모양 구조)
- 정상인의 약 10%에서도 무증상의 ring이 발견됨
- Sx. (식도 내경 <1.3 cm) ; intermittent solid dysphagia (not progressive)
- 항상 hiatal hernia 동반, 60%에서 위산 역류 발생 → 산 억제 치료
- Tx. ; bougie dilatation (but, 재발 흔함)

(3) lower esophageal muscular ring (contractile ring)

- mucosal ring의 근위부에 위치하며, LES의 비정상적인 최상부를 이룸
- 모양과 크기가 변함, dysphagia를 일으킬 수 있음
- D/Dx ; peptic structure, achalasia, musocal ring
- dilatation 치료에 잘 반응 안 한다

3. 틈새탈장/열공헤르니아 (Hiatal hernia)

- 위의 일부가 횡격막의 식도 열공을 통하여 thoracic cavity로 탈장된 것
- 일반인의 10~20%, GERD 환자의 50~94%에서 발견됨

(1) sliding hiatal hernia (95%)

- GEJ 및 gastric fundus가 upward sliding 된 것
- 나이가 들수록 증가 (50대에선 60%)
- 크기 작으면 대부분 무증상이지만, reflux esophagitis를 일으킬 수는 있음
- Tx. ; 대개 내과적 치료 (반응 없으면 수술)

(2) paraesophageal hiatal hernia (5%)
- GEJ의 위치는 정상이고, 위의 일부가 GEJ 옆의 틈을 통해 탈장된 것
- Sx. ; 식사후 불쾌감, 통증, N/V ...
- 합병증
  - 위의 염전/천공, 위염/미란/궤양(→ bleeding, IDA)
  - incaceration & strangulation (→ acute chest pain, dysphagia)
  - mediastinal mass (→ 폐 압박 → 호흡기 합병증)
- 크기가 큰 경우는 반드시 수술로 치료

4. 기계적외상 (Mechanical trauma)

(1) 식도 천공(esophageal perforation)
- 원인 (손상부위 – GEJ 상부)
  ① iatrogenic (e.g., 내시경조작, 외상 등) : m/c
  ② 심한 N/V과 관련된 식도내압의 증가 (spontaneous rupture or "Boerhaave's syndrome")
  ③ 식도질환 ; corrosive esophagitis, esophageal ulcer, neoplasm
- 임상양상
  - severe retrosternal chest pain, dyspnea, fever ...
  - 목에서 피하기종(subcutaneous emphysema)이 만져짐 (1/2에서)
  - 심박동에 일치하는 mediastinal crackling sounds (Hamman's sign)
  - pneumothorax
  - Cx. ; acute mediastinitis, mediastinal abscess
- 진단
  ① chest X-ray (90%에서 진단 가능) ; pneumomediastinum, emphysema, pneumothroax
     등을 봄 (좌측에서 더 흔함)
  ② CT ; mediastinal air 발견에 가장 민감함
  ③ pleural effusion (3/4에서 발생) ; exudate (PMN↑, salivary amylase↑)
     → 나중에는 구강 상재균이 증식, pH 6.0까지 감소
  ④ esophagography (확진) ; gastrografin (수용성 방사선 비투과물) 이용
     → 발견 안 되면 소량의 thin barium 이용
- 치료
  ① NG suction, 광범위 항생제 IV, 가능한 빨리 수술 → 90% 이상 생존 가능
  ② 보존적 치료 ; mediastinal & pleural drainage, 광범위 항생제 IV, parenteral nutrition 등
     → 증상이 경미한 수용성천공(contained perforation)이 빨리 진단되었을 때 시도
  ③ 내시경 치료(clipping or stenting) ; 수술 불가능하거나(e.g., 종양 천공) 작은 천공에서 고려

(2) mucosal tear (Mallory–Weiss syndrome)
- 유발인자 : 심한 구토, 구역질, 기침, 딸꾹질 등 (약 1/4에서는 유발인자가 없음)
- 과음후 및 알코올중독자에서 흔함, 중년 남성에서 호발

- 손상부위 (longitudinal mucosal ulceration)
  - 위식도접합부(GEJ, z-line) 바로 아래의 <u>위 점막</u> (90%)
  - 하부 식도 (10%)
- Dx. : endoscopy (0.5~4 cm 길이의 linear mucosal tearing, superficial, 80%가 single)

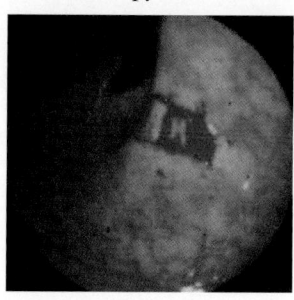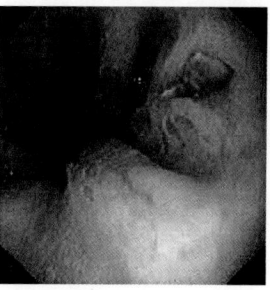

- 식도염이나 hiatal hernia가 동반되는 경우 많다
- Tx. : conservative (대부분 저절로 지혈됨!)
  - 출혈 지속시엔 → 내시경적 지혈술 (m/g), vasopressin therapy, angiographic embolization, balloon tamponade
  - 수술은 거의 필요 없다 (5~10% 미만에서만 시행)
- 전체 사망률 : 3~8%
- 출혈이 재발하는 경우는 거의 없음!

(3) intramural hematoma

- mucosa와 muscle layer 사이의 bleeding
- 특히 출혈경향 환자에서 N/V에 의한 손상시 발생
- Sx. ; 갑자기 dysphagia가 발생
- Dx. : barium swallow, CT
- 대개 자연 치유됨

5. 이물(foreign bodies) 및 음식박힘(food impaction)

- 이물이 잘 걸리는 부위 ; cervical esophagus (UES 바로 아래 aortic arch 부근), LES 위
- 갑자기 걸린 경우에는 연하불능 및 심한 흉통 발생
- Tx. : 내시경으로 제거, 재발 방지를 위해 esophageal dilatation 시행
  - 고기가 걸렸을 때는 smooth m. relaxant (glucagon IV)가 도움이 될 수 있음
  - 고기 연화제 사용은 식도파열 및 흡인성폐렴 위험으로 권장 안 됨

5
소화성궤양 및 위염

┌ 미란(erosion) : 점막에만 결손이 생긴 것 (→ 쉽게 재생됨)
└ 궤양(ulcer) : 점막하층 이하(muscularis mucosa)를 넘어 결손이 생긴 것

- 우리나라 PUD 유병률 : 약 5~10%, GU가 DU보다 약 1.5배 정도 더 많음
  - DU : 호발연령 평균 40세, 남>여, 봄/가을에 호발 경향
  - GU : 호발연령 평균 50세, 남>여

해부학

1. Gross anatomy

* 위의 해부학적 위치에 따른 운동기능
  ① 위상부 ; tonic contraction에 의해 위내압 조절, 음식 섭취시 압력조절을 위해 늘어남
  ② 위하부 ; 연동운동에 의해 음식물을 잘게 부수고, 주로 고형식의 위배출에 관여

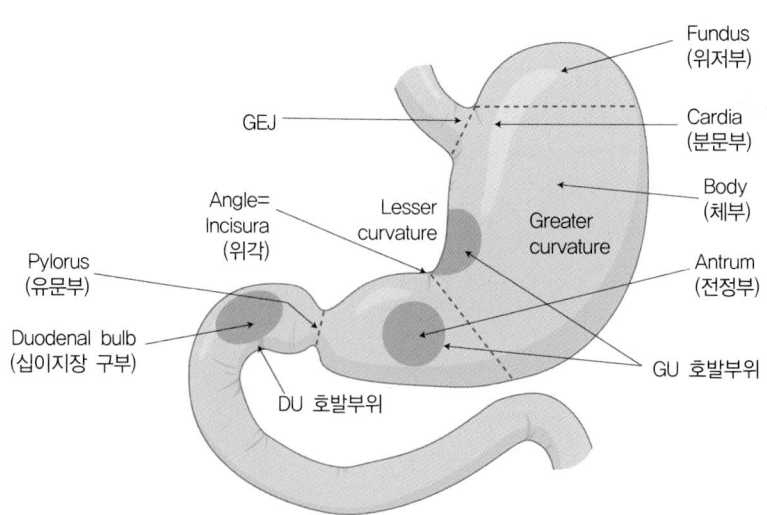

2. Functional anatomy

: 위 점막은 기능적으로 2가지 영역으로 구분됨

(1) oxyntic gland area (OGA) : 위의 약 85% 차지
- 분문부(cardia), 위저부(fundus), 체부(body)로 구성
- parietal cell (oxyntic cell) : **위산(HCl)**과 intrinsic factor (IF) 분비
    - 위산(H^+)은 proton pump (H^+, K^+-ATPase)에 의한 능동수송으로 분비됨
- chief cell (주로 fundus에 존재) : **pepsinogen** 분비
    → 위산에 의해 pepsin으로 활성화됨 (→ 단백 분해)
    - pepsin의 활성도는 pH 4에서 크게 감소하고, pH 7 이상이면 완전 비활성화됨
- epithelial cell (mucous cell) : 점액과 bicarbonate 분비
- enterochromaffin cell : histamine (→ 위산 분비 자극), serotonin 분비

(2) pyloric gland area (PGA) : 위의 약 15% 차지
- 전정부/날문방(antrum), 유문/날문(pylorus)으로 구성
- gastrin cell (G cell) : gastrin 생산 → 위산 분비 자극
- D cell : somatostatin 생산 → 위산 분비 억제

3. Vascular anatomy

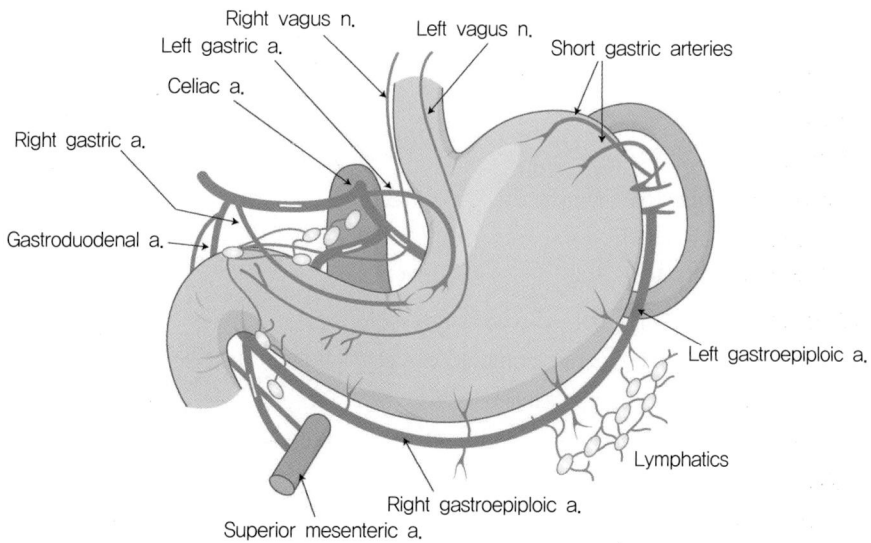

* blood supply
    ① Lt. & Rt. gastric A.
    ② Lt. & Rt. gastroepiploic A.
    ③ short gastric A.
    ④ gastroduodenal A.
    - splenic A.에서 short gastric A., Lt. gastroepiploic A. 나옴

4. Nerves

(1) parasympathetics (vagus N.)
- 기능 : motility & acid와 pepsin 분비
- ant. vagal trunk (Lt. vagus)
    - ant. wall of stomach, pyloric antrum, pylorus
    - first part of duodenum
- post. vagal trunk (Rt. vagus)
    - post. wall of stomach
    - celiac plexus (→ intestine, pancreas, spleen 등)

(2) sympathetics : pain sense를 전달

생리학

1. 악화 인자 : acid & pepsin

(1) 위산 분비의 자극

① gastrin … 가장 강력!
- gastric glands 증식↑ (위와 소장 점막의 성장을 촉진)
- 위산(HCl), pepsin, intrinsic factor 등의 분비를 촉진
- pancreatic secretion↑
- LES tone↑

② acetylcholine : vagal (parasympathetic) stimulation
- cholinergic stimulation에 의해 parietal cell의 분비 촉진
- G cells에서 gastrin 분비 촉진
- 혈중 gastrin 농도에 대한 parietal cell의 threshold↓

③ histamine ; gastrin과 cholinergic stimulation (acetylcholine)의 작용에 의해 enterochromaffin-like (ECL) cell에서 분비됨

④ physiologic stimuli : ingestion of food
- * 3 phases
    - cephalic : 시각/후각/미각 → vagal stimulation
    - gastric : 음식(주로 protein) → gastrin 분비 촉진 (fat은 아님)
    - intestinal : 소량의 gastrin 등의 분비 유발

⑤ coffee (caffeine이 있거나 없거나), beer, white wine, calcium (IV) → gastrin↑ & acid↑
- * ethanol, oral calcium → gastrin 증가 없이 acid↑

(2) 위산 분비의 억제

① 위/십이지장 내의 acid (∵ feedback)

② somatostatin

    * 기전 ┌ G cell에서 gastrin 분비 & ECL cell에서 histamine 분비 억제
           └ 직접 parietal cell의 위산 분비 억제

③ secretin (pepsinogen의 분비는 증가 시킴)

④ PG, GIP, VIP, EGF

⑤ hyperglycemia, intraduodenal hyperosmolality

⑥ anticholinergic agents

2. 점막의 방어 기능

(1) preepithelial barrier (mucus–bicarbonate layer)

- mucus : protective coat (back diffusion 억제)
- bicarbonate : surface epithelial cell에서 분비, H^+를 중화하여 pH gradient 형성
  (luminal surface pH 1~2 ↔ epithelial cell surface pH 6~7)
  - calcium, PG, cholinergics, acid 등이 분비를 촉진

(2) epithelial barrier

- mucus 생산, epithelial cell ionic transporters (intracellular pH 유지, HCO_3^- 생산), intracellular tight junction (bile acid, salicylate, ethanol, weak organic acid 등에 의해 파괴)
- epithelial cell restitution ; EGF, TGF-α, FGF
- epithelial cell regeneration ; PG, EGF, TGF-α
- angiogenesis ; FGF, VEGF

(3) subepithelial barrier

- microvascular system (m/i) ; HCO_3^- 제공, 영양분과 산소 공급, 독성 산물 제거
- mucosal blood flow (blood flow ↓ → back diffusion ↑)

* **prostaglandin** (특히 PGE) : epithelial defense/repair에 매우 중요!
┌ 위점액 & 위·십이지장 bicarbonate 분비 자극
│ parietal cells의 위산 분비 억제 (basal, stimulated 모두)
│ 위점막 barrier 유지, epithelial cell 재생을 촉진
└ 위점막 blood flow 증가

* **cyclooxygenase (COX)** : <u>PG 합성</u>의 rate-limiting enzyme

① COX-1 : 위, 혈소판, 신장, 내피세포 등에 존재

    → GI mucosal integrity, renal function, platelet aggregation 유지에 중요

② COX-2 : macrophage, leukocyte, fibroblast, synovial cell 등에 존재

    → 염증 자극에 의해 유도되어 inflammation을 매개

★ NSAIDs의 항염증 효과는 COX-2의 억제, 독성은 COX-1의 억제 때문!

* <u>nitric oxide (NO)</u>도 위점막 integrity 유지에 중요함!
 ; 점액 분비 촉진, 점막 혈류 증가, epithelial cell barrier function 유지

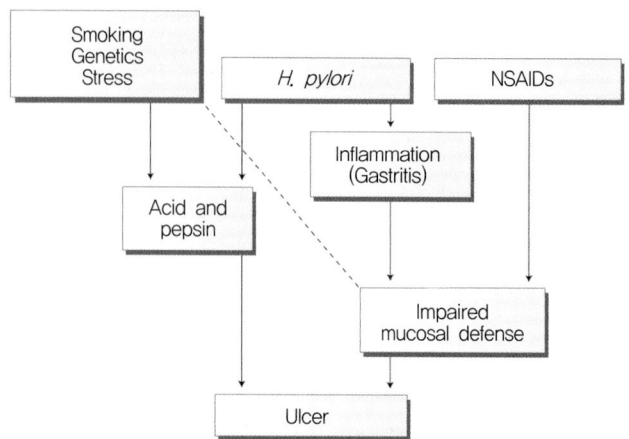

Pathogenesis of peptic ulcer

3. 위산 분비의 측정

- BAO (basal acid output) : circadian pattern (밤에 최고, 아침에 최저)
- MAO (maximal acid output) : gastrin 투여 후 측정 (parietal cells 수에 비례)
- indication
  ① Z-E syndrome (gastrinoma) 의심시
  ② achlorhydria
  ③ 궤양 수술 이후 궤양의 재발시
  ④ hypergastrinemia

 c.f.) ┌ 타액 ; 0.5~2 L/day, hypotonic
      │ 위액 ; 2~3 L/day, pH 0.8~1.5, 주로 fundus와 body에서 분비
      └ 췌장액 ; 1.5~2 L/day, isotonic, pH 8~8.5

원인

- *H. pylori*와 NSAIDs가 m/c 원인이지만, 그 외의 원인들이 점점 증가하는 추세임
- 위산은 mucosal injury를 일으키기는 하지만, 가장 중요한 원인은 아니다
- 특정 음식이나 alcohol, caffeine 함유 음료도 PUD 발생과 관련이 있다는 확실한 증거는 없다
- 유전적 요인 ; 1차친족에서 DU 발생 3배 증가, O형 혈액형 및 nonsecretor에서 PUD 발생 증가
     (→ 모두 *H. pylori*가 관여하므로, 일반적인 PUD에서 유전적 요인의 역할은 확실하지 않음)
- 정신적 요인 ; 논란, 신경질적 성격(neuroticism)이 PUD와 관련 있지만
         NUD 및 다른 위장관질환과도 관련

소화성 궤양(PUD)의 원인

■ 흔한 원인
1. *H. pylori* (m/c)
2. NSAIDs

■ 기타 원인 (non-*Hp*, non-NSAID)
1. Acid hypersecretion : Gastrinoma (ZES ; MEN I, sporadic), Mast cells/basophils 증가
   (Mastocytosis, Basophilic leukemia/MPD), Antral G cell hyperfunction/hyperplasia
2. Stress
3. Other infections : HSV type I, CMV, *Helicobacter heilmanni*
4. Duodenal obstruction/disruption (congenital bands, annular pancreas)
5. Vascular insufficiency : Crack cocaine-associated perforations
6. Radiation therapy, Chemotherapy, Drugs (→ 뒷부분 참조)
7. 기타 ; CD, sarcoidosis, infiltratory dz., ischemia ...

■ PUD를 일으킬 수 있는 질환들
1. 많이 관련 ; 만성폐질환, 간경변, 만성신부전, 신석증(nephrolithiasis), 신장이식,
   systemic mastocytosis, α_1-antitrypsin deficiency
2. 약간 관련 ; hyperparathyroidism, PV, 만성췌장염, 관상동맥질환

■ *Helicobacter pylori*

(1) 개요

- short, spiral-shaped, microaerophilic G(-) bacilli with multiple flagella
- 위상피세포 표면과 점액층의 밑부분 사이에 존재 (점막은 침범 안 함!)
- gastric mucosa (antrum에 m/c) or duodenum의 gastric metaplasia 부위에 잘 분포
  (감염 초기에는 antrum에 있다가 시간이 지나면서 proximal로도 이동)
- 균수가 많을수록 조직학적 변화 (gastritis 정도)가 심하다

(2) 병태생리

1) *Bacterial factors*
   ① virulence factor (genome) ; pathogenicity island (Cag A, pic B), Vac A
      * Cag-PAI의 31개 genes 중 6개가 type 4 secretory system (T4SS)을 발현 → 이를 통해
        숙주세포 내로 Cag A 단백 주입됨 → 세포 분열/증식, cytokines 생산에 영향
   ② urease ; urea를 분해해 ammonia (NH_3) 생성 → 상피세포 손상
   ③ surface factor ; chemotactic for neutrophils & monocytes → 상피세포 손상
   ④ protease & phospholipase ; mucous gel의 glycoprotein lipid complex를 분해
      * 점액의 생산/분비는 증가하나, protease 때문에 두께/점도는 오히려 감소됨
   ⑤ adhesins ; 균이 위상피세포에 부착하는 것을 촉진
   ⑥ LPS ; 다른 G(-) 세균과 달리 immunologic activity는 낮다

2) *Host factors*
   ① 염증반응 ; neutrophil, lymphocyte, macrophage, plasma cell 등을 동원
   ② 위상피세포의 class II MHC 분자와 결합 → apoptosis (local injury) 유도
   ③ Cag A의 세포내 주입 → cell injury & cytokines 생산↑
   ④ cytokines↑ ; IL-1 α / β, IL-2/6/8, TNF-α, IFN-γ

⑤ mucosal & systemic humoral response

⑥ reactive oxygen/nitrogen 생산↑, epithelial cell turnover & apoptosis↑

* *H. pylori*가 DU를 일으키는 기전 (아직 불확실)

　① 위 전정부의 *H. pylori* 감염(gastritis) → somatostatin-producing D cell 감소

　　→ somatostatin↓ → gastrin 분비 증가, 위산 분비 증가! → 십이지장 점막 손상

　② 십이지장의 bicarbonate 분비 감소

　③ 십이지장의 gastric metaplasia (∵ 위산 노출↑) → *H. pylori* 부착 → duodenitis or DU

　④ *H. pylori*의 virulent factor : DU-promoting gene A (*dupA*)

(3) 역학

- 전파 : fecal-oral, oral-oral route를 통한 사람간의 직접 접촉으로
- 감염률 : 우리나라 약 60% (최근에 감소 추세), 남>여
  - 선진국 : 감염률 낮고(미국 ~30%), 남=여, 나이가 들수록 증가, 크게 감소되는 추세임
  - *H. pylori* 감염률 감소로 인해 향후 PUD는 감소되고, GERD는 증가될 것으로 예상됨
- 대부분의 감염은 소아때 발생 → 가족내 감염이 중요한 원인
- 감염 획득 연령에 따른 감염 형태

　┌ 소아 초기 → GU, gastric ca.
　└ 소아 후기 → type B gastritis, DU

(4) 감염의 위험인자

- 낮은 경제사회적 지위 및 교육수준
- 개발도상국, 군집된 생활
- 비위생적인 생활환경, 불결한 음식 및 음료
- 감염된 사람의 위 내용물에 노출

(5) 상부위장관 질환과의 관련성

- acute *H. pylori* gastritis (소아 때 감염, 보통 무증상) → 대부분 chronic gastritis로 진행
- chronic active gastritis (거의 100% 관련) → but, 감염자의 10~15%에서만 소화성 궤양 발생

　┌ antral-dominant gastritis (위산↑) → DU↑
　│ body-dominant atrophic gastritis (위산↓) → GU, intestinal metaplasia (→gastric adenoca.)↑
　└ nonatrophic pangastritis → MALT lymphoma

- duodenal ulcer >80%, gastric ulcer >60%에서 *H. pylori* colonization과 관련
- *H. pylori* 제균치료시 궤양 재발률 10~20% 이하로 크게 감소 (치료 안하면 재발률 GU 59%, DU 67%), recurrent ulcer bleeding도 감소, ulcer perforation은 불확실
- 위암의 원인 인자 ; (B-cell) MALT lymphoma, (non-cardia) adenocarcinoma
  - *H. pylori* (+)시 위선암 발생률 약 2배 증가 (but, 제균치료로 위암 발생률이 의미있게 감소×)
  - 위암의 예방 목적으로 *H. pylori* 제균치료를 권장할 지는 연구가 더 필요함
  - MALT lymphoma는 *H. pylori* 제균치료시 약 75% 관해됨
    (c.f., high-grade aggressive lymphoma는 반응하지 않음)

* GERD (reflux esophagitis), Barrett's esophagus, esophageal adenoca. 등은 발생 예방 효과! ★

(6) 진단

① non-invasive
- 요소호기검사 (^{13}C- or ^{14}C-urea breath test, UBT) : sensitive & specific
  - radiorabelled urea → urease에 의해 분해 → $^{13}CO_2$ or $^{14}CO_2$ 측정
  - 치료 후 경과 파악에 가장 좋음!
- 대변 *H. pylori* Ag 검사 (EIA) : UBT 다음으로 유용하지만, 환자가 대변 채집을 싫어할 수
- 혈청학적 검사 : *H. pylori*에 대한 antibody (IgG, IgM)
  - ELISA (m/c), immunoblotting, IFA, RIA
  - 단점 : 한번 감염되면 계속 (+), 치료 경과 파악에 쓸 수 없다!
- 효소호기검사와 대변항원검사는 PPI or 항생제 사용시 false (-) 가능

② invasive : 내시경을 이용하여 위 조직 biopsy (→ 육안으로 정상적인 점막에서 시행해야 됨!)
- 전정부에서 2 표본 이상, 체부에서 2 표본 이상 조직을 채취하는 것이 권장됨
- rapid urease test (CLO test) : 신속, 간편, 저렴 → 내시경 가능 병원에서 1차 검사로 m/c
  - PPI, 항생제, bismuth 복용시 false (-) 가능
- 조직검사 : H&E 염색, Giemsa 염색, Warthin-Starry silver 염색

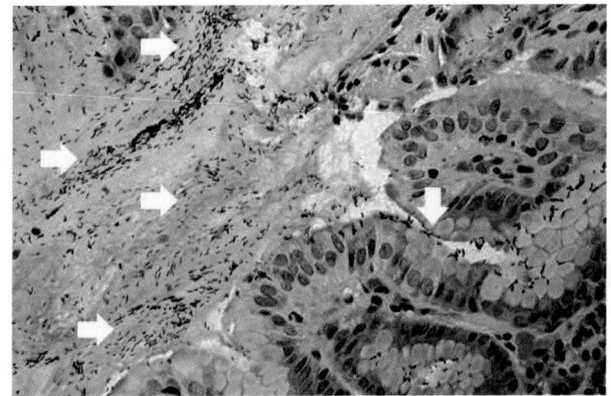

- 배양 : sensitivity 낮고, 복잡하고 시간 오래 걸림 (임상에선 필요×)
  - 치료에 실패한 경우 항생제 감수성검사 때나 이용
- 분자유전검사 : 민감도/특이도가 매우 높음 (위조직, 위액, 대변, 타액, 소변으로도 검사 가능)
  ⇨ 역학연구, 재감염과 재발 구별, 약제내성 돌연변이 검출 등에 이용됨
  (e.g., clarithromycin 내성 돌연변이 검출 PCR or sequencing - 보험 적용됨)
  ↳ 23S rRNA의 A2142G, A2143G mutations

Tests	Sensitivity (%)	Specificity (%)
1. Non-invasive		
Urea breath test	>90	>90
Serology	>80	>90
Stool Ag.	>90	>90
2. Invasive		
Rapid urease (CLO) test	>90	>95
Histology	>90	>95
Culture	70~90	100

(7) 치료

H. pylori 제균 치료의 적응증	
<u>Definite Ix</u>	*H. pylori*에 감염된 모든 소화성 궤양 환자 (반흔 포함) MALT (mucosa-associated lymphoid tissue) lymphoma 환자 (점막 or 점막하층에 국한된 경우) *H. pylori*에 감염된 조기 위암 환자의 내시경 절제술 후

Possible Ix	Chronic ITP (idiopathic thrombocytopenia purpura)
	원인 불명의 IDA (iron deficiency anemia)
	소화성 궤양 병력 환자에서 장기간 NSAIDs or low-dose aspirin 사용시
	위암 환자의 1차친족(부모/형제/자녀)
	위축성 위염/장상피 화생
	UBT 검사 양성인 젊고 무증상의 소화불량증(NUD) 환자 [서양]
	  – 우리나라는 NUD 환자에서 내시경 검사를 우선 권장 (저렴하므로)
	  – NUD 환자의 제균 치료는 항생제 내성 등의 위험

- *H. pylori*는 한 번 감염되면 저절로 소실되는 일은 없음
- **triple therapy (3제 요법)** ; TOC (★clarithromycin 내성 ⇨ 4제요법 or 순차치료 or 동시치료)
  - **PPI (omeprazole) + clarithromycin + amoxicillin** (or metronidazole) 1~2주
  - 우리나라는 metronidazole 내성률이 높아 amoxicillin을 사용
  - 제균율 80~90% (우리나라는 서양보다 낮음, 약 70~80%)
- 3제 요법의 단점(실패 원인)
  ① 낮은 환자 순응도 → 병합약제 ; Prevpac (lansoprazole + clarithromycin + amoxicillin), Helidac (BSS + TC + metronidazole) with PPI 고려
  ② 약물 부작용 (20~30%)
    - bismuth ; 흑색변, 변비, 혀가 검어짐
    - amoxicillin ; 위막성결장염(<1~2%), 설사, N/V, 피부발진, 알레르기 반응
    - TC ; 발진, 매우 드물게 간독성, anaphylaxis
- 정상 순응도 환자에서 치료실패(제균율↓)의 원인 ; 내성균(m/c), 북동아시아 지역, 흡연
- 최근 1차 치료의 제균율이 낮아짐에 따라 고려되는 대안들
  - **순차치료** : PPI + amoxicillin 5일 [∵ amoxicillin이 이후 clarithromycin의 효과 증대 역할]
    ▶ PPI + tinidazole (nitromidazole) + clarithromycin (levofloxacin) 5일
  - **동시치료** (bismuth 비포함 4제 요법) : PPI + amoxicillin + clarithromycin (levofloxacin) + tinidazole (nitromidazole) 5일 (→ 국내 연구 결과로는 모두 큰 차이는 없음)
- <u>**4제 요법**</u> : **PPI + bismuth + metronidazole + TC** 1~2주
  - 3제 요법에 실패하거나 or clarithromycin 내성시 시행!
  - 3제 요법 때 사용했던 항생제는 가능하면 사용하지 않음
- 4제 요법도 실패시 ⇨ 배양 & 감수성검사 실시
  - clarithromycin, quinolone, metronidazole에 대한 내성이 흔함 (특히 clarithromycin)
  - but, in vitro 감수성검사와 실제 환자의 제균 효과는 일치하지 않음
- 3제 & 4제 요법 실패시의 3rd-line therapy (확립된 지침은 없음)
  - pantoprazole + amoxicillin + rifabutin (10일) ; rifabutin의 BM 억제, 결핵균 내성↑, 고비용 문제
  - PPI + amoxicillin + levofloxacin (10일) ; 국내에서는 quinolone 내성률이 높아 제한적임
  - PPI + amoxicillin + furazolidone (14일)

- *H. pylori* 제균 후 위 염증은 정상화되나, atrophy나 intestinal metaplasia는 정상화되지 않음
- 치료 6개월 내 재발생은 대부분 이전 균의 재발, 성공적인 치료 이후 재감염(reinfection)은 드묾

* *H. pylori* 제균 치료 이후 궤양 재발의 원인

① *H. pylori* 감염 재발

② aspirin, NSAIDs

③ 과도한 반흔으로 인한 점막의 질 저하 및 미세순환 장애

④ 다른 질환 ; gastrinoma, Crohn's disease

(8) 추적검사

- urea breath test (UBT)가 가장 좋음 (불가능한 경우 stool Ag, rapid urease 검사)
  - 검사 최소 1주전부터 PPI는 끊어야 하나, H_2-RA는 계속 사용 가능
    (∵ PPI는 *H. pylori* 성장을 억제하여 위음성↑)
  - 시기 : 치료 종료 후 4주 뒤에 시행
  - 내시경 F/U을 해야 하는 경우에는 biopsy & rapid urease (CLO) test로
- 내시경 추적검사의 Ix ; 모든 GU, 합병증을 동반한 DU, 치료 후 증상이 재발된 DU, 조기위암의 내시경적 절제술 후, MALT lymphoma
- 합병증이 동반되지 않은 DU의 경우 추적검사를 꼭 할 필요는 없음

■ Smoking

- 영향 ; 궤양발생↑, 치유속도↓, 치료에 대한 반응↓, 합병증(천공) 및 재발↑
- 기전 (아직 불확실)
  ① gastric emptying time 감소 (→ 십이지장의 위산 노출↑)
  ② 췌장(십이지장 근위부)의 bicarbonate 분비 감소
  ③ *H. pylori* 감염 증가
  ④ 독성 mucosal free radicals 생성, 점막하 혈류 장애, PG 생산↓
- 위산 분비의 이상은 없다!

■ Hypersecretory syndromes

(1) Gastrinoma (Zollinger-Ellison syndrome)

→ II-13장 참조

(2) Antral G cell hyperfunction

- DU의 드문 원인
- fasting serum gastrin level이 중등도로 증가
- meal stimulation test에서 serum gastrin level 크게 증가
- secretin injection test에는 반응 없음 (↔ gastrinoma (ZES)와의 차이)

십이지장 궤양 (Duodenal ulcer, DU)

1. 해부학

- 1st portion (bulb, 구부) : 유문부(pylorus)에서 시작
- 2nd portion (하행부) ┐ 후복막에 위치
- 3rd portion (수평부) ┘ (→ superior mesenteric artery 뒤에 위치)
- 4th portion (상행부) : Treitz ligament 까지

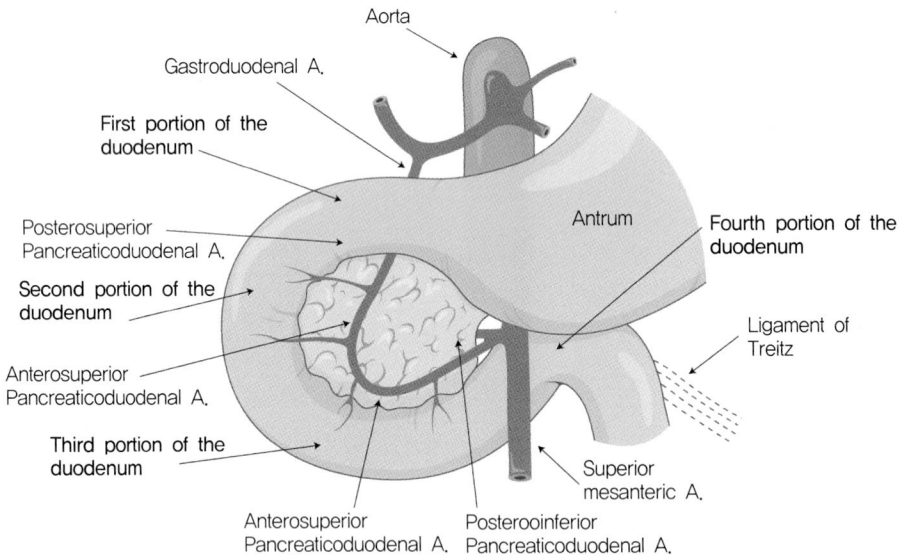

- DU의 95%는 1st portion (bulb)에서 발생 (이중 90%는 pylorus에서 3 cm 이내에 발생)
- 크기는 대개 1 cm 이하지만 3~6 cm도 가능

2. 병태생리

- ■ relative gastric acid hypersecretion
  - GU에 비해 위산 분비가 증가되어 있는 경우가 많다
    (MAO : DU 환자의 1/3에서 증가, 2/3는 high-normal)
  - fasting gastrin level은 대개 정상 (protein에 대한 gastrin 분비는 증가)
  - gastrin에 대한 위산 분비 반응↑
  - 십이지장의 HCO_3^- 분비 감소

- ■ liquid gastric emptying time 감소 (위배출 속도 증가) : 일부에서
  - 십이지장의 위산에의 노출 (acid load) 증가

3. 임상양상

(1) 명치/상복부 통증(epigastric pain)
- 쓰리거나 에는 듯한 통증, 둔하게 쑤시는 느낌 or 배고픈 듯한 통증
- 전형적 증상 ; 공복시 통증/불편감, 식후 2~3시간 뒤 발생, 음식이나 제산제에 의해 완화
- nocturnal pain (약 2/3에서) : "아파서 자다가 깬다" (but, NUD 환자의 1/3에서도 나타남)
- 복통의 발생 기전
  ① 위산에 의한 십이지장의 chemical receptors 활성화
  ② bile acids와 pepsin에 대한 십이지장의 감수성 증가
  ③ gastroduodenal motility 변화

(2) changes in pain character
- penetration : 음식이나 제산제로 호전 안 됨 or 등으로 radiation
- perforation : abrupt, severe, generalized abdominal pain/tenderness
- gastric outlet obstruction : 음식 섭취시 통증 악화, N/V (소화 안 된 음식), succussion splash (GU의 경우는 obstruction 없이도 N/V이 발생 가능)

(3) epigastric tenderness

(4) postbulbar ulcer (5%) : RUQ pain, 등으로 radiation

(5) bleeding (ulcer Sx. 없이도 발생 가능) : tarry stools or coffee ground emesis

4. 진단

(1) 상부위장관 조영술(barium study)
- sensitivity ; single-contrast 80%, double-contrast 90% (전벽에서 50% 발생 → 정면에서 압박하였을 때 잘 보임)
- 작은 궤양(<0.5 cm), 과거의 궤양에 의한 반흔, 수술 후 환자 등에서는 sensitivity가 떨어짐
- barium study로 궤양이 진단된 경우, *H. pylori*에 대한 non-invasive test도 시행 (e.g., urea breath test, serology, fecal Ag)

(2) 내시경
- 가장 sensitive & specific
- 궤양 병변의 조직검사(biopsy)는 필요 없다!! (∵ never malignant)
- 위점막(antrum) biopsy를 통한 *H. pylori* 검사는 시행 (e.g., rapid urease test)

* D/Dx (peptic ulcer-like epigastic pain을 일으킬 수 있는 질환)
  ; NUD (non-ulcer dyspepsia), GERD, AMI, pleurisy, pericarditis, esophagitis, cholecystitis, pancreatitis, IBS, gastroduodenal Crohn's dz., proximal GI tumor

* ulcer-like Sx.을 가진 환자의 많은 경우는 NUD임
  → 45세 미만이면서 건강한 환자는 empirical Tx.를 먼저 시도해보는 것이 합리적

위궤양 (Gastric ulcer, GU)

- 발생부위 ; lesser curvature (60%), antrum (35%) [fundus와 greater curvature는 드묾]

→ 뒤의 수술방법 부분 참조

```
┌ H. pylori에 의한 GU - 대부분 antral gastritis를 동반
└ NSAIDs에 의한 GU - chronic gastritis를 동반 안함
```
- GU의 약 10%는 DU도 동반

1. 원인 및 병인

- DU처럼 *H. pylori* 감염이나 NSAIDs에 의한 점막 손상이 m/i
  (어린 나이에 감염될수록 GU 및 위암 발생 위험 증가)
- 위점막 방어능력의 결함
- 위산 분비는 <u>정상 or 감소</u> (→ serum gastrin level ↑)
- solid gastric emptying time 연장 (위배출 지연) … 일부에서
- duodenal contents (e.g., bile acids, lysolecithin, pancreatic enzymes)의 역류
  (→ 위점막 손상을 일으킬 수) … GU 발생의 역할은 확실치 않음

2. 임상 양상

- 증상만으로는 DU 및 functional dyspepsia와 구별 안 됨
- 전형적 증상 ; 식사 직후(30분 이내) 통증/불편감, 음식에 의해 덜 완화됨 or 악화
- DU보다 nausea와 체중감소가 더 흔하다
- hemorrhage : 25%에서 (DU는 15%)

3. 경과

- DU보다 치유속도 느리다 (2~4주, 최대 3개월)
- 궤양의 크기가 클수록 치유기간이 오래 걸린다
- benign ulcer (<3 cm)는 치료시작 4주 후엔 반드시 크기가 50% 이하로 감소
- malignant ulcer의 70%도 PUD 치료로 healing 됨 (대개 불완전하게)
- complete healing이 꼭 benign임을 보장하지는 못한다 (malignant 배제 못함)
- 진단시 반드시 multiple biopsy를 시행하고, 조직검사에서 benign이라도 반드시 치료 8~12주 뒤에
  F/U 내시경 검사 시행! (c.f., DU는 악성화하지 않으므로 F/U 내시경 필요 없음)

	십이지장 궤양	위 궤양
연령, 성비	평균 40세, 남＞여	평균 60세, 남＞여
전형적 통증 양상	공복시, 식후 2~3시간, 야간	식후 30분 이내
위 산도(acidity)	↑	정상~↓ (다양)
H. pylori 감염률	70~90%	50~70%
병인	위산분비 증가 위산분비 자극에 대한 과민	위산분비 증가 (type II, III) 점막 방어능력 결함 ?
예후	좋음	나쁨
악성화 위험	× (→ 조직검사 필요 없음!)	△ (→ 조직검사 필요)

4. 양성 vs 악성 위궤양의 비교

	양성 위궤양	악성 위궤양
1. 조영술 소견		
Shape	sharp, round, ovoid	irregular, uneven
Hampton's line	+	−
Carman's meniscus sign	−	+
Cart−wheel appearance	+	−
Size	3 cm 이하	3 cm 이상
Site	<u>antrum</u>, lesser curvature	<u>body</u>, <u>fundus</u>, greater curvature
Depth	깊다	넓다
2. 내시경 소견		
Base	clear, blood clot	necrotic, hemorrhagic
Border	hyperemic	nodular
Fold	radiating to edge (cart−wheel appearance)	clubbing, fusion interruption, tapering
3. 임상 양상	diarrhea	constipation
Motility	normal	rigid, poor
Follow up	mucosal change	abnormal fold 존재

★ 육안으로는 양성과 악성을 완벽하게 구분할 수 없다! ▶ 반드시 위내시경하 조직검사 시행!

PUD의 내과적 치료

* 목적 ┌ 증상(통증 or 소화불량)의 완화
├ 궤양의 치유 촉진
└ 궤양의 합병증과 재발 방지

1. *H. pylori* 제균 치료

→ 앞 부분 참조

2. 위산 중화/억제제

(1) 제산제(antacids)

- 1차 치료제로 쓰이는 경우는 드물고, dyspepsia의 증상 완화를 위해 사용

┌ aluminum hydroxide (Cx ; constipation, hypophosphatemia)
└ magnesium hydroxide (Cx ; loose stool, diarrhea)

- aluminum + magnesium (m/g) ; Maalox, Mylanta 등

  * CKD 환자 ┌ magnesium 금기 (∵ hypermagnesemia)
            └ aluminum → neurotoxicity 일으킬 수

- calcium carbonate (Cx ; acid rebound, Milk-alkali syndrome [hypercalcemia, hyperphosphatemia, renal calcinosis와 신부전의 발생 위험])

- sodium bicarbonate (Cx ; systemic alkalosis)

(2) H_2-receptor antagonists (H_2-RA)

- cimetidine … 1st H_2-blocker

  - Cx. ┌ 일시적인 serum aminotransferase, creatinine, prolactin level 증가
        │ CNS Sx ; headache, confusion, lethargy
        │ cytochrome P450 억제 (cimetidine과 ranitidine 만)
        │   → warfarin, theophylline, lidocaine, phenytoin, diazepam, atazanavir 등 약물농도↑
        └ 장기 복용시 impotence, gynecomastia (∵ antiandrogenic effect)

    c.f.) cytochrome P450은 간에서 약물 대사에 관여하는 중요한 효소계임

- ranitidine, famotidine, nizatidine … cimetidine보다 강력하고 부작용이 적어 선호됨

- 드물게 reversible cytopenia도 일으킬 수 있음 (0.01~0.2%)
  ; pancytopenia, neutropenia, anemia, thrombocytopenia

(3) proton pump (H^+,K^+-ATPase) inhibitors (PPI)

- 약제 ; omeprazole, lansoprazole, rabeprazole, pantoprazole, esomeprazole
  (esomeprazole이 최신 약제로 가장 강력)

- 위산 분비를 완전히 억제 (모든 단계를 억제), 가장 강력

- 투여 2~6시간 뒤에 최대 효과, 3~4일간 효과 지속

- 식사 직전에 투여해야 가장 효과적 (∵ proton pump 활성화 필요) → 아침 첫 식사 전 또는
  식사와 함께 투여하는 것이 원칙, 한번보다는 하루 2회 투여해야 더 효과적

- Cx.
  - fasting serum gastrin↑ (∵ 위산분비 저하에 따른 feedback으로)
  - vitamin B_{12}, iron, Ca^{2+}, ketoconazole, ampicillin, digoxin 등의 흡수 방해 (∵ 위산↓)
  - 장기간 복용시.. 지역획득폐렴 (특히 노인), *C. difficile*-관련 질환, 소장 세균 과다증식,
    microscopic colitis, interstitial nephritis, hypomagnesemia, 골다공증/고관절골절(女)...
  - 약물상호작용 : cytochrome P450 system에 의해 대사 (e.g., omeprazole, lansoprazole)
    - P450 억제 → theophylline, warfarin, diazepam, atazanavir, phenytoin 등 제거 감소
      (병용시 주의를 요하지만, 임상적 의미는 미미함)
    - rabeprazole, pantoprazole, esomeprazole은 P450 대사약물들과 상호작용 크지 않음
    * clopidogrel : PPI와 같이 P450 (CYP2C19)에 의해 대사됨 → 병용시 활성화 감소
      → 항혈소판 효과 감소 & 심혈관계 위험 증가 (아직 근거는 부족함, 연구 중)
      - clopidogrel이 꼭 필요한 경우 clopidogrel은 계속 복용하면서 PPI 사용을 재평가
      - clopidogrel + aspirin 복용 환자는 (특히 GI bleeding의 다른 위험인자 존재시)
        반드시 PPI 사용 ; clopidogrel과 PPI를 12시간 차이를 두고 투여 or
        CYP2C19의 영향을 가장 덜 받는 pantoprazole을 사용
- carcinoid tumor or gastrinoma 발생 위험은 증가하지 않음!
- 새로운 PPIs
  - tenatoprazole : proton pump를 비가역적으로 억제하여 반감기가 매우 긺 (7~8시간)
    → 야간 위산분비 억제에 유리 (GERD에 매우 효과적)
  - ilaprazole : 반감기가 길고, omeprazole보다 효과 좋음
  - dexlansoprazole : pH 5.5와 6.8에서 이중지연방출(dual delayed-release) 작용
    → 식사와 관계없이 약효 지속 가능이 가장 큰 장점, 주로 GERD의 치료에 사용됨
* potassium-competitive acid pump blocker (P-CAB) ; revaprazan
  - 새로운 세대의 위산분비 억제제, acid pump antagonist, 위산분비를 빠르게 억제 & 오래 지속
  - PPI와 달리 식전에 복용해도 됨 (but, 대부분의 연구에서 기존 PPI보다 효과적이진 않음)

3. 점막보호/증강제

(1) sucralfate (e.g., Ulcermin®)
- 작용기전 ; 물리화학적 장벽, 성장인자(e.g., EGF)와 결합하여 성장 촉진, PG 합성↑,
  점액하 bicarbonate 분비↑, 점막 방어/복구↑
- H_2-RA 보다 치유속도와 통증감소 빠르다
- Cx (드묾) ; constipation (2~3%), 드물게 hypophosphatemia와 gastric bezoar도 발생 가능
  - CKD 환자에서는 금기 (∵ aluminum에 의한 neurotoxicity)

(2) Bismuth 함유제
- 약제 ; colloidal bismuth subcitrate (CBS), bismuth subsalicylate (BSS)
- H. pylori를 죽이는 효과도 있음 (*H. pylori* 제균요법에도 포함됨)
- Cx ; 단기간 사용시 검은변, 변비, 혀의 색소침착 등
  - 장기간 사용시 neurotoxicity 일으킬 수 있음 (특히 CBS)

(3) prostaglandin (E$_1$) analogs (Misoprostol)

- 작용기전 : mucosal defense & repair 향상
- active ulcer의 치료에는 다른 약제들보다 덜 효과적
- NSAID-induced ulcer의 예방에만 쓰임
- Cx. ; 설사(10~30%에서, 용량과 비례), 자궁 출혈/수축, 유산

(4) 기타 방어인자 증강제

- rebamipide (Mucosta® 등) ; 위점막 보호, PG↑, 산소자유유리기 제거
- ecabet sodium (Gastrex®) ; 손상된 점막 피복, 항 pepsin 작용, PG↑, *H. pylori* (urease) 저해
- teprenone (Selbex® 등) ; 위점액↑
- cetraxate (Neuer® 등) ; 점막 혈류↑
- safalcone (Solong®) ; PG 대사 효소 억제

4. 식이요법 및 생활습관

- balanced, regular meals
- 무자극(bland) or 유동식(soft diet), 과일주스 등 효과 없다! → 음식물에 특별한 제한은 없음
  (먹어서 통증 or 소화불량을 유발하는 음식은 피하는 것이 좋음)
- high-fiber : ulcer 발생/재발 ↓
- 우유와 아이스크림 : 효과 없다, 오히려 Milk-Alkali syndrome, atherogenesis를 일으킬 수 있음
  (milk → gastrin 분비↑)
- 피해야 할 것들 ; aspirin, NSAIDs, caffeine 함유 음료 (콜라, 박카스), 커피(무카페인도 포함),
  포도주, 맥주 등 (alcohol : 조금은 먹어도 괜찮지만, 피하는 것이 좋다)
- 금연 (∵ smoking → ulcer 발생위험↑, ulcer 치유 지연, 재발 증가)

5. 일반적 치료원칙

- *H. pylori* 양성인 경우의 conventional therapy
  ┌ *H. pylori* 제균요법 (triple therapy) : 2주
  └ acid-suppressing drugs (H$_2$-RA or PPI) : total 4~6주
  - 작용 기전이 다른 여러 약제의 병합요법이 더 좋다는 증거는 없다!
  - NSAIDs 사용과 관계없이 시행
- 대부분(>90%)의 DU & GU는 위의 치료로 치유됨
- refractory ulcer : DU 8주 (GU 12주) 치료 뒤에도 치유되지 않을 때
  ① 치료제를 충실히 복용했는지 확인 (poor compliance)
  ② *H. pylori* 감염 지속 (∵ 내성균) R/O
  ③ NSAIDs 및 aspirin 복용 R/O
  ④ 금연 (∵ 흡연 - 궤양 재발의 위험인자)
  ⑤ GU의 경우 반드시 malignancy를 R/O (→ multiple biopsy)
  ⑥ 위산 과다 분비 상태를 R/O (e.g., ZES, G cell hyperfunction)
  ⑦ 기타 ; 드문 원인들을 R/O (e.g., CD)

- high-dose PPI 8주 치료 → refractory ulcer (DU, GU)의 대부분(>90%)이 치유됨
  - 유지요법에도 효과적
  - 여기에도 반응 없으면 수술적 치료를 고려!
- 수술 전에는 반드시 조직검사를 통해 refractory ulcer의 드문 원인들을 R/O
  ; ischemia, Crohn's dz., amyloidosis, sarcoidosis, lymphoma, eosinophilic gastroenteritis, infections (CMV, TB, syphilis) ...

수술적 치료

1. 적응증 (소화성궤양의 합병증)

(1) 위장관 출혈 (~15-25%) : m/c PUD Cx.
- 약 20%는 선행 증상/징후 없이 출혈 발생, 약 95%는 저절로 지혈됨
- emergent endoscopy (Dx. & Tx.)
- GU > DU, DU에서는 재발 잘함(40%)
- 나이가 많을수록(>60세) 출혈 및 천공의 빈도 증가 (∵ NSAIDs 복용 증가)
- 예후가 나쁜 경우 ; 60세 이상, hematemesis, shock, multiple transfusion, 동반질환(특히 CKD, 심혈관, 간, 호흡기 질환, 악성 종양)
- 궤양 출혈의 내시경 치료 (Ix. : 출혈이 지속 or 노출된 혈관이 보일 때)　　 → I-3장도 참조
  ① injection method ; <u>epinephrine</u>, ethanol, sclerosing agents
  ② thermal method ; laser, electrocoagulation, heater probe
  ③ 기타 ; fibrin glue, hemoclip
- 수혈이 필요한 환자의 약 ~5%는 내시경치료에 반응이 없고 수술 필요
- <u>수술의 적응</u> ; 내시경 치료 실패, 혈역학적 불안정, 심한 출혈 지속

(2) 천공 (perforation, 2~3%) : 2nd m/c
- 발생부위 ; duodenum (60%), antrum (20%), body (20%)
  - 호발부위 ; DU - bulb의 앞쪽, GU - lesser curvature의 앞쪽
  - GU에서 발생시 DU보다 사망률 3배 높음
- Sx : sudden, severe generalized abdominal pain, N/V
  (약 10%는 선행 증상이 없고, 10%에서는 출혈도 같이 발생)
- P/Ex : rigid, quiet abdomen, rebound tenderness
- Dx : chest or abdominal X-ray (free air 봄)
- Tx : 응급 수술

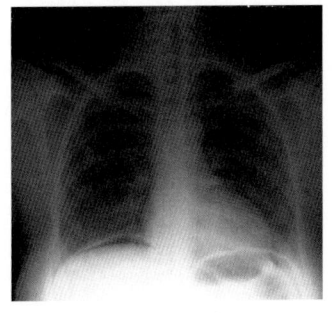

* 관통(penetration) : 인접 장기와 터널을 형성한 형태의 천공
  ┌ DU : 뒤쪽으로 췌장과 관통 경향
  └ GU : 간좌엽으로 관통 경향
  - pain이 더 심해지고, 지속적이며, 등으로 방사, 제산제로 호전×

(3) 위날문막힘/유문부협착증 (gastric outlet obstruction, 1~2%)
- 주로 duodenal ulcer에서 발생 (peripyloric region에서)
- 원인 ; chronic scarring, 염증에 의한 motility 장애, edema, pylorospasm
- Sx ; early satiety, N/V, weight loss
  - functional obstruction : 궤양 치유되면 호전! → 내과적 치료(NG suction, hydration ...)
  - fixed, mechanical obstruction → 내시경 치료(balloon dilatation) → 실패하면 수술

> **■ 위날문막힘(gastric outlet obstruction, GOO)**
> - 원인
>   - (1) 악성종양 (50~80%) ; 췌장암(m/c), 위암 .. (기타 전이 가능한 모든 암)
>   - (2) 양성질환 ; PUD (5%), CD (5%), 췌장염(1~5%), 췌장 가성낭종, 위 용종, 수술 합병증, 부식제 섭취, congenital duodenal web, bezoars, 담석(Bouveret syndrome) 등
> - 증상 ; 구토(nonbilious, 소화 안된 음식 포함), early satiety, epigastric fullness, 체중감소(악성종양 같이 만성적인 원인일 때 특히 현저) ...
> - 진찰소견 ; 탈수, 영양실조, 상복부의 tympanic mass (∵ 팽창된 위), visible peristalsis, 진탕음(succussion splash) ...

(4) Refractory ulcer (매우 드묾)

(5) 악성 병변의 우려가 있는 경우

2. 수술 방법

(1) 십이지장 궤양
- highly selective vagotomy (= parietal cell vagotomy or proximal gastric vagotomy)
  - 위전정부의 innervation은 보존되므로 drainage 수술이 필요 없음
  - postop. Cx 가장 적음 / 재발률 가장 높음(10~15%) ⋯ elective surgery 때 선호
- vagotomy + drainage (pyloroplasty, gastroduodenostomy, gastrojejunostomy)
  ; postop. Cx과 재발률 중간 정도 (약 10%)
- vagotomy + antrectomy (40% distal gastrectomy) + reconstruction (Billroth I or II)
  - postop. Cx 가장 많음 / 재발률 가장 적음(0~2%)
  - Billroth I (gastroduodenostomy) ; Billroth II보다 선호되지만, 십이지장 염증/반흔 Cx 발생 문제
  - Billroth II (gastrojejunostomy)
  - partial gastrectomy + Roux-en-Y reconstruction ; Billroth II보다 결과 좋음

(2) 위 궤양

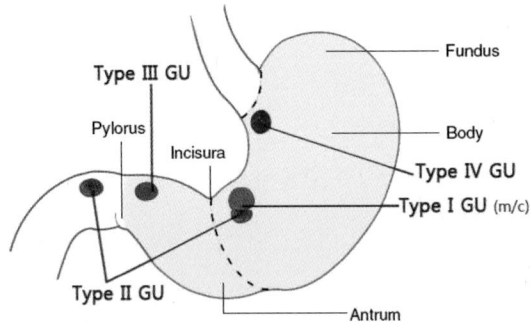

Modified Johnson classification of gastric ulcers

Type	부위	빈도	위산분비	수술 방법
I	소만 (incisura 부근)	60%	↓~N	Vagotomy + antrectomy + Billroth I
II	소만 + 십이지장	~15%	↑	Vagotomy + distal gastrectomy + Billroth I
III	Prepyloric antrum	20%	↑	(Billroth I 어려우면 Billroth II or Roux-en-Y)
IV	상부 소만 (GEJ 부근)	<10%	N	가능하다면 ulcer만 resection Subtotal gastrectomy + Roux-en-Y esophagogastrojejunostomy (Csende's procedure) 등
V	Anywhere NSAID-induced	<5%	N	NSAID가 주요 원인이므로 대부분 수술은 필요 없음 필요한 경우엔 anterior gastrectomy (실패시 total gastrectomy)

3. 수술 후의 합병증

(1) Recurrent ulceration

- 주로 anastomosis 부위에 발생 (stomal or marginal ulcer)
- 통증(epigastric pain)의 강도/기간은 수술전의 DU보다 크다
- evaluation
  ① 우선 *H. pylori* 및 NSAIDs를 R/O
  ② ZES, retained gastric antrum, incomplete vagotomy 등을 R/O
     (vagotomy 평가 → sham feeding + gastric acid analysis)
- 치료 : 대부분(70~90%) 내과적 치료로 호전됨
  ① 내과적 치료 ; H_2-RA or PPI
  ② 재수술 ; 강력한 내과적 치료에도 반응이 없는 소수에서만

수술후 궤양 재발의 원인
1. *H. pylori* 감염의 지속/재발
2. 수술 방법의 잘못 　Gastroenterostomy alone 　Gastric & prepyloric ulcer에서 highly selective vagotomy만 시행
3. 불충분한 수술 　Incomplete vagotomy 　Inadequate drainage 　Inadequate resection 　Retained antrum
4. 위산 과다분비 상태 　Gastrinoma (ZES) 　MEN I syndrome 　G-cell hyperplasia 　Hypercalcemia
5. 궤양유발 약물 복용 　NSAIDs 　Steroids 　Reserpine

(2) Retained antrum에 의한 궤양 재발

- antrectomy & Billroth II anastomosis 수술 이후에 발생 가능
- fasting gastrin level↑ (∵ 남아있는 antrum이 위산과 접촉하지 못해 feedback으로)
- D/Dx : gastrinoma (ZES)
  ① acid secretory analysis
  ② gastrin 유발 검사 (secretin stimulation test)

    ┌ retained antrum ; serum gastrin 증가 안 함
    └ gastrinoma ; 15분 이내에 gastrin 증가

- Tx : resection of retained antrum

(3) Afferent loop syndrome (수입각 증후군)

- 기전에 따라 2가지 형태의 임상양상
  ① afferent loop의 bacterial overgrowth (더 흔함)
    - 식후 복통, 복부 팽만감, 설사
    - fat & vitamin B_{12} 흡수장애
  ② 담즙/췌장액의 배출 장애
    - 식후 (20~60분 뒤) 심한 복통과 복부 팽만감 발생
    - 복통 → N/V (bile-containing vomitus) → 복통 호전
- Tx ; 항생제나 식이요법으로 호전이 없으면, surgical revision 시행

(4) Dumping syndrome

- early dumping syndrome
  - 식후 30분 이내에 발생
  - 증상 ; 경련성 복통, 오심, 설사, 트림, vasomotor Sx (빈백, 발한, 어지러움 등)
  - 50% glucose로 유발 가능
  - 기전 : 고삼투성 위내용물(hyperosmolar gastric content)의 소장으로의 빠른 배출
    ⇨ ① 소장의 distension → autonomic reflex (motility) 자극
       ② osmotic shift of fluid → relative hypovolemia
       ③ vasoactive GI hormones (VIP, neurotensin, motilin) 분비
- late dumping
  - 식후 90분~3시간에 발생
  - vasomotor Sx (빈백, 발한, 어지러움 등)이 주
  - 기전 : 당을 함유한 음식이 근위부 소장으로 rapid emptying → 혈중 glucose level이 급격히
    상승 → insulin의 과다 분비 → rebound hypoglycemia
  - vagotomy & drainage 환자의 50%에서까지 나타날 수 있으나, 약 1%만 심하게 지속됨
- 치료
  - 대부분 시간이 흐르면 증상 호전됨
  - 식이조절 (frequent, small meals) : m/i
    ① 단당류 섭취 제한 (탄수화물을 줄이고 단백질과 지방을 늘림)
    ② 식사시 수분량 제한

③ 식사 후 잠시 누워 있는다

④ 지사제, anticholinergics ; 식이요법에 보조적으로 사용

- somatostatin analogue (octreotide)

① vasoactive substance, insulin 분비 억제 → late dumping 예방

② 식이조절로 호전 안 되는 경우에 유용

- guar & pectin : 장내용물의 점도를 높임, 증상이 심한 환자에서 도움될 수 있음
- acarbose (α-glucosidase inhibitor) : 탄수화물의 흡수를 느리게 함, late dumping에 효과적
- 수술은 대부분 도움 안 된다!

(5) Alkaline (bile) reflux gastropathy/gastritis

- 대부분 위절제술 + Billroth reconstruction (anastomosis)를 받은 환자에서 발생
- Sx ; 조기 포만감, 심한 복통, 담즙성 구토, 체중감소

  → 음식, 제산제, 구토 등으로 증상(복통)이 호전 안됨!
- Dx (reflux 확인) ; ^{99m}Tc-HIDA scan, alkaline challenge test (0.1N NaOH)
- Tx ; 식사조절, 항경련제, cholestyramine, Foipan (camostat mesilate) 등
  - 심한 경우에는 수술 : Billroth anastomosis를 Roux-en-Y gastrojejunostomy로 전환

    (Roux limb의 길이는 50~60 cm으로 늘림)

(6) Post-vagotomy diarrhea

- 약 10%에서 발생하며 truncal vagotomy 후 가장 호발
- 전형적으로 식후 1~2시간 뒤 설사 발생
- Tx ; diphenoxylate or loperamide
  - 심한 경우 bile salt-binding agent (cholestyramine)가 도움

(7) Maldigestion & malabsorption

- 체중감소 (~60%) : 대개 경구 섭취 감소 때문
- IDA ; 빈혈 중 m/c, dietary iron 흡수↓ 때문, iron salts 흡수는 정상(→ 철분제제에 잘 반응)
- vitamin B_{12} 결핍 ; bacterial overgrowth or 위산저하에 의한 vitamin-protein 분리 장애 때문,

  IF는 거의 정상임! (∵ antrectomy 때 IF의 근원인 parietal cells은 거의 제거 안됨)
- folate deficiency ; 흡수장애 or 섭취감소 때문
- vitamin D & calcium 흡수장애 → osteoporosis, osteomalacia

(8) Gastric adenocarcinoma

- 수술 15년 뒤부터 gastric stump에서의 adenocarcinoma 발생 위험 증가 (20~25년 뒤 4~5배↑)
- 발생기전 (잘 모름) ; alkaline reflux, bacterial proliferation, hypochlorhydria
- 내시경 추적검사가 도움이 되는지는 불확실

약물에 의한 궤양/미란

1. NSAID & aspirin

(1) 개요

- NSAID 복용 환자는 serious GI Cx 발생 위험이 2.5~5배 높음
- 기전(병태생리)
  ① local injury (aspirin과 많은 NSAIDs는 acidic 특성을 가짐)
    - direct (복용 수분 내) ; 위의 산성 환경에서 점막으로 침투 → 점막 상피세포 손상,
      H^+ & pepsin의 back diffusion↑ → 상피세포 더욱 손상
    - indirect ; enterohepatic circulation (담즙과 함께 위 내로 역류)
  ② systemic injury : cyclooxygenase (COX)-1, COX-2, thromboxane A_2 등 억제
    - COX-1 억제 (m/i) → PG 합성 억제 → 위점막 보호기능 장애 → 위점막 손상
      ↳ 5-lipoxygenase (LOX) 같은 염증매개물질 생산↑ → 위점막 손상
    - thromboxane A_2 억제 → 혈소판 기능 억제 → 출혈 위험↑
    - angiogenesis 억제 → 궤양의 치유 방해
    * topical NSAID도 전신적으로 흡수된 뒤 upper GI injury를 일으킬 수 있음
- fundus에는 주로 표재성 점막 손상 / ulcer는 주로 antrum에 발생
- H. pylori 감염 : 독립적인 위험인자로 NSAID-induced GI Cx 발생 위험을 더욱 증가시킴
  → 장기간 NSAID 사용이 필요한 환자는 반드시 H. pylori 검사 시행!

(2) NSAID-induced upper GI toxicity

- mild Sx (무증상 점막손상, mild dyspepsia, N/V, 복통) ~ peptic ulcer, bleeding까지 다양
- NSAID-induced gastropathy : 복용 첫 3개월 내 40~60%에서 발생
  - multiple acute erosion & subepithelial hemorrhage (매우 뚜렷이 관찰됨)
  - 조직검사에서 염증세포의 침윤은 없음
- dyspepsia : 10~20%에서 발생하지만, NSAID-induced pathology와의 관련성은 없음
  (심각한 GI Cx 발생 환자의 80% 이상은 dyspepsia의 선행이 없음!)
- NSAID 장기 복용자의 10~20%에서 GU, 2~5%에서 DU 발생, deep punched-out ulcer가 흔함
  ; 대부분은 무증상임 → 첫 증상이 출혈이나 천공으로 나타날 수 있음 (~10%)
- symptomatic ulcer : 2~5%/year에서 발생 (내시경 상에서는 10~25%에서 발견됨)
  → 0.2~1.9%/year에서 심각한 합병증(입원, 출혈, 천공) 발생
- NSAID-related GI toxicity의 위험인자

> 1. PUD (peptic ulcer dz.)의 과거력 (m/i)
> 2. 고령(>65세)
> 3. 고용량 NSAID
> 4. 두 가지 이상의 NSAIDs 사용 (COX-2 inhibitors 포함)
> 5. 만성적인 NSAID 복용
> 6. Aspirin (저용량 포함), glucocorticoids, 항응고제/항혈소판제 등의 병용
> 7. 심한 전신 질환 (특히 심혈관질환), rheumatoid arthritis
>
> * Possible : H. pylori 감염 동반, 흡연, 음주, 카페인

- NSAID와 aspirin의 relative ulcerogenic risk

Very low	COX-2 inhibitors
Low	Diflunisal, Diclofenac, Aceclofenac, Ibuprofen, Salsalate
Medium	Fenoprofen, Ketoprofen, Naproxen, Aspirin
High	Azapropazone, Meclofenamate, Indomethacin, Piroxicam, Tolmetin

(3) NSAID-induced lower GI toxicity

- 점막염증, 설사, 궤양, 협착, 출혈, 천공, IBD의 악화 등
- 증가 추세, upper GI Cx보다 사망률 높고 입원기간 긺

■ **참고: NSAID-induced enteropathy (small bowel injury)**
- NSAID 장기 복용 환자의 ~70%에서 어느 정도는 발생 가능
- 임상양상 ; dyspepsia, diarrhea, bleeding, erosion, ulcer, stricture, obstruction, IDA ...

* stricture (<u>diaphragm disease, DD</u>) ; 짧은 원형의(concentric) strictures, 약 2%에서 발생, 남<여

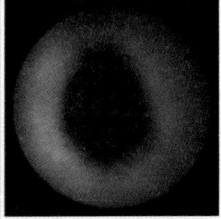 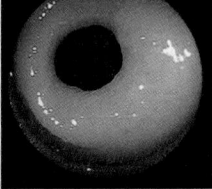 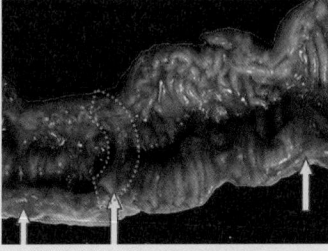

[Capsule endoscopy]　　　[DB enteroscopy]

- 제산제(PPI, H₂-blocker) 복용시 발생 위험 증가 (∵ 위산↓ → 장내세균↑ → enteropathy 악화에 기여)
- 기타 DD의 원인 ; IBD, potassium intake, celiac disease, eosinophilic gastroenteritis, radiation injury
- 병리소견 ; superficial annular or longitudinal ulcers, submucosa widening
- 진단 ; capsule endoscopy (협착 부위에 걸릴 수도), double-balloon enteroscopy (DBE), CT/MRI
- DD (stricture)의 치료 ; NSAID 중단, 내시경 확장술, 수술(resection)

(4) NSAID-induced ulcer의 치료 ★

① NSAID를 끊을 수 있을 때 → PPI (or H₂-RA) (and/or misoprostol)
② <u>NSAID를 끊을 수 없을 때</u> → PPI (유일하게 NSAID에 관계없이 효과!) (+ misoprostol)
③ *H. pylori* 양성이면 제균요법 시행!

(5) 예방 ★

① misoprostol (PGE₁ analogue) ; 임산부엔 금기 (∵ 태반/자궁 수축)
- full dose (800 mcg/day)는 매우 효과적이지만 설사(13%)와 복통(7%)의 부작용으로 제한
- lower dose (400~600 mcg/day)는 PPI와 효과 및 부작용 비슷함
② PPI : NSAID (or COX-2 inhibitor)-induced ulcer의 예방에 효과적
- 부작용 ; *C. difficile*-관련 설사, 고관절 골절, 지역획득폐렴(CAP) 등 (→ 앞부분 참조)
- omeprazole, esomeprazole 등은 clopidogrel과 병용시 clopidogrel의 항혈소판 효과가 감소됨
  ; pantoprazole은 예외, H₂-RA와 제산제는 clopidogrel과 상호작용 없음
③ high-dose H₂-RA : PPI보다는 효과 많이 떨어짐

④ selective COX-2 inhibitor (e.g., celecoxib, polmacoxib)로 대치

　－ nonselective (conventional) NSAID에 비해 심각한 GI Cx 발생 위험이 매우 낮음

　－ 문제점

　　　┌ low-dose aspirin과 병용시 GI Cx 예방효과가 사라짐!

　　　│ 　→ 심혈관질환 (aspirin 복용) 환자는 "naproxen + PPI" or NSAID 이외의 약물로 대치

　　　└ 심혈관계 thrombosis (MI) 촉진 위험 → rofecoxib과 valdecoxib는 퇴출되었음

　　　　　(nonselective NSAID도 심혈관계 thrombosis 위험을 증가시킴, "naproxen"은 예외!)

c.f.) 새로운 병합제제 ; Vimovo (naproxen + esomeprazole), Duexis (ibuprofen + famotidine)

NSAID-induced ulcer 예방 가이드라인 (미국 소화기학회)

	NSAID GI risk*		
	저위험군	중간위험군	고위험군
낮은 심혈관계 위험 (no aspirin)	Conventional NSAID (least ulcerogenic risk, lowest effective dose)	Conventional NSAID + PPI (or misoprostol)	COX-2 inhibitor + PPI (or misoprostol) or 다른 약제로 대체
높은 심혈관계 위험 (low-dose aspirin 필요)	Naproxen + PPI (or misoprostol)	Naproxen + PPI (or misoprostol)	NSAID or COX-2 inhibitor는 피하고, 다른 약제로 대체

*NSAID-related GI toxicity risk	
저위험군	No risk factors
중간위험군 (risk factors 1~2개)	65세 이상 고용량 NSAID 치료 Uncomplicated ulcer의 병력 Aspirin (저용량 포함), steroid, 항응고제/항혈소판제 등의 병용
고위험군	Complicated ulcer의 병력 (특히 최근의) or 3개 이상의 risk factors

2. 기타 약물/독소

　; CTx., steroid (NSAIDs와 병용시), bisphosphonates, clopidogrel, MMF (mycophenolate mofetil), alcohol, colchicine, phenylbutazone, tolbutamide, crack cocaine, KCl ...

　* 5~10 mg/day의 prednisone은 궤양 치유를 저해하지 않으면서 계속 투여 가능

스트레스에 의한 점막손상 (stress ulcer)

1. 개요

- 원인(event) ; shock, sepsis, burn, trauma, head injury ...
- 발생기전
  ① mucosal ischemia (m/i)
  ② 위산에 의한 조직 손상
  - 대부분 위산분비 증가하는 없다
  - Curling's & Cushing's ulcer에서는 위산분비 증가
    ┌ Curling's ulcer : severe burn
    └ Cushing's ulcer : intracranial injury, IICP (뇌종양, SDH)
- 조직검사에서 염증 또는 *H. pylori* 감염 소견은 없음(→ gastritis가 아님)
- 중환자 치료의 발전으로 최근에는 크게 감소

2. 임상양상

- painless UGI bleeding (m/c) ; 주로 위의 위산 생산부위(body, fundus)에서 발생, 대개 소량
  - erosion : event 24시간 후에 발생
  - massive hemorrhage : 대개 2~3일 이후에 발생
- 출혈 위험인자 ; mechanical ventilation (m/i), coagulopathy (platelet <5만/μL or INR >1.5), multiorgan failure, severe burn, vasopressor, steroid, prior PUD/GI bleeding ...
  ⇨ 사망률 높으므로(>40%) stress ulcer에 대한 예방조치 필요 (c.f., 사망은 대개 기저질환 때문)

3. 치료/예방

- 예방 (위 pH를 3.5 이상으로 유지) ; PPI (TOC), H₂-RA, antacids, sucralfate
- 출혈 발생시 ; 내시경적 치료, intraarterial vasopressin, embolization
- 위 치료에 모두 실패시 ; 수술 (total gastrectomy가 좋음)

위염 (Gastritis)

1. 정의

- 위염 : 조직학적으로 위점막의 염증 소견이 증명된 것
  (단순히 내시경상의 mucosal erythema 소견이나 dyspepsia가 아님)
- 조직학적 소견, 내시경 소견, 임상양상(증상) 사이의 관련성은 부족함
  → 전형적인 증상이 없고, 위염 환자의 대부분은 무증상임

2. Acute gastritis (= acute hemorrhagic or erosive gastritis)

(1) 정의
- erosion : mucosa에 국한된 점막 손상 (muscularis mucosa를 넘지 않음)

(2) 원인
- acute *H. pylori* gastritis (→ 치료 안하면 만성위염으로 진행)
- 기타 acute infectious gastritis
  - bacterial (*H. pylori* 이외의) ; *Streptococcus, Staphylococcus, Proteus, E. coli, Haemophilus*
  - *Helicobacter helmanni*
  - mycobacterial, syphilitic, viral, parasitic, fungal
- NSAIDs, aspirin, alcohol, bile acids, pancreatic enzymes
- severe trauma, major surgery, hepatic/renal/respiratory failure, shock, massive burns, severe infection, sepsis ...

(3) 증상
- 보통 asymptomatic
- bleeding (소량), epigastric pain, N/V
  (peptic ulcer에 비해 pain은 훨씬 드물다 → painless bleeding)

(4) 진단
- endoscopy
- biopsy ; neutrophil 침윤, edema, hyperemia

(5) 치료
- 보통 특별한 치료는 필요없다. (예방이 중요)
- PPI or H_2-RA, antacid, sucralfate, ecabet sodium 등 → 예방 & 치료
  (gastric pH를 반드시 4 이상으로 유지)
- 치료하면 내시경으로나 조직학적으로 완전히 회복됨

3. Chronic gastritis

(1) type A (<u>body</u>-predominant, autoimmune) gastritis
- body & fundus (proximal acid-secreting portion)를 침범, type B보다 드묾
- <u>pernicious anemia (PA)</u>와 관련 (PA는 A형 만성위염의 가장 심한 최종 단계라 할 수 있음)
- autoimmune pathogenesis
  ① parietal cell Ab : type A gastritis 환자의 ~50%에서 발견 (but, 60세 이상 정상인의 ~20%에서도 발견), pernicious anemia (PA) 환자는 90% 이상에서 발견
  ② anti-IF (intrinsic factor) Ab : 더 specific하나, PA 환자의 40%에서만 발견
  ③ HLA-B8, -DR3과 관련
- parietal cells의 파괴 (atrophy)
  ┌ 위산 분비 저하 (완전히) : achlorhydria (→ gastrin ↑↑)
  └ intrinsic factor ↓ → vitamin B_{12} 흡수 ↓ → pernicious anemia (megaloblastic anemia)

- serum <u>gastrin</u> level ↑↑ (∵ antral mucosa는 보존)
  - → ECL cell hyperplasia와 gastric carcinoid tumor도 발생 가능
- PA와 관련 없는 type A gastritis에서도 hypergastrinemia와 achlorhydria가 관찰될 수 있음
- 우리나라에서는 매우 드물다

(2) type B (antral-predominant, *H. pylori*-related) gastritis

- 전정부(antrum)를 주로 침범하지만, 진행되면 body와 fundus도 침범 가능(pan-gastritis)
- 발생률은 나이가 들수록 증가 (70세 이상에선 거의 100%)
- *H. pylori* 감염이 원인 (chronic superficial gastritis의 거의 모든 예에서 *H. pylori* 발견됨)
- *H. pylori* 수는 조직학적으로 염증 정도와 관련
- antral-predominant gastritis (*H. pylori*의 수 최대) → multifocal atrophic gastritis
  → gastric atrophy (*H. pylori*의 수 크게 감소) → intestinal metaplasia → adenocarcinoma
  - *H. pylori* sero(+)면 위암 발생 위험 3~6배 증가
  - *H. plyori* 감염은 low-grade B-cell lymphoma, gastric MALT lymphoma 발생과도 관련
- atrophic gastritis로 진행되면 somatostatin 및 gastrin 분비↓, 위산 분비↓
- type A보다 위암 발생률은 높지만, 특별한 치료는 필요 없다

(3) 진단

- 내시경하 조직검사
- 조직학적 소견에 따른 분류
  - 특징 : 염증세포의 침윤 (주로 lymphocyte, plasma cells)
  ① superficial gastritis : 염증성 변화가 점막의 고유층(lamina propria)까지만 국한됨, 인접 정상 gastric glands와 경계 뚜렷
  ② atrophic gastritis : 염증성 변화가 점막보다 깊이 발생, glands의 점진적인 변형 및 파괴
  ③ gastric atrophy : glands 구조의 소실, 염증세포 침윤은 사라짐 (내시경 상으론 점막이 매우 얇아져 하층의 혈관이 보임)
  ④ intestinal metaplasia : gastric glands가 small-bowel mucosal glands (goblet cells 포함)로 변화된 것 (→ 위선암의 선행 요인)

(4) 치료

- type A나 B 모두 특별한 치료는 필요 없다 / 염증의 후유증만 치료
- pernicious anemia → parenteral vitamin B_{12} administration
- *H. pylori* 제균 치료 권장 (PUD나 low-grade MALT lymphoma가 동반되지 않아도)
  - *H. pylori* 제균 치료 후 조직학적 소견이 atrophic gastritis는 대부분 호전되나, intestinal metaplasia는 호전되지 않는 경우가 많음
  - 우리나라는 위암 예방 목적의 *H. pylori* 제균 치료는 권고 등급이 낮음! (더 연구 필요)

4. 드문 형태의 위염

(1) Lymphocytic gastritis : body에 주로 발생, *H. pylori*는 중요한 역할을 안함

(2) Eosinophilic gastritis (→ I-10장 흡수장애 편 참조)

(3) Granulomatous gastritis

; Crohn's disease, sarcoidosis, histoplasmosis, candidiasis, syphilis, tuberculosis ..

Ménétrier's Disease (Hypertrophic gastropathy)

- 위점막 주름이 크고 구불구불해지는 드문 질환 (body와 fundus), 40~60세, 남:여=3:1
- 원인 ; 소아는 CMV가 흔하지만, 성인은 모름

  (기전 ; TGF-α overexpression → EGFR pathway overstimulation → foveolar hyperplasia)
- 증상 ; epigastric pain (m/c), N/V, anorexia, 체중감소, occult blood (+)

  - protein-loosing gastropathy 동반 흔함 (→ hypoalbuminemia, edema)

  - 위산 분비는 크게 감소됨, 드물게 GU or 위암 발생 가능
- 진단 : endoscopic deep mucosal biopsy (올가미법을 이용한 전층 조직검사)

■ 내시경상 위점막 주름(gastric folds)이 두꺼워진 경우의 원인
Ménétrier's disease
Malignancy ; lymphoma, infiltrating carcinoma
ZES (gastrinoma)
Infiltrative disorders ; amyloidosis, sarcoidosis
Infections ; TB, CMV, histoplasmosis, syphilis
Eosinophilic gastritis, hypertrophic gastritis, gastric varices ...

  - Large or multiple gastric (fundic gland) polyps (장기간 PPI 사용과 관련) 및 polyposis syndrome과 m/c 혼동됨
  - GIST는 아님
- 치료

  ① anti-EGFR Ab (cetuximab) [TOC] ; 조직소견이 거의 정상화 되고, 증상도 개선됨

  ② 단백 소실이 심한 경우엔 total gastrectomy

  ③ 기타 ; ulcer 존재 시엔 GU와 동일하게 치료, anticholinergics (→ protein loss 감소),

  고단백 식이 (→ protein loss 보충), PG, PPI, prednisone, somatostatin analogue (octreotide)

c.f.) Dieulafoy's lesion (= persistent caliber artery)

- 정의 : 위점막 바로 아래에 위치한 large-caliber arteriole이 작은(<3 mm) 점막결손(erosion) 부위를 통해 출혈을 일으키는 것 (주위에 뚜렷한 궤양은 없음)
- 호발부위 : proximal stomach (GEJ에서 6 cm 이내)의 lesser curvature
- 평균 50~60대에 발병, 남>여
- 임상양상 : 심한 arterial bleeding (→ 진단이 어렵다)
  - 전구증상 없이 갑자기 토혈, 혈변을 보이는 경우가 많다
  - 대량 출혈로 인한 severe anemia, volume depletion 위험
  - 일시적으로 출혈이 중단되었다가 다시 출혈이 반복됨 (간헐적)
- 치료 : 내시경적 지혈술로 80~90% 치료됨
  (심한 경우 angiographic embolization이나 수술이 필요할 수 있음)

6
식도 및 위 종양

양성 식도 종양

■ 평활근종(Leiomyoma)
- 식도 양성종양 중 m/c (약 70%), 평균 38세, 남:여=2:1, 주로 식도 하부 2/3에서 발생
- 대부분 증상이 없어 endoscopy 나 barium esophagography 상 우연히 발견
- endoscopy : smooth, sessile nodule, normal overlying mucosa
- endoscopic ultrasonography (EUS)가 진단에 유용
  → biopsy ; SMA (smooth muscle actin), desmin (+)
- 증상이 있으면 수술적 제거를 고려

식도암

1. 병리

- 조직학적 형태
  ① squamous cell carcinoma (SCC) : middle 1/3에 호발
    - 미국에서는 감소 추세, 흑인 및 사회경제적지위가 낮은 계층에서 호발
    - 우리나라는 아직 adenocarcinoma보다 SCC가 훨씬 흔함!
  ② adenocarcinoma (미국에서는 75% 이상) : 증가 추세, 남:여 = 6:1
    - Barrett's esophagus (chronic GERD)와 관련 → 대부분 lower 1/3에 발생
    - 식도암보다는 위암과 비슷한 생물학적 특성을 보임
- 해부학적 분포

위치	서양	한국
Upper 1/3	5%	15%
Middle 1/3	20%	47%
Lower 1/3	75%	38%

  * 우리나라는 서양보다 SCC이 많으므로, 아직 middle 1/3에서 m/c

2. 원인/위험인자

(1) 편평상피암(SCC)

- 흡연, 음주 : 양에 비례하며 서로 상승작용 (독한 술이 더 위험함)
- 발암물질 ; 질소화합물(nitrates), 아편, 절인 채소의 fungal toxins 등
- 물리적 요인에 의한 점막 손상 ; 뜨거운 음료, 부식식도염(lye ingestion), ionizing radiation, long-standing achalasia 등
- Plummer-Vinson (or Paterson-Kelly) syndrome (esophageal web with glossitis, IDA, epithelial lesions)
- familial keratosis palmaris et plantaris (tylosis)
- human papilloma virus 감염 (특히 HPV-16, HPV-18, HPV-33)
- molybdenum, zinc, selenium, β-carotene, folate, vitamin A, C, E, B_{12} 등의 결핍
- 낮은 사회경제적 지위, 흑인
- 기타 ; 두경부 SCC (HNSCC), esophageal diverticula, celiac sprue, partial gastrectomy

(2) 선암(adenocarcinoma)

- 위식도역류 ; Barrett's esophagus (m/i, bisphosphonates 복용시 위험↑), LES를 이완시키는 약물/음식, bile reflux 등
- hiatal hernia, esophagitis, esophageal ulcer
- (중심성) 비만, 과도한 열량 및 지방 섭취
- 흡연, 음주 … SCC보다는 관련성 약함

3. 임상 양상

- 50~70대에 호발, 남:여 = 3:1
- progressive **dysphagia** (solid → liquid) : 식도 둘레의 60% 이상이 침범되면 발생
  - 기간도 중요 (2개월이면 cancer 가능하나, 2년이라면 motor dz.)
  - odynophagia를 동시에 호소하면 다른 motor disorder는 R/O 가능
- rapid **weight loss** (영양실조), chest pain, regurgitation, vomiting …
- esophagorespiratory fistula (e.g., tracheoesophageal fistula) : 5~10%에서 발생
  - chronic cough, aspiration pneumonia (기침은 특히 음식을 삼킬 때 악화됨)
  - direct tumor invasion 또는 치료(chemoradiation)의 합병증으로 발생
- hoarseness (recurrent laryngeal nerve 침범시)
- hypercalcemia (∵ SCC에서 PTH-rP)

4. 진단

- barium esophagography : ragged, ulcerating mucosal changes ("apple core" 모양)
  - 장점 : 종양의 위치 및 협착의 정도를 정확히 파악 가능, tracheoesophageal fistula도 진단 가능
  - 단점 : 작은 병변은 발견하기 어렵다
- upper endoscopy with biopsy (or brush cytology) : 확진!
  - barium esophagography는 정상이라도 내시경에서 식도암 발견 흔함

- 융기되지 않은 병변, 색조변화만 있는 병변들도 발견 가능함
- 식도 SCC 위험 환자는 폐/두경부암 가능성도 높으므로 larynx, trachea, bronchi 내시경도 시행
- chest & abdominal CT : 종격동과 대동맥 LN 전이 파악
- endoscopic ultrasonography (EUS)
  - 종양의 침범 깊이, local LN 전이 보는 데는 CT보다 좋다 (T, N 결정)
  - 간 전이를 보는데는 CT가 더 좋음
- PET : 정확한 LN 전이 파악 가능 → resectability 평가에 유용

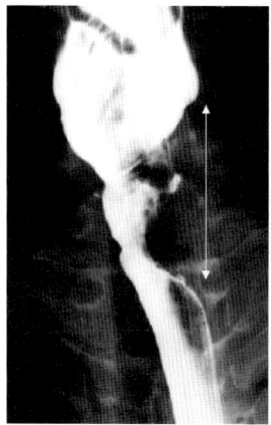 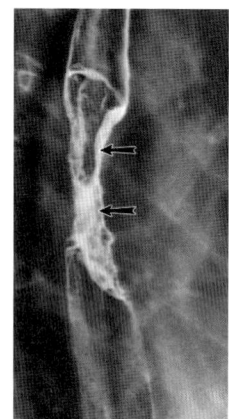

Barium esophagography   Double-contrast esophagogram

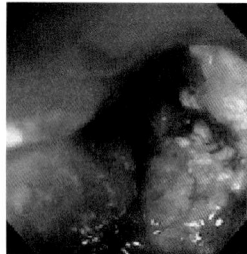 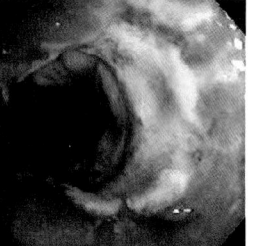 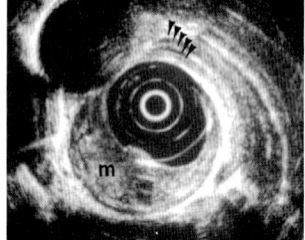

Endoscopy   EUS; m (식도암), 화살표 (정상)

5. 치료

(1) curable disease

① surgical resection (esophagectomy) : 약 45%의 환자에서만 시행 가능

Resectable esophageal cancer
Cricopharyngeous에서 5 cm 이상 떨어져있는 식도암에서
T1a (mucosa에만 국한된 종양) → "EMR + ablation" or 수술
T1b (submucosa까지 침범) → 수술
T2 (muscularis propria) & T3 (adventitia) with regional LN(+) → 상대적 금기 (환자 상태 고려해서 수술 가능!)
T4a (pericardium, pleura, diaphragm 등 침범) → 수술

Unesectable esophageal cancer
Cricopharyngeous에서 5 cm 이내 떨어져있는 식도암 T4 종양이 heart, great vessels, trachea, liver, pancreas, lung, spleen 등을 침범한 경우 대부분의 multi-station, bulky lymphadenopathy 환자 (일부는 환자 상태에 따라 가능할 수) EGJ, supraclavicular LN 침범시 원격전이 ; M1, nonregional LN 포함

- 수술 후 부작용에 의한 사망률은 약 5%, 생존시 5YSR 약 20%
- SCC에 대한 primary RTx.와 수술의 치료 성적은 비슷함
      (↳ 수술관련 morbidity는 피할 수 있지만, 폐쇄 증상의 완화에는 덜 효과적임)
- 수술전 neoadjuvant Tx (CTx + RTx) 후 수술 시행시 생존율 더 증가
  (but, CTx + RTx로 이미 종양 크기가 크게 줄었다면 수술은 별 효과가 없기도 함)
② CTx (cisplatin, 5-FU, paclitaxel 등), RTx. : 수술이 불가능한 경우
- combination CTx.로 30~60%에서 종양의 크기가 크게 감소됨
- 단독 RTx.보다는 CTx. + RTx.가 생존율 더 높음
③ 조기 식도암에 대한 내시경적 치료
- 적응 ; Tis (high-grade dysplasia), well~moderately differentiated T1a (mucosa에 국한) &
  lymphovascular invasion or LN 전이 없는 경우 → EMR이 실패한 경우만 수술 고려
- 방법 ; EMR + ablation (e.g., RFA, photodynamic therapy, cryoablation)

(2) incurable dz. - palliative therapy

┌ extensive local spread (T4) or 원격전이 (M1) 시에
└ 목적 : 증상(e.g., dysphagia, pain) 감소, 영양실조 개선
① surgical resection : 6~12개월 이상의 수명이 예상될 때
② radiotherapy : upper~middle ca.의 경우
- unresectable dz. or 수술 불가능한 상태일 때
- squamous cell ca.가 adenoca.보다 더 radiosensitive
- RTx + CTx의 병합요법시 2/3에서 증상 개선
③ local tumor therapy
- endoscopic dilatation ; metal stent (m/g), guide wire, silastic tube
  (esophagorespiratory fistula → stent insertion이 m/g)
- endoscopic fulguration (laser therapy) : 성공률 70% 이상
- gastrostomy or jejunostomy (영양공급)

6. 예후

- 예후 아주 나쁘다 (5YSR 약 10%)
  - 이유 ① 증상이 늦게 나타남
      ② 주위 조직으로의 침윤이 조기에 일어남 (∵ serosa가 없어서)
      ③ 주위에 lymphatics가 풍부하여 전이가 쉽다
- poor Px factor ; 원격전이, LN 침범, 인접 mediastinum 침범시

위암

1. 위선암 (Gastric adenocarcinoma)

(1) 개요
- 위암의 대부분(90~95%) 차지
- 우리나라 전체 암중 발생빈도 1위, 사망원인 2위
- 40세 이후부터 증가하기 시작, 65~74세에 peak, 남>여
- 건강에 대한 관심과 기술의 발달로 조기 발견 빈도가 높아지고 있음

(2) 원인/위험인자
: 유전적 요인보다는 환경 요인이 더 큰 역할

1) 음식

위암을 일으킬 수 있는 음식	위암 예방에 좋은 음식
소금에 절인 고기/야채	과일 (감귤, 레몬, 오렌지)
소금을 많이 포함한 음식	과즙
훈제 고기	야채, 가지, 상추, 미나리
녹말(전분)이 많은 음식	우유
양배추, 감자, 조리한 곡물	고기 (근육 부위)
햄, 베이컨, 동물성 지방	

- 염분의 과다 섭취
- 질산염 또는 아질산염과 관련된 질소 화합물
  - 특히 훈제, 건조, 절인 음식 내에 많다
  - dietary nitrate $\xrightarrow{\text{bacteria}}$ nitrite $\xrightarrow{\text{nitrosation 반응}}$ nitrosamine (carcinogen)
  - 위산분비 감소시 bacteria 증식, nitrosation 반응 촉진
  - vitamin C : nitrosation 반응을 억제 (→ 위암 발생↓)
- nitrate-converting bacteria의 증식 기전
  - nitrate-converting bacteria의 외부 source
    - 오래된 음식 (위생과 냉장의 개선시 위암 발생 감소)
    - *Helicobacter pylori* 감염 (→ 만성 위염 → 위내 산도↓)
  - nitrate-converting bacteria의 위내 증식↑ : gastric acidity 감소
    - 이전의 gastric surgery (antrectomy) (15~20년의 잠복기)
    - atrophic atrophic gastritis and/or pernicious anemia (autoimmune gastritis)
    - histamine, H_2-RA, PPI 등의 장기 복용
- 알코올 : 논란 (위험인자라는 연구도 많지만, 위암과 직접적인 관련은 없다는 연구도 있음)
  - 지역, 술의 종류 및 양에 따라 연구결과가 다양함 (e.g., 보드카는 위험↑, 와인은 위험↓)
  - 잦은 음주는 다른 위험인자도 동반하고 있을 가능성이 높으므로 위암 발생을 증가시킴
  - 국내의 연구들도 대개 음주량이 많으면 위암 발생 위험은 증가하는 것으로 나옴!

* vitamin A 및 β-carotene : 항산화 촉진 (→ 위암 발생↓)

2) *H. pylori* 감염

- 보조발암인자 : 만성위염 → 위내 산도 감소 → nitrate-converting 세균 증식
- 위점막 atrophy, intestinal metaplasia → 위암
- *H. pylori* 양성인 사람이 위암에 걸릴 상대위험도는 2~6배
- intestinal-type 및 diffuse-type 위암 모두의 위험인자 (특히 intestinal-type과 밀접한 관계)
- 주로 distal에 발생, distal gastric ca.의 35~89%가 *H. pylori*와 관련
- 감염 기간이 길수록 위암 발생 위험도 증가
- but, *H. pylori* (+) DU 환자는 위암 발생 위험이 낮음

3) 기타 환경요인

- 흡연 (위암 발생의 상대위험도 2~3배)
- 낮은 사회경제적 지위 (∵ 오래된 음식 및 염분 섭취 많음)
- 직업 ; rubber, coal workers

4) Personal or Genetic risk factors

- 노인, 남성 (20대에서는 여>남, 20대 이후부터는 남>여)
- A형 혈액형
- 가족력 (10~15%) ; 형제중 위암이 있으면 위암 발생률 2~3배 증가
- familial adenomatous polyposis (FAP) ; *APC* gene mutation, AD 유전
- hereditary non-polyposis colorectal cancer (HNPCC) ; *MSH2, MLH1* 등의 mutation
- hereditary diffuse gastric cancer ; germline E-cadherin gene (*CDH1*) mutation, AD 유전
- proinflammatory cytokine gene polymorphisms
- 기타 ; Li-Fraumeni syndrome (*TP53* germline mutation), Peutz-Jeghers syndrome (*STK11*), Juvenile polyposis (*BMPR1A, SMAD4*), *PSCA, MUC1* ...
- * microsatellite instability (MSI) : HNPCC의 발현에도 중요하지만, sporadic gastric cancer 환자의 15~50%에서도 관찰됨 (주로 mismatch repair genes [특히 *MSH1*]의 변화 때문)

5) Predisposing conditions

① achlorhydria ; pernicious anemia (autoimmune gastritis), chronic atrophic gastritis
　　(but, atrophic gastritis는 매우 흔하므로, 대부분의 환자에서는 위암이 발생하지 않음)

② chronic mucosal changes ; high-grade dysplasia, intestinal metaplasia, Barrett esophagus

③ 위의 adenomatous polyp (특히 2 cm 이상인 경우)
　　* polyp의 대부분인 hyperplastic polyp은 악성 위험 낮음 (약 2%)

④ 이전의 gastric surgery (15~20년 후 위암 발생 증가) : 특히 Billoth II 수술 후

⑤ Ménétrier's disease (hypertrophic gastropathy)

★ DU (duodenal ulcer)는 위암으로 진행하지 않음!

　* GU는 연관이 있다고도 하나 인과관계는 증명되지 않았음 (아마 benign GU와 작은 위암을 감별하기 어려웠기 때문 or *H. pylori* 감염이 위암 발생에 기여 or PPI의 장기 복용? 때문)

c.f.) 위선암에서 흔히 발견되는 유전자 이상들 ; *TP53* (m/c 60~70%), DNA aneuploidy, *COX-2, FHIT, HGF, VEGF, APC, DCC,* E-cadherin, *p16, TFF1, p27, AIB-1,* microsatellite instability (MSI) ...

(3) 병리/분류

1) 조직학적 분류 (Lauren's classification)

① intestinal type (90%) ; antrum과 lesser curvature를 주로 침범
- 비교적 예후 좋다 (분화도 좋은 편), 궤양 형성이 흔함
- 40대 이후 고령층과 남자에 많음, 주로 음식/환경/*H. pylori* 감염과 관련
- 장기간의 전암성 병변(e.g., intestinal metaplasia, atrophic gastritis)이 선행하는 경우가 많음

② diffuse type (linitis plastica) ; 위 전체를 다 침범
- 저분화형, 침윤 多, 위벽 운동성 상실 → 예후 훨씬 나쁨
- 20~30대 젊은층과 여자에 많음, 주로 유전적인 원인이 관여
- A형 혈액형에 흔함

③ mixed type

Intestinal	Diffuse
Gastric atrophy, intestinal metaplasia	A형 혈액형
남>여, 고령, *H. pylori* 감염	남<여, 젊은 연령
Gland 형성	분화도 나쁨, Signet ring cells
Hematogenous spread	Transmural/lymphatic spread
TP53, APC, Microsatellite instability (MSI)	E-cadherin 감소 (*CDH1* mutation)

2) 조기위암(early gastric cancer, EGC)

- 정의 : LN 전이 여부와 관계없이, 암세포가 mucosa나 submucosa에 국한된 암 (T1)
- Dx : endoscopy with biopsy
- classification
  ① type Ⅰ : protruded type (점막 두께의 2배 이상) ; Ip (pedunculated), Is (sessile)
  ② type Ⅱ : superficial type
  - Ⅱa : elevated (점막 두께의 2배 이하)
  - Ⅱb : flat - 가장 드물다
  - Ⅱc : depressed - 가장 흔하다!
  ③ type Ⅲ (궤양형) : excavated or concave type
  ④ mixed : Ⅱc + Ⅲ
- EGC의 15% 내외 (6~22%)에서 LN 전이 (+) → 예후에 가장 중요
  - mucosa에 국한된 암 : 5%에서 LN 전이
  - submucosa까지 침범한 암 : 20%에서 LN 전이
- 우리나라 : 전체 위암의 50% 이상이 EGC임

> 참고: AJCC 8판(2016)에서 위암과 식도암을 나누는 경계의 변경
> 식도위접합부(EGJ)를 침범한 종양에서
> 7판: 종양의 중심점(epicenter)이 식도위접합부(EGJ)부터 5 cm 아래에 있어야 위암
> ⇨ 8판: 종양의 중심점이 EGJ부터 2 cm 아래에 있어야 위암 (2 cm 이내면 식도암)
> 식도위접합부(EGJ)를 침범하지 않으면 중심점에 관계없이 모두 위암임

< EGC의 분류 >

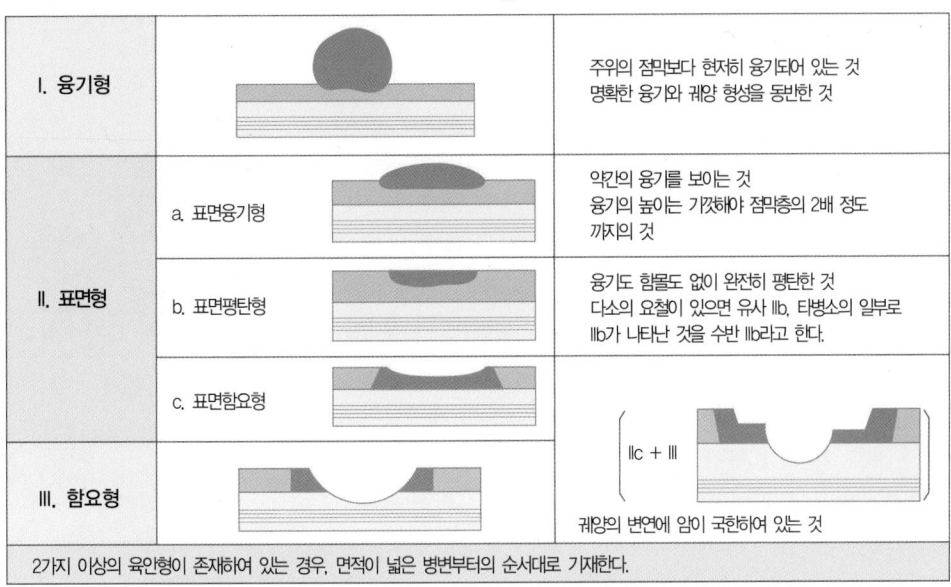

I. 융기형		주위의 점막보다 현저히 융기되어 있는 것 명확한 융기와 궤양 형성을 동반한 것
II. 표면형	a. 표면융기형	약간의 융기를 보이는 것 융기의 높이는 기껏해야 점막층의 2배 정도 까지의 것
	b. 표면평탄형	융기도 함몰도 없이 완전히 평탄한 것 다소의 요철이 있으면 유사 IIb, 타병소의 일부로 IIb가 나타난 것을 수반 IIb라고 한다.
	c. 표면함요형	
III. 함요형		궤양의 변연에 암이 국한하여 있는 것

IIc + III

2가지 이상의 육안형이 존재하여 있는 경우, 면적이 넓은 병변부터의 순서대로 기재한다.

- 궤양 형태의 조기위암(EGC)중 표면함몰형(type IIc)은 점막층 일부만 함몰된 것이고,
  함몰형(type III)은 점막하층까지 깊게 함몰된 것을 말함
- 가장 흔한 형태는 type IIc 또는 IIc + III 임 (전체 EGC의 70% 이상 차지)

3) 진행위암(AGC : advanced gastric ca.)의 분류 : Bormann's classification
  ① type I : 융기형(polypoid or fungating)
  ② type II : 궤양-융기형(ulcerofungating) ; 경계 분명
  ③ type III : 궤양-침윤형(ulceroinfiltrative) ; 경계 불분명 … 우리나라 AGC 중 m/c
  ④ type IV : 미만형(diffuse infiltrative, linitis plastica)
  ⑤ type V : 분류 불능(unclassified)

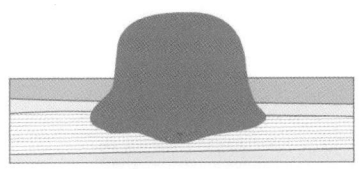

Bormann I : 융기형

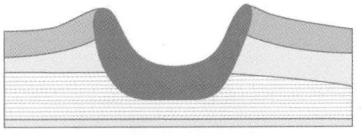

Bormann II : 궤양융기형

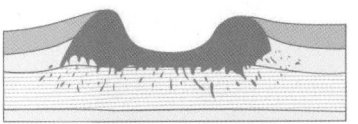

Bormann III : 궤양침윤형

Bormann IV : 미만침윤형

(4) 임상양상

1) 증상

- EGC는 대부분(>80%) 증상이 없음
- nonspecific Sx : weight loss, anorexia, weakness
- abdominal discomfort/pain – AGC의 첫 번째 증상
- early satiety, bloating, dysphagia, N/V, hematemesis : 말기에

2) 원격전이 (→ 완전 절제 불가능)

- Lt. supraclavicular LN (Virchow's node)
- peritoneal cul-de-sac (Blumer's rectal shelf) : nodular peritoneal wall → 직장수지검사 시행
- periumbilical nodule (Sister Mary-Joseph's node)
- ovarian metastasis (Krukenberg's tumor) ⋯ 폐경전의 여성에 많다
- Lt. ant. axillary area의 LN (Irish's node)
- malignant ascites, hepatomegaly (간 전이 : m/c 혈행성 전이)

3) 검사소견

- IDA, stool occult blood (+) ...
- CA19-9 : 위암 환자의 15~50%에서 상승
- CEA ; AGC의 19~35% (EGC의 4.5%)에서 상승

4) 기타 드문 소견들

; migratory thrombophlebitis, microangiopathic hemolytic anemia, diffuse seborrheic keratoses (Leser-Trélat sign), acanthosis nigricans ...

(5) 진단

① 위장조영술(double-contrast barium UGI series)
- 궤양을 발견하는 것은 쉽지만, 양성과 악성의 감별은 어렵다
- 작은 병변은 발견 어려움 (EGC의 경우는 sensitivity가 60%에 불과)
- 확진(조직검사)을 위해서는 내시경검사 필요
- 내시경을 불편해하는 환자에서 screening 용도로만 이용됨

■ 진행성 위암의 위장조영 사진

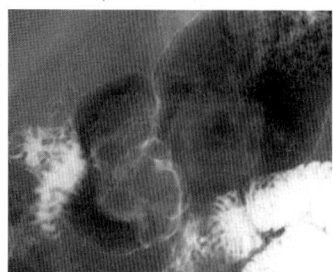

Borrmann type I (융기형)
: 위 내강으로 돌출하는 분엽상 종괴로, 음영 결손을 나타내며 작은 궤양도 동반 가능

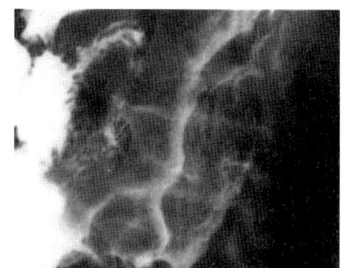

Borrmann type III (궤양침윤형)
: 불규칙한 궤양과 그 주위로 불규칙한 침윤에 의한 음영결손을 나타냄

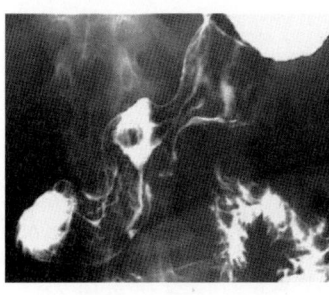

Borrmann type IV (미만형, linitis plastica)
: 미만성 침윤형으로 암이 위전체에 퍼져있음
 (딱딱한 '가죽 물주머니' 모양)
 → 위 내강 협소, 위벽 운동성 감소,
   바륨이 십이지장으로 빨리 배출됨

② endoscopy with biopsy (m/g) : 95~99% 진단
  • 크기가 5 mm 이하인 미세 위암도 진단 가능
  • 색소내시경검사(e.g., mythylene blue, Indigo-carmine)에 의해 위암의 범위도 알 수 있음
  • Borrmann type Ⅱ (궤양융기형) 및 EGC type Ⅲ (궤양형)의 경우는 궤양의 변연이 불규칙한
    것 등의 특징은 있지만, 양성 위궤양과의 감별이 어려우므로 주의 필요
  • 조직검사는 가능한 깊이 시행하는 것이 좋다 (∵ submucosa에도 종양 있을 수)

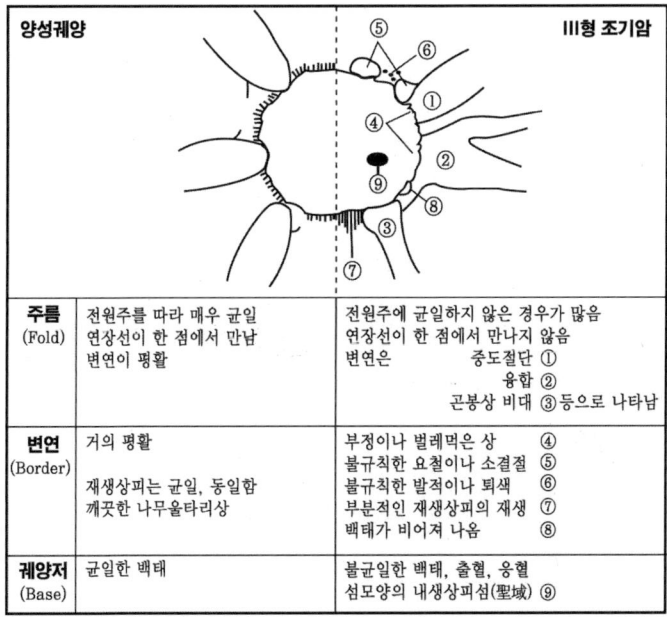

	양성궤양	Ⅲ형 조기암
주름 (Fold)	전원주를 따라 매우 균일 연상선이 한 점에서 만남 변연이 평활	전원주에 균일하지 않은 경우가 많음 연장선이 한 점에서 만나지 않음 변연은　　　중도절단 ① 　　　　　　융합 ② 　　　곤봉상 비대 ③등으로 나타남
변연 (Border)	거의 평활 재생상피는 균일, 동일함 깨끗한 나무울타리상	부정이나 벌레먹은 상　　④ 불규칙한 요철이나 소결절　⑤ 불규칙한 발적이나 퇴색　⑥ 부분적인 재생상피의 재생　⑦ 백태가 비어져 나옴　　⑧
궤양저 (Base)	균일한 백태	불균일한 백태, 출혈, 응혈 섬모양의 내생상피섬(聖域) ⑨

③ endoscopic ultrasonography (EUS) : T (위벽 침범 정도), N 병기결정과 범위결정에 유용
   (단점 : LN 종대가 암전이인지 reactive hyperplasia인지 감별 못함)
④ CT : 주위 림프절, 인접장기(e.g., 간), 원격 전이 진단에 유용
⑤ laparoscopy : 5 mm 이하의 간 또는 복막 전이 진단에 유용

▣ 조기위암(early gastric cancer, EGC)

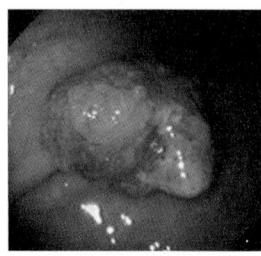

EGC type I

약 1.5cm 정도의 융기형 EGC (neck이 뚜렷한 경우는 용종과 감별 필요)

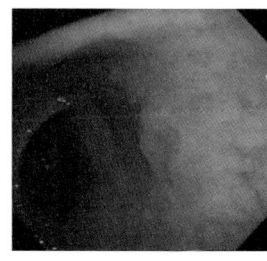

EGC type IIa

약 1cm 크기의 표면융기형 EGC로 type I에 비해 융기의 높이가 낮음

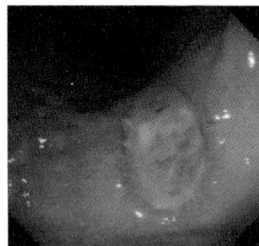

EGC type IIc

넓은 궤양 모양의 표면함몰형 EGC로 type III에 비해 함몰의 깊이가 얕음 (양성 궤양에 비해 변연이 불규칙하고 크기가 큼)

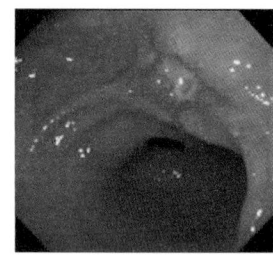

EGC type III

주위 위벽의 변화를 동반한 깊은 궤양이 찰되며, 궤양의 변연은 불규칙

▣ 진행성 위암(advanced gastric cancer, AGC)

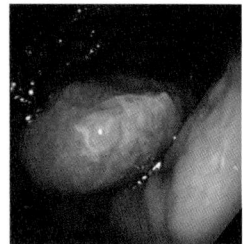

Borrmann type I AGC

대개 2~3cm 이상의 큰 종과를 형성

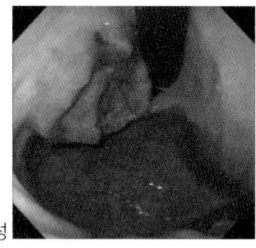

Borrmann type II AGC

궤양성 병변 + 주위 정상 점막과 경계를 이루는 제방성 융기, 궤양저에는 부정형의 백태나 혈액이 부착되어 있는 경우가 많음. 궤양의 변연은 매우 불규칙

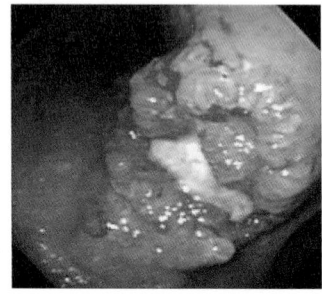
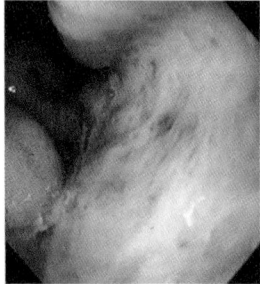

Borrmann type III AGC

: 궤양의 모양은 type II와 유사하지만, 궤양 주위의 융기 부분에도 침윤을 보이고, 주위 점막면에도 암이 관찰됨 (주위 정상 점막과 명확한 경계가 없음!)

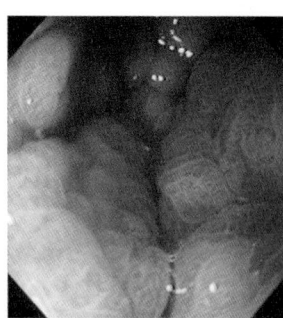
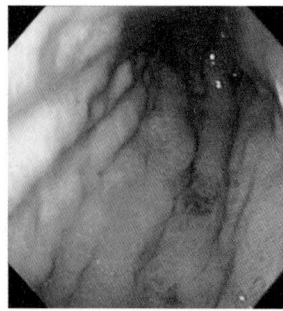

Borrmann type IV AGC

암은 점막면에는 정상세포를 남겨놓고, 주로 점막하층으로 미만성으로 침윤됨

- 위 전체를 침범하지만, 궤양은 분명치 않고 경계도 불명확
- 내시경상 보통 비후된 점막 모양을 나타내며, 조직검사에서도 암세포가 발견되지 않은 경우가 많기 때문에 진단에 주의 필요

(6) Staging : AJCC TNM system (8th edition, 2016)

원발 종양 primary tumor(T)
Tx 위벽의 침투 정도가 평가 안된 것
T0 원발 종양의 증거가 없는 것
Tis Carcinoma in situ, 고유판(lamina propria)를 침범하지 않은 상피내암종
T1 종양이 고유판/점막(mucosa, T1a) or 점막하층(submucosa, T1b)에만 국한된 것 ⇨ EGC
T2 종양이 고유근층(muscularis propria)까지 침범한 것
T3 종양이 장막하층(subserosa)까지 침범한 것
T4a 종양이 장막(serosa, visceral peritoneum)까지 침범한 것
T4b 종양이 장막을 뚫고 인접 장기까지 침범한 것
림프절전이 nodal involvement (N)
Nx 복강내 림프절 전이가 평가 안된 것
N0 주위 림프절(regional LN)에 전이가 없는 것
N1 1~2개의 주위 림프절 전이
N2 3~6개의 주위 림프절 전이
N3 7개 이상의 주위 림프절 전이 (N3a 7~15개, N3b 16개 이상)
원격전이 distant metastasis (M)
M0 원격전이가 없는 것
M1 원격전이가 있는 것

* 인접 장기 ; spleen, transverse colon, liver, diaphragm, pancreas, abdominal wall, adrenal gland, kidney, small intestine, retroperitoneum
* 주위 림프절 ; perigastric LN (lesser & greater curvatures를 따라 있는 것), left gastric, common hepatic, splenic, celiac arteries를 따라 있는 LNs
* hepatoduodenal, retropancreatic, mesenteric, para-aortic LNs 등은 원격전이로 분류됨!

Stage	TNM (pathological)	빈도(%)	5YSR (%)
0	TisN0M0	1	90
IA	T1N0M0	7	70
IB	T1N1M0, T2N0M0	9	58
IIA	T1N2M0, T2N1M0, T3N0M0	13	46
IIB	T1N3aM0, T2N2M0, T3N1M0, T4aN0M0	12	33
IIIA	T2N3aM0, T3N2M0, T4aN1~2M0, T4bN0M0	13	20
IIIB	T1~2N3bM0, T3~4aN3aM0, T4bN1~2M0	19	14
IIIC	T3~4bN3bM0, T4bN3aM0	13	9
IV	anyT-anyN-M1	13	3

		M0					M1
	T \ N	N0	N1	N2	N3a	N3b	
M0	T1	I A	I B	II A	II B	III B	IV
	T2	I B	II A	II B	III A	III B	
	T3	II A	II B	III A	III B	III C	
	T4a	II B	III A	III A	III B	III C	
	T4b	III A	III B	III B	III C	III C	
M1		IV					

(7) 치료

조기위암(EGC)	EMR/ESD Surgical resection
진행위암(AGC)	**Curative** Radical surgical resection: D1 or D2 LN resection ± adjuvant, neoadjuvant CTx–RTx **Palliative** Debulking (reduction) surgery 위출구폐쇄에 대한 bypass surgery Debuking endoscopic Tx (laser or alcohol injection) 연하곤란에 대한 GEJ stenting

1) 수술 - 유일한 완치법 (대개 원격전이가 없으면 시행함)
  - distal <u>subtotal gastrectomy (위아전절제술/대부분위절제술)</u>
    - distal 2/3 위암에서 시행 (intestinal type일 때)
    - 수술 원칙은 EGC나 AGC나 비슷
    - 내시경절제술하기에는 크고 수술하기에는 작은 EGC는 laparoscopic gastrectomy를 선호
    - 내시경절제술(EMR/ESD) 적응증이 되나 기술적으로 불가능한 경우 laparoscopic wedge resection (LWR) or laparoscopic intragastric mucosal resection (IGMR) 고려
  - total gastrectomy (위전절제술/전체위절제술)
    - proximal 1/3 위암 or diffuse type (linitis plastica)에서 시행
    - 대개 distal pancreatectomy와 splenectomy도 시행함

  - <u>LN dissection</u> : curative resection의 경우 모두 시행 (∵ 재발↓)
    - limited (D1) : perigastric (위에서 3 cm 이내) LNs만 절제
      (D1+ : D1 + celiac artery LNs, anterosuperior LNs along the common hepatic artery)
    - extended (perigastric & regional) : 부작용 위험은 조금 증가하지만 survival↑
      - D2 : D1 + celiac axis & its branches의 LNs 절제
      - D3 : D2 + paraaortic, portal, retropancreatic LNs 절제
    - 우리나라/일본은 EGC에서는 D1 or D1+, AGC에서는 D2 LN dissection이 표준 술식임

  - 비근치적(non-curative) 수술 : 수술로 완치가 불가능한 경우 (→ 1차 치료는 CTx)
    (비치유 인자 ; 간 전이, 복막 전이, 16a1/b2 대동맥LN 전이)
    - 완화/고식절제술(palliative resection) ; 출혈, 폐쇄, 천공 등의 증상 감소 목적으로 시행,
      ⇨ quality of life 향상 목적 (완화절제술이 어려우면 bypass surgery 고려)
    - debulking (reduction) surgery ; CTx/RTx의 효과를 향상시키기 위해, 종양의 일부만 제거
      (volume 감소) ⇨ survival 향상 없음, 권장 안됨!
    c.f.) conversion surgery : 전이 위암에서 CTx로 전이 암이 관해된 후, 완전 절제를 목적으로
      위절제술을 시행하는 것 → survival↑ (특히 전이 암이 한 곳에 국한된 경우 예후 더 좋음)
  * 초진 당시 약 1/3에서 근치적 절제 가능 → 22~45%에서 재발
    (LN 전이 없는 경우 50%, 있는 경우 80%에서 재발)

2) 내시경점막절제술(endoscopic mucosal resection, EMR)
- <u>absolute Ix</u> : LN 전이 위험이 거의 없고, 완전 절제가 가능한 병변
  - ⇨ 세포의 분화도가 좋고, <u>점막층(mucosa)</u>에 국한되어 있으면서 (EGC, T1a)
    - 융기형(I or IIa)은 크기가 2 cm 이하 (미분화암은 1 cm 이하)
    - 비융기형(IIb/c or III)은 1 cm 이하이며, 궤양(scar)이 없을 때
- expanded/relative Ix : absolute Ix을 벗어나지만 수술이 어렵거나 거부할 때
- 완전 절제율 : 80~90%
- Cx ; perforation, bleeding
- F/U ; 처음 1년간은 3~6개월마다, 이후에는 1년에 1~2회 내시경검사 시행
- **내시경점막하박리술(endoscopic submucosal dissection, ESD)** … EMR보다 많이 이용됨
  - 일괄절제율(en bloc resection)이 높고, resection margin을 충분히 확보할 수 있는 장점
  - 병변이 더 크거나(>2 cm), EMR을 시행하기 어려운 부위(e.g., 체부, 후벽)에서 선호됨
- laser therapy : EMR의 relative Ix.이면서 EMR을 할 수 없을 때 고려

■ **내시경국소치료술(EMR/ESD)의 Indication, Curability (JGES–JGCA 2016)**

깊이 / 크기	점막암(mucosal ca): T1a				점막하암(submucosal ca): T1b	
	궤양(−)		궤양(+)		SM1(<500 μm)	SM2(≥500 μm)
조직형	≤2 cm	>2 cm	≤3 cm	>3 cm	≤3 cm	Any size
분화형	A	B	B	C	C*	C
미분화형	B	C	C	C	C	C

A : 절대 적응(absolute Ix) [→ EMR (or ESD)], Curative Resection
B : 확대 적응(expanded Ix) [→ ESD], Expanded Curative Resection
C : 수술 고려

* **분화형 점막하암(SM1: <500 μm)** : 치료 전 submucosal invasion의 내시경 진단은 정확도가 떨어지므로 indication은 아니지만, 치료 후 평가에서 SM1이면 curative resection의 확대 적응에 해당됨(수술✕)

■ **EMR 이후 수술의 적응** ; horizontal resection margin (+), lymphovascular invasion (+), deep invasion (≥500 μm), undifferentiated histology
  c.f.) lateral resection margin (+)는 LN 전이 드물므로 수술 대신 추가 ESD or 소작술

3) radiotherapy
- 위장관은 방사선에 매우 민감하여 쉽게 손상받기 때문에 주로 암에 의한 bleeding, obstruction (dysphagia), pain 등의 증상 완화(palliative) 목적으로 시행
- 수술 후 단독 RTx로는 survival 향상 효과 없음
- 수술 후 CTx에 RTx를 추가하는 것은 survival 향상 효과 있음 (but, D_1 LN dissection이 주인 서양의 연구 결과로, D_2 LN dissection이 주인 우리나라/일본에는 적용 어렵다)
- 국소적으로 진행된 위암에서 수술전(neoadjuvant) RTx는 제한적으로 시행 가능

4) chemotherapy & targeted therapy
- <u>fluoropyrimidine</u> (5-FU, capecitamine, S-1), <u>platinum</u> (cisplatin, oxaliplatin), irinotecan, taxane (docetaxel, paclitaxel), epirubicin 등을 조합하여(or 단독으로) 사용함
- neoadjuvant/adjuvant CTx ± RTx : 재발↓ & survival↑ (stage II 이상부터 권장)

- 우리나라는 stage Ⅱ~Ⅲ에서 수술 후 **adjuvant CTx.** 사용 ; capecitabine + oxaliplatin 또는
  S-1 (<u>tegafur</u> + <u>gimeracil</u> + <u>oteracil postassium</u>, Teysuno®, TS-1®) 단독요법
  5-FU 전구체　5-FU 분해억제　5-FU의 GI toxicity 감소

> ■ **표적치료제** : 진행성 위암의 2~3차 치료제로 사용 고려
> (1) HER2 (+) 환자는 anti-HER2 Ab (trastuzumab, Herceptin®)에 반응 좋음 (→ 1차 치료제로 사용)
> (2) anti-VEGFR-2 (ramucirumab, Cyramza®)는 효과적임 (→ 2차 치료제로 사용)
> (3) anti-EGFR Ab (cetuximab, Erbitux®)와 anti-VEGF-A Ab (bevacizumab, Avastin®)는 기대에 못 미침
> (4) small-molecule inhibitor of VEGFR-2 (apatinib mesylate) : 효과 좋을 것으로 기대되나 더 연구가 필요
> (5) immune checkpoint inhibitor (anti-PD-1 mAb) ; nivolumab (Opdivo®), pembrolizumab (Keytruda®)
> 　- nivolumab : PD-L1 여부에 관계없이 효과적 (survival↑)
> 　- pembrolizumab : 특히 PD-L1 (+)면 더 효과적
> (6) trifluridine/tipiracil (Lonsurf®)도 효과적일 것으로 기대됨

- 수술 불가능한 진행/재발(locally advanced unresectable or metastatic) 위암의 **palliative CTx.**
  - 30~50%에서 PR (tumor mass 50% 이상 감소)를 보이지만 일시적이며 CR은 드묾
  - survival은 supportive care에 비해 6개월 연장됨 (→ survival 연장 목적으로 시행)
  - fluoropyrimidine + platinum 병합요법이 권장됨 (e.g., capecitabine/S-1 + oxaliplatin)
    c.f.) 3제 병합 CTx는(e.g., docetaxel + cisplatin + 5-FU) 추가 효과는 미미하면서 (survival 0.6개월 더↑)
    독성은 훨씬 심해지므로 권장 안됨
  - HER2 (+) 환자는 trastuzumab + cisplatin + capecitabine (or 5-FU) 병합요법 권장

  ⇨ palliative 2nd-line salvage CTx.
  　- 환자의 전신상태가 양호하면 권장 (∵ survival 연장)
  　- ramucirumab + paclitaxel(권장) or irinotecan, docetaxel, paclitaxel, ramucirumab 단독

  ⇨ palliative 3rd-line salvage CTx.
  　- 환자의 전신상태가 양호하면 권장 (∵ survival 연장)
  　- nivolumab, pembrolizumab, 이전에 사용 안한 irinotecan, docetaxel, paclitaxel 등

5) peritoneal CTx

- extensive serosal involvement (T4)로 수술후 복강내 재발의 가능성이 높은 경우 시행 가능
- Cx ; chemical peritonitis, catheter infection, peritoneal adhesion

(8) 예후 ★

- LN metastasis가 제일 중요 (예후결정에는 T와 N이 매우 중요하다)
  - regional LN 전이 숫자가 많을수록 예후 나쁨
  - hepatoduodenal, retropancreatic, mesenteric, para-aortic, supraclavicular LNs
    → 원격전이로 간주 (stage Ⅳ : 5YSR 3%)
- 우리나라 위암의 전체적인 5YSR 약 75%
- EGC의 5YSR >90% (LN 전이가 없으면 97~100%, LN 전이가 있으면 80~85%)
- Borrmann type Ⅳ (미만침윤형, linitis plastica) : 예후 매우 나쁨
- 젊은 연령에서 발생시 고령에서보다 예후 나쁨
- distal tumor보다 proximal (fundus, cardia) or diffuse tumor가 예후 나쁨

* <u>수술 후 예후가 나쁜 경우</u> ; 위벽 침범 깊이↑, 많은 LN 전이, 혈관 침범,
  abnormal DNA content (i.e., aneuploidy)

(9) 예방

- 아직까지 위암 발생을 확실하게 막을 수 있는 방법은 없다
- 일반적 방법
  ① 균형 잡힌 영양가 있는 식사
  ② 맵고 짠 음식, 태운 음식, 훈증한 음식 등은 피할 것
  ③ 신선한 과일이나 야채를 충분히 섭취
  ④ 충분한 양의 우유나 유제품을 섭취
  ⑤ 과음과 흡연을 피할 것
  ⑥ 스트레스 해소에 노력
- *H. pylori* : 제균 치료의 위암 발생 예방 효과는 거의 없음 (연구중)
- 최선의 방법은 증상이 없더라도 정기적인 내시경검사를 받는 것 (40세 이상에서 매년 시행 권장)

2. 원발성 위 림프종 (primary gastric lymphoma)

(1) 개요

- 위암의 약 5~15% 차지 (2nd m/c), 전체 lymphoma의 약 10% 차지
  (위 : non-Hodgkin's lymphoma의 m/c extranodal site, 전체 GI lymphoma의 60~75% 차지)
- 95% 이상이 B-cell lymphoma
  ① MALT lymphoma (~50%) ; 진행이 매우 느림, 매우 드물게 DLBCL로 전환 가능
  ② DLBCL (~45%) ; MALT를 동반하기도 함
  ③ 기타 다른 조직형의 lymphoma도 매우 드물게 발생
- *H. pylori*와의 관련성
  - 감염시 gastric lymphoma 발생위험 7배 증가
  - *H. pylori*의 만성 감염 → T cell 자극, cytokine 생성 → B cell lymphoma↑
  - 특히 MALT (mucosa-associated lymphoid tissue) lymphoma의 발생 증가
    (저등급 MALT는 90% 이상 *H. pylori* 양성, 고등급 MALT는 27%에서 *H. pylori* 양성)

(2) 임상양상/진단 [MALT lymphoma]

- 남:여 = 2:1, adenocarcinoma보다 호발 연령 어림 (40~50대)
- 임상양상 및 내시경 소견으로는 adenocarcinoma와 비슷하고 비특이적이라 진단 어려움
- Dx/staging ; endoscopic biopsy, EUS (staging과 F/U에 유용), CT, BM study 등
- 대개 limited stage → adenoca.보다 예후 좋다 (5YSR 약 75%)
  - t(11;18)(q21;q21) : MALT의 13~35%에서 발견, 유전적으로 안정, DLBCL로 진행 드묾!
  - t(11;18)-negative MALT : 다른 세포유전이상 발생↑, high-grade lymphoma로 진행 위험↑

(3) 치료 [MALT lymphoma]

  : *H. pylori* 양성이면 반드시 제균치료를 먼저 시행!

- *H. pylori* 제균치료 ··· 적응 : 점막/점막하층에만 국한된 경우
  - gastric MALT lymphoma의 경우 제균치료로 약 80%에서 완전관해됨(regression)
  - 완치된 환자는 2~3개월마다 정기적으로 내시경(EUS) F/U

- 제균치료에 반응이 없는 경우의 원인 ; 점막하층 이상 침범, LN 침범, 고악성도 성분 포함, t(11;18)(q21;q21);*API2/MALT1* (→ 10%만 제균치료에 반응)
- *H. pylori* 음성이거나 제균치료에 실패한 경우
  - local RTx (반응 좋음) and/or CTx (e.g., cyclophosphamide or chlorambucil ± rituximab)
    * t(11;18) 양성 환자는 alkylating agent 단독 CTx에는 반응 안 좋음
  - 수술 : 최근에는 거의 시행 안함(∵ multifocal), 심한 위벽 침범, 출혈, 천공, 협착 등 때 고려
- high-grade MALT lymphoma → CTx (e.g., R-CHOP) ± RTx

3. 위장관 중간엽종양 (mesenchymal tumors, sarcomas)

GI mesenchymal tumor의 분류

1. Gastrointestinal stromal tumor (GIST)
2. Smooth muscle tumors ; leiomyoma, leiomyosarcoma
3. Neurogenic tumors ; schwannoma, neurofibroma, granular cell tumor, ganglioneuroma, MPNST
4. Vascular tumors ; hemangioma, lymphangioma, glumus tumor, angkosarcoma, Kaposi sarcoma
5. Lipomatous tumors ; lipoma, liposarcoma

■ GIST (gastrointestinal stromal tumor)

- 개요/정의
  - 위장관 중간엽종양의 대부분을 차지, 위암의 약 1~3% 차지 (위의 SMT 중 m/c)
  - 과거에는 leiomyoma, leiomyosarcoma 등으로 분류되었었음
    (true leiomyosarcoma는 위장관에서는 매우 드묾)
  - 위장관운동(peristalsis)을 조절하는 interstitial cell of Cajal (ICC)에서 기원
  - *KIT* gene mutation (95%) → Kit (CD117) receptor tyrosine kinase의 ligand-independent activation → 종양 발생
  - *KIT* (−)인 5%는 *PDGFRA* gene mutation을 보임
- 발생부위 : 위(fundus의 전벽과 후벽에서 호발)와 소장에서 주로 발생

위 (m/c)	50~70%
소장	30~35%
대장	5~10%
식도, mesentery ...	5%

- 임상양상 ; 50세 이후에 호발 (평균 63세), 남≒여, 대부분 sporadic, 70% 이상이 benign
  - 점막하 종양(submucosal tumor) ; large (smooth) intramural mass with central ulceration
  - Sx ; abdominal discomfort/pain, mass, GI bleeding, anemia ...
  - 주위 장기 침범은 드문 편이고, LN 전이는 거의 없음!
    (but, 간, 폐 등에는 혈행성 전이 가능 : 15~50%에서)
- 진단
  - EUS : submucosal lesion 확인에 유용, hypoechoic mass, 4th (muscularis propria) or 2nd (muscularis mucosae) layer
  - CT/MRI : 종양 크기, staging (전이여부) 확인에 유용

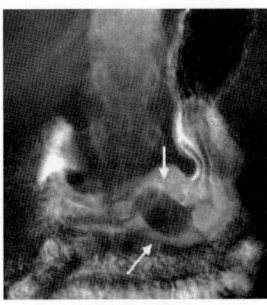 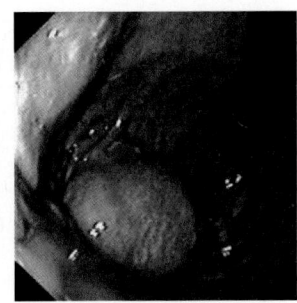 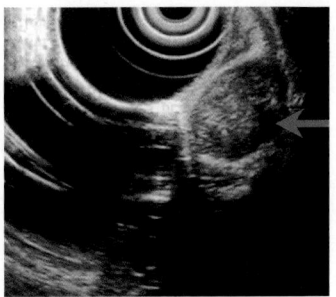

| 위장관 조영술 | 내시경 | EUS: round homogeneous hypoechoic mass |

- 조직검사 : endoscopic biopsy or <u>EUS-guided FNAB</u> (FNA biopsy)

    (c.f., percutaneous FNA는 종양 파열에 의한 복강내 종양세포 유출 위험)

  ⇨ <u>C-kit (CD117)</u>, CD34, SMA, S-100 등에 대한 면역조직화학(IHC) 염색

	C-kit	CD34	SMA	Desmin	S-100
GIST	+(95%)	+(70~90%)	30~40%	−	5%
Smooth muslce tumor	−	10~15%	+	+	rare
Schwannoma	−	+	−	−	+
Fibromatosis	−	rare	+	rare	−

• 예후인자(악성도) ; <u>종양의 크기</u>, <u>세포분열지수(mitosis index)</u>, 림프절 침범 or 원격전이

GIST의 악성화 위험도		
	Size	Mitotic count (/50 HPF)
Very low risk	<2 cm	<5
Low risk	2~5 cm	<5
Intermediate risk	<5 cm 5~10 cm	6~10 <5
High risk	>5 cm >10 cm Any	>5 Any >10

• 치료

  ① 1 cm 이하의 아주 작은 SMT (GIST)는 추적관찰(EUS or CT)!

  ② surgical resection : 유일한 근치적 치료법

치료(수술)의 적응증
(1) 증상이 있거나 조직검사에서 GIST로 진단된 경우
(2) 무증상이거나 조직검사상 GIST는 아니지만 종양 크기가 5 cm 이상
(3) 2~5 cm인 종양에서 CT/EUS에서 악성화 소견(궤양, 불규칙한 경계, 급속한 성장) or CT에서 궤사, 출혈, 풍부한 혈액공급 소견 or EUS에서 불균일한 초음파 소견을 보이는 경우 or 악성화 소견은 없지만 1년에 1~2회 관찰하다가 종양이 커지는 경우

  ┌ 전벽/대만/소만에 위치한 5 cm 이하 종양은 laparoscopic wedge resection (LWR)
  └ 매우 크거나 유문부에 가까운 경우는 (sub)total gastrectomy

  - 침윤을 잘 하므로 종양 주위 위벽을 2~3 cm 포함하여 절제, LN dissection은 필요 없음!

  - 재발이 흔함(40~80%), 5YSR 약 50%

　　　　* 내시경절제술(ESD) : 종양이 작고, 돌출 형태이고, 고유근층 내층에 존재할 때
　　③ <u>imatinib mesylate</u> (Gleevec®) : KIT receptor tyrosine kinase inhibitor
　　　　　(→ KIT receptor, PDGF receptor, BCR-ABL tyrosine kinases를 선택적으로 억제)
　　　　– 절제 불가능하거나 advanced GIST에 사용 → 약 50%에서 반응(CR & PR)
　　　　– 수술 전/후의 adjuvant therapy로도 효과적임 (survival↑)
　　　　– 반응 없거나 부작용으로 투여 불가능하면 <u>sunitinib</u> (Sutent®) 사용

양성 위 종양

1. 위 용종 (Gastric polyps)

┌ 대개 우연히 내시경검사 중 3% 이내에서 발견됨
└ 발견된 용종은 반드시 조직검사 또는 제거해야 됨

(1) 위저선 용종(fundic gland polyps, FGP)
- small (<1 cm), smooth, single or multiple, fundus/body에 발생 (서양은 m/c 위 용종; 50%)
- 장기간 PPI 사용과 관련, 대부분 *H. pylori* 감염이 없는 사람에서 발생
- 대부분 sporadic FGP : 출혈 거의 없고 악성화 거의 안함
- 드물게 familial adenomatous polyposis (FAP)의 일부일 수도 있으므로 1 cm 이상이면 제거

(2) 과형성/증식성 용종 (hyperplastic polyp)
- 위 용종의 약 60% 차지 (m/c), 위의 모든 부위에서 발생 가능 (antrum에 m/c)
- small (대개 <1.5 cm), single or multiple (20~25%), 무경성(sessile) or 유경성(pedunculated)
- 전형적으로 만성염증(e.g., chronic gastritis) 동반, ulcer/erosion 주변에서 발견됨
- 크기가 큰 경우 erosion으로 인한 출혈 발생 가능
- 약 2%는 악성화 가능 (∵ 숨어있던 dysplasia 부위에서 발생) : 2 cm 이상인 경우 증가
- <u>polypectomy Ix</u> ; 2 cm 이상의 유경성 용종, 증상이 있는 경우, 조직검사에서 dysplasia (+)
　　(큰 무경성 용종의 경우는 ESD or 수술 고려)
- hyperplastic or adenomatous polyps은 *H. pylori* 존재시 제균치료도 시행해야 됨

(3) 선종성 용종 (선종/샘종, adenomatous polyp)
- 이형성(dysplasia)이 있는 원주상피가 증식하여 육안적으로 보이는 용종을 형성한 것
- 위 용종의 6~10% 차지, 대개 <2 cm, 보통 solitary (82%), 주로 antrum에 발생
┌ intestinal-type adenoma (대부분) : chronic atrophic gastritis (atrophy), intestinal metaplasia 동반
└ gastric-type adenoma ; pyloric gland adenoma, foveolar adenoma, fundic gland adenoma
- 대개는 무증상, 드물게 궤양이 발생하여 만성 출혈을 일으킬 수 있음
- <u>premalignant lesion</u>이므로 발견시 <u>모두 제거</u>해야 하고 (endoscopic polypectomy, EMR, ESD),
　매년 내시경으로 F/U

- 수술적 치료의 적응
  ① 2 cm 이상의 sessile polyps
  ② 내시경적 절제가 불가능한 경우 (e.g., multiple polyps)
  ③ 내시경으로 절제한 조직에서 invasive tumor 발견시
  ④ 증상을 동반한 경우 (e.g., pain, bleeding)

Gastrointestinal Epithelial Neoplasia의 Vienna 분류	
Category 1	Neoplasia/dysplasia 없음
Category 2	Neoplasia/dysplasia 불확실
Category 3	Non-invasive Low-grade neoplasia (adenoma/dysplasia)
Category 4	Non-invasive High-grade neoplasia
4.1	High-grade adenoma/dysplasia
4.2	Non-invasive carcinoma (carcinoma in situ)
4.3	Invasive carcinoma 의심
Category 5	Invasive carcinoma
5.1	Intramucosal carcinoma
5.2	Submucosal 이상의 carcinoma

- low-grade adenoma/dysplasia (category 3) → 내시경 F/U or 소작술(e.g., argon plasma coagulation)
- high-grade adenoma/dysplasia (category 4) → 내시경 절제술(EMR, ESD) or 수술적 치료

2. Submucosal gastric polypoid lesions

(1) 유암종(carcinoid tumor)
- 전체 위 용종의 1~2% 차지
- 보통 크기가 작고, 무경성, ECL cells로 구성

(2) 평활근종(leiomyoma)
- 약 1/2에서 central ulceration 존재 (→ bleeding)
- 증상이 있으면 수술

(3) 염증성섬유양용종(inflammatory fibroid polyp) (inflammatory pseudopolyp)
- 드묾, 40~60세에 호발, 위 전정부에 m/c (기타 소장, 대장, 담낭, 식도 등 GI 모든 부위 가능)
  - 위 ; 대개 <3 cm, 위축성 위염 및 궤양과 관련, 무증상일 때 내시경으로 발견되는 경우 흔함
  - 소장 ; 대개 >3 cm, intussusception을 일으킬 수 있음
- 조직검사 ; fibrosis와 eosinophil 침윤, CD34(+), CD117(-), S-100(-), SMA(-), vimentin(+)
- 악성화 안하고, 크기 변화도 거의 없어 절제술만으로 충분(e.g., EMR)

(4) 이소췌장(pancreatic rest, ectopic/heterotopic pancreas)
- 췌장 이외의 부위에 췌장 조직이 발생한 것, 부검시 0.6~13.7%에서 발견됨
- 위(m/c), 십이지장, 근위공장부 등에 호발 / 위에서는 원위부(greater curvature)에서 주로 발생
- 대부분은 무증상 / 크기가 크면(>1.5 cm) 췌장염(복통 등), 궤양, 출혈 등의 증상 발생 가능
- 1/2 이상에서 중앙부에 췌관 구멍이 보임(central umbilication)
- 진단 ; 내시경, EUS → 3rd (submucosa) ~ 4th (m.p.) layer의 intermediate~hypoechoic lesion
- 치료 ; 증상이 있거나 진단이 불확실할 때 endoscopic resection

7 염증창자병/염증성장질환 (IBD)

개요

1. 정의/역학

- inflammatory bowel disease (IBD) : immune-mediated chronic intestinal inflammation, 일반적으로 UC와 CD를 지칭
- 지역/인종적 영향이 큼 : 유태인, 북유럽/북미의 백인에서 흔함 (동양인은 드묾)
- 우리나라 통계 (최근에 증가 추세)
  - UC가 CD보다 약 2~3배 많지만, CD가 더 빠른 속도로 증가
  - UC ; 평균 35~40세에 발생, 남:여 = 1:1.1~1.3 (여자가 약간 많음)
  - CD ; 평균 20~25세에 발생, 남:여 = 1.8~2.5:1 (남자에서 호발)
- 호발연령(서양은 bimodial) : 15~30세, 60~80세 (UC, CD 모두)

2. 병인

- 아직 확실히 모름 : 장내세균(multiple pathogens)에 대한 부적절한 면역반응 (± 자가면역)
- 면역조절의 결함
  - lamina propria의 activated CD4+ T cells이 관여
    - T_H1 cells → IFN-γ (→ CD 비슷한 염증 유발) / IL-12에 의해 유도됨
    - T_H2 cells → IL-4/5/13 (→ UC 비슷한 염증 유발) / IL-4/23에 의해 유도됨
    - T_H1 cells → IL-17 (→ neutrophils 모집) / IL-6와 TGF-β에 의해 유도됨
  - activated macrophages → TNF-α, IL-6 분비 (→ 염증반응↑)

3. 유전적 요인

(1) **가족력** (서양 : 약 10~20%에서 가짐) : CD가 더 뚜렷함

- IBD 환자의 1차친족(부모/형제/자녀)에서 IBD 발생률 ~10% (일반인의 30~100배)
- 두 부모가 모두 IBD 환자일 때 자식에서 발생 위험률 36%

	CD	UC
일란성 쌍생아의 동시 발생	38~58%	6~18%
이란성 쌍생아의 동시 발생	4%	0~2%

- CD의 경우 가족간의 발생부위 및 임상형태도 동일

(2) 일부 유전질환과 관련

- Turner's syndrome ; UC, CD
- Hermansky-Pudlak syndrome ; granulomatous colitis
- glycogen storage dz. type 1b ; Crohn's-like lesions
- 기타 면역결핍성 질환 (e.g., hypogammaglobulinemia, selective Ig A deficiency, hereditary angioedema)도 IBD와 관련

(3) 염색체/유전자

- 염색체 1, 3, 5, 6 (HLA), 12, 16 (*NOD2/CARD15*) 등이 IBD와 관련
- innate immunity & autophagy 관련 유전자 ; *NOD2, ATG16L1, IRGM, JAK2, STAT3*
  * *NOD2 (CARD15)* gene : 세균의 인식과 염증반응(특히 NF-κB 활성화)에 관여, 대식세포의 apoptosis를 유도하는 역할, 결함시 <u>CD</u> 발생위험↑(특히 ileal fibrostenosing CD와 관련)
- endoplasmic reticulum (ER) & metabolic stress 관련 유전자 ; *XBP1, ORMDL3, OCTN*
- adaptive immunity 관련 유전자 ; *IL23R, IL13B, IL10, PTPN2*
- inflammation 관련 유전자 ; *MST1, CCR6, TNFAIP3, PTGER4*
- IBD의 genetic risk factors (일부)를 공유하는 질환 ; RA, psoriasis, ankylosing spondylitis, type 1 DM, asthma, SLE ...

4. 환경적 요인

- <u>흡연</u> (백인): UC에 대해서는 <u>예방</u> 효과를 보이지만 (흡연자의 UC 발생 위험도는 비흡연자의 40%), former smoker는 반대로 비흡연자보다 위험도 1.7배 높음 / CD 발생위험은 2배 증가! (c.f., 다른 인종에서는 백인에 비해 흡연과 IBD의 관련성 약함)
- 경구피임약, HRT : CD 발생위험 증가 (UC는 흡연력 있는 여성에서만 발생위험 증가)
- prior appendectomy : UC 예방 효과 (발생 및 증상 감소, 특히 젊은 층에서), CD 발생위험은 증가
- 감염성 위장관염(e.g., *Salmonella, Shigella, Campylobacter, C. difficile*) : IBD 발생위험 2~3배
- 출생 1년 이내의 항생제 사용 → childhood IBD 발생위험 2.9배 (모유수유는 예방 효과)
- 동물성 단백질, 설탕, 과자, 오일, 어패류, 식이지방(특히 ↑오메가-6, ↓오메가-3 FA) → IBD↑
- 정신사회적 요인, NSAIDs, CMV, *C. difficile* 등 → 증상 악화에 기여

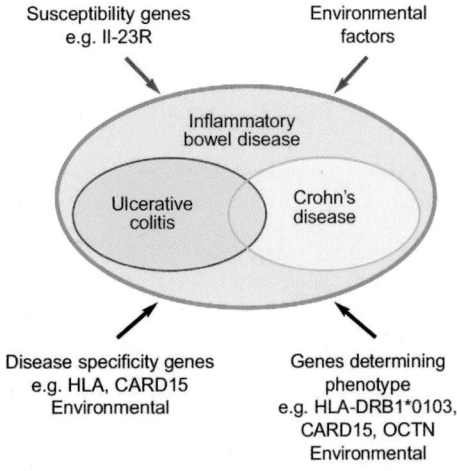

병리/임상양상

1. 궤양 대장염/결장염/잘록창자염 (Ulcerative colitis, UC)

- mucosa에만 국한된 염증 : 붉어짐(발적), 거칠어짐(granularity, 사포 모양), bleeding friability (쉽게 출혈하는 경향), 부종, 궤양/미란
- 침범 범위 ; 대부분 rectum을 침범, proximal spread
  ① proctitis (25~30%) : 직장(rectum)에만 국한된 IBD
  ② distal colitis (약 40%) : proctosigmoiditis (rectum & sigmoid colon에만 국한된 IBD), left-sided colitis (sigmoid 위로 하행결장[~splenic flexure]까지 침범한 IBD)
  ③ extensive colitis (약 30%) : splenic flexure를 넘어 상부까지 침범한 IBD (pancolitis : rectum~cecum까지 전체 대장을 다 침범한 IBD, pan-UC)
  * backwash ileitis : 염증성 대장염 환자에서 terminal ileum을 1~2 cm 침범한 것 (pan-UC 환자의 약 10~20%에서 발생 / CD의 특징인 thickening, narrowing은 없음)
  ★ continuous spread : skip area가 없음 (정상처럼 보이는 점막도 조직소견은 비정상 → multiple biopsy 필요)
- chronic UC를 시사하는 특징적 병리소견
  ① crypt 구조 이상 (irregularity, atrophy), crypt abscess
  ② basal lymphoplasmacytosis
- "bloody diarrhea" (혈변, 설사)와 경미한 복통이 대표적 증상
  - rectum에만 국한된 경우 복통은 드물고, 변비가 흔함 (∵ proximal transit 느려져)
  - diarrhea는 종종 야간 또는 식후에 발생
  - 기타 ; 점액변, 후중(뒤무직, tenesmus), 긴급배변, 변실금 ...
  - 전신증상 ; 식욕부진, 구토, 피로감, 체중감소, 발열 ...
- dz. activity와 관련 있는 검사 ; CRP↑, ESR↑, platelet↑, Hb↓, albumin↓
  - leukocytosis도 나타날 수 있지만, dz. activity와의 관련성은 적음
  - 대변 표지자(fecal biomarker) ; fecal calprotectin, fecal lactoferrin, S100A12 (calgranulin C)
    ┌ neutrophil에서 분비됨, 장 염증 정도를 잘 반영, dz. activity 및 endoscopic activity과 관련 │ IBD와 IBS의 감별에 유용, 치료에 대한 반응 평가 및 재발 예측에도 유용
    └ 세균/바이러스성 장염, 악성종양 등에서도 증가할 수 있으므로 해석에 유의
  - p-ANCA (+) → pancolitis, early surgery, pouchitis, PSC

2. 크론병 (Crohn's disease, CD)

- transmural inflammation : longitudinal ulcer, cobble stone appearance, fistula, stricture, 장관벽이 두꺼워지고 좁아짐 (→ 장폐쇄)
- 침범 범위 ; GI tract 전체를 침범 가능 (입~항문), 간과 비장도 침범 가능
  ┌ 30~40% : 소장만 침범 (주로 terminal ileum : ileitis) (2~4%는 위/십이지장도 침범 가능)
  │ 40~55% : 소장과 대장 침범 (terminal ileum 및 인접한 colon : ileocolitis)
  └ 15~25% : 대장만 침범 (주로 우측 대장)

- discontinuous (segmental) spread : "skip area (궤양 사이의 정상 점막)" 존재!
- terminal ileum이 m/c (UC와 달리 rectum은 정상인 경우가 흔함)
- regional enteritis : 소장의 Crohn's dz.
- **perianal diseases** (약 1/3에서) ; anal fissure/stricture, perianal fistula, perianal abscess, large hemorrhoidal tags, incontinence
  (UC에서도 드물게 나타날 수 있지만, 심한 경우는 대부분 CD임)
- 조직검사상 <u>non-caseating granuloma</u> … CD의 특징! (aphthous ulcer처럼 초기 소견)
  - 점막 생검에서는 거의 발견 안 되고(약 15%), 수술로 절제시엔 50~70%에서 발견됨
  - 소장~대장 전체에서 비슷하게 발견됨, 점막 전 층에서 발생 가능하지만 submucosa에서 m/c
  - 장결핵에서도 관찰될 수 있음 (차이: CD에서는 central necrosis가 없거나 미미함)
- Sx. & sign이 다양
  - **복통**(보통 RLQ, colicky, 배변후 호전), **설사, 체중감소**, 영양실조, 미열 …
  - RLQ mass ; 두꺼워진 bowel loops, 두꺼워진 mesentery, abscess 등
  - 장폐쇄 ; 초기에는 장벽의 부종/경련에 의한 간헐적 폐쇄 → 나중에는 fibrostenotic narrowing & stricture로 진행
  - 소장을 침범한 경우 malabsorption, protein-loosing enteropathy의 소견 보임
    (→ steatorrhea, protein↓, albumin↓, 다양한 영양소 결핍에 의한 증상들)
- dz. activity와 관련 있는 검사 ; CRP↑, ESR↑, Hb↓, leukocytosis, albumin↓

■ Serologic markers

- p-ANCA & ASCA : UC와 CD의 감별진단, 경과예측(F/U)에 도움 (dz. activity와는 관련×)
  (OmpC, CBir1 Ab까지 포함하면 UC vs CD 감별력 더 향상)
- <u>p-ANCA</u> 양성
  - ┌ <u>UC</u> (60~70%) : pancolitis, pouchitis, PSC, 조기 수술 등과 관련
  - └ CD (5~10%) : colon 침범과 관련
  - UC 환자 1차친족의 5~15%에서도 양성임 (정상인의 2~3%도 양성)
- <u>ASCA</u> (anti-*Saccharomyces cerevisiae* Ab.) 양성 (정상인의 ~5%도 양성)
  - ┌ UC (10~15%)
  - └ <u>CD</u> (60~70%) : small-bowel CD, early CD Cx. 등과 관련
- 기타 CD의 serologic markers
  - Ab to *E. coli* OmpC (outer membrane protein C) : CD 환자의 55%에서 양성, internal perforating dz.와 관련
  - Ab to I₂ protein : CD 환자의 50~54%에서 양성, fibrostenosing dz.와 관련
    (ASCA, I₂, OmpC 모두 양성이면 small bowel surgery 가능성 높음)
  - antiflagellin (anti-CBir1) : CD 환자의 약 50%에서 양성, small-bowel dz., fibrostenosing, internal penetrating dz. 등과 관련
- but, serologic markers의 실제 임상에서의 유용성은 아직은 제한적임
- CD의 자연경과 예측에는 serologic markers보다는 clinical factors가 더 유용함
  ; 40세 이전에 진단, 처음부터 steroid 사용, 진단시 perianal dz. 존재 등
    → 5년 내 심한 CD로 진행

특징	Ulcerative colitis	Crohn's disease
임상양상		
성비	남≤여	남>여
흡연	비흡연자에서 호발	흡연자에서 호발
전신증상	+/-	++
직장출혈, 점액변	++	+
설사	소량의 빈번한 설사	가볍거나 없음
복통/압통	+	++
복부 종괴, perianal dz.	−	++
장폐쇄, 담석, 신결석	−	+
Toxic megacolon, 악성화	+	+/-
항생제에 반응	−	+
수술 후 재발	−	++
검사 소견		
p-ANCA	60~70%	5~10%
ASCA	10~15%	60~70%
내시경 소견		
직장 침범	++ (95%)	+ (50%)
점막변화(발적, granularity, friability)	++	+
Aphthous or linear ulcers	−	++
Cobble-stone appearance	±	++
Pseudopolyps (inflammatory polyps)	++	+
방사선(or 내시경) 소견		
분포	연속적	비연속적(skip area 존재)
소장(ileum) 침범	− (+;backwash ileitis)	++
Segmental colitis, Asymmetric colitis	−	++
협착(stricture)	+	++
누공(fistula)	−	++
CT; Mural thickening	<1.5 cm	>2 cm
Wall density	Inhomogeneous	Homogeneous
Small-bowel thickening		+
병리 소견		
Transmural 침범, Lymphoid aggregates, Sinus tract/fistula	−	++
Crypt abscess	±	+
Noncaseating granulomas	−	+
위의 focally enhanced gastritis	−	+

진단

1. 대장조영술 (barium enema)

- 장점 ; 장관 단축, 장관 수축성, haustral fold, 협착, 누공 등 평가에 유용
- 단점 ; 초기에는 정상으로 판정할 우려가 있고, 병변의 범위를 실제보다 좁게 평가할 수도 있음

- UC (acute attack 시엔 금기)
  - fine mucosal granularity, superficial ulcer, mucosal stippling (점막반점)
  - haustral <u>folds 소실</u>, skip lesion 없음 → "lead pipe" 모양

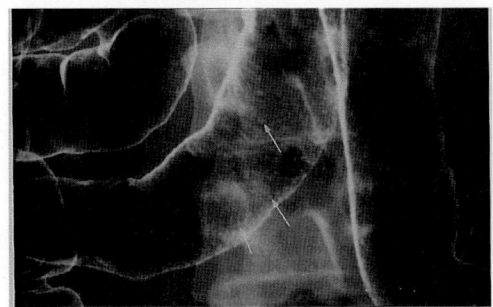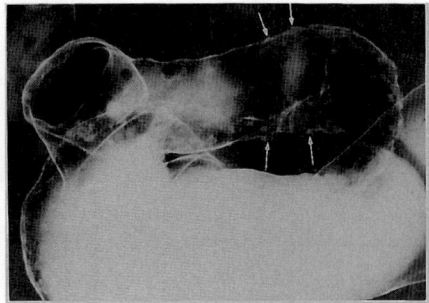

- CD : "cobble-stone", skip lesion, longitudinal ulcer (장의 장축과 <u>평행</u>), stricture, fistula, "string sign" (내강이 길게 가늘어진 부분) ...

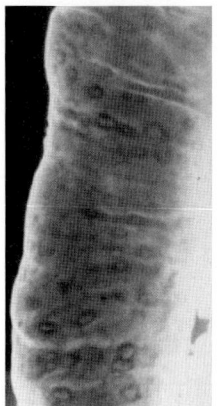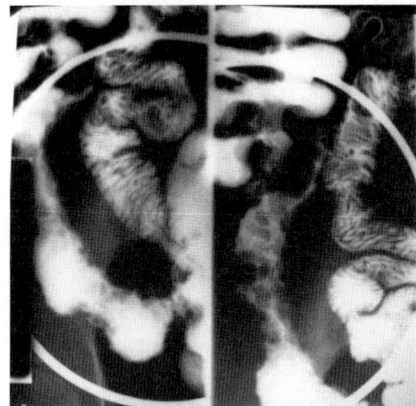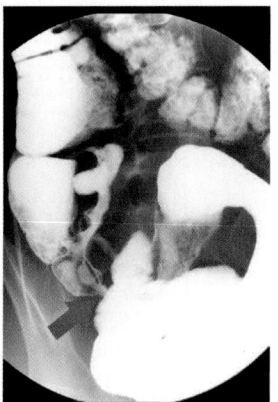

Aphthous ulcers　　　Cobblestoning (reticular network of grooves 모양)　　　Stricture (terminal ileum)

* 장축에 직각 ; UC, 결핵성 장염

2. 내시경 (sigmoidoscopy or colonoscopy)

- barium enema보다 더 정확함 (점막 표면의 변화 평가 및 조직검사 가능)
- severe UC에서는 천공의 위험이 있으므로 금기
- <u>UC의 소견</u> : 염증/궤양이 직장에서 시작하여 skip lesion 없이 연속적으로 근위부로 진행
  - 초기 소견 ; 점막의 염증/부종 → 점막 혈관상이 불분명 or 소실
  - 점막의 변화 ; 발적(∵ 모세혈관 확장), 과립상(∵ 점막 표면 불규칙), 점액농성 삼출물 흔함
  - 점막의 취약성(friability) → 약한 자극에도 쉽게 출혈됨(touch bleeding), 자연 출혈도 가능
  - 궤양 ; 대개 미세, 표층에 국한, 주위 점막의 발적/취약성이 현저함
  - pseudopolyps (inflammatory polyps) ; 궤양 발생/치유가 반복되면서 vascular granulation tissue 돌출 & 상피조직이 재생되어 발생, long-standing UC의 특징이지만 acute 때도 가능
    (→ 심하면 영상검사에서 cobble-stone처럼 보일 수도 있음)

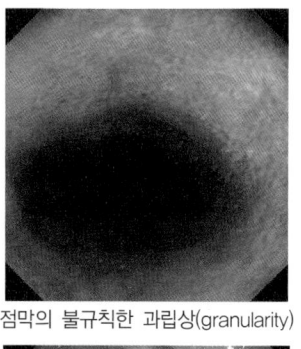
점막의 불규칙한 과립상(granularity)

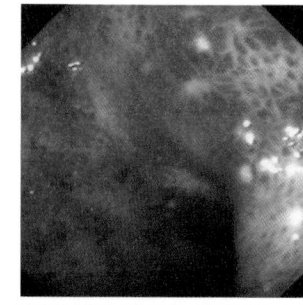
점막의 발적 및 정상 혈관상의 소실

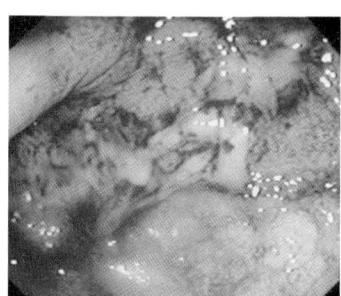
점막 궤양 및 취약성(friability)

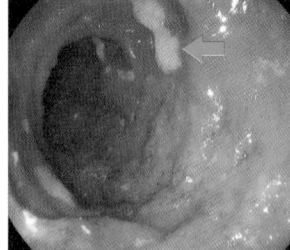
점막 염증 및 뚜렷한 궤양 & 미란

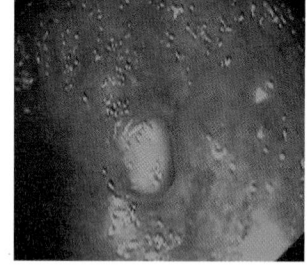
주위 점막의 염증을 동반한 궤양

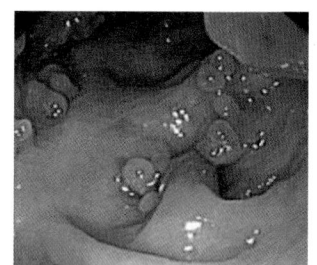
Pseudopolyps

- <u>CD의 소견</u> : 비연속적, 비대칭적 병변, 소장도 침범, 협착 및 누공이 흔함
  - 궤양 ; 초기 aphthous ulcer → 크고 깊은 궤양으로 진행 (→ 서로 합쳐져 별, 뱀, 선 모양),
    장의 장축과 평행 (종주 궤양, <u>longitudinal</u> ulcer)
  - 궤양 주위(사이)의 점막은 비교적 정상임!
  - "cobble-stoning" (궤양들이 연결되어 사이사이의 정상 점막이 돌출된 모양) ··· CD의 특징!
    (but, 다른 염증성 장질환에서도 나타날 수는 있음)
  - 내시경상 severity는 임상적 severity (CDAI)와 잘 일치하지 않음!

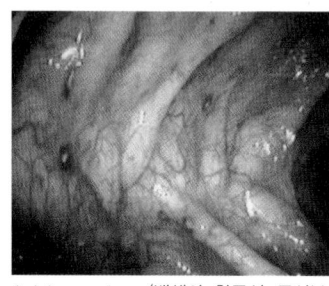
Aphthous ulcer (백색의 함몰성 중심부,
주위의 발적), 주위의 점막은 정상

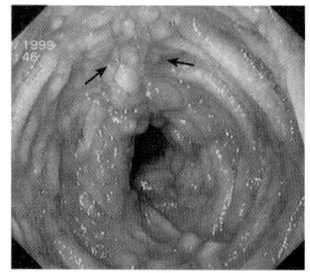
CD의 특징인 종주성 궤양
(longitudinal ulcer)

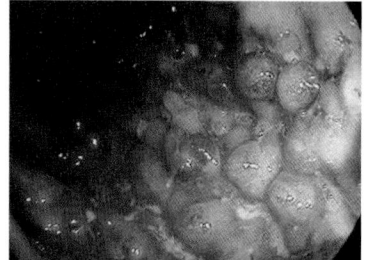
조약돌(cobble stone) 모양

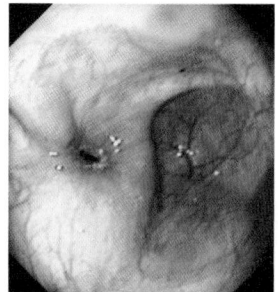
회맹부의 CD
주위 궤양에
의해 좁아진
회맹판

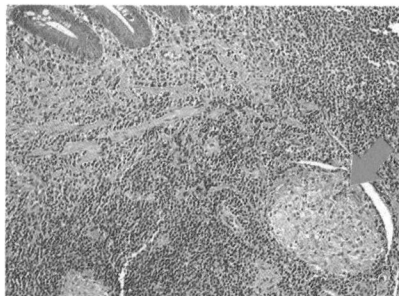
CD에서 관찰되는
비건락성 육아종
(noncaseating
granuloma)

주변엔 large
lymphoid
aggregate

- capsule endoscopy : 소장의 CD 진단에 유용 (CT enterography or small-bowel series보다 우수!)

3. CT/MRI

- UC의 진단에는 대장내시경 만큼은 도움 안 됨
- 소장 CD의 진단 및 평가에는 CT/MR enterography (or enteroclysis)가 유용

   (간편하고 빨라 CT enterography가 선호되며, 소아 등 방사선 노출이 문제되면 MR enterography)

   [참고: enterography; 경구로 조영제를 섭취한 뒤 촬영, enteroclysis; nosojejunal catheter로 조영제를 주입한 뒤 촬영]
- pelvic MRI : 골반 병변 (e.g., ischiorectal abscess) 발견에 CT보다 유용

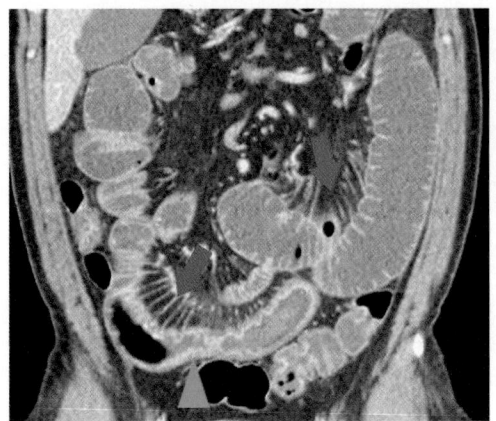

CT enterography (CTE) - CD
[△] ileal wall thickening, mural hyperenhancement
[⇨] "comb sign" (dilated vasa recta → active dz.!)

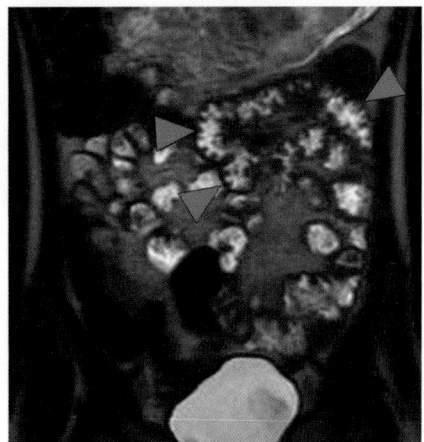

MR enterography (MRE) - CD
[△] jejunal folds의 nodular thickening

IBD의 합병증

1. UC의 합병증

(1) 심한 출혈 : 1%

- UC를 치료하면 대부분 멈춤
- 1~2일에 6~8 unit 이상의 수혈이 필요하면 colectomy

(2) strictures : 5~10%

(3) perianal diseases

- anal fissure, perianal abscess, hemorrhoids ...
- 심한 경우에는 CD를 의심해야 함

(4) 독성 거대결장 (toxic megacolon) : 5%

- Sx ; 발열, 심한 복통, 설사, 탈수, 의식저하
- Sign ; 복부팽만, 압통, 빈맥, 저혈압 등의 toxic sign, 장음 소실, leukocytosis, anemia
- 호발부위 : transverse colon

- 유발인자

> 1. Hypomotility agents (codeine, diphenoxylate, loperamide, paregoric, anticholinergics 등의 지사제)
> 2. Hypokalemia (∵ severe diarrhea)
> 3. Bowel preparation (e.g., barium enema, colonoscopy)
> 4. Severe UC
> 5. 치료제의 불규칙한 복용
> 6. CMV 감염

- Dx - simple abdomen (단순복부촬영)

  ; colonic dilatation (>6 cm), 대장 벽에 air shadow, haustration 소실

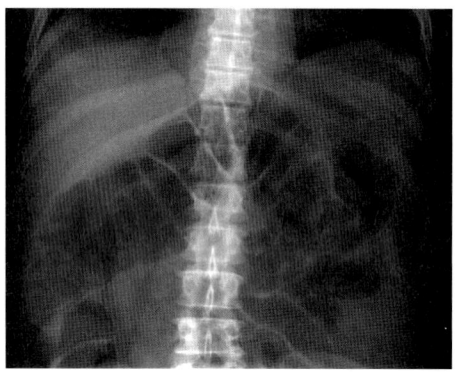

- Tx ⋯ medical emergency (드물지만 perforation 합병시 사망률 15%)
  - intensive medical therapy (약 50%는 내과적 치료만으로 호전됨)
    : NPO, IV fluid, 전해질이상 교정, <u>광범위 항생제 + IV steroid</u>
    (perforation 위험이 있으므로 감압 목적의 colonoscopy는 금기!)
  - 수술(colectomy) : 24~48시간이 지나도 호전이 없거나, perforation의 위험이 있을 때
  - 치료 후 호전되는 것을 간접적으로 알 수 있는 징후 ; 복부 둘레의 감소, 장음 회복

(5) perforation (→ peritonitis) : 3%

  ; toxic megacolon 없이 toxic colitis (severe ulcer)에 의해서도 발생 가능 (사망률 >50%)

(6) 대장암(colorectal carcinoma, CRC)

> **Risk factors ★**
> 대장의 침범 정도 (pancolitis가 가장 위험) - m/i
> 유병 기간 (8~10년 이상)
> 대장암의 가족력
> PSC (primary sclerosing cholangitis)
> 심한 염증 ; 대장협착, 내시경상 Pseudopolyps, High histologic score 등
> **Surveillance**
> 발병 8~10년 이후 시작
> 발병 기간이 길수록 surveillance 횟수 증가
> **Warning**
> Indefinite dysplasia : 3~6개월 뒤 F/U
> 경험 있는 병리학자에 의해 confirm
> **Surgical indication** (prophylactic colectomy)
> Confirmed Dysplasia, or Dysplasia-Associated Lesion/Mass (DALM)

- extensive UC 진단 8~10년 뒤부터 매년 0.5~1%씩 대장암(CRC) 발생 위험 증가, 20년 뒤 7~10%, 30년 뒤 18%의 환자에서 CRC 발생
- 침범 범위에 따른 risk : pancolitis > left-sided colitis > proctitis (직장염, CRC risk는 논란!)
- 소아는 extensive colitis의 빈도가 더 높음 & 긴 유병 기간 → CRC 위험↑
- CRC surveillance (colonoscopy & multiple biopsy)
  - pancolitis ⇨ 진단 후 8~10년 뒤부터, 1~2년마다 시행
  - left-sided colitis ⇨ 12~15년 뒤부터, 1~2년마다 시행
    - PSC 병력, 심한 염증, 이형성/협착의 과거력, 뚜렷한 소화기암 가족력 등은 1년 마다
    - proctitis or proctosigmoiditis만 있는 경우는 일반인과 같은 수준으로 CRC surveillance
- IBD에서 발생한 대장암의 특징 ; 진단이 어렵다, 전 colon에 걸쳐 uniform distribution, multiple, highly malignant
- UC에서 5-ASA (e.g., mesalazine) 유지요법은 대장암/이형성 발생 위험을 약 50% 감소시킴

2. CD의 합병증

- stricture → intestinal obstruction (m/c, 40%)
- fistula (→ free perforation 감소) ; 주변 피부, 장관, 방광 등과
- abscess (10~30%) → rupture시 peritonitis
- free perforation (1~2%, UC보다 드묾) ; 주로 ileum에서 발생
- toxic megacolon (드묾) ; 심한 염증 및 짧은 이환기간과 관련
- rectal bleeding (대개는 occult blood 정도)
- malabsorption (ileum 침범시) ; vitamin B_{12}, folate, bile acid
- 대장암 (UC보다는 약간 드묾) ; 위험인자는 UC와 비슷
  - 침범 정도와 유병기간이 비슷한 CD와 UC의 대장암 발생 위험은 비슷함!
  - chronic colon CD 환자는 UC와 동일한 대장암 surveillance가 권장됨
- 기타 악성종양 ; NHL, leukemia, MDS ...
  - severe chronic complicated perianal dz. → 직장 하부와 항문의 SCC
  - chronic extensive small-bowel dz. → small-bowel cancer

3. 장관외 증상 (Extraintestinal manifestations)

; 환자의 약 1/3에서 한 가지 이상은 발생, 대부분 CD에서 흔함 (perianal CD 환자에서 m/c)

Dz. activity와 관련 있는 것 ★ ▶ IBD 치료로 호전됨!	Dz. activity와 관련 없는 것 ▶ IBD 치료해도 호전 안 됨! ★
Peripheral arthritis Erythema nodosum, Pyoderma gangrenosum 눈증상 ; iritis, uveitis, episcleritis, conjunctivitis Anemia, Thromboembolic Cx (hypercoagulability) Osteoporotic fracture Enterocutaneous fistula	Central arthritis Ankylosing spondylitis Sacroiliitis Primary sclerosing cholangitis (PSC) Psoriasis

1. 영양 및 대사 합병증

Weight loss, muscle mass 감소, 성장 지연 (소아),
Electrolyte deficiency (K^+, Ca^{2+}, Mg^{2+}, zinc)
Hypoalbuminemia (inadequate nutrition, protein-losing enteropathy 때문)
Anemia : IDA (m/c), ACD, CD에서는 드물게 folate나 vitamin B12 deficiency
Bile salt deficiency with ileal disease (주로 CD에서)
- 지방변, 지용성 비타민 결핍
  bile의 lithogenicity ↑ → gallstone
- 흡수 안 된 지방산이 Ca^{2+}과 결합 → calcium oxalate 형성× → 대장에서 oxalate 흡수↑
  → renal stone (calcium oxalate stone) : 약 8%에서 발생

2. 근골격계 증상 (m/c)

Peripheral arthritis (15~20%, CD에서 더 흔함)
 : 상하지의 큰 관절을 주로 침범, asymmetric, polyarticular, migratory
Ankylosing spondylitis (10%, CD에서 더 흔함, HLA-B27과 관련)
Sacroiliitis, hypertrophic osteoarthropathy, relapsing polychondritis …
Osteoporosis & 골밀도 감소 (3~30%) : 골절 발생 증가 (CD 36%, UC 45%, 절대위험 1%/yr),
 IBD의 dz. activity가 높을수록 골절 위험 증가, 골밀도 감소시 serum osteoprotegerin (OPG)↑
Osteomalacia (CD 환자의 1~5%, 대개 vitamin D 결핍 때문)
Osteonecrosis (고관절에서 m/c, steroid 때문)

3. 간담도계 증상

LFT 이상 (비교적 흔함) : 특히 ALP↑
Hepatosteatosis (fatty liver), chronic active hepatitis, cirrhosis
Gallstone (CD에서 더 흔함, ileum 침범/절제 환자의 10~35%에서 발생)
Primary sclerosing cholangitis (IBD의 2~7%에서 발생, UC에서 약간 더 흔함) : 간내 & 간외 담관 모두,
 PSC 환자의 50~75%는 IBD 동반, 진단시 대부분 무증상, cholangioca. 및 colon ca. 발생 위험 증가
- 진단 ; ERCP/MRCP
- 치료 ; UDCA (ursodiol ; ALP와 AST/ALT는 감소되나 조직학적 호전은 미미함), endoscopic stenting
  ↳ 고용량은 PSC & UC 환자에서 colorectal dysplasia/ca. risk를 감소시킬 수도 있음
Pericholangitis : PSC의 일종으로 예후 좋다 (UC에서 흔함)
Bile duct carcinoma

4. 피부 증상

Erythema nodosum (CD의 15%, UC의 10%에서) : peripheral arthritis와 동반 흔함
Pyoderma gangrenosum (UC의 1~5%, CD는 덜 흔함) : PG 환자의 36~50%는 IBD, 발등과 다리에 호발,
 대부분 acute colitis 때 발생, IBD의 dz. activity와는 관련 있거나 없거나 함, 보통 severe IBD를 시사
Psoriasis (5~10%)
Aphthous stomatitis 등의 구강 병변 (CD에서 흔함)
Buccal mucosa, gingiva, vagina의 CD (아프타 궤양 등)
Perianal skin tags (CD의 75~80%에서 발견)

5. 눈 증상 (1~10%) ; uveitis (iritis), episcleritis (3~4%, CD에서 더 흔함), conjunctivitis

6. 혈전색전증/응고항진성 (1~2%, 정맥 & 동맥) ; DVT or pulmonary embolism (m/c, 정상인보다 3~4배↑)

renal artery thrombosis, CVA, coronary artery thrombosis, arterial emboli …
 : 대개 IBD의 dz. activity와 관련 있지만 (심할수록 발생↑), inactive할 때도 발생 가능

7. 심폐 증상 ; endocarditis, myocarditis, pleuropericarditis, ILD …

8. Amyloidosis : 오래된 IBD (특히 CD) 환자에서 발생 가능

c.f.) Thromboembolism (hypercoagulable state)의 원인
 ① reactive thrombocytosis
 ② fibrinopeptide A, factor V, factor VIII, fibrinogen, plasminogen activator inhibitor 등 증가
 ③ thromboplastin 생성 증가
 ④ anti-thrombin III, protein C, protein S, factor V Leiden, tissue plasminogen activator 등 감소
 ⑤ fibrinolysis 감소

치료

UC의 Disease Activity 분류 ★

	Mild	Moderate	Severe
배변 횟수(회/day)	<4	4~6	>6
직장 출혈	+/-	+	Continuous & severe
발열	정상	평균 <37.5℃	평균 >37.5℃
맥박수	정상	평균 <90회/분	평균 >90회/분
Hemoglobin	정상	>75%	≤75% (수혈 필요)
ESR (mm/hr)	<30		>30
Albumin	정상	정상	감소
복부단순촬영		Colonic edema Thumbprinting Air-fluid levels	Dilated colon or small bowel (Toxic megacolon)
내시경소견	Erythema Vascular pattern↓ Fine granularity	Marked erythema Coarse granularity Vascular marking 소실 Contact bleeding	Spontaneous bleeding Ulcer 존재
진찰소견		Abdominal tenderness	Rebound tenderness Distention, 장음 감소

CD Activity Index (CDAI) score

변수	기술	점수	가중치(×)
묽은 변	7일 동안	횟수	2
복통	7일 동안	0 = 없음, 1 = 경증, 2 = 중등증, 3 = 중증	5
전신 안녕감	7일 동안	0 = 좋음, 1 = 약간 안좋음, 2 = 나쁨, 3 = 매우 나쁨, 4 = 극도로 나쁨	7
장관외 합병증	존재 개수	관절염/관절통, 홍채염/포도막염, 결절홍반, 괴저농피증, 아프타구내염, anal fissure/fistula/abscess, 발열(>37.8℃)	20
지사제 복용	7일 동안	0 = 복용 안함, 1 = 복용	30
복부 종괴		0 = 없음, 2 = 의심됨, 5 = 확실히 존재	10
Hematocrit	예측치-측정치	남: 47 - 측정치, 여: 42 - 측정치	6
체중	미달률(%)	[1 - (ideal/observed)] ×100	1

* 비활동(remission) <150, Mildly active 150~220, Moderately active 220~450, Severely active >450

1. 치료 약제

(1) 5-ASA (aminosalicylate) 제제
- mild~moderate UC의 induction & maintenance의 주 치료제 (dose-dependent)
- CD : induction therapy에는 UC보다 효과 적음, maintenance에는 효과 없음
  - (c.f., CD에서 효과는 적지만, 친숙하고 안전하기 때문에 임상에서는 아직 널리 쓰고 있음)

- sulfasalazine (salicylazosulfapyridine)
    - 구조 ┏ sulfapyridine ; 운반체, 대장 세균에 의해 분리되어 흡수됨
         ┗ 5-ASA (aminosalicylic acid) : 치료 효과제, 대장에서 흡수 안 되어 국소 항염증
              (anti-inflammatory) 효과를 나타냄
    - 부작용이 많음(약 20%) ; 두통, anorexia, N/V, hypersensitivity, (가역적) 정자 수/운동↓ 등
    - folate의 흡수도 방해하므로 folic acid도 보충해야 됨
- sulfa-free 5-ASA (**mesalamine**) 제제 : sulfasalazine과 효과는 비슷하지만, 부작용이 적음
- topical mesalamine (suppository, enema)
    - "distal colitis"때 DOC (topical steroid 보다 더 효과적)
    - oral agent보다 distal colon에 5-ASA를 더 고농도로 줄 수 있음

5-ASA 약제	작용 부위				
	소장	회장말단	우측대장	좌측대장	직장
Moisture-release 5-ASA (Pentasa)	━━━━━━━━━━━━━━━━━━▶				
pH-release 5-ASA (Asacol, Claversal, Delzicol, Lialda, Apriso)		━━━━━━━━━━━━▶			
Sulfasalazine (Azulfidine) Balsalazide (Colazal) Olsalazine (Dipentum)			━━━━━━━━▶		
5-ASA enema (Rowasa)			◀━━━━━━		
5-ASA suppository (Canasa)					◀━━

* sulfasalazine (Azulfidine)을 제외하면 대부분 mesalamine 계열 제제임

(2) steroids

- active (moderate~severe) UC/CD의 관해 유도에 효과적
- UC/CD의 유지요법(관해유지, 재발감소)에는 효과 없음!★
- severe (fulminant) UC/CD 때는 가장 먼저 사용 (IV)
- enteric-coated budesonide (oral) : pH-dependent ileal release formulation, terminal ileum ~
    Rt. colon에 작용, systemic bioavailability는 10% 뿐으로 steroid의 부작용 감소 장점
- topical steroid (e.g., enema) : distal colitis 때 유용
- abscess, stricture, fibrosis 등에 의한 증상이 있을 때는 금기

(3) 면역조절제(immunomodulators)

- thiopurines ; azathioprine (AZA) or 6-mercaptopurine (6-MP)
    - azathioprine은 체내에서 빨리 흡수되어 6-MP로 전환됨, 효과 발생에 1~6개월 필요
    - 효과(적응증)
        ① steroid에 반응이 없거나 의존성을 보이는 UC/CD 환자 (steroid-sparing effect)
        ② CD/UC의 관해 유지(maintenance) (± anti-TNF와 병용)
        ③ anti-TNF에 추가하여 moderate~severe CD의 관해 유도(induction)
        ④ CD : active perianal dz., fistula, 수술 후 예방요법
    - 부작용 ; pancreatitis (3~4%, 대개 1주 이내 발생, 투여 중단시 완전 회복됨), nausea, fever,
        rash, hepatitis, lymphoma, BM 억제 (주로 leukopenia, 늦게 발생 → CBC F/U 필요!)

- methotrexate (MTX)
  - 기전 ; DNA 합성 억제, IL-1 생산 감소를 통한 항염증 효과
  - IM or SC : active CD의 관해 유도/유지에 효과적 (UC에는 효과 없다!)
  - azathioprine/6-MP에 반응이 없거나 사용하지 못하는 경우 적응
  - 부작용 ; leukopenia, hepatic fibrosis (→ CBC, LFT F/U)
- cyclosporine (CSA)
  - 기전 (cellular & humoral immune 모두 억제) ; helper T cells에서 IL-2 생산 억제, calcineurin (T cells 활성화에 관여) 억제, 간접적으로 B cells 기능도 억제
  - IV steroid에 반응하지 않는 severe UC 환자에서 수술 대신 고려
  - 부작용이 심하고(e.g., 신독성, 감염) 효과가 부족하므로 유지요법에는 사용안함!
- tacrolimus (macrolide계 항생제지만, CSA와 비슷한 효과를 가짐)
  - CSA보다 100배 강력하며, 소장 침범이 있어도 흡수가 잘 됨
  - refractory IBD 소아와 광범위한 소장 침범을 가진 성인에서 효과적이라는 연구도 있지만, 연구가 부족하고 CSA처럼 부작용이 심하므로, 현재 표준 요법에서는 쓰이지 않음

(4) anti-TNF-α Ab

- moderate~severe CD 및 fistulizing CD 환자에서 induction therapy 초치료 약물로 권장됨! (∵ 과거의 step-up 방식보다는 초기부터 강력한 anti-TNF + AZA/6-MP 치료가 효과적)
- 일반적인 약물치료(5-ASA, steroid, AZA/6-MP 등)에 반응 없는 moderate~severe UC 환자에도 적응 → 50~65%에서 반응, 20~35%에서 관해됨 (CD에서보다 약간 낮음)
- 대개 관해 유지를 위한 유지요법도 필요 (8주마다 IV)
- 모든 anti-TNF Ab에 반응 없으면 → anti-integrin or 수술 or new therapies
- infliximab (IV) ; 최초의 anti-TNF, chimeric IgG1 Ab to TNF-α
  - 부작용 ; acute infusion reactions, serum sickness, lymphoma, leukemia, psoriasis, 감염 (특히 잠복결핵의 재활성화, 진균 감염) ⇨ 사용 전 IGRA 등으로 잠복결핵 R/O!
  - ATI (Ab to infliximab) 발생 문제 ; 주기적(8주 마다) 투여 환자보다 간헐적 투여 환자에서 호발 ⇨ 예방 ; 다른 면역조절제 병용, 주사 전 hydrocortisone으로 전처치
- adalimumab (SC) ; recombinant human monoclonal IgG1 Ab to TNF-α, 과민반응 적음
- certolizumab pegol (SC) ; pegylated Fab fragment Ab to TNF-α, 태반통과 힘듦
- golimumab (SC) ; recombinant human monoclonal IgG1 Ab to TNF-α 신약

(5) anti-integrin (anti-adhesion, leukocyte trafficking inhibitor)

- anti-TNF Ab에 반응 없거나 부작용으로 투여할 수 없는 IBD 환자에 효과적!
- natalizumab ; recombinant humanized monoclonal IgG4 Ab to α4 integrin
  - WBC (neutrophil 제외) 표면의 α4 integrins과 장 점막의 adhesion molecules의 결합 억제
  - * progressive multifocal leukoencephalopathy (PML) 발생 위험 (약 0.1%/yr)
    - JC polyomavirus 재활성화 때문 → 사용 전 anti-JC viral Ab 검사 권장
    - 기타 위험인자 ; 긴 치료기간(2년 이상), 이전의 면역억제제 치료
      - → 면역조절제와 병행하지 않고 단독으로 사용
- vedolizumab ; humanized IgG1 monoclonal Ab to α4β7 integrin, BBB를 넘지 않고 창자에만 선택적으로 작용 → PML 발생 위험 없음

(6) 기타 biologic agents

- thalidomide ; TNF 생산 억제, 부작용 때문에 안 쓰임 (lenalidomide : 부작용은 적지만 효과 별로)
- 기타 연구 중인 targeted therapy
  - ustekinumab ; IL-12와 IL-23의 공통 subunit인 p40에 대한 monoclonal Ab, CD에서 효과
  - tofacitinib ; JAK (Janus kinase) inhibitor, UC & CD에서 효과

(7) antibiotics

- metronidazole or ciprofloxacin
- CD : perianal dz., fistulas, abscess, active colonic dz. 등에 효과적 (→ perianal fistula에서는 1차 치료제), 수술 후 CD의 재발도 예방 가능
- UC에는 효과 없음 (예외; colectomy & IPAA 후 발생한 pouchitis에는 효과적)

(8) probiotics, prebiotics, synbiotics

- probiotics : 비병원성 장내 유익균, *Lactobacillus* or *Bifidobacterium* species를 가장 흔히 사용
- prebiotics : 장내 유익균의 성장/활성화를 촉진하는 식품성분(e.g., 올리고당, 식이섬유, inulin)
- symbiotics = probiotics + prebiotics
- IPAA 이후 발생한 pouchitis의 재발 예방에는 효과적이지만, 일반적인 UC나 CD의 치료에도 효과 있다는 근거는 아직 없음 (연구 중)

IBD의 치료 약물 (간략 정리)

약물	투여, 작용부위	흔한 부작용	임신 안전성 (FDA)
Aminosalicylates (5-ASA)	Oral (서방정 → colon이 타겟) Topical (enema, suppository → distal colon, rectum이 타겟)	구역, 두통, 탈모, 복통, 가역적 남성 불임 (Sulfasalazine)	B (C; Asacol, olsalazine)
Budesonide (enteric-coated)	ileal release (topical effects) → ileum 말단~우측 대장이 타겟	부신 부전, 골다공증, HTN, 고혈당, 백내장, 감염	C
Systemic corticosteroids	oral, IV, rectal enema, suppositories, or foam	고혈당, HTN, 골다공증, skin fragility	C (임신 초기에 드물게 cleft palate 유발 위험)
Thiopurines ; azathioprine, 6-MP	oral	구역, 투통, body aches, 췌장염, 간독성, BM 억제	D
Methotrexate (MTX)	IM, SC	구역/구토, 간독성, 감염	X
Anti-TNF	Infliximab : IV / adalimumab, certolizumab pegol ; SC	Infusion or injection-site reactions, 건선, 감염	B (certolizumab pegol 은 태반 통과가 적음)
Anti-integrin	Natalizumab, Vedolizumab ; IV	감염, 알레르기 반응	C

IBD의 내과적 치료 (간략 정리)
Mild~Moderate UC　5-ASA (oral and/or rectal) ▶ Glucocorticoid (rectal → oral) ▶ 6-MP/azathioprine ▶ Anti-TNF (infliximab/adalimumab/golimumab)
Moderate~Severe UC　Glucocorticoid (oral → IV) ▶ 6-MP/azathioprine + infliximab ▶ Anti-TNF (adalimumab/golimumab) ▶ Cyclosporine IV/vedolizumab
Mild~Moderate CD　Budesonide (ileum & right colon), Sulfasalazine (colon) ▶ Prednisone ▶ 6-MP/azathioprine/methotrexate ▶ Anti-TNF (infliximab/adalimumab/certolizumab pegol)
Moderate~Severe CD　6-MP/azathioprine/methotrexate + Anti-TNF (infliximab/adalimumab/certolizumab pegol) ▶ Anti-integrin (Natalizumab/vedolizumab) ▶ Glucocorticoid IV ▶ TPN
Fistulizing CD　배농 및 항생제 ▶ Anti-TNF (infliximab/adalimumab/certolizumab pegol) ± 6-MP//azathioprine/methotrexate ▶ Anti-integrin (Natalizumab/vedolizumab) ▶ TPN

2. UC의 치료

: 내과적 치료가 원칙 (대부분 control 됨), 병변의 범위와 activity가 치료방침 결정에 중요

(1) mild~moderate UC

① proctitis ⇨ topical 5-ASA [mesalamine suppository] (topical steroid보다 효과적)
　　　　± oral 5-ASA [mesalamine] (효과 증대)
　　　　(알레르기/부작용으로 mesalamine을 사용 못하면 topical steroid)

② proctosigmoiditis ⇨ topical 5-ASA [mesalamine retention enemas, foams, gels]
　　　　± oral 5-ASA [mesalamine] (효과 증대)

③ left-sided UC ⇨ topical 5-ASA [mesalamine enema] + oral 5-ASA [mesalamine]

④ extensive colitits ⇨ oral 5-ASA [mesalamine] + topical 5-ASA

┌ 반응 좋으면 (관해되면) 5-ASA로 maintenance (유지요법)
└ 반응 없으면 topical and/or oral steroid (prednisone) 추가
　　　┌ 반응 좋으면 steroid tapering → 5-ASA or azathioprine/6-MP로 maintenance
　　　└ 반응 없으면 azathioprine/6-MP, IV steroid, anti-TNF, anti-integrin 등 고려!

　*oral steroid (prednisone)
　　(a) 5-ASA에 반응이 없거나 악화되면
　　(b) more active dz. (e.g., 배변 횟수 >5~6/day)
　　(c) 보다 빠른 치료반응을 원하면

(2) severe (fulminant) UC

• IV steroid (hydrocortisone or methylprednisolone) : 대개 5일 동안 투여 (7~10일 이후엔 효과×)
┌ 호전되면 → oral steroid로 전환 후 감량
└ 3~5일 이내에 반응 없으면 → anti-TNF (e.g., infliximab IV) or cyclosporine IV 추가
　　→ 4~7일 이내에 반응 없으면 수술 (cyclosporine ↔ anti-TNF 대치는 권장 안 됨)

• 일반적 치료원칙
　- 입원, 수분/전해질 이상 교정 (특히 hypokalemia 주의), 빈혈 교정(>10 g/dL로)
　- colon dilatation을 유발할 수 있는 opiate, anticholinergic, 지사제 등은 금지

- colon dilatation 발생하나 주의 깊게 관찰 (P/Ex, X-ray or CT)
- 금식 및 TPN : 효과 없고 오히려 안 좋을 수 있음 (영양실조시 or 입원 초기 1~2일은 도움)

(3) 관해의 유지(maintenance)

- 대부분의 환자에서 재발 방지를 위해 유지요법이 필요!
- oral 5-ASA : 대부분의 환자에서 이용 (병변의 범위가 좁았던 환자는 topical 5-ASA도 가능)
- azathioprine/6-MP and/or anti-TNF : 5-ASA로 조절되지 않는 환자에서 이용
- 재발 유발인자 ; stress, 다른 질환, 임신, 감염성 설사, NSAIDs, 약물치료의 부적합 또는 중단

(4) 수술

- curative, 약 20%의 환자에서 필요 (extensive chronic UC 환자는 거의 50%에서)
- 적응증
  ① 강력한 약물 치료에도 반응이 없거나, 부작용을 견딜 수 없을 때
  ② 증상 조절을 위해 계속 steroid가 필요할 때 (chronic active UC)
  ③ 합병증 발생시 ; massive/recurrent hemorrhage, perforation, obstruction, 소아의 성장지연 ...
  ④ fulminant colitis, toxic megacolon이 1~2일 내에 호전되지 않을 때
  ⑤ colon dysplasia or cancer, colon ca.의 예방
- 수술 방법 : total proctocolectomy +
  ① ileostomy : 삶의 질 저하 때문에 잘 안씀
  ② continence-preserving op. : 항문괄약근 보존, IPAA (ileal pouch-anal anastomosis)가 m/c
    * 주머니염(pouchitis) ; m/c Cx (약 1/3에서 발생)
      - Sx ; 배변횟수↑, 수양성 설사, 복통, 대변절막, 야간배변, 관절염, 권태감, 발열
      - Tx ; 항생제 / 반응 없는 3~5%는 steroid, 면역조절제, anti-TNF, 수술 등 고려
      - 고농도유산균/정장제(probiotics) 매일 복용시 pouchitis의 재발 예방 가능
- 수술 후 재발은 드묾 (curative!, 완전히 치유됨)

3. CD의 치료

: 평생 호전과 악화를 반복, 완치는 불가능하며 증상 위주로 치료 (주로 내과적)

(1) mild~moderate CD
  ① colitis (colonic CD)
  - oral 5-ASA (sulfasalazine) : mild CD에서 우선 시도 가능 (소장 질환만 있을 때는 효과 적음)
  - 항생제 (metronidazole and/or ciprofloxacin) : 5-ASA에 반응 없으면 고려 가능
  - systemic steroid : 5-ASA (or 항생제)에 반응이 없으면 시도
  ② ileitis or ileocolitis (Rt. colon에 국한된) ⇨ local steroid (budesonide)가 DOC!
  - prednisone보다 효과는 약간 떨어지지만 부작용이 적어서 선호됨
  - budesonide에 반응 없거나, 원위부 대장을 침범한 경우 systemic steroid (e.g., prednisolone)
  ③ upper GI CD (esophagus ~ jejunum) : 면역조절제 or anti-TNFα

(2) moderate~severe CD
  - anti-TNF + azathioprine/6-MP (± steroid)이 1차 induction therapy로 권장됨
    → 반응 없으면 anti-integrin 고려

- 매우 심한 경우(fulminant CD) ⇨ IV steroid
  - ┌ 호전되면 → oral steroid로 전환 후 감량 (→ 재발되면 azathioprine/6-MP 추가)
  - └ 1주일 이내에 반응 없으면 → anti-TNF or anti-integrin → 반응 없거나 악화되면 수술
- steroid 사용 전에 감염/농양 등은 먼저 치료
- 입원, NPO, IV fluids, TPN (adjuvant therapy로 유용) 등

  * steroid refractory/dependent CD
  - 면역조절제(azathioprine/6-MP) ; 효과가 나타나는 3~4개월까지는 steroid를 병용,
    이후 steroid 감량 (→ 환자의 약 60%가 반응)
  - 면역조절제에도 반응이 없거나 악화되면 → MTX, anti-TNF, anti-integrin 등

(3) 관해의 유지(maintenance)
- maintenance therapy 안 하면 induction therapy에 반응한 환자의 80% 이상은 1년 이내에 재발
- anti-TNF (± azathioprine/6MP) ; infliximab IV (8주마다), adalimumab SC (2주마다),
  certolizumab SC (4주마다) → 약 2/3는 관해 유지되고, 약 ~1/2은 완전 관해됨
- 5-ASA는 관해유지에 효과 없고, steroid는 관해유지에(장기적으로) 사용하면 안 됨!
- azathioprine/6-MP (or MTX) : steroid or azathioprine/6-MP (or MTX)로 관해를 이룬 경우

(4) 영양요법
- 종류 ; bowel rest + TPN, elemental diet
- active CD의 관해 유도시 steroid 만큼 효과적 (유지요법에는 효과 없음)
  (c.f., UC는 영양요법이 효과 없고, high fiber는 증상을 악화시킴)

(5) fistulizing CD
- fistula : CD 환자의 약 1/3에서 발생, perianal fistula가 m/c
- perianal fistula (치루) ⇨ 항생제(metronidazole + ciprofloxacin) / steroid는 안 씀!
  - → 반응 없거나 심하면 anti-TNF ± azathioprine/6-MP/MTX
  - → 반응 없으면 수술 (직장 점막에 CD 침범이 없으면 누공절개술[fistulotomy], 있으면 seton placement)
  - complex fistula는 대개 약물치료 + 수술 필요
  - intractable fistula → colonic or ileal diversion, 심한 경우 proctocolectomy도 필요
- enterocutaneous fistula : 피부 누공을 통한 유출로 volume loss 위험
  - ┌ low-output fistula → azathioprine/6-MP, MTX, anti-TNF
  - └ high-output fistula (≥500 mL/day) → 수술
- rectovaginal fistula → 약물(면역조절제 or anti-TNF) 이후에 수술(fistulotomy, mucosal flap)
- enterovesicular or colovesicular fistulas → 면역조절제 and/or anti-TNF
  (recurrent UTI시엔 수술)
- 증상이 없는 internal fistula (e.g., enteroenteric fistula)는 수술 필요 없음 (면역조절제 고려可)

(6) 기타 합병증의 치료
- abscess → 항생제, 배농, 수술
- obstruction → IV fluids, NG suction, IV steroid → 실패하면 수술
- perianal dz. → 항생제, 면역조절제, anti-TNF, 수술(광범위는 권장 안 됨, 가능하면 보존적으로)

(7) 수술
- 1/2 이상의 환자에서 평생 적어도 한번 이상의 수술이 필요
- 적응증
  - ① 강력한 약물 치료에도 반응이 없을 때
  - ② perforation, massive hemorrhage, abscess (소장)
  - ③ refractory obstruction (m/c), stricture, fistula, perianal dz.
  - ④ fulminant colitis
  - ⑤ colon dysplasia or cancer, colon ca.의 예방
- UC와 달리 수술해도 완치는 안 되고 재발이 흔함 (50~75%)
  - → 재수술을 고려하여 가능한 절제 범위를 최소한으로 줄임
- 수술방법 ; segmental resection, strictureplasty ... (IPAA는 pouch failure가 많으므로 금기)

임신과 IBD

- inactive or mild IBD에서는 수정률(fertility rate)과 태아의 예후는 거의 정상임
  - UC로 colectomy + IPAA 수술을 받은 환자는 infertility 증가
  - CD에서는 terminal ileum과 인접한 우측 나팔관에 반흔 형성 가능
  - sulfasalazine은 남성에서 불임을 일으킬 수 있으나, 중단하면 회복됨
  - methotrexate는 oligospermia를 일으켜 남성 불임을 유발할 수 있음
- active IBD에서는 치료약물보다는 dz. activity에 의해 수정률과 태아의 예후가 조금 나빠짐
  - ; 자연유산, 사산, 미숙아, 기형 등 증가 (일부 연구에서는 dz. activity와는 관계없다고도 함)
- 임신이 여성 환자의 IBD의 flare risk를 증가시키지는 않음 (비임신 여성과 비슷함)
- 임신 중 IBD의 경과는 임신 시점의 dz. activity와 관련 ⇨ 임신 6개월 전부터 관해 상태에 있어야!
- 치료는 비임신 때의 치료원칙과 크게 다르지 않다!
- sulfasalazine (5-ASA, class B)과 steroid (class C)는 비임신 때와 동일하게 사용 가능!
  - 엄마나 아기 모두 괜찮음 (사산/조산 증가×)
  - 5-ASA 사용시 folate가 결핍될 수 있으므로 반드시 folate를 공급
  - 일부 mesalamine (e.g., Asacol, olsalazine)은 class C이므로 권장 안 됨
  - steroid는 드물게 임신 초기에 cleft lip, PROM을 일으킬 수 있음
- 임신시 안전한 항생제 ; ampicillin, cephalosporin, metronidazole (class B, 임신 초기에는 cleft lip/palate 위험 증가) / ciprofloxacin (class C)은 연골 손상의 우려가 있으므로 금기
- 면역조절제/표적치료제
  - azathioprine/6-MP (class D) : 용량이 높은 이식환자 대상 연구이고 IBD 대상의 연구는 부족, 위험성은 매우 낮을 것으로 추정되므로 계속 사용하던 경우에는 사용하고, 신규 투여는 피함
  - CSA (class C) : 자료가 부족하므로 수술 대신이 아니라면 임신 중 권장 안 됨
  - anti-TNFα : 안전(class B), 모유로 거의 분비되지 않으므로 수유에도 비교적 안전
    (c.f., 다른 약제들은 태반 통과 가능하지만, certolizumab pegol은 태반 통과 거의 없음)

- natalizumab : 자료 부족(class C) / vedolizumab (class B)
- methotrexate과 thalidomide는 금기 (∵ teratogenic effect) : class X
- 임신 중의 수술은 자연유산의 위험도를 높이므로, 응급상황에서만 시행
  (e.g., 심한 출혈, 천공, 내과적 치료에 반응하지 않는 toxic megacolon 등)
- 분만은 대부분 자연분만 (anorectal/perirectal abscess or fistula의 경우는 C/S을 선호)

IBD의 감별진단

1. Indeterminate colitis (IBD-unclassified, IBD-U)

- IBD로 진단은 됐지만, UC인지 CD인지 구별이 안 되는 경우 (5~10%)
- multistage IPAA와 조직검사를 통해 CD를 R/O 가능
- UC/CD와 비슷하게 내과적 치료 (5-ASA, steroid, 면역조절제)

2. Infectious colitis

(1) mycobacterial ; *M. tuberculous, M. avium*
(2) bacterial ; *Shigella, Salmonella, E. coli* O157, *Yersinia, Campylobacter, C. difficile*, gonorrhea, *Chlamydia trachomatis* ...
(3) viral ; CMV, HSV, HIV
(4) fungal ; Histoplasmosis, *Candida, Aspergillus*
(5) parasitic ; amebiasis, *Isospora, T. trichura, Strongyloides*, hookworm ...

3. Noninfectious dz.

- appendicitis, mesenteric adenitis, ischemic bowel dz. → acute CD와 감별해야
- irritable bowel syndrome
- Behçet's dz. (CD와 아주 비슷)
- diverticulitis (CD와 혼동 가능)
  - CD를 더 시사하는 소견
    ① perianal dz., small bowel series에서 ileitis
    ② 내시경상 significant mucosal abnormalities
    ③ segmental resection 뒤에도 내시경적/임상적 재발
  - 게실관련 대장염 → 점막 이상이 sigmoid와 descending colon에 국한
- radiation enterocolitis
- hemorrhoids, vasculitis, endometriosis, eosinophilic gastroenteritis
- 종양 ; intestinal lymphoma, metastatic ca., ileal/colonic carcinoma, carcinoid tumor, familial polyposis
- 약물 ; NSAIDs, phosphosoda, cathartic colon, gold, cocaine, 경구피임약, ipilimumab, MMF

- NSAID-related colitis ; de nove colitis, IBD reactivation, 좌약에 의한 proctitis
  - Sx ; diarrhea, abdominal pain
  - Cx ; stricture, bleeding, obstruction, perforation, fistula

■ Behçet's disease

- 임상적으로 진단 (구강/생식기 궤양, 피부/눈 병변, pathergy test 등)
- intestinal Behçet (전체 Behçet의 1~5%에서, 동아시아는 10~30%)
  - 주로 ileocecal area를 침범 ; RLQ 복통(m/c)/종괴, 혈변, 설사 등이 주증상 (→ CD와 비슷)
  - 내시경 소견 : 주위와 경계가 뚜렷한 궤양 (CD와 같이 전층을 침범하는 심재성 궤양임)
    ① volcano type (m/c) : 깊은 원형 궤양, 가장자리는 결절성 점막으로 융기됨, 바닥에 백태
    ② geographic type : 다양한 형태의 얕은 궤양
    ③ aphthous type : 원형/난원형의 얕은 궤양 (punched-out)
  - 조직 소견 : 일부에서 vasculitis 관찰됨
  - 치료 : steroid (steroid sparing; AZA/6-MP ± anti-TNF), interferon-α, 심하면 수술

	Behçet dz.	CD
Intestinal perforation	++	-
Stricture, Fistula, Perianal dz.	-/+	++
궤양의 개수, 분포	적다 focal single or multiple	다발성 segmental, diffuse
궤양의 형태	원형, 좀 더 크고 깊음 경계가 뚜렷함	아프타성, 선형 종주성(longitudinal)
조직검사; 육아종	-	+

4. Atypical colitis

: 내시경에서는 정상 소견을 보임

(1) collagenous colitis

- 조직소견 ; subepithelial collagen deposition, intraepithelial lymphocyte 증가
- 남:여 = 1:9, 50~60대에 호발
- chronic watery diarrhea가 주증상
- Tx ; sulfasalazine or mesalamine, Lomotil, bismuth, steroid

(2) lymphocytic colitis

- collagenous colitis와 비슷함
- 차이점 ; 남:여 = 1:1, subepithelial collagen deposition 無

5. Diversion colitis

- ileostomy or colostomy 환자의 대변 흐름에서 제외된 대장에서 발생
- 증상 ; mucus or bloody discharge

- 내시경소견 ; erythema, granularity, friability, ulcer
- 병리소견 ; cryptitis, crypt abscess (crypt 구조는 정상 - UC와의 감별점)
- CD와는 감별 어렵다
- 치료 ; surgical reanastomosis, short-chain fatty acid enema

결핵성장염/장결핵 (Intestinal tuberculosis)

1. 개요

- 전체 결핵의 1~3% 차지
- 우리나라에서 비교적 흔한 소장 염증성 질환 (but, 최근엔 CD가 더 많아졌음)
- 20~30대에 호발, 남:여 = 1:1.6~2
- 호발부위 : 약 90%가 ileocecal area (terminal ileum)에서 발생
    → 특히 CD와 감별이 어려움 (CD로 오인하고 steroid를 쓰지 않도록 주의!!)
- 발생기전
    ① 활동성 폐결핵 때 결핵균에 오염된 객담을 삼켜서 (m/c)
    ② 활동성 폐결핵 병소에서의 혈행성 전파
    ③ 결핵에 감염된 주변 복부장기로부터의 직접적 파급
    ④ 결핵균에 감염된 우유를 마셔서 (가능성 희박)
- 약 20%는 활동성 폐결핵을 동반 (폐결핵이 심할수록 동반 증가)

2. 임상양상

- Sx : 비특이적 만성 복통, 설사, 혈변, 미열, 식욕부진, 전신쇠약감, 피로, 체중감소 …
    (25~50%에서는 복부 RLQ 종괴가 만져짐)
- Lab : WBC (대개 normal), mild anemia, ESR↑
- Cx : obstruction (m/c), hemorrhage, perforation, adhesion, intussusception,
    bacterial overgrowth (→ malabsortion)

3. 진단

(1) tuberculin skin test (TST), IGRA ⇨ 잠복결핵과 현재 활동 결핵을 구별할 수는 없음
(2) 대변검사 ; AFB 염색 (폐결핵 환자가 가래를 삼킨 경우가 많으므로 권장 안 됨), PCR?
(3) 복수검사 ; 담황색, protein >3 g/dL, total cells 150~4000/μL (주로 lymphocyte >70%)
(4) 방사선(barium enema) 및 내시경 소견
    ┌ 회맹부의 위축, 비후, 협착, 점막궤양, skip lesion
    │ 장의 장축에 직각인 "전주성(윤상, circular)" 궤양 … UC와 유사
    └ filling defect, persistent narrowing of barium
(5) endoscopic/surgical biopsy ; caseating granuloma (necrosis), AFB 염색, 배양, PCR
    ⇨ 진단 민감도는 50~70% 정도 뿐 (∵ 폐결핵과 달리 균의 절대 수가 적음)

(6) <u>therapeutic trial</u> ; 항결핵제 투여 후 증상, APR (e.g., CRP), 빈혈 등의 호전 (1주~1개월)
   → 대장내시경 F/U은 항결핵제 투여 후 2~3개월에 시행하는 것이 권장됨

* D/Dx - 회맹부(terminal ileum)의 병변시 감별해야할 질환
   ; <u>Crohn's disease</u>, <u>TB</u>, <u>Behçet's disease</u>, carcinoma, lymphoma, amebiasis, actinomycosis,
   Yersinia enterocolitica, periappendiceal abscess   (UC는 아님!)

4. 치료

(1) 항결핵 화학요법 (폐결핵과 동일) - 대부분 잘 반응
(2) 수술 ; 장폐쇄, 천공, 누공 등의 합병증이 있을 때 (수술 전 최소한 2주간 항결핵제 치료 필요)

특징	Tuberculosis	Crohn's disease
Macroscopic		
Anal lesions	드묾	흔함
Miliary nodules on serosa	conspicuous & 흔하다	드묾
Stricture의 길이	대개 3 cm 미만	대개 long
Internal fistulas	매우 드묾	흔함
Perforation	드묾	드묾
<u>Ulcers</u>		
위치/모양	<u>윤상(circumferential)</u>	선형, 장간막 부착부위를 따라 더욱 현저
장의 장축에 따른 방향	대개 직각(transverse)	평행: 종주성(longitudinal)
Microscopic		
<u>Granulomas</u>		
존재	항상 존재 (LN에)	약 50%에서 존재
크기	흔히 large	대개 small
<u>caseation (건락육아종)</u>	<u>대개 존재 (50~80%)</u>	없음
모양	흔히 confluent	대개 discrete
주위의 fibrosis	흔함	드묾
hyalinization	흔함	드묾
염증세포의 peripheral collar	대개 존재	대개 없다
Associated paramyloid	존재할 수도	없다
조직검체 TB-PCR, 배양	50~60%에서 양성	음성
기타 특징		
Submucosal widening	대개 없다	대개 존재
Fissures	대개 없다	흔하다, 깊게 penetration
Transmural follicular hyperplasia	없다	대개 존재
Fibrosis or muscularis propria	현저	드묾
Pyloric gland metaplasia	흔함, extensive	드묾, patchy
Epithelial regeneration	흔함	드묾
<u>ASCA</u>	(-)	(+)

8. 소장 및 대장 질환

과민대장증후군 (Irritable bowel syndrome, IBS)

- 기질적인 원인 없이 복통과 함께 배변습관의 변화가 오는 기능성 대장 질환
- 임상에서 가장 흔한 소화기 질환 (유병률 10~20%)
- 청소년~젊은 성인에서 호발, 남:여 = 1:2~3 (severe IBS에서는 1:4)

1. 병태생리

(1) **위장관 운동 이상**
- 식후 (3시간까지) rectosigmoid motor activity 증가 (무자극 상태에서는 운동성 이상 없음)
- 설사형 IBS에서는 motility index와 HAPCs (high-amplitude propagating contractions)↑↑
- colonic transit time 빠름 → 복통 증상과 밀접한 관련

(2) **내장과민성(hypersensitivity)** : sensation threshold ⬇
  ① end organ sensitivity↑ (silent nociceptors 동원)
  ② spinal hyperexcitability (NO 등의 신경전달물질 활성화)
  ③ caudal nociceptive transmition의 조정 (CNS에서)
  ④ neuroplasticity에 의한 만성 내장 통각과민(visceral hyperalgesia) 발생
      (c.f., somatic pain에 대한 threshold는 정상/증가)
- gastrocolic reflex↑
    - 식이 중에는 지방에 의해 주로 유발됨 (→ gas/discomfort/pain thresholds를 낮춤)
                  ↳ CCK 분비↑ → 콜린성 신경 자극 → 대장근육 수축 (c.f., 단백질은 억제)
    - cephalic phase에 일어나는 예기성이기 때문에 stress를 받을 생각만 해도 증가됨
- 위장관 이외에서는 hypersensitivity를 보이지 않음

(3) **중추신경의 조절곤란(dysregulation)**
- 정서장애 및 stress와 IBS의 증상 악화 및 치료반응은 관련성이 높음
- functional brain MRI에서 mid-cingulate cortex의 활동성 크게 증가
- 여러 뇌 기능장애에 의해 visceral pain 인지가 증가됨

(4) **정신적 이상** : 환자의 ~80%에서 존재
- stress에 민감하게 반응하고, pain sensation thresholds가 낮음
- CNS-enteric nervous system dysregulation 때문 (→ 정신과적 치료도 도움이 됨)

(5) **위장관 감염(post-infectious IBS)**
- 세균성 위장관염 환자의 약 1/4에서 IBS 발생, IBS 환자의 약 1/3에서 위장관염 비슷한 병력
- risk factor ; 위장관염 기간↑, 세균의 독성↑, 흡연, 점막의 염증 지표, 여성, young age, 우울증, 건강염려증, 3개월 이내의 심각한 사건(스트레스)
  (60세 이상은 post-infectious IBS 위험이 낮지만, 항생제 치료시에는 위험 증가)
- *Campylobacter, Salmonella, Shigella* 등이 관련!

(6) **면역활성화 및 점막염증**
- 일부 IBS 환자에서 저등급 점막염증, activated lymphocytes, mast cells, 염증성 cytokines↑
- epithelial secretion↑, visceral hypersensitivity에 기여, 설사형 IBS는 intestinal permeability↑
- 정신적 스트레스나 불안도 염증성 cytokines의 분비 촉진 가능

(7) **장내 세균총의 변화** : 불확실

(8) **serotonin (5HT) pathway 이상**
- 설사형 IBS 환자 ; 대장의 5HT-containing enterochromaffin cells↑, 식후 혈중 5HT 농도↑↑
- 설사형 IBS에서는 5HT가 식후증상에 기여할 수 (→ 5HT antagonist를 치료에 이용)

(9) **diet** ; food intolerance (food allergy는 드묾)
- lactase deficiency가 공존하면 증상을 더욱 악화시킬 수 있음
- 밀, 효모, 콩, 견과류, 계란, 유제품(지방) 등이 중요

2. 임상양상

(1) **복통 (위치와 정도 다양)** : episodic & crampy
- 배변/방귀에 의해 완화, emotional stress나 식사에 의해 악화
- 복통(→ 식사량 감소)에 의한 영양결핍 or 수면장애는 극히 드묾
- severe IBS에서는 복통 때문에 잠자다 깨는 경우는 흔함
- 여성은 생리 때 증상이 심해지는 경우가 많음

(2) **배변습관의 변화**
- 변비와 설사가 교대로 나타나는 양상이 m/c
- 대부분 배변 후 불만족스러운 느낌을 가짐 → 자주 배변을 시도하게 됨
- 설사 ; 소량의(대부분 200 mL 미만) 묽은 변, emotional stress나 식사에 의해 악화, 수면 중에는 발생하지 않음!

(3) **복부 팽만감 & gas**
- 복부 불쾌감이나 트림 등을 호소 (∵ 장의 근위부로 gas 역류 경향)
- 대부분 장내 gas 생산량은 정상임 (gas load에 대한 운반장애 및 내성 감소)

(4) **상부 위장관 증상 (25~50%)** ; dyspepsia, heartburn, N/V
- functional dyspepsia와 IBD는 중복되어 있는 경우가 흔함!
  (정상인에 비해 functional dyspepsia 환자에서의 IBD 유병률은 약 4배)
- 기능성장질환시 주 증상으로써 functional dyspepsia와 IBD는 서로 간에 바뀔 수 있음

3. 진단

(1) Rome III Criteria

- 진단기준 (아래의 증상이 6개월 이전에 시작되고, 지난 3개월간 지속되었을 때) ★
  : **복부불쾌감/복통**이 지난 3개월 동안 <u>3일/月</u> 이상 발생되고, 아래 중 2가지 이상에 해당
  ① 배변에 의해 증상 완화
  ② 증상의 시작과 더불어 배변의 횟수가 변화
  ③ 증상의 시작과 더불어 분변의 형태가 변화
- 대변 양상에 따른 IBS 아형(subtype)
  ① IBS-C (IBS with constipation)
  ② IBS-D (IBS with diarrhea)
  ③ IBS-M (mixed IBS)
  ④ IBS-U (unsubtyped IBS)
  * IBS-A (alternating IBS) : 대변 양상의
  변화가 흔한 경우 (m/c, 약 75%)

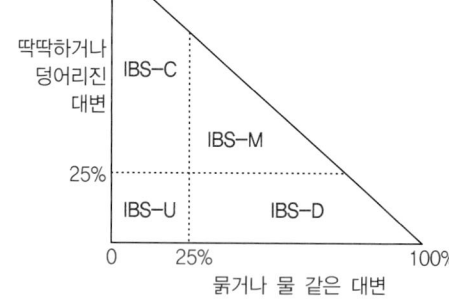

c.f.) IBS를 시사하는 보조적 증상들
  ① 비정상적인 배변 횟수(1일 4회 이상 or 1주 3회 미만)
  ② 비정상적인 배변 형태(배변곤란, 배변급박, 잔변감)
  ③ 비정상적인 대변 형태(덩어리지고/딱딱함 or 묽거나/무름)
  ④ 점액의 배출 (inflammation 없이)
  ⑤ 복부팽만감 또는 팽창

(2) 다른 질환의 R/O 위한 검사 : 정상

- CBC, ESR, 일반생화학검사, 대변검사; 잠혈 (IBS 환자의 20% 정도는 양성반응), 기생충/충란
- sigmoidoscopy (40세 이상의 환자는 colonoscopy) with biopsy ; microscopic colitis 등 R/O
- 설사와 gas 증가가 주증상인 경우 → lactase deficiency, 흡수장애 등 R/O ; stool fat,
  hydrogen breath test, 3주간 lactose-free diet, intestinal biopsy, proximal jejunal fluid 배양
  (celiac sprue 유병률이 높은 지역에서는 IgA tissue transglutaminase [IgA tTG] Ab 검사도)
- 변비가 주증상인 경우 → X-ray, colonic transit time, colonic manometry, 풍선 배출 검사 ...
- dyspepsia 동반시 → 상부위장관 내시경 or 조영 검사
- RUQ 복통 → 담도계에 대한 초음파검사
- 갑상선기능검사 (∵ hyperthyroidism → 설사, hypothyroidism → 변비)

IBS와 비슷한 증상을 나타내는 질환들
흡수장애 ; Lactose intolerance
감염 ; Giardiasis 등의 기생충 감염
염증성장질환 ; CD, UC, collagenous colitis, lymphocytic colitis
종양 ; 대장/소장/위/췌장 등의 암, villous adenoma
폐쇄성장질환 ; Fecal impaction, intermittent sigmoid volvulus, megacolon
혈관질환 ; Abdominal angina, ischemic colitis
부인과질환 ; Endometriosis, fibroids, PID
정신질환 ; Depression, panic disorders, somatization, anxiety
변비가 주증상일 때 ; Chronic idiopathic intestinal pseudo-obstruction, colonic inertia

IBS가 아님을 시사하는 소견 (<u>Alarm features</u>, "red flags") ★
50세 이후에 처음 증상 발생
대장암, IBD, celiac dz. 등의 가족력
야간 증상 (증상 때문에 흔히 잠에서 깸)
2일 이상 금식 후에도 지속되는 설사
반복적 구토, 심해지는 연하곤란
증상이 계속 심해지거나, 오랜 기간 경과 후에 새로운 증상 발생
발열, 체중감소, 탈수, 흡수장애(지방변), 복부 종괴, 관절염(active)
Fissure나 hemorrhoid 이외의 원인에 의한 혈변 or 잠혈 양성
대변내 blood, pus, fat (steatorrhea), 대변 volume >200~300 mL/day
ESR↑, leukocytosis, anemia, hypokalemia
Manometry상 rectal distention에 대하여 spastic response를 보이지 않음

4. 치료

(1) 환자 상담 (m/i)

- 충분히 설명하고 안심시킴, 증상에 적응해서 살아가도록 격려
- 신뢰적인 의사-환자 관계 성립이 중요

(2) 식이 요법

- 증상을 유발하는 식품의 제거 (elimination diet)
- 증상을 유발할만한 식품들 ; lactose, fructose, sorbitol or mannitol을 함유한 약/음식/음료수, fatty acids, alcohol, caffeine (커피), 자극성 음식, <u>유제품</u>, 기타 장내 gas를 많이 만드는 음식 (예; <u>콩류, 양배추, 브로콜리, 바나나, 껌, 탄산음료</u>) ...
- <u>FODMAP</u> (서양에서는 low-FODMAP diet에 관심이 많지만, 우리나라는 식품에 표시가 없고 연구도 부족함)
  - 장내에서 쉽게 흡수되지 않아 삼투압을 증가시키고 (→ 장내 수분 분비 → 묽은 변, 설사)
  - 장내세균에 의해 쉽게 발효되어 가스를 발생시킴 (→ 대장 팽창, 복통, 팽만감, 더부룩함)

FODMAPs (fermentable, oligo-, di-, mono-saccharides, and polyols)	
Fermentable (발효되기 쉬운)	
Oligosaccharides (올리고당류)	3~10개의 단당 결합체 (1) galactan ; 콩류 (2) fructan ; 생마늘, 생양파, 양배추, 브로콜리, 돼지감자, 호밀, 보리 등
Disaccharides (이당류)	주로 유당(젖당, lactose) ; 우유, 요거트, 치즈, 아이스크림 등 대부분의 유제품
Monosaccharides (단당류)	주로 과당(fructose) ; 사과, 포도, 수박, 배, 복숭아 등의 단 과일, 양파, 꿀, 코코아, 인스턴트 커피, 음료수(사이다, 콜라 등)에 사용되는 액상과당
And Polyols (당알콜류)	Sorbitol, mannitol, xylitol, maltitol 등 주로 감미료에 많이 포함되어 단 맛을 냄 다수의 탄산음료와 과일주스, 사탕, 껌, 합성 감미료 등
Low-FODMAP diet ▶가스팽만 or IBS-D에 권장	곡류 ; 쌀, 글루텐 프리 제품, 두부, 오트밀 채소 ; 당근, 고구마, 감자, 가지, 호박, 시금치, 죽순, 토마토 과일 ; 바나나, 포도, 오렌지, 딸기, 귤, 블루베리, 키위, 멜론, 딸기 유당제거 우유, 버터, 올리브 오일, 메이플시럽, 소금, 설탕, 육류, 계란, 어패류

- 심한 가스-팽만을 동반한 IBS-D 환자에게 low-FODMAP diet시 70~80%에서 증상 호전
- <u>가스-팽만(bloating)</u>이 주증상인 IBS의 경우 low-FODMAP diet가 권장됨!
- 일반적으로 high-FODMAP 식품은 식이섬유도 풍부한 편 → 변비 환자에게는 도움이 됨
- 증상이 없는 일반인은 FODMAP에 관계없이 식품을 골고루 적당량 섭취하는 것이 중요함

- 식이섬유(dietary fiber/bulking agents) → 논란은 있지만, 변비가 주 증상인 IBS-C 환자에 권장!

IBS 증상	권장 Fiber products
상복부 통증	Oatmeal, Oat bran, Psyllium
하복부 통증 변비, 배변 장애	Methylcellulose, Psyllium
설사	Psyllium, Oligofructose

차전자피(Psyllium, Ispaghula)가 가장 좋은 편이고,
밀기울(wheat bran)은 도움 안 됨

저용량으로 시작해서 몇 주간에 걸쳐 서서히 증량
→ 목표 20~30 g/day (dietary & supplementary fiber)

- 대개 colonic transit time을 빠르게 함 → 변비 증상 호전에 효과적!
- 일부 설사형 IBS 환자에서는 설사 증상도 호전됨 (∵ 빠른 colonic transit time을 느리게 함, 수분과 결합하여 대변의 hydration & dehydration을 모두 예방)
- 일부에서는 복부팽만감, 가스, 설사, 변비 등을 유발할 수 있으므로 주의
- 변비가 주 증상인 경우 규칙적인 운동과 충분한 수분섭취도 권장됨
 (↳ 장 통과시간 단축, 배변운동 향상, 스트레스 감소 등의 효과)

(3) 약물 치료

- 보존적 치료에 반응이 없고 증상이 지속될 때
- **설사가 주증상일 때**
  - opiates (e.g., loperamide), dioctahedral smectite (Smecta), cholestyramine (bile acid binder)
  - serotonin ($5HT_3$) antagonist ; alosetron … 심한 변비와 ischemic colitis (0.2%) 부작용 위험
    → 통상적인 치료에 반응이 없는 심한 IBS-D 환자에서만 제한적으로 사용
    (ramosetron : 심각한 부작용이 없이 IBS-D 환자의 전반적인 증상 호전에 도움)
  - TCA 항우울제 ; 일부 심한 환자에서 도움
- **변비가 주증상일 때**
  - fiber/bulking agents (e.g., psyllium, methylcellulose, calcium polycarbophil)
  - osmotic laxatives (e.g., lactulose, sorbitol, PEG, magnesium)
  - serotonin ($5HT_4$) agonist ; prucalopride [Resolor®] → 다양한 아형의 만성 변비에 효과적
    (c.f., cisapride와 tegaserod는 치명적인 심혈관계 부작용으로 퇴출되었음)
  - chloride channel (ClC-2) activator ; lubiprostone [Amitiza®] → 만성 변비 (± IBS)에 효과적, 대변을 무르게 하고 장운동↑, 복통 완화에도 도움
  - guanylate cyclase-C (GC-C) agonist ; linaclotide [Linzess®], plecanatide
    → 상행결장 통과시간↓, 복통/불편감/팽만감/과도한힘주기 등의 증상 개선 및 배변횟수↑
  - 항우울제 ; 일부 심한 IBS 환자에서 전반적인 증상 호전에 도움 (SSRI는 장운동 촉진 효과도)
  - 계면활성제 성분의 변비약을 장기간 투약하는 것은 안 좋다
- **복통/복부불편감이 주증상일 때**
  - 진경제(antispasmodics)
    ① anticholinergics (gastrocolic reflex 억제 → 식전 30분에 투여하면 식후 통증에 효과적)
       ; cimetropium bromide, hyoscine, hyoscyamine …
    ② smooth muscle relaxant (SMR) : 평활근세포내 칼슘통로 차단
       ; mebeverine, pinaverium (anticholinergic effects도 있음)
    ③ trimebutine (antimuscarinic & weak mu opioid agonist)
  - 항우울제(TCA, SSRI) ; 일부 환자에서 전반적인 증상 호전 효과 (부작용에 대한 주의 필요), 일반적으로 SSRI가 부작용이 적어 IBS에서 많이 사용됨 (설사는 유발 가능)

- 가스/**팽만감**이 주증상일 때 ⇨ low-FODMAP diet, probiotics, rifaximin
  - 비흡수성 경구 항생제(e.g., rifaximin, neomycin) : 일부 IBS 환자에서 전반적인 증상 호전 및 복부팽만감(bloating) 호전에 유용함
  - 정장제(probiotics) : *Bifidobacterium* 등, 복통 및 가스-팽만감 호전에 도움

(4) 정신신경학적 치료
- 정서적인 배설, 지속적인 관심, 휴식, 운동 등
- 인지-행동요법, 이완요법(relaxation therapy), 최면요법 및 정신치료가 도움이 됨
- 증상이 심하면 항우울제, 항불안제 등도 사용

	Mild (70%)	Moderate (25%)	Severe (5%)
증상의 지속성	–	+	+++
정신사회적 문제	–	+	+++
장 생리와의 상관성	+++	++	+
치료	설명, 안심, 식이요법 생활습관개선	장에 작용하는 약물 Serotonin 조절제	항우울제 정신과적 치료

게실/곁주머니 질환 (Diverticular diseases)

- 대부분 acquired, pseudodiverticula (mucosa, submucosa만 herniation)
- 대부분 무증상 → 증상 발생시엔 다른 원인들을 먼저 고려

1. 소장 게실증 (Small-intestinal diverticulosis)

- duodenum, jejunum에 호발 (duodenum : 2nd portion의 medial surface)
- Meckel's diverticulum은 terminal ileum

2. 대장 게실증 (Colonic diverticulosis)

- 나이가 들수록 증가, 서양에서 흔함(60세 이상의 약 1/2에서 발견), 남:여 = 2~3:1
- intraluminal pr. 증가가 원인 (low dietary fiber와 관련)
- 호발부위 : sigmoid colon (서양), Rt. colon (동양/우리나라)
- 대부분 무증상, 내시경 or barium enema에서 우연히 발견
- Dx ┌ 대장조영술(barium enema) : m/g
      └ 대장내시경 : 대장암 R/O에 유용
- Cx (1/3) ; lower GI bleeding (m/c), diverticulitis, perforation, fistula
- Tx : 증상이 없으면 observation이 원칙
  - dietary fiber (>30 g/day) : 합병증 발생을 감소시킴
  - 견과류와 팝콘은 금기 (∵ 게실 내강을 막을 수)

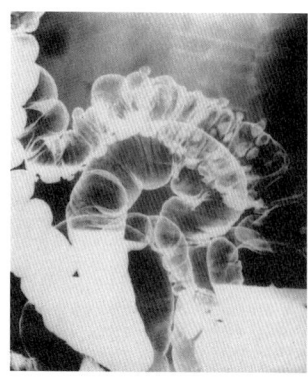 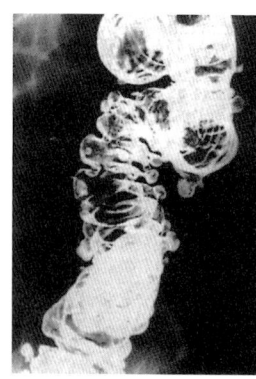 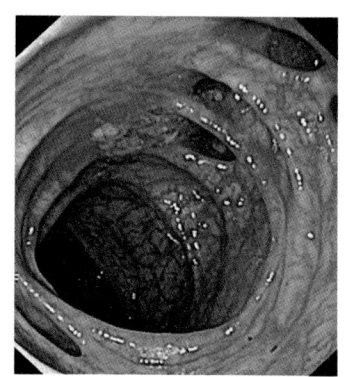

3. 게실 출혈 (Diverticular bleeding)

- 60세 이상에서 hematochezia (severe lower GI bleeding)의 m/c 원인(30~66%)
- diverticulosis 환자의 약 20% (15~40%)에서 발생, 3~5%에서는 심한 출혈 발생
- 출혈 위험인자 ; 고혈압, 동맥경화, NSAIDs 복용
- 대개 선행 증상/징후 없이 <u>painless</u> bleeding이 <u>갑자기</u> 발생 (moderate~large amount)
- <u>Rt.</u> ascending colon에서 호발
- 대부분(70~90%) 금식 및 보존적 치료로 자연적으로 멈춤(self-limited)!
- 평생 동안 재출혈 위험은 25% (대량 출혈이 2번 이상 재발한 경우에는 수술이 권장됨)
- 진단(localization) 및 치료
  ① mesenteric angiography : active bleeding시 (0.5 mL/min 이상의) 출혈 확인 가능, 특이적
    - highly-selective embolization으로 안전하게 지혈 가능
    - 내시경적 지혈술이 불가능한 경우 choice!
  ② colonoscopy : 출혈이 느릴 때는 유용, 병변이 발견되면 내시경적 지혈술 시행
  ③ 동위원소 scan (^{99m}TC-sulfur colloid or ^{99m}Tc-RBC) : 출혈 발견에는 더 민감하지만, 특이도가 낮고, 출혈의 원인을 알 수 없고, 치료는 불가능 (→ angiography/수술 전 단계로 하는 경향)
  ④ 수술 : 보통 angiography/내시경으로 지혈이 실패한 경우에만 시행
    - Ix ; 지속/반복 출혈로 unstable하거나, 24시간 이내에 6 unit 이상의 수혈 필요한데 다른 치료방법이 불가능하거나 반응이 없을 때
    - 수술 전 출혈 부위가 확인되었으면 선택적 절제술(segmental resection)
    - 출혈 부위를 찾지 못하고 위독하면 subtotal or "blind" colectomy (사망률은 매우 높음)

4. 게실염/곁주머니염 (Diverticulitis)

- diverticulosis 환자의 10~25%에서 발생 (우리나라는 드문 편)
- 원인 : fecalith (소화 안된 음식 찌꺼기와 세균이 단단한 덩어리를 형성한 것)
  → diverticula 내에서 염증반응 유발
- Sx ; abdominal pain, fever, rectal bleeding (25%에서, 보통 microscopic)
- sign ; 하복부의 tenderness & mass, leukocytosis
  (서양은 좌하복부의 압통이 흔하고, 동양은 우하복부의 압통이 흔함)
- Cx (25%) : abscess (m/c, 16%), perforation (→ peritonitis), stricture, fistula, obstruction
- 진단
  ① abdominal & pelvic CT (m/g) ; 대장벽의 비후(>4 mm), 주변의 농양
  ② barium enema or colonoscopy : perforation의 위험 때문에 급성 염증기엔 금기,
    증상완화 후 6주 이후에 시행 (cancer, IBD 등도 R/O하기 위해)
- 치료
  ① 내과적 치료 ; NPO (bowel rest), IV fluid, 광범위 항생제 (7~10일)
    – quinolone (e.g., ciprofloxacin) + metronidazole, TMP-SMX, piperacillin/tazobactam,
      ampicillin/sulbactam, imipenem/cilastatin 등
    – 내과적 치료를 받은 환자의 약 3/4이 반응, 약 1/3은 재발
    – 환자의 약 20~30%가 결국 수술을 받게됨
    – 회복된 후에는 high-fiber diet를 권장
  ② 수술의 적응증
    ┌ complicated diverticulitis (<5 cm simple abscess는 내과적 치료 먼저 시도)
    │ 40세 이전에 발병한 경우 (∵ 재발 및 합병증 발생 위험 더 높음)
    └ 같은 위치에서 2번 이상 재발시 (면역저하, 면역억제제, 신부전, 교원혈관병 등은
      재발하면 perforation 위험이 높으므로 처음 재발 시에 수술)

Hinchey stage		수술 방법
I	대장주위 abscess를 동반한 perforated diverticulitis	Percutaneous drainage, 6주 이후에 resection & anastomosis 크기가 작은 경우엔 내과적 치료 시도
II	Distant abscess 동반, perforated diverticulitis는 자연 폐쇄	Percutaneous drainage, 6주 이후에 resection & anastomosis, ± proximal diversion (ileostomy or colostomy)
III	Fecal peritonitis를 동반한 noncommunicating perforated diverticulitis	"Hartmann's procedure" 또는 primary resection & anastomosis + proximal diversion
IV	게실의 free perforation으로 fecal peritonitis 발생	"Hartmann's procedure" 또는 proximal diversion (diverting colostomy) + omental pedicle graft, drainage

* 복막염은 응급 수술 필요 ⇨ 대개 Hartmann's procedure
  (병변 부위 resection & diverting colostomy → 염증이 충분히 회복되면 anastomosis 시행)

허혈성 장질환 (장간막/창자간막 허혈, mesenteric ischemia)

* 위장관의 혈액공급 (3 main visceral arteries)
- celiac axis (→ 위, 십이지장[근위부], 간담도, 비장, 췌장)
- superior mesenteric A. (→ 소장의 대부분 ~ 우측 대장) : 가장 잘 막힘
- inferior mesenteric A. (→ 횡행 결장 ~ 직장)

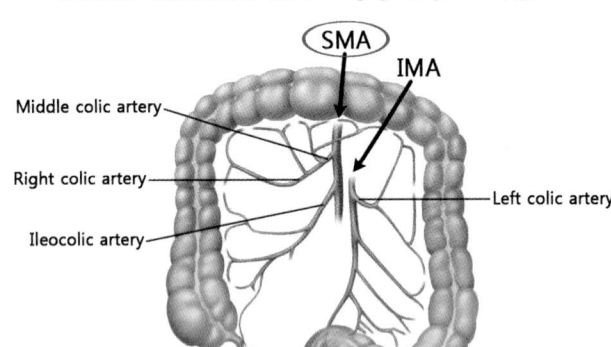
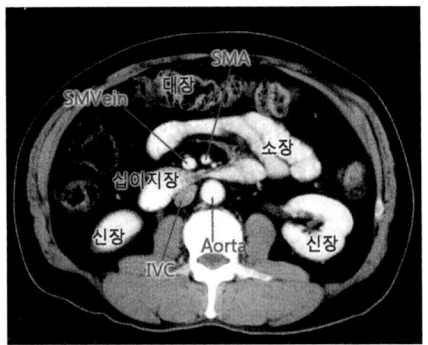

* 대장에서 허혈(ischemia)의 호발 부위 : "watershed" area (∵ anastomosis 부족)
- splenic flexure (Griffith's point)
- rectosigmoid colon (Sudeck's point)

	Acute mesenteric ischemia : 25%	Chronic mesenteric ischemia (intestinal angina) : 5%	Ischemic colitis (colon ischemia) : 75%
원인	좌심방/실에서 유래한 동맥 색전, 심한 동맥경화(thrombosis) 등	Celiac & superior mesenteric arteries의 점진적 동맥경화	Low-flow state (nonocclusive)
성비(남:여)	약 1:1	1:3	1:1.3
임상양상	급격하고 심한 중심부 복통, shock, peritonitis의 소견	만성적인 식후 복통, 체중감소	아급성 하복부 복통, 혈변, 대변을 참기 힘듦
치료	심하면 응급 개복술(embolectomy) Endovascular therapy	Angioplasty with stenting Surgical revascularization (bypass)	보존적 치료 Peritonitis 때만 수술

1. 급성 장간막/창자간막 허혈 (Acute mesenteric ischemia, AMI)

; surgical emergency! (진단 및 치료가 늦어지면 사망률 60~80%), 고령에서 호발

(1) 분류/원인 및 유발인자

① superior mesenteric artery (SMA) embolus (SMAE) : 26~32% (과거에 m/c, 감소 추세)
- 대개 심장(좌심방/실)에서 유래 ; AF, Af, tachycardia, HF, AMI, MS, cardiomyopathy, myxoma, bacterial endocarditis 등이 유발인자
- SMA 원위부가(좁아지는 부분) 주로 막힘 (대개 middle colic artery의 기시부)
  → upper jejunum을 제외한 소장 ~ 우측 대장에 ischemia 발생 / SMAT보다 심함
  (c.f., 보통 ileocolic artery 기시부 이전의(proximal) 폐쇄를 major emboli라 함)
- 이전의 peripheral artery emboli 병력 흔함, 약 20%는 현재도 동반

② acute <u>superior mesenteric artery (SMA) thrombosis</u> (SMAT) : m/c, 54~68%
 – 심한 atherosclerosis가 원인, SMA 근위부(1~2 cm)가 주로 막힘, 다른 동맥 병변 동반 흔함
 – chronic ischemia 동반 흔함 (20~50%는 최근에 intestinal angina 병력)
   → SMA와 다른 주요 내장혈관 사이의 collaterals이 현저하면 chronic SMAT를 시사함
③ (vasospastic or) nonocclusive mesenteric ischemia (NOMI) : 10% (감소 추세)
 ; AMI, HF, valvular heart dz., 부정맥, 탈수, shock, CKD, major Op. 등에 따른
   low-flow states or splanchnic vasoconstriction에 의해 발생
④ acute mesenteric venous thrombosis (MVT) : 5~10% → 뒷부분 참조
⑤ 소장의 focal segmental ischemia : 5%

(2) 임상양상

• 대개 기저 심장질환이 있던 환자에서 갑자기 심한 복통이 발생하여 지속됨
• Sx ; <u>갑자기</u> 발생한 <u>심한 복통</u>(periumbilical → diffuse, constant), N/V, 일시적인 설사, 혈변 ...
• P/Ex ; 초기엔 정상! (경미한 복부팽창, 장음감소 뿐), 장경색이 진행되면 압통/반발통, 복부강직,
   심혈관계 허탈 등이 나타남
• Lab. ; 진행된 경우 leukocytosis (PMN↑), metabolic acidosis,
   serum phosphate, amylase, LD, CK, (intestinal) ALP 등의 증가가 나타남

(3) 진단

• EKG, 심장초음파 → emboli의 심장 유래 확인
• abdominal X-ray → 복통의 다른 원인(e.g., 장폐쇄, 염전, 천공) R/O이 목적
 – 대개는 정상 / thumbprinting (점막하 출혈에 의한 장벽 부종), ileus pattern 등이 나타날 수
 – 진행되면 ileus (air-fluid level, distention), 장벽과 문맥 내의 공기(전층의 괴사 or gangrene),
   복강 내 유리 공기(장파열시) 등이 나타날 수 있음
• plain (standard) CT → plain X-ray처럼 복통의 다른 원인 R/O이 주 목적
 – 초기 소견은 비특이적, 말기 소견은 장 괴사 (→ 초기의 진단적 검사로는 권장 안 됨)
 – 장벽비후/부종(m/c), 장벽기종(pneumatosis), 문맥내 공기, 경색 ...
• biphasic <u>contrast-enhanced (CE) CT</u> : 정확하면서도, 빠르고 간편하고 안전하여 선호됨
 – <u>with mesenteric CT angiography (CTA)</u> : 95~100% 정확도, AMI 진단의 gold standard!
 – mesenteric artery & vein 뿐 아니라 AMI의 원인/2차 소견 및 다른 질환 여부도 확인 가능
   (c.f., 심각한 소견 ; pneumatosis, free intraabdominal air, portal venous air)

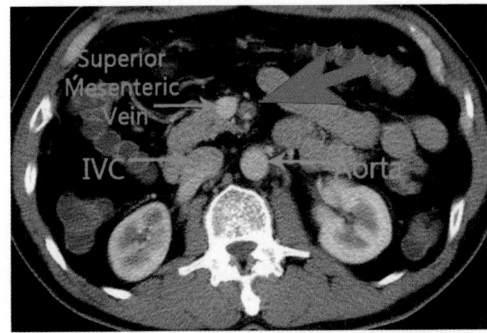
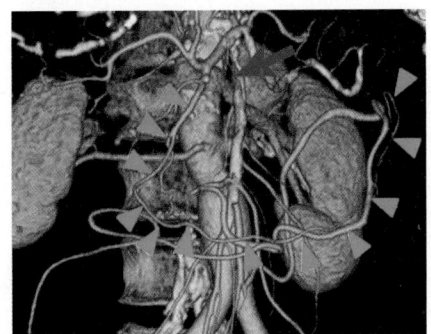

Biphasic CE-CT
SMA (superior mesenteric artery)의 embolism

CTA with 3D reconstruction
SMA 근위부의 완전 폐쇄 및 collaterals (▲)

- MR angiograpy (MRA) ; 방사선/조영제 사용 안 하는 장점 / CTA보다 시간 오래 걸리고, 해상도 낮고, stenosis를 과대평가할 수 있음 → CTA가 선호됨
- classic angiography (과거의 gold standard) : 정확한 병변의 파악 및 치료도 가능
  - 요즘에는 CT (or MR) angiography 이후에도 진단이 불명확하거나, revascularization 치료가 예정되었을 때 시행(e.g., intraarterial vasodilation, thrombolysis, angioplasty ± stenting)
  - 복막징후가 있고 acute major emboli 의심시는 <u>응급 개복술하면서 수술 중 시행</u>
- 도플러 초음파(mesenteric duplex sono/scanning) : AMI에서는 유용성 거의 없음

(4) 치료

- 증상 기간은 사망률과 비례함 → 빠른 진단 및 적극적인 치료가 예후에 가장 중요
- 소생술(resuscitation) : 기저 심질환의 응급처치, 수분/전해질 교정, hemodynamic monitoring

	복막징후 有	복막징후 無
Major SMAE	<u>응급 개복술</u>: embolectomy (via arteriotomy) ± infarcted bowel resection (수술 전후로 heparin, papaverine 투여)	Endovascular therapy* ± thrombolysis 등 (이후 papaverine 투여하면서 경과관찰)
Major SMAT	Endovascular therapy* or 불가능/실패하면 수술(bypass graft ± bowel resection) (수술/시술 전후로 papaverine ± heparin 투여)	Collaterals 없고 SMA 안 보이면 좌측처럼 치료 Collaterals 있고 SMA 잘 보이면 chronic SMAT 이므로 papaverine ± heparin 투여, 경과관찰
Minor SMAE/T	개복술/복강경: segmental bowel resection (수술 전까지는 papaverine 투여)	Papaverine 투여 Thrombolysis or heparin, 경과관찰
acute MVT	수술(bowel resection or thrombectomy) or Endovascular therapy** (수술/시술 전후로 heparin ± papaverine 투여)	Heparin ± thrombolysis 반응 없으면 endovascular therapy**
NOMI	개복술/복강경 ± bowel resection (수술 전후로 papaverine 투여)	Papaverine 투여하면서 경과관찰

* Endovascular therapy/revascularization/reconstruction = percutaneous catheter embolectomy (or thrombectomy) and/or balloon angioplasty with stent placement
** catheter-direct thrombolytic therapy (transarterial, systemic or direct infusion) ± angioplasty with stenting

- 개복술(laparotomy) : embolectomy + 괴사된 장 절제 … major emboli에서 진단/치료의 표준
  - 응급 개복술의 적응 ; acute occlusion이 강력히 의심되고 환자 상태가 급격히 나빠질 때, frank peritonitis 발생시 (bowel necrosis or perforation 의심)
  - longitudinal arteriotomy로 emboli를 제거하여 혈관 재개통 및 bowel viability 확인
  - embolectomy 실패하면 arterial bypass 수술 or local intraarterial thrombolytics
- endovascular therapy/intervention/revascularization/reconstruction … 점점 많이 사용 추세
  - transcatheter (aspiration) embolectomy/thrombectomy and/or angioplasty with stenting ± intraarterial thrombolytics (남아있는 혈전 제거)
  - frank peritonitis 없으면 우선 시도, 수술보다 bowel perfusion 빨리 회복 & 사망률 낮음
  - 일부 partial/minor emboli는 수술 없이 endovascular therapy로 성공적으로 치료 가능
- 1차 수술(or 시술) 이후 bowel viability가 불확실하면 2차 확인 수술(개복술 or 복강경) 시행
- acute SMA thrombosis ; 가능하면 transcatheter thrombectomy & angioplasty with stent, 불가능하거나 실패하면 수술(bypass grafting ± bowel resection)

* SMAE 때는 mesenteric artery가 대개 정상이지만, SMAT 때는 mesenteric artery 및 분지에 다발성 동맥경화가 흔함 → bypass 수술 (graft로는 saphenous vein이 choice)
- acute NOMI → 주로 intraarterial vasodilator (papaverine)로 치료, 항응고제는 대개 필요 없음

- intraarterial vasodilator (e.g., papaverine) continuous infusion : 혈관수축 완화 & 예방
  (∵ AMI는 광범위한 reflex vasocontriction을 동반하므로 즉시 투여 → 예후↑, 사망률↓)
- 항응고제(anticoagulation) : IV heparin
  - AMI로 진단되면 즉시 투여, 수술 직전 중단, 보통 수술 1~2일 뒤 재투여
  - 대개 수술 직후에는 투여하면 안 됨 (∵ 출혈 위험), venous thrombosis는 수술 후 바로 투여
  - embolectomy/angioplasty 후 혈전이 존재하는 경우에도 투여
- 광범위 항생제 : AMI에서는 감염 위험이 높으므로(∵ 상피 투과성↑) 모든 환자에게 즉시 투여!
- 금식(NPO) : 식사는 intestinal ischemia를 악화시킴 (↔ chronic ischemia에서는 반드시 enteral
  [통증이 없는 한] or parenteral nutrition 고려 → 장 순환 향상 및 영양개선 효과)
- mortality : 45% (infarction 발생시는 70~90%)

■ 장간막 정맥 혈전증 (mesenteric venous thrombosis, MVT)
- 위험인자(선행요인) … SMA thrombi/emboli보다 훨씬 다양하고 많음
  ① hypercoagulability ; 이전의 DVT, PNH, protein C/S/AT-Ⅲ deficiency, factor V Leiden,
    anti-phospholipid Ab. syndrome, PV, thrombocytosis, 수술, 외상, 종양, 임신, 경구피임약
  ② portal HTN (e.g., LC, congestive splenomegaly), CHF
  ③ 염증(e.g., appendicitis, diverticulitis, 췌장염, 복막염, IBD), trauma 등
- 60%에서 peripheral vein thrombosis의 병력이 있음, portal vein thrombosis 동반도 흔함
- 50~60대에 호발(다른 acute mesenteric ischemia보다 낮음), 남≤여
- acute mesenteric venous thrombosis
  - 증상은 arterial ischemia와 비슷하나, 진행은 느리다
  - abdominal pain, N/V, LGI bleeding or hematemesis (15%)
  - P/Ex. ; 경미한 복부 압통, 복부 팽만, 장음 감소 (진찰소견에 비해 증상이 더 심한 것이 특징)
- 진단 : [portal venous phase] CE-CT (CT venography; CTV)가 choice!
  - 소장조영술 ; segmental bowel wall thickening, bowel loops separation, thumbprinting
  - barium enema는 도움 안 되고(∵ 대장 거의 침범×), angiography도 일반적으로 필요 없음
- 치료
  - 수분/전해질 교정, 광범위 항생제 IV, anticoagulation (heparin IV) … 대부분 잘 반응
  - 반응이 없는 경우에는 catheter-direct thrombectomy or thrombolytics
  - 심각한 경우에만(e.g., infarction 소견, 복막징후) 수술(괴사된 장 절제)
  - 동맥 폐쇄와는 달리 revascularization이 필수는 아니고, 정맥 thrombectomy는 효과 떨어짐
- 급성 허혈성 장질환 중 예후는 가장 좋음 (5YSR 약 70%)

* subacute mesenteric venous thrombosis
  - infarction 없이, 비특이적 복통이 수주~수개월 지속, 진찰 및 검사 소견은 정상
  - 대개 다른 질환을 위해 시행한 검사에서 우연히 진단됨

* chronic mesenteric venous thrombosis
  - 대부분 증상이 없으며, 증상이 없으면 치료 필요 없음!
  - 대개 esophageal varix에 의한 출혈을 치료하게 됨

2. 만성 장간막/창자간막 허혈 (Chronic mesenteric ischemia, intestinal angina)

(1) 개요
- progressive atherosclerotic dz.가 원인, 대부분 60세 이상, 남:여 = 1:3
- collateral flow 때문에, main visceral arteries의 2/3 이상이 심하게 막혀야 위/소장 허혈 발생
- 고령, DM, HTN, 흡연이 주 위험인자 (심혈관, 뇌혈관, 말초혈관 질환 등의 동반 흔함)

(2) 임상양상
- 복통 : 식후 10~30분에 발생되어 심해지다가, 1~3시간 뒤 감소 (∵ 음식 소화를 위해 위 혈류가
  증가되면서 상대적으로 소장에 허혈 발생) → 복통이 있을 때 장음은 감소/소실, 압통은 없음
- 체중감소 : 복통에 대한 두려움으로 식사량을 줄여나가게 됨 ("small meal syndrome")
- 흡수장애, 만성 설사, abdominal bruit ...

(3) 진단
- 특이적인 진단법이 없기 때문에 여러 (영상)검사 및 임상양상을 종합하여 진단
- 다른 소화기 질환들을 R/O 한 뒤 진단 (∵ endoscopy, abdominal US, CT 등은 대개 정상)
- 도플러 초음파(duplex US) : screening에 유용 (celiac artery or SMA 협착 부위의 유속↑),
  비만, 장내 가스, 혈관의 심한 석회화 등의 경우에는 적절한 영상을 얻기 어려움
- CT(or MR) angiography (m/g) : celiac artery or SMA에서 50% 이상의 협착
- 유발검사 : 식사/운동에 의해 위/소장 허혈 유발 → 장점막 산소화↓ & 내강으로 CO_2↑ →
  NG catheter를 이용해 intraluminal CO_2 측정 (tonometry), 내시경 가시광선 spectroscopy로
  점막 산소화 측정, arterial catheter로 gastric-arterial pCO_2 측정 등 ··· 유용하지만, 드묾

(4) 치료
- endovascular therapy (percutaneous angioplasty & stenting) : 약 60~80%에서 장기간 성공
- surgical revascularization (mesenteric bypass)이 장기 예후 더 좋음
- anticoagulation, lipid-lowering agents, 운동, 금연 등

3. 허혈성 대장염 (Ischemic colitis, IC)

(1) 개요
- m/c 위장관 허혈성 질환, 대부분 급성(acute)~아급성(subacute)으로 발생
  (acute & chronic mesenteric ischemia와는 임상양상/치료가 많이 다르므로, 독립적으로 분류함)
- 주로 inferior mesenteric artery의 분포 영역에서 low flow rate (nonocclusive dz.)를 보임
  (collaterals이 발달되어 있어서 infarction은 드묾)
- 대부분 뚜렷한 원인이 발견 안 됨
- 유발인자 ; hypotension, vasopressors (항고혈압제), cardiac arrhythmia, prolonged HF,
  digitalis, dehydration, endotoxin, 대동맥 수술 ...

- 고령에서 호발 (90%가 60세 이상), 남<여, <u>IBS</u>/만성변비 환자에서 호발
- 호발부위 ; splenic flexure (비만곡), rectosigmoid area (하행결장, S상결장)

(2) 임상양상

- 복통(sudden, mild, crampy, LLQ), 대변을 참기 힘듦, <u>혈변</u>, 침범된 부위의 경미한 압통
  (출혈량은 많지 않으며, 수혈이 필요한 정도면 다른 질환을 고려)
- D/Dx. ; infectious colitis, IBD, PMC, diverticulitis, vasculitis, cancer ...
- subacute ischemic colitis의 경우 rectum은 침범하지 않음 (∵ collateral blood flow 많기 때문)
  → acute IC와 차이

(3) 진단

- 특징적인 소견이 수일 내에 소실될 수 있기 때문에 초기 검사는 48시간 이내에 시행해야 됨
- <u>colonoscopy</u> (m/g) : IC 진단에 가장 정확

Grade	내시경소견	Reversibility
Mild	경미한 점막 발적	거의 100%
Moderate	궤양 (근육층까지 침범)	~50%
Severe	심한 궤양, 장벽의 괴사 (점막이 흑녹색으로 변색)	거의 0%

- barium enema : colonoscopy에 비해 민감도/특이도 떨어짐, 급성기에는 천공 위험 주의
  ; "thumbprinting" (∵ submucosal hemorrhage & edema 때문)
  → colonoscopy에서는 hemorrhagic nodules로 보임
- angiography는 진단에 도움 안 됨 (∵ nonocclusive dz.)

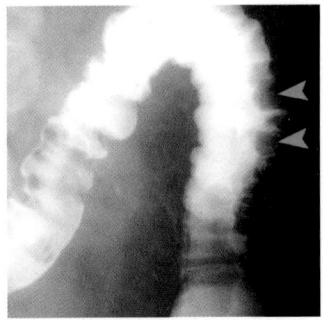 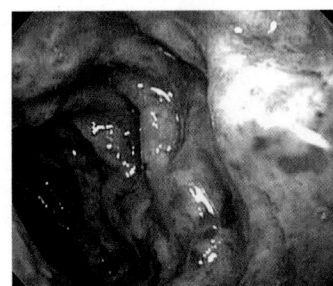 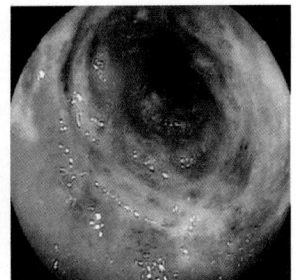

BE: "thumbprinting" | 대장내시경: 점막의 출혈, 부종이 현저함 | 지도 모양의 큰 궤양 (주변 점막은 정상)

(4) 치료

- 경과관찰! (보존적 치료) ; IV fluid, NPO (bowel rest), 광범위 항생제
- 대부분 1~2주 내 호전되고, 재발은 드묾 (수술은 거의 필요 없음)
- 수술의 적응증 : 침범된 부분만 절제 (total colectomy는 거의 필요 없음)
  ① peritonitis의 징후 존재시
  ② 내시경 소견이 심할 때
  ③ 내과적 치료에도 불구하고 호전되지 않을 때

4. Angiodysplasia (혈관형성이상/혈관이형성) of the colon (= vascular ectasia, arteriovenous malformation)

- 대부분 degenerative dz., 고령에서 호발(대부분 70세 이상), 60세 이상 colonic bleeding의 1/4 차지
- acute/chronic lower GI bleeding
- 호발부위 : 우측(cecum, ascending colon)
- valvular heart dz. (특히 AS)와 관련이 큰 것이 특징
- 진단 : colonoscopy
- 치료
  ① AS 동반된 경우 → 우선 AS를 치료하고, angiodysplasia의 퇴행여부 확인
  ② 특징적 병변 → 내시경적 전기소작술
  ③ 내시경 치료가 불가능하거나 실패한 경우 → Rt. hemicolectomy

■ 위 창자간막동맥 증후군 (SMA syndrome, Vascular compression of duodenum)

- duodenum의 3rd portion이 SMA와 척추 사이에서 눌리는 현상
- 원인 ; 마른 사람, 체중감소, 빨리 자라는 아이, 척추의 수술/외상
- 증상 ; 식후 복통, 복부 팽만감, 구토 ...
  (똑바로 누우면 악화 / 좌측으로 눕거나 몸을 앞으로 구부리면 완화!)
- 진단 ; barium upper GI study, hypotonic duodenography, CT
  (→ 위부터 십이지장 1st~2nd portions의 확장, 3rd portion은 갑자기 cutoff 됨)

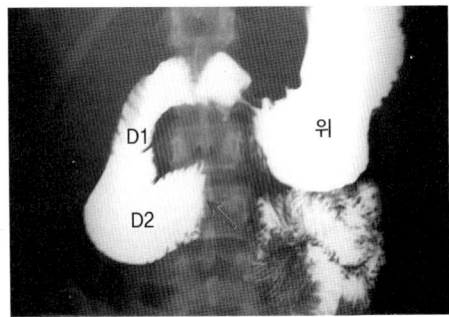

- 치료 : 대부분 내과적(보존적) 치료로 치유됨
  ① 보존적 요법 ; 적절한 영양공급 (적은 양을 자주 섭취), 식후 자세교정, GI decompression, tube feeding, TPN ...
  ② 수술 (보존적 치료에 반응이 없을 때) ; duodenojejunostomy

방사선 장결장염 (Radiation enterocolitis)

1. 개요/임상양상

- 부인과/복강내 종양 등으로 pelvic irradiation 받은 환자에서 발생 가능
- risk factor ; radiation field (소장 포함 정도가 중요), dose (50 Gy 이상시 chronic Cx 발생↑),

old age, previous abdominal surgery, previous CTx …

- acute Sx (RTx 후 1~2주 동안에 발생) : self-limited (RTx 종료 수개월 이내에 호전됨)

  ① rectum & sigmoid 조사시 ; bloody mucoid diarrhea, tenesmus (→ distal UC와 비슷)

  ② small bowel 조사시 ; 복통, nausea, diarrhea

- late Cx (수개월~수년 후 발생) ; fibrosis & stricture (→ obstruction), fistula, ulceration, chronic GI bleeding, anemia (∵ vascular ectasia), bacterial overgrowth (→ diarrhea), malabsorption …

2. 검사소견

(1) 복부 X선 ; 장 폐쇄, 점막 부종, 궤양 …

(2) 내시경 ┌ early : mucosal edema, granularity, friability, ulceration
         └ late : multiple mucosal telangiectasia, stricture

3. 치료

- 주로 보존적 치료 ; bowel rest & NG suction, 설사에 대한 치료 등
- 설사 ; 반드시 소장의 bacterial overgrowth 여부 검사

  → cholestyramine, loperamide, diphenoxylate-atropine, 심하면 strong opiates
    (e.g., codeine, morphine, tincture of opium)

- IDA (∵ vascular ectasia) → iron therapy, endoscopic therapy
- 수술 (obstruction, abscess, fistula) : 주위 장기에서 late Cx이 늦게 나타날 수도 있으므로, 꼭 필요한 때에만 수술

창자막힘/장폐쇄 (Intestinal obstruction)

1. 분류/원인

(1) Mechanical obstruction

- 소장(small bowel obstruction, SBO)

  ① 이전의 복부수술에 의한 유착(adhesion) - m/c (60~70%)

  ② 탈장 (10%) ; ventral or inguinal hernia가 m/c

  ③ 기타 ; volvulus, Crohn's disease, intestinal tuberculosis, radiation enteritis, intestinal wall hematoma, neoplasms (lymphoma, carcinomatosis)

- 대장(large bowel obstruction, LBO)

  ① 대장암 (m/c, 60~80%, Lt > Rt)

  ② volvulus (5~15%), diverticulitis, hernia … (유착에 의한 폐쇄는 매우 드묾)

(2) Adynamic (paralytic) ileus

- peritonitis (위산, 장내용물, 췌장효소 등이 주요 자극 물질) ; 췌장염 등
- 복부수술 후, 후복막 출혈/염증, 척추 손상, 하엽 폐렴, 늑골 골절, 심근경색

- intestinal ischemia, sepsis, electrolyte imbalance (특히 hypokalemia)
- drugs ; opiates, anticholinergics, 정신과 약물 ...

(3) Spastic (dynamic) ileus

- heavy metal poisoning, uremia, porphyria, extensive intestinal ulceration
- 장의 수축이 심하게 오래 지속될 때 발생하며, 매우 드물다

2. 임상양상

(1) Mechanical obstruction

- 경련성 복통 : 주기적(보통 4~5분 간격, proximal obstruction 일수록 횟수↑)
  - <u>proximal</u> obstruction 일수록 통증 심함, 발작시 복명(borborygmi) 동반
  - 팽만이 진행될수록 통증은 덜 심해짐 (∵ motility↓)
- 구토 (대장 폐쇄에서는 잘 안 나타남)
  - 구토와 복통은 소장에서 폐쇄 부위가 높을수록 심하다
  - feculent vomitus : 회장(ileum) 하부의 폐쇄, 진행된 or 완전 폐쇄
- 완전 폐쇄시 변비(obstipation), 가스 배출(방귀) 없음, 딸꾹질 등도 흔함
- 수분 및 전해질 소실 – 소장 폐쇄시 더 심함!

(2) Adynamic ileus

- 복부 불쾌감/팽만, 구토 등이 주로 나타남 (경련성 복통은 없음)

(3) 진찰소견

- 복부 팽창 (대장 폐쇄시에 더 심함)
- visible peristalsis (초기에)
- 장음 : loud, high-pitched metallic sound (colicky pain과 동시에)
  (adynamic ileus 또는 폐쇄가 오래 지속된 경우엔 장음 감소/소실)
- 체온 : 감염이나 감돈(꼬임)이 없으면 37.8℃ (100℉) 이상은 오르지 않는다
- 종괴/혈변(암, 장중첩, 경색 등) 확인을 위해 직장수지검사도 반드시 시행

소장 폐쇄	대장 폐쇄
원인 : previous abdominal Op., hernia 등	원인 : colon ca., volvulus 등
Peristaltic pain	Low. abdominal pain이 서서히 발생
N/V, 수분과 전해질 소실 심함	복부팽만 – 가장 큰 특징
Closed-loop strangulation시 복부종괴 만져짐	Sigmoidoscopy, barium enema가 도움
사망률 10%	사망률 20%

3. 검사소견

(1) 단순복부촬영(X-ray)

- 완전 소장 폐쇄 ; 막힌 부분의 근위부는 bowel loop distention, air-fluid levels, stepladder pattern, 원위부의 소장/대장은 collapsed (공기음영 無)

- 부분 소장 폐쇄와 무력 장폐쇄(adynamic ileus)는 감별이 불가능 ; 소장 및 대장 모두에 gas 보임 (but, 보통 adynamic ileus에서 colonic distention이 더 현저)
  → barium study가 감별에 도움이 될 수 있음
- 대장 폐쇄
  ① ileocecal valve 정상시 : 주로 대장에만 국한된 gas distention (closed-loop 폐쇄처럼 작동)
    - 대장 >6 cm, 맹장(cecum) >8 cm 이상으로 확장
    - 맹장 >10 cm 이상이면 맹장괴저(gangrene)를 시사, 12 cm 이상이면 파열↑
  ② ileocecal valve 비정상시 : 부분 소장 폐쇄와 비슷한 소견
- sigmoid volvulus (closed-loop 폐쇄임) ; 매우 심하게 확장된 sigmoid colon (커피콩 모양)

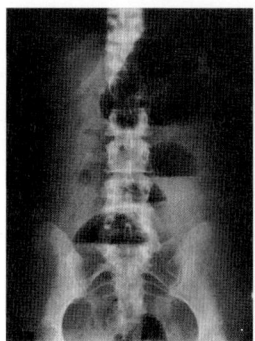 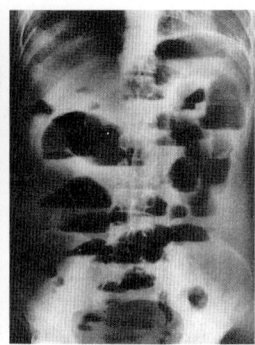 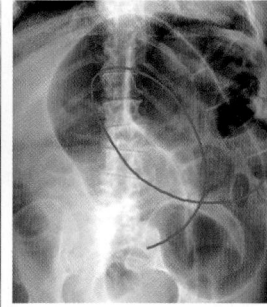 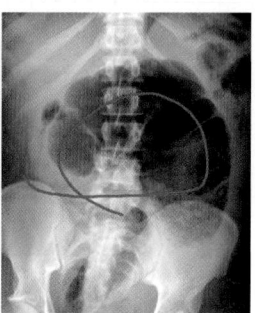

Sigmoid volvulus   Cecal volvulus

(2) <u>CT</u> (m/g) : sensitivity 95%, specificity 96%, accuracy ≥95%

단순 소장 완전 폐쇄	Strangulated 폐쇄
근위부 소장의 확장 (소장 내경 >3 cm) 뚜렷한 transition point (폐쇄 부위) 원위부로 경구 조영제 통과× 원위부 소장 및 대장 collapse (gas or fluid 거의 無) Air-fluid levels	장벽 비후 　Unenhanced에서는 wall attenuation 증가 　Arterial phase에서는 wall enhancement 감소/지연 　　(심하면 동맥혈류 감소로 wall thinning) 　Venous phase에서는 circumferential thickening, 　　Target or halo sign (∵ 점막하 부종) Pneumatosis intestinalis linearis 폐쇄된 bowel loop가 톱니 형태로 beak 모양 장간막의 congestion, blurring, haziness 장간막 혈관의 소실, 미만성 충혈, 비정상 경로 Interloop fluid 대량의 복수
Closed-Loop 폐쇄	
: 두 지점의 폐쇄 사이에 끼인 장 분절 U-(or C-)shaped, distended, fluid-filled bowel loop Whirl sign : collapsed bowel 주변의 장간막/혈관 꼬임 (Bird's) Beak sign : 폐쇄 부위에서 좁아지는 모양	

- 수용성 조영제 enema 이후 CT 검사는 원위부 대장 폐쇄와 ileus/pseudoobstruction 감별에 도움

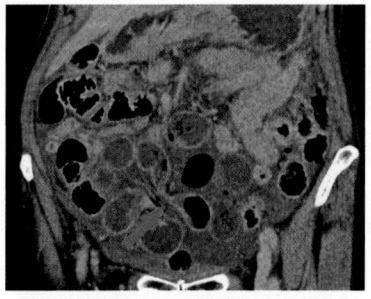 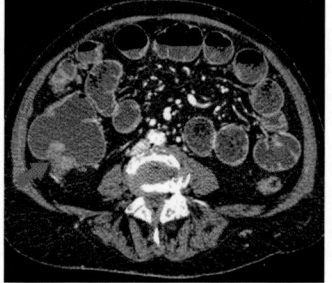 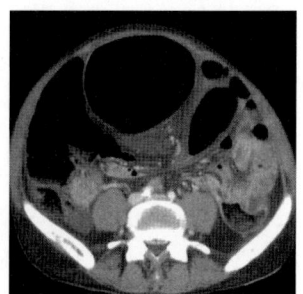

소장의 closed-loop 폐쇄 (beak signs)　　우측 대장암에 의한 대장 폐쇄　　Sigmoid volvulus

(3) barium enema or colonoscopy : 대장 폐쇄의 원인 및 폐쇄의 정도 파악에 필요
- 장 폐쇄 의심 시에는 절대 입으로 barium을 주면 안 됨
- colonoscopy (or sigmoidoscopy) : sigmoid volvulus의 치료도 가능

4. 치료

(1) Mechanical obstruction

① 비수술적 치료
- 수분 및 전해질 보충 (특히 potassium)
- 감압(decompression)
  - 비위관(NG tube) 삽입을 통한 suction
  - long intestinal tube (Miller-Abbott tube)는 거의 사용하지 않음
  - 대장/직장 폐쇄 → 내시경을 이용하여 stent 삽입!
- 부분 폐쇄의 60~85%는 보존적 치료만으로 회복 가능
- 감돈(stragulation) 의심 시는 광범위 항생제 투여

② 수술
- 완전 폐쇄시는 반드시 수술
- 불완전(부분) 폐쇄시는 원인 질환에 따라 고려
- 대장/직장 폐쇄
  - 우측 대장 폐쇄 → 대개 single-stage segmental colectomy & anastomosis 수술 가능
  - 좌측 대장/직장 폐쇄 (폐쇄의 정도 더 심함, 대변 축적↑)
    - → stent 삽입하여 먼저 감압하고, 전처치를 충분히 한 뒤에 수술하는 것이 예후 좋음
      (전통적으로 2- or 3-stage colectomy였으나, 가능하다면 single-stage가 더 좋음)
- sigmoid volvulus → colonoscopic detorsion & decompression 이후 수술
  (single-stage resection & anastomosis) / decompression만 시행하면 재발률 매우 높음

  * 비수술적 치료만으로 충분한 불완전(부분) 폐쇄
  - 부분 폐쇄만 반복될 때
  - 최근의 수술 이후의 부분 폐쇄
  - 최근의 diffuse peritonitis 이후의 부분 폐쇄

(2) Adynamic ileus
- 대개 비수술적 치료와 원인질환 교정만으로도 회복됨, 예후 좋다
- decompression : NG tube (colonic ileus시는 colonoscopy도 효과적)
- neostigmine : 보존적 치료에 반응하지 않는 colonic ileus시 유용 → 뒷부분 참조

* 응급수술의 적응
① strangulated obstruction
② peritonitis의 징후 발생
③ incarcerated external hernia
④ midgut volvulus
⑤ 이전의 복부 수술의 병력이 없을 때

* Delayed Op. 가능한 경우

① pyloric obstruction

② 복부 수술 직후에 발생 (→ NG tube로 호전 가능)

③ 유아의 intussusception (→ hydrostatic reduction)

④ sigmoid volvulus (→ 내시경으로 decompensation)

⑤ Crohn's dz.의 급격한 악화, radiation enteritis

⑥ chronic partial obstruction

⑦ disseminated intraabdominal carcinomatosis

■ Strangulation (감돈, 꼬임)

- simple obstruction : 장벽의 viability 유지
- strangulated obstruction : 대개 closed-loop obstruction, 폐쇄부위의 혈류 장애로 장경색 발생
  (infarction → necrosis)
- 증상/징후

  ① pain ; continuous, noncramping, localized (국소화)

  ② peristalsis 감소 (→ 장음 감소/소실)

  ③ peritoneal irritation sign 증가 (localized & rebound tenderness, 근육경직)

  ④ SIRS 양상 ; fever (>38℃), tachycardia
- Lab ; leukocytosis (shift to left), serum amylase, LD, ALP, ammonia ↑
- X-ray ; generalized haze, "coffee bean"-shaped mass
  - 때때로 정상일 수도 있음 → 의심되면 CT 시행
  - but, CT는 late stage에만 유용 (sensitivity가 50% 정도로 낮음)
- 임상양상이나 검사소견으로는 strangulation을 정확히 진단할 수 없다!
- 진단이 늦어지면 심각한 합병증 발생 위험↑ (e.g., peritonitis, sepsis, MOF) → 진단되면 응급수술!

만성 가성장폐쇄 (chronic intestinal pseudo-obstruction, CIPO)

- 정의 : 장관내에 기계적인 폐쇄성 병변이 없는데도, 장폐쇄의 임상양상 및 검사소견을 보이는 것
- 조직학적 분류 (침범된 세포에 따라)

  ① neuropathic : enteric neurons 침범

  ② mesenchymopathic : interstitial cells of Cajal (ICC) 침범

  ③ myopathic : smooth muscle cells 침범
- 원인

  (1) primary or idiopathic (더 흔함) : 주로 소장을 침범

  (2) secondary

  　① intestinal smooth muscle disorders ; dermatomyositis, scleroderma, SLE, amyloidosis,
  　　muscular dystrophy, myasthenia gravis

② endocrine disorders ; hypothyroidism, hypoparathyroidism, DM, pheochromocytoma, porphyria, paraneoplastic syndrome (thymoma, SCLC) ...

③ neurologic disorders ; Parkinson's dz., multiple sclerosis, CVA

④ psychotic patients ; schizophrenia, depression

⑤ 기타 ; drugs, sepsis, virus (CMV, EBV)

- 임상양상 ; 복통, 복부팽만, 구토, 변비, bacterial overgrowth (→ 흡수장애, 설사)

- 진단

① 복부 X-ray ; 장관의 확장, air-fluid level 등의 장폐쇄 소견 (약 20%는 정상)

② 방사선조영술(e.g., enteroclysis) ; 장 배출 시간 지연 확인, 기계적 원인 R/O

③ colonoscopy : 대장 병변의 확인 및 감압(치료)도 가능

④ manometry

    ┌ neuropathic ; 비동조 수축, 진폭 N~↑
    └ myopathic ; 동조 수축, 이환된 분절의 진폭↓

- 치료 : 적절한 치료법이 없고, 예후도 나쁘다 (mortality 약 10%)

  - 소량의 경구 영양 + TPN (대부분 장기 TPN 필요 → 부작용 위험)

  - 위장관 운동성을 감소시키는 약물 사용 금지 (e.g., opioids, anticholinergics)

  - bacterial overgrowth → 항생제

  - 장운동촉진제(e.g., EM, metoclopramide, domperidone, octreotide) : 소장에는 별 효과 없음

  - 내과적 치료에 반응이 없거나, 증상이 매우 심하면 수술적 치료 고려

    (e.g., venting enterostomy, subtotal enterectomy, GI electrical stimulation [GES], 소장이식)

■ 급성 가성대장폐쇄(Acute colonic pseudo-obstruction, ACPO, Ogilvie's syndrome)

- 기계적인 원인 없이 대장의 급성 폐쇄를 보이는 것 (대장 자율신경계의 교란 → colonic atony)

- 원인 (심한 내외과적 기저질환, 주로 입원 환자에서 발생)

  ; 외상, 수술, 심장질환, 산부인과질환, 신경질환, 악성종양, 신부전, sepsis ...

- 임상양상

  - 주로 고령에서 발생, 남>여, 증상은 여러날에 거쳐 천천히 발생

  - 심한 복부 팽만, 복통/압통(심하지 않음!), N/V, 약 40%에서는 방귀/배변도 있음

  - 장음은 대개 정상 (∵ 소장의 운동은 정상)

  - 합병증(ischemia, perforation) 발생시 압통이 심해지고 fever, leukocytosis 동반

- 진단 ; 대장의 기계적 폐쇄를 R/O

  - abdominal X-ray/CT ; 심한 대장 확장 (소장의 air-fluid levels도 보일 수 있음)

  - 대장조영술(수용성 contrast enema)

  - 대장내시경 ; 진단 및 치료 가능

- 치료

① 보존적 치료 (TOC) … 약 80%에서 호전됨

  ; 금식, 수액/전해질 교정, NG tube suction, sepsis 의심되면 항생제, 하제의 사용은 피함

② IV neostigmine : reversible acetylcholinesterase inhibitor → colonic motor activity 촉진
- Ix ; 72시간 이후에도 보존적 치료에 반응이 없거나 cecum 직경 >12 cm이면
(약 80%에서 호전)
- C/Ix ; 기계적 장폐쇄, 장 허혈 or 천공, 임신, 부정맥, 저혈압, 심한 기관지수축, 신부전
* EM, metoclopramide 등은 효과 없음
(opioid receptor antagonist alvimopan : postop. ileus에는 효과적이나 ACPO에는 연구 중)
③ endoscopic decompression : 70~80%에서 효과적
- Ix ; IV neostigmine에 효과가 없거나 금기로 사용하지 못할 때
- 합병증 발생 위험이 높으므로 숙련된 전문가가 조심스럽게 시행해야 됨
④ 수술적 치료 : 맹장조루술(cecostomy)
- Ix ; 장 허혈이나 천공 의심시 or 약물/내시경 치료에 반응 없을 때
- surgical cecostomy (or colostomy)
- percutaneous endoscopic cecostomy : 수술 고위험군에서 고려
• 치료에도 불구하고 사망률이 15% 정도로 높으므로, 바른 진단 및 처치가 매우 중요함

Pneumatosis cystoides intestinalis (PCI, Pneumatosis coli)

• 정의 : 장의 submucosa와 subserosa에 multiple gas-filled cysts가 존재하는 것 (비눗방울 모양)
c.f.) pneumatosis linearis (띠 모양)와는 다름 ; 괴사로 장벽에 gas 有, 허혈성 장질환 or 염증
• 대부분 jejunum과 ileum에 발생, 대장(좌측에 호발)에서 발생하는 것은 약 6% 뿐
• 관련질환 ; appendicitis, CD/UC, diverticular dz., necrotizing enterocolitis, PMC, ileus,
sigmoid volvulus, emphysema (COPD), collagen vascular diseases (e.g., scleroderma),
transplantation, AIDS, glucocorticoid, chemotherapy ...
• 50대에 호발, 남=여, 대부분 영상검사에서 우연히 발견됨
• 임상양상 ; 무증상이 흔함, 설사(68%), 점액변(68%), 직장 출혈(60%), 변비(48%) ...
(파열되어 pneumoperitoneum이 발생할 수도 있지만 경미해서 대부분 잘 모름)
• 진단 ; 내시경 (다발성 점막하 낭종 → 터뜨리면 쪼그라듦), EUS, CT (장벽에 gas-filled cysts)

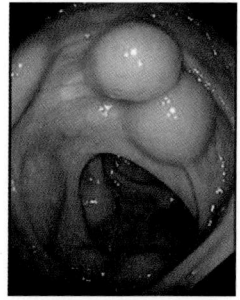 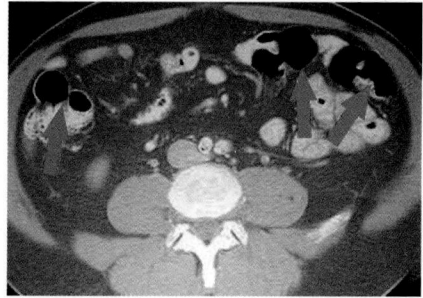

• 약 ~50%는 자연치유됨
• 치료 ; 증상 없으면 경과관찰, 증상 있으면 2일 이상 high-flow oxygen or hyperbaric oxygen
(항생제는 효과 없고, 출혈/폐쇄 등의 증상이 심하면 수술 고려)

9. 소장 및 대장 종양

대장의 용종 (polyps)

1. 개요

- 대장의 polyps은 rectosigmoid에 가장 흔함
- 대부분 무증상이며, 5% 이하에서만 stool occult blood (+)
- 용종의 진단
  ① 대장조영술(double-contrast barium enema) : filling defect로 나타남
    - 1 cm 미만의 작은 용종이나, 장이 겹쳐있는 경우에는 발견 어려움
    - 용종이 발견되어도 colonoscopic biopsy가 필요함
  ② virtual colonoscopy (CT or MRI 이용)
    - 대장 내강을 공기 또는 CO_2로 팽창시킨 후 촬영, 3D 영상을 얻음
    - 작은 용종도 발견할 수 있고, 비침습적인 것이 장점
  ③ colonoscopy (m/g)

대장 용종의 분류

종양성 점막 용종
 1. 양성(adenoma) ; Tubular adenoma, Tubulovillous adenoma, Villous adenoma
 2. 악성(carcinoma)
    Noninvasive carcinoma ; Carcinoma in situ, Intramucosal carcinoma
    Invasive carcinoma (muscularis mucosae 침범)
 3. 톱니 용종(serrated polyps)
    Sessile serrated polyp/adenoma (SSP/A)
    Traditional serrated adenoma (TSA)

비종양성 점막 용종
    Hyperplastic polyp (형태적으로는 serrated polyp에 해당함)
    Juvenile polyp
    Peutz-Jeghers polyp
    Inflammatory polyp

점막하 병변
    Colitis cystica profunda
    Pneumatosis cystoides coli
    Lymphoid polyps (benign and malignant)
    Lipoma, Carcinoid, Metastatic neoplasms

2. 샘종폴립/선종성 용종/선종(Adenomatous polyp, AP)

- 전체 용종 중 m/c (2/3~3/4 차지), 중년의 ~30% 노인의 ~50%에서 발견됨
- 전체 adenoma에서 carcinoma로 진행하는 빈도는 1% 미만임

용종의 악성화 위험인자 ★
1. 크기 (2.5 cm 이상이면 악성 확률 10% 이상) 및 개수
2. 무경성(sessile) > 유경성(pedunculated)
3. 편평(flat), 톱니모양(serrated)
4. 궤양 동반
5. 조직학적 형태 : 융모상(villous) > 관상(tubular)
6. 이형성(dysplasia)의 정도
7. 조직검사상 aberrant crypt (→ 잠정적인 precancerous lesion)

  - 발생 위치와는 관계없다!

- adenomatous polyp이면 전 colon을 colonoscopy나 barium enema로 검사해야 됨
  (∵ 약 1/3에서 synchronous lesion 존재)
- 발견된 polyps은 모두 절제(resection)해야 됨!
  ① 3 cm 미만이면 내시경으로 절제
    - 용종절제술(snare polypectomy) : 직경 2 cm 이하의 유경성 용종
    - EMR (or ESD) : 2 cm 이상의 용종 or 무경성 용종
  ② 3 cm 이상이면 수술적 절제 (e.g., anterior resection)
- 용종 절제 이후엔 3~5년마다 colonoscopy로 F/U ★
  (adenomatous polyps은 임상적으로 의미 있게 성장하려면 5년 이상이 걸리므로
  colonoscopy를 3년보다 더 자주 할 필요는 없다!)
  ① low-grade dysplasia의 tubular adenoma (<1 cm) 1~2개 → 5~10년 후 F/U
  ② 3~9개 or 1 cm 이상 or villous adenoma or high-grade dysplasia → 3년 후 F/U
  ③ 10개 이상의 다발성 용종 → 3년 이내에 F/U (FAP or HNPCC에 대한 검사 고려)
  ④ 여러 조각으로 절제된 무경성 용종 → 2~6개월 후 완전 절제 여부 F/U

* 악성 용종(malignant polyp) : 용종절제 후 조직검사에서 암세포가 발견된 것
  ① 비침습암(noninvasive carcinoma) ; 점막근층(muscularis mucosae)을 넘지 않은 경우
    - 림프절 침범 가능성 없음 → endoscopic polypectomy 만으로 충분
      (∵ 대장의 림프관은 점막근층 이상의 표면에는 분포 안함)
    - 주위 림프절이나 원격 전이 확인을 위한 CT 검사는 필수
  ② 침습암(invasive carcinoma) ; 점막근층을 넘어 점막하층(submucosa)을 침범한 경우
    → 점막하층을 1 mm (1000 μm) 미만 침범했으면 endoscopic polypectomy 만으로 충분

	양호 예후군 (모두 만족)	불량 예후군 (1개 이상 해당)
세포 분화도	고분화, 중등도 분화	저분화(poorly differentiated)
혈관/림프관 침범	×	○
절단면의 암세포	×	○
점막하층 침범 깊이	<1000 μm (1 mm)	≥1000 μm (1 mm)
치료	내시경 절제만으로 충분	추가 수술적 절제 ★

* 무경성(sessile) 용종은 점막하층을 1 mm 미만으로 침범했더라도 추가 수술

3. 톱니폴립/톱니모양 용종(Serrated polyps, SP)

- m/c non-adenomatous polyps, 종양세포의 톱니모양 증식 및 과도한 점액 생성이 특징
- serrated neoplasia pathway를 거쳐 대장암으로 진행함
  ① sessile serrated pathway ; *BRAF* mutation → *MLH1* methylation (MSI-high)
    → *TGFB2R, IGFR2, BAX* … MSI (microsatellite instability)
  ② traditional serrated pathway ; *KRAS* mutation → *MGMT* methylation (MSI-low)
    → *APC, PT53, p16* … CIN (chromosomal instability)
- 발생 risk factors는 adenoma 및 carcinoma와 비슷함
- 조직학적으로 3 types으로 분류 ; HP (m/c, 80%) > SSP/A (15~20%) > TSA (2~7%)

	Hyperplastic polyp (HP)	Sessile serrated polyp/adenoma (SSP/A)	Traditional serrated adenoma (TSA)
호발 부위	Distal (좌측대장, 직장, 구불결장)	Proximal (우측대장)	Distal (좌측대장, 직장, 구불결장)
내시경 소견	Small, pale	점액부착(mucous cap), 변연부의 잔여물 or 거품, 점막하층 혈관 소실, 경계가 모호하고 불분명	Lobular
모양	무경성(sessile, flat)	무경성(sessile, flat)	유경성(pedunculated)
크기	작음(<5 mm)	큼(>5 mm)	큼(>5 mm)
조직 소견 (Crypt 모양)	점막 표면부터 근육층까지 직선으로 길게 뻗음, Crypt 윗부분만 톱니모양 (base는 좁음)	아래쪽(base)에서 꺾여서 (anchor- or L-shaped) 가지 or 거품 모양을 이룸, Crypt base 확장/톱니모양	복잡한 villi 형태의 구조, 톱니모양 변화 매우 심함, Columnar cells이 길어짐, Ectopic crypts 존재
BRAF mutation	+/-	+	+/-
K-ras mutation	+/-	-	+/-
악성화	-	+/-	+

- polypectomy ; 아주 작으면 일반적인 방법으로도 가능하나(e.g., forceps, snare),
    크거나 flat하면 매우 어려움 → EMR (or ESD)
- serrated polyps의 치료 및 F/U은 일반적인 adenoma와 비슷함
  ① 구불결장과 직장의 작은(<1 cm) HP → 10년 후 colonoscopy F/U
  ② dysplasia가 없는 작은(<1 cm) SSP/A → 5년 후 colonoscopy F/U
  ③ 1 cm 이상 *or* 2개 이상 *or* dysplasia를 동반한 SSP/A → 3년 후 colonoscopy F/U
  ④ 불완전하게 제거된 1 cm 이상의 serrated polyp → 2~6개월 후 완전 절제 여부 F/U

■ Hyperplastic polyp (HP, 증식성 폴립/과형성 용종)

- 전체 대장 용종의 약 10% 차지, 대부분 (약 75%) 크기 5 mm 이하
  - 5 mm 이하 용종중 약 1/3~1/2은 adenomatous polyp
  - 1 cm 이상 용종은 97%가 adenomatous polyp
- 연령이 증가할수록 발생 증가 (성인의 11~34%는 적어도 한 개의 HP를 가짐)
- 대개 증상이 없고 대장암으로 발전하지는 않지만, SSP/A 및 flat adenoma와 내시경(육안적)으로 구별하기 거의 불가능하므로 제거함 (특히 우측 대장에 발생한 경우는 반드시 제거!)

■ **Sessile serrated polyp/adenoma (SSP/A, 무경성 톱니모양 폴립/샘종)**
- 대부분 우측 대장에서 발생, flat & mucous cap → 일반 colonoscopy에서 발견하기 어려움!
  → 색소내시경, 확대내시경, 영상증강내시경(NBI: narrow band imaging) 등으로 진단율↑
- 악성화 위험 높음 (5~16%에서 high-grade dysplasia 및 cancer 발생) → 모두 제거

■ **Traditional serrated adenoma (TSA, 전통 톱니모양 샘종)**
- 일반적인 adenoma와 비슷한 모양과 성질, adenomatous dysplasia 有, distal colon에 호발
- invasive carcinoma로 진행할 위험 매우 높음

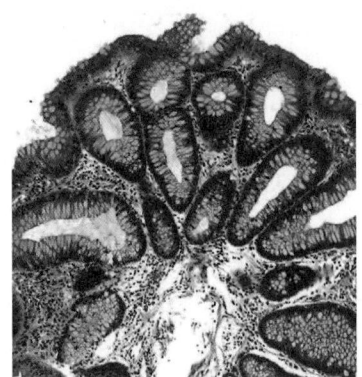

Tubular adenoma

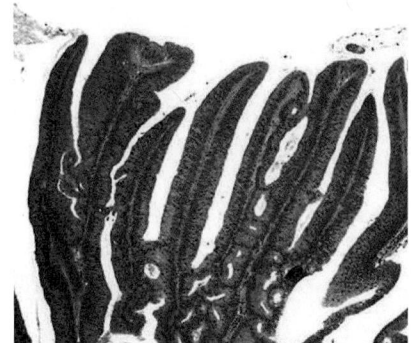

Villous adenoma

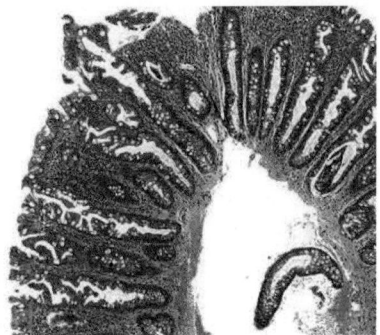

Hyperplastic polyp

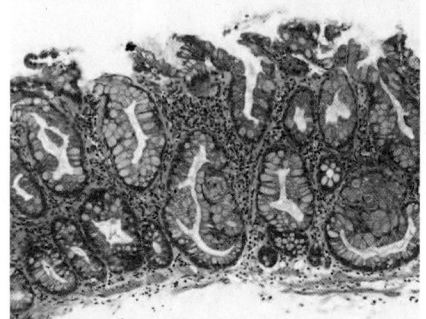

Sessile serrated polyp/adenoma

4. 용종증후군(Polyposis syndrome)

(1) Familial adenomatous polyposis (FAP, Polyposis coli)
- 드물다, AD 유전, 약 20%는 가족력이 없음, 남=여
- colon에 수백~수천 개의 adenomatous polyps이 발생하는 것이 특징
- 10~35세 사이에 발생, 치료받지 않으면 대부분 40세 이전에 대장암 발생
- 종양억제유전자의 변이나 결손이 원인 (DNA 수복유전자 때문이 아님)
  : adenomatous polyposis coli (*APC*) gene의 germline mutations (chromosome 5q21)
- 용종이 완전히 나타나기 전까지는 증상(e.g., 복통, 설사, 혈변) 없음
- 용종이 나타나기 전 어릴 때 선천성 망막상피세포의 비후(congenital hypertrophy of retinal pigment epithelium, CHRPE)가 나타나서 조기 진단에 도움이 되기도 함 (90%에서 발견)

- 상부 위장관에도 polyps이 발생할 수 있음
  ① duodenum or periampullary area (>90%) : 5~8%에서 악성화
     → 5~12%에서 duodenal (대개 periampullary) cancer 발생 → 황달 등 담도폐쇄 소견
  ② gastric antrum & small bowel : 드물고, 악성화 위험↓
  ③ gastric fundus (>50%) : 악성화 안함
- 진단 및 선별검사
  - flexible sigmoidoscopy : 100개 이상의 용종이 있고 이것이 adenoma로 확인되면 진단 가능,
     (→ 모든 1차친족에서 10~12세부터 매년 시행, polyp이 발견되면 colonoscopy도 시행)
  - 유전자 검사 (*APC* gene mutation 검출)
  - FAP 진단되면 or 20~25세부터 upper endoscopy도 1~3년마다 시행
  - stool occult blood test는 부적당함

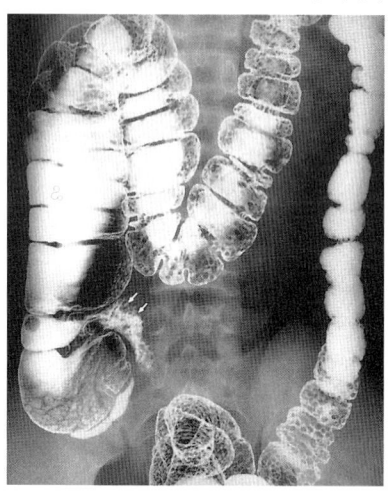
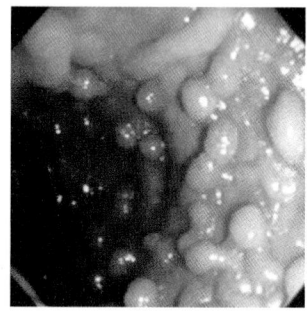

- Tx : total proctocolectomy + ileoanal (pouch) anastomosis
  - 나이에 관계없이 증상이 있고 용종이 5 cm 이상이면 즉시 수술
  - 증상이 없더라도 적어도 25세 이전에는 수술
  - NSAIDs (e.g., sulindac)와 COX-2 inhibitors (e.g., celecoxib)
    : polyps의 수와 크기를 일시적으로 감소시킬 수 있음,
      소장 adenomas or 수술 이후 남은 직장 adenomas 환자에서 고려 가능

(2) FAP의 variants

① Gardner's syndrome
  - osteoma (특히 mandibule, skull, long bone 등에)
  - soft tissue tumors (lipoma, sebaceous cyst, fibrosarcoma)
  - duodenal periampullary cancer (10%)
  - 기타 ; supernumerary teeth, desmoid tumor, mesenteric fibromatosis
② Turcot's syndrome : FAP + CNS tumors (medulloblastoma, glioblastoma, ependymoma)
③ attenuated familial polyposis syndrome (AFAP)
  - classic FAP와 비슷하지만, polyps 수가 적고(<100, 평균 25개) 대장암 발병 연령도 늦음
  - *APC* gene의 far proximal (5') & distal (3') end의 germline mutations

(3) *MUTYH*-associated polyposis (or *MYH*-associated polyposis)

- *MUTYH* gene의 germline biallelic mutation이 원인, AR 유전
  - *MUTYH* mutations → 대부분 *APC* mutations → multiple adenomas, CRC
    (일부는 *MLH1, KRAS* mutations을 유발 → Lynch syndrome, serrated polyposis 양상)
  - somatic mutation이나 monoallelic carriers에서는 대장암 위험 증가하지 않음
- 표현형은 AFAP 비슷 ; FAP보다 polyps 수 적고, 우측 대장에 호발하고, 대장암 발병 연령 늦음
- 대장암 이외에 위/십이지장의 용종/암, osteoma, CHRPE 등을 나타낼 수 있음
- colonic polyposis 환자가 FAP가 아니고 AR 유전 양상을 보이면 반드시 의심
- 진단/선별검사 ; 18~20세부터 1~2년 마다 colonoscopy (25~30세부터는 upper endoscopy도)
- Tx ; 용종 수 적으면 colonoscopy with polypectomy, 많으면 colectomy

(4) Familial hamartomatous polyposis syndrome

① 포이츠-예거 증후군(Peutz-Jegher's syndrome)
- AD 유전, serine threonine kinase (*STK*) 11 gene mutation
- 위장관 전체에 걸친 multiple hamartomatous polyps (주로 소장)
- 과오종(hamartoma)은 매우 커져서 소장폐쇄, 소장중첩, 만성출혈(→ IDA) 등을 유발 가능함
- 입술, 구강점막, 손발바닥 등의 색소침착(melatonic spots)
- polyps of gallbladder, ureter, nose
- 위장관과 신체 여러 부위에 암 발생 위험 높음 (평생 50% 이상) → 주요 사인
  ; 소장, 위, 췌장, 대장(m/c), 식도, 난소, 고환, 폐, 자궁, 유방
  (정상인 대비 상대위험도 순서, 절대빈도는 대장암이 m/c)

② 연소기 용종증(juvenile polyposis)
- AD 유전, *SMAD4* (*MADH4*) gene mutation (20~25%), *BMPR1A* (20%),
  ENG (endoglin, 매우 어린 발병 연령과 관련) ...
- 소아기에 직장출혈, 장중첩, 장폐쇄 등의 증상이 발생
- congenital abnormalities, pul. arteriovenous malformation 동반
- 종종 adenomatous polyp 성분 동반 (→ 9~23%에서 대장암 발생)
  (juvenile polyposis [hamartoma] 자체는 악성화 드물다!)
- 환자의 자녀는 12세부터 screening 시행 ; 매년 대변검사, 3~5년마다 내시경
- 치료 ; 용용종 수 적으면 colonoscopic polypectomy, 많으면 수술(subtotal colectomy +
  ileorectal anastomosis)

③ Cowden's syndrome (PTEN hamartoma tumor syndrome, PHTS)
- AD 유전, *PTEN* tumor suppressor gene mutation
- 위장관, 피부, 점막의 hamartomatous polyps (위장관 암의 위험도는 증가 안함!)
- 다발성 털종(trichilemmoma) ; 입, 코, 눈주위, 사지 등에 호발
- 갑상선종, 갑상선암, 유방암 등의 발생 위험 높음

(5) Noninherited polyposis syndorme

① Cronkite-Canada syndrome

- diffuse gastrointestinal polyposis, 평균 60세에 발생
- alopecia, dystrophy of the fingernails, cutaneous hyperpigmentation
- malabsorption ; watery diarrhea, protein-losing enteropathy
- adenoma 동반 가능 (→ 약 15%에서 대장암 발생)
- 빠르게 진행하여 사망률↑ or 저절로 소실되기도 함
- Tx (특별한 치료법 없음) ; steroid, 항생제, 수술, 영양요법 등

② serrated polyposis syndrome (SPS, 과거의 hyperplastic polyposis syndrome)

- 진단기준(WHO) : serrated polyps (HP, SSP/A, TSA 모두)
  (1) S상결장 근위부에 5개 이상의 serrated polyps 존재(이중 2개 이상은 직경 >10 mm)
  (2) 1차 친족 중 SPS 환자가 있으면서 S상결장 근위부에 serrated polyp(s) 존재
  (3) 대장 전체에 20개 이상의 serrated polyps 존재
- 약 1/2에서 대장암의 가족력이 있지만, 아직 명확한 유전자 이상은 모름
- 평균 44~62세에 진단됨, 남≒여, 약 25~50%에서 대장암 동반
- Tx ; 용종 수 적으면 colonoscopic polypectomy, 많으면 수술(subtotal colectomy + ileorectal anastomosis) → 수술 이후에도 잔여 대장 부위의 colonoscopy 감시
- SPS 환자의 1차 친족은 35~40세 (or 가장 젊은 환자보다 10년 어린 나이) 이후부터 1~2년마다 colonoscopy 선별검사

유전 비용종증 대장암 (HNPCC, Hereditary NonPolyposis Colon Cancer)

1. 개요/임상양상

- AD 유전, "Lynch syndrome"으로도 불림, 유전성 대장암 중 m/c (모든 대장암의 약 2% 차지)
- mismatch repair (MMR) genes의 "germline" mutations에 의해 발생
  ↳ MLH1, MSH2, MSH6, PMS2, EpCAM 등 (MLH1과 MSH2의 mutation이 90% 이상을 차지)
  - MMR mutations → 세포내 microsatellite instability (MSI) 축적 → 암 억제 유전자 등의 불활성화 → 유전체 안정성 붕괴 → 암 발생
  - 두 대립유전자에 모두 mutations이 발생해야 하는 sporadic CRC에 비해 이미 한 대립유전자에 MMR mutations을 가지고 있는 HNPCC에서 대장암이 쉽게 발생함
- 진단을 위한 유전자 검사
  ① MSI 검사 : microsatellite 부위 5개를 마커로 이용하여 PCR & sequencing (종양 조직에서)
    - D2S123, D17S250, D5S346, BAT25, BAT26, NR27, NR21, NR24 등의 loci가 사용됨
    - 2개 이상 이상시 MSI-H(high), 하나만 이상시 MSI-L(low), 이상 없으면 MSS(stable)
  ② MMR gene mutations 검사 : 말초혈액에서 sequencing or 종양 조직에서 IHC 염색
    - 대개 MLH1과 MSH2에서 먼저 시행하고, 이상(mutations)이 없으면 MSH6 등에서도 시행

- 임상적 진단기준 ➪ 해당되면 유전자 검사 시행!

Modified Amsterdam criteria (아래 모두에 해당)
(1) 친척 3명 이상에서 HNPCC-관련 종양(대장암 등)* 진단 (한명은 나머지 두 명의 1차친족**)
(2) 2세대 이상에서 대장암 발생
(3) 적어도 한명 이상은 50세 이전에 대장암 발생
* 모든 종양은 조직학적으로 확진되어야 하며, FAP는 아니어야 됨
Revised Bethesda guidelines
(1) 50세 이전에 대장암 진단
(2) 연령에 관계없이 대장암과 다른 Lynch syndrome-관련 종양*이 동시/이시에 존재
(3) 60세 이전에 MSI-H phenotype의 대장암 진단
(4) 대장암 환자의 1차친족에서 50세 이전에 Lynch syndrome-관련 종양* 발생
(5) 대장암 환자의 1/2차친족 2명 이상에서 연령에 관계없이 Lynch syndrome-관련 종양* 발생

* CRC 이외의 Lynch syndrome (HNPCC)-관련 종양 ; endometrial (39%), ovarian, renal pelvis, ureter/bladder, pancreas, hepatobiliary, gastric, small intestinal, brain cancers, Muir-Torre syndrome (variant)의 multiple sebaceous adenomas & carcinomas 및 keratoacanthoma 등
** 1차친족(1st degree relatives) : 유전자를 50% 이상 공유하는 부모, 형제, 자식 관계

- CRC (colorectal cancer) 발생 위험 매우 높음 (70~80%)
- 조직학적으로는 adenoma
- FAP와의 차이점
  - proximal (splenic flexure의 근위부) large bowel에서 호발
  - adenoma의 수가 적고, flat한 경우가 많다
  - 조직학적으로 villous 또는 high-grade dysplasia가 더 흔하다
- sporadic colorectal ca.와의 차이점
  - 10~20년 더 젊은 나이에 발생 (평균 45세)
  - 처음 진단시 proximal large bowel에 호발 : 72% (↔ 35% sporadic CRC)
  - pathologic stage가 비슷하면 예후는 훨씬 더 좋다! (특히 MSI 존재시)

* Muir-Torre syndrome ; 드문 variant로, Lynch syndrome + multiple sebaceous gland neoplasms (colonic adenomas보다 선행할 수 있음)

2. 선별검사 및 치료

- 21세부터 2년마다 colonoscopy 시행 (40세 이후엔 매년), microsatellite instability 유전자 검사
- 요로계 종양에 대한 검사 : 30~35세부터 1~2년 마다 US 및 U/A 시행
- 여성 ; 25~35세부터 1~2년 마다 endometrial ca.에 대한 검사도 실시 (초음파, 자궁내막 생검)
- 암이 발견되면 abdominal colectomy + ileorectal anastomosis로 수술
  (→ 수술 후 rectum에서 재발할 수 있으므로 매년 proctoscopy 시행)

대장암 (Colorectal cancer, CRC)

1. 원인/위험인자

- 98%가 adenocarcinoma, 대부분 adenomatous polyps으로부터 진행
- 대장암과 관련된 유전자 이상
  - (1) tumor suppressor gene의 loss
    - *APC* (adenomatous polyposis coli) gene : 가장 초기에 작용
    - *DCC* (deleted in colorectal cancer) gene ⎤→ 예후 나쁨 (원격전이↑)
    - *SMAD4* gene, *TP53* gene ⎦
    - *nm23* (metastasis suppressor gene) → 암의 전이와 관련
  - (2) oncogene activation ; *K-ras* (proto-oncogene), *c-myc* overexpression

- Molecular pathogenesis ; 다양한 유전자 이상들이 축적되어 대장암 발생에 관여함, 아래 3 기전은 완전히 독립적인 것은 아니며 대개 여러 가지가 복합적으로 작용함

  - (1) CIN (chromosomal instability) pathway ; 대장암의 70~80% (distal좌측에 호발), FAP

Normal	Adenoma	Cancer
APC 종양억제유전자의 germline/somatic muations (불활성화) … 'First hit' (→ β-catenin 활성화 → 세포증식↑)	⇨	*KRAS* (종양유전자) 활성화 및 *TP53, DCC, SMAD4, SMAD2* 등의 종양억제유전자 불활성화

  - (2) MSI (microsatellite instability) pathway ; 대장암의 15~20%, HNPCC (Lynch syndrome)

Normal	Adenoma	Cancer
	MMR inactivation, MSI	
	Number of genetic alterations ⇧	

MMR (mismatch repair) genes의 mutations (MSH2, MSH6, MLH1, PMS2, EpCAM 등) ⇨ microsatellite (짧은 염기서열이 반복되는 부분)에서 DNA 복제 오류가 호발함(MSI)	MSI가 유발하는 targe gene mutations *TGFβ R2* (TGF-β receptor 2, m/c), *IGF2R* (IGF2 receptor), *BAX* (Bcl associated X protein), *Caspase 5, β-catenin, APC, MSH3, MSH6* …

  * MSI-high tumors의 특징 ; 대부분이 우측 대장암, 미분화형 비율 높음, 림프구 침윤, 여성에서 호발, 동일한 병기면 CIN보다 예후 좋음 (5-FU 같은 일부 항암제에는 반응이 안 좋더라도)

  - (3) CIMP (CpG Island Methylator Phenotype) pathway ; sessile serrated pathway (SPs)

Normal	Serrated adenoma	Cancer
BRAF mutation ⇨ multiple CpG island hypermethylation (CIMP-high) ; *MLH1* methylation ⇨ MSI high (CIMP-low tumors는 *BRAF*보다는 *KRAS* mutations을 가지는 경우가 많음: traditional serrated pathway)		

CpG islands (다수의 CpG 서열을 포함한 짧은 DNA 분절)의 hypermethylation … "후성적(epigenetic) 변화" (↳ DNA promoter의 50~60%에서 발견됨) ⇨ 해당 종양억제유전자의 발현 억제(e.g., *APC, MCC, MLH1, MGMT*)

  * CIMP-high tumors의 특징 ; 우측 대장에 호발, 미분화형 흔함, mucinous or signet ring morphology, MSI-high, *BRAF* mutation과 관련, 톱니모양(serrated)→상대적으로 대장내시경에서 놓치기 쉬움

■ 위험인자(risk factors)

1. 고령 : 50세 이상
2. 음식 : 고칼로리, 고지방, 붉은고기(소, 돼지, 양 등)
3. 비만 및 운동부족 : insulin resistance (IGF-I↑ → 장점막 증식↑)
   ; 장기간 insulin 치료중인 DM 환자, acromegaly ...
4. IBD : UC, CD (10년 이후) (isolated proctitis는 아님)
5. 유전성대장암*
   Familial polyposis syndromes (가장 위험)
   Hereditary nonpolyposis CRC (HNPCC, Lynch syndrome)
   MYH-assocated polyposis ...
6. 기타
   알코올(heavy alcoholics), 흡연
   CRC/adenoma의 과거력
   Sporadic CRC/adenoma의 가족력
   Streptococcus bovis (gallolyticus) 균혈증
   Ureterocolonostomy

Possible risk factors
   남성, calcium 결핍, folate 결핍, vitamin B_6 결핍, vitamin D 결핍,
   식이 섬유 부족, 식이 셀레늄 부족

- hyperplastic polyps은 악성화 안함
- diet ┌ 고지방, 붉은고기(소, 돼지, 양 등), 알코올(과도한 섭취시) → risk 증가
       └ 야채, 과일, fiber → risk 감소(?)
  - but, 고칼로리와 붉은고기만이 주로 관련! (생선 등 다른 동물성 지방은 관련 없음)
  - 식이섬유는 최근 연구결과 대장암의 예방 및 재발방지와 큰 연관성이 없음

* 유전성 대장암

	HNPCC	FAP	MYH-associated polyposis (MAP)	Peutz-Jeghers syndrome	Juvenile polyposis
관련 유전자 (염색체 위치)	Mismatch repair genes	*APC* (5q)	*MUTYH* (1p)	*STK11* (19p)	*SMAD4, BMPR1A*
유전 양상	AD	AD	AR	AD	AD
대장암중 빈도	2~5%	0.5~1%	0.4~0.7%	0.1%	0.1%
용종발생 빈도	20~40%	100%	100%	>90%	>90%
용종 수	1~10	>100-1000	5~100	10~100	50~200
조직형	Adenoma	Adenoma	Adenoma	Hamartoma	Hamartoma
대장암 발생 위험	80%	100%	20~50%	2~20%	10~20%
암발생 연령	40대	25세	40대	30대	30대
대장암 이외 발생 질환	자궁내막, 난소, 췌장, 위, 간 등의 암	Mandibular osteomas, 치아 이상, CHRPE*	위십이지장 용종/암, 유방암, 난소암, 방광암, 피부암, CHRPE*, osteoma	입술/구강/손발 피부의 색소침착 (melanotic spot), 위장관 등의 암	폐 AVM

*CHRPE = congenital hypertrophy of the retinal pigment epithelium

2. 역학 및 분포

- 국내 암중 발생률 2위 (남녀 각각은 3위), 45세 이후에 발생 증가
- 증가 추세 (우측 대장암은 증가, 직장암은 감소 추세)
- 분포 ; cecum & ascending colon (25%), transverse colon (15%), descending colon (5%), sigmoid colon (25%), rectosigmoid junction (10%), rectum (20%)
- 전이 : portal vein을 통한 <u>간 전이</u>가 m/c (수술 후 재발의 1/3도 간에서 발생)
  - <u>distal rectal ca.</u>는 paravertebral venous plexus를 통해 (portal vein을 통한 간 전이 없이) lung, supraclavicular LN, bone, brain 등으로 전이 가능
  - 대장암 환자의 15~25%는 진단 당시 이미 간 전이 有 (이 중 80~90%는 절제 불가능)

3. 임상양상

(1) Rt. colon ; "MAD" (mass, anemia, dyspepsia)

- 궤양이 흔함 → 만성 간헐적 소량 출혈 ; IDA 증상, stool OB (±)
  (성인에서 원인을 모르는 IDA가 지속되면 대장암을 꼭 한번 의심)
- palpable mass, abdominal pain, weight loss ...
- obstructive Sx.이나 배변습관의 변화는 적음!
  (∵ Rt. colon의 직경이 크고, 대변이 비교적 액체 상태이므로)

(2) Lt. colon ; "BOB" (bleeding, obstruction, bowel habit change)

- obstructive Sx. (∵ Lt. colon의 직경이 작고, 대변이 딱딱해지므로), 심하면 perforation도
- 식후의 abdominal cramping pain, constipation, 배변습관의 변화
- 혈변이 Rt. colon보다 흔하고, 대변 굵기도 감소됨

(3) rectosigmoid

- rectal bleeding (<u>hematochezia</u>) 흔함 (anemia는 흔하지 않음)
- 대변의 굵기 감소, 배변습관의 변화, tenesmus, urgency
- 주위 장기 침범에 따른 회음부 통증도 발생 가능

■ 참고: 우측과 좌측 대장암의 차이

RCC (right-sided colon ca.)	LCRC (left CRC)
최근 증가 추세, 남<여, 좌측보다 고령	대장암의 80~85% 차지, 남>여
Aspirin의 대장암 예방효과가 주로 나타남	육류에 의한 대장암 위험 증가가 주로 나타남
Gene mutations이 많음 ; MSI, CIMP, *BRAF* 등	염색체 불안전성(chromosomal instability)이 많음
Mucinous adenoca., sessile serrated adenomas	Tubular, villous adenoca.
전구병변이 편평하거나 작음 → 내시경에서 놓치는 경우가 많음	긴 전구병변 기간 & polypoid 형태 → 발견 쉬움, 진단시 병기가 우측보다 낮음*
좌측보다 모호한 증상이 흔함 / 흡연이 더 영향	과도한 음주가 더 영향
복강으로 주로 전이	간과 폐로 주로 전이
T cells 침윤 많음 → immunotherapy에 반응	CTx와 anti-EGFR에 반응 좋음

* 같은 병기일 경우 우측 대장암이 예후가 더 좋음 (발견이 늦어 전체적인 예후는 좌측과 비슷해짐)

4. 진단

(1) 진단 검사

① digital rectal examination (DRE)

② fecal occult blood test (FOBT) ; 면역화학법 권장, sensitivity 70~80%, PPV 매우 높음

    (c.f., sensitivity를 더 높이는[cutoff↓] 경향도 있음 → NPV 높아짐 → 음성이면 대장암 R/O)

③ 대장조영술(barium enema) ; annular, constricting lesion → "apple-core" or "napkin-ring"

④ **대장내시경(colonoscopy)** : m/g, 작은 병소를 찾는데 더 정확하고 biopsy도 가능

    - 악성을 시사하는 용종 소견 ; firm consistency, adherence, ulceration, friability

    - but, 내시경 전문가도 무증상 환자의 2~6%에서는 대장암 진단을 놓침

        → 대부분 우측 결장암 (∵ 편평하거나 눈에 잘 안 띄는 경향)

⑤ 내시경 불가능하면 "barium enema + sigmoidoscopy" or CT virtual colonoscopy 시행

⑥ 병기 판정 및 수술 가능성 파악을 위한 검사 ; CXR, 복부/골반 CT, US, rectal EUS 등

(2) 병기 및 예후

Stage	TNM (AJCC 8th) T	N	M	병리소견	5YSR (%)	Dukes	MAC**
0	Tis	N0	M0	**Tis**: carcinoma in situ; intraepithelial or mucosal lamina propria까지만 침범	>97	–	–
I	T1	N0	M0	**T1**: submucosa까지만 침범 [early CRC]	>97	A	A
I	T2	N0	M0	**T2**: 고유근층(muscularis propria)까지만 침범	96.8	A	B1
IIA	T3	N0	M0	**T3**: 고유근층(muscularis propria)을 통과하여 pericolorectal tissues 침범	87.5	B	B2
IIB	T4a	N0	M0	**T4a**: 장측복막(visceral peritoneum) 표면에 관통	79.6	B	B2
IIC	T4b	N0	M0	**T4b**: 다른 장기 침범 or 다른 장기/구조에 유착*	58.4	B	B3
IIIA	T1~2 T1	N1/1c N2a	M0	**N1**: Regional LN 1~3개 침범 **N1a**: 1개, **N1b**: 2~3개 침범	83~90 79	C	C1
IIIB	T3~4a T2~3 T1~2	N1/1c N2a N2b	M0	**N1c**: Regional LN 침범은 없이 종양이 subserosa, mesentery, nonperitonealized pericolic/perirectal tissues에 존재	54~74 53~69 62.4	C	C2 C1/C2 C1
IIIC	T4a T3~4a T4b	N2a N2b N1~2	M0	**N2**: Regional LN 4개 이상 침범 **N2a**: Regional LN 4~6개 침범 **N2b**: Regional LN 7개 이상 침범	40.9 22~37 16~38	C	C2 C2 C3
IVA	any T	any N	M1a	**M1a**: 한 장기/장소에만 전이 (e.g., 간, 폐, 난소, nonregional LN)	8.1	–	–
IVB	any T	any N	M1b	**M1b**: 2개 이상의 장기/장소에만 전이	<5	–	–
IVC	any T	any N	M1c	**M1c**: 복막 전이 ± 다른 장기/장소에 전이	<5	–	–

  * 장막(serosa)을 통과해 다른 장기 및 결장직장의 다른 segment를 침범한 것을 조직학적으로 확인(e.g., 맹장암이 S상결장을 침범) or 후복막에 위치한 경우는(e.g., 하행결장, 직장) 고유근층을 넘어 다른 장기를 직접 침범함 (e.g., 신장, 전립선, 자궁) / 육안적인 다른 장기 및 구조와의 유착은 (clinical) cT4b로 분류하며, 유착 부위에서 조직학적으로 암세포가 발견되지 않으면 벽 침범 깊이에 따라 (pathologic) pT1~4a로 분류함

  ** MAC : modified Astler-Coller classification

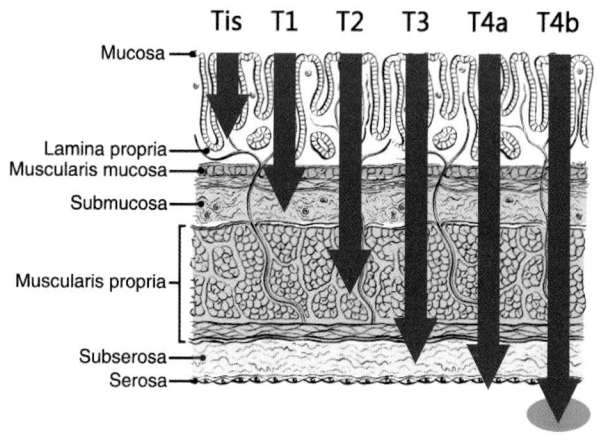

〈 대장암(결장직장암, CRC)의 T stage 〉

CRC의 나쁜 예후인자 ★	
병리소견	Regional LN 침범 및 침범된 regional LN의 수(≥4개) … m/i 저분화암(poorly differentiated), 점액성(mucinous/colloid) or signet ring cell 조직형 Ulcerating or infiltrating 형태 종양이 대장벽을 관통한 경우 (침윤 깊이↑) 종양이 주위 장기에 유착 정맥, 림프관, 신경조직 등 침범 수술 후 resection margin (+), residual tumor 有
유전이상	Aneuploidy (종양 세포내 DNA content 증가) Loss of heterozygosity (LOH) ; 18q (*DCC, DPC4*), 17p (*TP53*), 8p Gene mutations ; *BRAF, KRAS, NRAS, BAX* (↳ anti-EGFR에 대한 반응 안 좋음)
임상소견	30세 미만 대장 폐쇄 or 천공 수술 전 CEA titer 상승 (>5 ng/mL) 원격전이

- 수술 이후 pathologic (TNM) stage가 예후에 가장 중요함
- 대부분의 다른 암과 달리 tumor size는 예후와 관련 없다!
- microsatellite instability (MSI-H), 종양 주위의 심한 면역반응(e.g., 염증, lymphocyte 침윤)은 좋은 예후와 관련!
- 결장암(colon ca.)보다 직장암(rectal ca.)에서 국소재발 및 원격전이는 더 흔함

5. 치료

(1) 내시경절제술
- 조기대장암/점막하암(cT1N0M0) 일부에서 선택적으로 시행 (완절 절제가 용이한 경우)
- mucosa에만 국한 : regional LN 전이 없음
- submucosa까지 침범 : regional LN 전이 위험 약 10% (→ EUS/CT/MRI 등 참조해서 결정)
- 올가미절제술(polypectomy), EMR, ESD 등

내시경절제술 후 추가 수술이 필요 없는 조기 대장암	추가 수술이 필요한 조기 대장암
내시경전문의에 의해 종양이 완전 절제 & 병리전문의에 의해 절제된 종양 철저히 판독되었으며, 저분화/미분화 선암이 아니면서, 혈관 및 림프절 침범이 없고, 절단면에 암세포가 없는 경우	절단면 암세포 (+) 점막하 침범 깊이 1,000 μm 이상 저분화/미분화 선암 혈관 및 림프절 침범 (+)

(2) 외과수술

- 모든 stage Ⅰ~Ⅲ 대장암의 기본 치료원칙은 근치적 절제술임
- stage Ⅳ도 전이 부위가 수술 가능하면(e.g., 간, 폐) 근치적 절제술 시행 or
  수술로 obstruction이나 bleeding 감소 or ChemoRTx 이후 수술 가능
- **결장암(colon cancer)** : 종양의 위치에 따라.. (복강경 수술과 개복술의 성적은 비슷함)
  - cecum, ascending colon, hepatic flexure → Rt. hemicolectomy
  - descending colon → Lt. hemicolectomy
  - sigmoid colon → sigmoidectomy
- **직장암(rectal cancer)** ; 결장보다 해부학적으로 복잡하고 림프조직이 많아 치료 어려움
  ① 경항문 국소절제술(transanal excision)
    - 직장을 전층(full layer)으로 일괄(en bloc) 완전 절제함
    - 적응 ; 크기 3 cm & 직장 내경 30% 미만의 분화도가 나쁘지 않은 가동성 종양이 항문연
      (anal verge)에서 8 cm 이내에 위치한 경우 (일부 T1,N0 조기 암에서 선택적으로 시행)
    - 근치적 절제술보다는 국소 재발률 높고, 생존율 낮으므로 선택에 주의
  ② 근치적 절제술
    - 전직장간막절제술(<u>total mesorectal excision</u>) & autonomic nerve preservation (TME-ANP)
      이 기본 원칙 ; 직장간막(mesorectum)까지 sharp하게 절제 (→ 국소 재발 크게 감소),
      근막 사이를 정확하게 박리하여 주위 자율신경을 보존 (→ 배뇨 및 성기능 장애 감소)
    - 보통 항문연(anal verge)에서 5 cm 이상이면 (중/상부 직장암, rectosigmoid)
      → 저위전방절제술(<u>low anterior resection</u>) + primary colorectal anastomosis
    - 5 cm 이내면(하부 직장암) → 배샅/복회음절제술(abdominoperineal resection) + colostomy
      (or 종양 아래로 정상 직장을 2 cm 이상 절제 가능하면 괄약근보존술로 시행 가능)
- 수술시 병기 판정을 위해 최소 12개 이상의 LN 절제가 필요함
- 만약 수술 전에 완전한 colonoscopy를 시행하지 못했을 경우, 수술 후 수개월 이내에 반드시
  colonoscopy를 시행해야 함 (∵ synchronous neoplasm and/or polyp의 유무를 확인하기 위해)

(3) 결장암의 adjuvant therapy

① stage Ⅰ : 5YSR가 높으므로 (90~100%) 필요 없음
② stage Ⅱ (LN-) : 수술 후 병리진단을 평가하여 <u>고위험군</u>에서는 adjuvant CTx 권장
  - *FOLFOX*, 5-FU+LV, capecitabine (5-FU의 경구형), capecitabine/oxaliplatin 등
  - 고위험군 ; pT4 종양, poorly differentiated, signet ring cell ca., lymphovascular invasion,
    perineural invasion, 장 폐색/천공, 절제연 근접, 부적절한 절제, CEA↑ 등

③ stage Ⅲ (LN+) : adjuvant (postop. 6개월) CTx. (*FOLFOX*)
- 5-FU + LV (leucovorin, folinic acid, levamisole) 병합요법 → 재발 40%↓, 생존율 30%↑
  (5-FU는 일반적으로 IV로 투여하며, 경구형인 capecitabine도 효과는 비슷)
- 5-FU+LV에 oxaliplatin을 추가하면 (*FOLFOX*) 효과 더욱 증가됨
- irinotecan (*FOLFIRI*), anti-EGFR, anti-VEGF 등은 추가적인 효과 향상이 별로 없음

④ stage Ⅳ (metastatic dz.)

> **FOLFOX** = LV (folinic acid) + 5-FU (fluorouracil) + Oxaliplatin ; m/c, 평균 2년 생존
> **FOLFIRI** = LV (folinic acid) + 5-FU + Irinotecan ; 최근 1년 내 oxaliplatin 사용시 권장됨
> **XELOX** = Capecitabine (Xeloda®)경구제 + Oxaliplatin ; 편리하고 효과 비슷하지만 부작용↑
> **S-1** (5-FU 제제) + Oxaliplatin ; 위 요법들 대신 1st or 2nd line으로 사용 가능
> **FOLFOXIRI** = FOLFOX + irinotecan ; 생존율 약간 더 좋아지지만 부작용↑ (젊은 환자에서 고려)

- monoclonal Ab ; CTx.에 추가시 반응 및 생존율을 더욱 향상시킴!!
  - **anti-EGFR** ; cetuximab (Erbitux), panitumumab (Vectibix) ⇨ **좌측** 대장암에 권장
  - **anti-VEGF** ; bevacizumab (Avastin) ⇨ **우측** 대장암에 더 효과적 (좌측에도 사용은 가능)
    (c.f., 2차 anti-VEGF ; aflibercept, ramucirumab, regorafenib 등도 고려 가능)
    - anti-EGFR의 효과가 좋은 경우 ; EGFR copy↑, *BRAF* mutation(-), *RAS* mutation(-),
      acne-like rash↑ → *RAS/BRAF* wild-type 좌측대장암에 1st line으로 사용
      (c.f., bevacizumab에 금기인 *RAS/BRAF* wild-type 우측대장암은 CTx만으로 치료하는 것이 좋음)
    - EGFR tyrosine kinase inhibitor인 erlotinib과 sunitinib은 대장암에는 효과 없음!
- trifluridine-tipiracil (TAS-102) ; 다른 치료에 모두 실패시 고려 가능, survival 2개월↑
- immune checkpoint inhibitor ; anti-PD-1 (nivolumab, pembrolizumab), ipilimumab
  - MSI-high/dMMR (deficiency in DNA mismatch repair enzymes) 대장암에서 고려 가능
  - 30~50%에서 반응 (일부는 장기간 반응 유지도)
- 완화 수술 : 장 폐색/출혈 등 증상이 있으면 CTx(±RTx) 이전에 먼저 수술 고려

c.f.) CTx의 주요 부작용
- irinotecan → diarrhea
- oxaliplatin → sensory neuropathy (누적용량에 비례, 중단해도 일부는 회복 안 됨)
- cetuximab, panitumumab → acne-like rash (anti-tumor efficacy와도 비례)
- bevacizumab → HTN, proteinuria, thromboembolism

■ Liver-isolated CRC
- isolated (1~4개) liver metastasis : 원발 CRC가 근치적 절제 가능하면 간 전이도 절제!
  - 간 전이 환자의 15~20%는 절제 가능 → 예후 좋아짐: 5YSR 24~58% (약 40%)
    (절제 가능성은 R0 절제가 가능하고 절제 후 간기능에 문제가 없으면 제한 없애는 경향)
  - adjuvant CTx. (FOLFIRI or FOLFOX) ± anti-EGFR (*RAS*와 *BRAF* 변이 없으면)
  - poor Px. factor ; >5 cm, 5개 이상, 원발 CRC의 LN 전이, CEA⇧
    ⇨ neoadjuvant CTx. 권장 → survival↑ (단점; 수술 지연, 수술 후 합병증↑ 위험)
- 수술 불가능시 간동맥으로 항암제 투여(5-FUdR, 5-FU) 등   (→ Ⅱ-7장 간 종양 편 참조)
* 폐 전이도 간 전이와 마찬가지로 원발 CRC의 근치적 절제가 가능하면 폐 전이 절제 가능

(4) 직장암의 adjuvant therapy
- stage Ⅱ~Ⅲ : <u>수술 전/후 pelvic RTx + CTx</u> (5-FU + LV 등)
  - ⇨ survival 연장되고, local recurrence & metastasis도 감소
    - 5-FU는 radiosensitizer의 역할도 함
    - RTx. 단독은 local recurrence는 감소시키나, survival 연장은 없음!
- large, unresectable tumors에서는 preop. RTx가 종양의 크기를 줄여 수술하는데 도움

(5) 수술 이후의 follow-up
- Hx & P/Ex, fecal occult blood, LFT, CEA : 2년 동안 3~6개월마다, 이후 3년은 6개월마다
- colonoscopy : 수술 1년 후 → 비정상(e.g., polyp) 소견 있으면 1년 마다 시행,
  정상이면 3년 이후에 시행 & 이후엔 5년 마다 시행
  (c.f., 수술 전에 폐쇄 병변 등으로 colonoscopy를 시행 못했으면 수술 3~6개월 후 시행)
- CT (chest, abdomen, pelvis) : high-risk stage Ⅱ & stage Ⅲ 환자에서 5년까지 매년
- CEA는 상승했는데 CT 소견이 불확실하면 PET 시행 (occult metastasis 발견에 더 좋음)

■ CEA (carcinoembryonic antigen)
- 진단(screening)이나 stage 결정보다는, 경과관찰에 유용!
- 대장암의 70%에서 증가 (stage와 titer와는 관계없음)
- 수술 전의 CEA titer → 예후(암의 재발)와 관련
- 수술 후 CEA 측정의 의의
  ① 치료효과 판정 (residual tumor의 여부)
  ② 암의 재발여부 관찰
  ③ 전이의 조기 발견
  ④ 다른 부위에 새로운 암의 발생 여부 파악
- CEA가 증가되는 경우 (nonspecific!)
  ① 악성 종양 ; colon, stomach, pancreas, lung, breast
  ② 기타 ; 흡연, 만성 폐질환, alcoholic hepatitis or cirrhosis, inflammatory bowel disease ...

6. 예방

(1) primary prevention (NCI diet guideline)
- low fat (총 칼로리의 30%↓), high-fiber diet, 야채/과일/칼슘 섭취↑
- 비만 방지, 규칙적인 운동, 금연, 음주는 적절히 제한
- <u>chemopreventive agents</u> (→ 대장암 발생 감소)
  ; aspirin, NSAID (∵ COX-2 overexpression이 ca. 발생에 관여), folic acid, calcium,
  폐경 여성에서 estrogen + progestin 호르몬치료 (estrogen 단독은 효과×)
  - antioxidant vitamins (e.g., ascorbic acid, tocopherols, β-carotene)은 야채/과일에
  풍부하지만, 대장암/선종 발생 예방 효과는 없음!
  - 대장암/이형성 예방을 위해 지속적 복용이 권장되는 경우
    ① FAP에서 직장 보존 수술 이후 aspirin, NSAIDs (e.g., sulindac, celecoxib) 복용
    ② UC에서 5-ASA (e.g., mesalazine) 유지요법

(2) secondary prevention (screening)
- 목적 ; premalignant lesion의 발견 및 제거, surgical cure 가능한 단계에서 발견 및 제거
- CRC 위험인자/가족력이 없는 일반인에서의 screening (미국 암학회) : 50세 이상에서
  ① colonoscopy (m/g) : 10년마다 (우측 대장암의 빈도가 높아지므로 권장됨)
    - 대신 5년 마다 flexible sigmoidoscopy *or* CT virtual colonoscopy *or* double-contrast barium enema 등도 가능 (barium enema는 위음성이 많아 권장 안 됨)
      → but, 이상이 발견되면 다시 colonoscopy를 시행해야 되는 단점
  ② 분변잠혈검사(fecal immunochemical test [FIT] or fecal occult blood test [FOBT]) : 매년
    - 양성이면 colonoscopy 시행
    - FIT가 FOBT보다 specific하여 (위양성/위음성 적음) 선호됨, sensitivity는 비슷
    - 대장암 진단 sensitivity 약 70%, 분변잠혈 양성시 대장암은 10% 미만, polyps 20~30%
    - 대신 3년마다 fecal DNA test도 가능 : 대장암관련 multiple genes 검출, FIT보다 대장암 진단 sensitivity 1.25~1.5배 (약 90%), large adenoma 진단 sensitivity 1.8배 (약 40%), specificity는 약간 낮음 (87%, 위양성 많은 편)

  c.f.) 우리나라 권고안 ; 45~80세에서 1~2년 마다 분변잠혈검사 권장 (대장내시경은 선택적)

7. 항문암(anal cancer)
- 대장 악성종양의 1~2%, 중년에 호발, 남<여, SCC가 m/c (55%)
- human papillomavirus 감염과 관련 ; 동성연애 남성, AIDS (면역저하자)에서 발생 위험↑
- 치료
  ① RTx + CTx (5-FU + mitomycin C) ; 약 70%에서 완치됨 (3 cm 이하면 80% 이상 완치)
  ② 위 치료에 반응 없으면 수술(APR with colostomy)

대장암 고위험군에서의 선별/추적 검사

병력		검사방법	시작 시기	간격	기타
개인력	Colorectal cancer (CRC)	colonoscopy	수술 무렵 및 수술 1년후	이후 3년마다 (수술 1년후 검사에서 정상이면)	
	low-grade dysplasia의 tubular adenoma (<1cm) 1~2개	colonoscopy	Polypectomy 후 5~10년 뒤 F/U (그 이후에는 그 때 소견에 따라)		
	3~9개 or 1 cm 이상 or villous adenoma or high-grade dysplasia	colonoscopy	Polypectomy 후 3년 뒤 F/U (그 이후에는 그 때 소견에 따라)		
	10개 이상의 adenoma	colonoscopy	Polypectomy 후 3년 이내 F/U		FAP/HNPCC 검사 고려
	구불결장과 직장의 작은(<1 cm) HP	colonoscopy	Polypectomy 후 10년 뒤 F/U		
	dysplasia가 없는 작은(<1 cm) SSP/A	colonoscopy	Polypectomy 후 5년 뒤 F/U		
	1 cm 이상 or 2개 이상 or dysplasia를 동반한 SSP/A	colonoscopy	Polypectomy 후 3년 뒤 F/U		SPS에 해당하면 더 자주
	여러 조각으로 절제된 무경성 용종, 불완전하게 제거된 1 cm 이상의 serrated polyps	colonoscopy	2~6개월 뒤 완전 절제 여부 F/U		
	UC pancolitis, CD colitis	colonoscopy & Bx.	발병 8년 이후	1~3년	
	UC: left-sided colitis	colonoscopy & Bx.	발병 15년 이후	1~3년	rectal UC는 필요 없음
가족력	Familial adenomatous polyposis (FAP)	sigmoidoscopy or colonoscopy	10~12세	1년	유전자검사 양성이면 colectomy 고려
	HNPCC	colonoscopy	20~25세	2년	40세 이후에는 1년마다
	CRC or advanced adenoma의 60세 이상 1차친족 1명	colonoscopy	40세	10년	
	CRC or advanced adenoma의 60세 미만 1차친족 1명 or any 2명	colonoscopy	40세 or 가장 어린 환자보다 10세 이전	5년	

* HP: hyperplastic polyp, SSP/A: sessile serrated polyp/adenoma, SPS: serrated polyposis syndrome

소장의 종양

1. 개요

- 소장 : 전체 장 길이의 75%, 점막 표면의 90%를 차지하지만, 전체 소화관 종양의 1~6%만이 발생
- 소장에 종양(특히 adenocarcinoma)이 적은 이유
  ① 통과 시간이 빠름 (→ carcinogen에 대한 노출 감소)
  ② 장내 세균의 수가 적다
  ③ 장내 수분 양이 많으므로 carcinogen이 희석
  ④ 내용물 : 알칼리 상태, hydroxylase, IgA 많다
  ⑤ 빠른 점막세포의 교체 주기 (소장 4~6일, 대장 305일)
- 소장의 종양을 의심해야 하는 경우
  ① 반복적인 경련성 복통의 원인이 불분명할 때
  ② IBD나 수술의 병력 없이 간헐적인 장폐쇄 발생시
  ③ 성인에서 intussusception 발생시
  ④ barium study 등 일반적인 방사선검사는 정상인데도
     만성적인 장출혈의 증거가 있을 때
- 진단 ; 세밀한 소장 조영술이 가장 우선
  - enteroclysis (경구로 십이지장 입구에 관을 삽입한 뒤 조영제를 주입)
  - 내시경 ; push enteroscopy, double-balloon enteroscopy, capsule endoscopy 등

2. Adenocarcinoma

- 소장의 원발성 악성종양 중 m/c (약 50%)
- distal duodenum과 proximal jejunum에서 호발
- 예후 안 좋다 (5YSR : 20~35%)

3. Lymphoma

- 소장의 lymphoma ; 소장 악성종양의 17~20%, 전체 lymphoma의 1~5% 차지
  (GI tract은 NHL의 m/c extranodal site)
- extranodal lymphomas는 cell lineage에 따라 분류함 (e.g., DLBCL, BL, FL, MALT ...)
  → B-cell lymphoma가 흔함 (T-cell lymphoma는 대개 celiac dz.와 관련)
- 임상양상에 따라 focal 경향의 primary small intestinal lymphoma (PSIL)와 diffuse 경향의
  immunoproliferative small intestinal disease (IPSID)로 분류하기도 함
                              ↳ MALT lymphoma의 드문 subtype임
- 진단
  - enteroclysis, CT/MR enterography, double-balloon enteroscopy, capsule endoscopy 등
  - barium 조영술 ; 소장 lymphomas는 형태가 다양하므로 비특이적임
  - overtube-assisted deep enteroscopy ; 조직검사 가능
  - 내시경 조직 검사가 정상이더라도 IPSID가 강력히 의심되면 진단적 개복술 시행

Primary small intestinal lymphoma (PSIL)의 특징
1. Palpable peripheral lymphadenopathy 없음 2. 말초혈액의 WBC & differential 정상 3. CXR에서 mediastinal lymphadenopathy 없음 4. 위장관 및 proximal regional LN만 침범함 5. 간/비장은 침범 안 함

	PSIL	IPSID
위험인자	AIDS, IgA 결핍, 면역저하, 자가면역질환, celiac dz., IBD?	지중해 연안의 중동 지방에 호발 (→ 영양결핍, 위생불량 ?) 미생물(*Campylobacter jejuni*) ?
호발연령	50~60대, 남>여	10~20대, 남=여
발생부위	ileum (m/c) > jejunum > duodenum	jejunum
침범양상	한 segment 만	Diffuse
증상	비특이적, 복통(흔히 crampy), 체중감소, 5~12%에서 소장폐쇄	설사(거의 대부분), 지방변, 체중감소, 식욕부진, 복통, 구역, 발열
P/Ex	복부 종괴 촉지 (30~50%)	곤봉지 및 발목부종 (50~75%)
기타	약 1/2에서 regional LN 침범 복부 이외 장기 침범도 흔함	70%에서 혈청 α -heavy chain paraprotein (IgA) 존재 복부 이외 장기는 거의 침범 안 함
치료	수술 and/or CTX ± RTx (e.g., R-CHOP)	초기에는 항생제(TC, metronidazole) 후기에는 + CTx./RTx.

4. Carcinoid tumor

- 항상 악성, Argentaffin cells에서 기원
- distal ileum에 m/c (50% 이상), 35% 이상에서 multiple, 대개 2 cm 이하
- 5-HIAA↑, serotonin↑

10
흡수장애

■ 개요

1. 영양소의 주된 흡수 부위

Small intestine	Proximal	fat, iron, calcium	carbohydrate, folate, 기타 수용성 vitamins
	Middle	protein	
	Distal (ileum)	cobalamin (vitamin B_{12}), bile salts	
Colon		water & electrolytes (특히 cecum에서)	

2. 담즙산 (bile acid)

- 십이지장 내 bile salts (acid)의 감소 → 지방 및 지용성 비타민 (e.g., β-carotene, vitamin A, D, E, K) 흡수 감소, 지방변
- bile acid (salt) 순환의 장애   → II-9장 참조
  ① 합성↓ ; 간기능 감소 (e.g., LC)
  ② 담도 배설↓ ; 담도계 폐쇄 (e.g., PBC)
  ③ deconjugation↑ ; bacterial overgrowth (e.g., jejunal diverticulosis)
  ④ 재흡수↓ ; distal ileum의 병변/절제 (e.g., crohn's dz.)

■ Bile acid *vs* Fatty acid diarrhea

	Bile acid diarrhea	Fatty acid diarrhea
회장 질환/절제 정도	경미함	심함
대변 bile acid 소실에 대한 간의 합성↑ 보상	O	X
Bile acid pool	정상	↓
십이지장내 bile acid	정상	↓
지방변	No ~ mild	>20 g
Cholestyramine에 반응	O	X
저지방식이에 반응	X	O

- 회장(ileum) 질환/절제의 경우 모두 bile acid 재흡수 감소, 대변내 bile acid 배설 증가를 보이나, ileal dysfunction의 정도에 따라 경미하면 bile acid diarrhea (∵ bile acid가 대장 분비 자극), 심하면 지방흡수장애(steatorrhea)를 동반한 fatty acid diarrhea가 나타남
- cholestyramine (anion-binding resin)의 therapeutic trial로 감별 가능

3. 지질의 흡수 과정

① intraluminal (digestive) phase
  - 췌장효소(lipase)에 의한 lipolysis ; TG를 fatty acids로 분해
  - 담즙산과의 micelle 형성 ; 지용성인 fatty acids를 수용성으로 만들어 장 상피세포에서 흡수되도록 함 (conjugated bile acids는 간에서 합성됨)

② mucosal (absorptive) phase ; mucosal uptake, TG로의 reesterification

③ delivery (post-absorptive) phase ; chylomicron 합성, lymphatics를 통해 간으로 전달됨

	Long-chain FA (LCFA)	Medium-chain FA (MCFA)	Short-chain FA (SCFA)
Carbon chain 길이	>12	8~12	<8
음식내 존재	다량	소량	無
근원	식사(TG)	식사(TG), 소량	대장 세균이 흡수 안된 탄수화물을 분해
주요 흡수 부위	소장	소장	대장
Pancreatic lipolysis 필요	○	×	×
Micelle formation 필요	○	×	×
대변내 존재	소량	無	다량

* medium-chain TG (MCT) : 담즙산(micelle 형성)과 lipase 없이도 흡수되므로 지방흡수장애 환자에 유용 (but, 필수지방산이 없고, 위 배출을 지연시킬 수 있음)
  - long-chain TG보다 더 잘 흡수되는 이유
    ① long-chain TG보다 흡수 속도 빠름
    ② medium-chain FA는 흡수된 뒤 re-esterification 안됨
    ③ MCT는 흡수 된 뒤 medium-chain FA로 분해됨
    ④ MCT는 intestinal epithelium을 빠져나가기 위해 chylomicron을 형성할 필요 없음
    ⑤ lymphatics를 통하지 않고 portal vein을 통해 운반됨
  - lipase가 있어서 short-chain FA로 바뀌면 더 잘 흡수됨

4. 흡수장애의 원인

(1) 위에서의 부적절한 유화/혼합(mixing)

; 위절제, 위장간 누공, 위유문부 연동운동 장애, 위 bypass 수술

(2) 췌장분해효소의 결핍 (지방 분해 장애)

; 만성췌장염, 췌장암

(3) 장관내 불충분한 담즙염에 의한 micelle 형성 장애

; 심한 만성 간질환, 장기간의 담도폐쇄, 회장 말단부 절제/병변(e.g., CD), 체류성 장증후군
(bacterial overgrowth), gastrinoma (ZES), 약물(cholestyramine, neomycine, calcium carbonate)

(4) 소장 점막의 병변(흡수장애)

1) 염증/침윤 ; CD, TB, scleroderma, amyloidosis, lymphoma, AIDS, radiation …
2) short-bowel syndrome (소장의 50% 이상 절제시)
3) celiac sprue (gluten hypersensitivity), topical sprue
4) bacterial overgrowth

(5) 영양소 운반 장애 (lymphatic drainage 장애)

; lymphoma, intestinal lymphansiectasia, whipple's dz., TB, 심한 CHF, constrictive pericarditis

(6) 미소융모막 효소의 이상

; hypogammaglobulinemia, disaccharidase deficiency

(7) 내분비/대사질환

; DM, hypoparathyroidism, adrenal insufficiency, hyperthyroidism, carcinoid syndrome

5. 흡수 안된 영양분에 따른 임상양상

영양분	대표적 임상양상
단백질	소모병, 부종
탄수화물 및 지방	설사, 복통, 더부룩함, 체중감소, 성장지연
수분 및 전해질	설사, 탈수
철	빈혈, 입술증 등
칼슘/비타민D	뼈 통증, 골절, 강직
마그네슘	감각이상, 강직
비타민B_{12}/엽산(folate)	빈혈, 설염, 감각이상 등
비타민E	감각이상, 조화운동불능, 망막병
비타민A	야맹증, 눈마름증, 각화과다증, 설사
비타민K	출혈반
Riboflavin	구각염(입꼬리염), 입술증
아연	피부염, 미각저하증, 설사
셀레니움	심근병증
Essential fatty acids	피부염

6. 임상양상에 따른 기전

임상양상		발생기전
위장관	영양실조 및 체중감소	식욕부진, 영양분의 흡수장애 → calories 상실
	설사	수분과 전해질의 흡수장애 또는 분비증가,
		흡수 안된 bile acids & fatty acids에 의한 대장의 수분 분비
	방귀	흡수 안된 탄수화물을 세균이 발효
	Glossitis, cheilosis, stomatitis	Iron, vitamin B_{12}, folate, 기타 vitamins 등의 결핍
	복통	장의 염증/팽창, 췌장염
비뇨 생식	Nocturia	수분의 흡수 지연, hypokalemia
	요독증, 고혈압	수분과 전해질 고갈
	무월경, 성욕 감소	단백질 결핍과 "caloric starvation" → secondary hypopituitarism
혈액	빈혈	Iron, vitamin B_{12}, folic acid 등의 흡수장애
	출혈 경향	Vitamin K 흡수장애, hypoprothrombinemia
근골격	뼈 통증	단백질 결핍 → 뼈 형성 장애 → osteoporosis
		칼슘 흡수장애 → 뼈의 demineralization → osteomalacia
	Osteoarthropathy	원인 잘 모름
	강직, 감각이상	칼슘 & 마그네슘 흡수장애
	쇠약	빈혈, 전해질 고갈(특히 hypokalemia)
신경	야맹증, 눈마름증	Vitamin A 결핍
	Peripheral neuropathy	Vitamin B_{12}, thiamine 결핍
피부	Eczema	원인 잘 모름
	Purpura	Vitamin K deficiency
	Follicular hyperkeratosis, 피부염	Vitamin A, zinc, essential fatty acids, 기타 vitamins 등의 결핍

진단

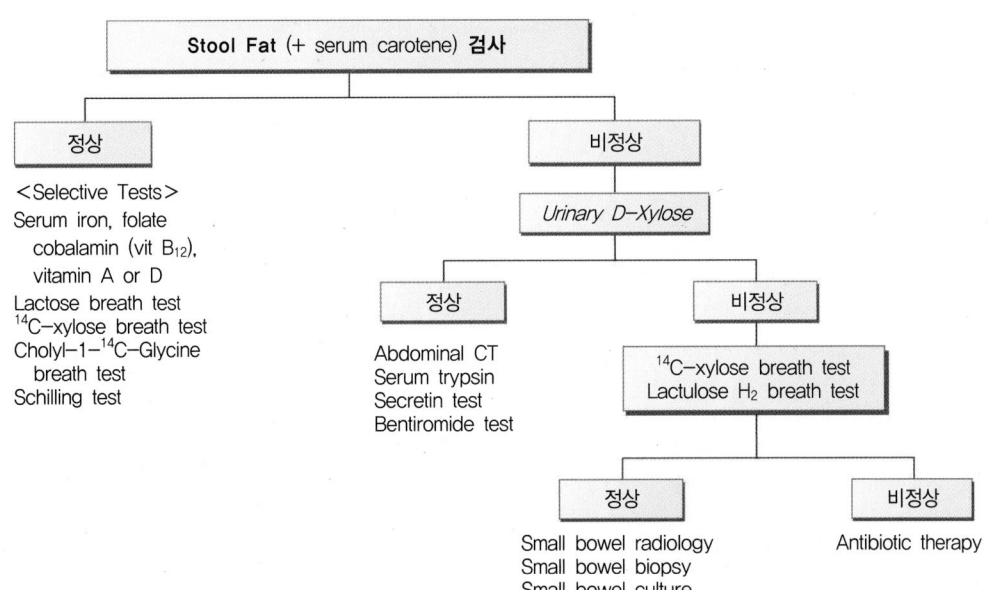

흡수장애의 evaluation

1. Screening tests (흡수장애 여부 평가)

(1) fecal fat analysis (qualitative/quantitative)
- 대변 sudan III 염색법 (정성검사) : orange globule 관찰, m/g screening test!
- acid steatocrit (AS) test : 반정량검사, 간편하고 stool fat 정량검사와 상관성 좋음
- 대변내 지방 정량검사 : steatorrhea 확인, 지방 흡수장애의 gold standard test (but, 불편함), 고지방식이를 하면서 3일간 대변 수집 (정상: 72hr collection에서 fat <6 g/day)
- near infrared reflectance analysis (NIRA) [~ spectroscopy (NIRS)] : 72hr collection 만큼 정확하면서 좀 더 빠르고 간편, 질소와 탄수화물도 동시 측정 가능
- 대변의 육안적 양상도 확인해야 됨

(2) breath (oral) test
- triolein breath test ; ^{14}C-triolein (중성지방) 섭취 후 호기에서 $^{14}CO_2$ 측정, 지방 흡수장애시 감소, 정확성이 떨어지고 radioactive ^{14}C를 사용해야 해서 거의 이용 안됨
- ^{13}C-mixed triglyceride (^{13}C-MTG) breath test ; ^{13}C-MTG 섭취 후 호기에서 $^{13}CO_2$ 측정 지방 흡수장애시(e.g., exocrine pancreatic insufficiency) 감소

(3) blood tests
- CBC, electrolytes, protein, albumin, LFT, cholesterol, PT, iron, folate, cobalamin, vitamin D...
- serum carotene (정상: >0.06 mg/dL) : 지용성 비타민의 흡수장애 or 식이결핍 시 감소

2. Additional tests (소장질환과 췌장질환의 감별)

(1) D-xylose absorption (urinary D-xylose excretion) test
- D-xylose는 소장(대부분 근위부)에서 passive diffusion으로 흡수되므로, 소장 면적이 정상이면 흡수는 정상임 (→ 신장을 통해 배설) : 소장 점막의 탄수화물 흡수(면적)의 적정 여부 평가
- 정상(25 g 복용 후 >4 g/5hr)이면 췌장질환을 의심하고 검사 시행
- 감소되는 경우
  ① small bowel disease (duodenal/jejunal mucosal dz.) → mucosal biopsy 시행
  ② bacterial overgrowth (정상일수도)
  ③ renal insufficiency
  ④ large 3rd space fluid (e.g., ascites, pleural fluid)
  ⑤ drugs (e.g., aspirin, indomethacin)
  ⑥ incomplete urine collection (m/c)
- 위음성이 많고 내시경검사(mucosal biopsy)의 증가로 이용 감소

(2) 영상검사
- barium-contrast small-bowel series, enteroclysis, CT/MR enterography
- capsule endoscopy, double-balloon enteroscopy

(3) 췌장 외분비기능의 평가
- stool elastase 1, chymotrypsin 등
- secretin test : IV secretin 투여뒤 duodenal content에서 HCO_3^- 측정

- secretin-CCK test → trypsin, amylase, lipase 등의 췌효소도 측정
- Lundh test : 음식을 주고 tube 통해 췌장분비물을 흡수하여 trypsin 측정
- NBT-PABA test (bentiromide test)

→ II-11장 만성 췌장염 편 참조

(4) Schilling test ··· vitamin B_{12} (cobalamin) 흡수장애 검사

- radioactive cobalamin 경구 투여 후 24hr urine 검사 (정상: >8%), 현재는 없어져서 이용 안함
- cobalamin malabsorption의 원인
  - ileal disease : cobalamin-IF 흡수 장소의 소실
  - bacterial overgrowth : 세균이 cobalamin을 섭취 (blind loop synd.)
  - pernicious anemia : 위산과 IF (intrinsic factor)의 분비 감소
  - exocrine pancreatic insufficiency : R protein을 분리하지 못함

참고: Differential Schilling (^{58}Co-Cyanocobalamin) Test

	Stage 1: Free Cobalamin	Stage 2: Free Cobalamin + IF	Stage 3: Free Cobalamin + 췌장추출물(효소)	Stage 4: Free Cobalamin + 항생제	Comment
Pernicious anemia	X	O	X	X	Severe cobalamin deficiency시엔 반드시 1주일간 cobalamin therapy 이후에 시행
Chronic pancreatitis	X	X	O	X	Cobalamin malabsorption은 흔하나, cobalamin deficiency는 드묾
Bacterial overgrowth	X	X	X	O	Anaerobicidal antibiotics 필요
Ileal disease	X	X	X	X	Receptor가 영구적으로 손상되면 cobalamin 흡수장애도 영구적
Complete vegetarian	O	O	O	O	Poor intake에 의한 cobalamin deficiency / 흡수는 정상
Hypo- or achlorhydria	O	O	O	O	Cyanocobalamin (free B_{12})의 흡수는 acid와 관계없다. 음식의 B_{12} (protein-bound)는 관련; protein-bound cobalamin absorption test를 시행해야

O : normal, X : abnormal

(5) selenium-75-labeled homotaurocholic acid test (SeHCAT)

- selenium-75로 표지된 합성 담즙산을 경구로 투여 (→ enterohepatic circulation 거침)
- 0, 1, 3, 5, 7일째 gamma scintigraphy로 촬영, 잔류량이 투여량의 10~15% 미만이면
  → bile acid 흡수장애 ; terminal ileum 질환/절제 등
- but, 시간이 오래 걸려 잘 이용 안됨 → 대변 bile acids 정량검사 선호

3. 소장질환의 규명

(1) small intestinal mucosa biopsy

- 적응증 ; steatorrhea 또는 chronic (>3주) diarrhea, 소장 영상검사에서 이상 소견시
- 분류(category)
  ① diffuse, specific lesions ; Whipple's dz., abetalipoproteinemia, immune globulin deficiency
  ② patchy, specific lesions ; intestinal lymphoma, lymphangiectasia, eosinophilic gastroenteritis, Crohn's dz., amyloidosis, infections, mastocytosis
  ③ diffuse, nonspecific lesions ; celiac/tropical sprue, bacterial overgrowth, folate/vitamin B_{12} deficiency, ZES, protein-calorie malnutrition, radiation enteritis, drug-induced enteritis

(2) small intestinal culture

(3) breath test for bacterial overgrowth

① ^{14}C-D-xylose breath test
② lactulose-H_2 breath test
③ bile salt breath test (Cholyl-1-^{14}C-glycine)
→ 호기내 CO_2 증가하는 경우
  ┌ bacterial overgrowth
  └ bile acid malabsorption ; ileal resection, inflammatory dz.

	소장성 흡수장애	췌장성 흡수장애
D-xylose absorption test	↓	N
Secretin stimulation test	N	Abnormal
Bentiromide test	N	Abnormal
Urine 5-HIAA	↑	N

4. 췌장질환의 규명

; 복부 US, EUS, CT, ERCP, MRCP 등

5. Lactase deficiency

- 수소호기검사(lactose-H_2 breath test) : 장내세균에 의해 lactulose가 발효되어 H_2 생성
- lactose-free diet 섭취 (→ Sx. 호전되면 진단)

비열대스프루 (Celiac disease, Nontropical sprue)

- gluten-sensitive enteropathy로 자가면역질환의 일종임
  - gluten : 곡물(밀, 보리 등)의 단백질 성분 (쌀이나 옥수수, 콩, 감자에는 없음)

- 근위부 소장 점막의 diffuse damage로 인하여 대부분의 영양소에 대한 흡수장애가 발생함
- 주로 유럽 백인에서 발생 / 거의 모든 환자가 HLA-DQ2 (or DQ8) allele 표현
- 다른 질환과 동반될 수 있음

  ① 자가면역질환 ; Addison's dz., Graves' dz., type I DM, IgA deficiency, myasthenia gravis, scleroderma, Sjögren's syndrome, SLE, pancreatic insufficiency

  ② Down syndrome, Turner's syndrome

- 임상양상

  ① steatorrhea, weight loss, anemia (iron or folate deficiency), osteoporosis ...

  ② stools ; loose~soft, large, oily or greasy, 악취

  ③ dermatitis herpetiformis ; 특징적, 10% 미만에서만 발생

  ④ Cx. ; GI & non-GI malignancy↑ (e.g., intestinal lymphoma), ulcer ...

- 진단

  ① malabsorption의 증거 ; stool fat 증가 (>7 g/day)

  ② serologic tests - screening & F/U

    - IgA anti-tTG (tissue transglutaminase) Ab : 95% sensitivity & 95% specificity

      → IgA anti-tTG가 음성이면 total IgA 측정 (∵ 환자의 ~3%는 IgA deficiency 동반)

      → IgA deficiency 환자는 IgG anti-deamidated gliadin peptide (anti-DGP) 측정

    - antigliadin Ab : sensitivity & specificity가 낮아 권장 안 됨

    - IgA antiendomysial Ab (EMA) : 검사실간 표준화 부족으로 권장 안 됨

  ③ small bowel (duodenal/jejunal) biopsy - 확진

      ; flattened villi, crypt hyperplasia, intraepithelial lymphocytes 증가 등

  ④ gluten-free diet 후 clinical, serologic, histologic improvement

- 치료 ; gluten-free diet (→ 90%가 2주 이내에 증상 호전됨)

젖당흡수장애 (Lactose intolerance, Lactase deficiency)

- 분류

  1. **Primary** : 동양인에 많음(90~100%), premature 시 호발, 대부분 무증상

  2. **Secondary** : CD, sprue, Whipple's disease, eosinophilic enteritis, viral/bacterial gastroenteritis, giardiasis, short bowel syndrome, malnutrition, AIDS enteropathy, radiation enteritis ...

- 기전

  - lactose (우유의 이당류) $\xrightarrow{\text{lactase}}$ glucose + galactose (단당류)

  - 흡수 안된 lactose는 장내세균에 의해 분해되어 가스와 유기산을 생성

  - 흡수 안된 lactose와 유기산(organic acid)에 의해 osmotic diarrhea 발생

- 일부에서 설사, 복통, 복부팽창, 방귀 등의 증상 발생 (IBS와 비슷)

- 증상 발생에 관여하는 요인

  ① 섭취한 lactose의 양↑ → 증상↑

  ② 위 내용물의 배출속도↑ → 증상↑

③ 소장 통과속도↑ (→ 대장의 처리 능력 초과) → 증상↑
④ 대장의 보상작용 (lactose로부터 SCFA 생성, SCFA는 수분 재흡수를 촉진)
  ; 대장세균이 감소하면 증상↑ (e.g., 항생제 사용)
- 진단
① hydrogen breath test : 장내세균의 lactose 분해에 의해 H_2 생성
② 3주간 lactose-free diet 시행
- 치료 : 우유/유제품 제한 (소량으로 나누어 섭취하면 lactase 보충 없이도 대부분 증상 발생 안함)

WHIPPLE'S DISEASE

- 원인 : *Tropheryma whipplei* (Gram 음성균)에 의한 multisystemic disease
- malabsorption (steatorrhea)의 발생기전 ; 소장점막 손상, 림프관 폐쇄
- 임상양상 ; 설사, 지방변, 복통, 체중감소, 관절통, CNS 이상 ...
- 진단 ; 소장, 활막, 림프절 등의 생검
  - 특징적인 small bacilli를 함유한 foamy PAS(+) macrophage
  - *Tropheryma whipplei* 균 분리 (배양, PCR) : 확진
- 치료 ; 장기간의 (약 1년) 항생제 요법 (double-strength TMP-SMX or chloramphenicol)

BACTERIAL OVERGROWTH
(= Stagnant bowel syndrome, Blind loop syndrome)

1. 개요

- 정의 : 어떤 원인에 의해서건 소장 내에 세균이 과다 증식하여 흡수장애를 일으킨 것
  (SIBO, small intestinal bacterial overgrowth)
- 유발인자(e.g., 장유착)를 가진 환자에서 지방흡수장애, 지방변, 설사, 체중감소,
  megaloblastic anemia (cobalamin↓) 등을 보이면 의심

2. 병태생리/임상양상

① colon-type bacteria가 소장에서 과다 증식 (e.g., *E. coli, Bacteroides*)
② 일부 세균(e.g., *Bacteroides*)이 conjugated bile acids를 deconjugation
  → conjugated bile acids 감소, unconjugated bile acids는 소장 근위부에서 흡수,
  소장내 bile salts 농도 ↓ → micelle 형성 장애 → fat 흡수장애, steatorrhea
③ 세균이 IF와 vitamin B_{12}를 분리한 뒤 vitamin B_{12}를 섭취 → vitamin B_{12} 흡수장애 (결핍)
  → megaloblastic anemia
④ diarrhea (∵ steatorrhea, bacterial enterotoxin), 체중감소

* proximal small intestine에 세균이 적은 이유
  ① stomach의 acid milieu
  ② peristalsis
  ③ immunoglobulins의 분비

3. 원인

> **1. 장 내용물의 정체를 일으키는 해부학적 이상 (anatomic stasis)**
> Diverticula
> Strictures ; CD, TB, Regional enteritis, Radiation enteritis, Vasculitis
> Billroth II subtotal gastrectomy with afferent loop stasis
> 여러번의 개복술로 인해 adhesions과 partial small-bowel obstruction 발생시
> Intestinal bypass (e.g., jejunoileal bypass for obesity)
> Fistulas ; Gastrocolic, gastroileal, jejunoileal, jejunocolic
>
> **2. 장의 연동운동이 감소되는 기능장애 (functional stasis)**
> Scleroderma, Amyloidosis, DM, Hypothyroidism, Vagotomy, Intestinal pseudoobstruction
>
> **3. 소장과 대장의 direct connection**
> Ileocolonic resection, Enterocolic anastomosis, Short bowel syndrome
>
> **4. 기타**
> Hypogammaglobulinemia, Nodular lymphoid hyperplasia, Pancreatic insufficiency
> Gastric hypochlorhydria/achlorhydira ; Subtotal gastrectomy, Pernicious anemia
> H_2-blockers or PPI의 장기간 사용

4. 진단

① proximal jejunal fluid를 흡인하여 배양 → 10^5/mL 이상의 세균 증명
   (원인균은 확진 가능하나, invasive하여 시행 어려움)
② Schilling test : 5일간 항생세 투여 후에만 정상으로 됨 (확진 가능)
③ ^{14}C-D-Xylose breath test : 장내세균이 xylose를 대사하여 $^{14}CO_2$ 생성
④ lactulose-H_2 breath test : 장내세균에 의해 lactulose가 발효되어 H_2 생성
⑤ serum vitamin B_{12}↓, folate↑ (∵ 장내세균이 folate를 생산)
* 보통은 임상적으로 의심하고 경험적 치료에 반응하는 것으로 진단함

5. 치료

① 해부학적 이상 (anatomical blind loop) → 수술로 교정
② functional stasis → 광범위 항생제
   ; metronidazole, amoxicillin/clavulante, rifaximin, cephalosporins 등
   • 증상이 좋아질 때까지 or 3주간 치료
   • 증상이 재발하기 전에는 예방적 치료를 할 필요는 없음
   • 자주 재발하는 경우 → 매달 1주일 동안씩 항생제 투여

짧은창자증후군 (Short bowel syndrome)

- proximal duodenum, distal 1/2 ileum, ileocecal valve만 보존되면, small bowel의 40~50%를 resection해도 괜찮음
- ileum과 ileocecal valve를 절제하면, 소장의 30% 미만을 절제하더라도 심한 설사와 흡수장애 (vitamin B_{12}, bile salts)를 일으킬 수 있음

  ┌ bile salts 흡수 감소 → 지방 및 지용성 비타민 흡수장애 (지방변)
  └ 흡수 안된 bile salts → 대장 점막에 작용하여 수분/전해질 분비 촉진 (설사)

  - ileal dysfunction이 경미하면 bile acid diarrhea (∵ bile acid가 대장 분비 자극), 심하면 지방흡수장애(steatorrhea)를 동반한 fatty acid diarrhea가 나타남

- nonintestinal Sx.
  ① renal calcium oxalate stone (∵ colon에서 oxalate 흡수↑)
  ② cholesterol gallstone (∵ bile acid pool↓)
  ③ gastric acid hypersecretion (→ 설사/지방변 발생에도 기여)

- 치료
  ① intestinal motility를 감소시키는 drugs ; opiates (e.g., codeine)
       (→ mucosal contact time↑ → diarrhea 조절에 좋다)
  ② diet ; 저지방 고탄수화물, medium-chain TG (MCT), low-lactose, fiber
  ③ ileocecal valve가 없으면 bacterial overgrowth도 고려하여 치료
  ④ PPI : 위산과다분비가 원인인 경우
  ⑤ cholestyramine (bile salt-sequestrating agent)
       → bile salts가 대장에서 수분/전해질 분비를 촉진시키는 작용을 막음
  ⑥ vitamin과 mineral 보충 (특히 folate, cobalamin, Ca, iron, Mg, Zn)
  ⑦ home TPN
  ⑧ trophic hormones ; glucagon-like peptides 2 (GLP-2)
  ⑨ intestinal transplantation : 계속 TPN이 필요한 (intestinal failure) 환자에서 고려

  c.f.) diarrhea ┌ short bowl syndrome : osmotic > secretory
                 └ bowel resection : secretory > osmotic

단백소실장병증 (Protein-losing enteropathy)

1. 개요

- 정의 : 단백뇨 또는 단백합성장애(e.g., 만성질환) 없이 저단백혈증과 부종을 일으키는 증후군
- 위장관에서 protein loss의 발생기전
  ① mucosal ulceration → exudation으로 소실 (e.g., UC, GI cancer, PUD)
  ② mucosal damage → permeability 증가로 소실 (e.g., celiac sprue, Ménétrier's dz.)
  ③ lymphatic dysfunction : 일차적/이차적(e.g., 림프절비대, 심장질환) 원인으로 인한
     림프관 폐쇄로 인한 림프액 소실
- 치료 → 원인 질환의 치료

2. 원인

Stomach	Colon
Peptic ulcer	Colonic neoplasm
Gastric carcinoma	Ulcerative colitis
Ménétrier's dz.	Granulomatous colitis
Atrophic gastritis	Megacolon
Eosinophilic gastritis	**Heart**
Postgastrectomy syndrome	Congestive heart failure
Small intestine	Constrictive pericarditis
Crohn's dz., Intestinal lymphangiectassia	Interatrial septal defect
Celiac sprue, Tropical sprue	Primary cardiomyopathy
Regional enteritis, Whipple's disease	**기타**
Lymphoma, Scleroderma	Esophageal carcinoma
Intestinal TB, Acute infectious enteritis	Gastrocolic fistula
Jejunal diverticulosis	Agammaglobulinemia
Allergic gastroenteropathy	Nephrosis
Eosinophilic gastroenteritis	
Bacterial overgrowth	

3. GI protein loss의 진단/검사소견

① radiolabeled macromolecules IV & 대변에서 정량 (일반적인 사용은 어려움)
  ; ^{125}I-labeled serum albumin, ^{51}CrCl$_3$, ^{51}Cr-labeled albumin, indium-111
② α_1-antitrypsin (장내 proteolysis에 저항성을 보임) ⋯ screening test로 유용
  - random fecal α_1-antitrypsin (정상 <2.6 mg/g stool)
  - α_1-antitrypsin clearance test (정상 <13 mL/day)
  - 위산에 의해서는 파괴되므로 gastric protein loss는 발견 못함
③ serum protein (albumin & globulin ↓) → 간질환, 신증후군, 울혈성 심부전 등을 R/O 해야
④ lymphatic dysfunction에 의한 경우는 lymphocytes도 소실 → 말초혈액의 lymphopenia

■ 림프관확장증 (Intestinal lymphangiectasia)

- hypoplastic visceral lymphatic channels → lymph flow obstruction → intestinal lymphatic pr. ↑
  → rupture → 장내로 lymph 소실 → 장내로 protein과 fat 소실 → hypoproteinemia, steatorrhea
- Sx ; edema, chylous effusion, diarrhea, malabsorption
- albumin, IgA, IgG, IgM, transferrin, ceruloplasmin 등의 level 감소
- Tx
  ① low-fat diet (→ lymph flow↓ → protein, fat loss↓)
  ② MCT (medium-chain triglycerides) : 림프관을 통해서가 아니라 portal vein을 통해서 운반됨

■ 호산구성 위장염 (Eosinophilic gastroenteritis)

- 원인 ; 모름
  - 약 50%에서 allergic Hx.가 있고, 대부분 food Ag skin test 양성임 (anaphylaxis는 없이)
    → food hypersensitivity syndrome의 지연 반응이 의심됨
  - peripheral eosinophilia 동반 (50~75%)
- GI tract의 어느 곳이나 침범할 수 (antrum에 호발하며, 위점막주름이 두꺼워짐)
- 증상 ; 설사(30~60%), 복통, N/V, 체중감소, 지방변, protein-loosing enteropathy
- 침범하는 층에 따른 분류 (3 forms)
  ① mucosal form (m/c) ; N/V/D, 복통, protein-loosing enteropathy, GI blood loss (IDA)
  ② muscularis form ; GI obstruction (abdominal colic)
  ③ serosal form (가장 드묾) ; eosinophilic ascites, 복부팽만, 말초 eosinophilia 심함
- 진단 ; endoscopic biopsy (mucosal edema와 dense eosinophilic infiltration)
- 치료
  ① elimination diet (skin test or specific IgE 양성인 음식들)
  ② steroid (DOC, 재발은 흔함) : systemic/oral (저용량 2~6주) or local (budesonide tablet)
    - 반응이 없거나 steroid에 의존적인 심한 경우 (드묾) → azathioprine or 6-MP 고려
  ③ 내과적 치료에 반응 없고 폐쇄가 지속되면 침범된 부분의 resection

INTESTINAL LYMPHOMA

- 임상이나 조직학적 소견이 celiac sprue와 비슷
- abdominal pain, fever, intestinal obstruction, steatorrhea
- malabsorption의 발생기전
  ① 미만성으로 small-intestinal mucosa를 침범
  ② bowel wall을 침범하여 lymphatic obstruction을 일으킴
  ③ 국소적인 stenosis, stasis → bacterial overgrowth
- celiac sprue와 감별이 매우 어렵고, celiac sprue의 late Cx.으로 lymphoma가 발생하기도 한다

11
복막 질환

복수(Ascites)

- 정의 : 복강 내 fluid 증가 (>25 mL)
- 원인 ; 간경변이 m/c (84%, SAAG >1.1인 경우는 95% 이상)
- 임상양상 ; 복부팽만, 체중증가, 이동탁음(shifting dullness)

■ Diagnostic paracentesis
- 위치 : 좌하복부(anti-McBurney point)가 가장 안전
  ① Monro-Richers line (umbilicus와 ASIS를 연결하는 선)의 아래쪽 1/3
  ② umbilicus와 pubic bone의 정중선의 1/2이상 지점
- 육안 소견(gross appearance)
  ① turbid (cloudy) ; infection, tumor cells
  ② milky (white) ; TG >200 mg/dL (흔히 >1000) ⋯ chylous ascites
  ③ dark brown ; bilirubin↑ ⋯ biliary tract perforation
  ④ black ; hemorrhagic pancreatitis, pancreatic necrosis, metastatic melanoma
  ⑤ bloody ; 대부분 traumatic paracentesis (금방 응고됨), malignant ascites의 약 20%
- **필수 검사** ; total protein, albumin, cell count & diff., 감염 의심되면 Gram stain & culture
- 추가 검사 ; cytology (malignant ascites R/O), amylase (pancreatic ascites R/O), AFB stain & TB culture & ADA (peritoneal TB R/O), glucose & LD (secondary peritonitis R/O), TG (chylous ascites R/O) ...

* <u>SAAG (serum-ascites albumin gradient)</u> = serum albumin 농도 - ascites albumin 농도
  - ascites 원인 분류의 첫 단계! (portal hypertensive ↔ non-portal hypertensive)
  - hepatic sinusoids 내 압력을 반영하여 hepatic venous pr. gradient (HVPG)와 비례함
    (대략 SAAG 1.1 g/dL = HVPG 11~12 mmHg)
  - 정확도 95% 이상
  - 정확도가 떨어지는 경우 ; 복수/혈액 검체를 동시에 채취하지 않았을 때, serum albumin이 매우 낮을 때, chylous ascites (SAAG falsely↑), serum hyperglobulinemia (>5 g/dL)
  - 약 4%는 mixed ascites (e.g., LC with portal HTN + malignancy or TB 동반시)

  c.f.) 과거에는 복수 단백질 농도(2.5 g/dL)에 따라 exudates와 transudates로 구분하기도 했으나, pleural fluid와는 달리 감염이 있어도 true exudate는 되지 않으므로 잘 안 씀

SAAG에 의한 Ascites의 분류 ★

Normal Peritoneum		
SAAG ≥ 1.1 g/dL (portal HTN)		**SAAG < 1.1 g/dL**
Ascitic protein < 2.5 g/dL	Ascitic protein ≥ 2.5 g/dL	Hypoalbuminemia
Intrahepatic cause (hepatic sinusoids의 손상, 섬유화로 protein 통과 못함)	**Post-hepatic cause** (hepatic sinusoids는 정상이라 protein 통과 가능)	Nephrotic syndrome (protein도 ↓) Protein-losing enteropathy Severe malnutrition with anasarca
Liver cirrhosis (m/c) Alcoholic hepatitis Fulminant hepatic failure Massive hepatic metastasis Hepatic fibrosis Acute fatty liver of pregnancy Late Budd-Chiari syndrome LC + SBP	**Hepatic congestion** Heart failure Constrictive pericarditis Tricuspid insufficiency Early Budd-Chiari syndrome IVC obstruction Veno-occlusive disease (sinusoidal obstruction synd.) **기타** Nephrogenic (dialysis) ascites Myxedema (기전은 모름) **Mixed ascites** LC + TB peritonitis 등	**기타** ; Chylous, Pancreatic, Bile, Urine ascites, Ovarian disease **Diseased Peritoneum** **감염** ; Bacterial, TB, Fungal, HIV-associated peritonitis **악성종양** Peritoneal carcinomatosis Primary mesothelioma Pseudomyxoma peritonei Massive hepatic metastases Hepatocellular carcinoma **기타** ; Vasculitis, Granulomatous peritonitis, Eosinophilic peritonitis

		Ascitic						
	Diagnosis	WBCs (/mm^3)	RBCs Count	Cytology (암세포%)	생화학 검사	SAAG (g/dl)	기타	
Portal HTN	LC	<250 PMN	거의 없음	0	Protein ↓	>1.1	–	
	SBP (primary peritonitis)	>250 PMN	거의 없음	0	Protein ↓, Glucose↑, LD↓	>1.1	–	
	Cardiac ascites	<250 PMN	거의 없음	0	Protein ↑	>1.1	–	
악성	Peritoneal carcinomatosis	>500 (70%) 대개 림프구	거의 없음	95~100	Protein ↑	<1.1	–	
	Massive hepatic metastases (MHM)	대개 <500	거의 없음	0	Protein 다양	>1.1	Serum ALP ≥350 mU/ml	
	Peritoneal carcinomatosis + MHM	다양 대개 증가	거의 없음	~80	Protein 다양	>1.1	Serum ALP ≥350 mU/ml	
	Malignant chylous ascites	흔히 >300	거의 없음	0	TG >200 mg/dL	보통 <1.1	–	
	Hepatoma + ascites	흔히 >500	흔히 증가	0		>1.1	Serum AFP 증가	
감염	Tuberculous peritonitis	70%에서 >1000 대개 림프구	흔히 존재	0	ADA ≥32.3 U/L Protein ↑	<1.1	본문 참조	
	Bacterial peritonitis (secondary peritonitis)	>250 PMN	거의 없음	0	Protein ↑, Glucose↓, LD↑	<1.1	의심되면 복부 CT 시행	
기타	Pancreatic ascites	흔히 증가		0	Amylase ↑↑	다양	–	

■ Chylous ascites
- 복강내로 lipid-rich lymph가 유출된 것
- 원인 (lymphatic obstruction or leakage) ; malignancy (lymphoma가 m/c), radiation, postop., trauma, TB, pancreatitis, LC, CHF, filariasis, congenital abnormalities ...
- 진단
  - ascites ; TG >200 mg/dL (대개 >1000), 암세포는 잘 발견 안 됨, SAAG falsely↑ 가능
  - lymphangiography는 도움 안 됨
- 저염식과 이뇨제의 치료에 잘 반응하지 않음

■ Polymicrobial bacterascites
- ascitic fluid culture or Gram stain에서 multiple organism이 관찰되고 PMN은 $250/mm^3$ 미만
- 대개 외상성 천자(traumatic tapping)가 원인 (∵ gut perforation)

급성 복막염 (acute peritonitis)

: 장내 성분 (위산, 담즙, 췌장액 등) 또는 세균에 의해 복막이나 복막액에 발생하는 급성 염증

1. 원인

① infectious (bacterial) peritonitis (*E. coli*가 m/c 원인균)
- secondary ; appendix rupture, ulcer perforation, diverticula rupture, ca., incarcerated hernia, gangrenous GB, intestinal obstruction, volvulus, bowel infarction, IBD, CAPD peritonitis
- primary (spontaneous) ; 대부분 LC & ascites 때 발생 (→ II-6장 참조)
② aseptic peritonitis
- physiologic fluids (chemical peritonitis) ; pancreatic enzymes, gastric acid, bile, blood, urine
- sterile foreign bodies ; 수술 도구 등
- systemic dz.의 Cx. ; SLE, porphyria, familial Mediterranean fever ...

2. 임상양상/진단

- 급성 복통 및 압통, 반동압통, 복부경직, 장음소실, 발열 등
 (움직이면 통증이 악화되므로, 환자는 대개 구부린 채 부동자세를 취함)
- 노인이나 면역저하자에서는 nonspecific Sx.을 보일 수 있음
- plain abdominal film ; free air (perforation), 소장/대장의 확장, 장벽의 부종
- US/CT (perforation 의심시 barium study는 금기)
- diagnostic paracentesis ; cell count, protein, LD, 배양검사 등을 시행

3. 치료

① 수액 및 전해질 공급

② 수술(laparotomy) ; 유발 원인 확인, pus 제거, 복강 세척

③ 광범위 항생제 투여 ; piperacillin/tazobactam, ampicillin/sulbactam, ciprofloxacin + metronidazole, cefepime + metronidazole, imipenem/cilastatin 등

④ 영양공급 : TPN보다는 enteral nutrition (e.g., NG tube, transgastric tube)이 좋다

4. 예후

• good ; appendix rupture, perforated peptic ulcer, perforation ...

• poor ; operation, trauma, pancreatitis ...

결핵성 복막염 (Tuberculous peritonitis)

1. 위험인자

HIV infection
면역저하 (e.g., 면역억제제, anti-TNF)
악성종양, 간경변, 알코올중독, DM,고령
IV drug use
유행지역으로 부터의 이민
빈곤(가난), 장기 입원 또는 감금
Peritoneal dialysis

• LC가 동반되어 있는 경우가 흔하다 (SAAG ≥1.1 g/dL)

• 병인 ; 폐에서 혈행성 전파 (m/c), LN 및 장기(e.g., TB salpingitis)에서의 직접 전파

2. 임상양상

• diffuse abdominal pain/tenderness/distention, ascites, diarrhea

• fever, fatigue, anorexia, weight loss, anemia, PPD test (+)

• 50~70%에서 활동성/비활동성 폐결핵 동반

3. 진단

(1) paracentesis (ascites)

• exudate ; SAAG <1.1 g/dL (LC 동반 안한 경우)

• protein ; 50%에서 >2.5 g/L

• WBC ; 70%에서 >1000/μL (대부분 lymphocyte)

┌ AFB smear ; 3% 미만에서만 양성
└ culture ; 20~80%에서 양성 (but, 시간이 오래 걸림)

- ADA (≥32.3 U/L) ; highly sensitive & specific
  - ascitic protein이 낮은 경우(e.g., LC) false (−) 가능
- LDH >90 U/L

(2) laparoscopic peritoneal biopsy

: 가장 좋다, 100%까지 positive (확진)

* diagnostic laparotomy → laparoscopy가 불가능한 때만 고려

4. 치료

- 항결핵 화학요법 : 표준처방으로 9개월간 치료
- 결핵균이 검출되면 반드시 감수성검사를 실시

종양성 복막질환

1. 복막 암종증 (Peritoneal carcinomatosis)

- 원인
  - primary ; mesothelioma, sarcoma
  - secondary ; ovary (m/c), stomach, colon, breast, pancreas, lung 등에서 전이
- 증상 ; nonspecific abdominal discomfort, 복부팽만, 체중감소
- paracentesis ; low SAAG (< 1.1), WBC↑ (주로 lymphocyte), cytology는 50~60%에서 (+)
- tuberculous peritonitis를 R/O하기 위해 laparoscopy 필요할 수도 있음
- 치료
  ① diuretics는 대개 효과 없음 (예외 ; 간 전이는 spironolactone에 반응할 수)
  ② large-volume paracentesis
  ③ intraperitoneal CTx.
- 예후 ; 매우 나쁨 (6개월 뒤에 90% 사망), ovary or breast ca.는 예외

2. 복막 가성점액종 (Pseudomyxoma peritonei)

- 대부분 ovary와 appendix에서 전이
- 치료 : 수술로 제거/세척 (CTx는 거의 효과 없다)
- 예후 : 5YSR 50% (재발시 장폐쇄로 사망)

3. 원발성 중피종 (mesothelioma)

- 대부분 악성, 석면 노출후 35~40년 후에 발생
- 치료 : 수술, RTx, CTx (예후 나쁨, 2YSR 20%)

Part II
간·담·췌질환

1 서론

간의 해부학

- 신체에서 가장 큰 장기 (1~1.5 kg, lean body mass의 1.5~2.5%)
- dual blood supply (분당 약 1600 mL, CO의 약 30%를 차지)
  ① portal vein : 간혈류의 75% 담당, low O_2 (→ 산소의 50~70% 공급), nutrients 풍부, 판막은 없음 (c.f., 간정맥에도 판막은 없음)
  ② hepatic artery : 간혈류의 25% 담당, high O_2 (→ 산소의 30~50% 공급), 간문(hilum)에서 common hepatic A.가 Rt & Lt hepatic A.로 분지됨
  - portal V.의 혈류가 감소하면 hepatic A.의 혈류가 증가됨 (반대는 아님)
- portal triad ; arteriole, venule, bile duct … 혈액 들어오는 중심부
- 미세구조
  ① lobule : central V.을 중심으로 portal triad가 주위를 둘러쌈
  ② 소엽(acinus) : 간의 functional unit, physiologic concept
    - 3개의 zones으로 구분 (zones of Rappaport)
      (1) periportal (zone 1) : portal area (hepatic artery, portal vein, bile ducts), high O_2,
      (2) midzone (zone 2) : hepatocytes
      (3) perivenular (zone 3) : central vein (terminal hepatic vein; THV), low O_2 (hypoxic injury에 취약), alcoholic liver injury가 시작되는 부위
    - blood flow는 zone 1 → 3으로, bile flow는 zone 2 → 1로 흐름
  ③ sinusoid : fenestrated endothelial cells, Kupffer cells (macrophages), hepatic stellate cells (Ito cells, lipocytes) 등으로 구성
    - space of Disse (perisinusoidal space) : hepatocytes와 endothelial cells 사이의 공간
    - hepatic stellate cells은 Disse 강에 위치하며 간 섬유화에 중요한 역할을 함
    * 간내 줄기세포 ; hepatocytes, hepatic oval cells (hepatic progenitor cells)
      → 문맥역(portal tract) 주변의 담관과 담소관(Hering canal, bile ductule)에 위치

- 간세포(hepatocytes)
  ┌ basolateral side : space of Disse로 굴모양혈관(sinusoid)과 접함, 혈액과 물질교환
  └ apical side : 쓸개모세관/담세관(bile canaliculi)과 접함, 담즙 성분을 분비

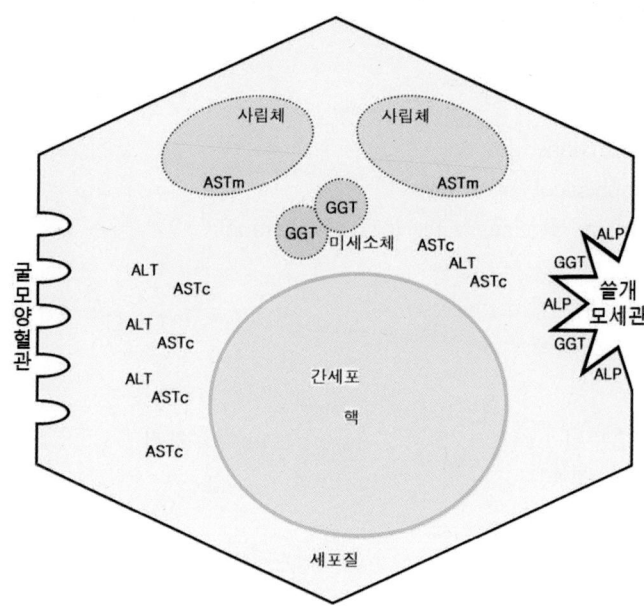

* 주요 간효소의 간세포 내 위치
1. 세포질 ; ALT, ASTc (cytoplasmic AST)
  → 간세포막 손상시 sinusoid로 방출
2. 사립체(mitochondria) ; ASTm
  (mitochondrial AST)
  → 사립체 손상시 방출 (e.g., 알코올)
3. bile canaliculi 쪽 세포막
  ; ALP, 5-NT, GGT
  → cholestasis시 간세포막이 용해되어 방출

간의 정상 기능

1. Metabolic function

(1) 탄수화물
  - glucose 생산 : gluconeogenesis, glycogenolysis
  - glucose를 glycogen, AA, fatty acids 등으로 전환 (excess glucose를 fatty acids로 전환
    → 간에서 합성된 apolipoproteins과 결합되어 lipoproteins 형태로 혈중으로 분비됨)

(2) 단백질 : AA 및 ammonia 대사

(3) 지질 : FFA를 uptake하여 TG를 합성, cholesterol 생성, bile salts의 합성/분비

(4) 호르몬 대사
  - insulin, thyroid hormones, cortisol, testosterone, vitamin D 등의 여러 호르몬을 분해
  - IGF-1, angiotensinogen, erythropoietin, thrombopoietin 등을 합성

(5) 담즙(bile) 및 관련 성분의 합성 & 분비

2. Synthesis

  - 거의 대부분의 plasma proteins을 합성 ; albumin, 운반단백, 응고인자, 호르몬, 성장인자 등
  - 간에서만 합성되는 것 → albumin, prothrombin (II), fibrinogen (I) 등
  - 대표적인 예외
    ① immunoglobulin (γ-globulin) → B lymphocyte
    ② vWF → endothelial cell & megakaryocyte

3. Detoxification & Excretion

(1) phase I (cytochrome P450 enzymes) : oxidation
- drugs의 독성을 더 강하게 만드는 경향
- P450 induction ; ethanol, barbiturate, haloperidol
- P450 inhibition ; cimetidine, chloramphenicol, disulfiram

(2) phase II : glutathione, glucuronate, sulfate, glycine, water 등과 conjugation
- 지용성 물질 → 수용성 → blood/bile로 운반
- phase I에서 생성된 P450 metabolites를 빠르게 detoxification

4. 기타

- reticuloendothelial function ; 장관에서 흡수된 Ag 제거, 혈액의 Ag-Ab complex 제거
- storage (fat-soluble vitamins, vitamin B_{12}, 금속 등)
- plasma volume과 electrolyte 유지, hematopoiesis

간질환의 검사실 검사 (간기능검사)

1. 물질의 제거 및 배설 능력에 대한 검사

(1) Bilirubin

- 정상치 ┌ total bilirubin <1.0~1.5 mg/dL
         └ direct bilirubin <0.2 mg/dL (<25% of total)   → 다음 장 참조
- conjugated (direct) hyperbilirubinemia는 거의 다 간담도계 질환이 원인이고, unconjugated (indirect) hyperbilirubinemia는 대부분 간 이외의 질환이 원인임(e.g., 용혈성 질환)
- * urine bilirubin (+) → conjugated bilirubin 증가를 의미 (간담도계 질환)

(2) Ammonia

- 간세포가 파괴되면 ammonia를 urea로 전환시키는 간세포의 효소들도 고갈됨
- LC, fulminant hepatitis 등 심한 간기능 장애시 상승되며 hepatic encephalopathy를 유발 가능
- but, 간기능이나 encephalopathy와의 상관성은 떨어짐

(3) 색소배설검사

- 간의 이물질(xenobiotics) 배설기능을 관찰
- ICG (indocyanine green) : BSP보다 특이적이고 안전, 간수술 후 잔존 간기능 예측, 간혈류 연구
- BSP (Brom-Sulphalein) : 복잡, 비싸고, 가끔 부작용 있어 요즘 잘 안쓰임
  ┌ ICG → lipoprotein과 결합 → 간에 운반되어 담즙으로 배설
  └ BSP → albumin과 결합 → 간에 운반되어 담즙으로 배설
- 색소투여후 일정기간 뒤의 혈중에 잔존하는 색소 농도를 측정
  ┌ ICG : 15분 후의 정체율 (R_{15}) : 정상 <10% (>20% → 수술 불가능)
  └ BSP : 45분 후의 정체율 (R_{45}) : 정상 <5%

- Dubin-Johnson syndrome에서는 BSP 90분치에서 이차 상승을 보임
  : $R_{90} > R_{45}$ (abnormal BSP curve)

2. 간세포의 괴사 정도를 반영하는 혈청효소

: hepatocelluar injury 여부를 반영

(1) Aminotransferase (transaminase)

- AST : liver외에 heart, skeletal muscle, kidney, brain, pancreas, lung, WBC, RBC 등에도 존재
  → specificity↓ (AMI, hemolysis, 근육질환에서도 ↑)
- ALT : liver에 주로 존재 → 간질환(간세포 손상)에 specific!

	참고치	반감기	간세포 내 농도 (혈장 대비)
AST (과거 SGOT)	5~35 U/L	17시간 (ASTm은 87시간)	7000배
ALT (과거 SGPT)	6~40 U/L	49시간	3000배

c.f.) 세포내 AST의 약 80%는 ASTm 임

- hepatocellular damage의 indicator, 가장 기본적인 간기능검사
  (but, 간손상의 정도 및 예후와는 연관성이 적다!)
- massive hepatic necrosis의 임상경과 중 활성도가 떨어지면 fulminant hepatic failure의 진행을 의심할 수 있음
- biliary tract obstruction시는 경미하게 or 일시적으로 증가
  (high level → 담석으로 CBD가 갑자기 막힌 초기, cholangitis, resultant hepatic cell necrosis)
- AST > ALT ; alcoholic liver disease (AST/ALT >2, ASTm↑때문),
  liver cirrhosis (∵ 남아있는 간세포가 적음), fulminant hepatitis, hepatocellular carcinoma
- AST < ALT ; <u>acute hepatitis</u> (∵ ALT의 반감기가 더 긺 / 초기에는 AST > ALT),
  chronic hepatitis의 일정 시기, 비만에 의한 fatty liver (대개 ALT만 약간 증가됨)

	AST > ALT	AST < ALT
Chronic, mild 상승 (<150 U/L or 정상×5)	알코올성 간 손상 (AST/ALT>2:1, 500 U/L 미만!) 간경변 근육병증 심한 운동 Macro-AST Hypothyroidism	α_1-Antitrypsin deficiency 자가면역성 간염 만성 바이러스성 간염(B, C, D) 지방간/지방간염, 약물/독소 Hemochromatosis Wilson disease, Celiac disease Hyperthyroidism
Severe, acute 상승 (>1000 U/L or 정상×20~25)	기저 알코올성 간질환 환자에서 약물/독소 Ischemic hepatitis** 급성 rhabdomyolysis	급성 바이러스성 간염(A, B) - C는 아님 약물/독소 급성 담도 폐쇄, Budd-Chiari syndrome Wilson disease (severe)

* 거의 모든 간 질환은 중등도의 aminotransferase 상승(정상의 5~15배)을 일으킬 수 있음

** Ischemic hepatitis (= Hypoxic hepatitis) : AST의 극심한 상승(>3000 U/L) 원인의 약 1/2 차지
  - 원인 ; 심혈관질환(m/c, >70%), 호흡부전, sepsis / 약 80% 이상이 heart failure 상태에서 발생함
  - 50% 이상에서 저혈압이 유발인자로 작용 (but, ischemic hepatitis 발생에 저혈압이 필수는 아님)
  - 초기에 LDH와 AST가 매우 급격히 상승함, ALT/LDH <1.5는 viral과 구별되는 ischemic hepatitis의 특징

- 비알코올성 무증상 환자의 간질환 screening에는 ALT가 더 특이적이며, AST는 간독성 약물의 치료 감시에 이용됨 (AST가 참고치의 3배 이상으로 상승되면 치료 중단)
- 알코올 중독자는 pyridoxal phosphate (vitamin B_6) 결핍 때문에 AST-ALT가 실제보다 낮게 측정될 수 있음 (∵ AST-ALT의 검사 때 보조인자로써 pyridoxal phosphate가 필요)

(2) LDH

- 비특이적이나 간손상, 간염, 간암 등 때 증가
- AST-ALT 같은 다른 간효소의 증가 없이, ALP의 높은 증가와 함께 LD가 증가되면 종양을 의심

3. 담즙정체(cholestasis, 간담도폐쇄)를 반영하는 혈청효소

: 쓸개모세관(bile canaliculi)의 손상을 반영

(1) Alkaline phosphatase (ALP)

- 담도폐쇄(cholestasis)와 가장 좋은 상관관계를 보임
- 정상치 (성인) : 남자 64~152 IU/L, 여자 57~125 IU/L (소아청소년기와 노인에서는 높음)
- isoenzymes

  - $ALP_{1, 2}$: liver 유래 (→ heat [56℃], urea에 stable)
  - ALP_3 : bone 유래 (→ 가장 heat unstable)
  - ALP_4 : placenta 유래 (→ 가장 heat [65℃] stable)
  - ALP_5 : intestine 유래
  - 이외에 kidney 유래의 isoenzyme도 있음

    * heat stability : placenta > intestine > liver > bone

- 증가되는 경우

  ① 담즙정체성 간담도질환 및 침윤성 간질환 (e.g, cancer, amyloidosis)에서 현저하게 (4배 이상) 증가 → bilirubin의 증가와 비례하는 경향
  - 다른 간질환에서도 3배 미만 정도 증가할 수 있음

  ② 골생성 질환 ; 골절, Paget's dz, osteomalacia ...

  ③ 임신 말기 (출산 뒤 정상화), 소아 (성장속도와 비례), 노인

  ④ 간암, 간결핵, 간농양, 골전이, 간 이외의 악성종양

  ⑤ Hodgkin's dz., CHF, 복강내 감염증, 골수염 ...

  ⑥ O와 B형 혈액형에서 지방식 섭취후 일시적으로 상승 가능

- ALP의 단독 증가

  - 황달이나 aminotransferase의 증가없이 ALP만 증가된 경우
  - 감별진단을 위한 접근법

    ① ALP electrophoresis (→ isoenzymes 파악)

    ② heat-stability test (최근에는 거의 사용 안함)

      - stable → placenta, tumor 유래
      - unstable → intestine, liver, bone 유래

    ③ 5'-nucleotidase와 GGT 검사

  - 원인 ; early cholestasis (m/c), 종양/육아종의 간 침윤, HD, DM, hyperthyroidism, CHF, amyloidosis, IBD ...

(2) γ –glutamyl transpeptidase (GGT)

- 정상치 : 남자 <50 U/L, 여자 <40 U/L
- 반감기 : 7~10일 (알코올 중독자는 28일) ↔ ALP는 반감기 4~7일
- 증가되는 경우
  ① 담즙정체성 질환에서 현저하게 증가 (간담도계질환 때 ALP와 비례하여 상승 → 담즙정체성 질환의 가장 sensitive한 지표이나 ALP나 5'-NT보다는 specificity가 부족함!)
  ② alcohol (만성 과음자 : GGT/ALP >2.5) → 금주하면 감소
  ③ drugs ; phenytoin, barbiturate, warfarin, AAP, TCA, 진정제
  ④ DM, obesity, hyperthyroidism, RA, pancreatic/cardiac/renal/pulumonary d/o.
  ⑤ oxidative stress (e.g., CAD 환자에서 사망의 독립적인 위험인자)
- 500 U/L 이상이면 간의 악성종양을 의심해 보아야 됨

(3) 5'-nucleotidase (5'-NT)

- 간담도계 질환시 ALP와 비례하여 상승 (골 질환 때는 상승×)
- ALP의 증가가 hepatic origin인 것을 확인할 때 주로 측정하나, 모든 liver dz.에서 ALP의 증가와 동시에 증가하지는 않는다

4. 간의 합성 능력을 반영하는 검사

(1) Albumin

- 만성 간질환 시 : albumin↓ (severity를 잘 반영!), $\alpha_1, \alpha_2, \beta$-globulin↓, γ-globulin↑
  ⇨ A/G ratio ↓
- albumin의 감소는 acute or mild liver injury시에는 좋은 지표가 아니다!
  (∵ albumin의 반감기가 길고 hepatic albumin synthesis의 reserve가 큼)
- 다른 질환에서도 흔히 감소하므로 간질환에 대한 specificity는 떨어짐
  ; protein malnutrition, protein-losing enteropathy, NS, 만성 감염 ...
- immunogobulin ↑ ┌ G ; autoimmune hepatitis
                  │ A ; alcoholic hepatitis
                  └ M ; A형 간염, primary biliary cholangitis (PBC)

(2) Coagulation factors

- 간(hepatocytes)은 대부분의 응고인자, 항응고인자, 섬유소용해관련인자 합성의 major site 임
  - fibrinogen (I), prothrombin (II), factor V, VII, IX, X, XII, XIII 등
    (vitamin K 의존성 응고인자 : II, VII, IX, X, protein C, S)
  - antithrombin III, plasminogen, α_2-antiplasmin, TAFI 등
- 예외 ; vWF, tPA, thrombomodulin, TFPI 등 (→ endothelial cells에서 합성됨)
- factor VIII
  - 간(主), 신장, 림프절 등에서 합성됨 (비장은 저장만)
  - 간의 endothelial cells과 Kupffer cells에서 주로 합성되며, hepatocytes는 극소량만 합성

- <u>prothrombin time (PT)</u>이 연장되는 경우
  ⇨ severe liver dz.의 <u>earlier</u> sensitive indicator & prognostic factor!
  ① liver injury (∵ 간에서 응고인자들을 합성하지 못해서)
  - PT는 albumin보다 earlier indicator! (∵ 응고인자들의 반감기가 albumin보다 훨씬 짧음)
    c.f.) 반감기: factor VII 6시간 ~ fibrinogen 5일 (albumin 2~3주: 약 20일)
  - vitamin K 정주로 교정 안됨
  ② vitamin K의 결핍 or 흡수장애 → vitamin K 투여시 교정됨!
    - 담도계 질환에 의한 cholestasis시
    - fat malabsorption (e.g., pancreatic insufficiency)
    - poor dietary intake
    - warfarin-type anticoagulants

(3) Cholesterol

- 만성적인 간세포 장애에서는 cholesterol 합성장애와 LCAT 감소에 의해 (total 및 ester형) cholesterol의 저하가 초래됨
- 급성 간실질 병변시엔 cholesterol ester 감소, TG 증가
- cholestasis시에는 cholesterol의 담즙산으로의 이화가 억제되어 혈청 cholesterol 증가
- lipoprotein X : LC시 plasma unesterified cholesterol의 대부분 차지

5. 면역기능 검사

(1) globulins

- γ-globulin (immunoglobulin) : B lymphocytes에서 생성됨
- α-, β-globulins : 주로 간세포에서 생성됨
- 만성 간질환시(e.g., LC, 만성 간염) γ-globulin은 증가됨
  (∵ 간에서 세균 항원을 제거하지 못해 B lymphocyte 자극↑)
- 일부 간질환에서는 특정 isotype의 γ-globulin 증가가 진단에 도움
  - autoimmune hepatitis ; IgG의 diffuse polyclonal ↑
  - primary biliary cholangitis ; IgM↑
  - alcoholic liver dz. ; IgA↑

(2) autoantibody

Test	관련 질환
Antimitochondrial Ab (AMA)	Primary biliary cholangitis (90%) Chronic active hepatitis (가끔)
Antinuclear Ab (ANA)	Autoimmune hepatitis (10%)
Anti-smooth muscle Ab (ASMA)	Autoimmune hepatitis
Anti-neutrophil cytoplasmic Ab (p-ANCA)	Primary sclerosing cholangitis
Anti-liver/kidney microsomal Ab (anti-LKM)	Autoimmune hepatitis, type II

■ **간기능검사의 진단적 접근**

① 이상 소견이 실제로 간질환의 존재를 반영하는 것인지 확인

② 간세포성, 담즙정체성 등의 간질환 범주를 분류

③ 각각의 질환에 특이한 검사방법들을 이용하여 진단

간기능검사(LFT)의 특징적인 소견

	간질환의 분류		
	간세포손상형 (hepatocellular)	담즙정체성 (obstructive)	침윤형 (infiltrative)
AST & ALT	↑↑	N ~ ↑	N ~ ↑
ALP	N ~ ↑	↑↑ (대개 GGT, 5'-NT도 동반 상승)	↑↑
Bilirubin	N ~ ↑↑	↑ ~ ↑↑	N
Albumin	만성질환에서 ↓	N	N
Prothrombin time	↑ ~ ↑↑	N ~ ↑ (vitamin K에 반응)	N
Cholesterol	만성질환에서 ↓	↑	

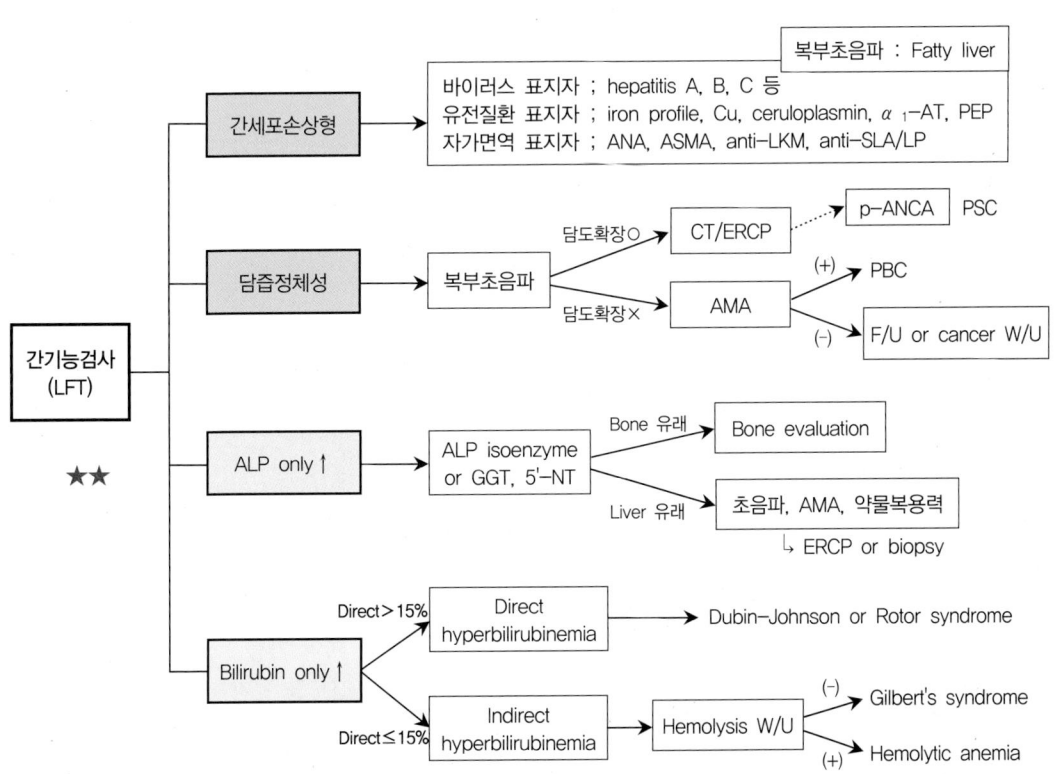

주요 간질환의 진단적 검사	
Hepatitis A	anti-HAV IgM
Hepatitis B	HBsAg, anti-HBc IgM (chronic; HBeAg, HBV DNA)
Hepatitis C	anti-HCV, HCV RNA
Hepatitis D	HBsAg, anti-HDV
Hepatitis E	anti-HEV
Autoimmune hepatitis	ANA, ASMA, anti-LKM, IgG↑, 조직검사
Primary biliary cholangitis (PBC)	AMA, IgM↑, 조직검사
Primary sclerosing cholangitis (PSC)	p-ANCA, cholangiography
Alcoholic liver dz.	만성 음주의 병력, 조직검사
Nonalcoholic steatohepatitis (NASH)	US/CT에서 fatty liver, 조직검사
α_1-antitrypsin deficiency	α_1-antitrypsin↓, phenotypes PiZZ or PiSZ
Wilson's dz.	ceruloplasmin↓, urinary copper↑, hepatic copper↑
Hemochromatosis	serum iron↑, transferrin saturation↑, ferritin↑, *HFE* gene test
Hepatocellular carcinoma	AFP↑(>500), US/CT에서 mass

■ 간질환의 severity를 반영하는 것
① bilirubin
② albumin – 만성 간염의 염증정도를 아는데 가장 유용
③ PT (m/i) – acute liver injury를 가장 잘 반영
④ cholesterol

간담관계 영상검사

1. Ultrasonography

- 담즙정체(cholestasis) 의심시 (GB & biliary tree imaging) initial test
- 이용
  ① 간질환에 대한 primary screening 검사
     ; cholelithiasis, dilated biliary tract, fatty liver, focal hepatic mass
  ② 간 종양의 병기판정 및 수술전 평가
  ③ percutaneous needle biopsy 시 guidance
  ④ Doppler US ; portal vein, hepatic artery, hepatic vein의 혈류 파악 가능
- US elastrography (FibroScan®) : 간의 탄력도를 측정하여 fibrosis 정도를 평가
  - 만성 간질환의 staging 때 biopsy를 대치 (but, 초기 fibrosis의 진단에는 아직 부족함)
  - 만성 바이러스 간염에서의 fibrosis 평가는 정확한 편이지만, NAFLD에서는 덜 정확함

2. CT, MRI

3. Oral cholecystography

4. Cholangiography

(1) ERCP
- 담관, 췌관의 관찰 및 intraductal US, biopsy 등에 이용
- 치료에도 이용 가능 ; sphincterotomy, stone extraction, nasobiliary catheter
  or biliary stent placement

  c.f.) ERBD (ER biliary drainage), ENBD (endoscopic nasobiliary drainage),
    PTBD/PTCD (percutaneous transhepatic biliary/cholangial drainage)
    - 내루법(ERBD)이 많이 시행됨

	장점	단점
ERBD	비교적 안전, 비침습적, 생활의 제한 없음	담관의 완전폐쇄시는 불가능, 담관세척 불가능
PTBD	성공률 높음, 담관세척이 용이	합병증, 관리가 복잡

- ERCP의 금기
  ① 환자와 협조가 안 될 때
  ② 임신
  ③ acute pancreatitis의 급성기
  ④ 최근에 acute pancreatitis를 앓은 뒤 발생한 pseudocyst
  ⑤ 심한 심혈관계 질환 (e.g., CAD, AMI)
  ⑥ 조영제(요오드) 과민증
- 조영제 : 첫 옆가지가 보일 때까지만 주입 (overfilling은 피해야)
- ERCP의 합병증
  ① post-ERCP pancreatitis (m/c, 5~20%) : 대개 mild & self-limited → Ⅱ-10장 참조
  ② bleeding (1%) : 주로 sphincterotomy와 관련
  ③ infection ; ascending cholangitis, pseudocyst infection, 후복막 abscess ...
  ④ perforation ; 증상이 없는 free retroperitoneal air는 보존적 치료(e.g., drainage, 항생제),
      보존적 치료에 반응이 없거나 심한 천공(e.g., peritoneal air, 십이지장 천공)은 수술
  ⑤ 기타 ; gallstone ileus, pneumothorax, subcutaneous emphysema ...
- 각 질환별 소견
  ① 총수담관암 ; 불규칙적인 담도의 국소적 협착, 근위부 담도의 확장
  ② 총수담관낭종 ; 간내 or 간외 담도의 낭성 확장
  ③ 총수담관결석 ; 담도내 원형 or 난원형의 음영 결손
  ④ 췌장암 ; 췌관의 국소적 협착

(2) PTC (percutaneous transhepatic cholangiography)

- intra-hepatic or proximal bile duct 관찰에 좋다
- proximal cholangiocarcinoma의 surgical resectability 평가
- external drainage (PTBD) 설치 (biliary decompression)
- ERCP의 금기나 실패시에도 이용됨 (e.g., 과거에 담관계 수술을 받았던 환자)

(3) MRCP, EUS

- ERCP와 진단 민감도 비슷하거나 약간 부족
- 장점 ; noninvasive (췌장염 등의 합병증 없음), 조영제 사용 안함, 빠르고 재현성이 높음
- 노인 등의 고위험군에 유용

5. Radioisotope Scanning

(1) ^{99m}Tc-labeled sulfur colloid scanning

- 가장 많이 사용, reticuloendothelial (Kupffer) cell에 의해 uptake,
- cold area 보이는 것 ; primary & metastatic tumors, cyst, abscess, gumma
- decreased or patchy uptake 보이는 것 → diffuse hepatic dz. (hepatitis, cirrhosis)
  (특히 portal HTN 존재시는 다른 reticuloendothelial system에서 uptake 증가
  ; spleen, bone marrow (spine))
- Budd-Chiari syndrome ; caudate lobe가 커지고 주로 uptake

(2) ^{111}In-labeled colloid scanning

: Kupffer cell에 의해 uptake, ^{99m}Tc보다 비싸고, radiation에 노출 더 많다

(3) ^{67}Gallium scanning

- 단백질 합성이 활발한 세포에 uptake
- tumor, abscess에서 "hot spot" 보임   예) HCC, HD, 일부 NHL, melanoma

(4) biliary scanning

- hepatocyte에 uptake되어 bile을 통해 배설
- ^{131}I-rose bengal, ^{99m}Tc-labeled HIDA·PIPIDA·DISIDA
- acute cholecystitis 진단시 가장 좋다 → nonvisualization of GB (∵ cystic duct 폐쇄 때문에)
- 기타 cholestasis, acute/chronic biliary obstruction, bile leaks, biliary-enteric fistula,
  choledochal cyst 등을 관찰 가능

간생검 (Percutaneous liver biopsy)

1. 적응증

① 만성 간질환의 진단, severity (grade) & stage, 예후 등의 평가
② 철저한 검사에도 불구하고 원인이 불확실한 간질환

(e.g., drug-induced liver dz., acute alcoholic hepatitis)
③ unexplained splenomegaly or hepatomegaly
④ 영상검사에서 hepatic lesions (e.g., filling defects, tumors)
⑤ FUO
⑥ malignant lymphoma의 staging

- liver biopsy가 진단에 중요한 만성 간질환 ; autoimmune hepatitis, primary biliary cholangitis, nonalcoholic/alcoholic steatohepatitis, Wilson's dz. ...
- fibrosis의 정확한 평가를 위해서는 1.5~2 cm 길이의 간 조직이 필요함

2. 금기

① unexplained bleeding의 병력
② 출혈성 경향
  - PT 연장(≥4초, INR≥1.5) or BT 연장(≥10분)
  - thrombocytopenia : platelet <50,000/μL
  - 최근 7~10일 내에 NSAIDs 복용
③ 출혈시 적합한 혈액형의 혈액이 준비되어 있지 않을 때
④ Rt. pleural space의 infection or septic cholangitis
⑤ tense ascites가 존재하여 ascitic fluid leakage 지속의 위험이 있을 때
⑥ high-grade biliary obstruction이 의심되고, bile peritonitis의 위험이 높을 때
⑦ hemangioma 등의 혈관성 종양 의심시
⑧ echinococcal cyst
⑨ biopsy에 적합한 곳을 찾지 못할 때, 환자와 협조가 안될 때

3. percutaneous liver biopsy의 합병증

- 간은 혈류량이 많은 장기인데 비해 합병증은 적음 (2.7~4.1%)
- 통증, 출혈, 복막염, 기흉, 혈흉, 혈액담즙증(hemobilia), 패혈증 ...

4. transvenous (transjugular) liver biopy의 적응증

① 심한 응고장애/출혈경향
② massive ascites or obesity
③ vascular tumor or peliosis hepatitis 의심시
④ wedged hepatic venous pr. 측정
⑤ percutaneous biopsy 실패시

만성 간염의 조직학적 소견	
Autoimmune hepatitis (AH)	뚜렷한 plasma cells 침윤
Primary biliary cholangitis (PBC)	담관의 lymphocytic & granulomatous 침윤, ductopenia
Primary sclerosing cholangitis (PSC)	섬유성 폐색 담관염, ductopenia
Autoimmune cholangitis	담관의 lymphocytic & granulomatous 침윤, ductopenia
Chronic viral hepatitis	젖빛유리(ground-glass)모양 간세포 등
Chronic drug-induced hepatitis	특이한 소견 없음
α_1-antitrypsin deficiency	세포질 내 globules
Wilson's disease	심한 구리 침착
Granulomatous hepatitis	뚜렷한 granulomas가 흔함
Graft-versus-host disease (GVHD)	담관의 lymphocytic & granulomatous 침윤, ductopenia
Alcoholic steatohepatitis	지방증(steatosis), 중심성 염증 및 섬유화, Mallory bodies
Nonalcoholic steatohepatitis (NASH)	Glycogenated nuclei, 지방증, 중심성 염증 및 섬유화, Mallory bodies

간이식 (Liver transplantation)

1. 적응

; 거의 모든 종류의 말기 간질환이 간이식의 대상임, 적절한 수술 시기의 결정이 가장 중요

소아
선천성 담도폐쇄증 (m/c)
신생아 간염, 선청성 간섬유화증
Alagille's syndrome, Byler's dz., α_1-Antitrypsin 결핍
선천성 대사장애 ; Wilson's dz., hemochromatosis*, tyrosinemia, glycogen storage dz., lysosomal storage dz., protoporphyria, Crigler-Najjar dz. type I, familial hypercholesterolemia, primary oxaluria, hemophilia 등

성인
간경변 (m/c) ; 바이러스성, 알코올성, NASH, 자가면역, 특발성 등
원발간종양(HCC, adenoma)
전격성 간염, 간정맥 혈전증(Budd-Chiari syndrome)
담즙성 간경변 (원발성[PBC], 2차성), 원발성 경화성 담관염(PSC)
Caroli's dz., familial amyloid polyneuropathy
Hepatopulmonary syndrome (HPS), Portopulmonary hypertension

*hemochromatosis는 이식 후 예후 나쁨 (∵ 심장 및 감염 합병증↑)

- 이식 우선순위의 결정 ; MELD score (→ II-6장 참조)
  - MELD score에 관계없이 0 순위 ; fulminant hepatic failure, primary graft nonfunction, 간이식 7일 이내의 hepatic artery thrombosis, acute decompensated Wilson's dz.
  - MELD score에 가산점을 부여하는 경우 (∵ 간기능이 잘 보전, 이식의 효과↑) ⋯ 미국
    ; HCC, PSC, hepatopulmonary syndrome (HPS), portopulmonary HTN, hyperoxaluria, metabolic dz., hepatic artery thrombosis, familial amyloid polyneuropathy, cystic fibrosis, cholangiocarcinoma 등

2. 금기 ★

Absolute C/Ix	Relative C/Ix
조절되지 않는 간담도계 이외의 감염질환 (e.g., sepsis)	70세 이상 노인
치유 불가능한 시한부의 선천성 기형	광범위한/반복적인 간담도계 수술의 과거력
약물 또는 알코올 중독 (장기간 끊으면 가능)	문맥혈전증(portal vein thrombosis)
진행된 심폐질환으로 수술의 위험이 높은 경우	간내/담도성 패혈증
간전이암	간질환과 관련없는 신부전(serum Cr >2 mg/dL)
간외 악성종양 (melanoma 이외의 피부암은 제외)	간외 악성종양의 과거력 (melanoma 이외의 피부암은 제외)
Cholangiocarcinoma*	우-좌 폐내 단락에 의한 심한 hypoxemia (PO$_2$ <50 mmHg)
Hemangiosarcoma	심한 폐고혈압 (평균 폐동맥압 >35 mmHg)
Active HIV infection (AIDS)	환자와 협조가 안될 때, 치료되지 않는 심한 정신질환
기타 생명을 위협하는 질환	심한 비만 or 영양실조
	HIV 양성 (viremia가 조절되지 않거나 CD4 <100/μL)

(*Cholangiocarcinoma는 이식 후 거의 다 재발해 금기지만, 적절한 다른 치료를 받은 perihilar 종양 일부는 시도 가능)

- 상대적 금기에 해당되는 경우는 이식 후 예후도 나쁨 (1YSR 60%, 5YSR 35%)
- 전체적인 간이식 후 예후 : 1YSR 85~90%, 5YSR >60%

3. 공여자의 선택

- 공여자 선택시 중요한 것
  ① ABO 적합성 (HLA matching은 필요 없다!)
  ② organ size
  (c.f., 응급 상황에서는 비적합 ABO, split/small liver도 이식 가능)
- 사체 간이식의 공여 기준 : 60세 이하의 뇌사자
  ① (기계호흡등을 이용한) 심폐기능의 안정적 유지
  ② 오랜 기간동안 저혈압/무산소 상태로 있으면 안 됨
  ③ 복부손상이 있으면 안됨
  ④ hepatic dysfunction이 있으면 안됨
  ⑤ 세균/진균 감염증이 있으면 안됨
  ⑥ HBV, HCV, HIV 등은 음성이어야 함
  (때때로 B/C형 간염 뇌사자의 간은 각각 B/C형 간염 환자에게 이식 가능)
- 생체 부분 간이식
  - 공여자 선택 기준은 사체 간이식과 유사하지만, 보다 엄격한 검사 필요
  - 우리나라는 간이식의 약 85%가 생체 간이식으로 시행됨
  - 성인에게는 Rt. lobe, 소아에게는 Lt. lat. segment가 흔히 이식됨
  - 단점 ; 담도 및 혈관 합병증 증가, 공여자도 합병증 발생 위험

c.f.) 우리나라의 장기이식 현황 (2017년)

	신장	간	심장	폐	췌장	조혈모세포
생체	1260	1032	–	–	1	골수 약 40
사체	902	450	184	93	62	말초혈 약 500 제대혈 약 400
전체	2162	1482	184	93	63	약 1000

4. 이식 후 합병증

(1) 간외 합병증
- 감염(m/c)
  - 세균감염(이식 초기) ; 담관염, 복강내 농양, UTI, 폐렴 …
  - 진균감염 ; candidiasis (초기), aspergillosis (후기) 등
  - 바이러스감염 (이식후 1~6개월에 호발) ; CMV , HSV …
- 신기능 장애, 심혈관계 장애, 폐기능 장애, anemia, thrombocytopenia …

(2) 간 합병증 (hepatic dysfunction)
- 혈관성 합병증 (대개 이식후 며칠 이내에 발생) ; hepatic artery thrombosis, portal vein obstruction, 복강내 출혈(leak) …
- primary graft nonfunction (∵ 이식 간의 허혈성 손상) : 이식 초기 graft loss의 m/c 원인, 임상양상은 fulminant liver failure와 비슷함 → 재이식시 survival 약 50%
- 담도성 합병증 ; stenosis, obstruction, leak
- 거부반응(rejection)
- 원발 간질환의 재발

5. 거부반응 및 면역억제치료

(1) acute (cellular) rejection
- 이식 후 첫 1주일 동안 간부전의 m/c 원인
- 환자의 약 1/2~2/3에서, 이식 후 5일~3주에 발생
  → 면역억제요법(triple therapy) 시행시 25~30%로 감소
- 증상 ; 발열, RUQ 복통, portal HTN에 의한 변화(e.g., 복수)
- m/g indicators ; serum bilirubin과 aminotransferase 상승
- 진단 ; 간생검, 담도의 영상검사
- 조직소견 ; portal or periportal infiltration, bile duct injury, endothelial inflammation (endothelialitis, m/i)
- 치료 ; steroid pulse, anti-lymphocyte Ab (OKT3, ALG) → 대부분 회복 가능
  c.f.) C형 간염 환자에서는 steroid 금기 (∵ 재발 위험↑)

(2) chronic (ductopenic) rejection
- 환자의 약 2~3%에서 발생하며, 이식 후 6주~6개월에 호발
- ALT, GGT 등이 지속적으로 상승하다가 황달 발생

- 조직소견 ; cholestasis, focal parenchymal necrosis, mononuclear infiltration, vascular lesions, fibrosis, bile ducts 소실("vanishing bile duct syndrome") → PBC와 거의 비슷
- 치료 ; tacrolimus (+ low dose steroid) → 잘 반응 안함, 10~20%는 재이식 시행

(3) maintenance (primary) immunosuppression

- 면역억제제들
  - CNI (calcineurin inhibitor) ; cyclosporine, tacrolimus (FK506)
    - → 고형장기 이식의 주 면역억제제 (but, 장기간 사용시 CKD 발생 위험)
  - OKT3 (monoclonal T cell Ab) : 신부전 환자에서도 사용 가능
    - → 기회감염(특히 CMV) 등의 부작용 때문에 최근에는 다른 면역억제제
      (e.g., mycophenolate [MMF], rapamycin [Sirolimus®])를 더 선호
  - IL-2 receptor Ab (anti-IL-2R) ; basiliximab (Simulect®), daclizumab (Zenapax®)
    - → induction therapy에 사용 (수술 전 ~ 수술 후 며칠), 부작용 적음
- 유지요법(triple therapy) : 효과↑, 각 약제의 용량(독성)↓
  - CNI (tacrolimus 선호) + MMF (or rapamycin) + steroid
  - 이식 3개월 뒤에는 steroid withdrawal
  - 나중에는 monotherapy로 전환 가능 (tacrolimus or MMF or rapamycin)

6. 간이식 후의 예후/재발

(1) 예후

- 1YSR 85~90%, 5YSR 60% 이상
- 이식 전 전신상태(compensation 정도)가 좋을수록 예후도 좋음
- MELD score 25점 이상시 예후 나쁨 (high dz. severity)
- high-risk categories ; cancer, fulminant hepatitis, 고령(>65세), 신부전, 인공호흡기 의존, portal vein thrombosis, portacaval shunt or RUQ의 반복 수술 병력 → 5YSR 35%
- 시기별 간이식 실패의 원인
  - 3개월 이내 ; 기술적 합병증, 수술관련 감염, 출혈
  - 3개월 이후 ; 감염, 거부반응, 원발 질환의 재발

(2) B형 간염

- decompensated LC 환자에게 경구항바이러스제(lamivudine, adefovir, entecavir, tenofovir 등) 투여시 일부에서는 간이식 시기를 늦출 수 있을 정도로 호전 가능
- 간이식후 HBV 재발 방지 : 장기간의 HBIg + 경구항바이러스제
- 예방조치시 간이식 후 예후는 다른 간질환들과 거의 동일, HBV 재발률(reactivation)은 약 6.6%
- 재발률이 낮은 경우
  ① fulminant hepatitis B (∵ hepatocyte 파괴 때 virus도 함께 소멸)
  ② HBV DNA (-)
  ③ HDV coinfection (∵ HDV가 HBV의 replication을 억제)
  ④ HBIg 장기간 투여, 경구항바이러스제 투여

(3) C형 간염

- 재발은 매우 흔하나 (거의 100%), 재발해도 대부분 경과는 양호한 편
  (5년 이내에 재이식이 필요한 경우는 극히 드묾 / 5~10년 뒤에는 예후 나빠짐)
- antiviral therapy (pegylated IFN + ribavirin) : 이식 직후부터 시행하나, 실제 간염이 발생했을 때 시행하나 별 차이 없음
- 이식 면역억제치료를 최소한으로 하는 것이 도움

(4) 기타

- alcoholic cirrhosis ; 6개월 이상 금주하면 가능, 이식 성공률은 다른 간질환과 비슷
- autoimmune hepatitis, PSC, PBC 등은 재발시 이식거부반응과 구별 어려움
  - autoimmune hepatitis는 ~1/3에서 재발 가능하지만, graft survival에는 큰 영향 없음
  - PSC와 PBC는 이식 후 예후는 좋은 편이나, 10년 뒤 약 25%에서 재발함
- 유전성 간질환은 재발 안함 (e.g., Wilson's dz., α_1-AT deficiency)
- hepatic vein thrombosis (Budd-Chiari syndrome)는 재발 가능하지만 기저 질환 치료 및 anticoagualtion으로 예방 가능
- cholangiocarcinoma는 거의 다 재발 → 이식의 금기
  (적절한 다른 치료를 받은 stage I / II perihilar 종양은 일부 시도 가능)
- HCC는 환자 선택을 잘 하면 성공률 매우 좋음 (다른 양성질환들과 5YSR 비슷)
  - 일반적 기준(Milan criteria) ; 단일 병변 <5 cm or 3개 이하 & 최대 병변 <3 cm
  - 확대 기준(UCSF criteria) ; 단일 병변 ≤6.5 cm or 3개 이하 & 최대 병변 ≤4.5 cm
        or 전체 병변 직경의 합 ≤8 cm
  - 가장 큰 병변의 직경 or 전체 병변 직경의 합이 예후에 중요하고, 병변의 개수는 명확치 않음
- NASH는 재발이 흔함

2

빌리루빈 대사 및 황달

BILIRUBIN 대사

- bilirubin : heme (porphyrin ring)의 분해산물로서, 약 85%가 수명을 다한 RBC의 Hb 분해로 spleen에서 만들어짐(unconjugated bilirubin) → 지용성이므로 혈장 내의 albumin과 강하게 결합되어 간세포로 이동됨
  (c.f. Hb 이외의 heme 함유 단백 ; P450, tryptophan, pyrrolase, catalase, myoglobin 등)
- 간세포의 bilirubin 대사 과정 및 관련 장애

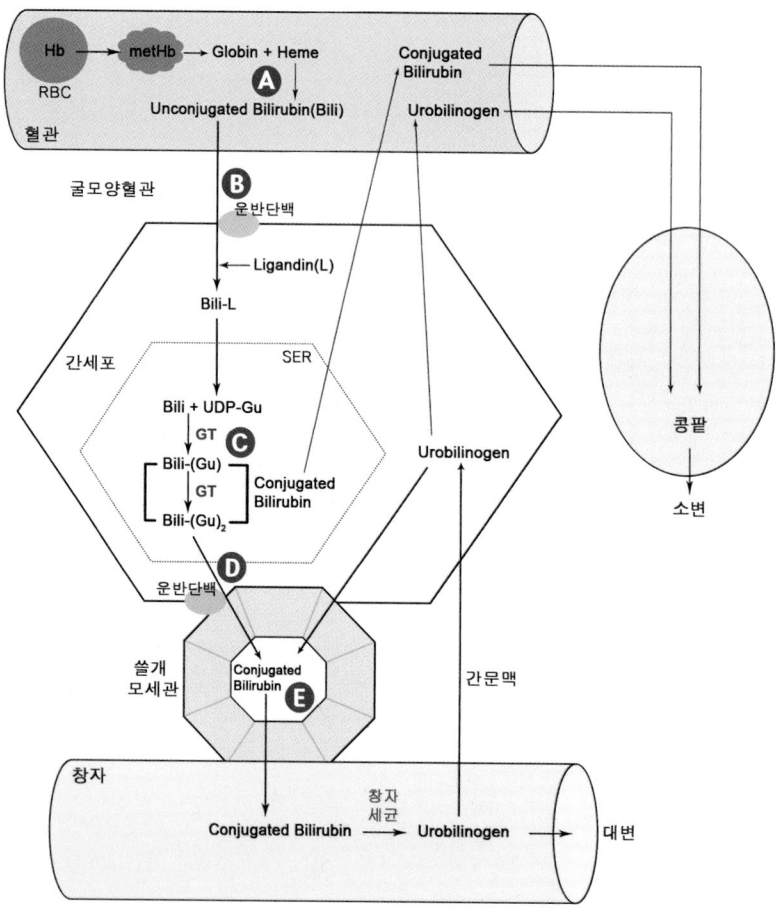

- 용혈빈혈 같은 과다생산 질환(A)에서는 unconjugated bilirubin 생산 속도가 간의 bilirubin 제거 속도를 초과하여 대개 일시적인 unconjugated hyperbilirubinemia를 보임
- UDP-GT를 코드화하는 *UGT1A1* 유전자의 돌연변이에 의한 Gilbert or Crigler-Najjar syndrome (C)에서는 unconjugated bilirubin이 간세포 내에 축적되고 결국엔 unconjugated hyperbilirubinemia을 일으키며, Gilbert syndrome에서는 또한 bilirubin의 운반단백 결함에 의한 섭취 장애(B)도 존재하는 것으로 추정됨
- <u>MRP2/cMOAT/ABCC2</u> 유전자의 돌연변이에 의한 Dubin-Johnson syndrome (D) 때는 bilirubin의 쓸개모세관으로의 배설 장애에 의해 conjugated bilirubin이 간세포 내에 축적되고 결국엔 conjugated hyperbilirubinemia가 발생됨
- 성인에서 conjugated hyperbilirubinemia의 가장 흔한 원인은 결석이나 종양 같은 공간점유병변에 의한 쓸개관(특히 온쓸개관) 폐쇄임(E)

1. 간에서의 대사

(1) hepatocellular uptake
- 기전; facilitated (receptor-mediated) endocytosis (主), simple (passive) diffusion
- 정상 상황일 때 혈중 bilirubin은 간세포에 의해 빠르게 섭취되어 혈중에서 제거됨

(2) intracellular binding
- 간세포내에서 ligandin (glutathione-S-transferase)에 결합되어, 혈장으로 다시 역확산되지 않음
- bilirubin-ligandin 결합체는 SER 내의 microsomes으로 전달됨

(3) conjugation
- 지용성 bilirubin이 glucuronic acid residues와 conjugation되어 수용성인 BMG or BDG가 됨
- bilirubin-UDP-glucuronosyltransferase (UGT)에 의해 매개됨 (*UGT1A1* gene)

(4) biliary excretion (canalicular secretion)
- <u>rate-limiting step</u>으로서 간세포 손상시 가장 손상되기 쉬운 단계임!
- conjugated bilirubin은 multidrug resistance-associated protein 2 (MRP2)라는 세포막의 transport 단백에 의해 담도(bile)로 직접 배설됨
- 정상 bile ┌ unconjugated bilirubin (UCB) <5%
            │ bilirubin monoglucuronide (BMG) : 7%
            └ <u>bilirubin diglucuronide (BDG)</u> : 90%
- BMG가 혈장으로 더 쉽게 역류되므로, 혈장의 BMG:BDG 비율은 거의 1:1 임

(5) urobilinogen
- 장관 내로 배설된 담즙의 conjugated bilirubin의 상당량은 <u>장내세균</u>에 의해 대사되어 urobilinogen으로 됨 (주로 대장에서) → 80~90%는 대변으로 배설됨
  - → 10~20%는 장관을 통해 재흡수됨 (enterohepatic circulation)
  - → 재흡수된 urobilinogen의 대부분은 간에 의해 섭취되어 다시 대사되고, 일부는 신장을 통해 소변으로 배설됨
- 소변 내 urobilinogen은 간염의 severity에 따라 변동 (보다 충실하게 간기능을 반영)
  - ① 정상 : 소량만 배설 (±, trace)
  - ② 경도의 간장애 : 간에서 섭취하는데 장애가 있으므로 ↑
  - ③ 간염의 절정기, 담즙정체 : 장내로 배설이 안 되어 못 만들어지므로 ↓
    (complete bile duct obstruction시엔 0)
- 장내 urobilinogen은 stercobilin 같은 대변 색소로 변환됨
  - → 이것이 없으면 대변은 회색으로 됨 (gray-colored stool)

c.f.) 담세관 운반단백(canalicular transport proteins) : ATP-binding cassette (ABC) transporters

Transporter	유전자 code	운반 대상	결함
BSEP	*ABCB11*	Conjugated bile salts	PFIC type 2
MDR3	*ABCB4*	Phosphatidylcholine	PFIC type 3
FIC1	*ATP8B1*	Phosphatidylserine	PFIC type 1, BRIC
MRP2	*ABCC2*	Conjugated bilirubin Anionic neutral drugs	Dubin-Johnson syndrome
ABCG5/8	*ABCG5/8*	Cholesterol	Sitosterolemia (chol. 배설 감소)
MDR1	*ABCB1*	Amphipathic durgs (e.g., CyA, FK506, PI, steroid)	약물 배설 감소
CFTR*	*ABCC7*	Chloride (bicarbonate)	Cystic fibrosis
BCRP	*ABCG2*	여러 항암제	간세포에서의 역할은 모름
MRP1	*ABCC1*	Conjugated bilirubin 등 (sinusoidal membrane에 위치)	
ATP7B	*ATP7B*	Copper	Wilson's disease

* CFTR은 cholangiocyte에 존재 (나머지는 모두 hepatocyte에 존재)
* 약자; BSEP (bile salt export pump), MDR (multidrug resistance transporter), MRP (multidrug resistance-associated protein), CFTR (cystic fibrosis transmembrane regulator), BCRP (breast cancer resistance protein), PFIC (progressive familial intrahepatic cholestasis)

2. Conjugated와 unconjugated bilirubin의 비교

	Unconjugated	Conjugated
Van den Bergh 반응	Indirect (total – direct)	Direct
친화성	지용성	수용성
혈중 비율	>70%	<30%
소변(신장) or 담즙으로 배설	–	+
혈중 albumin에 결합 (가역적)	아주 강함	약함
Bilirubin–albumin complex 형성 : δ –bilirubin (biliprotein)	–	비가역적 공유결합 (→ 반감기 긺)

c.f.) unconjugated bilirubin은 신생아에서 BBB를 통과하여 핵황달을 유발 가능

황달 (Jaundice)

1. 정의

- 혈중 total bilirubin 치가 정상의 2배 (2.0~2.5 mg/dL) 이상이 되어야 황달 발생
  ; 초기에는 공막 황달과 소변색이 짙어짐 → bilirubin이 더 높아지면 피부도 노랗게 됨
    → 심하게 오래 지속되면 피부가 진한 녹색조로 됨 (∵ bilirubin이 biliverdin으로 산화)
- conjugated (direct) hyperbilirubinemia : direct bilirubin이 total bilirubin의 보통 50% 이상
    → 대부분 간담도계 질환이 원인

- unconjugated (indirect) hyperbilirubinemia : direct bilirubin이 15% 이하
  - → 대부분 간 이외가 원인이며 (주로 hemolysis), 대개 경미함

2. 황달의 원인 감별

	Prehepatic	Hepatocellular	Obstructive
Serum unconjugated bilirubin	↑	↑	↑
Serum conjugated bilirubin (CB)	N	↑↑	↑↑
Urine bilirubin (CB)	–	↑	↑
Urine urobilinogen	↑	N~↑ or ↓	–
Fecal bilirubin	↑	↓	–
Fecal urobilinogen	↑	↓	–

- 순수한 unconjugated hyperbilirubinemia를 제외하고는, direct와 indirect를 구분하는 것은 황달의 원인 감별에 별 도움이 안됨
- 소변에서 검출되는 bilirubin은 항상 conjugated bilirubin이며, bilirubinuria의 존재는 간질환이 있음을 의미함 (unconjugated bilirubin은 혈중에서는 항상 albumin과 강하게 결합되어 있으므로 신사구체에서 여과 안됨)
- urine bilirubin (+) → "red urine"
- fecal urobilinogen (−) → light or gray colored stool

3. 황달 환자의 진단적 접근

(1) bilirubin 만 증가된 경우 (다른 간기능검사는 정상)
　　⇨ 용혈 또는 독립된(e.g., 선천성) bilirubin 대사장애 의심

(2) ALP and/or aminotransferase (AST, ALT)도 증가된 경우
　　⇨ 폐쇄성(cholestasis)과 간세포성 황달을 감별해야 함

	폐쇄성 황달	간세포성 황달
병력	복통 발열, 오한 담도계 수술 병력 고령 무담즙변(회색변)	바이러스감염의 전구증상 　; 식욕부진, 권태감, 근육통 등 감염원에 노출 병력 수혈 병력, IV drugs user 간독성 물질에 노출 병력 황달의 가족력
진찰	고열 복부 압통 복부 종괴 복부 수술 흉터	복수 기타 만성간질환의 단서 　; 복부 정맥 확장, 여성형 유방, 　거미혈관종(spider angioma), asterixis, 　간성 뇌병증, Kayser–Fleischer rings 등
검사	주로 bilirubin과 ALP가 상승 PT 정상 or vitamin K로 정상화! Amylase 상승	주로 aminotransferases 상승 PT 연장이 vitamin K로 정상화 안됨 간세포 질환을 시사하는 다른 검사들...

(3) intrahepatic과 extrahepatic cholestasis의 감별

  ① Hx, P/Ex, laboratory tests ; 별로 도움 안됨

  ② US ; sensitivity & specificity 높다

    ┌ intrahepatic ; biliary dilatation 없음
    └ extrahepatic ; biliary dilatation 있음

    - false (−) ; CBD의 partial obstruction, LC, primary sclerosing cholangitis

  ③ CT ; pancreatic head와 ductal dilatation이 없는 CBD stone 보는데 좋다

  ④ ERCP ; CBD stone (choledocholithiasis) 진단의 gold standard

  ⑤ MR cholangiopancreatography (MRCP) ; noninvasive, ERCP를 대체 가능

■ 담즙정체(cholestasis)의 원인

Intrahepatic	Extrahepatic

바이러스성 간염 (A, B, C, EBV, CMV)
알코올성 간염
약물 ; imipramine, tolbutamide, sulindac,
  cimetidine, TMP-SMX, β-lactams
Vanishing bile duct syndrome
  ; 간이식의 만성 거부반응, sarcoidosis, 약물
Intrahepatic cholestasis of pregnancy
Benign postoperative cholestasis
GVHD, TPN, Venoocclusive disease
간담계 이외의 원인에 의한 sepsis
Paraneoplastic syndrome
Primary sclerosing cholangitis (PSC)
Primary biliary cholangitis (PBC)
	담관 결석 (m/c)
	만성 췌장염
	악성종양 ; 담관암, 췌장암, 담낭암,
	  유두부암, 간주위 LN의 전이
	AIDS cholangiopathy
	Primary sclerosing cholangitis (PSC)

Intrahepatic cholestasis를 일으키는 drugs		
Amoxicillin	Floxuridine	Procainamide
Amoxicillin/clavulanic acid	Flurazepam	Prochlorperazine
Atenolol	Flutamide	Propafenone
Azathioprine	Gold salts	Sulfonamides
Captopril	Griseofulvin	Sulindac
Chlorpromazine	Haloperidol	Thiabendazole
Chlorpropamide	Imipramine	Tolazamide
Cimetidine	Ketoconazole	Tolbutamide
Cyclosporine	Methimazole	Trazodone
Danazol	Methyltestosterone	TMP-SMX
Erythromycin	Nitrofurantoin	Valproic acid
Estrogens	Phenylbutazone	Warfarin

* 치료는 뒷부분 참조

빌리루빈 대사 이상에 의한 황달의 분류

■ *Unconjugated* Hyperbilirubinemia가 주인 경우

❶ 과다생산
1. Hemolysis (intra- & extravascular)
2. Ineffective erythropoiesis

❷ Hepatic uptake 감소
1. Prolonged fasting, sepsis
2. Gibert's syndrome
3. 간으로의 운반 감소 ; CHF, LC, portacaval shunt
4. Drugs ; isoniazid, α-methyldopa, phenothiazines, NSAIDs, thiazides, sulfonamides, rifampicin, ribavirin, probenecid, flavaspidic acid, novobiocin, 담낭조영제 등

❸ Bilrubin conjugation 감소 (hepatic glucuronosyl transferase activity 감소)
1. Neonatal jaundice (transient transferase deficiency, unconjugated bilirubin의 장흡수 증가)
   : 생리적 황달, 특히 미숙아
2. Acquired transferase deficiency
   Drug inhibition (예; chloramphenicol, pregnanediol, novobiocin, GM, vitamin K)
   Breast milk feeding (reversible transferase inhibition)
   Hepatocellular diseases (advanced hepatitis, cirrhosis)
   Hypothyroidism
3. Hereditary transferase deficiency
   Gilbert's syndrome (mild transferase deficiency)
   Crigler-Najjar type II (moderate transferase deficiency)
   Crigler-Najjar type I (absence of transferase)

■ *Conjugated* Hyperbilirubinemia가 주인 경우

❶ 간에서의 분비 장애 (intrahepatic defects)
1. Familial or hereditary disorders
   Dubin-Johnson syndrome
   Rotor syndrome
   Recurrent (benign) intrahepatic cholestasis
   Cholestatic jaundice of pregnancy
2. Acquired disorders
   Hepatocellular diseases (예; viral or drug-induced hepatitis, cirrhosis)
   Drug-induced cholestasis (예; oral contraceptives, androgens, chlorpromazine)
   Alcoholic liver disease
   Sepsis
   Postoperative state
   Parenteral nutrition
   Biliary cirrhosis (primary or secondary)

❷ 간외 담도 폐쇄
1. Intraductal obstruction
   Gallstone, CBD stone
   Biliary malfomation (예; stricture, atresia, choledochol cyst)
   Infection (예; Clonorchis, Ascaris, oriental cholangiohepatitis)
   Malignancy (cholangiocarcinoma, ampullary carcinoma)
   Hemobilia (trauma, tumor)
   Sclerosing cholangitis
2. Biliary ducts의 압박
   Malignancy (예; pancreatic carcinoma, lymphoma, portal LN의 전이)
   Inflammation (예; pancreatitis)

* hepatocellular dz. (hepatitis, cirrhosis)는 conjugated bilirubin이 주로 증가

UNCONJUGATED HYPERBILIRUBINEMIA

1. Bilirubin의 과다 생산

(1) **hemolysis** : unconjugated hyperbilirubinemia의 m/c 원인

    ┌ hemolysis 만 있는 경우에는 대개 4 mg/dL 이하로 증가됨
    └ 5 mg/dL 이상 증가시에는 hepatic dysfunction도 동반되었음을 시사

    • 장기간의 hemolysis는 담낭/담도에 bilirubin salts 축적을 유발하여 gallstones이 형성될 수 있음

(2) ineffective erythropoiesis

    : bone marrow 내에서 RBC나 RBC precursors의 파괴가 증가되는 현상

    예) megaloblastic anemia, pernicious anemia, sideroblastic anemia, thalassemia major, IDA, polycythemia vera, aplastic anemia, lead poisoning, congenital erythropoietic porphyria

(3) 기타 ; massive tissue infarction, large hematoma

2. Bilirubin conjugation의 장애

    * 기전 ; bilirubin-UDP glucuronosyltransferase (UGT1A1)의 활성도 감소

(1) Gilbert's syndrome (GS)

• 원인 ; *UGT1* gene의 promotor mutation 등 (but, 유전적 결합이 GS 발현에 충분조건은 아님)
   - glucuronosyl transferase (UGT1A1) activity 감소 (정상의 10~35%)
   - bilirubin uptake 장애도 관여함, 일부에서는 hemolysis도 동반

• mild unconjugated hyperbilirubinemia의 흔한 원인!
   - 유병률 3~10%, 남>여, 보통 10대 이후에 우연히 발견됨
   - total bilirubin : 1.2~3 mg/dL (5 mg/dL 이상은 넘지 않는다)
   - bilirubin 농도는 상당히 유동적이며, F/U 시 최소 25% 이상에서는 일시적으로 정상을 보임

• jaundice가 악화되는 경우 ; 금식, 스트레스, 피로, 수면 부족, 감염, 수술, 심한 운동, 과음,
    protease inhibitor indinavir & atazanavir (UGT1A1 억제)

• liver function test나 liver biopsy는 정상, splenomegaly 無
   (radiobilirubin kinetics에서는 간의 bilirubin 제거율이 정상의 1/3로 감소)

• 특징 ┌ 장시간(48 hr) 금식 or IV nicotinic acid → bilirubin 증가
       └ 열량섭취 증가 or phenobarbital 투여 → bilirubin 정상으로 감소

• 치료 : 필요 없다! (수명은 정상)

• irinotecan (CPT-11), methanol, estradiol, benzoate, AAP, tolbutamide, rifamycin 등의 약물은 GS 환자에서 toxicity가 증가할 수 있으므로 주의! (e.g., irinotecan → 골수 억제, 심한 설사)

(2) Crigler-Najjar syndrome

❶ type Ⅰ (severe form)

- *UGT1* gene의 다양한 mutations (AR 유전)
  - type IA (대부분) : *UGT1*의 <u>common exon</u> (2~5)의 mutations
    (→ bilirubin 외에도 다양한 drugs, xenobiotics의 포합 장애 발생)
  - type IB (일부) : *UGT1*의 bilirubin-specific exon A1의 mutations (→ bilirubin만 장애)
- glucuronosyltransferase (UGT1A1)가 완전히 결핍됨
- 영아기에 심한 unconjugated hyperbilirubinemia (20~45 mg/dL)가 발생하여, 평생 지속됨
  → 치료 안하면 핵황달(bilirubin encephalopathy)로 사망
- 다른 liver function test나 liver biopsy는 정상
- Tx (phenobarbital 및 enzyme inducers는 효과 없다)
  ① phototherapy (12 hr/day) : 출생시~소아기 (신생아 때 심한 경우엔 교환수혈도 시행)
  ② tin-protoporphyrin (heme oxygenase inhibitor)
  ③ calcium phosphate + calcium carbonate
  ④ 간이식 (m/g) : 뇌손상 발생 전에 시행

❷ type Ⅱ (moderate form)

- type Ⅰ과의 차이점
  ① glucuronosyl transferase (UGT1A1) activity 감소(<10%)
  ② 평균 bilirubin level은 type Ⅰ보다 낮다
  ③ bilirubin encephalopathy (kernicterus)는 드물다
  ④ 담즙내에 bilirubin glucuronides 존재(→ 유색), BMG 증가
  ⑤ 일부에서는 성인이 되어 발견되기도 함
  ⑥ phenobarbital에 반응 (→ bilirubin 25% 이상 감소, 정상으로는×)
- Tx : phenobarbital (single bedtime dose)

Glucuronosyltransferase 결핍에 의한 선천성 Unconjugated hyperbilirubinemia

	Mild (Gilbert's syndrome)	Moderate (Crigler Najjar syndrome type II)	Severe (Crigler Najjar syndrome type I)
UGT1A1 activity (bilirubin conjugation)	↓	↓↓	없음
유전양상	다양*	주로 AR	AR
담즙의 특징; Color Bilirubin 구성	정상(흑색) BMG↑(평균 23%) 주로는 BDG	색소성 BMG↑↑(평균 57%)	무색 UCB이 대부분 (>90%)
혈청 Bilirubin (mg/dL)	1~4	5~20	20~45
Encephalopathy (kernicterus)	없음	드묾	흔함
Phenobarbital에 대한 반응	bilirubin 정상으로 감소	bilirubin 25% 이상 감소	×

(UCB: unconjugated bilirubin, BMG: bilirubin monoglucuronide, BDG: bilirubin diglucuronide)

* 많은 경우 가족력 없다, promotor mutation은 AR, missense mutation은 대부분 AD

CONJUGATED (or Mixed) HYPERBILIRUBINEMIA

1. 선천성 간배설(hepatic excretion) 이상

(1) Dubin-Johnson syndrome
- biliary excretion의 장애, <u>MRP2</u> gene (*ABCC2*)의 mutations, AR 유전
- chronic idiopathic jaundice 이외에 대부분 무증상, 다른 간기능검사도 정상
- total bilirubin은 대개 2~5 mg/dL (심하면 ~20 mg/dL까지도 가능)
- 악화인자 ; 다른 동반 질환, 경구 피임약(estrogen), 임신 ..
- oral & IV cholecystography에서 GB & biliary tract이 보이지 않음
- BSP elimination curve에서 90분 후에 2ndary rise 보임 (ICG에서는 없음)
- 조직소견 : "<u>black liver</u>" (hepatocytes에 dark pigment 축적) → 유일하게 조직학적인 변화 있음!
- 예후는 양호하며, 특별한 치료는 필요없다 (estrogen은 복용 금지)

(2) Rotor syndrome
- AR 유전, Dubin-Johnson syndrome보다 더 드물다
- hepatic storage capacity의 장애 (excretion의 장애는 보이지 않음)
- cholecytography에서 GB & biliary tract이 보임
- BSP excretion에서 secondary rise 보이지 않음
- 조직소견은 정상 (hepatocytes에 pigment 축적 없음)

	Rotor	Dubin-Johnson
혈청 Bilirubin	3~7	2~5
BSP excretion에서 2nd rise (∵ reflux)	−	+
Cholecystography	GB 보임	GB 안보임
Total urinary coproporphyrin	↑	N
Coproporphyrin I isomer의 비율	<70%	≥80%
Liver biopsy	정상	Dark pigment

(3) Benign recurrent intrahepatic cholestasis (BRIC)
- 재발성 황달과 소양감, aminotransferase와 ALP도 상승
- 원인 : FIC1 (*ATP8B1*) gene의 mutation, AR 유전
- LC로의 진행은 없으며 대개 저절로 좋아짐

(4) Progressive familial intrahepatic cholestasis (PFIC)
- type Ⅰ (Byler dz.) : 영양실조, 성장지연, 말기 간질환으로 진행 (원인 : FIC1 gene mutation)
- type Ⅱ : BSEP (bile salt export pump) gene mutation
- type Ⅲ : MDR3 gene mutation, GGT 증가가 특징(다른 선천성 간배설이상 질환에서는 정상)

2. Hepatitis and cirrhosis

- jaundice의 m/c 원인
- bilirubin 대사의 3단계(uptake, conjugation, excretion)가 모두 장애를 받지만 excretion이
  rate-limiting step으로 가장 많이 장애를 받으므로 주로 conjugated hyperbilirubinemia가 발생함

3. Benign postoperative intrahepatic cholestasis

- 원인 ; major & prolonged surgery (e.g., aortic aneurysm)에서 hypotension & hypoxemia,
  과다 출혈, 대량 수혈 등이 있었던 경우
- 발생기전
  ① transfusion에 의한 pigment 과부하
  ② hypoxemia, hypotension에 의한 간세포 기능의 저하
  ③ shock의 결과로 tubular necrosis에 의한 renal bilirubin excretion의 저하
- 임상양상 (self-limited)
  ① 수술후 2~3일에 jaundice 나타나기 시작
  ② bilirubin은 8~10일 경에 peak (20~40 mg/dL)
  ③ ALP와 GGT도 몇 배 증가됨
  ④ AST : 정상 or 약간 증가 (특징적)

4. Intrahepatic cholestasis of pregnancy
(= Recurrent jaundice of pregnancy)

- 원인 : estrogen/progesterone의 담즙정체 효과에 민감한 유전적 소인
  (MDR-associated canalicular transporter proteins의 결함)
- 임신 말기 3개월에 호발, 1% 미만에서 발생
- 임상양상
  ① 소양증 (m/c) ; 손바닥, 발바닥에 심함, 밤에 악화
  ② 황달 (약 10%에서), 간부전이나 간성뇌증은 없다
  ③ 요로감염이 호발하므로 주의
- 검사소견
  ① bile acids↑ (특히 cholic acid) - 가장 특징적
  ② ALP↑, AST/ALT ↑~↑↑
  ③ bilirubin N~↑ (total bilirubin은 5 mg/dL 이하)
  ④ liver biopsy : 다양한 정도의 cholestasis를 보이나, 실질세포의 파괴는 거의 없음
- 치료
  ① 소양증 → hydroxyzine, phenobarbital, cholestyramine
  ② 심한 환자 → UDCA (ursodeoxycholic acid), dexamethasone
  ③ 황달이 있거나 cholestyramine을 사용하는 환자 → vitamin K

- 예후

① 산모 ; 출산 후 수일 내에 호전(self-limited), 다음 임신시 45~75%에서 재발

② 태아 ; 나쁨 (조산, 사산, 미숙아 ↑) → 조기 분만이 안전

임신시 발생하는 간질환

	빈도	발생시기 (trimester)	증상	검사소견	다음 임신시 재발률
Hyperemesis gravidarum	~2%	1	심한 N/V, 탈수, 영양결핍	AST/ALT 증가 (60~1000) 때때로 hyperbilirubinemia	흔함
Intrahepatic cholestasis	~1%	2<3	대부분 소양증만 일부 심한 경우 황달도 나타날 수	Bile acids >8 μ M 심하면 AST/ALT 증가 Bilirubin은 대개 2~5 mg/dL	흔함
Acute fatty liver of pregnancy (AFLP)	드묾	3	N/V, 복통	AST/ALT 증가 (100~1000) Bilirubin >5 mg/dL, PT 연장 등의 간부전 양상	드묾
HELLP syndrome	심한 eclampsia, preeclampsia 환자의 2~12%	2, 3, or 분만후	복통, N/V	AST/ALT 증가 (60~1500) Microangiopathic anemia Platelet <100,000/μ L LDH >600 U/L	3~25%

* HELLP syndrome : Hemolysis, Elevated Liver enzymes, Low Platelets

- 고령, 다산부에서 발생 증가, AFLP와 증상 비슷(e.g., 복통)

- MAHA (microangiopathic hemolytic anemia) / PT, PTT, fibrinogen 등은 대개 정상!

(c.f., aminotransferase level과 platelet count는 예후와는 관련 없음)

- 간생검 (권장되지는 않음) ; focal hepatocellular necrosis, sinusoids 내의 fibrin 침착

- Cx. ; sepsis, MODS (multiple-organ dysfunction syndrome), 간부전, 신부전, 간종양/파열 ...

- 치료 ; 즉시 분만!

- 재발률은 낮은 편 (3~25%)

* AFLP (급성 임신성 지방간) → Ⅱ-5장 참조

■ 담즙정체(cholestasis)의 임상양상 및 치료

(1) 소양증(pruritus)

① 국소 치료 ; 낮은 온도의 물로 샤워, 옷/침구는 가능한 적게/얇게 사용, 보습 비누/로션
　　(e.g., Dove 비누, Eucerin 크림) 사용

② bile salt binders (anion-exchange resins) ; cholestyramine or colestipol

③ bile salts ; ursodeoxycholic acid (ursodiol)

④ doxepin

⑤ hepatic microsomal enzyme induction ; rifampin

⑥ opioid receptor antagonists ; naltrexone, naloxone, nalmefene

⑦ antihistamines

(2) Hypercholesterolemia

; bile salt binders (e.g., cholestyramine), statins (효과 별로)

(3) Malabsorption

; medium-chain TG, fat-soluble vitamins (A, D, E, K), essential fatty acids

(4) Osteopenia

; calcium, vitamin D, bisphosphonates

3 급성 간염

급성 바이러스성 간염

- A, E : 급성 간염만 일으킴, 대부분 fecal-oral route로 감염
- B, C, D : 급성 간염과 만성 간질환을 모두 일으킬 수 있음, 간암 유발 가능

1. 원인 (virology)

(1) hepatitis A

- picornavirus family의 *Hepatovirus* 속(genus) RNA virus, 간에서만 복제됨
- self-limited, 급성 간염만 일으킴 (만성 간염이나 보균자 없음!)
- 1분간 끓이거나 formaldehyde, chlorine, UV 등에 의해 불활성화됨
- anti-HAV
  - IgM : acute stage 때 (+), 대개 3~6개월 뒤 소실
  - IgG : <u>protective</u> antibody, 평생 지속

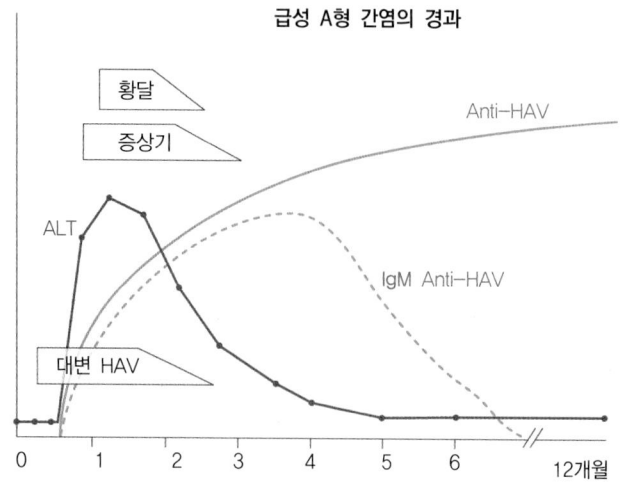

급성 A형 간염의 경과

> **대변 HAV** : 주 전염원, 잠복기~ 증상 발생 몇 주 이후까지 존재 HAV-RNA PCR로는 4~5개월 이후까지 검출됨
>
> **HAV Viremia** : 잠복기에 나타남, HAV-RNA PCR로는 발병 이후 21일까지(low-titer) 검출됨, 증상 발생 3~11일 전 혈액은 수혈을 통해 HAV 전파 가능
>
> **소변** : viremic phase에 low titer 로 존재하며 전염도 가능

- 전염력은 임상증상(황달)이 나타나기 <u>전</u>이 가장 높고, 황달이 발생한 뒤에는 급격히 감소됨!
- 약 10%는 완전 회복 4~15주 후에 증상 재발, AST-ALT↑, 대변 HAV(+), 간혹 황달 발생
  → 결국엔 예외 없이 회복됨

(2) hepatitis B

- hepadnavirus type 1, only DNA virus (다른 hepatitis는 모두 RNA virus!)
- DNA virus 인데도 reverse transcription이 일어남
- 간세포의 핵 뿐 아니라 cytoplasm 내에서도 증식함
- 외피와 핵으로 구성된 2중 구조의 구형 입자
  - ┌ 외피(envelop) : HBsAg
  - └ 핵(core) : HBcAg, DNA, DNA polymerase

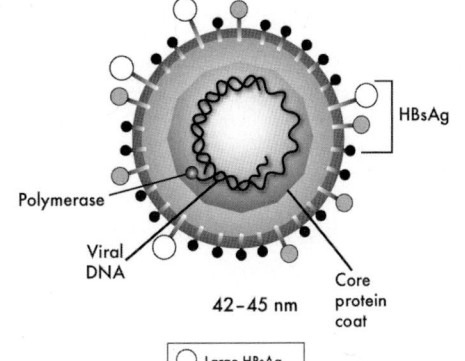

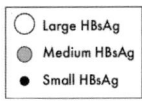

- HBV의 유전자(genes)
  - ① S gene (pre-S1, pre-S2 포함)
    - ┌ S gene → small HBsAg (major)
    - │ S + pre-S2 → middle HBsAg
    - └ S + pre-S2 + pre-S1 → large HBsAg
      - (완전한 virion 내에 多)
  - ② C gene (2개의 initiation codon을 가짐)
    - ┌ precore region에서 해독 시작 → HBeAg
    - └ core region에서 해독 시작 → HBcAg
  - ③ P gene → DNA polymerase (DNA-dependent DNA polymerase 및
    - RNA-dependent reverse transcriptase 활성을 모두 갖고 있음)
  - ④ X gene → HBxAg ("transactivating" factor) ⇨ virus & 간세포 gene의 transcription 활성화
    - : p53 (암억제단백), NF-kB, RNA pol II, TBP, TFIIB 등과 interaction하여
    - ┌ HBV replication↑ (→ severe hepatitis, HCC)
    - │ 다른 virus의 transcription↑ (e.g., HIV)
    - │ HLA class I gene activation (→ cytotoxic T cell에 민감)
    - └ programmed cell death (apoptosis) 유도 (but, 억제하기도 함), p53도 관련
- * 간암(HCC) 발생과 관련 ; pre-S2, X gene

- **HBsAg** (hepatitis B surface Ag)
  - 급성 간염 or 만성 보균자(carrier)에서 (+) [만성간염 : HBsAg (+) 6개월 이상]
  - titer는 질병의 severity나 간세포 파괴 정도와는 관련 없음 (∵ 환자의 면역반응이 더 관련)
  - 급성 간염 때 HBsAg titer가 빨리 감소하지 않으면 만성 간염으로 진행할 위험 높음
  - 열이나 소독제에 저항이 강하다
  - 4가지의 subtypes 가짐 ; *adr, adw, ayr, ayw* (a = common determinant)

Genotype	A1~3	B1~6	C1~11	D1~6	E	F1~4	G
관련 subtypes	*adw2* (*ayw1*)	*adw2* *ayw1*	*adr* *adrq–* *ayr* *adw*	*ayw2* *ayw3* *ayw4*	*ayw4* (*adw2*)	*adw4q–*	*adw2*

* 우리나라는 거의 대부분 genotype **C2** (*adr*) 형임 (→ 다른 genotypes에 비해 예후 나쁘고, 치료 효과 낮음)

- **HBcAg** (hepatitis B core Ag)
  - HBsAg coat에 둘러싸여 있고, 혈액에서는 검출되지 않음
  - 간세포의 핵에서만 발견됨

- HBeAg
  - virus의 활발한 증식을 의미 (virion 농도 반영) → high infectivity!
    - 급성 간염에서도 일시적으로 (+) → 음전되면 임상적 호전 & 감염 해소
    - 3개월 이상 지속되면 만성 간염으로의 진행을 시사
  - vertical transmission 위험 증가 : 엄마가 (+)면 90% 이상, (−)면 10~15%
  - HBsAg (+) 시에만 발견 : HBeAg (+)면 → HBsAg도 (+)

- anti-HBs
  - protective antibody! (중화항체)
  - HBsAg과 anti-HBs가 동시에 나타나는 경우
    ① heterotypic anti-HBs 생성 : low-level, low-affinity, non-neutralizing Ab
      - common a determinant에는 작용하지 않고 subtype determinant (d/y, w/r)에 작용함
      - 만성 B형 간염 환자의 10~20%에서 나타날 수 있음, 임상적인 의미는 없음
        (∵ high-affinity Ab 생산 B cells은 억제되고, 대신 low-affinity Ab 생산 B cells↑)
        c.f.) heterotypic anti-HBs는 다른 HBV subtype의 중복감염에 의해 유도되지는 않음
    ② HBsAg escape mutants
    ③ seroconversion시 (HBsAg↓ ⇨ anti-HBs↑) : 매우 드묾 (∵ HBsAg에 결합되어 검출×)
  - hepatitis B vaccination (HBsAg으로만 구성) 뒤에는 혈중에 anti-HBs만이 나타남

- anti-HBc
  - not protective
  - HBV가 들어왔던 흔적을 나타냄 (marker of HBV infection)

  * IgM anti-HBc : 급성과 만성 감염의 감별에 유용
    - (+)면 acute hepatitis B 진단!, 첫 6개월에 주로 나타난 뒤 감소됨
      (드물게 1~5%에서는 HBsAg (−) & IgM anti-HBc (+))
    - "window period"시에 HBV 감염의 증거 제공!
    - chronic hepatitis B의 재활성화시에도 (+)일 수 있음
  * IgG anti-HBc : 6개월 후에 predominate (→ chronic hepatitis B)
    - B형 간염에서 완전히 회복된 경우 anti-HBs와 IgG anti-HBc가 평생 존재
    - only (+) ; remote past infection, low-level HBsAg carrier (드묾)

- anti-HBe ; not protective, 혈중 HBV 농도가 낮음을 의미 (low infectivity)

- HBV DNA 검사
  - HBV의 replication & liver injury 정도를 민감하게 반영 (quantitative)
  - 만성 간염에서 치료방침 결정 및 F/U시에 유용
  - HBV DNA 정량검사별 검출 민감도
    - hybrid capture signal amplification : 4700 copies/mL
    - bDNA signal amplification : 2000 copies/mL
    - quantitative RT-PCR : 200 copies/mL
    - real-time PCR : <50 copies/mL (10 IU/mL) → 가장 민감, 검출범위 넓음 (현재 주류)
  - 단위는 IU가 표준, 1 IU/mL ≒ 5 copies/mL (장비에 따라 차이)

* 나타나는 순서
  : <u>HBsAg</u> → HBeAg → IgM anti-HBc → anti-HBe → anti-HBs
* 사라지는 순서
  : HBeAg → HBsAg → IgM anti-HBc → anti-HBe (→ anti-HBs)
* window (or gap) period : HBsAg이 사라지고 anti-HBs가 아직 나타나지 않은 시기
  - IgM anti-HBc 만이 검출됨 (isolated anti-HBc) ; 수혈에 의한 감염의 경우
  - 최근엔 HBsAg과 anti-HBs의 검사법이 향상되어 실제 임상에서 window period를 보게 되는
    경우는 매우 드물다

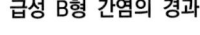

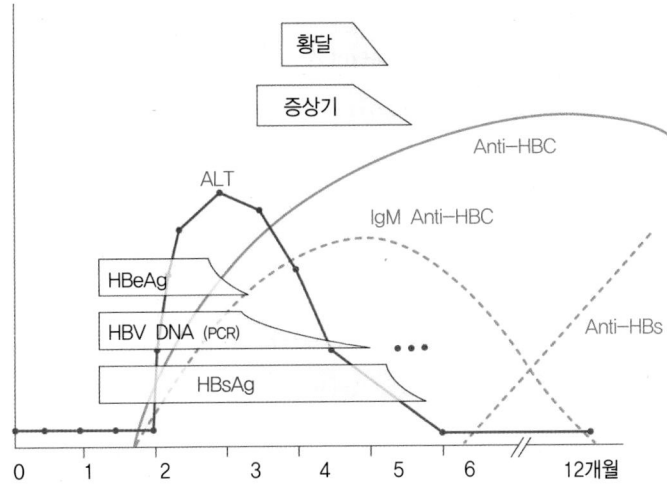

급성 B형 간염의 경과

* HBV의 replication (→ high infectivity)을 나타내는 지표 ★
  ① HBeAg - qualitative marker
  ② HBV DNA - quantitative marker
  ③ HBV DNA polymerase
  ④ pre-S1 & pre-S2 protein (Ag)
  ⑤ Dane particle : intact virion (HBsAg + HBcAg)

* pathogenesis ··· 주로 cellular immune response가 중요함
  - HBV는 대개 직접 세포독성 효과는 없고, 간질환의 severity는 숙주의 면역반응 정도와 관련
  - innate/nonspecific response (e.g., NK cells, IFNs) → 초기의 virus 제거에 관여
  - adaptive response ; viral Ag에 대한 Ab, HLA class II-restricted CD4[+] T cells,
        HLA class I-restricted CD8[+] cytotoxic T cells (CTLs) 등 → 간세포 표면에 소량 발현된
        nucleocapsid proteins (<u>HBcAg</u>, HBeAg)을 CTLs이 인식하여 감염된 간세포를 제거함

c.f.) 간 이외의 HBV 존재 장소 ; LN, BM, lymphocyte, spleen, pancreas 등
      - 조직 손상을 일으키지는 않음
      - 간이식 뒤의 HBV 감염 재발과 관련

■ HBV의 변이형(variant, mutation)

① HBsAg mutation (HBV/a mutant)
- 모든 HBsAg에 공통적인 immunodominant 'a' determiant (S gene)의 mutation
- AA 서열 121~149 사이에서 발생 (특히 141~145), 145번의 G145R이 m/c
- 발생원인 ; vaccination, HBIG 투여, 자연발생(숙주의 면역체계 이상으로) 등
  - 예 ; HBsAg (+) 산모에서 태어난 신생아에 HBIG & 백신 접종한 경우,
    예방접종으로 anti-HBs를 가지고 있던 환자가 HBV에 감염됨,
    고농도의 HBIG를 지속적으로 투여 받은 간이식 수혜자
- 방어항체인 anti-HBs를 회피할 수 있음 (→ "escape" mutant라고도 불림)
- anti-HBs (+)인 사람도 B형간염 발생 가능, HBsAg/anti-HBs 공존 가능
- monocloanl Ab를 이용하는 기존의 면역검사법에서는 검출되지 않을 수 있음
  → false (−) 문제 (c.f., 요즘 면역검사들은 HBV/a mutant까지 검출 가능)

② Precore (PC) or basal core promotor (BCP) mutation : HBeAg(−) mutant
- precore mutation : HBeAg 합성에 관여하는 C gene의 precore region의 변이
  - G1896A 변이가 m/c, TGG tryptophan codon이 TAG stop codon으로 바뀜
    → HBeAg translation 중단 (HBeAg 생산×) → HBeAg (−) & virus 복제는 지속
  - precore mutant는 정상(wild-type) HBV와 공존 or wild-type HBV 감염 도중에 발생
  - HBeAg seroconversion phase에 주로 나타남
  c.f.) 최근 연구 결과로는 HCC 발생 위험은 오히려 wild-type HBV 감염보다 낮음 (논란)
- BCP mutation : A1762T와 G1764A 변이 → HBeAg (precore mRNA) transcription 감소
    → HBeAg 생산 70% 감소 (∵ 대개 host immune response 증가 때문)
  - 간세포의 염증/괴사가 심하고 관해율이 낮으며, HCC 발생 위험 더욱 증가
  - HBV genotype C 감염 환자에서 많음, 대개 PC 변이보다 BCP 변이가 더 흔함
  - 아시아와 유럽 만성 B형간염 환자에서는 PC와 BCP 변이가 공존하는 경우도 많음
- 우리나라는 HBeAg(−) 만성 B형간염 환자의 대부분과, HBeAg(+) 만성 B형간염 환자의
  약 20%에서 발견되며, inactive carrier에서도 많이 발견됨
  (유럽/지중해에서는 B형간염의 m/c 형태가 되었고, 미국도 증가하여 30~40% 차지)
- **HBeAg(−) 만성 B형간염** ⇨ HBeAg(+) 만성 B형간염보다 연령↑, 섬유화↑, 자연관해율↓,
  심한 간질환(e.g., LC, HCC)↑ 및 치료반응↓과 관련, HBV DNA 및 ALT level의 기복 심함
- HBeAg(+) 환자에서의 precore/BCP 변이 존재는 IFN-associated HBeAg seroconversion 증가
  (but, seroconversion 이후에는 higher viremia)와 관련

③ Polymerase (pol) mutation
- polymerase (P) gene의 RT domain은 A~E 5개의 subdomain으로 구성됨
- 자연적으로는 극히 드물고, 만성 B형 간염의 항바이러스제 치료시 발생 가능
- lamivudine → C subdomain의 YMDD motif의 mutations 발생 → lamivudine 내성
- adefovir → B or D subdomain의 mutations 초래 → adefovir 내성

Hepatitis B의 serologic markers의 해석

상황	HBsAg	Anti-HBs	Anti-HBc	HBeAg	Anti-HBe	HBV-DNA
Acute HBV infection (infectivitly ↑)	+	−	IgM	+	−	+
Chronic HBV infection (infectivity ↑)	+	−	IgG/IgM	+	−	+
Chronic HBV infection (infectivity ↓)	+	−	IgG	−	+	−
Precore/BCP mutant HBV	+	−	IgG	−	+	+
Heterotypic anti-HBs, HBsAg (HBV/*a*) mutant, seroconversion 과정 (드묾)	+	+	+	+/−	+/−	+/−
Acute HBV infection, Anti-HBc window	−	−	IgM	+/−	+/−	+/−
Remote past infection, Low-level HBsAg carrier	−	−	IgG	−	+/−	−
HBV infection에서 완전히 회복	−	+	IgG	−	+/−	−
B형 간염 백신 접종 후, Remote past infection (?), False-positive	−	+	−	−	−	−

(3) hepatitis C

- Flaviviridae family의 *Hepacivirus* 속의 유일한 종인 RNA virus
- 급성 간염시기엔 대부분 증상이 없거나 경미함 (fulminant hepatitis는 거의 안 일으킴!)
- 거의 대부분이 만성화됨 (>85%)
- aminotransferase level의 변화가 많음 (최대 상승 정도는 A나 B보다는 낮음!)
- 일반적으로 HCV-RNA는 혈중 titer가 낮아 감염 위험도는 HBV보다 낮다
- 6가지의 genotype이 있음 (1~6), 우리나라는 1b (45~59%)와 2a (26~51%)가 대부분

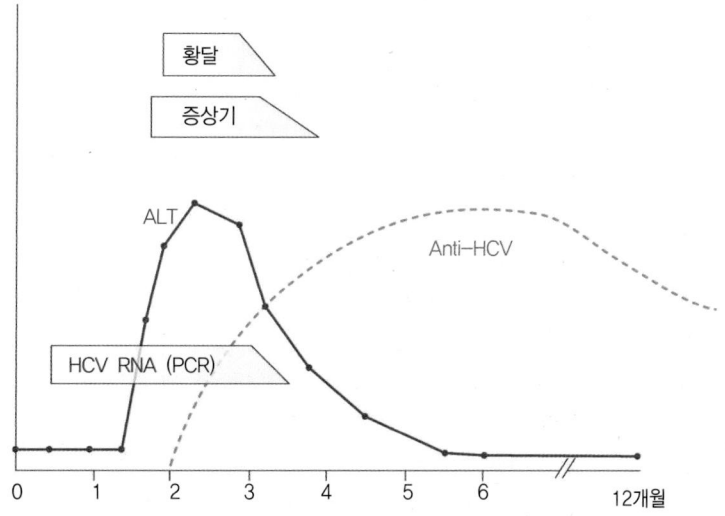

급성 C형 간염의 경과

- HCV는 한 환자 내에서도 다양한 염기서열을 가진 돌연변이 HCV가 발견됨 ("quasispecies")
  - 복제과정 ; polymerase의 높은 오류율, 교정능력(proofreading ability)이 없음
  - 매우 빠른 증식 속도(virion 생성) ; HIV의 약 100배
    ⇨ 면역반응을 피하는 주 기전 (quasispecies가 많을수록 자연회복↓ & 만성간염↑, 심한 질환↑)
- (만성 감염자에서) 중화항체가 생성되어도 HCV가 지속적으로 피해감 → 백신 개발 어려움

- pathogenesis
  - HBV에 비해 면역반응이 약하게 일어나 급성 감염시 바이러스 제거가 불완전하기 때문에
    대부분 만성화되며, 강한 염증은 억제하여 심한 간질환으로의 진행은 느린 편임
  - HBV처럼 HLA class I-restricted $CD8^+$ cytotoxic T cells (CTLs)이 간세포 손상의 주원인

- anti-HCV
  - not protective (회복 후 재감염 가능!), short-lived
  - HCV 감염 후 7~10주 뒤에 나타남 → 감염 초기에는 (−) 가능
  - acute hepatitis C의 90~95%, chronic hepatitis C의 95% 이상에서 (+)
  - EIA로 검사 → 양성이면 <u>HCV RNA</u> (PCR) 검사로 확진
    ① 1세대 EIA (anti-C100-3) : 간염 발병 1~3개월 뒤에나 양성,
       false (+)가 많아 HCV 감염의 진단에는 불충분 (현재는 안 쓰임)
    ② 2세대 EIA (anti-C22-3/C33c) : 1세대보다 1~3개월 빨리 양성,
       1세대보다 sensitivity & specificity 높음
    ③ 3세대 EIA (anti-NS3/4/5등) : 2세대보다 더 빨리 양성 (현재 쓰임),
       sensitivity & specificity 99% 이상

    - false (−) ; 신부전(혈액투석), 면역저하, hypo/agammaglobulinemia, mixed cryoglobulinemia
    - <u>false (+)</u> ; autoimmune hepatitis, alcoholic liver dz., hyperglobulinemia,
      RF↑(e.g, rheumatoid arthritis), 오래된 serum ...
        → false (+)는 유병률이 낮은 그룹은 (정상인) 약 50%,
          유병률이 높은 그룹은 (만성간질환) 약 5%에서 보임

    * RIBA (recombinant immunoblot assay)
      - 예전의 anti-HCV EIA 검사보다는 specificity가 높아 보완적 검사로 이용되었지만, 3세대
        EIA에서 양성이면 RIBA를 이용한 확인은 불필요함
      - anti-HCV (+) & HCV RNA (−) 때 보완적 검사로 이용 가능

- HCV RNA
  - HCV 감염의 most sensitive indicator … 확진
    (한번 음성으로 나오더라도 HCV 감염을 R/O할 수는 없으며, 추적 재검사가 필요)
  - HCV 노출 후 수일 이내에 가장 먼저 검출됨!
    (순서 ; HCV RNA → anti-NS5 → anti-C22/C33 → anti-C100)
  - AST, ALT가 정상화 되었을 때 serum HCV-RNA PCR은 (−)일 수 있음
    : inactive chronic hepatitis C → liver tissue HCV-RNA PCR은 (+)
  - HCV RNA level : 간염의 severity나 예후와는 유의한 상관관계가 <u>없으나</u>, antiviral therapy에
    대한 반응 예측에는 도움 (HCV genotype도 마찬가지)
  - 검사법 ; PCR (m/c), TMA (transcription-mediated amplication), bDNA assay

Hepatitis C의 serologic markers의 해석

Anti-HCV (EIA)	Anti-HCV (RIBA)	HCV RNA (PCR)	ALT	해석
+	+	+	↑	Acute or chronic hepatitis C
+	+	+	N	Chronic hepatitis C
+	+	−	N	Resolved hepatitis C Inactive chronic hepatitis C
+	−	−	N	False-positive EIA assay

(4) hepatitis D (delta hepatitis)

- 스스로 증식할 수 없고, HBV (HBsAg)의 존재 하에서만 증식할 수 있음
  (→ HBV의 감염 기간 동안에만 HDV 감염이 유지됨, HBsAg으로 screening)
- 진단 ; IgM/IgG anti-HDV (not protective)
  - acute (self-limited) HDV infection : IgM, 일시적으로 양성 (low titer)
  - chronic HDV infection : IgM & IgG, 지속적으로 양성 (high titer)
  - false (+) ; lipemia, high titer of RF
  - 기타 ; HDAg, HDV-RNA level (→ replication 및 infectivity와 관련)
- acute HBV/HDV coinfection : 대부분 급성 간염을 앓고 회복됨, 단일 B형 간염보다는 증상이 더 심하고 fulminant hepatitis 발생 위험 높음(약 5%)
- chronic HBV infection에서 HDV superinfection (더 흔함) : 만성 간염의 급성 악화 양상으로 나타나고, 흔히 만성 D형 간염으로 진행, 약 20%에서 fulminant hepatitis 발생

(5) hepatitis E

- HAV와 같이 수인성으로 감염 (fecal-oral route), 오염된 음식/물 등이 원인
  (다른 장관 감염원과는 달리 이차적인 사람간 전파는 드묾)
- HAV에 면역을 가진 젊은 성인에서 호발, 급성 간염만 일으킴
  (genotype 3 감염은 면역저하자에서 만성 간염으로 진행할 수도 있음)
- 진단 ; anti-HEV Ab (IgM, IgG) → 모두 급성 간염 뒤에는 급격히 감소 9~12개월 내에 소실
- 1~2%에서 fulminant hepatitis로 진행 (임산부는 10~20%에서)
- 주로 인도, 중앙아시아, 멕시코, 아프리카 등에서 호발 → 이외에는 매우 드묾

(6) hepatitis G

- HCV와 구조 비슷, 아직 잘 모름 / C형 간염과 동시 감염이 많다
- 수혈을 통해 감염될 수 (혈액 공여자의 약 1.5%에서 HGV 양성)
- 급만성 간염의 원인인지는 아직 불확실
- 대부분의 isolated HGV는 급/만성 간염과 관련이 없다

	HAV	HEV	HBV (HDV)	HCV
잠복기(평균)	15~45일(25일)	14~60일(40일)	30~180일(75일)/30~180일	15~160일(50일)
감염원/전염	대변(fecal-oral)	대변(fecal-oral)	혈액/체액(parenteral)	혈액/체액(parenteral)
만성화	–	–/+*	1~2%(성인)~90%(신생아)	85~90%
HCC 발생	–	–	+	+

*면역저하자에서는 genotype 3가 만성화할 수 있음

2. 역학

(1) hepatitis A

- 최근 크게 증가하여 국내 급성 바이러스성 간염의 m/c 원인 (약 50~80%)
  (∵ 예전에는 대부분이 소아 때 불현성 감염을 앓은 뒤 IgG anti-HAV를 가지고 있었으나, 위생상태의 호전으로
  A형 간염 발생이 둔화되어, 현재 20~40대는 항체 보유율이 매우 낮음 / 1997년부터 신생아 예방접종 시행)
- 감염경로
  ① 거의 다 fecal-oral route로 감염 ; 환자와의 접촉, 오염된 물/음식 등
    → 위생이 불량 or 밀집된 생활을 하는 경우 사람간 전파 증가
  ② 드물지만, 혈액제제의 수혈을 통해서도 감염 가능
- 현성 감염은 주로 20~30대에서 발생
- 소아보다 성인에서 발생한 경우 증상이 더 심함!

(2) hepatitis B

- 과거 급성 바이러스성 간염의 m/c 원인이었으나, 크게 감소 (약 10%)
- HAV보다 높은 연령에서 급성간염 발생 (∵ 예방접종)
- 우리나라의 HBV 감염률은 과거 8~10%로 매우 높았으나, 예방접종(1983년) 이후 현재 약 3%
  (but, 만성간염 및 LC의 약 70%, HCC의 약 65~75%에서 HBsAg 양성)
- HBsAg은 거의 모든 체액에 존재하지만 전염력이 있는 것은 혈액, 침, 정액, 질분비물 등임
- 감염경로
  ① percutaneous (약 1/3) ; 혈액제제의 수혈 등
  ② nonpercutaneous (약 2/3) ; 전염력이 있는 체액에 점막/피부 노출시
    (a) 긴밀한 신체접촉 (특히 성관계)
      - HBV는 HCV나 HIV보다 성관계를 통해 더 잘 전파됨
      - 일상적인 접촉(e.g., 뽀뽀)으로는 전파 안됨
    (b) 수직/주산기(perinatal) 감염 ; HBsAg carrier 산모나 임신3기/출산직후에 급성 B형 간염을
      앓은 산모에서 태어난 아기에게 발생 → 90% 이상 만성 보균자/감염으로 진행
      - 우리나라는 HBV의 주 감염경로이지만, 서양에서는 드묾
        (아기에게 예방조치를 시행해도 약 5%에서는 감염 발생)
      - 산모 HBeAg (+) → 예방조치 미시행시 영아 감염률 증가 (65~93%)
      - 자궁 수축 때 태반융모막 박리시 산모의 혈액이 아기에게 수혈되는 것이 원인으로 추정
        (c.f., 양수에는 HBV 無, 모유에는 소량만 존재)
      - 출생 후 예방접종과 HBIG를 투여하였으면 모유 수유도 안전함
    (c) 경구감염 : 감염 가능성은 매우 낮음

• HBV 감염 뒤 경과/임상양상 ; 무증상 감염 (65%), 급성 B형간염 (35%), 전격성 간염 (<1%)

(3) hepatitis C

• 유병률 : anti-HCV(+) 1.6%, 중앙아시아, 중국, 파키스탄, 동남아시아, 북아프리카 등에서 높음
(우리나라 20세 이상 0.78%, 고령에서 높음, 남<여)
• 감염 경로 (비경구적) ; 주사약물남용(서구에서 m/c), 비위생적 의료시술(개발도상국에서 m/c),
수혈(1991년 이전에는 m/c이었으나 선별검사 도입 후 극히 낮아짐), 혈액투석, 문신, 침술 등
 - 30~40%는 감염 경로 불확실 (성접촉, 수직감염, 가족내 전파 등으로 추정)
 - sexual & perinatal transmission의 위험성은 매우 낮은 편 (2~4% 미만)
 - needle stick injury의 경우 감염 가능성은 1~2% 미만
• 국내 급성 바이러스성 간염의 약 10%, 만성 간질환의 15~20% 원인

(4) hepatitis D

• 우리나라의 D형 간염 유병률은 무시할 수 있을 정도로 매우 낮음
• 전파경로 (주산기 감염을 제외하고는 HBV와 비슷)
┌ 유행지역 (지중해연안국) ; 주로 nonpercutaneous (특히 close contact)
└ 비유행지역 ; 주로 percutaneous (e.g., 혈액제제 수혈, IV drug use, hemophilia)
• HBV 감염의 감소에 따라 HDV 감염도 감소 추세임

3. 임상양상

(1) preicteric phase (전구기) ; 1~2주

• 전신증상 ; anorexia, N/V, fatigue, arthralgia, myalgia, headache ...
• low-grade fever (38~39℃) : hepatitis A, E에서 흔하다
• dark urine과 clay-colored stool이 황달 발생 1~5일 전에 나타날 수 있음

(2) icteric phase (황달기) ; 2~3주

• 비황달성(anicteric)이 더 흔함 (→ good Px) / 특히 소아에서
• 진한 갈색/적색 소변 (∵ conjugated bilirubin 때문)
• enlarged & tender liver → RUQ pain & discomfort (비교적 예리한 변연, 압통, 부드러운 경도)
• splenomegaly & cervical adenopathy (10~20%)
• 일부는 mild weight loss (2.5~5 kg ↓)

(3) recovery phase (회복기) ; 2~12주

┌ hepatitis A, E는 거의 다 1~2개월 내에 완전히 회복됨
└ hepatitis B, C의 약 3/4도 3~4개월 내에 완전히 회복됨

* HCV는 급성 간염 시기에 증상이 없거나 경미함 (anicteric)

4. 검사소견/진단

(1) liver function test (LFT)

- aminotransferase (AST, ALT) ↑↑ : 간 손상의 severity나 예후와는 무관한 편임!
- bilirubin (direct가 50%) ↑ : 2.5 mg/dL 이상 상승시 황달 발생
  - bilirubin >20 mg/dL → severe, poor Px.
- alkaline phosphatase (ALP) ; 정상 or 약간 증가
- **PT 연장** (m/i) ; 심한 간세포 괴사(간의 합성기능 저하) → poor Px.
- albumin ; uncomplicated acute viral hepatitis에서는 대개 정상
- AFP ; 염증 뒤 regeneration시 상승 (trauma로 necrosis 됐다가 regeneration시는 상승×)

(2) 기타 검사소견

- 일과성 neutropenia & lymphopenia → relative lymphocytosis, atypical lymphocytes↑
- γ-globulin↑ (diffuse & mild)
- RF, ANA, heterophil Ab, anti-LKM (C와 D형 간염에서) 등도 양성일 수 있음

(3) acute hepatitis 환자에서 필수 검사 항목 (initial test) ★

; IgM anti-HAV, HBsAg, IgM anti-HBc, anti-HCV (HBeAg은 아님!)
(anti-HCV 음성이면 HCV-RNA PCR 검사 시행!)

	IgM anti-HAV	HBsAg	IgM anti-HBc	anti-HCV
Acute hepatitis B	−	+/−	+	−
Chronic hepatitis B	−	+	−	−
Acute hepatitis A + Chronic hepatitis B	+	+	−	−
Acute hepatitis A + Acute hepatitis B	+	+/−	+	−
Acute hepatitis A	+	−	−	−
Acute hepatitis C	−	−	−	+
Acute hepatitis C + Chronic hepatitis B	−	+	−	+

* HBsAg은 간혹 detection limit 이하로 존재하는 경우 (−)로 나타날 수 있음

(4) chronic hepatitis 환자에서 initial test

- HBsAg, anti-HCV (양성이면 HCV-RNA)
- chronic hepatitis B 진단시 → HBeAg, anti-HBe, HBV-DNA 등 검사
- HBeAg 음성 → inactive carrier와 HBeAg(−) chronic hepatitis B 감별을 위해 장기간 F/U 필요

B형간염 환자에서 anti-HDV를 검사해야 하는 경우
1. Severe & fulminant dz.
2. Severe chronic dz.
3. Chronic hepatitis B 환자에서 acute hepatitis-like exacerbation (→ anti-HAV, anti-HDV를 검사해야!)
4. Frequent percutaneous exposures
5. HDV 감염의 유행지역(endemic area)에 있었던 사람

5. 감별진단

(1) viral infections ; infectious mononucleosis, 거의 모든 systemic virus

(2) nonviral infections ; toxoplasmosis, *Leptospira, Candida, Brucella, Mycoplasma, Pneumocystis*

(3) drugs & toxins

(4) chronic hepatitis의 재활성화

(5) alcoholic hepatitis : viral에 비해 aminotransferase의 상승 정도가 낮다

(6) acute cholecystitis, CBD stone, ascending cholangitis, pancreatic ca. ...

(7) RV failure (→ passive hepatic congestion), hypoperfusion (e.g., shock, 저혈압, LV failure),
venous return 장애 (e.g., RA myxoma, constrictive pericarditis, hepatic vein occlusion)

(8) 임신시 ; acute fatty liver of pregnancy, cholestasis of pregnancy, eclampsia, HELLP synd. ...

(9) 유전/대사 질환 (e.g., Wilson's dz., α_1-antitrypsin deficiency), NAFLD ...

6. 경과 및 합병증

★ 예후가 나쁜 경우
┌ 처음 발병시에 복수, 말초부종, 간성뇌증 증상 등을 동반, 고령, 심한 기저질환
└ PT↑(m/i), albumin↓, hypoglycemia, bilirubin↑↑

(1) hepatitis A
- 건강한 성인은 대부분 합병증 없이 완전히 회복됨, 만성으로 진행하지 않음 (보균자도 없음)
- 소수에서 급성기 증상 호전 후 회복기에 재발성 간염도 발생 가능하지만, 결국에 회복됨
  (재발된 간염은 대부분 선행 간염보다 경미함)
- 약 1%에서는 fulminant hepatitis 발생 가능 (주로 고령, 기저 만성간질환자)
- 드물게 autoimmune hepatitis, cholestatic hepatitis (소아에서는 무증상) 발생 가능
- 간 외 증상 (급성 B형 간염보다는 드묾) ; 일시적인 발진, 관절통, 혈관염, 관절염, GN 등

(2) hepatitis B
- 건강한 성인에서 발생한 급성 B형 간염의 95~99%는 완전히 회복됨
① fulminant hepatitis (약 1%) → 뒤에 설명
② chronic HBsAg carrier (<5%) - 될 가능성이 높아지는 경우
  ; 신생아, Down's syndrome, 혈액투석 환자, 면역저하자 (HIV 포함)
③ chronic hepatitis (1~2%)
  * 만성 간염으로의 진행을 시사하는 소견 ★
    ┌ 증상이 완전히 회복되지 않고, hepatomegaly 지속시
    │ 간조직검사에서 bridging or multilobular hepatic necrosis 존재
    │ 6~12개월 뒤에도 aminotransferase, bilirubin, globulin level 등이 정상으로 안돌아옴
    └ HBsAg이 6개월 or HBeAg이 3개월 이상 계속 존재
④ HDV의 중복 감염
  - acute hepatitis B의 chronicity 경향을 높이지는 않음
  - chronic hepatitis B의 severity를 높임
    (inactive/mild chronic hepatitis → severe progressive hepatitis, cirrhosis, fulminant hepatitis)

⑤ immune complex-mediated tissue damage

- serum sickness-like syndrome (5~10%)
    - jaundice 시작 전에 발생 (prodromal stage)
    - arthralgia/arthritis, rash, angioedema, fever, GN ...
- glomerulonephritis with NS, polyarteritis nodosa, EMC (C형 간염과 더 관련) ...

⑥ HCC : 특히 영유아기에 감염되고 HBeAg (+) and/or HBV-DNA↑ 때

(3) hepatitis C

① chronic hepatitis (85~90%)

② cirrhosis (chronic hepatitis C 환자의 20~50%)

③ HCC (LC를 동반한 만성 C형간염 환자의 1~4%에서 발생) : 대개 30년 이상의 HCV 감염자

④ essential mixed cryoglobulinemia (EMC) → 드물게 B cell lymphoma로 진행 가능

⑤ porphyria cutanea tarda, lichen planus

* 드물게 급성 A/B/C형 간염 뒤에 autoimmune hepatitis가 유발될 수도 있음

7. 치료

(1) 일반적인 치료 원칙

- 급성 간염은 대부분 특별한 치료 및 입원이 필요 없다
- 안정 및 충분한 영양공급(고단백, 고칼로리) 등의 <u>보존적 치료!</u>
- 신체활동 제한은 well-being sense는 주지만, 장기간의 bed rest는 필요 없다
- 간에서 대사되거나 cholestasis를 유발하는 약물은 금기
- severe pruritus → bile salt-sequestering resin (cholestyramine)
- glucocorticoid는 효과 없고 금기

(2) 입원 치료

- 입원이 필요한 경우
  ① 정확한 진단을 위하여
  ② 심한 황달이 있거나 자주 토하는 등의 중한 병증
  ③ 황달이 심한 수혈 후 간염
  ④ 고령
- 대부분 격리도 필요 없다
  - 예외 ; 대변실금을 가진 A와 E형 간염, 심한 출혈을 동반한 B와 C형 간염 등
  - A형 간염의 대부분은 바이러스 분비량이 매우 적어 입원 중 전파 가능성은 매우 낮으므로 장관방역(enteric precaution)는 권장되지 않음!!
- B와 C형 간염은 혈액 안전조치 필요 (장관방역은 필요 없음)
- 안정기간 (퇴원 기준)
  ① 증상이 많이 호전되었을 때
  ② bilirubin ≤ 2 mg/dL (aminotransferase는 약간 높아도 괜찮음)
  ③ normal PT

(3) antiviral therapy
- 일반적으로 회복 속도를 빠르게 하지는 않으므로 필요 없음!
- 일부 심각한 급성 B형간염 (fulminant hepatitis, 특히 HBV-DNA 높으면) → 경구 항바이러스제
  (→ 급성 간부전 예방, 간이식률↓, 만성화↓, 생존율↑ / 가능한 초기에 시행해야 더 효과적)
- 급성 C형간염 : 만성 C형간염처럼 DAA로 치료 (95% 이상 완치됨)   → 다음 장 참조
  - 대부분 만성화 되지만, 자연관해 가능성도 있으므로 12~16주 (최대 ~6개월) F/U 후 치료 권장
    (∵ 대부분의 급성 C형간염은 임상적으로 심하지 않고, 빨리 진행하지 않음)
  - 유럽 ; sofosbuvir + NS5A inhibitor 8주
             (HIV 중복감염 or 치료전 HCV RNA >1,000,000 IU/mL이면 12주)
  - 미국 ; 6개월 F/U 이후 HCV RNA 검출시 치료 → DAA 6주 (HCV RNA 높으면 12주)
      c.f.) 6개월 이전에 치료를 고려하는 경우 ; 합병증 발생 위험이 높은 급성 C형간염 환자
         (e.g., 기저 간 질환, 심한 임상양상), 전파 위험이 높은 환자(e.g., 동성연애, 주사마약)

8. 예방

(1) hepatitis A
① 예방접종(vaccination) ··· 불활화(inactivated)백신
- 접종 후 4주 뒤부터 약 30년간 예방 효과
- 4주 이내에 HAV 노출이 예상되면 Ig도 같이 투여!
- 우리나라 : 생후 12개월 이후에 6개월 간격으로 2회 접종이 권장됨
- 과거 백신접종력이 없으면 (최근의 국내 역학을 고려하여 고위험군이 아니라도) 40세 미만은
  항체 검사 없이 권장, 40세 이상은 항체 (−)면 권장 : 6개월~18개월 사이로 2회 접종

c.f.) A형간염 고위험군의 예방접종 적응
1. A형간염 유행지역으로 여행 or 장기 체류
2. A형간염 환자와 접촉하는 자
3. A형간염 노출 위험이 있는 실험실/의료기관 종사자, 군인, 요식업 종사자, 보육시설 종사자
4. HIV 감염자, 남자 동성연애자, 주사형 약물 남용자
5. 만성간질환(e.g., 만성 B, C형 간염)
6. 혈액제제를 자주 투여 받는 응고인자결핍 환자(e.g., hemophilia)
7. 최근 2주 이내에 A형 간염 환자와 접촉한 사람

   * 노인, 항암화학치료, steroid 치료, 면역저하자 등은 아님! (조혈모세포이식 환자는 적응임)

② 수동면역(passive immunization) : immunoglobulin (Ig)
- 모든 통상적인 Ig은 HAV에 대한 중화항체를 다량 함유
- 노출 이전에 투여하면 3~6개월 정도 감염 예방효과
- postexposure prophylaxis (e.g., 가족, 긴밀한 접촉자) ; 노출 후 가능한 빨리 투여,
    (→ 노출 후 2주 이내까지는 효과적), 간질환이 없는 2~40세는 A형간염백신 + Ig 투여!
- casual contacts (사무실, 공장, 학교, 병원)나 노인에게는 필요 없다

(2) hepatitis B
① 노출전 예방(preexposure prophylaxis) : 예방접종 ··· purified HBsAg 유전자 재조합 백신
- HBsAg & anti-HBs가 음성인 경우 B형간염 예방접종을 권장함
- 3 IM (deltoid) injections at 0, 1, 6 months (소아는 넓적다리에)

- 방어항체 생성/보유율 ; 5년 후 80~90%, 10년 후 60~80%
  (→ 이후에 anti-HBs가 검출 안 되어도 방어능력은 유지됨)
  - 항체 생성률이 낮은 경우 ; 엉덩이에 주사, 비만, 흡연, 알코올중독, 고령(>50세),
    면역저하자, 냉동 보관된 백신 (→ 백신의 용량과 접종 횟수를 증가시킴)
  - 항체 형성유무 검사의 적응 ; 의료종사자, 면역억제자, 혈액투석, HBV 보유자와 성접촉시
    (→ 백신접종 1~2개월 후 항체검사)
- 추가접종(booster immunization)은 일반적으로 권장되지 않음
- 추가접종의 적응증 : undetectable anti-HBs level (<10 mIU/L) &
  ⓐ 면역저하자
  ⓑ 정상인에서 HBsAg에 노출 지속시 (e.g., B형간염 환자와 동거, 혈액을 다루는 병원 직원)
  ⓒ hemodialysis 환자 (→ 매년 anti-HBs Ab titer 검사)
- 임신 or 수유는 예방접종의 금기가 아님!

② 노출후 예방(postexposure prophylaxis, PEP)
- 전제조건
  ┌ 원인 사람/물질(예; 혈액)이 HBsAg을 가지고 있어야함
  └ 노출된 사람이 실제로 감염의 위험을 가지고 있어야함 : HBsAg이나 anti-HBs가 없어야함
    (이미 HBsAg (+) or anti-HBs (+)이면 다 소용없다)
- 원칙적으론 HBIG와 백신 투여 전에 donor와 recipient의 serologic status를 확인해야 하지만,
  실제는 검사에 시간이 걸리므로, 우선 HBIG 투여 뒤, 검사결과가 나오자마자 백신을 접종함
- 노출된 사람이 vaccination을 완전히 받았고, anti-HBs Ab titer가 10 mIU/mL 이상
  ("protective")이면, 추가 백신은 필요 없다
- HBIG와 백신은 동시에 다른 부위에 주사 가능 (IM)
- HBIG : 효과가 신속하나 (anti-HBs 농도를 빨리 높여줌), 예방효과는 3~6개월 정도만 지속됨

상황	HBIG	Vaccination
Perinatal exposure (HBsAg (+) 산모에서 태어난 아기)	출생 직후 0.5 mL	생후 12시간 이내
Percutaneous/transmucosal 노출 (needle stick injury)	가능한 빨리 0.06 mL/kg	1주일 이내
급성 B형 간염환자와 sexual or household contact	노출후 2주 이내 0.06 mL/kg	노출후 2주 이내

(3) hepatitis C
- Ig은 효과 없고, 백신 개발 전망도 불투명 (genomic variations 및 mutations이 많아 재감염에
  대한 면역능력이 없고, 중화 항체를 계속 피하기 때문에 백신 개발이 어려움)
- 생활습관 변화와 일반적인 주의(예방조치) 뿐
  (예; 콘돔 사용, 면도기/칫솔/손톱깍이는 개별 사용, 상처 출혈 타인에 노출되지 않도록 주의)
- 지속적으로 한 명하고만 성관계시에는 특별한 예방조치 필요 없음!
- C형 간염 산모의 아이와 모유 수유에도 특별한 주의 필요 없음!
- needle stick injury → 즉시 anti-HCV와 ALT 검사 시행 (→ 양성이면 확진 검사)
  - anti-HCV 음성이면 4~6주 뒤에 HCV-RNA 검사 시행
  - 모두 음성이더라도 4~6개월 뒤에 anti-HCV와 ALT 추적검사 시행
  - DAA (direct-acting antivirals)의 발전으로 향후에는 바로 DAA를 투여하게 될 수도 있음

C형간염 선별검사의 적응 - 고위험군

1. 급성/만성 C형간염이 의심되는 경우
2. 선별검사 도입 전(1991년 이전) 혈액/혈액제제 또는 장기이식을 받은 사람
3. 주사용 약물 남용 과거력
4. 혈액투석 과거력
5. HIV 감염자
6. 혈우병, 한센병 환자
7. C형간염 환자와 현재 성적접촉중인 사람
8. C형간염 산모에서 태어난 아이[**]
9. Needle stick injury or HCV(+) 혈액에 점막노출된 의료기관 종사자

*우리나라에서는 HCV 유병률이
증가하는 40대 이상의 인구에서도
선별검사를 시행할 것을 고려

[**] 신생아의 anti-HCV 검사는 엄마의 항체가 전달될 수 있으므로 생후 18개월 이후에 시행을 권장
(조기 진단을 원하는 경우에는 생후 6개월 이후에 HCV RNA 검사)

약인성 간손상(Drug-induced liver injury, DILI /약물유발 간염, 독성간염)

1. 개요

• 간독성의 2가지 주요 유형

기전	Intrinsic (Direct toxic, Dose-dependent)	Idiosyncratic reactions (대부분)
특징	예측 가능. 용량에 비례 잠복기가 짧고 일정 (대개 몇 시간) 형태학적 변화가 특징적이고 재현성 있음 모든 사람에서 발생 가능 발생빈도가 비교적 높음 만성 간질환 환자에서 독성 더욱 증가	예측 불가능. 용량과 관계없음 잠복기가 일정하지 않음, adaptation 가능 감수성이 있는 소수의 사람에서만 발생 형태학적 변화가 다양함 약 1/4에서 간외 증상(e.g., allergic reaction) 　; fever, rash, arthralgia, eosinophilia 재노출시 대개 잠복기가 짧고, 증상이 더 심함
약제 예	<u>acetaminophen</u>, <u>tetracycline</u>, alcohol, CCl₄, mercaptopurine, chloroform, yellow phosphorus, valproic acid, vitamin A, *Amanita phalloides*, 금속(특히 철, 구리, 수은) *요즘에는 acetaminophen을 제외하고는 드묾	<u>isoniazid</u>, NSAIDS, aspirin, amiodarone, dantrolene, chloramphenicol, chlorpromazine, <u>halothane</u>, ketoconazole, methyldopa, sulfonamide, phenylbutazone, phenytoin, pyrazinamide, quinidine, oxacillin

　　c.f.) 분류되지 않는 약물도 있음 (e.g., oral contraceptives)

• 전반적으로 남자보다는 여자에서 흔한 편임
• 약물의 대사 과정 ; phase I (P450), phase II (conjugation), phase III (간세포 밖으로 efflux)
• 대부분의 drug hepatotoxicity는 cytochrome P450 효소계에서 대사되어 생성된
  phase I toxic metabolites가 원인
  c.f) cytochrome P450 2D6 결핍 환자 (AR 유전) → desipramine, propranolol, quinidine 등의
  　　간독성 위험 증가
• adaptation : 약물로 인한 AST/ALT 상승이 약물을 계속 투여해도 정상으로 회복되는 것
  　　(→ idiosyncratic drugs의 예측 및 확인을 더욱 어렵게 함)
  - 예 ; isoniazid, valproate, phenytoin, HMG-CoA reductase inhibitor (statin) ...

- 핵수용체(nuclear receptors)
  - cytochrome 효소와 운반단백의 발현을 증가시켜 독성물질을 간세포 밖으로 내보내는 역할
  - CAR (constitutive androstane receptor), PXR (pregnane X R.), AhR (arylhydrocarbon R.), FXR (farnesoid X R.), PPAR (peroxisome proliferator-activated R.), HNF4α 등

약인성/독성 간손상의 인과관계 평가 시스템
RUCAM (Roussel Uclaf Causality Assessment Method) scoring system

항목		점수
약물 복용 ~ 증상 발생까지의 시간	첫 노출 5~90일, 두 번째 노출 1~15일	+2
	첫 노출 <5 or >90, 두 번째 노출 >15일	+1
	약물 중단 후 15일 이내 (cholestatic reactions은 30일 이내)	+1
약물 중단 후 경과	8일 이내에 ALT 50% 이상 감소	+3
	30일 이내에 ALT 50% 이상 감소	+2
	약물 계속 복용 or 정보 부족	0
위험인자	알코올 (cholestatic reactions은 임신도)	+1
	연령 55세 이상	+1
동반 투여 약물	증상 발생 시간과 관련 있는 약물	-1
	증상 발생 시간과 관련 있는 간독성 약물	-2
	추가 근거가 있는 약물 (재투여시 반응 有)	-3
약물 이외의 원인 ; (1)(2)(3)바이러스성 간염(A, B, or C), (4)담도 폐쇄, (5)알코올 중독, (6)최근의 저혈압, (7)CMV, EBV, HSV	모두 해당 없음	+2
	(1)~(6)에 해당 없음	+1
	4개 이상의 원인에 해당	-2
	비약물성 원인이 강력히 의심됨	-3
약물의 간독성에 대해 이미 알려진 정보	약품 설명서에 간독성 명시	+2
	증례 보고 수준	+1
	모름	0
약물 재투여시의 반응 : ALT (cholestatic reactions은 ALT 대신 ALP or bilirubin으로 평가)	양성 (약물에 의해서만 2배 상승)	+2
	합당 (2배 상승했지만 다른 원인도 가능성)	+1
	음성 (정상 상한치의 2배 미만 상승)	-2
	재투여 시행 안됨	0

*인과관계: Highly probable (>9), Probable (6~8), Possible (3~5), Unlikely (1~2), Excluded (<0)

LFT에 의한 hepatitis vs cholestasis 약인성 간손상의 분류

1. Hepatitis pattern : ALT >3×UNL & R >5
2. Cholestasis pattern : ALP >2×UNL & R <2
3. Mixed pattern : ALT >3×UNL & ALP >2×UNL & R 2~5

$$R = \frac{ALT/UNL}{ALP/UNL}$$

(UNL : upper normal limit)

Drug-induced liver diseases의 조직학적 분류

조직학적 소견	원인 약물
Zonal necrosis	
Centrilobular (zone III)	Acetaminophen, halothane, CCl$_4$, trichloroethylene, toxic mushroom
Periportal (zone I)	Yellow phosphorus, allyl alcohol
Fatty liver (steatosis)	
Macrovesicular	Ethanol, corticosteroids, amiodarone, perhexilene maleate, PI (protease inhibitor), 4,4'-diethylaminoethoxyhexrestrol
Microvesicular	Tetracycline, valproic acid, dideoxyinosine, tolmetin, piroxicam, pirprofen, salicylate, fialuridine, NRTI (nucleoside analogue reverse transcriptase inhibitor)
Alcoholic-like liver disease	
Hepatitis with fibrosis/cirrhosis	Amiodarone, perhexilene maleate, 4,4'-diethylaminoethoxyhexrestrol
Quiescent fibrosis/cirrhosis	Methotrexate, vitamin A, arsenicals, vinyl chloride
Hepatitis	
Nonspecific hepatitis	Aspirin, oxacillin
Acute viral hepatitis-like	Isoniazid, rifampin, halothane, α-methyldopa, phenytoin, carbamazepine, diclofenac
Granulomatous hepatitis	Sulfonamieds, quinidine, allopurinol, phenylbutazone, sulfonylurea, procainamide
Chronic hepatitis (bridging necrosis)	Isoniazid, halothane, α-methyldopa, nitrofurantoin, oxyphenisatin, sulfonamides, aspirin, propythiouracil, perhexilene maleate, amiodarone, dantrolene, ethanol, diclofenac, trazodone, fenfibrate, acetaminophen (rare)
Autoimmune hepatitis-like	Minocycline
Cholestasis	
Bland (noninflammatory)	Estrogens, 17α-substituted androgen & anabolic sterodis, cyclosporine
Inflammatory	Phenothiazines, erythromycin estolate, oxacillin, chlorpropamide, amoxicillin/clavulanic acid, captopril, methimazole, sulindac
Sclerosing cholangitis	Floxunidine의 intrahepatic infusion
Ductopenic (bile duct가 사라짐)	Carbamazine, chlorpromazine, TCA (간이식 후의 chronic rejection에서도 비슷한 소견 보임)
Vascular lesions	
Hepatic vein thrombosis (Budd-Chiari syndrome)	Estrogens, cyclophosphamide, dacarbazine, doxorubicin, vincristine
Veno-occlusive disease	Aflatoxin, Carmustine (BCNU), 6-MP, 6-thioguanine, mitomycin C, doxorubicin, dacarbazine, azathioprine, pyrrolizidine alkaloids, busulfan, vincristine, cytarabine, cytoxan, vitamin A (mega-dose)
Noncirrhotic portal HTN	Vinyl chloride
Peliosis hepatis (blood cysts of the liver)	Anabolic steroids, androgens, oral contraceptives, tamoxifen, hydroxyurea, azathioprine,
Hepatic neoplasms	
Adenoma	Estrogens, androgens
Focal nodular hyperplasia	Estrogens
Hepatocellular carcinoma	Androgens, estrogens, thorium dioxide
Angiosarcoma	Vinyl chloride, anabolic steroids, androgens, thorium dioxide
Cholangiocarcinoma	Anabolic steroids, androgens, methyldopa, oral contraceoptives, thorium dioxide

2. 개별 약제의 간독성

(1) Acetaminophen (AAP) hepatotoxicity

- <u>direct toxicity</u>, centrilobular hepatic necrosis 유발
- 10~15 g 이상 섭취시 간손상 발생, 보통 25g 이상 섭취해야 fatal fulminant hepatitis (ALF)
  발생 → ALT level 매우 높음 (2,000~10,000 U/L 흔함 → 알코올/바이러스 간염보다 높음)
- <u>4~12시간 뒤</u> N/V, 설사, 복통 등의 증상 발생 → 1~2일 뒤 증상이 사라지면서 간손상이
  현저해짐 → 4~6일 이후에나 간부전 발생 (aminotransferase는 10,000 이상까지도 흔히 상승)
- 간손상의 severity는 혈중 AAP 농도와 비례 ⋯ 섭취 4시간 뒤 혈중 AAP level
  - >300 μg/mL → 심한 간 손상 발생 시사
  - <150 μg/mL → 간 손상 발생 가능성 거의 없음
- AAP의 일부가 phase Ⅰ reaction (cytochrome P450 CYP2E1)을 거쳐 toxic metabolite
  (*N*-acetyl-benzoquinone-imine, NAPQI)로 됨
  → toxic metabolite는 glutathione에 결합되어 해독됨
- 간손상 촉진 인자 ; alcohol, drugs (e.g., phenobarbital, isoniazid), 금식 ⋯
  - alcohol 등은 CYP2E1 inducer, 금식은 glutathione을 고갈시킴 (alcohol도 glutathione 억제)
  - 알코올중독자에서는 AAP의 toxic dose가 2 g까지 낮아질 수 있음
  - cimetidine은 P450 효소를 억제하여 toxic metabolite의 생산을 감소시킴
- 치료
  ① 흡수방지 : gastric lavage, oral activated charcoal or cholestyramine
    (30분 이내에 시행해야 효과적)
  ② sulfhydryl compounds (e.g., cysteamine, cysteine, *N*-acetylcysteine)
    - 혈중 AAP level이 섭취 4시간 후 >200 μg/mL or 8시간 후 >100 μg/mL면 투여
    - 8시간 이내에 줘야하며 24~36시간까지도 효과 가능
    - 작용기전 (1) sulfhydryl group이 toxic metabolite와 결합
            (2) hepatic glutathione의 synthesis와 repletion 촉진
    - *N*-acetylcysteine의 사용으로 치명적인 간독성 발생은 많이 감소했음
  ③ 위의 치료에도 불구하고 <u>간부전</u>이 발생하면 방법은 <u>간이식뿐</u>   → 뒷부분 참조
    (초기 동맥혈 lactate level이 3.5 mmol/L 이상이면 간이식이 필요할 가능성이 높음)
- 일단 회복되면 간 후유증은 없음 (but, 지속적으로 복용하면 만성화로 진행 가능)
- FDA는 AAP의 1일 최대 복용 권장량을 3.25 g으로 낮추었음 (만성 음주자는 더 낮추어야 됨)
  (∵ 정상인에서 4 g/day 14일 투여시 31~44%에서 일시적인 aminotransferase 상승)

(2) Halothane hepatotoxicity

- idiosyncratic reaction, genetic predisposition도 관련
- 성인, 여성, 비만의 경우 더 잘 발생
  (예전에 halothane에 노출된 적이 있는 환자에서 더 심한 반응 발생)
- 7~10일 뒤에 바이러스성 간염과 비슷한 증상 발생
- jaundice, fever, rash, myalgia, eosinophilia, liver tenderness ⋯
- methoxyfluorane도 cross-reaction을 일으키므로 금기
- 새로운 마취제의 사용으로 인하여, 현재는 매우 드묾

(3) Isoniazid (INH) hepatotoxicity

- toxic & <u>idiosyncratic</u> reaction, 우리나라에서 흔함   → 2권 결핵 편도 참조
- 첫 몇 주에 10~20%에서 subclinical liver injury 발생 : aminotransferase 상승 (보통 <200)
  - → 대개 몇 주 지나면 정상화
- AST/ALT가 <u>150 이상</u> 증가하거나, 간염의 증상(e.g., <u>jaundice</u>)이 발생하면 약 중단!
- 약 1%에서는 심각한 간손상 발생
  - 임상적, 조직학적으로 viral hepatitis와 유사
  - 나이와 관련 (35세 이후 크게 증가, 50세 이상에서 m/c)
  - 대개 치료시작 2~3개월 내에 발생, 심하면 사망도 가능 (약 10%에서)
- 간독성 발생 위험인자 : alcohol, rifampin, pyrazinamide 병용, 비만, 고령, chronic hepatitis B
- drug allergy Sx (e.g., fever, rash, eosinophilia)은 드묾!

(4) Amiodarone hepatotoxicity

① direct hepatotoxicity ; 15~50%에서 발생, no clinical liver dz.
② idiosyncratic hepatotoxicity ; 1~3%에서 발생
- 반감기가 길므로 약물을 중단해도 간손상은 수개월간 지속될 수
- 지속적인 or 2배 이상의 aminotransferase 상승이 있거나 hepatotoxicity가 있으면 간 조직검사를 고려
- 조직검사 소견 : alcoholic liver dz.와 비슷
  - pseudoalcoholic liver injury ; steatosis, alcoholic hepatitis-like neutrophilic infiltration, Mallory's hyaline, cirrhosis
  - EM ; phospholipid-laden lysosomal lamellar body (차이점)
- 장기 복용시 micronodular cirrhosis로 진행 위험

(5) Noninflammatory cholestatic reaction

- 원인 : estrogens, 17α-substituted androgen & anabolic steroids (경구피임약이 m/c)
- recurrent idiopathic jaundice of pregnancy, severe pruritus of pregnancy, 이 질환들의 가족력이 있는 환자에서 호발 (→ 경구피임약 금기)
- Sx : pruritus, jaundice
- Lab : ALP 상승, aminotransferase는 약간 상승하거나 정상
- hepatocellular necrosis나 inflammation은 없다! (단순히 간세포에서 bile을 분비하는 것의 장애)
- 약물을 끊으면 빠르고 완전하게 회복됨

* 경구피임약(estrogen) → cholestasis, cholesterol gallstone, hepatic vein thrombosis, 종양(주로 양성) 등을 일으킴

(6) Cholestatic idiosyncratic reaction

- 원인 ; erythromycin, chlorpromazine
- acute cholecystitis와 유사한 증상 보임 ; fever, N/V, RUQ pain, jaundice, pruritus ...
- 약물을 끊으면 대개 완전히 회복됨

(7) TPN (total parenteral nutrition)

① 성인 : steatosis/steatohepatitis
  - TPN 내의 탄수화물 양이 많을 때 발생
  - Tx : TPN formula의 lipid 양을 늘림
② 유아 (특히 미숙아, 신생아) : cholestasis/cholelithiasis
  - 경구 섭취 중단에 의한 담즙 분비 자극의 결핍으로 발생
  - 기타 유발인자 ; stress, hypoxemia, hypotension
  - Tx : oral feeding 추가

(8) Highly-active antiretroviral therapy (HAART)

- 개개의 항바이러스제는 심각한 간독성이 없으나, 병합요법(HAART)시 약 ~10%에서 간독성 발생
  - NRTI ; zidovudine, didanosine
  - NNRTI ; nevirapine
  - PI ; ritonavir, indinavir.. 등이 주로 일으킴
- 간독성 양상
  - hepatocellular injury (m/c)
  - cholestatic injury
  - NRTI를 장기간(>6개월) 사용하면 mitochondrial injury에 의한 steatosis
    (주로 microvesicular), lactic acidosis 등도 발생 가능
  c.f.) steatosis는 두가지 모두 나타날 수 있지만, PI는 주로 macrovesicular steatosis를,
        NRTI는 주로 microvesicular steatosis를 일으킴
- HIV와 HCV 동시 감염 환자에서는 HAART가 aminotransferase 및 HCV RNA level을 높임

(9) Herbal medicine (한약, 건강식품, 민간요법)

- 우리나라 성인 급성간염의 10~20% 차지 (약인성 간손상의 50~80% 차지)
- 기전 ; 약초 자체의 독성 (m/c), 값 싼 독성물질의 혼합, 간손상 물질의 오염, 약초의 오인,
    부주의한 조제, 약물의 오용 및 남용
- 민간요법으로 자주 사용되는 인진쑥(Artemisia), 돌미나리, 버섯 등에 의한 급성 간손상이 흔함
  (특히 기저 간 질환자에서)

급성 간부전 / 전격성 간염
(Acute liver failure, ALF / Fulminant hepatitis)

1. 개요

- 정의(ALF) : 기저 간질환이 없는 환자에서, 급성 간손상(간염)의 증상 발생 26주 (6개월) 이내에 간기능의 급격한 저하로 coagulopathy (INR >1.5)와 hepatic <u>encephalopathy</u>가 나타난 것
- hepatic encephalopathy 발생되기까지의 기간에 따라 fulminant (<8주)와 subfulminant (8~26주)로 분류를 하기도 했었지만, 예후와의 연관성이 없어 26주 (6개월) 이내를 모두 ALF로 정의하였음
- 간염의 가장 무서운 합병증으로, 비교적 드물다
- pathology ; massive hepatic necrosis, 간이 작고 부드러워짐

c.f.) ACLF (acute-on-chronic liver failure) : 유발인자에 대한 치료에도 불고하고 만성 간질환이 급격히 악화되어 4~6주 이내에 장기부전이 발생된 것

2. 원인

흔한 원인	Viral hepatitis (m/c) ; B (±D), E (C와 A는 드묾) Acetaminophen (미국/영국에서 m/c, 예후는 상대적으로 양호) Idiopathic (non-A, non-B, non-C)

드문 원인	Drugs (acetaminophen 이외의)
	    Necrosis (e.g., halothane, isoniazid, methyldopa, rifampin, ketoconazole)
	    Steatosis (e.g., tetracycline, valproate)
	Toxins (e.g., Amanita phalloides, chlorinated hydrocarbons, phosphorus)
	우리나라는 한약, 생약제, 민간요법, 식물(버섯) 등이 흔한 원인
	Autoimmune hepatitis
	Wilson's disease
	Acute fatty liver of pregnancy
	Reye's syndrome
	Ischemia, shock
	Hepatic vein의 occlusion (Budd-Chiari syndrome)
	Hyper/Hypothermia
	Malignant infiltration (e.g., lymphoma)

- hepatitis B가 m/c 원인
  - acute fulminant hepatitis B : 1/3에서 HDV 동반
  - chronic hepatitis B의 급성악화로 발생한 fulminant hepatitis : 2/3에서 HDV 동반
- hemochromatosis는 fulminant hepatitis를 안 일으킴!

c.f.) 우리나라 ; 약물 > 바이러스 > 원인불명
  - 단일 원인으로는 HBV (15~30%)와 한약/생약제/건강식품 (10~20%)이 흔한 원인임
  - HBV는 감소 추세, HAV 등 다른 원인이 과거에 비해 증가

3. 임상양상

- 간성혼수(hepatic encephalopathy) … 뇌부종(IICP) 동반이 흔함
  - **퍼덕떨림(flapping tremor)**, somnolence, coma, confusion, disorientation …
    (LC encephalopathy의 경우와 달리 convulsion과 delirium이 흔함)
  - 심한 경우 cerebral edema도 발생 (LC에서는 발생 안함) → 뇌압상승(IICP) : m/i 사망원인
  - ICP monitoring : Sx/sign/lab.은 부정확, ICP transducer가 좋지만 출혈의 위험
- 간 크기의 급격한 감소 (massive hepatic necrosis) - poor Px.
- PT의 심한 연장 (m/i) - 급성기의 예후 평가에 중요!
- coagulopathy (e.g., gum bleeding, purpura), ascites, edema
- 혈중 bilirubin level의 급격한 상승, hypoglycemia, cholesterol↓, albumin↓, ammonia↑ …
- 합병증 ; GI bleeding, 심혈관 허탈, 호흡부전, 심부전, sepsis …

* aminotransferase (AST, ALT)의 상승 정도는 severity와 관계없음

4. 치료

- 원칙 : 간의 자연 재생/회복까지 보존적 치료 및 합병증 관리/예방
- 수분과 전해질 균형 유지, 순환과 호흡 유지(e.g., endotracheal intubation)
- encephalopathy를 악화시킬 수 있는 GI bleeding, hypokalemia, sepsis 등을 찾아서 교정
- GI bleeding ┌ 예방 → H_2-RA or PPI, antacids
              └ bleeding시 → FFP (fresh frozen plasma)
- cerebral edema & IICP → 조용하고 안정된 환경, head elevation (30°), 진정제(profopol) 및
    기계호흡, mannitol (신부전 때는 오히려 ICP↑ 위험), thiopental sodium (최후에)
    - lactulose enema는 효과 없음!
- DIC → heparin, FFP
- hypoglycemia → glucose IV
- diet ; 고칼로리, 고탄수화물, 적당량의 지방, branched chain amino acids, 단백 섭취는 제한
- 예방적 항생제 → survival 향상
- 적절한 시간 내에 공여자를 구할 수 있으면, 간이식이 치료 효과 가장 우수
  (INR 1.5 이상이면서 의식변화가 있으면 이식을 대비한 공여자 검색 시행)

* steroid, exchange transfusion, plasmapheresis, human cross-circulation, porcine liver
  cross-perfusion, hemoperfusion, extracorporeal liver-assist device 등은 survival 연장 효과 없다!

* 특정 독성 간염에서의 해독제
  - AAP toxicity → NAC (N-acetylcysteine)
  - 광대버섯(Amanita: Amatoxin) 중독 → high-dose penicillin + silymarin

5. 예후

- 심한 encephalopathy가 발생하면 사망률 매우 높음 (약 80%)
- 생존한 경우엔 장기 예후 좋다 (complete biochemical & histologic recovery)
- 원인별 예후 (좋은 순서) ; AAP (70% 이상 생존) > HAV > HBV > drugs > Wilson's dz.

★ 전격성 간부전에서 불량한 예후인자 (King's college criteria) ⇨ 간이식

■ Acetaminophen에 의한 간독성

(1) <u>Acidosis (pH <7.3)</u> or (2) <u>아래 3가지 모두</u>
    1. INR >6.5 (PT >100초)
    2. Azotemia (creatinine >3.4 mg/dL)
    3. Encephalopathy grade III∼IV

  * 기타 ; hyperphosphatemia, lactate ↑

■ AAP 이외의 원인에 의한 급성 간부전

(1) <u>INR >6.5 (PT >100초)</u> or (2) <u>아래 중 3개 이상</u>
    1. INR >3.5 (PT >50초)
    2. Serum bilirubin 증가 (>7.5 mg/dL)
    3. 나이 : 10세 이하 or 40세 이상
    4. 예후가 나쁜 원인(e.g., drugs, non A−E virus, unknown)
    5. Slow−paced illness (encephalopathy 발생 전까지 황달이 1주 이상 지속)

  * 암기법 (ABCDE) ; Age, Bilirubin, Coagulopathy, Duration of jaundice, Etiology

---

- PT : rapid severe liver injury를 잘 반영
- animotransferase (AST, ALT) level은 관계없음!

4
만성 간염

개요/분류

- 정의: 간세포의 염증 및 괴사가 6개월 이상 지속되는 상태
- 우리나라의 흔한 원인 : HBV (m/c), HCV, autoimmune hepatitis (증가 추세)

1. 원인에 의한 분류

- viral hepatitis ; HBV, HDV, HCV
- drug-induced hepatitis ; AAP, amiodarone, aspirin, dantrolene, ethanol, isoniazid, methyldopa, nitrofurantoin, oxyphenisatin, perhexilene, maleate, phenytoin, propylthiouracil, sulfonamides
- autoimmune hepatitis
- 대사질환 ; Wilson's disease, α_1-antitrypsin deficiency, alcoholic liver injury
- cryptogenic (idiopathic) hepatitis (non-ABCDE)

2. Grade에 의한 분류

- necroinflammatory activity에 기초하여 minimal, mild, moderate, severe activity로 나눔
- histologic activity index (HAI, Knodell-Ishak score) ; periportal necrosis (piecemeal necrosis, bridging necrosis 포함), intralobular necrosis, portal inflammation, fibrosis 등의 4가지 parameters에 의해 분류 ⋯ 미국에서 주로 이용
- METAVIR score ⋯ 유럽에서 주로 이용

3. Stage에 의한 분류

- fibrosis의 정도에 기초한 간염의 진행(progression) 정도를 반영하는 분류

Score	METAVIR	HAI
No fibrosis	F0	0
Mild fibrosis (portal fibrosis)	F1	1,2
Moderate fibrosis	F2	3
Severe fibrosis ; bridging fibrosis, nodularity	F3	4
Cirrhosis	F4	5,6

4. 과거와 현재의 분류법 비교

현재의 분류법		과거의 분류법
Grade (Activity)	Stage (Fibrosis)	
Minimal or mild	None or mild	Chronic persistent hepatitis
Mild or moderate	Mild	Chronic lobular hepatitis
Mild, moderate, severe	Mild, moderate, severe	Chronic active hepatitis

- persistent나 active란 용어를 사용하지 않고 chronic hepatitis로 통일하여 부름
- chronic persistent hepatitis (CPH) : 염증이 portal tract에 국한, liver lobule을 넘지 않음
  ("limiting plate" 보존)
- chronic active hepatitis (CAH) : portal tract에서 liver lobule까지 염증, piecemeal necrosis
  ("limiting plate" 파괴)

* bridging necrosis : portal tract과 portal tract or central vein 사이의 연결 같은 혈관구조물
  (vascular structures) 사이의 연결 (→ severe!)

만성 바이러스성 간염

* hepatitis B, C, D 에서 진행 (A, E는 만성화되지 않음)

1. 만성 B형 간염 (chronic hepatitis B, CHB)

(1) 개요

- HBV 감염의 만성화(6개월 이상 HBsAg 존재) 비율은 감염된 시기와 밀접한 관계
  - 수직/주산기 감염 → 90% 이상 만성화 (m/c)
  - 성인 때 급성감염 → 1% 미만만 만성화 (유년기 때 감염은 약 20%)
- 출생시나 영아기에 감염되면 HCC의 risk도 증가됨
- HBV replication 정도가 조직학적 소견보다 예후에 더 중요함

	Replicative phase	Nonreplicative phase
Serum HBeAg, HBV DNA, DNA polymerase	+ (약 1/3은 HBeAg 음성)	−
Anti−HBe	−	+
Intrahepatocytic HBcAg	+	−
Liver HBV DNA	extrachromosomal	host genome에 삽입
Infectivity	high	low
Liver injury	severe	minimal
Liver biopsy	CAH	CPH

- 우리나라 ⇨ 대부분 genotype C2 ; HBeAg seroconversion 늦고, pre-core (PC) 변이 흔하고,
  HBeAg 음전 이후에도 바이러스 증식 지속, LC/HCC로의 진행 빠름, 치료 후 재발률 높음

• CHB의 자연경과 (수직/주산기 감염시)

경과 (phase)	1. 면역관용기 (증식보유기) 면역관용 CHB	2. HBeAg+ 면역활동기 (면역제거기) HBeAg+ CHB	3. 면역비활동기/조절기 (비증식보유기,건강보균) 면역비활동 CHB	4. HBeAg− 면역활동기 (재활성화기,면역탈출기) HBeAg− CHB
기간/연령	10~30년 지속	15~35세 사이에 이행	장기 지속 (80%)	고령
HBeAg	항상 (+)	60~90%에서 (+)	(−)	(−) Precore or BCP 변이
Anti-HBe	(−)	(−/+)	(+)	(+/−)
HBV DNA	$\upuparrows$ (>10^7 IU/mL)	점차로 감소 or 수시로 변함	$\downdownarrows$ (<2000 IU/mL)	↑ (>2000 IU/mL) 변동 심함
ALT	대부분 정상	↑~↑↑	지속적으로 정상	↑ (변동 심함)
임상양상	대부분 무증상	대개 무증상, hepatic flares, 일부 급성간염 유사, 때때로 IgM anti-HBc (+)	대개 무증상, 드물게 LC or HCC 발생 가능, 10~20%는 재활성화	고령, 말기 간질환 (LC or HCC)으로 진행 or 가질 확률 높음, hepatic flares
조직소견	정상~경미한 염증	중등도~심한 활동성 염증 다양한 정도의 섬유화	경미한 염증 다양한 정도의 섬유화	심한 활동성 염증 조직괴사
치료	경과관찰	항바이러스제	경과관찰	항바이러스제

− 아시아권에서는 면역활동(제거)기가 30~40대에 흔함
− 대부분의 면역관용기는 수직감염과 관련, 유년기/성인기에 감염되면 면역관용기가 매우 짧거나 없음
5. HBsAg 소실기 : 면역비활동기 환자의 1~2%/yr에서 HBsAg 소실 (functional cure) & HBV DNA 거의 음성

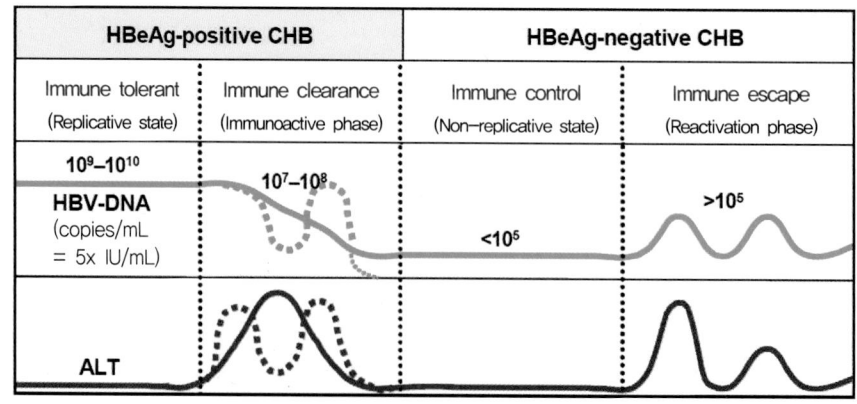

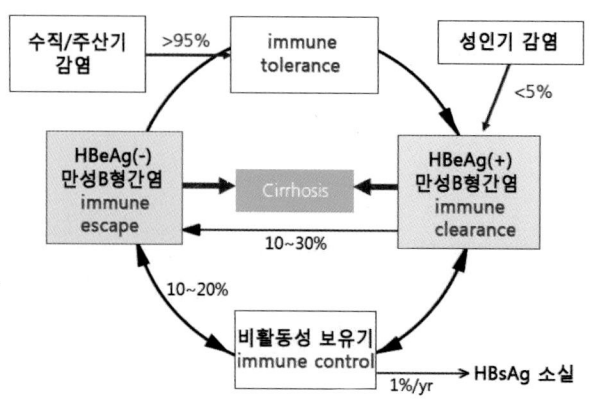

- 면역제거기에 HBV도 자신을 보호하기 위해 <u>cccDNA</u> 상태로 간세포의 핵 내에 숨음
  (covalently closed circular DNA : HBV 증식에 필수적인 RNA intermediate인 pregenomic
  RNA [pgRNA]의 template로 작용, 항바이러스제 중단 시 HBV가 다시 증식하게 하는 주원인)
- replicative phase → seroconversion → nonreplicative phase (연간 약 10~15%)
- HBeAg이 소실되고 anti-HBe가 나타날 때 (HBeAg seroconversion)
  - seroconversion 전에 60~80%에서 급작스런 ALT 상승 발생 / but, deep jaundice는 없음
    (∵ virus-infected hepatocytes의 cell-mediated clearance 때문)
  - 실제 호전인지 ↔ HBeAg(−) mutants 발생인지 감별 → HBeAg (−)면서 HBV-DNA 2,000
    IU/mL 이상이면 HBeAg(−) 만성 B형간염임을 시사함 / 유전자검사까지는 거의 필요 없음
- inactive carrier : HBsAg의 혈청 소실은 연간 0.5~2% 정도 (→ 예후 좋음)

* <u>HBeAg(−) chronic hepatitis B</u> : HBV DNA는 (+)로 <u>증식재활성화기</u>에 해당함
  - 대부분 <u>precore (PC) and/or basal core promotor (BCP) mutation</u>   → Ⅱ-3장 참조
  - 기전 ┌ precore mutation : precore gene 변이로 HBeAg의 translation 중단
          └ BCP mutation : precore mRNA의 transcription 감소
  - HBeAg(+) chronic hepatitis B 환자보다...
    ┌ 자연경과에서 늦게 발생 (HBeAg+ 보다 고령), HBV DNA level 약간 낮음
    │ 지속적인 간손상은 발생 ⇨ 염증/괴사 더 심하고, LC or HCC로의 진행 위험 더 높음!
    │ 항바이러스제에 의해 HBV DNA level 더 잘 떨어지지만, 관해율(지속적 반응 유지)은 낮음
    └ episodic reactivation이 흔함(aminotransferase level의 변동; hepatic flares)
  - 대부분 다양한 기간의 면역조절기 뒤에 이행되지만, 일부는 면역제거기에서 바로 이행 가능
  - 지중해연안, 유럽, 아시아 등에서는 HBeAg(+) CHB보다 흔하고, 미국도 30~40% 차지
  - 전세계적으로 증가 추세 (∵ 예방접종↑ → 젊은 환자↓, 감염자가 점차 고령화)

만성 B형 간염(CHB)의 3가지 형태

Pattern	HBeAg	anti-HBe	ALT	HBV DNA (titier)	HBcAg in liver	Chronic hepatitis
HBeAg(+) CHB (면역활동기)	+	−/+	↑~↑↑	+++ (>10^7 IU/mL)	+ (nuclear)	Active
Inactive CHB (면역비활동기/비증식보유기)	−	+	정상	+/− (<2000 IU/mL)	−	Inactive
HBeAg(−) CHB (면역활동기/재활성화기)	−	+/−	↑	++ (>2000 IU/mL)	+ (cytoplasmic)	Active (relapsing)

(2) 임상 양상
- 성인 만성 B형 간염환자의 대부분은 급성 간염에 걸렸었던 사실을 모름
- Sx : 다양 (대부분은 무증상), fatigue (m/c)
  - 심하면 nausea, anorexia, fever, jaundice / 말기에는 albumin↓, PT↑
- ALT > AST (→ cirrhosis 발생시는 AST > ALT)

- replication 상태와 조직소견, 증상은 항상 일치하는 것은 아님
  (e.g., replicative phase라도 AST, ALT는 정상일 수 있음)
- extrahepatic Cx ; hepatitis B Ag-Ab immune complex 침착과 관련
  - arthralgia/arthritis (m/c)
  - purpuric cutaneous lesion (leukocytoclastic vasculitis)
  - immune-complex glomerulonephritis ; MGN, MPGN
  - polyarteritis nodosa, essential mixed cryoglobulinemia (EMC) ...
- <u>만성 B형 간염의 급성 악화의 원인</u>
  ① reactivation (replicative stage) ; HBeAg (+), IgM anti-HBc (+)
  ② seroconversion ; HBeAg 소실, anti-HBe (+)
  ③ other viral (e.g., HAV, HDV, HCV) or drug-induced hepatitis
  ④ precore/BCP mutation
  ⑤ HCC 발생

(3) 예후/경과

- 조직소견에 따른 예후
  - mild chronic hepatitis B : 5YSR 97%, 15YSR 77%
  - moderate~severe chronic hepatitis B : 5YSR 86%, 15YSR 66%
  - chronic hepatitis B + LC : 5YSR 55%, 15YSR 40%
- chronic hepatitis B
  ⇨ ┌ LC : 2~6%/year (HBeAg+), 8~10%/year (**HBeAg-**)
  └ HCC : 0.5~1%/year (LC-), 2~3%/year (LC+)
    - <u>HBV replication</u>이 심하고 오래 지속될수록 LC 및 HCC 발생위험이 높음
    - 기타 HCC 발생 위험인자 ; HCV 중복감염, HCC 가족력, HBeAg(-), HBV genotype C, BCP mutation, aflatoxin, alcohol, 비만, DM, 흡연, 남성, 고령 등
- 만성 B형 간염에서 LC로의 진행 속도에 영향을 미치는 요인 : 염증과 lobular distortion 정도
  ① virus의 replicative activity (e.g., HBV DNA level↑)
  ② 다른 virus의 중복감염 (e.g., HCV, HDV, HIV)
  ③ 다른 원인에 의한 간손상 동반 (e.g., alcohol, drugs)
- * 만성 간염환자에서 LC로 이행되었음을 시사하는 소견
  ① 단백질의 합성 저하 ; albumin↓, PT↑
  ② portal HTN → splenomegaly → pancytopenia
  ③ bilirubin↑ (LC에서만 나타나는 소견은 아님)

c.f.) 간 섬유화의 평가

Ⓐ 간생검(liver biopsy)

- 치료 여부 결정을 위해 필요할 수 있음
  - ALT 지속적 정상이라도 F2 이상 섬유화가 12~43%에서 존재 (특히 40세 이상에서)
  - 의미있는 섬유화 or 염증 소견을 보인 환자들의 대부분이 ALT 26~40 IU/L
- 침습적이지만 심각한 합병증은 매우 드묾(1/4,000~10,000), 충분한 크기 채취가 중요
- 단점 ; 간의 일부만 채취, 일치도/재현성 제한, 출혈경향 등으로 금기인 경우

Ⓑ 비침습적 간섬유화검사

- 혈청표지자 지수 ; Aspartate aminotransferase-Platelet Ratio Index (APRI),
  Fibrosis-4 (FIB-4) index (platelets, ALT, AST, Age) 등이 흔히 사용됨
- 탄성도검사 … 혈청표지자보다 정확
  ① 간섬유화스캔(Fibroscan®) : 순간탄성측정법(transient elastography) … 가장 많이 사용됨
    - 장점 ; 비침습적, 재현성↑, 비교적 정확함 (ROC-AUC: F2 이상 섬유화 0.859, LC 0.929)
    - 단점 ; 최소 10회 이상 측정해야, 위양성(e.g., 급성 간염, 간외 담도 폐쇄),
      복수가 있거나 비만인 경우 측정이 어렵거나 불가능
  ② MR elastography (MRE) : Fibroscan®보다 좀 더 정확, 비만 환자도 측정 가능, 비쌈
  ③ 기타 ; coustic radiation force impulse (ARFI) imaging, shear wave elastography,
    real-time elastography 등

(4) 치료

* 치료 목적 ; HBV의 증식을 억제 → 염증을 완화시켜 섬유화 방지,
LC와 HCC 발생 예방으로 사망률 감소 및 생존율 향상

* 치료 목표 (치료 종료의 임상적 지표)

① ALT 정상화 : 정상상한치(UNL)-남성: 34 IU/L, 여성 30 IU/L 이하로
  - 간내 염증 반응의 감소를 반영, 대부분 HBV DNA 불검출에 수반됨
  - but, 정상인 환자의 14~40%도 F2 이상의 섬유화를 보임, ALT에 영향을 미치는 다양한
    인자들(e.g., 지방간) 존재 → ALT 정상화만을 치료 목표로 삼기에는 제약

② HBV DNA 불검출
  - HBV DNA level은 질병 진행과 장기 경과를 반영하는 가장 강력한 지표, 낮을수록 좋음
  - but, 치료 종료시 대부분 HBV DNA가 다시 검출되므로 이것만 치료 목표로 삼기는 어려움

③ HBeAg의 혈청소실 혹은 혈청전환 (HBeAg 양성 환자에서)
  - ALT 정상화 및 조직소견 호전을 반영, HBV DNA 감소 정도와 비례
  - but, HBeAg 혈청전환 후에도 24%에서 HBeAg(-) 간염 발생, 치료 종료시 재발률 높음

④ HBsAg의 혈청소실
  - HBsAg level은 CHB의 자연경과를 잘 반영, 간내 cccDNA level과도 비례
  - 항바이러스 치료로 감소하며 HBeAg 소실을 반영
  - 혈청소실/전환 이후 대부분 HBsAg 소실과 HBV DNA 불검출이 유지됨, HCC도 감소
    → 치료 목적을 가장 잘 반영하는 지표, 치료 종료 가능! (but, 매우 드묾)

⌈ HBeAg (+) 환자 → ALT 정상화, HBV-DNA 불검출, HBeAg 및 HBsAg의 혈청소실/전환
⌊ HBeAg (-) 환자 → ALT 정상화, HBV-DNA 불검출, HBsAg의 혈청소실/전환

■ 치료 약제 ★

Immune modulator	Pegylated IFN-α 2a (주사제)
High genetic barrier (초치료시 내성 매우 드묾) ⇨ 만성 B형간염의 1차 치료약제로 권장!	Entecavir Tenofovir disoproxil fumarate [TDF] Tenofovir alafenamide fumarate [TAF] Besifovir dipivoxil maleate
Low genetic barrier	Lamivudine, Adefovir dipivoxil, Telbivudine, Clevudine

	PEG-IFN*	Lamivudine	Adefovir	Entecavir	Tenofovir$_{DF}$	Tenofovir$_{AF}$	Besifovir
HBeAg 음전	34~39%	16~21%	12%	39%	18%	22%	14~21%
HBsAg 음전	2~7%	0~1%	0~5%	0~5%	0~1%	0~1%	0%
HBV-DNA 음전							
HBeAg(+)	6~14%	36~44%	13~21%	70~80%	75%	73%	64~81%
HBeAg(-)	19%	60~73%	48~77%	91~95%	91%	90%	97%
ALT 정상화							
HBeAg(+)	32~52%	41~75%	48~61%	82~87%	68%	75%	64~79%
HBeAg(-)	59%	62~79%	48~77%	78~88%	71%	81%	88%
조직학적인 개선							
HBeAg(+)	38%	49~62%	53~68%	72%	74%		
HBeAg(-)	48%	61~66%	64%	70%	72%		
내성 발생	없음	15~30%/1년 70%/5년	없음/1년 29%/5년	<1%/1년 1.2%/6년	없음	없음	없음

* 투여경로 ; PEG-IFN만 피하주사, 나머지는 모두 경구약제

┌ Nucleoside analogue ; Lamivudine, Entecavir, Telbivudine
└ Nucleotide analogue ; Adefovir, Tenofovir, Besifovir

① interferon-α
- 기전 : 감염된 간세포에서 HLA class I Ag 발현 촉진 → CD8+ cytotoxic T lymphocyte에 의한 HBV에 감염된 간세포의 파괴를 촉진
- C형 간염에 비해 large dose를 사용 (500~1000만 U 3회/주 or 매일 500만 U 피하/근육주사)
  ┌ HBeAg (+) : 16~24주 사용
  └ HBeAg (-) : 12개월 이상 사용
- pegylated IFN-α (PEG-IFN) : 반감기가 길어 주사 횟수가 주 1회로 감소
  - 치료 효과는 기존의 IFN보다 약간 높음, 부작용은 비슷
  - 기존의 IFN은 PEG-IFN보다 장점이 없기 때문에 PEG-IFN으로 대치되었음
- HBeAg (+) or (-) 만성 B형간염에 모두 효과적
- 성공적인 치료(seroconversion)시 ; ALT가 일시적으로 상승 가능, 재발은 드묾(1~2%)!
- immune complex에 의한 extrahepatic Cx.도 호전 가능
- 우리나라의 경우 B형 및 C형 간염의 interferon 치료 효과가 다른 나라에 비해 훨씬 나쁨
- 다른 경구 약제 대비
  ┌ 장점 ; 치료기간이 짧고, 약제 내성이 없음 (→ 장기 예후 좋음)
  └ 단점 ; 주사제(환자 매우 불편), 고비용, 부작용↑

Interferon (or PEG-IFN)의 부작용 ★
<u>전신적인 "flu-like" 증상</u> (m/c, >90%), 근육통, 두통, 구역 BM 억제 ; leukopenia, thrombocytopenia 감정적 불안정성 ; irritability, anxiety, depression 자가면역 반응 ; <u>autoimmune thyroiditis (비가역적)</u> → hypothyroidism : 2~4개월마다 갑상선검사 기타: 탈모(2nd m/c, 10~30%), 발진, 설사, 체중감소, 사지의 저림/무감각

- <u>Autoimmune thyroiditis</u> 외에는 모두 가역적 (용량을 낮추거나 중단하면 호전됨)!

PEG-IFN에 대한 반응에 영향을 미치는 인자 ★

반응이 좋은 경우	반응이 나쁜 경우
면역기능 정상, 젊은 연령, 짧은 유병기간 여성, Heterosexual Genotype A or B <u>High ALT level</u> : 정상상한치(UNL)의 2~3배 이상 <u>Low HBV DNA level</u> (<10^9 IU/mL) Active liver biopsy (간실질의 심한 염증)	Homosexual HIV 양성 출생시 감염된 소아 (수직감염) 동양인에서 minimal~mild ALT 상승 비대상성 만성 간염 (∵ 간염의 급성악화로 인한 간부전 위험↑)

* HBV genotype : A/B형에서 C/D형보다 HBeAg 혈청전환 및 HBsAg 혈청소실이 더 흔함
  (but, 개별적인 예측인자로서는 그 예측력이 떨어지므로 치료방침 결정에 이용하면 안 됨)

* <u>비대상성 간경변증, 면역저하자, 장기이식자, 임산부 등에서는 금기임!</u> / 60세 이상은 상대적 금기
  └ 감염 및 간기능 상실로 인해 사망 가능

경구 항바이러스제에 대한 반응에 영향을 미치는 인자

반응이 좋은 경우	
<u>High ALT level</u> : 정상상한치의 3배 이상 <u>Low HBV DNA level</u> (<10^7 copies/mL) Active liver biopsy (간실질의 심한 염증)	치료 시작 후 6~12개월째에 바이러스 반응이 있는 경우 내성 바이러스 발현율이 낮음 HBV genotype은 치료 반응에 영향 없음

② lamivudine (Zeffix®)
- 최초의 초치료 경구약제(100 mg/day) → 현재는 내성 발생 때문에 초치료 약제로 권장 안됨!
- nucleoside (cytidine) analogue ; RNA-dependent DNA polymerase (reverse transcriptase) 억제
- HBeAg (+) 환자는 치료전 <u>ALT level</u>이 높아야 반응(HBeAg seroconversion)이 좋음
  (일반적으로 HBV DNA이 10^4 copies/mL 이하로 억제되어야 seroconversion됨)
- IFN보다 훨씬 장기간의 치료가 필요, IFN과의 병합요법을 해도 효과가 증가하지는 않음!
  (IFN의 금기인 decompensated chronic hepatitis, 면역저하 등의 환자에도 효과적)
- 치료효과가 나타나는데 3~6개월이 걸리므로 간기능 악화가 너무 진행된 경우에는 도움 안될수
- 부작용이 적은 것이 장점, 약 1/4에서 치료 중 일시적으로 ALT 상승 가능
- 임신 중 안전성은 확립되지 않았고, 신기능 저하시엔 용량 줄여야
- 장기간 투여시 내성 변이종 발생 증가 (60~70%/5년) : <u>YMDD-variant HBV</u>
  - <u>P (polymerase) gene</u> YMDD motif의 변이 : <u>M(methionine)204V(valine)</u> or <u>M204I(isoleucine)</u>
  - 임상양상 ; ALT↑ & HBV DNA 재검출, 약 23%에서는 ALT 10배↑되는 급성악화 발생
    (wild-type보다 증식력은 떨어지지만, breakthrough로 인해 치명적인 간기능 악화 위험)
  - 발생이 증가하는 경우 ; 투여 기간↑, 치료전 HBV DNA level↑, 치료전 ALT level↑,
    치료 6개월 후 HBV DNA level↑, 비만
  - HIV 감염자는 대부분 YMDD variant가 빨리 발생되므로 lamivudine은 금기!

• 내성 발생시 ⇨ tenofovir 단독 or tenofovir + nucleoside analogue 병합 치료
- tenofovir를 사용할 수 없는 경우에는 adefovir + nucleoside analogue 고려
- 간기능이 양호하면 lamivudine을 중단하고 PEG-IFN 고려 가능

③ adefovir dipivoxil (Hepsera®)
• adefovir의 전구약물(prodrug)
• nucleotide analogue ; reverse transcriptase 및 DNA polymerase를 모두 억제
• lamivudine과 치료 효과 및 투여기간 비슷하면서 초치료 환자에서 내성 발생률 낮은 편
(항바이러스 효과는 다른 약제들에 비해 떨어짐! → 현재는 더 효과적이고 내성 발생률도
낮은 tenofovir가 초치료 및 lamivudine 내성 환자에 권장됨!)
• lamivudine과의 병합요법을 해도 효과가 증가하지는 않음
• 장기간 투여해도 내성 발생이 적은 편이므로, lamivudine 내성 YMDD 변이형 치료에 효과적
(면역저하자에서도 효과적이므로 HIV 감염자에서도 사용 가능)
• lamivudine 투여를 중단하고 adefovir로 대치시 간염의 악화가 우려되는 경우 2~3개월간
lamivudine과의 병합요법을 사용할 수 있음
• 내성 발생시 ⇨ tenofovir 단독 or tenofovir + entecavir 병합 치료
(tenofovir를 사용할 수 없는 경우에는 adefovir + entecavir 병합 치료 고려 가능)
• 부작용 : nephrotoxicity (보통 치료 6~8개월 이후에 발생)
- 30 mg/day 투여시 10%에서 creatinine 0.5 mg/dL 상승 (가역적 → 잠시 중단 or 감량)
- 일반적 치료용량인 10 mg/day에서 신독성 발생은 드물지만(3%), Cr monitoring은 필요함
- 드물지만 renal tubular injury도 발생 가능
- 기저 신질환이 있는 경우 투여 간격을 늘려서 용량을 감량
c.f.) lamivudine, adefovir, entecavir, telbivudine 등은 C_{Cr}이 50 mL/min 미만이면 용량 감량!

④ entecavir (Baraclude®)
• nucleoside (cyclopentyl guanosine) analogue ; HBV DNA polymerase의 priming,
pregenomic mRNA로부터 HBV DNA (−) strand의 reverse transcription,
HBV DNA (+) strand의 합성 등 3단계에서 HVB 증식을 억제함
• 기존 경구약제보다 치료 효과가 좋고, 내성 발생률이 매우 낮아 최근 초치료로 선호됨!
; lamivudine이나 adefovir보다 약 100배 이상의 바이러스 억제 효과
• 부작용은 lamivudine과 유사, 치료 전 간기능이 나쁜 경우 lactic acidosis 발생 주의
• lamivudine 내성 환자에서는 초치료 환자보다 치료 반응이 낮고, entecavir 내성 발생률이 높아
(누적 50% 이상) 사용 안함 → 대신 tenofovir (or adefovir) 사용
• entecavir 내성 : "two-hit mechanism"에 의해 발생 (먼저 M204V/I가 선택되고, 이후에 추가
mutations 발생해야) → lamivudine 내성(M204V/I)에서만 나타남 (lamivudine 및 모든
nucleoside analogues에 내성) ⇨ tenofovir 추가/대체
(tenofovir를 사용할 수 없는 경우에는 adefovir + entecavir 병합 치료 고려 가능)

⑤ tenofovir disoproxil fumarate [TDF] (Viread®)
• tenofovir의 prodrug, nucleotide analogue, adefovir와 기전 비슷하지만 훨씬 강력한 효과
• HIV 치료제지만 HBV 감염에도 매우 효과적, 아직까지 HBV는 tenofovir 내성이 거의 없음
• adefovir와 구조 유사하지만, 신독성이 덜해 고용량(300 mg) 사용 가능 → 훨씬 더 효과 좋음!

- 드물게 경미한 신기능 저하, 골감소/골다공증이 발생할 수 있음 → Cr, BMD F/U 고려
  (신기능 저하, 골감소/골다공증을 보이는 노인 ⇨ entecavir or tenofovir AF 추천)
- adefovir를 대신해서 초치료 및 nucleoside analogues 내성 환자에게 권장됨
- adefovir에 반응이 느리거나 없는 환자, HIV와의 중복감염 등에도 효과적

  * tenofovir alafenamide fumarate [TAF] (Vemlidy®)
  ; tenofovir DF보다 반감기 길고 세포내 침투율 높음 → 더 적은 용량으로 비슷한 효과
  → 신장과 골대사에 대한 독성 감소 (안전성 향상!)

⑥ besifovir dipivoxil maleate (Besivo®)
- 새로운 nucleotide analogue로 tenofovir와 효과 비슷하면서 더 안전
- 신기능 저하 및 골감소/골다공증 포함 심각한 부작용 없음, 아직까지 내성 없음

⑦ telbivudine (Sebivo®, Tyzeka®)
- lamivudine 계열로 lamivudine보다는 치료 효과가 훨씬 좋고 내성 발생도 적지만,
  다른 경구약제보다는 내성 발생이 많아서(2년 뒤 ~22%) 초치료 약제로는 권장 안 됨
- lamivudine처럼 부작용 적음 ; 드물게 CK↑, Cr↑, peripheral neuropathy

⑧ clevudine (Levovir®)
- lamivudine 계열로 항바이러스 효과가 강력하고 오래 지속됨
  (투약 중단 후에도 지속적인 HBV 억제 효과를 보임)
- 약 2%에서 myopathy 부작용 발생, 신기능 저하시엔(C_{Cr} <60 mL/min) 금기
- 내성 발생률은 entecavir보다 높고, 내성 발생시 lamivudine 내성에 준해서 치료

⑨ emtricitabine : lamivudine과 구조 유사, 단독 투여 시에는 lamivudine보다 좋은 점은 없음,
  tenofovir와 병합요법시 HIV 및 HBV에 효과적 (HBV 치료에는 허가 안 되었음)
  c.f.) Truvada® (tenofovir + emtricitabine)

⑩ 새로운 치료제들 (연구 중)
- 바이러스 침입 억제제 ; myrcludex, cyclosporin, ezetimibe 등
  → HBV/HDV receptor인 NTCP (sodium-dependent taurocholate pump)를 억제
- cccDNA inhibitor ; B형간염 완치가 안 되는 주원인인 cccDNA를 제거하므로 완치도 기대됨
- gene silencing ; siRNA (short interfering RNA)를 이용하여 HBV RNA를 간섭
- nucleocapsid assembly inhibitor, HBsAg secretion inhibitor, therapeutic vaccine ...

* glucocorticoids는 금기! (∵ 오히려 HBV 증식을 촉진함)

* 임산부에서의 안전성
  ┌ category B : tenofovir DF, telbivudine, emtricitabine → 임신 중 B형간염 치료시 사용
  └ category C : lamivudine, adefovir, entecavir, besifovir
   - 항바이러스제를 복용 중인 출산 후 여성에서는 항바이러스제의 모유 분비 여부에 대해
     거의 알려진 바가 없으므로 현재로서 수유를 제한하는 것이 권장됨

■ 비증식보유자 (Inactive carrier state)

- 간암의 위험군임 (HBsAg 음성인 사람보다 간암에 걸릴 확률 약 100배)
- 치료 방법도 없고, antiviral therapy의 적응이 아님!
- 정기적인 간암 선별검사를 받아야 됨 ; US, AFP (최소한 1년에 1회 이상)
  (증상이 발생할 때만 병원에 오게 되면, 이미 간염이 심해져 치료가 어려운 경우가 많으므로, 증상이 없더라도 정기 검진을 받아야 됨)
- 50세 이하에서는 IgG anti-HAV 검사를 시행하여 음성이면 HAV 예방접종
- HCV와의 중복 감염 유무를 확인하기 위해 anti-HCV 검사를 시행

◆ 2018 대한간학회 만성 B형 간염 치료 guideline

치료대상 ★★	

HBeAg(+) 만성 B형간염 (면역활동기)	HBV-DNA ≥20,000 IU/mL (약 10^5 copies/mL) 이며
	• ALT ≥2×UNL (upper normal limt, 정상상한치)
	• ALT 1~2×UNL
	  – 추적관찰(F/U) or
	  – 필요한 경우 간생검 : 중등도 이상의 염증괴사 소견이나 문맥주변부 섬유화 (stage 2) 이상의 단계를 보일 경우 치료 시작
	  – 간생검이 곤란한 경우 비침습적 방법의 간섬유화 검사로 평가할 수 있음
	• ALT ≥5~10×UNL의 급격한 상승 or 황달, PT↑, 간부전(e.g., 간성혼수, 복수) 소견을 보이는 경우에는 즉각적인 치료 시작

HBeAg(-) 만성 B형간염 (면역활동기)	HBV-DNA ≥2,000 IU/mL (약 10^4 copies/mL) 이며 • ALT ≥2×UNL (upper normal limt, 정상상한치) • ALT 1~2×UNL ⇨ F/U or 필요시 간생검 등 위와 동일 • ALT ≤UNL ⇨ F/U or 필요시 간생검 등 위와 동일
대상성 간경변증	HBV-DNA ≥2,000 IU/mL (약 10^4 copies/mL)면 ALT에 관계없이 치료 시작 HBV-DNA가 2,000 IU/mL 미만의 낮은 농도라로 검출되면 ALT에 관계없이 치료 고려
비대상성 간경변증	HBV-DNA 검출되면 ALT에 관계없이 신속히 치료 권장, 간이식도 고려

* 면역관용기 및 면역비활동기는 경과 관찰 대상임

치료약제의 선택	
일차 치료 ★	
HBeAg(+)/(-) 만성간염	Entecavir, Tenofovir (DF, AF), Besifovir or PEG-IFN 중 하나
대상성 간경변증	Entecavir, Tenofovir (DF, AF), Besifovir 중 하나 우선 권장 간기능이 좋은 경우 PEG-IFN은 주의하며 신중하게 사용 고려 가능 (∵ 간염 악화와 약물 부작용 위험)
비대상성 간경변증	Entecavir, Tenofovir (DF, AF), Besifovir 중 하나 우선 권장 PEG-IFN은 간부전 위험 때문에 금기임! 간이식을 고려
내성환자의 치료	
내성약물	대책(이차 치료제)
Nucleoside 유사체 (Lamivudine, Telbivudine, Clevudine, Entecavir)	Tenofovir (TDF or TAF) 단독 요법으로 전환 – 내성 치료 전 고바이러스혈증의 경우는 Tenofovir/Entecavir 병합 고려 – Entecavir 내성 → Tenofovir로 전환 or Tenofovir 추가
Adefovir	Tenofovir 단독 or Tenofovir/Entecavir 병합 요법으로 전환
Tenofovir	Entecavir 추가
다약제 내성	Tenofovir/Entecavir 병합 or Tenofovir 단독 요법으로 전환

* 초치료 환자에서 병합요법은 권장되지 않음

항바이러스제 치료 반응의 정의	
생화학반응(biochemical response)	ALT가 UNL 이내로 정상화되는 것
바이러스반응(virologic response)	혈청 HBV-DNA가 real-time PCR에서 검출되지 않는 것 (최저 검출한도 : 보통 60 IU/mL or 300 copies/mL)
	*FEG-IFN : 투여 6개월 이후 or 치료 종료시에 혈청 HBV-DNA가 2,000 IU/mL 이하로 감소된 경우
혈청반응(serologic response)	HBeAg 혈청반응 : HBeAg의 혈청 소실 또는 전환 HBsAg 혈청반응 : HBsAg의 혈청 소실 또는 전환
조직반응(histologic response)	조직활성지표(activity index) 치료 전보다 2점 이상 호전 & 섬유화가 악화되지 않음
일차 무반응/치료실패 (primary non-response)	항바이러스제를 6개월 투여한 후에도 혈청 HBV-DNA가 2 $\log_{10}$ IU/mL (<u>1/100</u>) 이상 감소하지 않는 경우
	*FEG-IFN : 3개월 치료 후 1 $\log_{10}$ IU/mL (1/10) 이상 감소하지 않는 경우
바이러스 돌파현상 (virologic breakthrough)	치료 중 가장 낮게 측정된 HBV-DNA보다 1 $\log_{10}$ IU/mL (10배) 이상 다시 증가한 경우 or 미검출 상태에서 다시 검출되는 경우 ⇨ 약제 순응도 확인 및 약제내성검사 시행
생화학 돌파현상	정상화되었던 ALT가 다시 <u>UNL 이상</u>으로 상승한 것
유전자형내성(genotypic resistance)	항바이러스제 내성을 보이는 돌연변이 바이러스가 발견된 것
표현형내성(phenotypic resistance)	약제에 대한 감수성 저하를 in vitro 검사에서 확인한 것
교차내성(cross resistance)	어느 약제에 의해 유발된 내성 변이가 노출된 적이 없는 다른 약제에 대해서도 내성을 보이는 경우

* <u>부분 바이러스반응 (partial virologic response)</u> : 혈청 HBV-DNA가 2 $\log_{10}$ IU/mL 이상 감소하였지만, real-time PCR에서는 검출되는 경우 (초치료 실패는 아님)
  ┌ 유전자 장벽 낮은 약제(Lamivudine, Telbivudine 등) → 치료 시작 후 24주째 평가
  └ 유전자 장벽 높은 약제((Entecavir, Tenofovir, Besifovir) → 치료 시작 후 48주째 평가
  ⇨ 약제 순응도 면밀히 확인, 약제의 교체 검토(e.g., 내성장벽 낮은 약제 → 교차내성 없고 내성장벽 높은 약제), 내성장벽 높은 약제를 사용하던 환자는 3~6개월 간격으로 반응을 F/U하면서 치료 지속 가능 (단 Entecavir를 사용하던 경우에는 Tenofovir 등으로 전환 고려 가능)

* 일차 무반응 (primary non-response) → 돌연변이 검사 시행
  (내성 돌연변이가 발생하지 않은 경우에는 효능이 더 높은 약제로 전환 추천)

* PEG-IFN 치료시 … HBsAg 정량검사를 치료반응 예측 인차(stopping rule)로 활용
  ┌ HBeAg(+) 환자 : 24주째 HBsAg 20,000 IU/mL 이하로 감소하지 않을 때
  └ HBeAg(-) 환자 : 12주째 HBsAg 정량치의 감소가 없으면서 HBV-DNA 감소가 2 $\log_{10}$ IU/mL 미만이면 치료 반응이 없을 것으로 예상하여 치료 중단 고려

c.f.) HBV-DNA 음전이 지속되어도 경구약제 중단시 재발(or 내성발생)하는 경우가 흔함
  → HBV-DNA 정량검사보다 <u>HBsAg 정량검사</u>의 반응이 재발(or 내성발생) 예측에 더 유용

치료 기간 / 치료 종료		
PEG-IFN	HBeAg(+) 만성간염	48주
	HBeAg(-) 만성간염	48주 이상
경구 항바이러스제	HBeAg(+) 만성간염/ 대상 간경변증	HBV-DNA 음전 및 HBeAg 혈청전환/소실 후 1년 이상 (HBsAg 소실이 이상적이지만)
	HBeAg(-) 만성간염/ 대상 간경변증	HBsAg 소실 때까지 또는 HBV-DNA가 6개월 이상 간격으로 3번 이상 음성
	비대상성 간경변증	중단× (평생 투여)
	항바이러스제를 6개월 이상 투여 후 혈청 HBV DNA level이 치료 전에 비해 1/100 미만으로 감소하지 않은 경우 (치료 실패) 약제 변경 고려	

치료 모니터링				
치료 비대상자의 모니터링				
	ALT	HBeAg/anti-HBe	HBV-DNA	
치료 비대상자	3~6개월 간격	6~12개월 간격	3~6개월 간격	
치료 대상 여부 불분명	1~3개월 간격	2~6개월 간격	1~3개월 간격	
	또는 비침습적인 간섬유화 검사 or 간생검 고려			
항바이러스 치료 중 모니터링				
	간기능검사	HBeAg/anti-HBe	HBV-DNA	HBsAg 정량검사
경구 항바이러스제 치료 중	1~6개월 간격	3~6개월 간격	1~6개월 간격	고려 가능
PEG-IFN 치료 중	매월 (CBC도 매월)	치료 시작 6개월 & 1년, 종료 6개월 후	1~3개월 간격	치료 전, 치료 12주, 24주, 치료 종료 시
	바이러스 반응(virologic response)이 확인된 후에는 HBV-DNA를 3~6개월 간격으로 측정 각각의 약물 부작용에 대한 모니터링도 필요			
항바이러스 치료 종료 후 모니터링				
	간기능검사	HBeAg/anti-HBe	HBV-DNA	
치료 종료 후 1년 동안	1~6개월 간격	3~6개월 간격	1~6개월 간격	
1년 경과 후 (치료 비대상자와 동일)	3~6개월 간격	6~12개월 간격	3~6개월 간격	HBsAg/anti-HBs도

c.f.) chemotherapy (immunosuppressive, anticytokine, anti-TNF therapy 포함) 환자
- CTx에 의해 세포면역 억제 → HBV 증식 및 expression 증가 → CTx 끝나면 cytotoxic T cells이 복원되어 rebound reactivation 발생 (심하고, 때때로 치명적임)
- CTx 시작 전에 예방적 경구항바이러스제 치료 시작 (→ reactivation 발생 위험 감소)
- CTx 완료 이후의 치료 기간
  - inactive carrier : 6개월
  - HBV DNA 2,000 IU/mL 이상 : 일반적인 만성 B형 간염의 치료기간 만큼 더 오래

특수한 경우의 치료	
급성 B형간염 환자	심각한 간염(응고장애, 심한 황달, 간부전)을 보이는 경우 ⇨ 경구 항바이러스제 치료 고려 (c.f., 성인에서 급성 B형간염의 95% 이상은 자연적으로 회복됨)
간세포암종 환자	HBV DNA 검출시 항바이러스제 치료 HBV DNA 불검출이라도, HCC에 대한 각종 치료 후 HBV 재활성화가 흔하므로 예방적 항바이러스제 치료를 추천함
간이식 환자	HBV DNA(+) 수혜자는 경구 항바이러스제로 이식 전 혈청 HBV DNA를 최소한으로 억제함 이식 후 재발방지를 위해 평생 경구항바이러스제 + HBIG 병합 치료 권장 − Tenofovir or Entecavir 권장 (재발한 경우에도) − 이식 전 HBV DNA 불검출인 경우 일부에서 HBIG 감량 가능 *HBsAg(−) 수혜자가 HBsAg(−)/anti−HBc(+) 공여자로부터 간이식을 받는 경우 (→ 약 75%에서 B형간염 새로 발생) 경구 항바이러스제 (or HBIG) 치료 시행
기타 장기이식 환자	이식과 함께 예방적 항바이러스제 투여 (장기간의 투여가 필요하므로 Entecavir or Tenofovir 우선 권장) HBsAg & HBV DNA 음성이고 anti−HBc 양성이면 − 고형장기 이식 수혜자 → B형간염 재발을 감시하기 위해 정기적인 F/U 필요 − 조혈모세포이식 수혜자 → 이식과 함께 예방적 항바이러스제 투여 시작
면역억제제 또는 항암화학요법 치료 환자	HBV 감염 여부를 모를 때엔 면역억제/항암화학치료 시작 전 HBsAg/anti−HBc를 검사하고, 둘 중 하나 이상 양성이면 혈청 HBV DNA도 검사함 HBsAg(+) or HBV DNA 검출 ⇨ 면역억제/항암화학치료 전 또는 동시에 항바이러스제 투여 초기 혈청 HBV DNA가 높거나 장기간의 치료가 예상되면 Tenofovir or Entecavir 권장 HBsAg & HBV DNA 음성이고 anti−HBc 양성이면 면역억제/항암화학치료 중 혈청 HBsAg과 HBV−DNA를 정기적으로 F/U하며 재활성화가 발생하면 항바이러스제 투여 (특히 rituximab을 사용하는 경우 동시에 항바이러스제 치료 병행 고려) 예방적 항바이러스제 투여는 면역억제/항암화학치료 종료 후 최소 6개월간 지속 (rituximab을 사용하는 경우에는 치료 종료 후 12개월 이상 항바이러스제 투여)

신기능 이상
또는
골대사 질환자
	신기능 감소 or 골대사 질환 有 or 위험인자가 있는 경우
	 − 신기능 저하 위험인자 ; GFR <60 mL/min, 단백뇨, 알부민뇨,
	  저인산혈증(<2.5 mg/dL), 조절되지 않는 DM/HTN 등
	 − 골대사 질환 위험인자 ; 골감소증, 골다공증, steroid 등 골밀도 감소 약제
	 ⇨ Entecavir, Tenofovir AF, Besifovir 권장 / Tenofovir DF는 피함!
	  (Tenofovir DF 복용 환자가 신기능 or 골밀도 감소를 보이는 경우에도 위 약제로 대치)
	모든 약제는 GFR (C_{Cr})에 따라 용량 조절이 필요함
	 ⇨ 대부분 C_{Cr} 50 mL/min 미만이면 용량 조절 시작 (Tenofovir AF는 필요 없음)
	금기인 경우 ; Tenofovir AF는 C_{Cr} <15 mL/min (ESRD),
	 Tenofovir DF는 C_{Cr} <15 mL/min이면서 투석을 안 받는 경우,
	 Besifovir는 C_{Cr} <50 mL/min, Adefovir는 <10 mL/min인 경우
	*CKD 환자는 HBsAg & anti−HBs가 음성이면 예방접종 시행

HCV 중복감염	각각의 바이러스 치료 전략에 따라 단독 혹은 동시 치료 가능 C형간염의 치료 중 or 이후 HBV DNA 상승이 가능하기 때문에 주의 깊은 F/U 필요
HDV 중복감염	PEG−IFN을 최소 1년 이상 투여 / B형간염 치료 적응이 되면 경구용 항바이러스제 투여
HIV 중복감염	HAART (highly active antiretroviral therapy) 시작시 HIV와 HBV에 모두 효과적인 Tenofovir를 포함한 요법으로 시행
소아/청소년	HBeAg(+)는 HBV DNA ≥20,000 IU/mL, HBeAg(−)는 HBV DNA ≥2,000 IU/mL이며 6개월 이상 ALT ≥2×UNL or 간생검에서 중등도 이상의 염증괴사 소견 or 문맥주변부 섬유화 이상의 단계를 보일 경우 항바이러스 치료 권장 Entecavir, Tenofovir DF, PEG−IFN 등 사용 / 내성 발생시 성인 가이드라인에 따름
가임기 여성	경구 항바이러스제 중에서는 Tenofovir DF 권장 (모유 수유도 가능!) / PEG−IFN는 금기 다른 항바이러스제 복용 중 임신하면 Tenofovir DF로 교체 권장 면역관용기라도 HBV DNA 높으면(≥20,000 IU/mL) 수직감염 예방위해 Tenofovir DF 투여 (임신 24~32주에 시작, 출산 이후 2~12주까지 투여 권장) 항바이러스 치료를 받지 않는 만성 B형간염 임산부에서 출산 후 모유 수유는 제한하지 않음

2. 만성 C형 간염 (chronic hepatitis C, CHC)

(1) 개요

- acute hepatitis C 이후 85~90%는 chronic hepatitis로 됨
  - acute hepatitis C의 50~70%는 바로 chronic hepatitis로 진행
  - acute hepatitis C 이후 AST/ALT가 정상화되었던 환자도 흔히 chronic hepatitis로 진행
- 증상이 없고 aminotransferase level도 정상인 anti-HCV (+) 환자의 1/3~1/2에서 biopsy상 chronic hepatitis를 보임
- 우리나라 : anti-HCV 양성률 0.78%, 고령일수록 높아짐, 남<여, genotype 1b>2a>1a>2b

(2) 임상 양상

- 대부분은 무증상, fatigue가 m/c (jaundice는 드물다)
- extrahepatic Cx.은 HBV보다 드물다 (EMC만 예외적으로 더 많음)
- aminotransferase level은 HBV보다 낮지만, 변동이 많다
- 일부에서 autoantibody (anti-LKM1) 가짐 → pathogenesis에 autoimmunity도 관여함을 시사
- 드물게 autoimmune hepatitis에서도 anti-HCV의 false (+)가 나타날 수 있음
  → HCV RNA 측정!
- NAFLD, insulin resistance, DM 등의 발생 증가

(3) 예후/경과

- long-term Px.는 B형보다 좋다, 매우 느리고 점진적으로 진행
- chronic hepatitis C 환자의 약 5~20%가 20~25년 뒤 LC로 진행
- HCV에 의한 compensated LC 환자의 경우
  - 10YSR 약 80%, 사망률 2~6%/year
  - decompensation 발생률 4~5%/year
  - HCC 발생률 1~4%/year (HBV보다 높다) : 주로 30년 이상 HCV 감염자에서

HCV의 만성 간질환으로의 진행 위험인자
1. **장기간의 감염 기간** (m/i)
2. 고령(40세 이상에 감염), 남자, 음주, 흡연
3. 비만, 인슐린 저항성, 면역억제자, 장기이식 수혜자
3. Advanced histologic stage & grade
4. Genotype 1 (특히 1b)
5. Complex quasispecies diversity (유전적 다양성/돌연변이능력)
6. 간 내 철분 축적
7. 다른 간질환 동반 ; 알코올성 간질환, 지방간염, 만성 B형간염, hemochromatosis, α_1-antitrypsin deficiency
8. 다른 바이러스의 중복 감염 ; HIV, HBV, HAV

*급성 간염의 severity (황달 등),
ALT/AST level, HCV RNA level
등은 관련 없음

- 간이식 후에 재발한 HBV or HCV도 빠르게 LC로 진행함
- m/i 예후 인자 - 간 조직소견
  ; 2단계(F2, portal fibrosis) 이상의 간섬유화 환자에서 LC로의 진행률이 높음
- aminotransferase, HCV RNA level은 예후/경과와 관련 없음!

(4) 치료

- 운동/식이조절을 통한 적정 체중 유지, 단주/절주
- 치료목표 : HCV RNA 음전 (EVR & SVR) → 심한 간질환 예방
  - <u>SVR</u> 있으면 장기 재발률 1% 미만! ⇨ HCV 박멸처럼 간주 (임상적 완치와 유사한 지표)
  - SVR을 보이지 않는 환자에 비해 LC Cx 및 HCC 발생률과 사망률 감소
- antiviral therapy 전의 필수 검사 ; HCV RNA 정량검사, HCV 유전자형 및 아형(1a/1b) 검사
  (간 조직검사는 반드시 필요한 것은 아니지만, genotype 1인 경우와 ALT가 정상일 때는 유용)
- 치료 방법/용량/기간 결정 및 치료 반응 예측의 m/i 인자 - <u>HCV 유전자형(genotype)</u>

치료 반응의 정의 ★	
급속 바이러스 반응 : RVR (rapid virological response)	치료 **4주**째에 HCV RNA가 검출되지 않는 것 (검출한계 <50 IU/mL) (→ genotype에 관계없이 빠른 SVR 달성과 관련)
초기 바이러스 반응 : <u>EVR</u> (early virological response)	치료 **12주**째에 HCV RNA가 기저값보다 2 $\log_{10}$ 이상 감소하거나 검출 되지 않는 것 (→ Genotype 1에서 EVR은 SVR의 중요한 예측인자임)
	- complete EVR (cEVR) : HCV RNA가 검출되지 않는 것 - partial EVR (pEVR) : 2 $\log_{10}$ 이상 감소하였으나 검출은 되는 것
지연 바이러스 반응 : DVR (delayed virological response)	pEVR에 도달한 Genotype 1 감염 환자 중 치료 24주째 혈중 HCV RNA가 검출되지 않는 것
지속 바이러스 반응 : <u>SVR</u> (sustained virological response)	<u>치료 "종료" 후 12주 or 24주</u> 때 HCV RNA가 검출되지 않는 것 (→ HCV가 박멸된 것으로 간주) ⋯ 장기 치료 반응의 best predictor!
치료 종료 반응 : ETR (end of treatment response)	치료 24주 or 48주 종료 시점에 HCV RNA가 검출되지 않는 것
무반응 : Nonresponse ｜ Null response	치료 12주째 HCV RNA가 2 $\log_{10}$ 미만으로 감소한 상태
｜ Partial response	치료 12주째 HCV RNA가 2 $\log_{10}$ 이상 감소되었지만, 12~24주 사이에 HCV RNA가 검출되는 상태
<u>바이러스 돌파(breakthrough)</u>	치료 중 소실되었던 혈중 HCV RNA가 재출현
재발(relapse)	치료 종료 후 소실되었던 혈중 HCV RNA가 재출현

참고: IFN (+ ribavirin) 치료 반응에 영향을 미치는 인자

반응이 좋은 경우	반응이 나쁜 경우
Genotype 2 or 3 19번 염색체 IL28B 유전자의 유전적 다형성 　(single nucleotide polymorphism, SNP) Low HCV RNA level 　($<2\times10^6$ copies/mL or $<8\times10^5$ IU/mL) Low HCV RNA quasispecies diversity 　(E2/NS1 영역의 변이) 짧은 유병기간, 젊은 연령(<40세), 여성 면역기능 정상, 경미한 조직소견 (minimal fibrosis) High baseline ALT	Genotype 1 or 4 19번 염색체 IL28B locus의 T allele* High HCV RNA level 　($>2\times10^6$ copies/mL or $>8\times10^5$ IU/mL) High HCV RNA quasispecies diversity 긴 유병기간, 40세 이상, 면역저하자 진행된 조직소견(e.g., bridging fibrosis, cirrhosis) High hepatic iron level, 알코올(>50 g/day) 간지방증(NAFLD), 비만, 인슐린 저항성, type 2 DM 흑인, 히스패닉(라틴계)**

* 참고: 서양 genotype 1에서 IL28B (IFN-λ 3 code)의 SNP에 따른 급성 C형간염 이후 자연 회복률
　　; C/C 48~69%, C/T 15~33%, T/T 13~27% ⋯ T allele가 예후가 나쁨
　　(우리나라에서는 약 90%가 C/C형이라 치료 반응 예측인자로서의 유용성 낮음)
** 아시아인, 백인, 히스패닉, 흑인 순서로 치료 반응이 좋음
★ DAA 치료에서는 HCV RNA level, ALT level, IL28B 유전형, 연령, 인슐린 저항성, type 2 DM 등의 영향 거의 없음

① interferon-α

- 페그 인터페론(pegylated IFN)-α : long-acting
  - 주 1회만 투여하면 되고, 약물농도도 더 안정적으로 유지됨, 기존의 IFN보다 효과 2배

  ┌ ANC <750/mm^3 or platelet <50,000/mm^3 이면 50% 감량
  └ ANC <500/mm^3 or platelet <25,000/mm^3 이면 투약 중지 (→ 회복되면 50%로 재개)

	PEG-IFNα-2a	PEG-IFNα-2b	
PEG 크기	40 kD 가지모양	12 kD 선형	
반감기	65시간	54시간	– PEG-IFNα-2a가 치료효과 약간 더 좋고, 약을 중단하는 경우도 더 드묾
용량	180 μg (체중에 관계없이)	1.5 μg/kg (체중)	
보관	냉장	실온	⇨ 부작용은 앞의 B형간염 부분 참조
더 흔한 부작용	neutropenia, rash	headache, nausea, fever, myalgia, depression	

- pegylated IFN을 사용할 수 없는 환자는 기존의 IFN을 사용 (e.g., allergy to pegylated IFN)
- 치료 중 만성 B형 간염에서와 같은 일과성의 acute hepatitis-like ALT 상승은 일어나지 않고, ALT level은 급격히 감소됨!

② ribavirin (nucleoside analogue) [Viramid®, Rivavirin®]

- 단독 투여는 효과 없고, interferon과 서로 상승 효과가 있어 PEG-IFNα + ribavirin 병합요법으로 사용 (but, 부작용↑), DAA 도입 이후에는 주로 일부 DAA 요법에 추가하여 사용함
- ribavirin의 부작용 ; hemolytic anemia (m/i), fatigue, rash, nasal congestion, pruritus, gout 유발, 선천성 기형(→ 남녀 모두 치료 중 & 치료 후 6개월까지 반드시 피임해야 됨)
  - Hb <10 g/dL면 감량, <8.5 g/dL면 투약 중지 (투약 중지 환자는 PEG-IFN 단독요법)
- absolute C/Ix. ; CAD or CVA 환자 (∵ hemolysis가 ischemia 유발 가능), 심한 신기능 저하 (∵ 신장으로 배설, 투석으로 제거 안 됨), 임산부 (∵ teratogenic)
- relative C/Ix. ; uncontrolled HTN 등의 CAD 위험인자, anemia or hemoglobinopathy

■ PEG-IFNα + ribavirin (PR) 병합요법

- DAA 도입 전 과거의 표준 치료였었음 (e.g., genotype 1, 4 [48주] → 60~70%에서 SVR)
  ↳ 더 효과적이고, 부작용 적고, 주사의 불편함이 없으므로 대부분 DAA 요법으로 대치되었음
  (일부에서만 DAA 요법 대신 고려 가능 ; genotype 2, 3, 5, 6 [24주] → 80~90%에서 SVR)
- response-guided therapy : 치료 4, 12, 24주째 HCV RNA level에 따라 치료 기간 조절
- 치료 4주(1개월)째 HCV RNA 정량검사로 RVR
  ⇨ SVR의 강력한 양성 예측인자: RVR이 있으면 없는 군에 비해 SVR이 9배 증가
- 치료 12주(3개월)째 HCV RNA 정량검사로 EVR 확인 권장
  ⇨ SVR의 강력한 음성 예측인자: EVR이 없으면 치료 중단! pEVR이면 24주째 재검
- 치료중 계속 ALT↑ → 50% 감량 → ALT 계속↑, bilirubin↑, decompensation → 투약 중단
- biochemical & virologic response가 없어도 조직학적 호전이 약 3/4에서 나타남

> 참고: PEG-IFN + ribavirin의 금기증 ; 임신 중이거나 피임 의지가 없는 경우,
> 조절되지 않는 자가면역질환, 갑상선질환, 고혈압, 심부전, 관상동맥질환, DM, COPD 등의 심각한 내과질환,
> 조절되지 않는 우울증/정신질환/발작장애, 간 이외의 고형장기이익, 급성 췌장염, 자가면역성 간염,
> PEG-IFN/ribavirin에 대한 과민반응 과거력, 2세 이하 및 HCV 치료제에 과민성이 있는 경우 등

③ 직접작용항바이러스제(direct acting antivirals, <u>DAAs</u>) ★

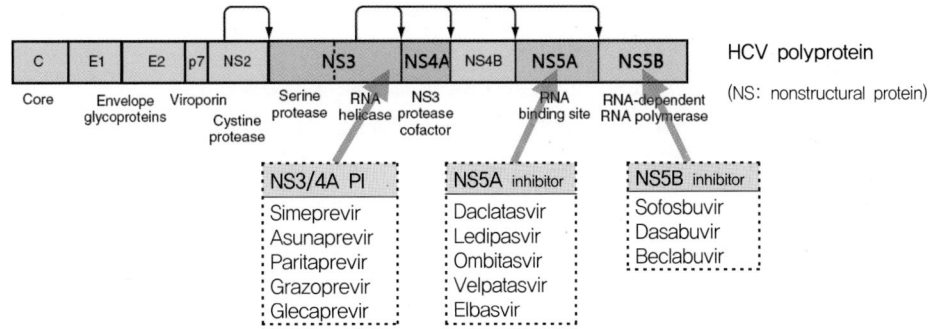

- 차세대 DAA는 부작용이 적어 치료의 금기가 적음 (과거 금기였던 비대상성 LC도 치료 대상)
  - 병합치료를 통해 기대되는 SVR은 95% 이상, 기존 pIFN + ribavirin에 비해 매우 효과적!
  - <u>DDA의 낮은 SVR 예측인자</u> ; genotype 3, LC, 이전의 치료 실패, HCV 내성관련변이(+)
  - HCV RNA level, ALT level, IL28B 유전형, 연령, 인슐린 저항성, type 2 DM 등의
    영향 거의 없음

- <u>NS3/4A protease inhibitors (PI, "-previr")</u> : HCV 증식에 필수인 다단백 분해과정을 차단,
    주로 genotype 1에만 효과적, 내성 장벽 낮음, Child B-C/비대상성 LC에서는 금기!
  (1) 1세대 ; boceprevir, telaprevir … 최초의 DAA, 부작용이 심해 최근에는 사용 안함!
  (2) 2세대 ; simeprevir [Olysio/Sovriad®], asunaprevir [Sunvepra®], paritaprevir,
      grazoprevir, glecaprevir, voxilaprevir

- <u>NS5A inhibitors ("-asvir")</u> : HCV 복제 및 조립(replication complex)을 억제
  - <u>daclatasvir</u> [Darlinza®], ledipasvir, ombitasvir, velpatasvir, elbasvir, pilbrentasvir
    (↳ 간기능 및 신기능 장애시 용량 조절 필요 없음)
  - 여러 유전자형에 효과적, 다른 약제와 병합치료시 상승 효과, 내성 장벽 매우 낮음
  - NS5A 내성관련치환(RAS) : genotype 1a의 7~16%, 1b의 16~20%에서 존재, daclatasvir
    (or elbasvir) 치료 전 RAS가 검출되면 다른 약제를 사용 (or ribavirin 추가)

- <u>NS5B polymerase inhibitors ("-buvir")</u> : RNA dependent RNA polymerase 억제
  (1) nucleos(t)ide polymerase inhibitors ; <u>sofosbuvir</u> [Sovaldi®]
    - 모든 유전자형에 효과적!, 다른 약제와 병합시 상승 효과, 내성 장벽 높음!, 교차내성 無
    - 간기능 장애시 용량 조절 필요 없음, 심한 신기능 장애(GFR <30 mL/min)시엔 금기
      (amiodarone, flecainaide, propafenone, thioridazine, rifampin, cyclosporine, sirolimus, gemfibrozil 등과 병용은 금기)
  (2) non-nucleos(t)ide polymerase inhibitors ; dasabuvir [Exviera®], beclabuvir
      ; 주로 genotype 1에만 효과적, 내성 장벽 낮음

* RAS (resistance-associated substitution)내성관련치환 : DAA에 내성을 보이는 아미노산 변이
  - 자연발생 RAS ; genotype 별로 차이 → NS3 RAS 1a 75%, 1b 2% / <u>NS5A</u> RAS 1a 3.5%,
    14.1% / NS5B RAS는 자연발생이 매우 드묾
  - 치료중 발생한 RAS ; 발생한 RAS 부위에 따라 지속 기간 차이 → NS3와 NS5B RAS는
    약제 중단 후 사라짐 / NS5A RAS는 약제 중단 후 수년간 검출 가능
  - 검사(sequencing, NGS) : RAS가 15%를 넘어야 임상적으로 의미 (→ 15% sensitivity 사용)

예) NS5A RAS ┌ 1a ; M28, Q30, L31, Y93 등 → elasvir의 SVR 크게 감소
　　　　　　└ 1b ; L31, Y93 → daclatasvir의 SVR 크게 감소

- 복합제제로 많이 개발되어 사용됨
  - ledipasvir 90 mg + sofosbuvir 400 mg [Harvoni®] once/daily
  - velpatasvir 100 mg + sofosbuvir 400 mg [Epclusa®] once/daily
  - ombitasvir/paritaprevir/ritonavir 12.5/75/50 mg + dasabuvir 250 mg [Viekira Pak®]
    2T/day　　　　　　　　　(↳ CYP3A4 inhibitor, 약동학적 증강제 역할)
    　　　→ Child B-C/비대상성 LC 환자는 금기, 신기능 장애시 용량 조절 필요 없음
  - elbasvir 50 mg + grazoprevir 100 mg [Zepatier®] once/daily

  [pan-genotypic DAA regimen]
  - glecaprevir 100 mg + pibrentasvir 40 mg [Mavyret®] 3T once/daily
    → genotype 1~6 모두에 8주 요법 (mild LC 환자는 12주), CKD 환자도 사용 가능,
    　Child C/비대상성 LC 환자는 금기 (Child B도 권장 안됨)
  - sofosbuvir 400 mg + velpatasvir 100 mg [Epclusa®] once/daily
    → genotype 1~6 모두에 12주 요법 (LC 환자도), severe CKD (GFR <30 mL/min)는 금기
  - sofosbuvir/velpatasvir/voxilaprevir 400/100/100 mg [Vosevi®] once/daily
    → 이전 DAA 치료에 실패한 경우 m/g, Child B-C/비대상성 LC 및 severe CKD 환자는 금기

④ liver transplantation : ESLD (end-stage liver dz.) 환자의 유일한 치료법
- 이식 후 C형간염 재발로 인한 allograft loss, mortality 등은 적은 편이지만
- 이식 후 C형간염 재발 예방을 위해 이식 전 항바이러스 치료로 HCV RNA 음전이 이상적임
  (∵ 이식 전 HCV RNA 검출 → 거의 대부분 이식 후 재감염 → 간질환 악화 & 사망률↑)
- but, 일부 환자는 DAA 치료로 간기능이 호전되어 이식 필요성이 없어지거나 연기될 수
- 간기능에 따라 차별화 권장
  ① MELD <16~20점 : DAA 치료로 12~35%의 이식 대기자가 대기 명단에서 제외 됨
  ② MELD >25점 : DAA 효과 불확실, 약제 독성 문제 → 이식 전 치료 권장 안됨
  　　→ 간기능 저하가 심한 경우에는 이식 후 치료하는 것이 유리함
  　　(∵ 이식 후 재발시 DAA 치료하면 SVR >85%, 재발 초기는 SVR 91~100%)
  ③ MELD 20~25점 → 효과가 있을 것으로 예상되는 환자들을 선별하여 DAA 치료 결정

C형 간염 진료 가이드라인 (대한간학회, 2017)

만성 C형 간염의 치료 대상
1. 치료 금기증이 없는 모든 C형간염 환자는 치료 대상임
2. F3 이상의 진행된 섬유화(LC 포함) 환자는 우선적으로 치료함
3. 간이식 전후 환자는 우선적으로 치료함
4. 혼합한랭글로불린혈증, 사구체신염 등 HCV 감염과 연관된 심각한 간외합병증 동반 환자는 우선 치료함
5. 치료 여부는 간질환의 중증도, 간외 합병증, 치료 성공 확률, 심각한 부작용 발생 가능성, 동반 질환유무, 환자의 치료 의지 등을 고려하여 개별화함
6. 간 이외의 질환으로 기대 수명이 짧은 환자들에게 HCV 치료는 권장되지 않음

만성 C형 간염 및 대상성 LC의 치료 [정리]

	치료 경험 없음						치료 경험 있음					
Genotype	1a	1b	2	3	4	5,6	1a	1b	2	3	4	5,6
Ledipasvir/Sofosbuvir [Harvoni®]	12주 (8주)[1]				12주	12주	24주	12주 (LC 24)			24주	24주
Harvoni® + Ribavirin							12주	LC 12주			12주	12주
Elbasvir/Grazoprevir [Zepatier®]	12주 (16주)[2]	12주			12주		12주 (16주)[2]	12주			LC 12주[4]	12~16주[5]
Ombitasvir/Paritaprevir /Ritonavir + Ribavirin					12주						12주	
Ombitasvir/Paritaprevir /Ritonavir + Dasabuvir [Viekira Pak®]		12주						12주				
Viekira Pak® + Ribavirin	12주 (LC 24)						12주 (LC 24)					
Daclatasvir + Asunaprevir		24주[3]						24주[3]				
Daclatasvir + Sofosbuvir	12주 (LC 24주)		12주	12주	12주 (LC 24)	12주	12주 (LC 24주)	12주			12주 (LC 24)	24주
Daclatasvir + Sofosbuvir + Ribavirin	LC 12주			LC 24주	LC 12주		LC 12주			12주 (LC 24)	LC 12주	12주
Sofosbuvir + Ribavirin			12주 (LC 16)	24주					12주 (LC 16-24)			
pIFN + Ribavirin			24주	24주		24주						
Glecaprevir/Pibrentasvir [Mavyret®]	8주 (LC 12주)	8주 (LC 12)	8주 (LC 12)	8주 (LC 12)	8주 (LC 12)	8주 (LC 12)	8주 (LC 12주)	8주 (LC 12)		16주	8주 (LC 12)	8주 (LC 12)
Sofosbuvir/Velpatasvir [Epclusa®]	12주		12주	12주	12주	12주	12주	12주			12주	12주
Epclusa® + Ribavirin				LC 12주						12주		
Sofosbuvir/Velpatasvir /Voxilaprevir [Vosevi®]				LC 8주						LC 8주		

[1]. LC 및 HIV 중복감염 없고, 치료 전 HCV RNA 6,000,000 IU/mL 미만이면
[2]. 치료 전 elbasvir에 대한 RAS 검출시 ribavirin을 추가하여 16주
[3]. 치료 전 NS5A RAS를 검사하여 검출되지 않을 때에만 (∵ RAS 존재시 SVR 유의하게 낮아짐)
[4]. LC 있으면 sofosbuvir를 추가하여 12주
[5]. 이전 pIFN + ribavirin 치료의 반응이 재발이었으면 12주, 실패(무/부분반응,바이러스돌파)였으면 ribavirin을 추가하여 16주

만성 C형 비대상성 LC의 치료 [정리]

Genotype	1,4,5,6	2,3
Ledipasvir/sofosbuvir [Harvoni®]	24주	
Daclatasvir + Sofosbuvir	24주	24주
Sofosbuvir/Velpatasvir [Epclusa®]	24주	24주

⇨ Ribavirin 추가시 모두 12주

* NS3/4A PI와 dasabuvir는 중등도(Child B) 이상 LC 환자에서는 금기임

특수한 경우의 치료

비대상성 LC	일반적으로 비대상성 LC는 sofosfovir와 NS5A 억제제의 병합요법이 추천됨 (→ 앞의 표 참조)
	DAA 도입으로 비대상성 LC 환자도 항바이러스 치료를 고려할 수 있게 되었지만 반응률은
	   간이식 후 C형간염 재발 초기에 치료한 경우보다는 낮음
	   → 치료 전략은 이식 가능성/대기시간을 검토하여 개별화하여야 됨
	간이식 대기시간이 6개월을 초과하거나 간이식이 가능하지 않은 경우는 치료를 할 수 있음
	단백분해효소 억제제(PI)는 부작용 때문에 비대상성 LC 환자에게 사용하지 않음

간이식 및
간외 장기 이식
	간이식 가능한 MELD 20~25점 이하 비대상성 LC 환자는 간이식 전 가능한 한 빨리 치료
	   MELD 20~25점 초과 환자는 간이식을 먼저 시행하고 이식 후 C형간염이 재발하면 치료 권장
	항바이러스 치료는 간이식 후 수개월내 임상경과가 안정화되면 가능한 한 빨리 시작함
	   특히 섬유화 담즙정체성 간염, 진행된 간섬유화, 문맥압 항진증 등이 발생하면 신속히 치료 시작
	DAA 병합요법 (→ 아래의 표 참조), 면역 억제제들과 약물상호작용을 신중히 고려해야
	간 이외 장기 이식을 받은 환자에서 C형간염 치료가 필요한 경우에는 DAA 투여를 고려함

만성 콩팥병	말기 신부전 환자의 anti-HCV 양성률은 4%로 일반인보다 높음, 음성이라도 6~12개월마다 F/U 필요
	만성 콩팥병 환자의 항바이러스 치료
	■ GFR 30~80 mL/min : sofosbuvir, ledipasvir/sofosbuvir, elbasvir/grazoprevir,
	    ombitasvir/paritaprevir/ritonavir와 dasabuvir, daclatasvir, asunaprevir, glecaprevir/pibrentasvir,
	    sofosbuvir/velpatasvir, sofosbuvir/velpatasvir/voxilaprevir 등은 용량 조절 필요 없음
	■ GFR 30 mL/min 미만
	  – Genotype 1 : elbasvir/grazoprevir, ombitasvir/paritaprevir/ritonavir + dasabuvir
	    [Viekira Pak®] (1a는 ribavirin 추가), glecaprevir/pibrentasvir,
	     1a는 daclatasvir + asunaprevir(투석받지 않으면 감량) 등
	  – Genotype 2~6 : glecaprevir/pibrentasvir
	  – Genotype 4 : elbasvir/grazoprevir, ombitasvir/paritaprevir/ritonavir + ribavirin 등
	  – Genotype 2,3,5,6 : 감량된 PEG-IFNα + ribavirin
	    (투석 중인 환자는 감량된 PEG-IFNα 단독)

HIV 중복 감염	우리나라 HIV 감염자의 5~6.6%가 HCV에 중복감염 (서구는 약 25%) HCV 치료를 위해 항레트로바이러스 치료를 중단하지 않음 인터페론을 사용하지 않는 DAA 요법을 우선 고려하며 HCV 단독 감염자와 동일하게 치료함 DAA 치료시 약물상호작용을 반드시 고려
HBV 중복 감염	우리나라 anti-HCV 양성자의 2.37%가 HBV에 중복감염 → LC & HCC 발생률↑ 각각 증식 상태를 평가하여 간질환의 주원인이 되는 바이러스의 감염에 준해 치료 C형간염 치료 중/후에 HBV의 유의한 증식이 확인되면 HBV에 대한 경구 항바이러스제 투약 고려
혈우병/ 지중해빈혈증	혈우병 : 일반 환자의 기준에 따라 치료 지중해빈혈증 : ribavirin을 포함하지 않는 DAA를 이용한 치료 방법 권장
소아	anti-HCV 검사는 생후 18개월 이후에 권장 (∵ 엄마의 항체가 존재) 조기 진단 필요한 경우엔 생후 6개월 이후 HCV RNA 검사 시행 3세 이상 소아에서 치료대상 여부 평가는 성인과 동일한 기준을 따름 PEG-IFNα + ribavirin 48주 (genotype 1, 4) or 24주 (genotype 2, 3)
임산부	Sofosbuvir, Sofosbuvir + ledipasvir, Ombitasvir/paritaprevir/ritonavir + dasabuvir 등이 category B 나머지 DAA 제제들에 대한 인심 안전성 평가는 아직 없으므로 권장 안됨 Ribavirin은 임신 중 금기

간이식 후 DAA 치료 [정리]

간이식 후 발생한	만성C형간염 및 대상성 LC			비대상성 LC		
Genotype	1,4,5,6	2	3	1,4,5,6	2	3
Ledipasvir/sofosbuvir [Harvoni®]*	24주			24주		
Daclatasvir + Sofosbuvir*	24주	24주	24주	24주	24주	24주
Sofosbuvir + Ribavirin		24주			24주	
Glecaprevir/pibrentasvir [Mavyret®]	12주	12주	12주			
Viekira Pak® + Ribavirin	24주					

* Ribavirin 추가시 12주

DAA 치료 실패의 치료 [정리]

Genotype	1	2	3	4	5	6
NS5A 억제제를 포함한 DAA 치료 실패						
Sofosbuvir/Velpatasvir/Voxilaprevir [Vosevi®]	12주	12주	12주	12주	12주	12주
Sofosbuvir + Elbasvir/Grazoprevir [Zepatier®] + Ribavirin	12주					
Sofosbuvir + Ombitasvir/Paritaprevir /Ritonavir+Dasabuvir [Viekira Pak®]	12주(1b) 12주(1a)*					
Glecaprevir/Pibrentasvir [Mavyret®]	16주					
NS5A 억제제를 포함하지 않은 DAA 치료 실패						
Sofosbuvir/Velpatasvir/Voxilaprevir [Vosevi®]	12주	12주	12주	12주		
Glecaprevir/Pibrentasvir [Mavyret®]	12주					
Sofosbuvir/Velpatasvir [Epclusa®]	12주(1b)	12주				
Sofosbuvir 기반 치료 실패 (Sofosbuvir, Sofosbuvir + Ribavirin, Sofosbuvir + PEG–IFN + Ribavirin)						
Sofosbuvir/Velpatasvir/Voxilaprevir [Vosevi®]	12주	12주	12주	12주		
Glecaprevir/Pibrentasvir [Mavyret®]	12주	12주	16주	12주	12주	12주
Ledipasvir/sofosbuvir [Harvoni®] + Ribavirin	12주 (LC 24)					
Daclatasvir + Sofosbuvir + Ribavirin		24주	24주			
Elbasvir/Grazoprevir [Zepatier®] + Sofosbuvir			12주			

3. 만성 D형 간염

- HDV의 동시감염(coinfection)은 acute hepatitis B의 severity는 증가시키지만, 만성 간염으로의 진행은 증가시키지 않는다
- chronic hepatitis B 환자에서 HDV 중복감염(superinfection)이 발생하면 severity 악화됨
- severity 이외의 임상/검사소견은 chronic hepatitis B와 B+D가 거의 비슷
  (예외 ; chronic hepatitis D에서는 anti-LKM3가 양성)
- 치료
  ① 장기간의 high-dose IFN 1~2년 or PEG-IFNα 48~72주 단독치료
     - 약 ~50에서 HDV RNA 음전 (but, 약 1/2은 재발)
     - 경구항바이러스제(nucleos(t)ide analogs)와 병합은 초기 반응은 좋지만 결국엔 별 차이 없음
     - 반응군은 HBsAg 음전 때가지 투여하자고도 함 (∵ HDV의 증식에는 HBsAg이 필요)
     - HDV RNA와 HBsAg이 음전이 지속되면 간 섬유화도 호전됨
     - glucocorticoid, nucleos(t)ide analogs는 효과 없음 (∵ HBsAg 음전이 어렵기 때문)
  ② new drugs ; prenylation inhibitors (e.g., lonafarnib)
  ③ 간이식 : end-stage liver dz.에서 효과적 (→ chronic hepatitis B에서 보다 예후 좋다)

자가면역성 간염 (Autoimmune hepatitis, AIH)

원인을 모르는 interface hepatitis 및 lymphoplasmacytic infiltration을 동반한 간의 만성 염증으로 autoAb (+), hypergammaglobulinemia, 면역억제제에 반응 등이 특징인 자가면역질환

1. 병인 (자가면역)

* autoimmune pathogenesis를 지지하는 증거
  ① 간 병변이 주로 cytotoxic T cell과 plasma cell로 구성
  ② circulating autoantibody, rheumatoid factor, hyperglobulinemia가 흔함
  ③ 환자 및 그의 친척에서 다른 autoimmune dz.의 발생 빈도가 높음
     예) thyroiditis, Graves' dz., SLE, MCTD, RA, UC, type 1 DM, MPGN, celiac dz.,
         Sjögren's syndrome, vitiligo, autoimmune hemolytic anemia, ITP ...
  ④ autoimmune dz.와 관련된 HLA haplotypes이 흔함 (e.g., HLA-B1, B8, DR3, DR4, DRB1)
  ⑤ glucocorticoids나 immunosuppressive therapy에 반응함

2. 임상양상

- 주로 young ~ middle-aged 여성에서 호발 (우리나라 ; 남:여 ≒ 1:9, type I AIH가 대부분)
- 대부분 chronic viral hepatitis와 비슷함, 약 25%는 acute viral hepatitis처럼 발생
- fatigue, anorexia, amenorrhea, acne, spider nevi, cutaneous striae, hirsutism, arthralgia, jaundice, hepatomegaly, sicca syndrome, pericarditis ...
- mild dz. ; 경과가 다양하며 호전과 악화의 반복이 흔함, LC로의 진행은 드묾

- severe dz. ┌ aminotransferase level : 정상의 10배 이상 증가
  (약 20%)   │ marked hyperglobulinemia
          └ aggressive histology ; bridging necrosis, multilobular collapse, LC
          → 치료 안하면 6개월 mortality ~40%
- 일부 ALP가 크게 증가된 경우는 PBC와 임상양상/검사소견이 겹침

3. 검사소견

- 대개 AST/ALT 상승이 매우 심하지는 않으며, bilirubin과 ALP는 정상인 경우가 많음
- autoAb (+), hypergammaglobulinemia, rheumatoid factor (+) 등이 특징

(1) type I (classic) autoimmune hepatitis
- 여성(10세 이후), lupoid feature, 약 40%는 황달, 25%는 LC 동반
- HLA-DR3 (DRB1*0301) 및 -DR4 (DRB1*0401)와 관련성 높음
- ANA (homogeneous pattern) and/or anti-smooth muscle Ab (SMA) 양성이 특징
- 기타 anti-actin, pANCA, anti-asialoglycoprotein receptor Ab (anti-ASGP-R),
  anti-soluble liver Ag/liver-pancreas (anti-SLA/LP) 등도 양성 가능
- marked hypergammaglobulinemia : polyclonal, 주로 IgG → anti-HCV의 false (+) 가능

(2) type II autoimmune hepatitis
- 여자 소아(2~14세), 유럽(지중해 연안)에서 호발, type I AIH보다 LC로의 진행이 빠름
- HLA-DQB1*0201, -DR3 (DRB1*03), -DR7 (DRB1*07) 등과 관련
- ANA나 SMA (anti-smooth muscle Ab)는 음성
- anti-LKM (Ab to liver-kidney microsomal antigens) and/or anti-LC1 양성이 특징
  * ┌ anti-LKM1 (Ab to cytochrome P450 2D6 [CYP2D6]) : type II AIH, 일부 chronic hepatitis C
    │ anti-LKM2 : drug-induced hepatitis
    └ anti-LKM3 : chronic hepatitis D
  * anti-LC1 (Ab to liver cytosol formiminotransferase cyclodeaminase)
  ① type IIa : young women, hyperglobulinemia, high anti-LKM1, glucocorticoid에 반응,
    서유럽과 영국에서 흔함
  ② type IIb : older men, HCV 감염과 관련, globulin level은 정상, low anti-LKM1,
    interferon에 반응, 지중해 연안에서 흔함

(3) type III autoimmune hepatitis
- ANA와 anti-LKM1 모두 음성, 임상양상은 type I과 비슷하지만 더 심한 편임, 30~50세
- soluble liver Ag/liver-pancreas Ag에 대한 Ab (anti-SLA/LP) 양성

4. 진단

• simplified diagnostic criteria (2008) – International AutoImmune Hepatitis Group (IAIHG)

Parameter		Points
Autoantibodies	ANA or SMA ≥1:40	1
	ANA or SMA ≥1:80 or anti–LKM ≥1:40 or anti–SLA/LP 양성(>20 units)	2
IgG (or γ –globulins)	UNL (upper normal limit)의 1~1.1배	1
	UNL의 1.1배 초과	2
Liver histology*	Compatible with AIH	1
	Typical for AIH	2
Viral hepatitis 소견	없음	2

┌ Definite AIH 7점 이상
└ Probable AIH 6점

*Typical AIH
  (1) interface hepatitis, 문맥/문맥주위의 lymphocytic/lymphoplasmacytic infiltrates
  (2) emperipolesis (한 세포가 큰 세포 안으로 침투/삽입된 것)
  (3) hepatic rosette formation
*Compatible: 전형적인 소견은 없지만, lymphocytic infiltration을 동반한 만성간염 소견

• AIH를 시사하는 소견 ; 여성, aminotransferase가 주로 상승, globulin↑, autoAb (+),
  다른 자가면역질환 동반, 전형적인 조직소견(e.g., interface hepatitis, plasma cells, rosettes),
  HLA-DR3 or DR4 (+), steroid에 반응

• AIH가 아님을 시사하는 소견 ; ALP가 주로 상승, AMA (+), viral hepatitis markers (+),
  간독성 물질 또는 알코올 병력, 조직소견(i.e., bile duct injury, fatty infiltration, viral inclusion)

5. 치료

• 치료의 절대 적응
  ① 급성 또는 전격성 간염(liver failure)
  ② aminotransferase가 정상의 10배 이상
  ③ aminotransferase가 정상의 5배 이상 & γ-globulin이 정상의 2배 이상
  ④ 조직소견 ; bridging/multilobular/centrilobular necrosis, moderate~severe interface hepatitis
  ⑤ 정상적인 생활을 어렵게 하는 증상, 임상적으로 계속 악화됨
  - 증상이 없는 mild hepatitis는 즉시 치료할 필요 없음!
• steroid (prednisone or prednisolone, 12~18개월) : 약 80%에서 반응 (→ survival도 향상됨)
  - 증상 호전, AST·bilirubin 감소, 조직학적 호전 (but, 궁극적인 LC로의 진행은 막지 못함!)
  - budesonide : hepatic first-pass clearance 우수하여 steroid 관련 부작용 적음, LC 환자에는 ×
  * steroid 단독요법이 선호되는 경우 ; cytopenia, 임신, azathioprine 불내성, 활동성 암,
    acute severe (fulminant) onset 등의 환자

- half-dose steroid + azathioprine : steroid의 부작용 감소, 치료 기간 단축 장점
  - azathioprine 단독으로는 효과 없음!
  - steroid 단독요법과 azathioprine 병합요법의 효과는 비슷함
  - budesonide + azathioprine : 치료경험이 없는 non-cirrhotic uncomplicated AIH 환자,
       steroid로 악화될 수 있는 비만, 당뇨, 고혈압, 골다공증 등의 환자에서 1st line Tx로 권장됨
- 치료 종료 후 50% 이상에서 재발 → 대부분 저용량 평생 유지요법 필요!
  ; 개인별 benefit-risk profile에 따라 steroid 단독 / steroid + azathioprine / azathioprine 단독
- 내과적 치료에 반응이 없으면 우선 steroid (± azathioprine) 용량을 증량
- 내과적 치료에 실패하거나 decompensated cirrhosis 발생하면 간이식이 유일한 치료법임
  (치료 2주 후에도 bilirubin이 감소되지 않으면 간이식 준비 / 간이식 후 재발은 드문 편임)

6. 예후

- 약 40%에서 10년 이내에 LC 발생 (but, viral hepatitis에 의한 LC보다는 HCC가 적게 발생)
- poor Px sign ┌ 첫 발병시 multilobular collapse 존재
              └ 치료 2주 후에도 bilirubin이 감소되지 않을 때
- 사망원인 ; hepatic failure, LC의 합병증, 감염
- 치료하면 10YSR 80~90%

5 대사성 간질환

지방간/지방간염

1. 개요

- 지방간(fatty liver) : 간세포 내에 지방질(주로 TG)이 축적된 상태(지방증, steatosis)로 간세포의 5% 이상에서 지방 침착을 보이는 경우 (간세포 손상이나 섬유화는 없음)
- 지방간염(steatohepatitis)
  - steatosis + 간세포 괴사 및 염증반응(e.g., 염증세포의 침윤)
  - 관련질환, 임상양상, 초음파 소견 등으로는 지방간과 구별 안 됨
- 임상양상은 원인, 지방축적의 정도, 축적 속도 등과 관련
  (대부분 증상은 없어, 검사 중 우연히 발견되는 경우가 많다)
- 원인이 교정되지 않으면, fatty liver (simple steatosis) → steatohepatitis
  → steatohepatitis + fibrosis → cirrhosis → HCC로도 진행 가능

2. 분류/원인

(1) macrovesicular (대부분) ★

- 주로 만성적인 문제들과 관련
- 원인 ┌ alcohol (m/c), obesity (NAFLD), type 2 DM, hypertriglyceridemia, HCV (genotype 3)
  │ protein-calorie malnutrition, starvation, TPN, jejunoileal bypass, choline deficiency,
  │ Cushing's syndrome, Wilson's dz., dysbetalipoproteinemia, Indian childhood cirrhosis
  └ Drugs ; glucocorticoids, synthetic estrogen, methotrexate, aspirin, vitamin A,
  　　　　 amiodarone, tamoxifen, CCl_4, PI ...
- 조직소견 ; 간세포 내에 large vacuole, 핵은 주변으로 밀려서 압박됨!

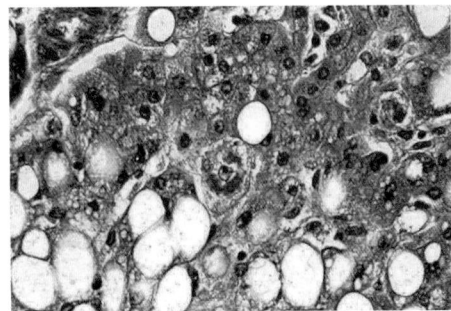 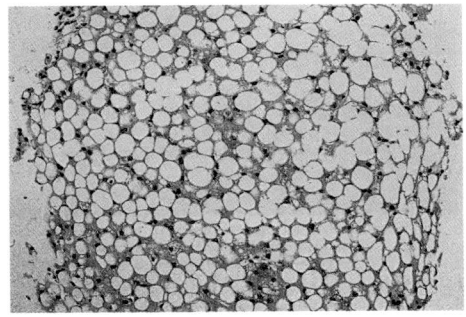

- 보통 간에 손상을 입히지는 않으며 원인을 제거하면 사라짐, 예후 좋다
- 심한 간섬유화로 발전할 수 있는 위험요인
  ; 연령 >45세, 비만(BMI ≥30), AST/ALT >1, DM

(2) microvesicular

- 간세포의 지방산 산화 과정에 갑자기 문제가 생긴 경우
- 원인 ┌ Acute fatty liver of pregnancy (AFLP), preeclampsia or HELLP syndrome
  │ 소아에서 salicylate overdose, Reye's syndrome
  │ Toxic shock syndrome, Jamaican vomiting sickness, Yellow fever
  └ Drugs ; valproic acid, tetracycline, NRTI ...
- 조직소견 ; 간세포 내에 many small vacuoles
- 보통 심하며 예후 나쁨 (fulminant hepatic failure 발생 위험)

3. 진단

- aminotransferases : 경도(simple steatosis) ~ 중등도(steatohepatitis)로 상승
  ┌ AST/ALT >1 → alcoholic fatty liver dz.
  └ AST/ALT <1 → NAFLD
- US, CT, MRI : 간 내의 지방 증가 (simple steatosis와 더 심한 간염을 구별하지는 못함)
  ↳ echogenicity 증가 ("bright liver")
- 간조직검사 (gold standard) : 대개는 필요 없지만, 치료방침 결정을 위해 확진이 필요한 경우 시행
  (단점 ; invasive, sampling error, 판독자간 불일치 등)
- 간 경도 측정 ; transient elastography (FibroScan®), acoustic radiation force impulse (ARFI)
  sonoelastography, real-time elastography, MR elastography 등 → 섬유화가 진행할수록 증가
- biomarkers & scoring systems : 다양하게 연구되었지만 정확도가 떨어지거나 확립된 기준이 없음
  e.g.) NAFLD fibrosis score (연령, BMI, hyperglycemia, AST/ALT ratio, albumin level, platelet)

4. 비알코올 지방간질환(non-alcoholic fatty liver dz., NAFLD)

- 알코올 이외의 원인에 의한 (알코올 섭취력 <20~40 g/day) 지방간 질환으로 fatty liver (simple steatosis)부터 steatohepatitis (NASH), fibrosis, cirrhosis 까지를 포함한 다양한 스펙트럼의 질환
- 유병률 : 미국 25~34%, 전 세계 6.3~34% (median 20%), 우리나라 16.1~33.3% (남>여)

(미국)	Nonobese	Obese	*인종에 따른 차이	
NAFLD	10~15%	70~80%	*인종에 따른 차이	– 히스패닉 ~50%
NASH	3%	15~20%		– 백인 ~33%
				– 흑인 ~25%

↳ 마른 사람에서도 발생 가능 (특히 지방조직이 부족한 사람에서)

- 임상적으로 진단 (다른 원인 R/O하고): 비만, 당뇨, 고지혈증 등이 있는 사람에서 증상 없이
  AST-ALT의 상승이 있고 복부 영상검사에서 간에 지방 축적이나 간비대 소견 있으면 진단
  (AST-ALT는 보통 1.5~4배 상승, 10배 이상 상승은 매우 드묾, 대개 ALT>AST)
  - 치료가 필요하거나 다른 간 질환이 의심되면 간 생검 시행 (simple steatosis는 필요 없음)
  - 조직학적 severity는 임상 및 검사 소견과 상관성 없음! (LC라도 거의 정상일 수 있음)

- metabolic syndrome (복부비만, type 2 DM, hypertriglyceridemia, HTN)과 매우 밀접한 관련, NAFLD는 metabolic syndrome의 간 증상으로 봄　　　　　　　　→ 내분비내과 12장 참조
  - insulin resistance ; 공통 기전, NASH의 거의 모든 예에서 나타남
  - proinflammatory cytokines (e.g., TNF-α, IL-6, resistin, visfatin, PAI-1) 증가
  - anti-inflammatory cytokine adiponectin은 감소 (NASH의 severity와 반비례함)
- ~1/4에서 ANA 양성 : low titer (<1:320)
- 20~50%에서 serum ferritin 상승 → insulin resistance 및 더 진행된 질환을 시사함
- NAFLD는 독립적인 심혈관질환(CAD)의 위험인자임
- 자연경과 ; 단순 지방간(simple steatosis)은 대부분 진행하지 않고 일반인에 비해 사망률 높지 않음, NASH (NAFLD의 약 20%)는 15년 동안 약 11%가 cirrhosis로 진행함

Advanced NAFLD (NASH, LC) 발생 위험인자 ★
고령(>50세), 비만(BMI ≥30), 인종(e.g., 히스패닉) HTN, DM/insulin resistance, AST/ALT ratio >1, ALT >2×UNL　　⇨ 간 조직검사 고려 Hecroinflammatory activity (hepatocyte ballooning degeneration, necrosis), fibrosis, iron 축적

c.f.) HCV와 NAFLD의 관계
  - HCV 감염자의 ~50%에서 hepatic steatosis 존재
    (특히 genotype 3은 steatosis와 독립적인 관련이 있으며, 약 2/3에서 존재)
  - steatosis의 정도는 fibrosis의 정도 및 간내 HCV RNA level과 비례
  - steatosis는 antiviral therapy에 대한 반응을 안 좋게 함 (SVR과 반비례)

5. 비알코올 지방간염(non-alcoholic steatohepatitis, NASH)

- 대부분 무증상, 피로(m/c), RUQ 불쾌감, 간비대 등
- aminotransferases 상승 (AST/ALT <1, severity는 잘 반영 못함), ALP 약간 상승, 약 1/2에서 ferritin 상승 (ferritin 상승은 insulin resistance의 marker도 가능)
- bilirubin과 γ-GTP는 대부분 정상
- 15~50%에서 fibrosis, 7~22%에서 cirrhosis 발생 → 이중 일부에서는 decompensation (~31%) 및 HCC (~7%) 발생 (NAFLD에 의한 cirrhosis 발병시 간암 발생 위험률은 1%/yr)
- 진단
  ① 간 조직검사 ("gold standard") : 지방간염 … 조직소견은 alcoholic hepatitis와 비슷함!
     ; macrovesicular steatosis, parenchymal inflammation (neutrophils, lymphocytes, monocytes 등의 염증세포 침윤), hepatocytic necrosis, ballooning hepatocyte degeneration, perivenular, perisinusoidal, or periportal fibrosis (37~84%), Mallory-Denk bodies …
  ② 의미있는 알코올 섭취력이 없어야 됨 (<20~40 g/day)
  ③ 바이러스, 약물, 자가면역질환 등 다른 간염의 원인 R/O
- keratins 8 & 18 (K8/18) : 간세포 사멸 표지자, fibrosis와 비례, NASH 진단 및 F/U에 도움
- FibroScan® : pulse-echo 초음파를 이용해 간 경도를 측정하여 간 섬유화 정도를 평가
  (↳ 만성 바이러스 간염 환자에서는 섬유화 평가에는 정확했으나 NAFLD에서는 약간 떨어짐)

6. 치료

- 원인 제거 및 생활습관 개선(e.g., <u>체중 감량</u>, 운동, 지방섭취 제한)이 치료의 근간!
  - → aminotransferases level 및 hepatic steatosis 호전
  - 지방간 호전에는 3~5% 이상, 지방간염 호전에는 10%의 체중 감량 필요
  - 급격한 체중 감량은 피함 (∵ 간경변 및 담석 발생↑) → <1.6 kg/week 정도
- FDA 허가된 NASH/NAFLD의 치료 약물은 아직 없음 (metabolic syndrome 치료와 비슷)
  - ① thiazolidinedione (<u>pioglitazone</u>, rosiglitazone[심혈관계 위험으로 권장×]) : PPAR-γ inhibitor
    - insulin sensitivity 향상, hepatic stellate cells 활성화 억제, 간기능검사와 조직 호전
    - 장기간 사용시 체중↑, 골밀도↓ 부작용 위험 → DM ㄷ NASH 환자에서 사용
    (c.f., PPAR [peroxisome proliferator-activated R.] : 간내 지방침착에 중요한 역할을 하는 핵수용체)
  - ② antioxidants (vitamin E) : 간기능검사 및 US 소견 호전, 일부 조직학적 호전 가능
    - but, 심혈관 사망률↑, 전립선암↑ → non-DM NASH 환자에 800 IU/day 사용
  - ③ dyslipidemia 치료제 (statin) : 조직학적 호전 가능 → dyslipidemia 동반한 NASH에 사용
  - ④ TNF-α inhibitor (pentoxifylline) : 일부 조직학적 호전 가능
  - ⑤ 기타 ; metformin, ursodeoxycholic acid (UDCA), betaine, ARBs, orlistat (lipid 흡수 억제 비만치료제), omega-3 FA 등은 효과(조직학적 호전)가 적거나 부작용으로 권장 안 됨

연구중	Farnesoid X receptor (FXR) agonist (e.g., Obeticholic acid [Ocaliva™]) : insulin 저항성과 지방대사 호전, 항염증 작용 등 → NASH/간섬유화의 조직학적 소견을 유의하게 호전시킴 CCR2-CCR5 antagonist (e.g., cenicriviroc) : 항염증 및 항섬유화 작용의 면역조절제 Dual peroxisome proliferator-activated receptor alpha/delta (PPAR-α/δ) agonist 등

  - ⑥ 약물치료에 반응 없는 심한 비만의 경우 (비대상성 간질환만 아니면) bariatric surgery 고려
  - ⑦ 간이식 : NAFLD에서 말기 간질환 발생시 고려, 예후는 좋은 편, 이식 이후 NAFLD 재발 가능
    - 이식 후 NAFLD 재발/발생 위험인자 ; TG↑, 비만, DM, 면역억제제(특히 steroid)
  c.f.) alcoholic hepatitis는 elective surgery의 금기지만, fatty liver는 금기 아님

■ Acute fatty liver of pregnancy (AFLP, 급성 임신성 지방간)

- 임신 말기(35주 이후)에 발생, 드물다(1/6000~13000), 1/2에서 preeclampsia 동반
- 발생 증가 ; 초산부, 쌍둥이/남아 임신시
- long-chain-3-hydroxy acyl COH dehydrogenase deficiency와 관련
- 증상 ; N/V, abdominal pain, jaundice, hepatic faliure, encephalopathy, DIC, death
- 간 크기의 감소가 특징 (c.f., HELLP : 간 크기 정상)
- Lab ; ALP↑↑, ALT/AST↑(100~1000), <u>bilirubin↑</u>, <u>PT↑</u>, leukocytosis, thrombocytopenia, 심한 hypoglycemia (c.f., HELLP : PT 정상)
- biopsy (진단에 필수적은 아님) ; 간세포내 microvesicular fat의 침착, hepatic necrosis
- Tx ; 즉시 delivery (분만 후 정상화됨)
  - supportive therapy ; glucose, platelet, FFP 등 투여
  - 분만 후에도 계속 악화되면 간이식을 고려
- Px ; 산모와 신생아 모두에서 사망률 증가 (산모 사망률 80% → 즉시 분만하면 20~30%로 감소)
  - 다음 임신시 재발은 드물다!

■ Reye's syndrome (fatty liver with encephalopathy)

- 소아(<15세)에서만 발생 ; viral infection 후 or aspirin 복용후
- 임상특징 ; vomiting, 심한 CNS 손상의 signs, 간손상의 signs, hypoglycemia
- major extrahepatic changes ; renal tubular cells의 fatty change, cerebral edema, brain의 neuronal degeneration
- 간은 커지는데 황달은 없거나 경미함
- Lab. ; AST ↑, ALT ↑, PT ↑, glucose ↓, ammonia ↑, metabolic acidosis
- mortality 50%
- Tx (대증요법) ; 10~15% glucose 용액, FFP, mannitol, 수액량 제한, hyperventilation 등

알코올 간질환 (alcoholic liver disease, ALD)

1. 개요

: 미국에서는 LC의 m/c 원인 (우리나라도 증가 추세)

(1) 분류(pathology)

① alcoholic fatty liver (steatosis)
- 만성 과음자의 대부분에서 발생
- 10~35%는 alcoholic hepatitis로, 8~20%는 cirrhosis로 진행
- giant mitochondria, perivenular fibrosis, macrovesicular fat 등의 소견을 보이면 progressive liver injury 증가

② alcoholic hepatitis (→ 조직 소견은 뒷부분 참조)
- 과반수에서 중등도 이상의 fibrosis를 동반하며, 약 40%는 LC로 진행
- cirrhosis의 precursor이지만, 금주하면 reversible 가능

③ alcoholic cirrhosis (micronodular type이 m/c)

* 진단은 주로 음주력+임상양상으로.. 조직검사는 일부 필요한 경우에만 시행 고려함
  (e.g., 비전형적인 임상양상, 진단이 애매할 때, steroid 치료가 필요한 중증 간염 환자)

(2) 알코올 간질환(ALD)의 위험인자

- 음주의 양과 기간 (m/i) (↔ 술의 종류/도수와의 관계는 불확실함, 알코올 총량이 중요)
  - heavy alcohol intake [>60 g/day 3개월 이상]
    (c.f., 40~80 g/day 섭취시 fatty liver 발생, 10~20년간 160 g/day 섭취시 hepatitis/LC 발생)
  - 알코올중독자의 15%에서만 alcoholic liver dz. (hepatitis or LC) 발생
  - 음주 습관 : 간헐적 음주보다 매일 음주, 식사 없는 음주, 폭음, 빠른 음주, 폭탄주, 어린 나이에 음주 시작 등은 ALD 위험을 더욱 증가시킴
- 여자 : 20 g/day 이상 섭취시 위험 증가 (예후도 나쁨)
- C형 간염 동반 : ALD 진행 가속, LC 발생 증가, survival 감소, IFN 치료에 대한 반응 감소
  ↳ 보통의 알코올 섭취(20~50 g/day) 시에도 LC & HCC 발생 위험 증가됨

- 유전적 소인 (susceptibility에 차이 있음) ; alcohol dehydrogenase (ADH),
   acetaldehyde dehydrogenase (ALDH), cytochrome P450 2E1 polymorphism,
   patatin-like phospholipase domain-containing protein 3 (PNPLA3) mutation ...
   　　　　　　　　　　　　　　　　　　　　　↳ 간질환 진행 가속
- 영양상태 ; ALD 환자는 단백-영양결핍과 미량영양소(e.g., vitamins, zinc, Mg) 결핍이 흔함
   - 영양이 적절해도 ALD 발생함, 영양상태가 나쁠수록 간손상의 빈도/중증도 증가
   - folate, vitamin E, zinc 결핍은 간질환의 악화를 가속할 수 있음
- 비만(obesity), 지방간(NAFLD), DM : ALD 발생 및 진행의 위험인자
- 흡연 : fibrosis/LC로 진행 및 HCC 발생의 위험인자
 * 커피 : 커피 소비량이 많을수록(하루 3잔↑) ALD 위험성 감소, 간질환으로 인한 사망률 감소

(3) 알코올 간질환의 병태생리

- 간의 알코올 대사 효소 : ethanol → acetaldehyde
   ① alcoholic dehydrogenase (ADH) pathway : low~moderate ethanol dose 때 주로 작용
   ② microsomal ethanol oxydizing system (MEOS) : cytochrome P450 2E1 (CYP2E1)이 중요,
      만성 음주로 ethanol level이 높을 때 주로 작용
   ③ catalase pathway : 별로 안 중요함
- acetaldehyde (잠재적 독성물질)는 acetaldehyde dehydrogenase (ALDH)에 의해 신속히 처리됨
- 간 손상에 관여하는 인자들
   - ADH pathway의 조효소 산물인 NADH의 과잉 축적 (주로 급성 알코올중독에서)
      → 간의 산소 이용↑, 포도당↓, 젖산염 생산↑, 지방산의 산화↓, 간세포에 지방 축적 등
   - acetaldehyde의 축적 → 지방대사장애, free radical 생성, 각종 단백과 결합체 형성
      (toxic protein-acetaldehyde adducts → 자가면역반응 유도, 교원질 형성 촉진) 등
   - adenosine monophosphate-activated protein kinase (AMPK) 억제 → lipid 생합성↑
   - peroxisome proliferator-activated receptor α (PPAR-α) 억제 & sterol regulatory element
      binding protein 1c (SREBP1c) 활성화 → 지방분해↓, 지방산의 산화↓
   - ethanol에 의한 장 투과도↑ → 장내 endotoxin 유입↑ → "Kupffer cells" 활성화
      → 염증반응 : cytokines (e.g., TNF-α, TGF-β, IL-1, IL-6)↑
         * TNF-α & endotoxin → 간세포의 apoptosis & necrosis
   - acetaldehyde 및 단백질 결합체, 면역반응, 지방 과산화 산물 등
      → 간성상세포(hepatic stellate cells) 자극 → collagen 생산↑ : 간 섬유화

2. 알코올 지방간(alcoholic fatty liver)

- 대부분 무증상, 검사 중 우연히 발견되는 경우가 많다
- 피로, 식욕부진, 간비대, RUQ 불쾌감 정도
- AST-ALT, GGT, TG, cholesterol 등의 경미한 상승
- non-alcoholic fatty liver와는 음주력으로만 감별 가능!
- 금주하면 조직학적으로 완전히 회복(정상화)됨

3. 알코올 간염(alcoholic hepatitis)

(1) 임상양상
- 매우 다양하지만, 증상이 없는 경우도 많음
- 간비종대, 황달, 복통, 발열, cutaneous spider angioma ... (전신적인 증상은 cytokines과 관련)
- 심한 경우는 ascites, edema, varix bleeding 등도 발생 가능 (LC 없이도)

(2) 검사소견
- AST-ALT는 보통 2~7배 증가 (400 IU/L를 넘는 경우는 드묾!)
- AST/ALT >1 (보통 2 이상) [∵ mitochondrial AST의 증가 때문] ↔ NAFLD와 차이
- bilirubin↑, γ-globulin↑, IgA↑, TG↑, LDL↑ (심한 경우 PT↑, albumin↓)
- ALP↑ (bilirubin의 증가 정도보다는 적게 증가, 대개 정상의 3배 이내)
- GGT (γ-glutamyl transpeptidase)↑ : 알코올 남용의 지표는 가능하지만 nonspecific
- CDT (carbohydrate-deficient transferrin) : 알코올 남용 확인에 가장 좋다!
- macrocytic anemia (MCV↑) : 알코올 남용의 지표 (but, insensitive)
- anemia의 원인
  ① GI blood loss
  ② 영양결핍 (특히 folic acid, vitamin B_{12})
  ③ hypersplenism
  ④ alcohol의 직접적인 BM 억제 작용
  ⑤ hemolytic anemia (∵ hypercholesterolemia의 적혈구막에의 영향 때문 → acanthocytosis)
- leukocytosis (neutrophilia) ; severe dz.에서 더 잘 보임
  (일부에선 leukopenia나 thrombocytopenia도 나타날 수 있음)

(3) ultrasonograpohy
- fatty infiltration 및 간 크기 파악
- biliary obstrution을 R/O
- severe liver injury 소견 (→ 간질환 회복 가능성↓)
  ① portal vein flow reversal
  ② ascites
  ③ intra-abdominal collaterals

(4) 병리소견
① hepatocyte injury ; ballooning degeneration, spotty necrosis
② neutrophil infiltration
③ perivenular & perisinusoidal space of Disse의 fibrosis
④ Mallory-Denk body (Mallory's hyaline) - 특징적이나 NASH와 다른 dz.에서도 관찰됨!
  ; 심한 obesity, poorly controlled DM, HCC, primary biliary cholangitis, Wilson's dz.,
    Indian childhood cirrhosis, jejunoileal bypass 뒤 등 (LC에서는 안 보임)
⑤ central hyaline sclerosis → LC로의 진행 위험↑

4. 치료

- 완전한 금주(단주)가 m/i
  - 금주시 hepatomegaly 축소, 조직소견 호전, LC로의 진행 늦춤, 생존율 향상
    (but, 일단 fibrosis가 진행된 경우에는 LC로의 진행을 완전히 막지는 못함)
  - 약물요법 ; 금주 기간을 연장시키고 음주량을 감소시킴
    ① disulfiram, acamprosate, naltrexone : 효과 보통이지만 부작용으로 많이 사용 안함
    ② baclofen : $GABA_B$-receptor agonist : 부작용 없이 알코올 갈망을 줄여 효과적임
  - 정신사회치료 ; 음주 문제와 병에 대한 인식을 갖도록 함
- 수액 및 충분한 영양 공급
  - 고칼로리(35~40 kcal/kg/day), 고단백식(1.2~1.5 g/kg/day) 영양요법이 추천됨
  - branched-chain amino acids, vitamins, Mg, Zn 보충도 바람직함
- <u>severe alcoholic hepatitis</u> (정의 : mDF >32 or MELD >20)

  > Modified Discriminant Function (mDF) = 4.6×(**PT**환자 − PT_{control} [sec]) + **bilirubin** (mg/dL)

  ① <u>glucocorticoids</u> (4주 투여 이후 4주간 감량) : 50~60%만 반응
    - C/Ix : active GI bleeding, 신부전(CKD or AKI), 췌장염, 조절되지 않는 감염
    - 치료반응 평가 → "Lille score" : 치료 전 여러 변수들과 치료 후 7일째 bilirubin으로 계산

    > Lille score = Exp (−R)/[1+Exp (−R)]
    >   R Lille = 3.19 − (0.101×age) + 0.147×(albumin, mg/dL) + 0.0165 (evolution in bilirubin, mg/dL)×17
    >   − (0.206×renal insufficiency, Cr<1.3;0, Cr≥;1) − (0.0065×bilirubin, mg/dL) − (0.0096×INR)
    >
    > * 0.16점 이하는 완전반응군 / 0.16~0.56은 부분반응군 / 0.56점 이상은 무반응군
    >   (non-responders to steroids, NRS)으로 분류
    > * 0.45점 이상이면 poor response로 steroid 치료 중단 고려

  ② nonspecific TNF inhibitor (<u>pentoxifylline</u>)
    - steroid의 금기이거나 반응이 없을 때 2nd line therapy로 사용 (steroid보다는 덜 효과적)
    - steroid보다 투여하기 쉽고 부작용도 거의 없음 / steroid와 병합치료해도 효과↑ ×
    - 주로 hepatorenal syndrome을 감소시켜 생존율 향상
    - monoclonal anti-TNF Ab는 감염/신부전에 의한 사망률이 높아 금기임

  ③ *N*-acetylcysteine + steroid : 단기 생존율은 향상되지만, 장기 생존율의 향상은 없었음

- 간이식 : 현재의 알코올중독자는 대상이 안 됨 (∵ 수술 중 사망률↑, 이식 이후 불량한 순응도)
  - 최소한 6개월 이상 금주를 확실히 한 경우 다시 간이식 대상 여부 평가 (최근에는 논란)
    → 중증 알코올간염 환자에서 내과적 치료에 반응하지 않는 경우 조기 간이식 고려 가능
  - 성공적으로 간이식을 받고 계속 금주를 하면, 이식 후 예후는 다른 간질환과 유사거나 더 높음
    (but, 다른 원인에 의한 간이식보다 심혈관계 합병증으로 인한 사망률이 현저하게 높음)

5. 예후

- 나쁜 예후 인자 ★
  ① 음주 지속　② 염증 정도 (leukocytosis → mortality↑)
  ③ biopsy상 perivenular fibrosis, central hyaline sclerosis, massive fibrosis
  ④ severe alcoholic hepatitis의 소견
    (a) 심한 hyperbilirubinemia (>8 mg/dL)
    (b) 심한 PT 연장 (control보다 5초 이상)
    (c) anemia, albumin↓ (<2.5 mg/dL)
    (d) ascites, varix bleeding, encephalopathy, hepatorenal syndrome (renal failure; Cr↑)
- LC의 합병증을 동반한 환자가 음주를 계속하면 5YSR <50%

WILSON'S DISEASE

1. 개요

- AR 유전의 선천성 Cu (copper) 대사 이상 : 13번 염색체 상의 copper-transporting adenosine triphosphatase (*ATP7B*) gene의 mutations (유전자 변이는 500개 이상으로 매우 다양함)
- pathogenesis
  ① ATP7B 단백 결함 → 간세포에서 Cu의 담즙으로의 배설 장애 (∵ Cu의 주 배설로는 bile)
    → Cu가 간에 축적 ; 초기에는 간세포의 metallothionein에 결합하지만 결합 용량 이상으로 축적이 계속되면 간 손상 발생 (간 손상은 3살 때부터도 발생 가능)
  ② 간에서 ceruloplasmin (Cu 운반단백)의 생성 장애 → serum Cu level↓
    (∵ 정상적으로 serum Cu의 90% 이상은 ceruloplasmin에 결합되어 있음)
  ③ Cu의 ceruloplasmin에의 결합 이상 → serum free Cu↑
  ⇨ Cu가 liver, brain, cornea, kidney 등에 과다 침착되어 다양한 임상양상을 나타냄

2. 임상양상

(1) 간 증상

- 대개 8~10세에 발생 (늦으면 30대에도) ; 간비대, AST-ALT↑, 지방간 등
- acute hepatitis, LC, fulminant hepatitis까지 나타날 수 있음
- 간부전이 심하면 Coombs (-) hemolytic anemia도 발생 (∵ 간세포 괴사로 다량의 Cu가 유리)

(2) 신경정신 증상

- 사춘기 이전에는 드물며, 대개 성인기에 증상 발생 (→ 신경증상을 보이는 환자는 간질환도 동반)
- 신경증상 (대개 운동장애) ; tremor, spasticity, chorea, drooling, dysphagia, dysarthria, parkinsonism, cerebellar dysfunction, Babinski's sign (+) ...
- 정신증상 ; schizophrenia, 조울증, 신경증, 행동장애
- 감각이상이나 근력약화는 안 나타남

(3) 기타 증상

- 눈 ; <u>Kayser-Fleischer (KF) ring</u> (m/i, Wilson's dz.에 매우 특이적, 신경증상 환자의 99% 이상, 간증상 환자의 약 30~50%에서 발견됨 / heterozygous carriers에는 없음), sunflower cataract …
- 신세뇨관산증(RTA) ; hematuria, phosphaturia, glucosuria, amino aciduria
- 신결석, 담석, 골관절염(척추, 무릎), 내분비장애(gynecomastia, amenorrhea, infertility) …

3. 진단/검사

- 소아/젊은성인에서 원인을 알 수 없는 신경증상이나 간기능장애가 발견되는 경우 꼭 의심!
- 전형적인 증상(만성 간질환, 신경증상, K-F ring)이 모두 있으면 임상적으로도 진단이 가능하지만, 흔하지는 않으며.. 증상이 부족한 경우에는 생화학 및 유전자 검사가 필요함
- Wilson's dz. 환자의 가족은 3세 이상이면 모두 선별검사를 받아야 됨 (생화학, 분자유전검사)

Wilson's disease의 진단에 도움되는 소견
1. Wilson's dz.의 가족력
2. 유전자(돌연변이) 검사 : 자동염기서열분석(sequencing)
3. 각막의 Kayser-Fleischer ring
4. Coombs (-) hemolytic anemia
5. 혈청 ceruloplasmin 감소
6. 간의 Cu 농도 증가 (liver biopsy) … gold standard
7. 24hr urinary Cu excretion 증가!!
(Cu의 주 배설 경로는 bile이므로, (+) Cu balance는 유지)

	Wilson's dz.	Heterozygous carriers	Normal	유용성
혈청 ceruloplasmin (mg/dL)	↓(90%)	↓(20%)	18~35	+
24시간 소변 Cu (μg/day)	>100	50~80	20~50	++
간 Cu 함량 정량검사 (μg/g)	>200	50~125	20~50	+++
Haplotype analysis (match)	2	1	0	+++

- <u>serum ceruloplasmin</u> ; 유용성은 떨어짐 (환자의 10%에서 정상, 보인자의 20%에서 감소), 가장 쉬운 선별검사, acute phase reactant로 감염/임신 때 증가할 수 있으므로 해석에 주의
- serum free Cu↑ ; 진단보다는 치료효과 monitoring에 주로 이용됨
  (serum total Cu↓ ; 진단에 신빙성은 떨어짐)
- 24hr urine Cu↑ ; 중요한 선별검사, 환자는 100 μg/day 이상, 대개 1000 μg/day 이상
  (but, 무증상기 환자의 약 1/2은 60~100 μg/day의 중간범위를 보임 → 간 조직검사 필요)
- 간조직 구리 함량 검사 ; 10~15 mg의 간생검 조직이 필요, 보통 250 μg/g 이상
  소아/전격성간염/말기 환자에서는 100~250 μg/g 정도로 많이 높지 않음
  만성 폐쇄성 간질환에서는 위양성 가능, 조직학적 형태도 중요, 구리 염색법은 진단에 도움 안됨
- 분자유전검사 ; 자동염기서열분석(sequencing)으로 수많은 돌연변이를 검색, 중요 진단 수단이 됨, 특히 임상적 진단이 불명확한 경우 가장 정확한 방법
  - 돌연변이 2개 발견 → 확진 (c.f., Wilson 분자진단이 증가함에 따라 무증상~ 등 증상 spectrum이 넓어짐)
  - 돌연변이 1개 발견 → heterozygous carrier 또는 1개의 돌연변이를 놓친 것 (→ 간 조직검사)

4. 치료

(1) 치료약제

- D-penicillamine (과거의 DOC) ; chelating agent (Cu를 chelation하여 소변으로 배설시킴)
  - antipyridoxine effect도 있으므로 pyridoxine (vitamin B_6)도 함께 투여
  - 치료 효과는 매우 늦게 나타남 (몇달~몇년 뒤)
  - 부작용 ; hypersensitivity (rash), leukopenia/thrombocytopenia, lymphadenopathy, nephrotoxicity (NS), 신경증상 악화 (→ 신경증상 존재시엔 금기)
- trientine
  - penicillamine과 치료 효과 동일 (pyridoxine은 투여할 필요 없다)
  - 부작용이 적어 penicillamine 대신 많이 쓰임, 신경증상은 악화 가능
- 아연(zinc)
  - 기전 ; 세포내 Cu 결합단백인 metallothionein의 생성을 유발
    - 장관 상피세포의 Cu 결합↑ → 생리적으로 탈락할 때 Cu가 대변을 통해 체외로 배설됨
    - 간의 metallothionein↑ (toxic Cu 격리↑)
  - penicillamine보다 치료 효과 느림! → 무증상 or 심하지 않은 경우 1차 치료제로 사용
  - 부작용이 거의 없음 (약 10%에서 속쓰림과 오심 뿐), 음식과 함께 복용하면 효과 감소
  - penicillamine or trientine과는 동시에 복용하면 안됨 (∵ zinc를 chelation하여 효과 사라짐)
    - → 1시간 이상의 간격을 두고 복용
- tetrathiomolybdate : 정신신경증상 존재시 DOC!
  - 단백질/Cu와 결합하여 Cu 흡수 및 혈중 free Cu를 모두 감소시킴
  - 작용이 빠르고, 신경기능이 보존되고, 부작용이 적음

(2) Tx. guidline

- 권장 초치료(first choice)
  - decompensation이 없는 hepatitis/cirrhosis 환자 → zinc
  - hepatic decompensation 발생 환자 → trientine + zinc (심한 경우엔 간이식)
  - 신경정신 증상 → tetrathiomolybdate + zinc
  - 무증상, 임신, 소아, 유지요법 등 → zinc
- 약물치료가 핵심으로 평생 지속 (투약 중단시에는 급속도로 재발하여 사망도 가능)
- 초기 1년은 엄격한 구리 제한 식이요법도 병행
- 간기능이 호전되면 엄격한 식이요법까지는 필요 없지만, Cu 함량이 높은 음식은 섭취 제한 (e.g., 간 등의 내장, 조개, 연어, 콩류, 감자, 초콜릿)
- 간이식 : 내과적 치료에 반응이 좋기 때문에 거의 필요 없지만, 진단이 늦어졌거나 치료순응도가 안 좋아 비가역적인 심한 간손상으로 진행한 환자에서는 시행

(3) Tx. monitoring

- trientine or penicillamine
  - 부작용 발생 감시 (특히 BM suppression, proteinuria)
  - 치료효과 monitoring : serum free Cu
- zinc → 24hr urinary Cu로 치료효과만 monitoring

5. 예후

- 간이나 뇌손상이 발생하기 전에 치료하면 예후 매우 좋다
- 치료하면 KF ring을 포함한 거의 모든 증상이 호전됨
  (간기능은 치료 약 1년 뒤 회복되고, 신경정신증상은 6~24개월 뒤 호전됨)
- 빨리 진단하지 못하면 사망률이 높으므로, 조기 진단과 치료가 중요

혈색소침착증 (Hemochromatosis)

1. 개요

- dietary iron의 흡수 증가로 체내 iron이 과잉 축적되어 여러 장기 (특히 liver, pancreas, heart, pituitary)의 조직손상과 기능장애를 보이는 일련의 상태
  (체내 iron 축적 → transferrin saturation↑ → 장기에 toxic free iron 침착)
- triad ; liver cirrhosis, skin pigmentation, DM (→ "bronze DM") (+ CHF : tetrad)

  c.f.) 인체는 과잉의 iron을 효과적으로 배설하는 기전이 없어 iron 흡수 조절을 통해 체내 iron balance를 유지함 (dietary iron은 십이지장에서 주로 흡수됨)

2. 원인/분류

(1) hereditary hemochromatosis (HH)

- 대부분 AR 유전(low penetrance), hepcidin deficiency와 관련
  (간에서 분비되는 혈중 peptide로 십이지장에서 iron 흡수를 억제하는 역할을 함)
- *HFE* gene-related (type 1 HH) ; *C282Y* homozygosity (85%), *C282Y/H63D* heterozygosity
- non-*HFE*-related (드묾)
  - type 2 HH (juvenile HH) : hemojuvelin (HJV) or hepcidin (HAMP) mutation
  - type 3 HH : transferrin receptor 2 (TfR2) mutation
  - type 4 HH : ferroportin mutation (AD 유전)

(2) secondary iron overload

- iron-loading anemia ; sideroblastic anemia, thalassemia, chronic HA, 수혈
- chronic liver dz. ; alcoholic cirrhosis, hepatitis C, NASH
- iron 섭취 과다

3. 임상양상

- 보통 40~60대에 첫 증상 발생, 남:여 = 9:1 (∵ 여성이 증상 발현 약하고 늦음)
- 대부분 무증상 or 비특이적 증상(e.g., weakness, fatigue, lethargy, weight loss)

• 침범 장기에 따른 특이 증상

① liver : hepatomegaly (95% 이상에서 발생), LC, HCC

    – alcohol은 LC의 발생 위험을 거의 10배 증가시킴, LC 환자의 30%에서 HCC 발생

    – 서서히 발생하는 병이므로 fulminant hepatitis는 일으키지 않음

② pancreas : DM (약 65%에서 발생)

③ skin : pigmentation (90% 이상에서 발생)

④ joint (25~50%) : arthropathy (2nd & 3rd metacarpophalangeal joint에 m/c)

⑤ heart (15%) : CHF, cardiomyopathy, arrhythmia

⑥ pituitary : hypogonadotrophic hypogonadism (성욕감퇴, impotence, amenorrhea ...)

      (→ 치료 ; testosterone or gonadotropin)

4. 검사/진단

• serum iron↑, transferrin saturation↑, TIBC↓ ; false (+)/(−)가 많음

  (e.g., alcoholic liver dz.에서는 iron overload 없이도 serum iron 상승)

• serum ferritin↑↑ ; 체내 iron store를 잘 반영하나, 염증이나 간세포괴사 때도 증가 가능

    – 대개 serum ferritin 1 μg/L 증가시 body iron store 5 mg 증가

    – serum ferritin 1000 μg/L 이상이면 hemochromatosis가 강력히 의심됨

• liver biopsy ; iron 함유량↑, severity 판정 (fibrosis/LC 진단)에 유용

    ┌ hereditary : 주로 간 실질(hepatocytes)에 iron 침착

    └ secondary : Kupffer cells과 fibrosis 부위에 iron 침착

    – 유전자 검사의 보급으로 hemochromatosis의 진단/치료에서 중요성은 많이 감소

    – ferritin <1000, ALT 정상, hepatomegaly 無, 알코올 과용 無 → severe fibrosis 거의 없음!

• deferoxamine mesylate 주입 test (chelatable iron store 측정)

• CT or MRI (더 정확) ; iron deposition시 liver density 증가

┌ screening test ; <u>transferrin saturation</u>, <u>serum ferritin</u>

└ confirm test ; liver biopsy, genetic test (C282Y mutation)

* fasting transferrin saturation 45% 이상이고 ferritin이 상승되어 있으면(남 >300, 여 >200)
   HFE 유전자 검사가 권장됨

5. 치료

(1) <u>phlebotomy</u> (TOC)

    – 1주일에 1~2번, 500 mL (200~250 mg iron) 씩 제거

    – maintenance phlebotomy : 2~3개월 마다 1 unit 씩 제거

    – chelating agent보다 iron이 훨씬 많이 제거됨

(2) deferoxamine mesylate (parenteral chelating agent, SC/IV)

    – 하루에 10~20 mg의 iron 제거됨

    – 심한 빈혈, hypoproteinemia 등으로 phlebotomy 못할 경우에 이용

    * deferasirox (Exjade®) : oral chelating agent, thalassemia와 2ndary iron overload에 효과적

      (e.g., AA, MDS, chronic hemolytic anemia), hemochromatosis에 사용은 연구 중

- iron 제거치료로 다른 증상들은 다 호전되나, hypogonadism과 arthropathy는 거의 호전 안 됨
- iron 많은 음식 (e.g., 고기), 알코올, vitamin C (iron 흡수 촉진), 생 조개 등의 섭취 제한
- 간이식은 권장 안 됨 (∵ 재발, 심장 및 감염 합병증↑)

6. 예후

- 간섬유화가 발생하기 전에 치료하면 모든 합병증 발생 방지 & 수명 거의 정상
- 일단 LC가 발생하면, 치료해도 HCC의 발생위험은 감소하지 않음
  → 조기 진단과 치료가 중요 / 다른 가족의 검사 (family screening)
- 흔한 사인 ; CHF, hepatic failure or portal HTN, HCC (치료한 경우는 HCC가 m/c)

6
간경변증

1. 정의

- 각종 간질환의 종말상으로 대부분 비가역적이며, 만성·진행성의 경과를 밟아 간세포의 기능장애 및 portal HTN에 의한 여러 가지 증상을 유발함
  c.f.) 원인 교정/치료로 fibrosis가 회복될 수 있는 경우 (항섬유화 치료) ; HCV, HBV, alcohol, NAFLD (체중감량), PBC (UDCA), hemochromatosis
- 병태생리 : 여러 원인에 의한 간세포의 손상 → 여러 세포들의 상호작용(sinusoid endothelial cells, hepatic stellate cells 등) → ECM (extracellular matrix) 과잉 생산 및 분해 감소
  → fibrosis 진행, nodule 형성
- 간 성상세포(hepatic stellate cells, Ito cells)가 활성화되면
  - ECM (collagen type I, III, sulfated proteoglycans, glycoproteins) 합성 증가
  - 세포가 수축됨 (→ sinusoid의 defenestration에도 기여)
  - TIMP (tissue inhibitors of metalloproteinase)도 분비 → 기질(ECM) 분해 감소
  - stellate cells을 활성화하는 cytokines ; TGF-β (m/i), PDGF, FGF, IL-1, EGF, TNF ...
- space of Disse의 collagen 축적은 sinusoidal defenestration 유발 ("capillarization")

2. 병리소견

① extensive fibrosis : hepatic stellate cells (= Ito cell)이 fibrosis 발생에 m/i
② 재생결절(regenerative nodule)
③ liver lobule 구조의 변화 (lobular architecture의 파괴)
   → 결과로 간은 딱딱해지고, 표면 요철이 현저해짐

3. 분류

(1) 원인에 의한 분류

① chronic viral hepatitis ; HBV, HCV, HDV
② alcoholic liver dz.
③ NAFLD
④ autoimmune hepatitis

> * 우리나라 LC의 흔한 원인
> 1. HBV (약 70%, m/c)
> 2. 알코올 간질환 (약 18%)
> 3. HCV (약 10%) : 증가 추세
> (서양에서는 HCV와 알코올 간질환이 m/c 원인)

⑤ drugs & toxins

⑥ biliary obstruction ; PBC, PSC, autoimmune cholangiopathy, chronic bile duct obstruction (e.g., CBD stone), cystic fibrosis, sarcoidosis ...

⑦ venous outflow obstruction ; chronic Rt-HF (e.g., cardiomyopathy, TR, constrictive pericarditis), Budd-Chiari syndrome, venoocclusive disease ...

⑧ metabolic ; hemochromatosis, Wilson's dz, α_1-AT deficiency, GSD ...

⑨ malnutrition, postjejunoileal bypass surgery

⑩ cryptogenic : 원인을 모르는 경우 (약 10%)

(2) 형태학적 분류 (의미 없음)

① macronodular (>3 mm) : viral hepatitis, biliary obstruction 등이 원인

② micronodular (<3 mm) : alcohol, 영양결핍, 고령 등 간세포의 재생능력이 저하된 경우에 발생

③ mixed

(3) 기능적 분류

① 대상성(compensated) : 간기능이 유지되고 증상이 없을 때

② 비대상성(decompensated) : 간기능장애가 뚜렷하고, 합병증(복수, 정맥류출혈 등)이 발생된 경우

4. 임상양상

(1) 간기능 장애에 의한 증상

① 합성 기능의 장애

- albumin↓, cholesterol↓
- 응고인자 (특히 vitamin K 의존 인자 : II, VII, IX, X) ↓
  ⇨ PT↑, bleeding tendency (petechiae, ecchymoses) ; thrombocytopenia도 관여
- 각종 감염에 대한 감수성 증가

② 분해/배설 기능의 장애

- bilirubin 대사 장애 → urine urobilinogen↑, 황달(icterus), 소양증 → excoriation (긁은 상처)
- ammonia 증가 → hepatic encephalopathy 발생에 기여
- drug metabolism의 변화
- steroid 등의 호르몬 대사 장애

남성	여성
Hypoandrogenic/feminization	Virilization
Libido 감소	Libido 감소
Impotence (발기부전)	Anovulation
Testicular atrophy (고환 위축)	Amenorrhea
Gynecomastia (여성형유방)	Spider angioma
남성형 체모 분포 소실 (e.g., 가슴털)	Palmar erythema
Spider angioma (거미혈관종)	
Palmar erythema (손바닥홍반)	

* 거미혈관종 : 세동맥을 중심으로 모세혈관들이 확장되어 방사상으로 뻗어나가는 것, 박동(pulse)이 만져질 수도 있음. 얼굴, 상체, 상지에만 발생함

*거미혈관종과 손바닥홍반 : 급성/만성 간질환에서 나탈 수 있음(특히 LC), 정상인에서도 나타날 수 있으며 임산부에서는 흔히 관찰됨. vasodilation 및 hyperdynamic circulation의 결과이기도 함

③ 당대사 장애 → 공복시 저혈당, 식후 고혈당, DM

* 기타 ; 근육위축, 전신무력감, 피로감, 복부팽만, 식욕부진, 체중감소 ...
　　　　↳ 주로 양쪽관자뼈 부위, 엄지/새끼 두덩 부위에 … liver insufficiency의 marker!

* 간 : 단단하고 결절성으로 촉지되기도 하지만 위축되어 만져지지 않을 수도 있음

    (보통 간 우엽은 작아져 7 cm 미만, 간 좌엽은 결절성으로 만져짐), <u>압통</u>이 특징적

* 조혈기능의 장애는 성인에서는 현저하지 않다

(2) portal HTN에 의한 증상/합병증

① esophageal/gastric varix (bleeding)

② splenomegaly & hypersplenism (→ platelet↓ → WBC↓)

    ★ 만성 간질환에서 platelet count의 점진적인 감소는 LC 발생의 신호

③ ascites ; edema, SBP, hepatic hydrothorax, hernia, hepatorenal syndrome (HRS)

④ hepatic encephalopathy

⑤ 복부/흉부 표재 정맥의 확장(e.g., "caput medusae"), rectal varix ...

(3) 기타 합병증

① hepatopulmonary syndrome

② hepatocellular carcinoma (HCC)

■ **Advanced liver dz.의 소견** ; 근육위축, 체중감소, 간비대, 복수, 부종, 복부정맥 확장, 간성 구취, 자세고정불능(asterixis), 정신 혼동/혼미, 멍듦(bruising) 등

5. 진단

(1) 병력, 증상, 진찰 소견

(2) 검사소견

- albumin↓, globulin↑ (A/G ratio↓), bilirubin↑, PT↑
- TTT, ZTT ↑ (TTT : IgM, ZTT : IgG 농도를 반영)
- anemia의 원인 (만성 간질환은 대개 macrocytic anemia)

    ① acute/chronic GI blood loss

    ② 영양결핍 (e.g., folate, vitamin B_{12})

    ③ hypersplenism

    ④ alcohol에 의한 BM suppression

- <u>thrombocytopenia</u> (∵ hypersplenism 때문)
- glucose intolerance (60%), DM (20%)

(3) imaging ; CT (m/g), US, MRI

- 간이 작아지고 결절 형태 : 재생결절은 5 mm 이상인 경우 관찰됨
- 복강내 collateral vessels → portal HTN을 시사

(4) liver biopsy (확진) - 임상적으로 진단이 명확하지 않을 때 or 치료방침 결정에 필요할 때만

* 간경변증 환자의 진단/치료를 위한 평가
  ① 원인 질환 및 악화요인의 파악
  ② portal HTN 및 합병증의 진단/치료
  ③ hepatic functional capacity (reserve)의 평가
    - CTP score (m/c)
    - 간세포기능의 정량적 평가 ; galactose elimination capacity, aminopyrine breath test, ICG clearance, amino acids clearance 등 (but, 일반적으로 이용되지는 않음)
  ④ HCC에 대한 screening (AFP, abdominal US)

6. 치료

(1) 일반적 요법
  • 대상성 간경변증은 대개 특별한 치료가 필요 없다
  • 알코올 및 간독성 약물의 섭취 금지 (m/i)
  • 적절한 칼로리 및 단백 공급

	Calories (kcal/kg/day)	Protein (g/kg/day)
Compensated LC	25~35	1~1.2
Malnutrition	35~40	1.5

    - hepatic encephalopathy시는 단백 제한
  • 체내 수분 저류(e.g., 복수, 부종)시에는 sodium 제한
  • vitamin B, C 보충
  • constipation 방지
(2) 원인 교정/치료 (항섬유화 치료) ; HBV (antivirals), HCV (antivirals), ALD (금주 등), NAFLD (체중감량 등), PBC (UDCA 등)
(3) LC의 합병증 치료, 악화요인의 교정, 간암의 조기 발견 등이 중요
(4) 간이식 : 비대상성 LC의 가장 근본적인 치료

7. 예후

  • 대상성 LC 환자 : 5YSR 90% (자신도 모른 채 평생 살아갈 수도 있음)
    → 평균 6년 뒤에 비대상성 LC로 진행 (약 5~7%/year), median survival은 약 9년
  • 비대상성 LC 환자 : 75%가 1~5년 이내에 LC의 합병증으로 인해 사망, median survival 약 1.5년
  • LC 환자의 사망 원인 : 간부전 (m/c, 약 40%), 식도정맥류 출혈 (약 20%), 간신증후군, 간세포암

■ 예후 판정 및 생존율 예측 (clinical staging)
(1) Child-Turcotte-Pugh (CTP) score ★

Score	1	2	3
Serum albumin (g/dL)	>3.5	2.8~3.5	<2.8
Serum bilirubin (mg/dL)	<2	2~3	>3
PT ┌ 연장된 초	<4	4~6	>6
└ INR	<1.7	1.7~2.3	>2.3
Ascites	없음	경증(조절 쉬움)	중등도 이상(조절 어려움)
Encephalopathy	없음	1~2단계	3~4단계

CTP class	Score 합계	일반적인 수술의		Varix bleeding 후 치사율	
		가능성	사망률	30일 이내	1년 이내
A	5~6	가능	0~5%	10%	24%
B	7~9	상황에 따라	10~15%	30%	48%
C	10~15	불가능	24% 이상	45%	77%

┌ class A (compensated LC) : 5YSR 90%, 간이식 필요 없음
└ class B~C (decompensated LC) : 간이식 필요

(2) MELD (model for end-stage liver disease) score ★★

$$\text{MELD score} = 3.78 \times \log_e(\textbf{bilirubin}) + 11.2 \times \log_e(\textbf{PT;INR}) + 9.57 \times \log_e(\textbf{Cr}) + 6.43 \times (\textbf{원인})$$

* bilirubin, creatinine은 mg/dL 단위 / 원인 ⇨ 알코올성/담즙정체성은 0, 바이러스/기타는 1

MELD score	사망률
≤9	1.9%
10~19	6.0%
20~29	19.6%
30~39	52.6%
≥40	72.3%

• 말기 간질환 환자의 단기 예후 및 사망 예측에 유용, 간이식 대상자의 우선순위 결정에 이용
  - fulminant hepatic failure는 MELD score에 관계없이 0 순위
  - HCC : 등록 6개월 후에도 Milan criteria에 해당되면 28점 추가, 3개월 마다 10% 가산
    (미국), 우리나라 2016년부터 도입 MELD 0~13은 4점 추가, 14~20은 5점 추가
• MELD와 CTP score는 정상관관계를 보임
• 장점 ; 연속적인 점수, 재현성, 객관적, LC의 원인을 반영

* 혈청 sodium을 추가한 MELD-Na score가 더 정확한 지표로 최근 사용됨
  (∵ ascites, hepatorenal syndrome 등도 반영)

$$\text{MELD-Na score} = \text{MELD} + 1.32 \times (137 - \text{Na}) - [0.033 \times \text{MELD} \times (137 - \text{Na})]$$

* Na : mmol/L (= mEq/L) 단위, 125 미만은 125로, 137 이상은 137로 사용함

간경변증의 주요 합병증

1. 문맥압 항진증 (Portal HTN)

(1) 병태생리

- 간혈류의 정상 압력
  - 혈액 공급 ┌ hepatic artery : 100 mmHg
    └ portal vein : 7 mmHg (5~10 mmHg)
  - 혈액 배출 ─ hepatic vein : 4 mmHg
- hepatic sinusoids의 저항은 미미하므로 portal vein의 평상시 압력은 낮다
- portal HTN (portal pr. >10 mmHg)은 보통 portal blood flow에 대한 간내(외) 저항 증가
  또는 내장혈류 증가(∵ vasodilation)로 인해 발생 (LC의 60% 이상에서 portal HTN 동반)
- portal venous system은 valve가 없으므로, 우심방과 splanchnic vessel 사이의 어느 level에서의
  저항도 portal HTN을 일으킬 수 있고, 이때 역류 및 collateral circulation이 쉽게 발생함
- HVPG (hepatic venous pr. gradient) = PP (portal pr.) - IVC pr.
  - ┌ portal HTN ≥5 mmHg (정상 <5 mmHg)
  - │ 10 mmHg 이상 → ascites & varix 발생
  - └ 12 mmHg 이상 → varix bleeding 위험 증가!

(2) 분류/원인

	Intrahepatic (>95%)	Extrahepatic
WHVP 정상	*Presinusoidal* Schistosomiasis Early PBC (primary biliary cholangitis) Chronic active hepatitis Congenital hepatic fibrosis Sarcoidosis Toxins : vinyl chloride, arsenic, copper Idiopathic portal HTN (Banti's syndrome)	*Prehepatic* Increased blood flow (splenomegaly, AV fistula) Splenic vein occlusion (thrombosis) **Portal vein occlusion** (thrombosis) ─ 2nd m/c
WHVP 증가	*Sinusoidal* LC ─ m/c Acute alcoholic hepatitis Cytotoxic drugs Vitamin A intoxication *Postsinusoidal* Hepatic venoocclusive dz. (= sinusoidal obstruction syndrome, SOS) Alcoholic central hyaline sclerosis	*Posthepatic* **Budd─Chiari syndrome** (hepatic vein or IVC occlusion) IVC webs Thrombosis Tumor invasion CHF (right─sided) Constrictive pericarditis Severe TR

- ■ **Budd─Chiari syndrome (BCS)**
  - hepatic vein (HV) outflow의 폐쇄 (small hepatic vein ~ IVC [우심방입구] 어느 level에서의)
    → sinusoidal pr.↑ & hepatic congestion → hypoxic hepatic injury (zone 3에서 현저)
  - 원인 (보통 응고항진 상태와 관련) ; thrombosis, malignancy (e.g., MPN), pregnancy,
    infections, vasculitis, webs, membranes ...

- 평균 발생 연령 35세, 남:여 = 1:2
- 임상양상 ; 무증상 ~ acute fulminant hepatic failure까지 다양, 약 15%는 진단시 LC 존재
  - classic triad ; hepatomegaly, abdominal pain, ascites → 보통 subacute하게 발생
  - splenomegaly, fever, fulminant failure 등은 드물다
- Dx ; Doppler US, MR/CT venography, venography (retrograde hepatic vein cannulation)
- Tx ; anticoagulation, percutaneous angioplasty, TIPS, surgical shunt 등
  → 치료에 반응 없고 심한 증상이 지속되는(e.g., refractory ascites) 간부전시에는 간이식

■ Portal vein thrombosis (PVT)

- 원인 ; MPN, malignancy, procoagulant conditions (e.g., APS, protein C/S/AT III 등의 결핍, factor V Leiden, prothrombin gene mutations), cirrhosis, intraabdominal sepsis, trauma, pancreatitis ...
- acute PVT ; 갑작스런 or 수일간 진행되는 복통/요통 (보통 복막자극 증상은 없음)
  - 심한 전신염증 반응 ; 발열, APR↑ 등
  - 대부분 간기능은 정상 (∵ hepatic arterial supply의 빠른 보상)
  - acute septic PVT는 복부 감염과 관련 (→ 항생제 치료)
  - mesenteric venous thrombosis로 확대되면 장허혈, 장경색 등도 발생 위험
- chronic PVT ; variceal bleeding으로 인한 melena가 m/c 증상, 간기능은 대개 정상
  - sepsis or 기저 간질환이 없으면 황달은 드뭄 / 복수도 10~35%에서만 존재
  - splenic vein을 침범하지 않으면 splenomegaly 드뭄
- Dx ; Doppler US, CT, MRI
- Tx ; 원인의 교정, anticoagulation, thrombectomy, variceal bleeding에 대한 치료 등

(3) 임상양상

① gastroesophageal varix (bleeding), splenomegaly & hypersplenism, ascites, encephalopathy ...
② portal-systemic collaterals

$$\left[\begin{array}{l} \text{rectum 주위의 vein} \rightarrow \text{hemorrhoid, rectal varix} \\ \text{cardioesophageal junction} \rightarrow \text{esophagogastric varix} \\ \text{periumbilical or abdominal wall} \rightarrow \text{"caput medusae"} \\ \text{retroperitoneum} \rightarrow \text{splenorenal shunt} \end{array}\right.$$

(4) 진단

① 병력 및 진찰 소견(e.g., splenomegaly, ascites, encephalopathy)
② 내시경(EGD) : varix 확인
③ abdominal US/CT/MRI : splenomegaly, collateral vessels
④ PP (portal pressure) 측정 (정상 : 5~10 mmHg) : 흔히는 사용 안됨
  - percutaneous transhepatic catheterization (직접 측정) : 매우 invasive
  - transjugular/transfemoral hepatic vein catheterization (간접 측정)
    - FHVP (free hepatic venous pr.) = IVC pr.
    - WHVP (wedged hepatic venous pr.) = sinusoidal pr. ≒ portal pressure (PP)
        (실제로는 WHVP가 PP보다 약간 낮다)
    - <u>HVPG</u> = PP - IVC pr. = WHVP - FHVP (정상 <5 mmHg)

Portal HTN	PP	WHVP (sinusoidal pr.)	FHVP	HVPG (WHVP − FHVP)
Prehepatic	↑	정상	정상	정상
Presinusoidal	↑	정상	정상	정상
Sinusoidal	↑	↑	정상	↑
Postsinusoidal	↑	↑	정상	↑
Posthepatic	↑	↑	↑	정상

⑤ 간 이외의 원인을 R/O ; 심장초음파 (e.g., constrictive pericarditis, CHF)

(5) 치료 : specific Cx.의 치료

2. 정맥류 출혈 (Variceal bleeding)

(1) 개요

- 정맥류(varix)는 mucosa로만 덮여 있다 (submucosal vessel)
- 식도 하부 1/3 (gastroesophageal junction)에서 m/c
- LC 환자의 40~85%에서 위식도 정맥류 발생, severity와 비례(e.g., CTP score)
- 식도정맥류로 진단된 환자의 약 1/3에서 2년 이내에 출혈이 나타나며, 일단 출혈이 발생했었던 식도정맥류는 2년 이내에 대부분 (약 70%) 재출혈을 일으킴
- 사망률 : 식도정맥류 출혈 8%, 위정맥류 출혈 36%
- 출혈 위험이 증가되는 경우
  ① 문맥압 상승 (HVPG >12 mmHg)
  ② 내시경 소견/stigmata ; 정맥류의 크기(m/i), 위치, red color (wale) sign, diffuse erythema, hematocystic spots, cherry red spots, white-nipple spots, blue varix
  ③ 간경변의 중증도(e.g., CTP or MELD score, tense ascites) → only 재출혈의 위험인자

  c.f.) LC 없이 varix bleeding과 splenomegaly가 발생하면 splenic vein thrombosis를 의심
       (varix bleeding만 있는 경우에는 portal vein thrombosis도 의심)

(2) 임상양상/진단

- painless massive hematemesis, melena
- mild postural tachycardia ~ profound shock
- 이전의 varix bleeding 병력이 있는 환자라도 다른 GI bleeding source (e.g., PUD)를 R/O 하는 것이 중요! (∵ esophageal varix 환자에서 출혈 발생시 30~50%는 varix 이외의 원인이 focus)
- upper endoscopy (m/g) : LC 환자는 2년마다, varix 발견시 1년마다 시행
  - 정맥류의 크기/형태
    - F1 : 크기가 작고, 직선형의 정맥류 기둥
    - F2 : 중간 크기, 염주알 모양 (식도 내강의 1/3 미만 차지)
    - F3 : 크기가 크고, 결절이나 종괴 모양 (식도 내강의 1/3 이상)
  - 적색 징후(red color sign) : 정맥류를 덮고 있는 점막의 발적된 모양
    ⇨ red wale marking, hematocystic spot, diffuse redness, cherry-red or white-nipple spot

$$\left[\begin{array}{l}\text{mild : 10개 미만}\\\text{moderate : 10개 이상, 심하지 않음}\\\text{severe : 모든 정맥류에서 관찰, 심함}\end{array}\right.$$

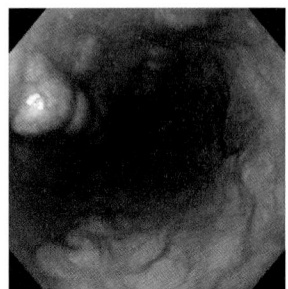

Esophageal varix (moderate)
염주알 모양의 혈관 확장, 출혈 흔적

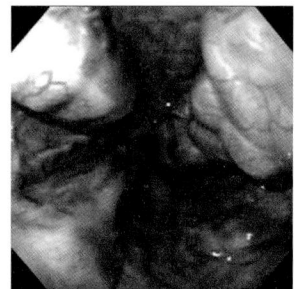

Esophageal varix (severe)
크게 확장된 세 가닥의 혈관, 표면의 가는 정맥(red wale)

- barium esophagography ; cobble stone or worm 모양

(3) 치료 및 예방

- 식도정맥류 출혈은 life-threatening emergency (치료해도 6주 내에 20% 이상 사망)
- 식도정맥류 출혈 환자의 약 40%는 치료 없이도 저절로 지혈되지만, 재출혈 위험이 매우 높음
- 간기능 부전이 있어 CTP class C인 환자는 치료에 대한 반응여부와 관계없이 근본적인 치료로서 간이식을 고려해야 함

■ 급성 출혈의 치료

① IV line 확보 (가장 먼저!) ; 수액 공급, 수혈(RBC, FFP 등)
  - 수축기 혈압이 120 mmHg을 넘어서는 안 됨
  - 혈장량은 약간 부족한 상태를 유지 (∵ 혈장량이 증가되면 portal pr. 증가로 재출혈 위험↑)
  - 혈장량 과다 방지를 위해 전혈보다는 RBC 수혈 권장 (→ 목표 Hct 약 25%)
② 예방적 항생제 (e.g., ceftriaxone, norfloxacin) : 5~7일간 투여 권장
  - 이유 ; 심각한 세균 감염 (SBP) 위험 크게 증가, 세균 감염시 조기 재출혈 위험도 증가
  - 세균 감염 감소(45% → 14%) 및 사망률 감소(24% → 15%) 효과
③ vasoconstrictors (varix bleeding이 의심되면 내시경 전이라도 즉시 투여!)
  - terlipressin (vasopressin analogue) IV : 80%에서 지혈됨, 생존율↑, 심장허혈 부작용
  - octreotide (somatostatin analogue) IV : 부작용 적음, 미국에서 1st 선호됨
  - 기타 ; somatostatin, vapreotide ... (vasopressin은 부작용이 많아 안 쓰임)
④ 풍선확장술/풍선탐폰법(balloon tamponade)
  - 3 lumen (Sengstaken-Blakemore, SB) or 4 lumen (Minnesota) tube, 30~45 mmHg
  - Ix. $\left[\begin{array}{l}\text{출혈이 매우 심할 때 (약물요법이나 내시경치료 실패시)}\\\text{혈역학적으로 불안정하여 내시경 시행이 불가능할 때}\end{array}\right.$
  - aspiration의 위험이 높으므로 먼저 endotracheal intubation 시행
  - 지혈 효과는 90% 이상이지만, 압박을 풀면 재출혈 위험이 높음(~50%)
  - 교량/구조 요법 (국소 괴사 위험으로 24시간 이상은 사용하면 안 됨)
  - Cx. (~15%) ; aspiration pneumonia, esophageal rupture, airway obstruction, rebleeding ...

⑤ 내시경적 지혈술
- 가장 중요한 출혈 치료법 (90% 지혈), 환자가 혈역학적으로 안정되어 있을 때에만 시행
- 내시경검사 시행 전에 NG tube를 삽관하여 N/S으로 위세척
  (NG tube 삽관이 varix bleeding을 더 조장하지는 않는다)
  - EVL (endoscopic variceal band ligation) ; 부작용이 적고, 간편
  - EIS (endoscopic injection sclerotherapy) ; 부작용이 많음, EVL이 불가능하거나 실패시 고려
- varix가 위까지 확대되면 TIPS 고려

⑥ TIPS (transjugular intrahepatic portosystemic shunt)
- stent로 간정맥을 통해 간실질과 간내 문맥분지를 천자하여 간 내에 문정맥단락(portacaval shunt)을 만드는 것 (생리적으로 side-to-side surgical shunt와 비슷)
- Ix ① 내시경적 지혈술 및 약물치료 실패시
     ② 수술의 위험성이 높거나, 수술 후 재발한 경우
     ③ 조절되지 않는 복수, 간성 혼수, Budd-Chiari syndrome
     - 종종 간이식의 전단계로도 시행됨
- 지혈 성공률 95% (but, stent 재협착에 의한 재출혈율 25~30%), shunt의 diameter 조절 가능
- 내시경적 지혈술보다 효과는 더 좋지만, survival 증가는 없음!
- 단점 ; shunt occlusion과 encephalopathy (~20%)의 발생 위험이 높다!

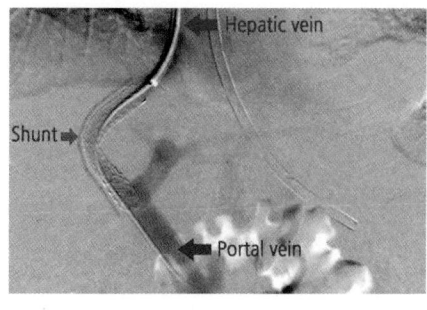

TIPS
(transjugular
intrahepatic
portosystemic
shunt)

■ 재출혈의 예방 (secondary prophylaxis)
 * 재출혈의 정의 : 정맥류 출혈에서 회복된 뒤 최소 5일 이상 출혈이 없다가 다시 출혈된 경우

① nonselective β-blocker (± isosorbide mononitrate) + 내시경치료(EVL)
② TIPS : 위 치료에도 불구하고 지속적으로 재발하는 경우
③ surgical therapy : 조기 사망률이 30%나 되므로 최후의 방법으로만 사용 (예방적 수술은 금기)
- nonselective shunt : 전체 portal system을 bypass (decompression)
  - encephalopathy의 부작용 발생 위험이 더 높다
  - 예 ; end-to-side / side-to-side portocaval shunt, proximal splenorenal shunt
- selective shunt : varix만 bypass, liver로의 portal flow는 유지
  - encephalopathy 감소
  - 예 ; distal spleno-renal shunt (Waren shunt)
- 내과적 치료보다 생존율을 더 향상시키지는 못한다!

■ 초출혈의 예방 (primary prophylaxis)

① <u>nonselective β-blockers</u> (e.g., propranolol, nadolol)
- 적응 ; 금기가 없는 모든 large varix & portal HTN 환자에게 투여 (∵ portal pressure ↓)
  ⇨ <u>resting HR 25% 감소</u> or 55회/분에 이를 때까지 *OR* 부작용이 발생할 때까지 *OR*
     HVPG ≤12 mmHg or 20% 감소시키는 용량으로 조절
- 기전 ┌ cardiac β_1 block → CO↓ → 내장 혈류↓ → portal pr.↓
        └ mesenteric β_2 block → 차단 안된 α_1 활성화 → 내장혈관 수축 → portal flow↓
- 출혈이 없었던 large varix 환자의 초출혈 위험을 40~50% 감소시키고, 출혈관련 사망률도
  감소시킴, 전체적인 survival 연장 효과는 논란(고위험군에서는 survival 연장)
- portal HTN에 의한 congestive gastropathy와 gastric varix에서도 출혈 위험을 감소시킴
- 재출혈 예방시에도 사용 / acute bleeding의 치료에는 금기! (∵ 저혈압 유발 위험)

② 내시경 정맥류 결찰술(endoscopic variceal band ligation, EVL)
- 금기/부작용으로 β-blocker를 사용 못하는 환자에서 시행, 정맥류가 소실될 때까지 반복 시행
- 출혈 고위험군(e.g., Child B/C, red wale sign)은 β-blocker or EVL 모두 가능
- β-blocker와 EVL의 초출혈 예방 및 사망률 감소 효과는 동일함
- β-blocker와 EVL의 병합 치료는 단독 치료에 비해 예방 및 생존율 차이가 없고 부작용↑

* EIS, TIPS, 수술 등은 부작용이 많아 예방 목적으로는 권장 안 됨!

┌ 작은 식도정맥류 (F1) ⇨ 고위험군(LC child B/C or red color sign)은 nonselective β-blockers
│   (고위험군이 아니면 F/U or 필요에 따라 nonselective β-blockers)
└ 큰 식도정맥류 (F2, 3) ⇨ nonselective β-blockers or EVL

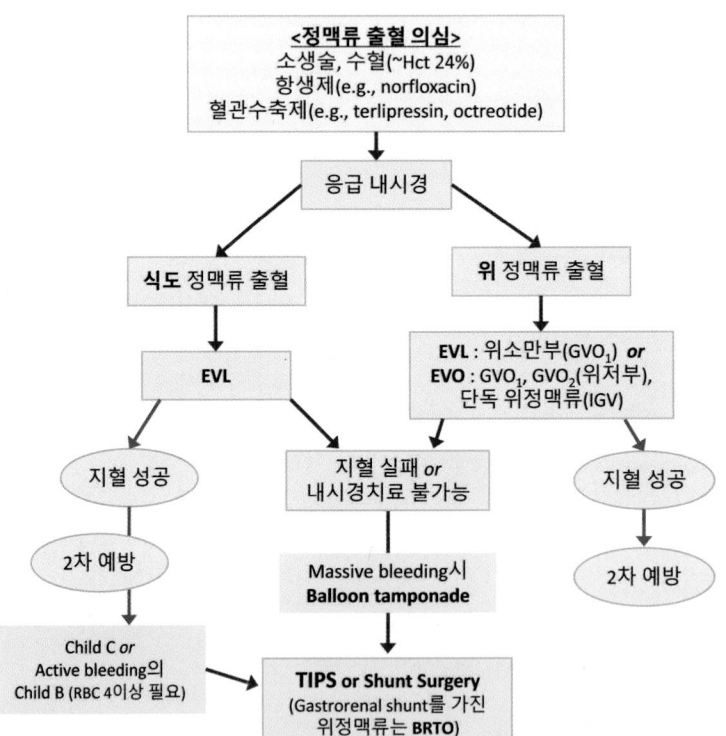

(4) 위정맥류 출혈(gastric varix bleeding)

- 정맥류를 덮고 있는 피막이 두꺼워 파열의 가능성은 적으나, 일단 파열 되면 대량 출혈을 초래 (식도정맥류와 공급 혈관의 경로가 다름)
- 식도정맥류보다는 상대적으로 적고 (5~33%), 출혈 빈도도 낮음 (2년에 25%)
- 분류 : GOV (gastroesophageal varix), IGV (isolated gastric varix)
  - GOV1 (74%) : 식도정맥류가 위소만부로 연장 → 식도정맥류 치료와 비슷
  - GOV2 (16%) : 식도정맥류가 위저부로 연장, GOV1보다 심한 형태
  - IGV1 (8%) : 위저부에만 존재 → splenic vein thrombosis 유무 확인 ··· 치료 가장 어려움
  - IGV2 (2%) : 위체부, 전정부, 유문부 등에 존재
- 내시경적 지혈술(EVL, EIS)의 성공률은 낮음!
- 내시경적 정맥류 폐색술(endoscopic variceal obturation, EVO)
  - 조직접착제 Histoacryl® (N-butyl-2-cyanoacrylate : 혈액과 접촉되면 중합체 형성
    → 정맥내 색전, 지혈) + Lipidol 혼합 용액 주입
  - 적응증
    ① 위정맥류 출혈의 치료
    ② 기존의 내시경적 지혈술로 치료가 어렵거나 실패한 위식도 정맥류 출혈
    ③ TIPS가 어렵거나 금기인 경우
  - 효과는 TIPS만큼 매우 좋으나, 기존 내시경적 지혈술보다는 부작용이 많다 (e.g., 전신 색전증)
- TIPS : 90% 이상 효과적, 내시경 치료(EVO) 불가능/실패시 구조요법으로
- BRTO (balloon occluded retrograde transvenous obliteration)
  - gastro-renal shunt를 가진 위정맥류의 치료에 매우 효과적
  - TIPS에 비해 간성뇌증이 호전되는 장점이 있으나, 복수/식도정맥류가 악화될 수 있는 단점
- 수술 (간기능이 괜찮고 다른 치료에 실패한 경우) ; distal spleno-renal shunt (DSRS) 등

(5) portal hypertensive gastropathy (PHG, congestive gastropathy)

- proximal stomach (주로 fundus)의 submucosal vein에서의 출혈, acute보다 chronic이 흔함
- portal HTN 환자에서 전체 GI bleeding 원인의 약 1/4 차지 (acute bleeding시에는 10% 미만)
- endoscopy : engorged & friable mucosa (모자이크 패턴, 뱀껍질 같은 점막),
  red spots이 동반되면 severe로 봄, indolent mucosal bleeding이 특징
- Tx : propranolol이 출혈 예방에 도움 (→ portal pr. 뿐 아니라 splanchnic arterial pr.도 낮춤)
  - β-blocker & iron 치료해도 수혈이 계속 필요하면 TIPS 고려
  - PUD 치료약물 (H_2-RA 등)은 대개 도움이 안 됨!

- GAVE (gastric antral vascular ectasia)
  - distal stomach에 주로 발생, 모자이크 패턴 없이 red spots만 관찰됨, PHG보다는 드묾
  - red spots이 선형으로 분포하면 "watermelon stomach", diffuse하게 위 전체에 분포하면 "diffuse gastric vascular ectasia"라고도 부름
  - 조직검사에서는 thrombi, spindle cell proliferation, fibrohyalinosis 등의 소견
  - Tx (어려움) ; 병변이 국소적이면 endoscopic thermoablative or cryotherapy, 내시경치료 실패/불가능하면 estrogen/progesterone, anterectomy, 간이식 등 (TIPS는 출혈 위험 감소 효과가 없어 권장 안 됨)

3. 복수 (Ascites)

(1) 발생기전(병인)

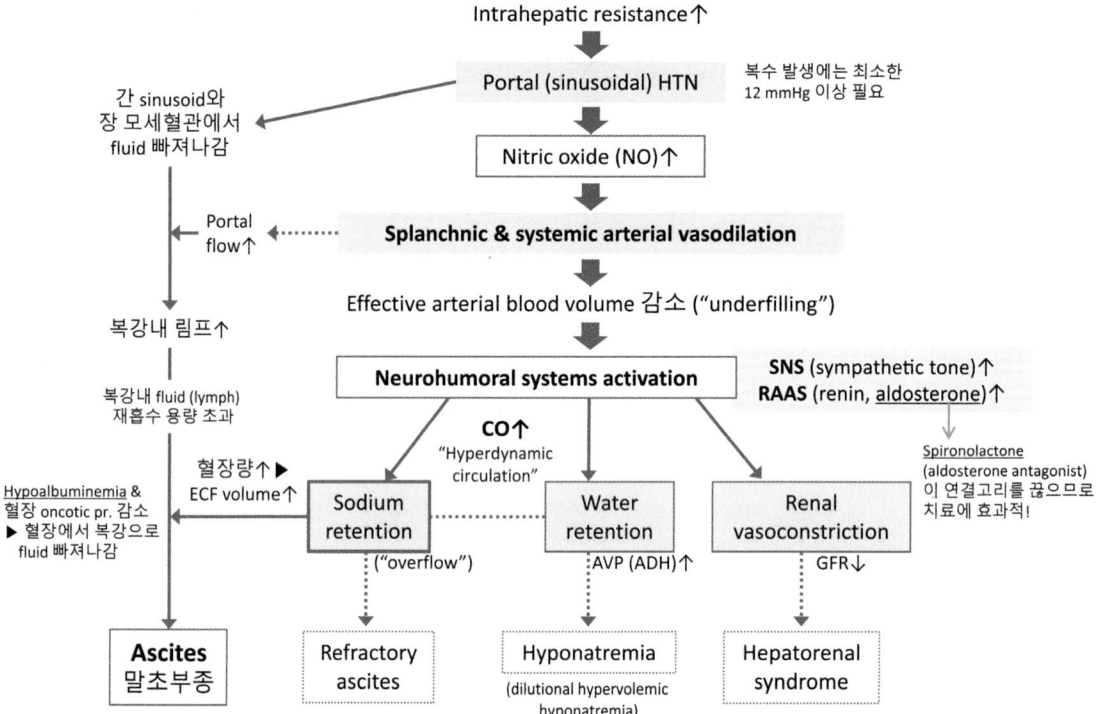

- volume overload 상태에서도 지속적으로 volume retention 발생
- portal HTN과 hypoalbuminemia가 모두 존재하지 않는 환자에서는 복수 발생이 드묾

(2) 진단

- 증상 ; 복부팽만, 말초부종, 호흡곤란, hepatic hydrothorax 등
- 1.5 L 이상이면 옆구리 탁음/볼록해짐, shifting dullness, fluid wave
- 복수천자(paracentesis) - 경미한 복수라도 모든 환자에서 시행!
  - ↳ 시행 부위 : 좌하복부(anti-McBurney point)가 가장 안전
    - (1) Monro-Richers line (umbilicus와 ASIS를 연결하는 선)의 아래쪽 1/3
    - (2) umbilicus와 pubic bone의 정중선의 1/2이상 지점
- LC ascites의 성상 ; protein <2.5 g/dL, SAAG >1.1, WBC <500/μL
- 진단이나 원인이 불확실하면 (e.g., Budd-Chiari syndrome R/O) 복부초음파(Doppler)도 시행 (c.f., 초음파는 100 mL의 복수도 발견 가능)

(3) 치료 및 예후

- ascites가 발생되면 decompensated cirrhosis를 의미 (2YSR <5%)
- 치료원칙 : 체내 염분저류를 감소시킴

① bed rest ; renal blood flow 증가 및 renin 감소 효과가 있을 것으로 추정되나, 근거는 없음 (지나친 bed rest는 오히려 안 좋음)

```
                복수의 Diagnostic Evaluation

1. Paracentesis
   ① Fluid analysis: cell count, protein, albumin, Gram stain
   ② Serum-ascites albumin gradient (SAAG) 계산
      ┌ SAAG ≥1.1 g/dL : portal HTN에 의한 복수
      └ SAAG <1.1 g/dL : 다른 원인에 의한 복수(e.g., 암, 감염)
   ③ 세균 배양
   ④ 선택: amylase, glucose, LD, TG, cytology, mycobacterial culture

2. Abdominal US with Doppler
   ① Portal, hepatic, splenic veins의 patency/flow 평가
   ② Hepatic & splenic parenchyma 검사
   ③ Neoplasm or peritoneal disease R/O
   ④ Biliary duct size 평가
```

② sodium 제한 (m/i) ; 하루 염분(소금, NaCl) 5 g (= 나트륨[Na, sodium] 2 g, 88 mEq) 이하로
  • 가공식품은 피하고 가능하면 신선한 식품을 섭취
  • 24hr urine Na >78mEq or spot urine Na/K >1이면 환자가 저염식을 지키지 않은 것임!
③ fluid 제한은 반드시 필요한 것은 아님!
  • Na 120~125 mEq/L로 떨어지면 수분섭취를 1~1.5 L/day로 제한해볼 수 있음
  • Na 120 mEq/L 이하로 떨어지면 이뇨제 중단 & 수분섭취 제한
④ diuretics (oral) : grade II (moderate) 이상의 복수부터 사용
  • 대개 spironolactone (Aldacton®) ± furosemide (Lasix®)로 치료 시작 (병합요법이 선호됨)
  • spironolactone:furosemide는 100:40 비율로 병용 (furosemide의 단독 투여는 권장 안 됨)
    ┌ spironolactone : 50-100 mg/day로 시작 ~ 400 mg/day까지 증량 가능
    └ furosemide : 20-40 mg/day로 시작 ~ 160 mg/day까지 증량 가능
           ⇨ 최대 용량으로도 조절이 안 되면 "refractory ascites"
  • 과도한 반응이 나타나면 furosemide↓, 반응이 없으면 thiazide 추가한 3제요법도 고려 가능
  • 부작용 ; 신기능장애(∵ hypovolemia, 25%), hyponatremia (28%), hypokalemia →
         encephalopathy (26%), spironolactone 장기간 사용시 painful gynecomastia ...
    - painful gynecomastia 발생하면 amiloride로 대치 (but, 이뇨 효과는 떨어짐)
    - hyponatremia → 이뇨제 감량 c.f.) vaptans (V₂ receptor antagonists) : LC with ascites
      환자에서 장기간 사용은 효과 없고, 오히려 사망률 증가 위험
⑤ 치료적 복수천자(large-volume paracentesis, LVP) : 한번에 4~6 L 이상
  • 일반적인 치료에 반응이 없거나, 심한 복수의 초치료 때 (이뇨제보다 효과 빠르고 입원기간↓)
  • 심한 부종이 없는 환자는 동시에 혈장확장제(albumin) 보충
    (∵ effective arterial volume 감소로 인한 순환장애 예방)

단순(uncomplicated) 복수의 치료

Grade	임상양상	치료
I (mild)	초음파상으로만 복수가 발견됨	Low salt diet
II (moderate)	경도~중등도의 복부팽만/불쾌감	Diuretics
III (large-volume)	심한 복부팽만/불쾌감	LVP

* 복수 치료시의 치료반응 평가(monitoring)

   ⓐ 체중 (intake/output) - m/i

     ┌ 복수 + 말초부종 환자 → 1 kg/day 이하씩 감소
     └ 복수만 있는 환자 → 0.5 kg/day 이하씩 감소   ⇨ 체중감소 없으면 <u>urine Na</u> 측정

   ⓑ 24hr urine Na : 88 mEq Na 제한 환자 → 78 mEq가 적절 (10 mEq는 소변 외 소실)

     ┌ >78 mEq/day → 체중감소 없다면 환자가 저염식을 잘못함 → 철저한 Na 제한 교육
     └ <78 mEq/day → 이뇨제 효과 부족 → 이뇨제 증량

   ⓒ spot urine Na/K ratio >1 (≒ 24hr urine Na >78 mEq/day) → 철저한 Na 제한 교육

* hepatic coma의 impending sign이 없으면 적어도 1 g/kg의 protein을 투여해야 함
  (2000~3000 kcal/day)

* 복수가 갑자기 생기거나, 치료에 잘 반응하지 않을 때 고려해야할 것

  ; excessive salt intake, drugs or alcohol, noncompliance, HCC, superimposed infection,
    worsening liver dz., portal vein thrombosis

* 난치성 복수 (refractory ascites)의 치료

   ⓐ 반복적 large-volume paracentesis (LVP) ± albumin 보충

   ⓑ TIPS : 반복적 LVP에 비해 효과적임, LVP가 곤란한 경우 고려

     - LVP와 간성뇌증 발생률은 비슷하나, 뇌증의 severity가 더 심함(→ 삶의 질 저하)

     - peritoneovenous shunt는 합병증이 많아 현재는 잘 사용 안함

   ⓒ 간이식 : 가장 효과적인 방법

■ Hepatic hydrothorax

- diaphragmatic defects를 통해 복수가 흉막강으로 넘어온 것(pleural effusion)

- 발생 부위 ; 우측(85%), 좌측(13%), 양쪽(2%)

- 치료는 ascites의 치료와 동일함 (염분 제한 + 이뇨제)

4. 원발/자발세균복막염 (Spontaneous bacterial peritonitis, SBP)

(1) 개요

• 대부분 복수를 동반한 LC 환자에서 특별한 infection source 없이 발생
(metastatic cancer, chronic active hepatitis, acute viral hepatitis, CHF, SLE, lymphedema
등이나, 원인질환 없이도 발생 가능)

• LC 환자의 10~30%에서 발생, very advanced liver dz. (CTP class C)에서 호발
(특히 복수 내 albumin 농도가 낮을수록 잘 생김), 사망률 15~20%

• 대개 single organism에 의한 감염임 ; *E. coli* (m/c), *Klebsiella*, streptococci, *S. aureus*,
   enterococci, pneumococci, 혐기성 세균 등

• mixed organism → 2ndary bacterial peritonitis (perforation) 의심

(2) 병인

① bacterial translocation (주기전) : 장내세균에 대한 장관벽의 permeability↓ → 세균이
    장간막 림프절 통과 → 균혈증 & 복수에 seeding

② portal bacteria를 제거하는 간과 비장의 macrophage 능력 장애

③ bacterial growth를 유도하는 large volume의 복수 존재

(3) 임상양상
- fever, abdominal pain/tenderness ... (일부는 전형적인 증상이 없을 수도 있음)
- 이유 없이 간기능이 악화되거나 간성혼수 등이 발생 가능
- 약 30%에서는 신기능 장애도 발생 (→ 사망률↑)
- secondary bacterial peritonitis에서 보이는 복부경직과 peritoneal irritation 소견은 드문 편임

(4) 진단
- 복부의 다른 infection source를 R/O (CT가 유용)
- 복수천자, 복수 Gram 염색 & 배양, 혈액배양 시행
- ascitic fluid : cloudy
  ① WBC >500/μL (& neutrophil ≥50%) or absolute neutrophil count >250/μL
  ② bacterial culture : 40~50%에서만 (+) (c.f., 50%에서 bacteremia 동반)
  ③ protein↓ (<2.5 g/dL), SAAG >1.1

  - Gram stain은 대부분 음성으로 나옴
  - corrected neutrophil count = 측정된 neutrophil 수 - $\dfrac{RBC\ 수}{250}$ (혈성 복수에서)

(5) 치료/예방
- 즉시 empirical antibiotic therapy 시작! ; 배양결과 안 기다림, 5~10일간 투여
  - 3세대 cepha. (DOC) : cefotaxime (or ceftriaxone, ceftazidime) IV or
  - 광범위 β-lactam/β-lactamase inhibitors (e.g., piperacillin/tazobactam)
- 신기능장애 발생의 예방을 위해 albumin도 투여 (체중 1 kg당 1.5 g) → 사망률 감소
  ↳ 적응 ; BUN >30 and/or Cr >1, bilirubin >4
- 치료에 대한 적절한 반응 : 증상호전 (증상이 호전되면 복수천자 F/U은 필요 없음)
- 증상호전 없거나 원인균이 비전형적이면 48시간 후에 다시 복수천자 시행해 치료반응 평가
  → WBC 50% 이상 감소해야 치료 성공
- 재발이 비교적 흔함 (1년 이내에 70% 이상 재발!)
- prophylactic therapy (→ 재발률을 20% 이하로 줄일 수)
  ① GI bleeding (e.g., varix) → 3세대 cepha. IV (5~7일)
  ② prior SBP → oral norfloxacin 400 mg/day or ciprofloxacin 750 mg/week (평생)
  ③ low ascitic protein (<1.0 g/dL) : 논란, 불량한 예후인자(e.g., Cr >1.2, BUN >25,
      Na <130, CTP score 9 & bilirubin >3)가 있으면 치료하는 것이 좋음 → norfloxacin

  c.f.) secondary peritonitis를 시사하는 소견
  ① WBC >10,000/μL
  ② multiple organisms (anaerobes 포함)
  ③ 치료 48시간 후에도 호전이 없을 때

5. 간신증후군 (Hepatorenal syndrome [HRS], functional renal failure)

(1) 개요

- 신장 자체에는 이상이 없으면서, 심한 간질환에서 신부전이 발생한 것
  (간경변 → 복수 → 난치성 복수 → 최종 단계로 HRS 발생)
- LC with ascites 환자의 약 10%에서 발생
- 예후 매우 나쁨 (발생 몇 주 이내에 95%가 사망)
- kidney biopsy는 정상! urinalysis와 pyelography도 보통 정상 (→ 신장이식시 기증 가능)

(2) 병인

- advanced LC & portal HTN ⇨ 심한 내장동맥 확장(splanchnic vasodilation)
  → 순환 혈액량 감소 → 심한 신장허혈
  ┌ 혈관수축인자(e.g., RAAS, SNS, endothelin) 증가
  └ 혈관확장인자(e.g., PGE, NO) 감소 (type 2 HRS 때는 증가)
  ⇨ <u>renal vasoconstriction</u> (복수 발생기전 때와 비슷하나 더 심함)
    → renal blood flow & GFR 더욱 감소

	type 1 HRS	type 2 HRS
순환장애	지속적, severe	안정적
신장내 혈관확장인자	감소	증가
신부전 (신기능 감소)	급격히 진행, severe	완만히 진행, moderate
평균 생존기간	약 2주	3~6개월 (HRS 없는 환자보다는 짧음)

- type 1 HRS는 심한세균감염(특히 SBP), GI 출혈, 수술 등에 의해 주로 발생 (∵ 급성 순환장애)

(3) 임상양상

- prerenal azotemia와 유사 : azotemia (GFR↓, BUN↑, Cr↑), <u>hyponatremia</u>, hyperkalemia, <u>progressive oliguria</u>, <u>hypotension</u> ...
- 대개 심한 복수와 부종(이뇨제에 반응×)을 가지고 있음
- 유발인자 ; 특별한 원인 없음(m/c), SBP, 심한 GI 출혈, 설사, acute alcoholic hepatitis, 과도한 paracentesis, diuretics, vasodilators, NSAIDs, 신독성약물(e.g., AG) 등의 과다사용 ...

(4) 진단 ★

- 우선 신부전의 다른 원인을 R/O 해야 됨!
  ① hypovolemia로 인한 prerenal azotemia (e.g., GI bleeding or diuretics에 의한)

	Prerenal azotemia	Hepatorenal syndrome
N/S 1 L 투여 후	Cr↓, 소변량↑	반응 없음
소변 sodium 농도	<10 mEq/L	<5 mEq/L
PCWP or CVP	감소	정상/증가

  ② ATN, 신독성 약제 (e.g., aminoglycoside, contrast agents) : high urinary sodium excretion
  ③ 기질성 신장질환 ; 단백뇨(>500 mg/day), 혈뇨(RBC >50/HPF), 비정상 신초음파 등

- tubular function은 정상임
  - urine/plasma osmolality ratio >1.0
  - urine/plasma creatinine ratio >30
  - urine sodium concentration <5 mEq/L, $FE_{Na} <1.0$

HRS의 진단기준 (International Ascites Club Consensus Workshop, 2007)
1. Cirrhosis with ascites
2. Serum creatinine level $\geq$1.5 mg/dL (133 μmol/L)
type I HRS : serum Cr 2주 이내에 2배 이상으로 증가하여 2.5 mg/dL 이상일 때
type II HRS : serum Cr 1.5~2.5 mg/dL (느리게 진행)
3. 2일 이상 이뇨제 중단 & albumin (1 g/체중kg/day, 최대 ~100 g/day)으로 volume expansion 해도 호전이 없을 때 (serum Cr level 1.5 mg/dL 이하로 감소×)
4. Shock 없음
5. 최근에 신독성 약물 사용 없음
6. 신실질의 질환 없음 : 단백뇨(>500 mg/day), 혈뇨(RBC >50/HPF), 비정상 신초음파 등

(5) 치료

- 간경변 말기로, 간이식 외에는 효과적인 치료법이 없음
  - 간이식의 성적은 HRS 없는 환자에 비해 약간 불량
  - type 2 HRS는 간이식까지 기다려볼 수 있지만, type 1 HRS는 시간이 없으므로, 다른 방법으로 생존기간을 연장시켜야 간이식 기회 가능
- 신기능을 호전시키기 위한 치료
  - ① 혈관수축제 (내장동맥확장 차단) + albumin (arterial volume 증가)
    - vasopressin analogues (e.g., ornipressin, terlipressin) + albumin
      - → RAAS & SNS 활성화↓, 순환기능 개선 → 신기능 호전, 치료 이후 HRS 재발도 드묾
      - → 간이식까지 생존기간 연장 가능
      - (c.f., ornipressin은 허혈 부작용이 문제, terlipressin은 부작용 훨씬 적음)
    - midodrine (α-agonist) + octreotide + albumin
    - * low-dose dopamine, misoprostol (PGE_1) 등의 혈관확장제는 효과 없음
  - ② peritoneovenous shunting : 난치성 복수의 type 2 HRS에서 고려
    - (type 1 HRS에서는 효과 없음)
  - ③ TIPS : 신기능을 호전시키고, type 1 HRS에서는 survival도 증가 효과
  - ④ extracorporeal albumin dialysis
- 예방도 중요함 (AKI의 유발요인 제거 등)
  - diuretics overdose 방지, ascites 교정은 천천히
  - 신독성이 있는 약제, 특히 NSAIDs의 사용 금지
  - 감염(특히 SBP), 출혈, 전해질 이상 등의 Cx.을 빨리 발견/치료
  - severe acute alcoholic hepatitis 환자에서는 steroid보다 pentoxifylline 투여가 생존율↑

6. 간성뇌증 (Hepatic encephalopathy, HE)

(1) 병인

: 장에서 흡수된 <u>toxin</u>이 간에서 해독되지 않아 CNS 장애를 일으킴 (∵ shunting, hepatic mass↓)

① toxic substance의 증가

: ammonia (major toxin), mercaptans, short-chain fatty acids, phenol

(but, ammonia level은 encephalopathy의 severity와 비례하지는 않음)

② CNS 내의 GABA (principal inhibitory neurotransmitter) 농도 증가

(∵ 장내 세균에 의해 생성된 GABA의 hepatic clearance 감소)

③ ┌ aromatic amino acids (tyrosine, phenylalanine, tryptophan) 증가
  └ branched-chain amino acids (valine, leucine, isoleucine) 감소

→ false neurotransmitter (e.g., octopamine) 생성 증가

④ BBB의 permeability 증가

⑤ 뇌의 globus pallidus에 망간(manganese) 축적 증가

(2) 유발인자 ★

① nitrogen load 증가 ; <u>위장관 출혈</u> (m/c, NH_3와 질소화합물의 생성 증가),

단백(e.g., 고기) 과다섭취, 신부전, <u>변비</u>(→ 장내 세균 증가)

② 수분/전해질 이상 ; hypovolemia, <u>hyponatremia</u>, <u>hypokalemia</u>, <u>alkalosis</u> (→ NH_4^+의 NH_3로의
변화증가 - NH_3는 BBB 잘 통과, 심한 이뇨/구토/복수천자 시 잘 발생) ...

③ 약물 ; narcotics, tranquilizers, sedatives, <u>diuretics</u> (전해질 이상 일으켜)

④ 기타 ; <u>감염</u>(e.g., SBP), 수술, 급성 간질환 (e.g., acute viral hepatitis) 병발, 진행성 간질환
(e.g., alcoholic hepatitis, 간외 담도 폐쇄), alcohol, anemia, fever, hypoxia ...

* TIPS (portal HTN시 portal blood의 ~50%가 간을 우회하지만, TIPS 시행시 ~93%가 우회)

(3) 임상양상/진단

- 병력과 임상양상으로 진단, 서서히 발생하며 대개 치명적이지는 않음
- CNS 증상 ; 불면 (초기에), 의식저하, 기억장애, 착란, 혼수
- 신경학적 증상 ; <u>퍼덕떨림(asterixis, flapping tremor</u> - 특징적!), 경직, 과잉반사, 경련
- 기타 ; 인격변화, 지남력저하, 지능감퇴, 복수, 황달, 발열, fetor hepaticus (∵ mercaptans 때문)
- 신경심리검사 ; 선잇기검사(trail-making test), 추상적 대상 그리기 등
- 혈중 암모니아(NH_3) 검사는 진단 정확도가 떨어져 도움 안 됨
- EEG ; symmetric, high-voltage, triphasic slow-wave (2~5/sec)
- CSF나 brain CT는 정상 (stage IV에서나 cerebral edema 발생)
- 급성 간성혼수는 가역적이나 만성 간성혼수는 비가역적

< 간성뇌증의 Stage/Grade >

Stage	EEG	Asterixis	CNS 및 신경근육 장애
I	triphasic wave	±	성격 변화, 불안, 조울, 경미한 착란, 기억장애, 수면장애, 집중력↓
II	"	+	무기력, 중등도의 착란, 이상한 행동, 지남력 상실, 발음 장애
III	"	+	심한 착란, 심한 지남력상실/언어장애, 기면 상태이나 각성 가능, 기억 장애, 근육 경직, 안구진탕(nystagmus), Babinski sign
IV	delta activity	–	혼수, 강한 자극에 반응 없음

(4) 감별진단

① acute alcoholic intoxication, sedative overdose, delirium tremens, Korsakoff's psychosis, Wernicke's encephalopathy ...

② subdural hematoma, meningitis, hypoglycemia 등의 대사성 뇌증

③ Wilson's disease (간질환 & 신경증상이 있는 젊은 성인에서 반드시 R/O!)

(5) 치료

- 유발인자 확인 및 제거 (m/i)
  - 간성뇌증 환자의 80% 이상에서 확인되며, 유발인자 제거만으로 간성뇌증 호전 가능
  - 이뇨제 중단, 전해질이상 교정(e.g., KCl 투여), 변비 예방, 관장(→ 장내 혈액을 신속히 제거), 광범위 항생제 등
- 장내 독소물질(e.g., ammonia)의 생성 및 흡수 억제
  - ① 단백 섭취 제한 (∵ 과도한 단백 섭취 → 장내세균이 ammonia 형성↑)
    - 초기 단계에만 0.5 g/kg/day 정도로 제한 → 1~1.5 g/kg/day로 증량
      (장기간의 단백 제한은 영양불량을 초래하여 예후를 더 악화시키므로 금기임)
    - 식물성 단백질, 분지쇄 아미노산(BCAA) 등이 유리
  - ② 비흡수성 이당류 (→ ammonia를 형성할 수 있는 장내물질을 신속히 배출)
    - lactulose enema/oral (하루 2~4회의 묽은 변을 볼 정도로 투여)
      - ⓐ osmotic laxative로 작용 → ammonia 생성/흡수 감소
      - ⓑ 장내 pH 감소 → NH_3가 NH_4^+로 전환 → NH_3 흡수 감소
        (NH_4^+ : nonabsorbable, NH_3 : absorbable & neurotoxic)
      - ⓒ 직접 세균 대사에 작용하여 ammonia 생성을 감소시킴 (세균의 ammonia 소화↑)
    - lactiol (β-galactosidosorbitol) : lactulose와 비슷한 효과
  - ③ 경구 비흡수성 항생제
    - neomycin (부작용으로 권장×), metronidazole, rifaximin (부작용 적음)
    - ammonia 생성에 관여하는 장내세균을 억제 (→ ammonia 생성 감소)
  - ④ 기타 치료법
    - L-ornithine-L-aspartate (LOLA) : 간의 요소회로를 활성화하여 혈중 ammonia↓
    - 아연(zinc) : 요소회로 효소들의 보조인자로 작용 (LC에서 결핍되기 쉬움)
    - 안식향나트륨(sodium benzoate) : 소변으로 ammonia 배출을 증가시킴
    - *H. pylori* (위내에서 NH_3 생성) 박멸도 도움될 수 있음

- 신경전달물질 관련 약제
  ① benzodiazepine receptor antagonist (flumazenil)
  - 효과가 일시적이고 미미하여 일차 치료로는 권장 안 됨
  - benzodiazepine에 의해 유발된 encephalopathy의 응급치료에는 도움
  ② dopamine agonists (L-dopa, bromocriptine) : 효과 불확실
  ③ 분지쇄아미노산(BCAA)
  - encephalopathy의 치료 목적으로는 효과 불확실 (권장 안됨)
  - 단백 섭취의 유지 목적으로는 사용 가능
- 기타 ; hemoperfusion, extracorporeal liver assist devices ...
- 대부분 진행된 간경변 환자에서 발생하므로 예후 나쁨 (1YSR 42%, 3YSR 23%) → 간이식 준비
- 간성뇌증 자체는 대부분의 환자에서 유발인자 교정 및 기타 치료로 잘 조절됨
- 재발 방지 (1년 이내 50~75%에서 재발) ; lactulose, rifaximin 등

7. 간폐증후군 (Hepatopulmonary syndrome, HPS)

- 원인 ; 폐 모세혈관의 확장 ⇨ Rt-to-Lt (AV) shunt : 적혈구가 산소화되지 못하고 그냥 통과
  (기전 ; endothelin-1↑ → NO↑, 폐혈관 확장)
- 간경변 환자의 4~32%에서 발생 (복수가 없어도 발생 가능), 드물게 급성 간손상에서도 발생 가능
- 증상 ; 점진적인 호흡곤란, 편평호흡(platypnea : 기립시 호흡곤란 심해짐), orthopnea, orthodeoxia
  (∵ 일어서거나 앉으면 폐 기저부의 혈관확장이 더 우세하게 나타나 shunt 증가)
- $PaO_2\downarrow$ (<80 mmHg), $PaCO_2\downarrow$, (A-a)$DO_2\uparrow$ (>15 mmHg), $DL_{CO}\downarrow$, O_2 supply에 반응 안함
- 진단 (pulmonary vascular shunting 확인)
  ① agitated saline contrast echocardiography (m/c) : Rt-to-Lt shunt 확인, 가장 sensitive
    ; 정맥으로 agitated saline을 주입하여 미세기포를 생성시킨 뒤 좌심실(LV)에서 관찰
    ┌ 폐에서 흡수되어 LV에서는 미세기포가 안 보여야 정상
    └ 3~5회 심박동 이내에 LV에 나타나면 심장내 shunt, 6회 이후에 나타나면 폐 AV shunt
  ② HRCT : 비침습적, 정량도 가능
  ③ ^{99m}Tc-MAA (macroaggregated albumin) lung perfusion scan : shunt의 양을 정량 가능,
    specificity는 높으나 sensitivity가 낮음
  ④ angiography : 침습적, sensitivity 낮음
- 예후가 나쁘며 간이식이 유일한 치료법임
- 간폐증후군이 있는 경우 LC 환자의 사망률은 훨씬 높아짐

■ Portopulmonary HTN : 간폐증후군과는 반대로 폐혈관이 수축되는 것
  ┌ 진단 : 평균 폐동맥압 >25 mmHg
  └ 간이식의 비적응임 (평균 폐동맥압이 50 mmHg 이상이면 간이식의 절대 금기)

8. 간세포암 (HCC)

→ 다음 장 참조

BILIARY CIRRHOSIS

1. 원발성 담즙성 담관염 (Primary biliary cholangitis, PBC)

(1) 개요/임상양상
- intrahepatic (small~medium-sized) bile ducts의 autoimmune destruction으로 인해 서서히 ductopenia, cholestasis, cirrhosis로 진행하는 만성 담즙정체성 간질환 (기전은 모름)
- 기존의 primary biliary cirrhosis에서 ~ cholangitis로 이름이 바뀌었음
- 서양에서는 흔하나 우리나라에는 매우 드묾, 90%가 여성, 35~60세에 발생
- 무증상으로 수년이상 경과하는 경우가 많음 (우연히 ALP 상승으로 발견됨)
- 증상 ; 진단시 약 60%는 증상이 없음
  - fatigue (m/c, 70%) : 검사 소견 이상에 비해 정도가 심한 것이 특징
  - <u>pruritus</u> (약 50%) : 간헐적, 야간에 심해지는 것이 특징
    → 6개월~2년 이후에 <u>jaundice</u>, hyperpigmentation 발생!
      (활달 발생 이전에 소양증이 나타나면 severe dz. 및 poor Px.를 시사!)
  - 담즙 배설장애 → 흡수장애 (지용성 vitamins), 지방변
  - cholesterol 상승 → 눈 주위의 피하지방 축적 (황색판종, xanthelasma),
      관절/힘줄 위의 황색종(xanthoma)
  - 나중에 portal HTN, 복수, 간비종대, 간부전 등 발생
- 다른 자가면역질환 동반이 흔함
- 말기에는 hepatobiliary malignancies (e.g., HCC) 발생 위험 증가

(2) 검사소견/진단
- cholestatic pattern ; ALP와 GGT의 현저한 상승, AST-ALT의 경미한 상승,
      bilirubin은 초기엔 정상 (대개 LC 발생되면 상승)
- total cholesterol↑, <u>IgM↑</u> (cryoprotein과 IC 형성)
- <u>anti-mitochondrial antibody (AMA)</u> : 90%에서 양성 (m/i)
  - M2 분획(anti-PDC-E2)이 가장 specific
    : E2 component of the pyruvate dehydrogenase complex (PDC-E2)가 주요 target Ag
  - AMA 음성인 경우 liver biopsy가 진단에 중요, cholangiography로 PSC도 R/O해야
- ANA : 1/3~1/4에서 양성, 예후 더 나쁨
- <u>liver biopsy (확진)</u> : small bile ducts의 noncaseating granulomas,
      portal tracts에서 bile ducts의 감소 (ductopenia)
- US, CT, ERCP, MRCP 등에서 담도 폐쇄의 소견은 없음!
    (→ 주로 다른 간담도계 질환의 R/O 또는 간경변 확인이 목적)
  c.f.) autoimmune cholangitis (= AMA-negative PBC) : PBC의 조직소견 (+), AMA (-),
      ANA or SMA (+)

(3) 동반질환

- sicca syndrome (35~70%), autoimmune thyroiditis (10~15%)
- CREST (Calcinosis, Raynaud's phenomenon, Esophageal dysmotility, Sclerodactyly, Telangiectasia) : <5~10%
- type 1 DM, rheumatoid arthritis, scleroderma, IgA deficiency
- autoimmune thrombocytopenia, hemolytic anemia
- metabolic bone dz. ; osteoporosis, osteomalacia

(4) 치료

① ursodeoxycholic acid (UDCA, ursodiol) : TOC
  - 증상/검사/조직소견 호전, 병의 진행 지연, 수명 연장
  - but, PBC의 진행을 역전시키거나 완치시키지는 못함

② obeticholic acid (Ocaliva®)
  - farnesoid X receptor (FXR) agonist : 간세포 내의 담즙산 농도↓ & 염증 억제
  - FXR : CYP7A1을 억제하여 담즙산 합성 억제 (담즙산 합성의 negative feedback에 중요), insulin 저항성과 지방대사 호전, 항염증 작용 (→ 간 염증과 섬유화 억제) 등
  - UDCA 효과가 적거나 복용할 수 없는 compensated (child A) LC 환자에서 적응
  * steroid, colchicine, methotrexate, azathioprine, cyclosporine, penicillamine 등은 도움 안됨!

② 간이식
  - bilirubin이 6 mg/dL 이상이거나 MELD score가 12 이상인 간부전이면 고려
  - 다른 원인에 의한 간이식보다 예후 좋음 (이식후 재발 드묾)

③ 보존적 치료 (증상 조절)
  - 소양증 ; antihistamines, opioid antagonist (naltrexone), rifampin/rifampicin, cholestyramine, sertraline, plasmapheresis, UV light ...
  - low-fat diet, medium-chain triglyceride (→ steatorrhea 감소)
  - fat-soluble vitamins (A, D, E, K) 보충, calcium 보충
  - osteoporosis 발생하면 bisphosphonate

(5) 예후

- 무증상 환자 : 2~3년 뒤 증상 발생, 5YSR 90%
- 진단 이후 ; 평균 9.3년 생존, 10년 뒤 26%에서 간부전 발생
- 중요 예후인자 ; 황달(serum bilirubin level), Mayo risk score

$$\text{Mayo risk score (R)} = 0.871\log_e(\text{bilirubin[mg/dL]}) + 2.53\log_e(\text{albumin[mg/dL]}) + 0.039(\text{age}) + 2.38\log_e(\text{PT[sec]}) + 0.859\log_e(\text{edema score[0, 0.5, 1]})$$

2. Primary sclerosing cholangitis

→ II-9장 참조

NONCIRRHOTIC HEPATIC FIBROSIS

- cirrhosis 와의 차이점 ; hepatocellular damage와 nodular regenerative activity 없음
- 증상은 대개 portal HTN에 의함
- WHVP는 정상
- 원인
  ① idiopathic portal HTN (Banti's syndrome)
  - intrahepatic phlebosclerosis & fibrosis
  - portal & splenic vein sclerosis
  - portal & splenic vein thrombosis
  ② schistosomiasis
  ③ congenital hepatic fibrosis

7
간 종양

양성 간종양

1. 해면 혈관종 (Cavernous hemangioma)

- 간의 m/c 양성 종양 (80% 이상), 간 종양 중 전이암 다음으로 m/c
- 무수히 많은 vascular lake로 구성 → 조영 촬영시 천천히 조영됨
- 여자에서 약간 더 많고 (다산부에서 더 흔함), 크기도 큼
- 대부분은 무증상 (출혈 발생은 드묾), 우연히 발견됨, 파열은 매우 드묾
- 진단
  - ① US ┌ 경계가 뚜렷하고 균일한 <u>hyperechoic</u> lesion (→ 특징적!)
    └ post. enhancement (후방음영 증가)
  - ② dynamic contrast-enhanced CT
    - ┌ 동맥기 ; 종괴 주변부부터 조영↑ (peripheral nodular enhancement)
    - └ 조영후기 ; 종괴 내부도 조영↑ → 정상 간 실질과 구별 어려워짐

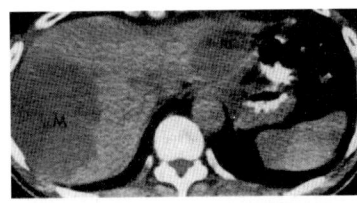

◀ 조영 전:
저음영 종괴

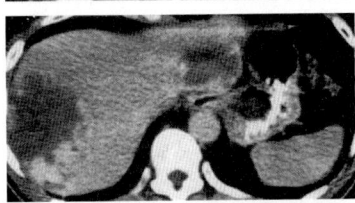

◀ 2분 뒤:
주변부부터 조영증가
(<u>peripheral nodular 모양</u>)

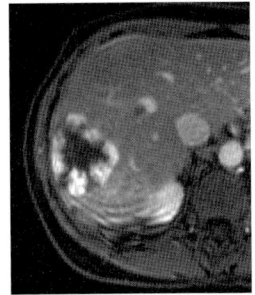

MRI (동맥조영기)

◀ 10분 뒤:
종괴도 완전히 조영됨
(주위 정상 간과 구별 안됨)

c.f.) HCC는 liver margin이 불규칙한 LC 소견을 보일 수 있고 조영제가 early washout 됨 (조영후기에 저음영)

③ MRI ⎡ T_1 image : 균일한 저음영 종괴
⎣ T_2 image : 경계가 뚜렷하고 균일한 고음영 종괴 (매우 밝음)

④ ^{99m}Tc-RBC scan (가장 specific) ; 초기엔 냉소(cold defect), 지연 영상에선 열소(hot area)

  – 진단을 위해 biopsy / resection할 필요 없음

  – biopsy는 massive bleeding 일으킬 수 있으므로 금기! (c.f.. ecchinococcal cyst도 biopsy 금기)

• giant cavernous hemangioma (4 cm 이상) ; 복통, 조기 포만감, N/V 가능 (둔상시 파열 위험)

• P/Ex ; 간비대, 때때로 종양 위로 arterial bruit이 들릴 수도

• 치료

  – 증상이 없으면 경과관찰! (∵ malignant change 없음!)

  – 크기가 크고 증상이 심하면 surgical resection

  – 파열시엔 간동맥의 색전/결찰술 이후 resection (매우 드묾)

2. 국소 결절성 과형성 (Focal nodular hyperplasia, FNH)

• 간의 2nd m/c 양성 종양, 20~50대에 호발, 남<여, 경구피임약 관련은 불확실

• Rt. lobe에 호발, 대부분(90%) single, 별모양의 섬유성 반흔이 특징, 크기는 대개 5 cm 미만

• 대부분 증상이 없어 우연히 발견됨

• 출혈, 파열, necrosis 등은 드묾 (경구 피임약 복용시엔 출혈 위험 증가)

• 진단

  ① 균일한 종괴, <u>central hypodense "stellate" scar</u> (septation)가 특징

    – dynamic CT, contrast MRI (US에선 잘 안 보임)

    – 동맥기에 빠르게 조영이 증가되었다가 빠르게 감소됨

    – MRI ⎡ T_1 : 저음영 (→ 조영시는 고음영이 특징), central scar는 저음영
         ⎣ T_2 : 다양 (3/4는 고음영, 1/4은 저음영)

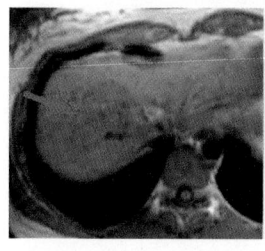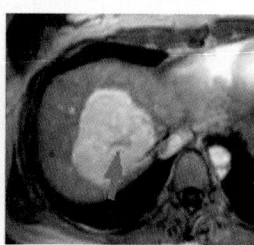

MRI (T2)
조영전(좌): 저음영 종괴
동맥조영기(우): 고음영

<u>저음영의 central scar!</u>

  ② ^{99m}Tc-sulfur colloid scan : hot spot (∵ Kupffer cells에 의한 uptake)

• 경과 : 대부분 stable, 약 1/3은 크기 감소, 악성화 안함!

• 치료 : 증상이 없으면 경과관찰 (증상/합병증 발생시에만 surgical resection), 경구피임약은 중단

3. 간세포 선종 (Hepatocellular adenoma, HA)

• 드묾!, 주로 <u>20~30대</u> 대부분(95%) <u>여자</u>에서 발생

• <u>Rt.</u> lobe에 호발, 보통 single, 크기가 큼 (보통 8~15 cm)

• 위험인자

  ① <u>estrogens</u> (경구피임약, 임신), anabolic androgenic steroids, FAP

    ↳ 최근엔 경구피임약의 용량 감소 및 호르몬 구성 변화로 감소 추세

② glycogen storage dz. type IA & III (→ multiple adenoma)

③ DM (maturity-onset diabetes of the young)

④ hemochromatosis, acromegaly

• 증상

① mass effect (우상복부 불쾌감)

② 파열 ; 종양내 출혈 (→ pain), 복강내 출혈 (→ hemoperitoneum, shock → 사망률 ~20%)

    * 파열 위험이 증가하는 경우 ; 간 표면에 위치 (m/i), 크기(>5 cm)

• large adenoma는 임신시 출혈 위험이 높아지므로 피임 권장

• 약 8~13%에서 악성화 위험

    * 악성화 위험이 증가하는 경우 ; large (>8 cm) & multiple, β-catenin activation, 남성

• 진단 : 영상검사로 adenoma를 확진하기에는 sensitivity가 부족, HCC와 감별 어려움

① US (hyperechoic) / CT, MRI

    – 약 1/3~2/3는 종괴 내부에 fat, necrosis, 출혈, 석회화 등 존재 (→ 비균질의 종괴)

    – 동맥기 때는 균일하게 조영증가 뒤 빠르게 정상화됨

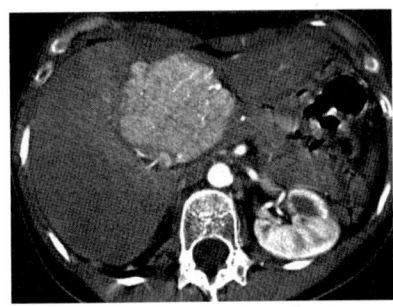

CT (동맥조영기)
전체 종괴가 빠르게
조영이 증가됨
(heterogeneous)

② ^{99m}Tc colloid scan : "cold spot" (∵ Kupffer cells 無)

③ angiography : hypervascularity가 특징이나 흔히 hypovascular 부위도 함유

    c.f.) hypervascular mass : hemangioma, adenoma, HCC

④ biopsy : FNH와 혼동되기 쉽고, 출혈 위험이 높음

• 치료

① 경구 피임약 중단

② 수술(resection) : 출혈, 파열 및 악성화 위험 때문

    ┌ 증상이 있는 경우, 경구 피임약 중단 후에도 크기가 줄어들지 않을 때

    │ large (>5~8 cm) & 간 표면에 가까이 위치

    └ β-catenin activation, 남성

③ RFA (radiofrequency ablation) : 수술 위험이 높을 때

④ multiple large adenoma (e.g., glycogen storage dz.) → 간이식

	FNH	HA
경구피임약 관련성	±	+++
모양	중심의 stellar scar	크고 대개 heterogeneous
크기	<5 cm	8~15 cm
출혈	드묾	흔함
섬유화	+	−
캡슐(피막)	−	+
Kupffer cells	+	−

▶ 간 양성 종괴의 조영증강 양상 차이

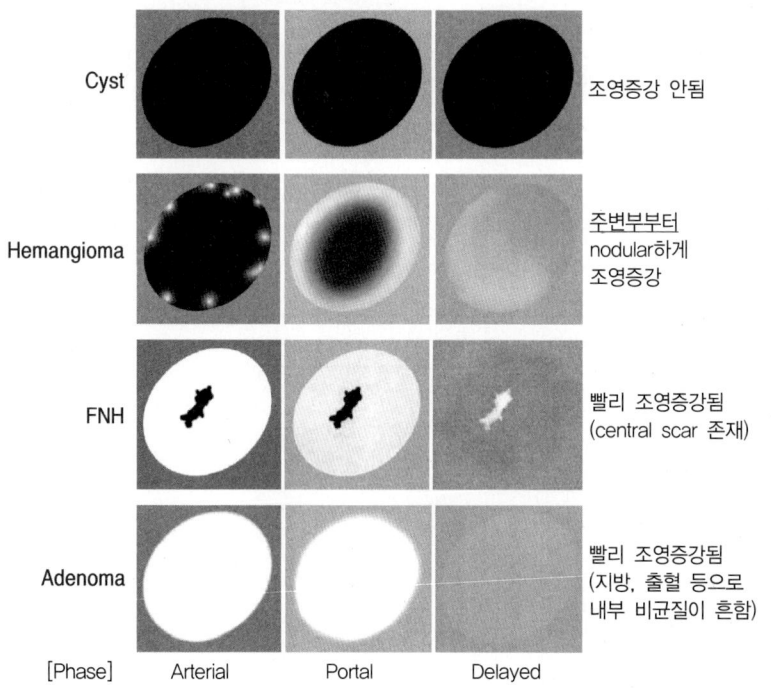

Cyst				조영증강 안됨
Hemangioma				주변부부터 nodular하게 조영증강
FNH				빨리 조영증강됨 (central scar 존재)
Adenoma				빨리 조영증강됨 (지방, 출혈 등으로 내부 비균질이 흔함)
[Phase]	Arterial	Portal	Delayed	

c.f.) 단순 간낭종 (simple hepatic cyst)

- 대부분 크기가 작고, 증상이 없다
- congenital로 생각됨
- 유병률 0.1~2.5%, 남:여 = 1:5, 우엽에 호발
- US 소견
    - hypoechoic (간농양보다 훨씬 낮다)
    - 경계가 뚜렷함, 매우 얇은 막으로 둘러싸여 있음
    - post. enhancement
- contrast-enhanced CT : 조영증강 안됨
- 치료 ; 합병증을 동반하지 않고 증상이 없으면 치료할 필요 없다
    (낭종내 출혈 or 감염, 크기 증가 → 경피적 배액술 → 반응 없으면 수술)

원발성 간암

1. 간세포암 (Hepatocellular carcinoma, HCC)

(1) 개요

- 원발성 간암의 90% 차지, 우리나라에서 6번째로 흔한 암 (조금씩 감소 추세)

  (c.f., 미국은 HCV의 유행으로 간암 증가 추세, 원인으로는 NASH가 점점 증가)
- 50대에 호발, 남:여 = 3:1
- 예후 매우 나쁨 ; 간암의 5YSR 9.6% (간절제술을 받은 경우 50~60%)

- molecular pathogenesis

  : low-grade dysplastic nodules (LGDN) → high-grade dysplastic nodules (HGDN) → HCC

흔히 발견되는 분자유전 이상(molecular drivers)	
Cell-cycle control, senescence	*TERT* (telomerase reverse transcriptase) – 56% *TP53* – 27%
Cell differentiation	*CTNNB1* (catenin beta 1) – 26% *AXIN1* (axin-1) – 5%
Chromatin remodeling	*ARID2* (AT-rich interaction domain 2) – 7% *ARID1A* – 6%

(다른 암에서 흔한 *EGFR, HER2, PIK3CA, BRAF, KRAS* 등의 유전자변이는 드묾)

HCC의 진행/전파에 관여하는 신호전달체계
TERT overexpression (90%) p53 inactivation 및 cell cycle 변화 ; 특히 HBV 감염과 관련 Wnt/β –Catenin pathway activation (50%) PI3K/PTEN/Akt/mTOR pathway activation (40~50%) Ras MAPK signaling activation (early HCC의 약 1/2, advanced HCC의 거의 다) Insulin-like growth factor receptor (IGFR) signaling activation (20%) c-MET receptor 및 그 ligand인 HGF dysregulation (50%) Vascular endothelial growth factor (VEGF) signaling activation Chromatin remodelling complexes & epigenetic regulators alteration

(2) 원인/위험인자

① cirrhosis (원인에 관계없이)

- HCC 환자의 75~85%에서 LC 동반
- LC 환자의 10~30%에서 HCC 발생 (약 ~3%/year)

② hepatitis virus

┌ HBV : HCC 환자의 약 70%가 관련 (대부분 수직감염)

└ HCV : HCC 환자의 약 10~12%가 관련, HBV보다 고령에서 HCC 발생

- HBV에서 HCC 발생 상대위험도는 6~10배 (HCV의 상대위험도는 더 높음)
- 일본, 미국, 유럽에서는 HCV가 m/c 원인
- HBV의 약 1/2은 cirrhosis 상태에서 HCC 발생, 나머지 1/2은 만성활동성간염에서 발생
- HCV ; 거의 대부분 cirrhosis 상태에서 HCC 발생, HBV와 달리 host DNA에 통합되지 않음

③ chronic liver dz.

  • alcoholic liver dz. (우리나라 HCC 원인의 3nd m/c, 약 10%)

  • autoimmune chronic active hepatitis, <u>NASH (obesity)</u>, primary biliary cholangitis (PBC)

④ metabolic dz. ; hemochromatosis, Wilson's dz., α_1-antitrypsin deficiency, tyrosinemia,

  porphyria cutanea tarda, glycogen storage dz., cirtullinemia, orotic aciduria ...

⑤ hormonal factors (드묾) ; androgenic steroids, 경구피임약(estrogen)

⑥ aflatoxin B_1 (아프리카와 남부 중국) : *Aspergillus flavus*에서 생성 → *TP53* gene의 mutation

⑦ 간암의 가족력

⑧ 기타 ; 당뇨병, 비만(metabolic syndrome), 흡연, 조영제(thorotrast) ...

* 우리나라 원인 : HBV (m/c) > HCV > alcohol > NAFLD/NASH 등

* HBV infection시 HCC의 발생 기전

  : HBV DNA가 host genome에 삽입된 뒤 세포의 gene expression의 변화를 일으킴

  ① insertional mutagenesis

  ② chromosomal rearrangement

  ③ virus와 cellular gene의 transcription을 모두 transactivating (X, pre-S2 gene)

c.f.) 간흡충증(*Clonorchis sinensis*) → 담관암(cholangiocarcinoma) / HCC와는 관련 없음!

(3) 임상양상

  • 3 cm 이하면 특별한 증상이 없다 (screening 중 우연히 발견)

  • <u>abdominal (RUQ) pain</u> (m/c Sx, 40%), hepatomegaly (50~90%), weight loss, weakness

  • RUQ (liver 위)에서 friction rub or bruit 들림 (6~25%)

  • ascites (30~60%), bloody ascites (hemoperitoneum, ~20%), tumor rupture (1%)

  • jaundice : 드물다(5%)!, LC 말기나 bile duct 침범시엔 가능

  • ALP↑, 5-nucleotidase↑, AFP↑, ferritin↑ ...

  • 간암의 흔한 전이장소 ; 주위 림프절, 폐, 뇌, 뼈, 부신 ...

(4) paraneoplastic syndrome

  • erythrocytosis (∵ erythropoietin-like substance 분비) : 3~12%에서

  • thrombocytopenia or leukopenia도 흔함

  • hypercalcemia (∵ PTH-related protein 분비)

  • 기타 ; hypoglycemia (∵ tumor에서 glucose 소비↑, 간부전), hypercholesterolemia (10~40%),
    dysfibrinogenemia, cryofibrinogenemia, carcinoid syndrome, TBG↑, gynecomastia,
    testicular atrophy, polymyositis, acquired porphyria ...

(5) 진단

  ① 초음파(US) : HCC 진단 sensitivity 61~67% ⇨ 주로 screening에 이용

  • homogenous hypoechoic lesion : 종양 크기가 2 cm 이하시

  • peripheral (thin) halo : 종양 크기가 1 cm 이하시

  • central mosaic pattern : 종양 크기가 5 cm 이상시

  • hump sign : 종양이 간 표층에 존재시

* contrast-enhanced US (CEUS) [혈관내조영제 조영증강 초음파]

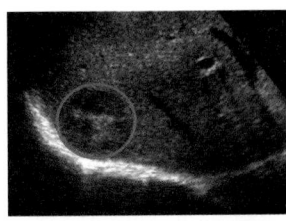

초음파 조영제는 평균 5 μm 크기의 미세기포(microbubble)로 정맥 주입 시 세포외공간(ECF)으로 빠르게 이동하는 CT/MRI 조영제와 달리 혈관 내에만 존재함

◀ Conventional US - 조영제 주입 전
: HCC (mixed echogenicity)

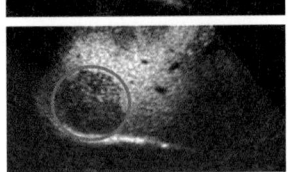

◀ CEUS - 동맥기(arterial phase)
: HCC (hyperechoic, <u>hypervascularity</u>)
  * 화살표 = hepatic artery, portal vein

◀ CEUS - 지연기(delayed imaging)
: HCC (hypoechoic, <u>wash out</u>)
  c.f.) 일부 고분화암에서는 wash out이 안 보일 수도 있음

② dynamic (=multiphase) contrast-enhanced MD-CT [역동적 조영증강 CT]
- US보다 더 정확, 작은 종양 및 혈관 침범도 진단 가능 (sensitivity 67.5%, specificity 92.5%)
- 경계가 불분명하고, 불균등하게 조영증강되는 불규칙한 종괴
  - 동맥기 (대동맥이 가장 하얗게 조영될 때) : 간에서는 HCC만 조영증강!
  - 문맥기 (대동맥 조영은 약간 감소, 문맥계 조영) : 조영감소 시작(washout)
  - 조영후기(정맥기) ; 간 실질은 고음영, HCC는 저음영 ↔ hemangioma와의 차이

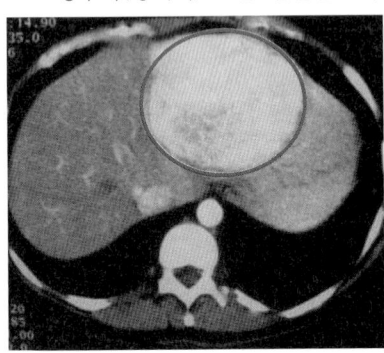
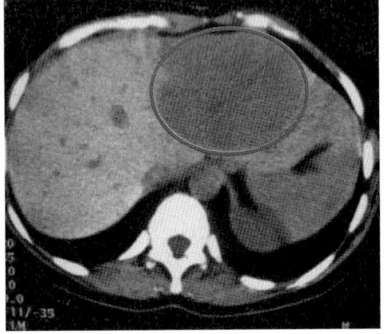

③ lipidol (ethiodol) CT
- 혈관조영술 때 주입했던 lipidol을 CT에서 확인하는 것
- daughter nodule을 확인 및 작은 종양의 조직검사 때 유용
- 단점 ; lipidol 주입 후 2~4주 뒤에 검사

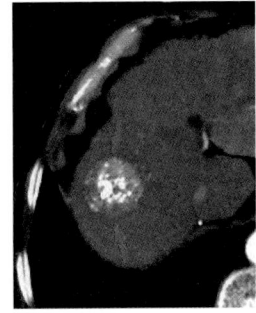

④ dynamic contrast (gadolinium)-enhanced MRI [역동적 조영증강 MRI]
- CT보다 약간 더 우수하거나 비슷함 (sensitivity 80.6%, specificity 84.8%)
  - T_1 image ; 다양 (저/동/고 음영)
  - T_2 image ; 주로 고음영!, mosaic pattern

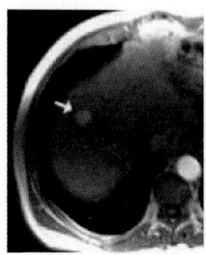 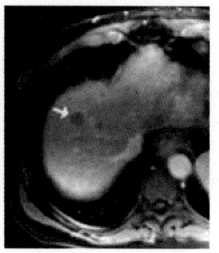 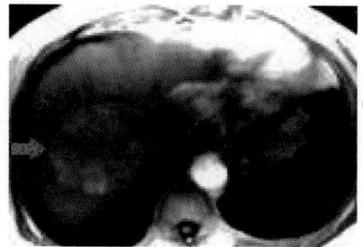

- liver-specific, hepatobiliary contrast agent (간세포특이조영제) MRI
  - Primovist® (gadoxetic acid disodium, Gd-EOB-DTPA)를 많이 사용
  - 기존의 세포외액 조영제(gadolinium)의 역동기 영상에 간담도기 영상이 추가되어 민감도↑
  - HCC는 간담도기(hepatobillary phase)에서 주로 저음영을 보임 (∵ 간세포 기능↓↓)

⑤ PET-CT : HCC 진단에는 민감도 떨어짐, 간외 전이 진단에 유용(→ 수술 전 검사로 활용)

⑥ 혈관조영술(hepatic angiography)
- CT/MRI의 발전으로 HCC 진단에의 이용은 제한적, 색전술 등 치료적 시술 때 활용
- hypervascularity, 혈관침범(PV, IVC에 흔해), A-V or hepatic artery-PV shunt

⑦ tumor markers : 감시검사에는 사용 가능하나, 진단에서의 역할은 제한적(∵ 위양/음성율 높음)
- AFP (α-fetoprotein)
  - sensitivity 50~80%, specificity 60~90% (2 cm 이하의 작은 간암에서는 15%에서만 상승)
    - AFP level ∝ tumor size
    - AFP doubling time ∝ tumor doubling time
  - 치료 효과와 재발 여부 F/U에도 이용
  - AFP이 상승되는 경우 (정상: 0~10 μg/L)

> HCC : 400 μg/L 이상이면 HCC를 강력히 의심
> 난소 및 고환의 embryonic carcinoma
> Nonseminomatous testicular carcinoma
> 전이성 간암 (위, 대장, 췌장암) : low level
> 양성 간질환 ; viral hepatitis, LC, fulminant hepatitis (fatty liver에선 증가 안함)
> 임신

- lens culinaris agglutinin-reactive fraction of AFP (AFP-L3) ; 더 정확, 10% 이상이면 (+)
- PIVKA-Ⅱ (des-γ-carboxy prothrombin, DCP)
  - 간에서 생성되는 비정상적인 prothrombin
  - sensitivity 60~90%, specificity 약 90% (AFP보다는 좋다)
  - but, vitamin K 결핍, warfarin 복용시에도 증가됨
- AFP >200 ng/mL or AFP-L3 >15% or PIVKA-Ⅱ >40 mAU/mL면 영상검사 권장 (일본)
- 기타(연구 중) ; glypican-3, plasma urokinase-like plasminogen activator, α-L-fucosidase, Golgi protein-73, hepatocyte growth factor, insulin growth factor-1 ...

⑧ 조직검사 : 확진 가능 (but, 위음성 및 부작용이 있으므로 임상적 진단이 선호됨)
- 고위험군의 미확정 결절(전형적 영상소견×) or 비전형적 결절에서 필요
  (∵ 영상검사만으로는 cholangiocarcinoma[CCA], HCC-CCA 혼합형, 휘귀 간암 등과의 구별×)
- 방법 ; US/CT-guided percutaneous FNA cytology/biopsy, core needle biopsy 등
  - early HCC 진단에는 침핵생검(core needle biopsy)만 권장 ; 민감도 72%, 위음성률 33%
  - FNA cytology/biopsy는 grade 2 이상의 분화를 보이는 advanced HCC 진단에만 도움됨
- 단점 ; 종양의 크기가 작은(<2 cm) 경우 민감도 더욱 감소, tumor seeding 위험 (~1%),
  다른 종양보다 출혈 위험 높음 (∵ hypervascular, platelet↓, 응고인자↓, 복수)

* laparoscopy/minilaparotomy : 부분 간절제술이 가능한 일부 localized resectable tumor
* 복수에서는 암세포가 발견 안됨!

■ 임상적 진단 (대개 조직검사 없이 영상검사로 진단하여 치료방침 결정) ★★

고위험군(HBV, HCV, LC 환자)에서 발견된 크기 1 cm 이상의 결절에서

- **역동적 조영증강 CT or 역동적 조영증강 MRI or 간세포특이조영제 MRI**에서 전형적 영상소견을 보이면 진단 가능

  > **동맥기 조영증강 & 문맥기/지연기/간담도기의 조영제 씻김(wash out)**
  > (단, MRI T2 강조영상에서 매우 밝은 신호강도를 보이지 않아야 하며,
  > 확산강조영상이나 조영증강영상에서 과녁 모양을 보이지 않는 병변에 국한함)

- 1차 영상검사에서 불확실한 경우 2차/추가/다른 영상검사를 시행하여 판단할 수 있음
  역동적 조영증강 CT or 역동적 조영증강 MRI or 간세포특이조영제 MRI or 혈관내조영제 조영증강 초음파(CEUS)
  ▶ CEUS의 전형적 영상소견 : 동맥기 조영증강 & 60초 이후 지연기 경등도 씻김현상(mild wash out)

- 1~2차 영상검사에서 전형적 소견을 안 보이고, 보조적 영상소견에 해당하면 **간세포암 의증**으로 진단 가능

악성 종양의 가능성을 시사하는 소견	T2 강조영상의 중등도 신호강도, 확산강조영상에서의 고신호강도, 간담도기에서의 저신호강도, 추적검사에서 크기 증가*
간세포암종을 시사하는 소견	피막의 존재, 모자이크 모양, 결절 내 결절, 종괴내 지방이나 출혈
양성 종양을 시사하는 소견	추적검사에서 2년 이상 크기 변화 없음*, MRI의 T2 강조 영상에서 매우 밝은 신호강도, 종괴 효과 없음

  ⇨ 6개월 이내 추적검사 or 생검(조직검사) 시행

- 위 영상검사 진단 조건에 해당하지 않거나 비전형적인 영상 소견을 보일 때는 F/U or 생검(조직검사) 시행

* 추적검사에서 크기 증가는 5 mm 이상의 결절에 대해서만 적용 가능하며
  장경이 6개월에 50%, 1년에 100% 증가했을 때 유의한 크기 증가로 판단함
* 크기 1 cm 미만의 작은 결절 : 영상검사의 진단능력이 1 cm 이상보다 현저히 감소되므로 보수적으로 접근함
  ⇨ 6개월 미만의 간격으로 시행한 추적검사 (크기 증가 혹은 패턴 변화가 일어나는지 신중하게 감시)

---

(6) 병기(staging)

: 전세계적으로 통일된 병기법은 없고, 우리나라와 일본은 modified UICC staging을 사용함

① modified UICC staging (일본) ; 예후 예측에 우수, 국내 간암 가이드라인에서 사용 ★

Stage I	T1 N0M0
Stage II	T2 N0M0
Stage III	T3 N0M0
Stage IVA	T4 N0M0
	AnyT N1 M0
Stage IVB	AnyT AnyN M1

┌ T1 : 3가지 기준 모두 만족
│ T2 : 2가지 기준 만족
│ T3 : 1가지 기준 만족
└ T4 : 3가지 기준 모두 불만족

[기준] (1) 단발(solitary) 종양
(2) 가장 큰 종양의 직경 ≤2 cm
(3) 혈관 및 담관 침범 없음

② TNM staging (AJCC 8th, 2016) ; Tumor, LN, Metastasis 등 종양관련 인자만을 고려

Stage I A	T1a N0M0
Stage I B	T1b N0M0
Stage II	T2 N0M0
Stage III A	T3 N0M0
Stage III B	T4 N0M0
Stage IV A	AnyT **N1** M0
Stage IV B	AnyT AnyN **M1**

- T1a : 단발 종양 (≤2 cm), 혈관침범 여부 관련X
- T1b : 혈관침범이 없는 단발 종양(>2 cm)
- T2 : 혈관침범이 있는 2 cm 이상의 단발 종양 or 다발 종양(≤5 cm)
- T3 : 다발 종양 (하나라도 5 cm 이상)
- T4 : 담낭 이외의 인접 장기 침범 or 장측 복막 천공을 동반한
  간문맥/정맥의 주요 분지를 침범한 종양

- 해부학적 분류로 수술로 절제된 경우에만 적용 가능
- 간기능이 반영 안 되어 널리 사용되지 않음

③ Okuda staging ; 종양인자와 간기능인자를 종합적으로 고려, TNM보다 임상경과를 더 잘 예측
(but, 초기 간세포암의 분류 및 치료방침 결정에는 도움 안됨)

Stage	Criteria (+)	치료 안했을 때 수명
I	0개	8개월
II	1~2개	2개월
III	3~4개	1개월 미만

* criteria ★
- 종양의 크기가 간의 50% 이상
- 복수 존재
- Bilirubin >3 mg/dL
- Albumin <3 g/dL

④ CLIP (Cancer of Liver Italian Program) staging
- Okuda staging과 같이 간기능인자(CTP score)를 반영, 전향적 연구를 통한 예후 판정 검증

Score	0	1	2
CTP class	A	B	C
종양의 숫자/크기	Single <50%	Multiple <50%	>50%
AFP (ng/mL)	<400	≥400	
Portal vein thrombosis	No	Yes	

* CLIP stage
- 0 : score 0
- 1 : score 1
- 2 : score 2
- 3 : score 3

- 단점 ; 4~6 score의 구별 無, 초기(작은) 간세포암에 대한 분류 및 치료방침 결정 부족

⑤ BCLC (Barcelona Clinic Liver Center) staging
- 종양, 간기능 및 치료인자를 고려한 통합적 분류, 미국/유럽에서 주로 이용됨

Stage	Performance stage (PS)	Tumor status		Liver function test
		Tumor stage	Okuda	
Stage A : early HCC				
A1	0	Single, <5 cm	I	No CRPH & bil. 정상
A2	0	Single, <5 cm	I	CRPH & bil. 정상
A3	0	Single, <5 cm	I	CRPH & bil. ↑
A4	0	3 tumors <3 cm	I ~ II	CTP class A~B
Stage B : intermediate HCC	0	Multinodular	I ~ II	CTP class A~B
Stage C : advanced HCC	1~2	Vascular invasion or extrahepatic spread	I ~ II	CTP class A~B
Stage D : end-stage HCC	3~4	Any	III	CTP class C

- CRPH (Clinically Relevant Portal HTN) : esophageal varix 존재 or splenomegaly
  + platelet <100,000/mm^3 or HVPG >10 mmHg
- bil. : bilirubin (정상; <1 mg/dL)

- 초기병기(stage A) : 완치가 목표 ⇨ 수술 또는 국소치료법, 간이식
  (수술 후 5YSR ; A1 74%, A2 50%, A3 25%)
- 중간병기(stage B) : 어느 정도 치유를 기대 가능 ⇨ TACE or 생체간이식
- 진행병기(stage C) ⇨ sorafenib 등의 신약 고려
- 말기병기(stage D) : 평균 생존기간이 3개월 이하로, 치료에 의한 생명연장의 효과를 기대하기
  어려운 병기 ⇨ 대증치료 (or 생체간이식도 고려 가능)

(7) 치료

① 수술 : 부분 간절제술(hepatectomy)
- 간절제 이후에 잔존 간기능이 적절해야 하므로 환자의 10~30% 정도만 수술 가능 (∵ LC 多)
- 적응 : 국소 종양 & 잔존 간기능이 적절(Child A), 우리나라에서는 Child B도 고려 가능
  (mild portal HTN or hyperbilirubinemia를 동반한 Child A~B7에서도 제한적으로 시행 가능)
  - 보통 크기가 작은 1~2개의 종양에서 시행시 예후 가장 좋으나, 크기는 절대적 기준은 아님
  - 크기가 크더라도 TACE보다는 예후 좋음 (c.f., 10 cm 이상의 약 1/3에서도 미세혈관침범 無)
  - 현관/담관 침습한 경우도 main portal trunk 침습이 없으면 간절제술 고려 가능
  c.f.) 전방접근법, liver hanging maneuver (LHM) → 수술 시간↓, 출혈↓, 큰 종양에서 유리
- 정상 간은 전체의 70~80%까지 절제 가능, 만성간질환/LC는 ~60%까지만 권장
- 수술 후 잔존 간기능 예측 ⇨ ICG_{R15} (15분 정체율) : ~14%까지는 우간절제술 안전
- Child A single HCC 경우 수술 후 5YSR 50~70% (but, 재발도 많음[5년 50~70%], 대부분 간내)
- 절제술이 불가능한 경우 ; 잔존 간기능 부족(Child B 이상), diffuse or multifocal tumors,
  multiple distant metastasis, peritoneal seeding, 혈관 침범, 기타 일반적 수술의 비적응증
  ⇨ TACE, 국소치료술, 간이식 등을 선택
- 수술 후 예후가 나쁜 경우 ; size↑, LC (portal HTN), infiltrating growth pattern, 혈관 침범,
  intrahepatic metz., multifocal tumors, LN metz., capsule 無, 가장자리에서 1 cm 이내,
  수술 중 수혈량↑ (c.f., 최근 간절제술의 성적 향상은 수술 중 출혈량 감소에 크게 기인)
- 복강경 간절제술 ; 좌엽 외측, 전하방(좌외분절), 우간 표면 등의 small HCC에서는 성적 동일
- adjuvant/neoadjuvant therapy (TACE, MTT, CTx 등)는 확실한 효과가 없으므로 권장 안됨!
  (c.f., cytokine-induced killer cell[CIK] 면역세포치료는 재발↓, 생존율↑ → 뒷부분 참조)
- 동반된 LC의 합병증으로 사망하는 경우가 대부분이므로 일반적인 고식적 치료도 중요함!

② 간이식(liver transplantation, LT)
- HCC & LC를 완전히 제거하고 새로운 간을 이식하기 때문에 가장 이상적인 치료법
- 가장 큰 종양의 크기와 각 종양의 크기 합이 예후에 m/i (종양 개수의 영향은 불명확)
- 적응 : "Milan criteria" (사체간이식에서 주로 사용-미국/유럽)
  - 원격전이/혈관침범이 없는, 5 cm 이하 단일 종양 or 3개 이하의 다발 종양(각 3 cm 이하)
    이면서, 심한 간기능장애 동반시 TOC (∵ 장기의 공급이 제한적이므로 엄격한 적응)
  - 예후 매우 좋음 : 5년 tumor-free survival 70% 이상 (5YSR 75%), 간절제술보다 더 좋음!
- 생체간이식에서는 적응을 Milan criteria 이상으로 확대 가능함 (우리나라/일본)
  - 비대상성 LC (Child B~C) & Milan criteria에 해당 → 적극적으로 생체간이식 고려
  - 원격전이/혈관침범이 확실히 없고 tumor marker가 높지 않으면(e.g., AFP <400 ng/mL,
    PIVKA-II <400 mAU/mL) Milan criteria를 넘어도 생체간이식 성적 우수함!

c.f.) UCSF (University of California, San Francisco) criteria : 5YSR 75%

; 6.5 cm 이하의 단일 종양 *or* 4.5 cm 미만의 다발성(3개 이하) 종양 (직경 합 <8 cm)

- 절제술/국소치료 후 재발된 간암에서도 salvage 간이식 가능 → 예후도 일차 간이식과 비슷
- 초기병기(stage A)는 수술과 간이식의 생존율이 큰 차이가 없으므로 수술이 권장됨
- 가교치료(bridge therapy) : 간이식 대기가 길어지면 TACE, RFA 등의 국소치료술 먼저 시행
  - 이식 대기 중 종양이 진행되어 이식 불가능이 되는 이탈률 15~30%/yr → 국소치료로 감소
  - 병기 감소(down staging)도 가능(24~63%에서), 반응 좋을수록 이식 후 예후도 향상
- stage IV (원격 전이)는 간이식이나 간절제술의 절대 금기임

③ **국소치료술(loco-regional therapy, LRT)**

┌ 고주파열치료술(radio-frequency ablation, RFA) : 가장 효과적, 평균 1~2회 시술
│ 경피적에탄올주입술(percutaneous ethanol injection, PEI) : 편하고 부작용 적음, 2~4회 시술
└ 기타 ; 초단파소작술(microwave ablation), 냉동소작술(cryoablation), 고강도집속초음파
        (high-intensity focused US, HIFU), laser ablation 등

- 간기능이 좀 더 저하된 환자에서도 시행 가능 (Child B까지)
- 3개 이하의 작은 종양(<3 cm)[Milan criteria]에서 치료 성적 우수함 → 간절제술과 생존율 비슷!
  - 2 cm 이하의 종양에서는 RFA와 PEI의 치료 효과가 비슷함, 2~3 cm 이상이면 RFA 권장
  - 3~5 cm에서 수술 적용이 어려운 경우 RFA 단독보다 RFA + TACE 병행치료시 생존율↑
  - RFA는 단일 종양은 5 cm 까지도 가능 (5 cm 이상은 수술)
  - 초단파소작술과 냉동소작술은 RFA와 생존율, 재발률, 주요 합병증 발생률 등 비슷함
- 시술 이후 생존과 관련된 독립인자 ; 초기 완전 괴사, Child 점수, 결절 수/크기, 시술 전 AFP
- RFA가 가장 효과적이지만, 간절제술보다 국소재발률은 높고 합병증 발생률은 낮음 (약 10%)
  ; 담관 손상/협착, 혈액담즙증, 복강내 출혈, 혈흉, 흉막유출, 담낭염 등
- C/Ix ; 조절되지 않은 간성혼수 or 복수, 응고장애, 전신 세균성 감염 등

④ **경동맥화학색전술(transhepatic arterial chemoembolization, TACE) 및 기타 경동맥 치료법**
- conventional TACE (cTACE) : 항암제(cisplatin, doxorubicin, mitomycin C) + lipiodol
    혼합물을 종양의 영양동맥에 주입 이후 색전물질로 동맥색전술 (→ 항암치료 + 종양괴사)
- 수술이나 LRT 불가능한 환자에서 생존율 증가! (multifocal advanced HCC도 시행 가능)
  ; 문맥 침범, 다발 종양, 충분한 절제 불가능, portal HTN, 간기능 저하, 고령, 동반질환 등
    ↳ 흔함(약 30%), 국소 종양으로 잔존 간기능이 좋은 경우 cTACE ± EBRT 시행
        (sorafenib이 1차 치료지만 TACE + EBRT가 더 효과적임)
  ⇨ 비수술적 치료 중 TACE가 가장 많이 시행됨 (객관적 종양반응 73%, 5YSR 20~32%)
- 절대 금기는 없지만, 일반적으로 다음 중 2개 이상이 동반되면 금기임
  ; 주혈관(portal and/or hepatic vein) 침범, massive/diffuse 침범, Child C, 원격전이
- 부작용

┌ 전신적 ; postembolization syndrome[PES] (80~90%, 발열, 복통, N/V 등, self-limited), sepsis
│ 간 ; 간기능 악화 (간부전), 간내 담관 손상, 담즙종(biloma), 간 농양, 간 파열
└ 간외 ; UGI bleeding, GB infarction, splenic infarction, cholecystitis, pancreatitis, PE ...

* DEB (drug eluting bead)-TACE : microsphere에 고용량 doxorubicin을 담아 투여
  ; 효과는 cTACE와 비슷하지만 PES↓, 입원기간↓ (but, 2 cm 이하 작은 종양에선 반응↓)

* 경동맥방사선색전술(transarterial radioembolization, TARE)

- 방사성동위원소를 포함한 microspheres를 간동맥으로 주입하여 치료 (체내 RTx)
- Yttrium-90 (^{90}Y) (m/c), ^{131}I-Ethiodol (lipiodol), ^{131}I-Ferritin, ^{166}Holmium, ^{188}Rhenium
- 동맥의 색전효과는 최소화하면서 과혈관성 HCC에 높은 농도로 분포되어 종양 치료 효과
  ↳ 색전술후증후군(PES) 적고, portal vein thrombosis 환자에서도 안전하게 사용 가능
  (but, TACE or sorafenib 같은 표준치료보다 생존율 향상은 없음)
- 간 이외의 장기로 주입시 방사선 폐렴이나 위장관 궤양 등 TACE보다 심한 Cx 발생 위험
- 치료 부위, 방사선량, 간 이외 장기로의 유출 위험 평가위해 ^{99m}Tc-MAA 검사 필요

⑤ 체외 방사선치료(RTx, EBRT)
- 간절제/간이식 불가능 or LRT/TACE로 근치적 치료가 불가능한 간암 환자에서 시행
- 간문맥 등 주요혈관 침범, 원격 전이, 림프절 전이, 담도폐쇄 등의 환자에서도 시행 가능
- 주로 Child A~B7 환자에서 시행 → 생존기간↑ (40~90% 반응, 10~25개월의 중앙생존기간)
  - 종양이 전체 간부피의 2/3 (or 70%) 이하 or 선량-체적 분석에서 30 Gy 이하가 조사되는
    체적이 전체 간부피의 40% 이상(or 30 Gy 이상 조사 체적이 60% 이하)   ↳ 간의 방사선 허용량
  - Child B8 이상으로 간기능이 나쁜 경우에는 더 엄격한 선량체적 기준 적용 필요
- 수술 및 LRT 어려운 환자에서 TACE와 병행시 치료 효과 향상
- 암성 통증 등 증상 완화에도 효과적, LRT 이후 재발한(불응성) HCC에도 시행 가능
- 새로운 방사선 치료법
  - 정위적 방사선수술(stereotactic radiosurgery) ; gamma knife, CyberKnife
  - 3차원 입체조형 방사선 치료(3-dimensional conformal RTx, 3D CRT)
  - 세기조절 방사선 치료(intensity modulated RTx, IMRT)
  - 영상 유도성 방사선 치료(image guided adaptive RTx, IGRT)
  - 양성자선치료(proton beam therapy, PBT) ; 주변 조직 손상이 적은 장점, 비쌈

⑥ 전신치료/molecular targeted therapy (MTT)
- sorafenib (Nexavar®) : multi-kinase inhibitor (RAF, VEGF, PDGF, Flt-3, c-Kit 등 억제)
  - 진행성 간암에서 가장 처음 승인된 MTT, 생존율 약간 향상 (중앙생존기간 약 10개월)
  - Ix ; 전신상태가 양호하고 (Child A, ECOG 0~1) 혈관침범 or 간외전이가 있는 advanced
    HCC or 다른 치료법에 반응 없이 진행하는 경우
  - Child B8 이상 LC에서는 간기능 악화 (Child C는 금기), 장기간 사용시 약제내성 발생
  - Cx ; HFSR (hand foot skin reaction), 설사, 피로, 발진, 식욕/체중↓, 고혈압, 탈모
  - TACE와의 병행치료 ; 생존율 향상이 크지 않아 일반적으로 권장 안됨
- lenvatinib (Lenvima®) : multi-kinase inhibitor (VEGF, FGF, PDGF, RET, c-Kit 등 억제)
  - 진행성 간암에서 두 번째로 승인된 MTT, sorafenib보다 조금 더 효과적임
    ; 중앙생존기간은 비슷하지만, progression-free survival (PFS)은 의미 있게 연장됨
  - Ix ; 전신상태가 양호하고, 종양이 전체 간의 50% 미만인 HCC에서 간외전이, Vp3 이하
    간문맥 침범 or 다른 치료법에 반응 없이 진행하는 경우
  - sorafenib보다 부작용 심함 ; 고혈압(m/c), 설사, 식욕/체중↓ 등 (HFSR은 sorafenib보다 적음)

[second-line therapy] : sorafenib 치료 실패 후 고려 (전신상태가 계속 양호한 경우)
- PD-1 (programmed death-1) immune checkpoint inhibitor
  - <u>nivolumab</u> (Opdivo®) : 1차 치료제로도 sorafenib보다 더 효과적일 것으로 기대됨
  - pembrolizumab (Keytruda®)
- 기타 regorafenib (Stivarga®), cabozantinib (Cabometyx®), ramucirumab (Cyramza®) 등

⑦ 화학요법
- cytotoxic CTx
  - sorafenib, lenvatinib, nivolumab, regorafenib, cabozantinib, ramucirumab 등의 1차/2차 MTT 치료에 실패하거나 사용할 수 없는, 전신상태가 양호한 advanced HCC에서 가능
  - FOLFOX (oxaliplatin/fluorouracil/leucovorin), GEMOX (oxaliplatin/gemcitabine) 등
- 간동맥주입화학요법(hepatic arterial infusion chemotherapy, HAIC)
  - 간동맥에 항암제(5-FU ± cisplatin)를 직접 주입하여 종양에 고농도로 전달, 부작용↓
  - sorafenib, lenvatinib, nivolumab, regorafenib, cabozantinib, ramucirumab 등의 1차/2차 MTT 치료에 실패하거나 사용할 수 없는, 간문맥침범을 동반한 경우 <u>잔존 간기능</u>이 좋고 종양이 간내 국한된 advanced HCC에서 고려　　　　　　　　　　↳ 치료 성적에 m/i
  - sorafenib과 비슷하거나 우수 (간문맥을 침범한 경우 HAIC가 더 우수함)
  - 주간문맥을 침범한 경우 TACE보다 우수함

⑧ 면역치료(adoptive immunotherapy) ⋯ cytokine-induced killer cell (CIK) [Immuncell-LC®]
- 환자의 말초혈액에서 림프구를 분리 후 cytokine 처리 & 배양으로 제조한 면역세포치료제
- AJCC I~II 환자에서 간절제 or LRT로 근치적 치료 후 보조요법(adjuvant therapy)으로 시행
  → 무재발 생존(recurrence-free survival) 및 전체 생존율 유의하게 증가

■ HCC의 1차 권장 치료 (Best★ , Alternative) – 국내 가이드라인 (2018)

mUICC stage		간절제술	RFA	other LRT*	TACE	TARE	RTx (EBRT)	간이식	Sora-fenib	Lenva-tinib
Stage I	Single, ≤2 cm, VI–	★								
Stage II	Single, >2 cm, VI–	★	(≤3 cm)	(≤3 cm)				(≤5 cm)		
	Multiple, ≤2 cm, VI–	(≤3개)	(≤3개)	(≤3개)				(≤3개)	Milan criteria	
	Single, ≤2 cm, VI+									
Stage III	Multiple, >2 cm, VI–	(≤2개)	(≤3개 & ≤3 cm)	(≤3개 & ≤3 cm)				(≤3개 & ≤3 cm)	Milan criteria	
	Single, >2 cm, VI+				± RTx					<50%
	Multiple, ≤2 cm, VI+				± RTx					
Stage IVa	Multiple, >2 cm, VI+				+ RTx					<50%
Stage IVa (–,N1,–), IVb (–,–,M1)										<50%

*간기능 우수(Child A), <u>portal HTN</u> 합병증 無, 전신수행능력 우수(ECOG 0~1) 환자 기준
　　　　(↳ splenomegaly & platelet <100,000/mm³, esophageal varices, ascites)
*other LRT ; percutaneous ethanol injection (PEI), microwave ablation, cryoablation 등 / VI : vascular invasion

(8) 예방

- HBsAg/anti-HBs/anti-HBc 모두 음성이면 HBV 예방접종, hepatitis virus 전염 예방
- chronic hepatitis B or C → antiviral therapy
- 만성 간질환 → 철저한 건강관리과 정기적인 검진
- 과도한 알코올 섭취 제한, 비만 및 대사증후군 해소 노력
- 기타 ; 커피(음식 중 유일하게 HCC↓ 근거 有), stains과 metformin은 근거가 부족함

■ 감시/선별검사(surveillance, screening tests) : US + AFP

- 고위험군을 대상으로 6개월마다 시행 (1년에 2번)
- 간암의 검진 대상
  ① HBV or HCV 보유자 (40세부터)
  ② 간경변증 환자 (진단시부터)
  ③ 기타 간암 발생 고위험군 (e.g., 가족력)
- AFP는 높은데 US에서 결절이 안보이거나 나쁜 음창(sonic window) 등으로 US가 불완전한 경우 대체 영상검사 고려 ; CEUS, dynamic CE-CT, dynamic CE-MRI 등 시행 가능

2. 기타 악성 종양

(1) Cholangiocarcinoma (담관암)

- intrahepatic duct type, 원발성 간암중 2nd m/c (6~10%)

→ II-9장의 담관암 편 참조

(2) Fibrolamellar carcinoma

- LC 없는 young age에서 발생, 남=여, HBsAg (-)
- capsule 없고, collagen fiber가 많다
- 천천히 자라며, 치료(수술)하면 예후 좋다 (5YSR >50%)

(3) Hepatoblastoma

- 영아에서 발생하며, 매우 높은 AFP level이 특징
- 대개 단발성이며, 예후는 HCC보다 좋다

(4) Angiosarcoma

- malignant endothelial cells로 둘러싸인 vascular spaces로 구성
- 원인 ; thorium dioxide, polyvinyl chloride, arsenic, androgenic steroids ...
- 폐와 뼈 전이가 흔함

전이암 (Liver metastases, Secondary liver cancer)

1. 개요

- metastatic carcinoma가 primary carcinoma보다 20배 더 흔하다 (미국)
  (암으로 사망한 환자의 부검시 30~50%에서 발견됨)
- 간에 metastatic tumors가 잘 발생하는 이유
  ① liver가 타장기보다 크기 때문
  ② high blood flow rate
  ③ hepatic artery와 portal vein으로부터의 double perfusion
  ④ Kupffer cell의 filtration 기능
  ⑤ metastatic implantation을 촉진하는 local tissue factors or endothelial membrane의 특성
- brain tumor를 제외한 모든 종양이 간으로 전이 가능
- liver metastasis를 흔히 일으키는 종양 (대장암이 m/c)
  - GI (colon, gastric, pancreatic ca), lung ca., breast ca., melanoma, lymphoma
  - 소아에서는 neuroblastoma, Wilm's tumor, leukemia 등
- portal vein을 통하여 간 내에 전이

2. 임상양상

- 검사소견 ; 대개 ALP만 상승된 경우가 많다
- US 소견
  - multiple (각각의 크기는 비슷)
  - Bull's eye sign, cluster sign
  - peripheral thick halo
  - calcification ; 대장암, 난소암, 담도암, 위암 등의 점액 생산 종양에서
- 예후 매우 나쁨 (진단 후 평균 수명 약 6개월)

▶ **간 전이암의 조영증강 CT 사진 (carcinoid tumor의 간 전이)**

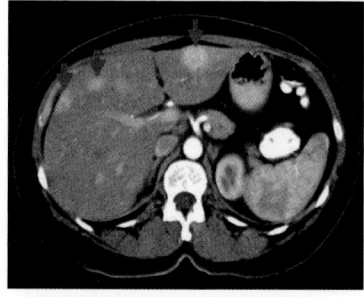 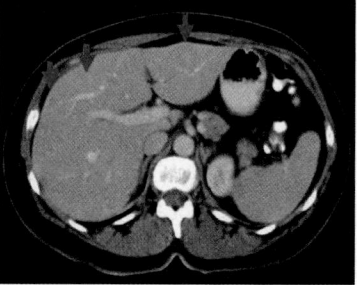

동맥기(hepatic arterial phase)
: 하얗게 조영 증강된 종양들이 보임

문맥기(portal venous phase)
: 조영제가 빠져나가 종양이 안보임

▶ 간 전이암의 조영증강 MRI 사진 (대장암의 간 전이)

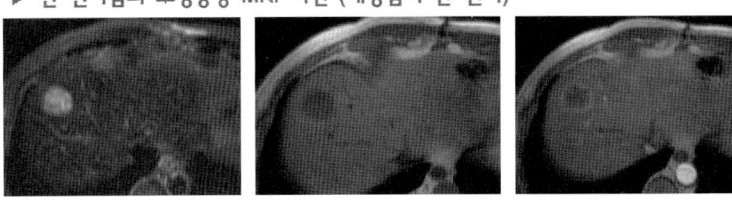

3. 치료

- single, large tumor (특히 대장암에서 전이시) → <u>수술(resection)</u>
- unresectable → systemic CTx (e.g., oxaliplatin), intrahepatic CTx (e.g., ^{90}Yttrium), PEIT, RFA
  : 일시적인 완화 효과 (수명 연장 효과는 연구 중)
- 대장암의 isolated liver metz.는 수술하면 약 1/3에서 장기 생존율 증가
  - 대장암은 간에만 전이된 경우가 흔하기 때문
  - 수술해도 예후 나쁜 경우 ; LN 전이, disease-free survival 12개월 미만, 양엽을 침범,
    크기 >5 cm, CEA >200 ng/mL
- neuroendocrine tumors (e.g., carcinoid tumor, islet cell tumor)의 isolated liver metz.
  - 수술 : hormone 분비량↓ (→ 증상 호전), 일부 생존율 증가 효과
  - TACE 또는 국소치료술(e.g., RFA, cryoablation)도 효과적
- 나머지 대부분의 종양들도 대상 선택을 잘 하면 (예후가 좋은 조건) 수술 등의 치료가 가능
  (but, 상부위장관 종양, 췌장암 등은 예후가 매우 나쁘므로 권장 안됨)

8. 간 농양(Liver abscess, LA)

화농성(Pyogenic) 간농양 (PLA)

1. 개요

- 복강내 장기에서 발생하는 농양 중 m/c (장기 농양의 48% 차지, 간농양의 대부분)
- 55~60세에 호발, 남≥여 (담도계 질환이 원인인 경우가 많아지면서 남녀 차이는 점차 감소 중)
- 위험인자 ; DM, 고령(>50세), 간담도계 질환/시술/수술, 간이식, 다른 암, 면역저하 등
- 적절한 치료에도 불구하고 사망률은 약 15%로 높은 편임

2. 감염경로

- 담도계 질환(e.g., acute cholecystitis, cholangitis 등)에 의한 ascending infection이 m/c
  → multiple abscess로 잘 발생 (특히 sepsis, shock 등 급격한 전실질환에 합병된 경우)
- portal vein (pylephlebitis) ; appendicitis, diverticulitis, pancreatitis, pelvic infection → 대개 single
- hepatic artery
- direct extension from adjacent septic focus 예) appendicitis or diverticulitis 파열
- abdominal trauma ; penetrating wound
- intervention-related (최근 증가) ; TACE, RFA 등 시술 이후 0.2~0.5%에서 발생 가능
  (→ 발생률은 낮지만 사망률이 50~90%로 치명적, 고위험군은 시술 전 예방적 항생제 고려)
- 약 ~40%는 감염경로를 모름, 이 경우 구강 상재균도 원인이 될 수 있음 (특히 alcoholics에서)

3. 원인균

- *Klebsiella* (m/c, 40~90%), *E. coli*, *S. milleri*, 혐기성균(*B. fragilis*), enterococci ...
  - biliary tract ; 호기성 enteric GNB (*K. pneumoniae*, *E. coli*), enterococci 등
  - portal vein (mixed infection이 흔함) ; 호기성균 + 혐기성균 (특히 *B. fragilis*)
  - hematogenous spread ; *S. aureus*, streptococci (*S. milleri* group) 등
- community-acquired hv *K. pneumoniae* ; 동아시아에서 흔함, DM에서 호발, bacteremia 흔함
  → 안내염(endophthalmitis), 뇌농양 등의 전이성 감염이나 sepsis 발생 위험 → 감염내과 Ⅲ-1 참조
- *Candida* spp. : CTx. 받는 환자에서 진균혈증 이후 발생 가능 (흔히 neutropenia의 회복기에)
- 면역저하자(e.g., 항암치료, 영양결핍)에서는 호기성균 + 혐기성균의 복합 감염이 m/c (poor Px)

4. 임상양상

- fever (m/c), RUQ abdominal pain, hepatomegaly, tenderness, N/V, 체중감소, 황달 ...
- ALP↑ (70%에서), bilirubin↑ (50%), AST↑ (48%)
- leukocytosis (77%), anemia (50%), hypoalbuminemia (30%) ...
- 약 1/3에서는 bacteremia도 동반

5. 진단

- amebic abscess에 비해 multiple이 많음 (약 50%)
- US : hypoechoic mass, 변연은 불규칙, 내부에 septation or debris도 존재 가능
  (CT에 비해 sensitivity는 낮지만, 간편하게 시행 가능한 것이 장점)
- CT : 경계가 뚜렷한 저음영 병변(very-low density), 주위 조영 증강, 약 20%에서는 공기도 보임
- fine needle aspiration : Gram stain & culture (80~90%에서 양성) … 확진
- blood culture : 약 ~50%에서 양성

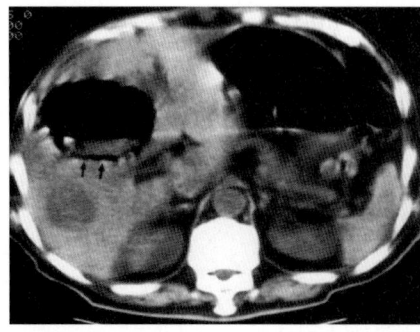

Air-fluid level을 동반한
pyogenic abscess

6. 치료

⌈ 배농술 : percutaneous (needle aspiration ± catheter drainage) or surgical drainage &
⌊ 광범위 항생제 (호기성 & 혐기성 대상 2~3가지) IV ⇨ 감수성 결과에 따라 변경 (IV ⇨ oral)
　 보통 2주 IV 이후, 4주 oral (총 ~6주) 장기간의 투여 필요
　　- *K. pneumoniae* : 3세대 cepha., ciprofloxacin 등
　　- candida : amphotericin → fluconazole

- 대개 percutaneous aspiration을 먼저 시행하나, 5 cm 이상인 경우는 catheter drainage도 시행
- multiple abscesses의 경우 보통 가장 큰 농양만 aspiration하면 작은 농양들은 항생제로 호전됨
- 배농술이 불가능하거나 위험한 환자에서 작은 농양(<3 cm)은 항생제만으로도 치료 가능
- surgical drainage가 percutaneous drainage보다 입원 기간 단축 (발열 호전과 사망률은 차이 없음)
- 처음부터 수술하는 것이 좋은 경우 (surgical drainage의 적응)
  ① large (>5 cm) & multiple abscesses
  ② viscous abscess contents
  ③ peritonitis의 소견 존재시 (e.g., ruptured abscess)
  ④ 수술이 필요한 질환 공존 (e.g., biliary tract dz., diverticular abscess)
  ⑤ percutaneous drainage 4~7일 후에도 호전이 없을 때, 황달이 지속될 때, 신부전 등

- 간농양과 원인 질환을 동시에 치료
- 예후가 나쁜 경우 ; 진단/치료 지연, multiple abscess, multiple organisms, fungal infection, shock, jaundice, hypoalbuminemia, pleural effusion, biliary malignancy, sepsis 등

아메바성(Amebic) 간농양 (ALA)

1. 원인

- 이질아메바(*Entamoeba histolytica*)
- Rt. lobe의 전상부에 호발, 대개 single abscess, 주로 portal route에 의해 감염
- acute colonic infection과 liver abscess의 발생과는 연관성이 없다
- 최근에는 매우 드묾, 20~40대 남성에서 호발 (위험인자; AIDS, 동성연애자)
- 아프리카, 동남아시아, 중남미 등의 열대/아열대 유행지역의 오염된 식수를 통해 감염
- 세균과의 복합 감염은 드묾

2. 임상양상

- gradual onset of fever, malaise, RUQ pain, leukocytosis … (황달은 드묾)
- 거의 대부분에서 무증상의 intestinal colonization이 선행됨
  → amebic dysentery의 병력은 없는 경우가 많음 (90%)
- 비특이적 증상만을 나타내는 경우가 많아 임상적으로 진단하기가 매우 어려움
- Cx (드묾) ; intraperitoneal, intrathoracic, pericardial rupture

3. 진단

- aspiration (진단을 위해서는 대개 필요 없음)
  - chocholate color pus (특징적), 세균감염이 동반된 경우 아니면 냄새 없음
  - ameba는 주로 농양 가장자리에 존재하므로 관찰/동정되지 않는 경우가 많음
- stool 검사 (큰 도움 안됨) : cyst or trophozoite 발견, amebic Ag ELISA 등
  - *E. histolytica*의 cyst는 *E. dispar*와 구별 안됨
  - RBC를 탐식한 trophozoite를 발견하는 것이 유일한 확진 법
- serologic test (m/g) : anti-amebic Ab ELISA 등 (진단에 가장 유용, sensitivity >95%)
- 영상검사 ; US (hypoechoic), CT (low density) → pyogenic LA와 감별 어려움

4. 치료

- metronidazole (TOC) → 90% 이상이 3일 내에 증상 호전됨
- luminal amebicide (diiodoquine) : cyst 박멸 및 전파 예방

- aspiration : 보통은 필요 없다 (크기가 커도), 안 해도 잘 치유됨!
  - Ix. ① R/O pyogenic abscess (특히 multiple일 때)
    ② metronidazole 치료 3~5일 뒤에도 반응이 없을 때
    ③ rupture의 위험이 있을 때
    ④ Lt. lobe abscess의 pericardium으로의 rupture 예방
- 치료하면 mortality <1%, 재발은 드물다

	Pyogenic liver abscess (PLA)	Amebic liver abscess (ALA)
원인균	*K. pneumoniae, E. coli*, enterococci ... single : multiple = 1 : 1 Rt & Lt lobe	*Entamoeba histolytica* 보통 single Rt. lobe에 국한
임상양상	50세 이상, 남 = 여 Severe Sx Pichet fence fever	40세 이하, 남 : 여 = 9~10 : 1 Mild Sx Anchory paste color pus
감염경로	Biliary tract infection의 ascending GI infection이 portal vein 통해	장내 colonization이 portal vein 통해 혈행성으로 전파
진단	LA aspiration의 미생물학적 동정	혈청 anti-amebic Ab 검출
치료	Aspiration/drainage + 항생제	내과적 치료 (metronidazole) 우선
Mortality	10~15%	1% 미만

c.f.) Perihepatitis (Fitz-Hugh-Curtis syndrome)

- 원인균 ; *C. trachomatis* (3/4), *N. gonorrhoeae*
- 성생활이 활발한 젊은 여성에서 호발, PID 환자의 약 15~30%에서 발생
- 병인 ; PID (endometritis, salpingitis)가 복막을 통해 직접 전파 (transperitoneal spread)
- 임상양상 ; RUQ pain (날카로운 양상), fever, nausea (salpingitis도 동반 가능)
  - → 급성 담낭염으로 오인 가능
- 진단 ; 임상양상, 항생제에 대한 반응, CT (동맥기에서 간피막의 전벽을 따라 조영증강)
  - 과거에는 laparoscopy를 이용했으나 침습적이고 항생제에 반응이 좋으므로 거의 이용 안함
  - 원인균 동정 ; 자궁경부(m/c), 질, 소변, 간피막 등의 검체 이용
    - → PCR, Chlamydial Ag test, 배양 등
  - *C. trachomatis*에 대한 혈청학적검사
- 치료 ; doxycycline + ciprofloxacin

9 담낭 및 담관 질환

1. 담즙(bile)의 성분

- 수분 및 전해질 (80~90%)
- 용질 ; bile acids 80%, lecithin & other phospholipids 16%, cholesterol 4%, conjugated bilirubin 1%, proteins ...

2. 담즙산(bile acids)

$$\text{acetate}$$
HMG-CoA reductase $\downarrow$
$$\text{cholesterol}$$
cholesterol 7α-hydroxylase $\downarrow$ (rate-limiting enzyme)
$$\text{primary bile acids}$$

(1) primary bile acids ; cholic acid, chenodeoxycholic acids (CDCA)

- 간에서 cholesterol로 부터 생성 → glycine or taurine과 conjugation되어 담즙으로 분비됨
  (정상 담즙의 glycine:taurine = 3:1)
- bile acids는 자체적으로 결합하여 micelles을 형성
- 소장에서 지방 흡수에 매우 중요한 역할을 함
  - phospholipids와 함께 mixed micelles을 형성하여 lipolysis의 산물과 cholesterol, 지용성 vitamin들을 용해한 뒤 장관벽을 통해 흡수됨
  - bile salts 감소시 → fat malabsorption, steatorrhea 발생

  c.f.) lipolysis :
  $$\text{triglycerides}$$
  pancreatic lipase $\downarrow$
  $$\text{mono/diglycerides, FFA}$$

(2) secondary bile acids

- 대장에서 세균에 의해 primary bile acids가 deconjugation 되어 생성
  - cholic acid (CA) → deoxycholic acid (DCA) : 더 잘 흡수됨
  - chenodeoxycholic acid (CDCA) → lithocholic acid (LCA), ursodeoxycholic acid (UDCA)
- strongly lipophilic하여 수동적으로 흡수됨

3. 장간순환 (enterohepatic circulation)

- 정상적으로 분비된 bile acids의 95% 이상이 재흡수되어 문맥을 통해 간으로 올라가고, 간에서 다시 담즙으로 분비됨 (rate-limiting step은 canalicular secretion)
- 담즙 분비량 (간에서) : 500~600 mL/day
- bile acids의 흡수
  - ① passive diffusion : 장관 전체를 통해 일부 unconjugated & conjugated bile acids가 흡수됨
  - ② active transport : <u>distal ileum</u>에서 conjugated bile acids를 흡수
    - ⇨ bile acid recirculation의 대부분을 차지
- bile acid pool : 정상 2~4 g, 하루에 약 5~10번 순환 (대변으로 소실 : 0.2~0.4 g/day)

4. 대장 내의 담즙산

- epithelial cells에 작용하여 sodium & water secretion을 일으킴
- bile salt-binding resins (cholestyramine) → constipation을 일으킴
- bile salt malabsorption 시 "bile salt diarrhea" 발생 (e.g., ileal dz.나 ileal resection 뒤)
  - → bile salt-binding resin을 투여하면 diarrhea 감소

5. 담낭 (gallbladder)

- 간에서 생성된 bile (isotonic)에서 수분을 재흡수하여 bile 내 용질을 3~5배로 농축시킴
- 담낭의 정상 용량 : 약 30 mL
- Oddi 괄약근 : 공복시 강한 수축 상태를 유지
  - ① 십이지장의 내용물이 담관으로 역류되는 것을 방지
  - ② 담낭 내에 담즙이 채워지는 것을 촉진
- CCK (cholecystokinin) : fat or AA 섭취시 십이지장에서 분비됨
  - ① 담낭(GB)의 강력한 수축 작용
  - ② sphincter of Oddi의 저항 감소
  - ③ 간에서 bile 분비 증가
  - ④ 담낭 내용물의 십이지장으로의 배출 촉진

■ 담낭(Gallbladder, GB) 질환 ■

담석(쓸개돌, Gallstone)/담석증(Cholelithiasis)

1. 역학

* 우리나라 담석증의 특징
  * 유병률 : 2~4% (서양보다 약간 낮지만 증가 추세), 연령이 증가할수록 증가
  * 남:여 = 1:1.1 (서양은 1:2~3)
  * 발생부위 : 담낭 (64%) > 총담관 (22%) > 간내담관 (14%)
    * GB stone ; cholesterol (58%) > black pigment (25%) > brown pigment (12%)
    * CBD stone ; brown pigment (76%) > cholesterol (18.4%) > black pigment (3.5%)
    * intrahepatic stone ; brown pigment (61.4%) > cholesterol/mixed (35.6%)
  * 서양보다 색소성(pigment) 담석, 담관 담석 및 간내 담석이 상대적으로 많음
  * 식생활의 서구화에 따라 담낭 담석, cholesterol stone이 증가 추세

  c.f.) 미국 ; 유병률 10~20%, 담낭 담석이 90% 이상, cholesterol stone이 약 80%

2. 위험인자/병인★

(1) cholesterol stones

위험인자 / 기전	Cholesterol 분비/생산 증가	Bile acids 분비/생산 감소	담낭운동성 감소 (GB hypomotility)
연령 증가	○	○	
임신	○		○
여성호르몬, 경구피임약(estrogen)	○	○	
비만, 고칼로리/고지방 식이	○		
급격한 체중감소	○	○	(담즙내 calcium↑)
금식, TPN, 수술, 화상, DM, postvagotomy, spinal injury			○
회장 말단부(terminal ileum) 질환, PBC, *CYP7A1* mutation (7α-hydroxylase↓)		○	
약물 Cholestyramine	○		
약물 Clofibrate	○	○	
약물 Octreotide, ceftriaxone			○
기타	• phospholipid의 분비 감소 (e.g., *MDR3* gene mutation) • 유전적 요인 (가족력), 인종 (북유럽, 북남미 > 아시아, 인디안)		

  c.f.) 회장 말단부의 질환/절제는 cholesterol 및 pigment stone 발생위험을 모두 증가시킴
    * 회장에서의 담즙 재흡수 감소에 따라 대변으로 과다 배설 → 담즙 양 감소 → cholesterol stone
    * 대장으로의 담즙 운반 증가 → 비결합빌리루빈(UCB) 생성 증가 → pigment stone

- *pathogenesis*

① cholesterol의 과포화(<u>supersaturation</u>)

    ┌ <u>cholesterol 분비/생산 증가</u> (HMG-CoA reductase 활성⬆)
    └ bile acid의 분비/생산 감소 (cholesterol <u>7α-hydroxylase</u> 활성⬇ [*CYP7A1* mutation]),
         bile acid pool 감소, phospholipid 분비 감소 (e.g., *MDR3* mutation)

    – but, supersaturation 만으로는 대부분 담석이 발생 안되고, 다음 기전이 필요함

② cholesterol monohydrate cystals의 <u>nucleation</u> (핵형성)

    ┌ 핵형성 촉진 인자 ; <u>mucins</u>, 일부 non-mucin glycoprotein (주로 Ig), heat-labile protein
    └ 핵형성 억제 인자 ; apolipoprotein AⅠ & AⅡ, lecithin vesicles

③ <u>GB hypomotility</u> : 많은 담석 환자가 GB emptying 이상을 보임

- **담낭 오니(biliary sludge = microlithiasis)** : 걸쭉한 점액성 물질(주로 mucins), 담석의 전구 병변
  - GB hypomotility와 관련 (예; 임신 중 20~30%에서 sludge, 5~12%에서 담석 발생, sludeg는 대개 무증상, 담석은 종종 biliary colic을 일으키지만, 대부분 출산 후 자연 소실됨!)
  - 장기간 금식, TPN, 급격한 체중감소, 약물복용(e.g., octreotide, ceftriaxone) 때도 발생 가능
  - 경과 ; 18%는 소실, 60%는 소실뒤 재발, 14%는 담석 발생(18%는 무증상, 6%는 증상 有), 6%에서는 심한 biliary pain 발생 (→ cholecystitis, cholangitis, pancreatitis 등도 유발가능)

(2) pigment stones

- 연령에 따라 유병률 증가, 여성에서 호발
- 주로 <u>calcium bilirubinate</u>로 구성 (← UCB + Ca^{2+})
  (brown stone은 black stone보다 cholesterol과 calcium palmitate 함량이 높음)
- deconjugation (CB → UCB) ; <u>β-glucuronidase</u> (세균 또는 내인성), 자연 분해
- 세균의 역할 : pigment stone의 70~80%에서 발견됨
  (*E. coli, K. pneumoniae, Pseudomonas* 등이 흔한 원인)

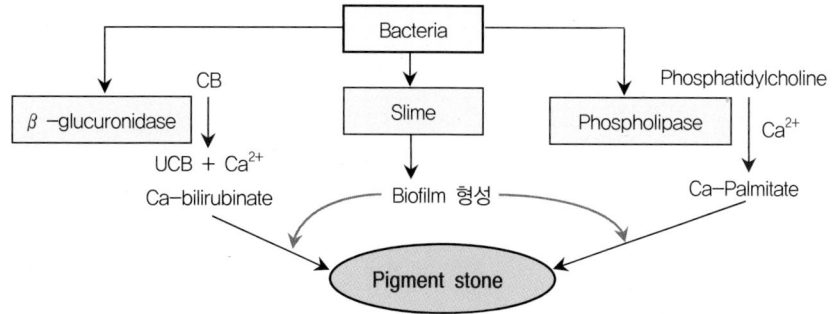

	Black (흑색석)	Brown (갈색석)
호발 지역	인도, 서양	동아시아(주로 시골)
발생 부위	담낭	총담관 (서양), 모든 담도계 (동양)
성상	Hard, dense, brittle concretions	Soft, clay-like consistency (내시경 제거 쉬움)
기전	담즙내로 unconjugated bilirubin (UCB) 분비 증가	담즙정체에 따른 2차 <u>세균 감염</u>
위험인자	<u>만성 용혈</u> or ineffective hematopoiesis ; pernicous anemia, thalassemia, hereditary spherocytosis 간경변증 (특히 심한 or 알코올성) 회장 말단부의 질환/절제 Gilbert's syndrome, Cystic fibrosis 고령, TPN	<u>만성 담관염</u> <u>담관 협착 및 담즙 정체/역류</u> ; 십이지장 게실, 만성 췌장염, sclerosing cholangitis, cholecystectomy, choledochal cyst (Caroli's dz.) 기생충 감염 ; 회충 등 (간디스토마는 논란) 저칼로리 채식위주 식이

c.f.) 소량의 음주는 cholesterol gallstone 예방 효과

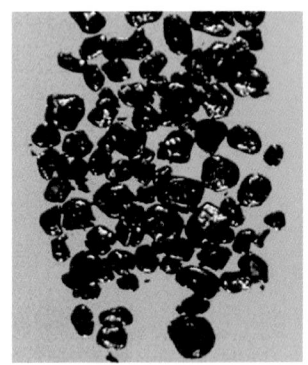
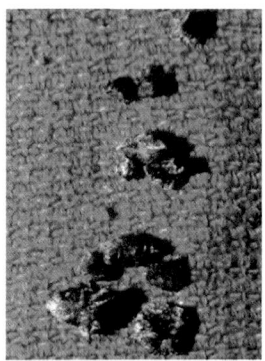

Cholesterol stone   Black pigment stone   Brown pigment stone

3. 진단

(1) 임상양상
- 담도산통(biliary colic) : epigastric or RUQ의 지속적인 심한 통증
  - N/V 동반, 우측 견갑부 또는 등쪽으로 radiation될 수 있음
  - 지속시간 : 30분~5시간 (5시간을 넘으면 acute cholecystitis 의심)
  - 지방섭취, 폭음, 폭식 등에 의해서 유발 or 뚜렷한 이유 없이 갑자기 발생할 수도 있음
- fever or chills → 보통 cholecystitis, cholangitis, pancreatitis 등의 Cx.을 시사
- bilirubin and/or ALP 증가 → CBD stone 시사
- 대부분(85%)은 증상 없이 선별검사 상 우연히 발견됨

(2) 단순 복부촬영
- sensitivity가 낮아 유용성은 적음
- calcification을 볼 수 있는 경우 (대부분은 radiolucent)
  - cholesterol & mixed stones의 10~15%에서
  - pigment stones의 약 50%에서
- 그 외 이용되는 경우 ; emphysematous cholecystitis, porcelain GB, limey bile, gallstone ileus ...

(3) 초음파(<u>ultrasonography</u>) − choice!

- 진단 민감도/특이도 95% 이상, 아주 작은 (~2 mm) 담석까지 발견 가능
- criteria
  ① GB lumen 내의 강한 echo (opacities) : stone
  ② post. acoustic "shadowing" (후방음향음영)
  ③ 환자의 체위(중력)에 따라 echo가 변화 (rolling stone sign)

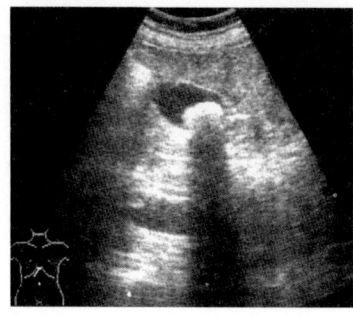 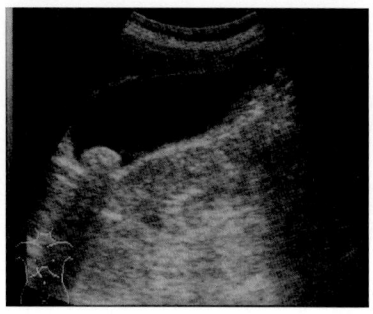

- GB의 배출 기능도 평가 가능
- stone의 type, number, cystic duct obstruction 등은 정확히 알 수 없음

> * <u>biliary sludge</u> : GB의 dependent portion에 low echogenic crescent−like layer 형성
> (postural change는 있지만, acoustic shadowing은 없음!)

(4) 경구 담낭조영술 (oral cholecystography, OCG)

- 진단 민감도 90~95% (but, serum bilirubin 높으면 민감도 떨어짐)
- 대부분 US로 대체 되었지만, cystic duct의 개통성, GB의 배출 기능, 담석의 크기와 개수 판정에 좋아 비수술적 치료시 (e.g., 쇄석술, 용해요법) 환자 선별 때 이용됨
- nonvisualization of GB의 원인
  ① cystic duct obstruction
  ② chronic inflammation of GB
  ③ loss of GB mucosal function
  ④ technical reasons을 R/O 해야

    ⎡ extrabiliary factors (e.g., 섭취↓, 설사, 구토, 흡수장애, gastric outlet obstruction 등)
    ⎢ serum bilirubin >2~4 mg/dL (e.g., Dubin−Johnson syndrome)
    ⎢ impaired hepatic excretion (liver dz.)
    ⎢ abnormal location of GB
    ⎣ previous cholecystectomy

* IV cholangiography는 CBD의 40%가 안 보이고, CT보다 해상도가 떨어지므로 추천되지 않음 (ERCP와 PTC의 도입 후 거의 사용 안 됨)

(5) radioisotope scan (^{99m}Tc-labeled HIDA, DIDA, DISIDA 등)
- serum bilirubin 농도가 높아도 담낭으로 잘 배설됨
- nonvisualization of GB의 원인
  ① cystic duct obstruction (→ sensitivity, specificity 아주 높다)
  ② acute or chronic cholecystitis
  ③ previous cholecystectomy
- acute cholecystitis의 확진, acalculous cholecystopathy의 진단 등에 이용

(6) ERCP
- gallstone 환자에서 ERCP의 적응증 (CBD stone이 의심되는 경우)
  ① 황달 또는 췌장염의 과거력
  ② 간기능검사 이상 (e.g., AST, ALT, ALP, GGT 상승)
  ③ US에서 CBD dilatation or stone

(7) PTC, CT

* gallstone과 CBD stone은 증상만으로는 구별이 잘 안되므로, US상 gallstone이 없으면 ERCP 등으로 CBD stone 유무를 확인해야 함

4. 자연 경과

- asymptomatc gallstone 환자에서 Sx. 발생률 2~3%/year, Cx. 발생률 <1%/year
- 15년 이상 무증상이면, 그 이후에 증상이 발생할 가능성은 거의 없다
- Sx과 Cx이 발생할 위험이 높은 경우
  ① young age
  ② OCG상 nonvisualization of GB
  ③ DM : septic Cx. 발생 위험이 약간 높다

5. 치료

★ 무증상 담낭담석은 예방적 담낭절제술 필요 없다 ⇨ 경과관찰만!

(1) 수술 : <u>laparoscopic cholecystectomy</u> (TOC)
- 장점 : 회복이 빠르고, 수술후 통증과 복부 반흔이 적음
- <u>prophylactic cholecystectomy의 적응증</u> ★
  ① 증상이 있는 경우
  ② 과거에 gallstone에 의한 Cx.이 있었던 경우 (e.g., acute cholecystitis, pancreatitis, fistula)
  ③ Cx.이 발생할 위험이 높은 경우
  　┌ calcified or porcelain GB (∵ 50%에서 GB ca. 발생)
  　│ CBD stone, cholesterolosis, adenomyomatosis, 1 cm 이상의 GB polyp 동반시
  　│ nonvisualization of GB (담낭의 기능 이상)
  　└ congenital hemolytic anemia (e.g., sickle cell anemia), 소아 (pigment stone 등)
  ④ very large gallstones (<u>>3 cm</u>)

⑤ congenitally anomalous GB

⑥ 비만 수술 등 비교적 안전한 다른 복부 수술시 추가적으로 시행

★ DM, 신장이식, 임신, young age, multiple gallstone 등은 아님!!

- pneumoperitoneum을 만들기 위해 주입하는 공기 : CO_2
- 치료성적 좋다 (→ 치료의 gold standard)

① 부작용 발생 : 약 4%

② 수술 중 개복술로 전환 : 5%

③ 사망률 매우 낮음 (<0.1%)

④ 담관 손상이 비교적 드묾 (0.2~0.5%) : 개복술 때보다는 많음

(2) 경구 용해요법 (Oral dissolution therapy)

- UDCA (ursodeoxycholic acid) ± CDCA (chenodeoxycholic acid)
  - 기전 ; 담즙의 cholesterol saturation 감소, nucleation 억제
- 적응 ┌ 증상이나 합병증 병력이 있는 <u>cholesterol stone</u> 중
       └ 10 mm 이하의 radiolucent gallstone & functioning GB (OCG에서 visualization)
  - 치료 성공률 약 50% (6개월~2년 뒤 완전 용해), pigment stone은 반응 안함
  - 5 mm 이하로 엄격히 적용하면 치료 성공률 70% 이상 (but, 환자의 10% 이하만 해당 됨)
- 설사(1%) 외에는 큰 부작용이 없음, 완전 용해가 없더라도 다수에서 증상 완화를 보임
- 단점 ; 치료성적이 가장 나쁨 (3~5년 뒤 30~50% 재발, 이후에는 재발 드묾), 높은 비용, 오랜 치료 기간 (2년) 필요
- 대부분 laparoscopic cholecystectomy로 대체되었으며, 수술을 거부하거나 불가능한 경우 (e.g., 심한 심폐 or 간 질환) 이용됨
- 수술 후 cholesterol 담석(특히 CBD)이 재발하는 경우에는 장기간의 UDCA 치료 필요

c.f.) topical dissolution therapy : catheter를 통하여 담낭 내로 methyl terbutyl ether or ethyl propionate 주입

(3) 체외충격파쇄석술 (ESWL, gallstone lithotripsy)

- radiolucent, solitary, <2 cm, well-functioning GB (GB ejection fraction >60%) 인 경우 용해요법과 함께 사용하면 효과적이나, 거의 이용 안됨
- 이용되지 않는 이유

① laparoscopic cholecystectomy의 사용 증가

② 높은 재발률 ; 2년 뒤 10~15%, 5년 뒤 30%

③ ESWL 후에도 계속 UDCA를 복용해야 하는 비용 문제

④ 부작용(황달, 담낭염, 췌장염) 발생 위험

* 담석 발생 예방에 효과적인 것 ; UDCA, 적당량의 알코올, 섬유질(채식), 운동, 커피
  (칼슘 섭취는 담석 발생 위험 증가와 관련 없고, 오히려 예방 효과가 있다는 보고도 일부 있음)

급성 담낭염/쓸개염 (Acute cholecystitis)

1. 원인

(1) mechanical inflammation ; gallstone에 의한 담낭관 폐쇄 (90~95%)

(2) chemical inflammation ; lysolecithin과 기타 local tissue factors

(3) bacterial infection (50~85%의 환자에서 발견, 이차적인 원인)

; *E. coli, Klebsiella, group* D S*treptococcus, Staphylococcus, Clostridium* 등

2. 임상양상

- 전형적인 양상(triad)
  - biliary colic & RUQ (rebound) tenderness : 대개 6시간 이상 지속
  - fever : 대개 low-grade
  - leukocytosis (with neutrophilia, left-shifted)
- anorexia, N/V, jaundice (20%), palpable GB (25~33%)
- Murphy's sign : RUQ를 누른 상태로 깊게 숨을 들이 마시거나 기침을 하면 pain이 증가하여
  inspiratory arrest 발생 (→ 급성 담낭염의 특이적 소견!)
- ALP↑, bilirubin↑(<5 mg/dL) - 45%에서, aminotransferase↑(<5배) - 25%에서
  (bilirubin 5 mg/dL 이상 상승하거나 amylase/lipase가 크게 상승하면 담관 결석을 의심)

3. 진단

(1) ultrasonography (first!) ; gallstone 발견 (90~95%에서) + 임상양상

(2) radionuclide biliary scan (e.g., HIDA) - 확진 가능

  - 특징적 소견 ; bile duct는 보이지만, GB는 안 보임
  - US에서 확실치 않은 acute/chronic cholecystitis의 진단에 이용

4. 치료/예후

(1) 75%는 내과적(보존적) 치료에 반응 ; 수액, 항생제, bowel rest
  (but, 약 1/4은 1년 내에 재발, 약 60%는 6년 내에 재발)
    ⇨ 가능하면 조기에 수술하는 것이 권장됨!

(2) 25%는 내과적 치료에도 불구하고 합병증 발생 ⇨ 응급 수술 필요

c.f.) Mirizzi's syndrome
- 담낭 경부나 담낭관(cystic duct)에 박혀있는 large/multiple gallstone이 외부에서 CBD or 총간관
  (common hepatic duct)을 압박하여 담도 폐쇄와 황달을 일으킨 것
- gallstone 환자의 0.1% 이하에서 발생
- Dx ; ERCP, MRCP, PTC
- 수술(특히 복강경) 전 확인하지 못하면 CBD injury 위험 → 치료로 개복술 선호

■ 무결석 쓸개염 (Acalculous cholecystitis)

- gallstone을 동반하지 않은 acute cholecystitis (acute cholecystitis의 5~10%)
- 유발인자 (but, 50% 이상에서는 원인이 불분명)
  ① 심한 질환으로 입원중 ; 외상, 화상, 수술, 오래 지속된 분만, TPN, 패혈증 등
  ② obstructing GB cancer, GB torsion, GB ischemia, 담즙 정체
  ③ GB의 드문 세균(e.g., *Leptospira, Streptococcus, Salmonella, V. cholerae*) 및 기생충 감염
  ④ 전신질환 ; DM, 심혈관 질환, 결핵, 매독, vasculitis, sarcoidosis, actinomycosis ....
- 임상양상은 calculous cholecystitis와 같지만, 심한 기저 질환에 합병된 것이 특징
- US, CT, scan ; large/tense/static GB, poor emptying (stone은 없음)
- calculous cholecystitis보다 Cx. 발생률이 높음 (예후 나쁨!)
- 치료 : 응급 수술(cholecystectomy) or 수술 곤란하면 경피담낭배액술(PTGBD) 먼저!

■ Acalculous cholecystopathy

- gallstone을 동반하지 않은 GB motility 장애
- 임상양상(criteria)
  ① typical RUQ pain (biliary colic)의 반복 발생
  ② CCK cholescintigraphy 이상 : GB ejection fraction <40%
  ③ CCK 주입시 pain 발생
- US : large GB
- 담낭절제술 후 통증 소실
- sphincter of Oddi dysfunction도 비슷한 임상양상을 보임

만성 담낭염/쓸개염 (Chronic cholecystitis)

- 지속적인 gallstones의 자극으로 인해 발생
- 1/4 이상에서 bile 내에 bacteria 존재 (→ operative risk에는 거의 영향 없음)
- 경과 : 수년 동안 무증상/비특이적 증상 or 담도 산통, 급성 담낭염, 합병증 등 발병

담낭염(쓸개염)의 합병증

1. 기종성 담낭염 (emphysematous cholecystitis)

- acute cholecystitis → GB wall의 ischemia or gangrene → gas-producing organisms의 감염
- 원인균 : *Clostridium welchii, C. perfringens* 등의 혐기성균, *E. coli* 등의 호기성균
- 위험인자 ; 노인, 남성, DM, 심혈관계질환, initial leukocytosis (>15,000/mm³)
- 임상양상은 일반 담낭염과 동일 (but, morbidity와 mortality가 높음)
- Dx : plain abdominal film
  - ┌ GB lumen 내의 gas
  - │ gaseous ring (GB wall 내의 gas)
  - └ pericholecystic tissues의 gas
- Tx : 응급수술(cholecystectomy) + 항생제(metronidazole 포함)

2. 농양 (empyema)

- G(-) sepsis and/or perforation 발생 위험 높다
- Tx ; 응급수술 + 항생제

3. 수종(hydrops) or 점액낭종(mucocele)

- 무증상 or chronic RUQ pain, RUQ에서 아래로 커지는 nontender mass
- 농양/괴저/천공 등이 발생할 수 있으므로 수술

4. 괴저 (gangrene)

- GB wall의 ischemia와 necrosis로 발생
- risk factors ; GB의 심한 distention, vasculitis, DM, empyema, GB torsion (→ arterial occlusion)
- perforation 발생 위험 증가

5. 천공 (perforation)

- localized > free, 담낭저부(fundus)에서 호발
- localized perforation ; 대개 세균 중복감염에 의해 abscess 형성
- free perforation ; RUQ pain이 갑자기 소실된 후 generalized peritonitis sign 발생 (사망률 30%)
- US ; 담낭 주위의 액체 저류, hole sign (천공 부위에 고무풍선이 터져서 구멍이 나 있는 모양)
- Tx ; cholecystectomy (수술 곤란하면 경피담낭배액술 먼저)

6. 누공 (fistula)

- 부위 ; duodenum (m/c), hepatic flexure of colon, stomach, 복벽 ...
- 대부분 fistula 자체는 무증상

- plain abdominal film ; biliary tree 내의 gas (cholecystoentric fistula)
- barium study or endoscopy 상에서 fistula 발견

7. 담석성 장폐쇄 (gallstone ileus)

- cholecystoenteric fistula를 통해 large stone (대개 >2.5 cm)이 소장으로 빠져 나와 mechanical obstruction을 일으킨 것 (ileocecal valve에서 m/c 막힘)
- 대부분 acute cholecystitis or fistula의 증상 선행은 없음
- 진단
  ① plain abdominal film
     - small intestinal obstruction
     - biliary tree 내의 gas (air biliary gram)
     - 장폐쇄 부위의 gallstone에 의한 석회화 음영
  ② upper GI series
     - cholecystoduodenal fistula
     - ileocecal valve 부위의 small-bowel obstruction
- 치료 ; 개복수술 (장내와 GB 내의 stone 제거)
  - fistula는 자연적으로 폐쇄되는 경우가 많으므로 그대로 둔다!

8. 석회화 담즙 (limey [milk of calcium] bile)

- GB lumen 내로 calcium salt가 과다 분비되어 침착된 것
- plain abdominal film ; hazy opacification of bile, layering effect
- 증상이 없어도 cholecystectomy 필요 (특히 hydropic GB에서 발생시)

9. 도자기화 담낭 (porcelain gallbladder)

- 만성 염증 상태의 GB wall에 calcium salt가 침착된 것
- plain abdominal film or CT : eggshell appearance
- 예방적 cholecystectomy 권장 (∵ GB cancer 발생 위험 높음: 13~61%)
- selective mucosal calcification이 diffuse intramural wall calcification보다 암 발생 위험 높음

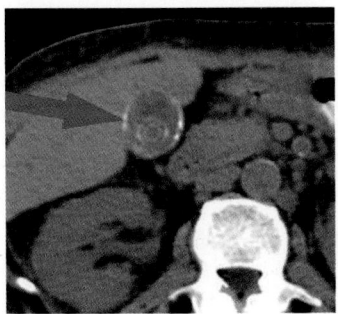

Porcelain GB (CT)
GB wall의 석회화 (화살표)
GB 안에는 lamellated gallstone

담낭염(쓸개염)의 치료

1. 내과적 치료

- 수술하기 전 2~3일 동안
- 금식, NG suction, 수액 및 전해질 이상 교정
- 진통제 ; meperidine (demerol), NSAIDs
  (morphine은 Oddi 괄약근의 spasm을 일으키므로 사용 안 함!)
- 항생제 ; ureidopenicillin (e.g., piperacillin, mezlocillin), ampicillin/sulbactam, ciprofloxacin, moxifloxacin, 3세대 cephalosporins
  - 괴저/기종성(gangrenous or emphysematous) 담낭염 의심시엔 metronidazole 추가 (∵ 혐기성균)
  - DM 환자 중에서 G(-) sepsis 의심시엔 AG와 병합요법
  - 실패하거나 생명이 위독한 심한 감염 시에는 imipenem, meropenem 사용

2. 외과적 치료

- early cholecystectomy (24~72시간 이내) : TOC
  - 대부분 laparoscopic cholecystectomy로 시행
  - gangrenous GB, 응고장애, 담도폐쇄를 동반한 심한 염증 등 때는 개복술 고려
- 수술의 고위험군 ; 고령, 황달, CBD 절개, 심혈관계 질환, DM, LC, 소아의 용혈질환
- 위중하거나 쇠약한 환자는 **담낭배액술** 먼저 시행! → 안정된 뒤 elective cholecystectomy 시행
  - 주로 경피(경간)담낭배액술(percutaneous transhepatic GB drainage, PTGBD)로 시행
    : cholecystostomy + tube drainage
  - 최근에는 (EUS-guided) endoscopic transmural GB drainage (EUS-BD)도 시행
- delayed surgery의 적응
  ① 환자의 상태가 early surgery를 받기엔 위험한 경우 (e.g., hypotension, shock)
  ② acute cholecystitis의 진단이 불확실한 경우
- 급성 담낭염의 laparoscopic cholecystectomy 이후 surgical drainage catheters 사용은 권장 안됨
- urgent (emergency) cholecystectomy ; emphysematous cholecystitis, gangrene, GB empyema, perforation, gallstone ileus, GB torsion 등의 Cx 발생(의심)시

3. 담낭절제술의 합병증

- early Cx. ; atelectasis, abscess, hemorrhage, bile duct injury, bile leak (peritonitis), fistula
- 수술하면 75~90%는 수술 전의 증상이 거의 사라짐
- cholecystectomy 이후에도 이전 증상(RUQ pain 등)이 지속되는 경우 (5~30%)
  ① 간과된 extrabiliary disorders (m/c) ; IBS (m/c), GERD, PUD, pancreatitis …
  ② biliary disorders (post-cholecystectomy syndrome) : 10~20%

■ Post-cholecystectomy syndrome (담낭절제술후 증후군)의 원인

① CBD stone (m/c) : 대부분 수술 이후 retained biliary calculi (잔류 담석)

② biliary stricture ; fever, jaundice ... (수술 후 몇 년 뒤에도 발생 가능)

③ cystic duct stump/remnant syndrome (담낭관 잔류 증후군)
 : cystic duct가 1 cm 이상 남았을 때 (but, 대부분은 다른 질환이 원인임)

④ sphincter of Oddi (SO)의 stenosis or dyskinesia

⑤ bile salt-induced diarrhea or gastritis
 - gut transit time (특히 Rt. colon)이 빨라짐 → colonic bile acid 증가
 - 5~10%의 환자에서 3회/day 이상의 심한 수양성 설사 발생
 - Tx ; bile acid-sequestering agents (e.g., cholestyramine, colestipol)

⑥ 기타 ; biliary tract malignancy, choledochocele ...

* 수술 관련 합병증 ; 담관 손상, 담즙 누출(bile leak), 담관 폐쇄 등
 - hepatobiliary scan (^{99m}Tc-DISIDA)이 진단에 유용
 - bile leak의 치료 (대개 cystic duct or duct of Luschka에서 누출)
  ┌ 소량 누출 : biliary sphincterotomy ± plastic biliary stent (7~10 French)
  └ 대량/복잡 누출 : 더 큰 stent 사용 → 실패하면 self-expanding metal stent (SEMS) 고려

◆ 담도협착(bile duct [biliary] stricture)
 • 원인

Benign biliary stricture	Malignant biliary stricture
Laparoscopic cholecystectomy (m/c)	Primary bile duct cancer
Biliary resection	(Cholangiocarcinoma)
Liver transplantation	Gall bladder cancer
Chronic pancreatitis	Pancreatic head cancer
Primary sclerosing cholangitis (PSC)	Ampullary cancer
Autoimmune cholangiopathy	Hepatocellular cancer
Ischemia, trauma, CBD stone	Lymphoma
Post-endoscopic biliary sphincterotomy	Metastatic cancer

 • 치료
  ┌ benign ; endoscopic (ERCP) balloon dilation + plastic biliary stents placement
  └ malignant ; endoscopic balloon dilation + self-expanding metal stent (SEMS) placement
  - 완전 폐쇄시는 수술 필요 ; 담관 근위부와 장을 문합(e.g., choledochojejunostomy)

참고: Functional GB & SO dysfunction (Rome III criteria)	
RUQ or epigastric pain (아래 사항을 모두 만족) (1) 통증이 30분 이상 지속 (2) 불규칙한 간격으로 증상 재발 (매일은 아님) (3) 통증은 일정한 수준으로 심해짐 (4) 일상생활이 어렵거나 응급실에 내원할 정도로 통증이 심함 (5) 통증은 장운동, 체위변화, 제산제 등에 의해 완화되지 않음 (6) 통증과 관련된 다른 구조적 질환은 없음 • 보조기준 (통증이 다음 중 하나 이상을 동반) ; N/V, 　등 또는 우측 어깨 아래로 전파, 통증으로 잠에서 깸	**Functional GB disorder** : 좌측 기준 + • GB 존재 • 간효소, bilirubin, amylase/lipase 등 정상 **Functional biliary SO disorder (SOD)** : 좌측 기준 + • amylase/lipase 정상 • 보조기준 ; 통증과 함께 aminotransferase, ALP, 　bilirubin 등이 일시적으로 상승 (2회 이상) **Functional pancreatic SO disorder** : 좌측 기준 + • amylase/lipase 상승

■ 오디괄약근 기능이상 (Sphincter of Oddi dysfunction/dyskinesia, SOD)

- 대부분 postcholecystectomy syndrome의 일종으로 발생되나, 정상 GB에서도 발생 가능 (postcholecystectomy syndrome의 ~10% 차지)
- 담도성 통증(epigastric or RUQ) : 위의 Rome III criteria 참조
- 초기 검사 ; LFT, amylase/lipase, US, 내시경, EUS, MRCP 등 (∵ ERCP는 invasive)
- revised Milwaukee classification (criteria) : 담도성 통증 +
  - ① 간수치(e.g., aminotransferase, ALP, bilirubin) 2회 이상 상승 (통증 발생시 일시적으로)
  - ② CBD의 확장 (US 상에서 직경 >8 mm)

  ┌ type Ⅰ (criteria 2개 만족) → 바로 괄약근절개술(endoscopic sphincterotomy) 시행
  │ type Ⅱ (criteria 1개 만족) → ERCP & manometry 시행 (or 경미하면 내과적 치료 먼저 시도)
  └ type Ⅲ (criteria 해당 없음) → 다른 질환의 가능성 검토 및 내과적 치료 먼저 시도
  　　　　　　　　　　　　　　　　(반응이 없거나 증상이 심하면 ERCP & manometry 시행)
- 내과적 치료 ; CCB (nifedipine), nitrate, sphincter에 botulinum 주사 등
- manometry 이상 (basal pr. ≥40 mmHg) or 내과적치료 실패 → <u>endoscopic sphincterotomy</u> 시행
- 합병증 (특히 췌장염) 발생 위험이 높음!

■ 유두협착 (Papillary stenosis, sphincter of Oddi stenosis)

- <u>진단기준(criteria)</u>
  - ① upper abdominal pain (대개 RUQ or epigastric)
  - ② LFT 이상
  - ③ ERCP/MRCP : CBD의 dilatation, 담관에서 조영제의 배출 지연 (>45분)
  - ④ manometry : Oddi 괄약근의 basal pr. 증가 (>40 mmHg)
- quantitative hepatobiliary scintigraphy의 이용
  - ① papillary stenosis의 진단
    ┌ CBD에서 십이지장으로의 transit 지연
    │ CBD의 dilatation
    └ time-activity dynamics 이상
  - ② sphincterotomy 전후의 치료 효과 (biliaray emptying 개선) 판정
- 치료 ; endoscopic or surgical sphincterotomy

* Endoscopic sphincterotomy 후의 합병증

- 전체적인 합병증 발생률 : 5~10%
- perforation, pancreatitis, cholangitis, bacteremia, bleeding ..
- 진통제 사용에 따른 심폐기능의 저하
- 합병증 발생 위험이 증가하는 경우
  - SOD 환자 : 합병증(특히 췌장염) 발생 위험이 가장 높음
  - 담관 내로 선택적 삽관이 힘든 경우
  - 예비 절개 (precut sphincterotomy) 시행시
- post-ERCP pancreatitis : <u>젊은</u> 환자에서 더 많이 발생 (→ II-10장도 참조)

증식성 담낭증 (Hyperplastic cholecystosis)

1. 선근종증 (Adenomyomatosis)

- 전체 담낭 질환의 약 5~10% 차지, 50세 이상 여성에서 호발
- 담낭벽(GB wall)의 hyperplastic change로 점막 과다증식, 두꺼워진 근육층, intramural diverticula or sinus tract (Rokitansky-Aschoff sinus, RAS) 형성 등 (→ 담낭벽이 두껍고 안에 물방울들이 보임)
- 침범 양상 ; focal/localized (m/c), segmental, diffuse/generalized
  　　　　　↳ 담낭 기저부(fundus)에 국한, "adenomyoma"로도 부름, 직경 1~2 cm
- 영상검사로 쉽게 진단 가능 ; 두꺼워진 담낭벽 내의(intramural) diverticula, RAS가 특징적인 소견
  - oral cholecystography (과거에 주로 이용되었지만, 최근엔 거의 시행 안함)
  - 주로 US, CT, MRI (m/g) 등을 이용 (GB cancer R/O 필요)

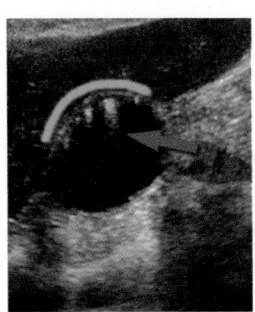

US : fundal adenomyomatosis

담낭벽이 두꺼워지고 벽 안에 비후된 부위(고음영)와 미세낭종(저음영) 부위가 혼재되어 나타남 (→ 연두색 선)

Comet tail (reverberation) artifact : 고음영 부위에 의한 후방 에코가 혜성꼬리처럼 보임 (분홍 화살표)

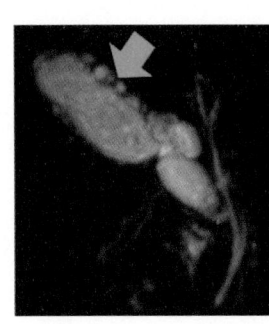

MRI (MRCP)

두꺼워진 담낭벽 안에 비후된 부위 및 작은 낭종 (RAS)들이 보임
　↳ 조영증강X

- 대부분 무증상 → 검사 중 우연히 발견되는 경우가 흔함
- gallstone을 동반한 경우가 많음 (증상을 일으킨 환자의 약 70%는 gallstone 동반)
- 과거엔 benign dz.로 여겼으나, 최근 연구 결과 premalignant dz. 가능성도 있음 (더 연구가 필요함)

2. 콜레스테롤 침착증 (Cholesterolosis)

- GB의 lamina propria에 lipid (특히 cholesterol ester)가 비정상적으로 축적된 것
  - diffuse form : strawberry GB
  - localized form : cholesterol polyps (1/2 이상이 다발성)
- 약 1/2에서 cholesterol stone 동반
- biliary colic을 일으킬 수 있음

** 증식성 담낭증의 치료 : 증상이 있거나 gallstone이 동반되면 cholecystectomy

담낭용종 (GB polyps)

- 유병률 약 5%, 주로 남성에서 발생
- 분류/크기
  - ① 위용종(pseudopolyp) ; cholesterol polyp (60%, 2~10 mm), adenomyoma (= localized adenomyomatosis, 25%, 10~20 mm), inflammatory polyp (10%, 5~10 mm)
  - ② 진용종(true polyp) ; adenoma (4%, 5~20 mm), adenocarcinoma → 담낭암의 전구단계임
  - ‒ cholesterol polyp만 multiple (평균 8개), 나머지는 보통 solitary
  - ‒ 임상양상과 영상검사만으로는 조직형을 정확히 예측할 수 없음
- 약 5%는 neoplastic / 크기가 18 mm 이상이면 대부분 악성(담낭암)
- 증상이 없고 크기(직경)가 10 mm 미만인 경우는 악성화 가능성 매우 낮음
  - ┌ 5 mm 이하 (거의 다 양성) → 1년 뒤 초음파 F/U (크기 변화 없으면 F/U 중단)
  - └ 6~9 mm → 1년간 6개월 간격으로 초음파 F/U (크기 변화 없으면 1년 마다 F/U)

담낭절제술이 필요한 경우 (악성화 가능성↑) ★
(1) 크기가 10 mm 이상 (m/i)
(2) 크기가 10 mm 이하이면서
무경성(sessile) 용종 (넓은 기저부)
초음파 상 저 echo, 도플러 초음파에서 arterial flow,
초음파 F/U에서 용종의 크기가 커질 때 (개수는 관계없음!)
증상 有, 담석 동반, PSC 동반, 50세 이상 등

- ┌ 10~18 mm → laparoscopic cholecystectomy
- └ 18 mm 이상 → open cholecystectomy (∵ 대부분 암)

담낭암 (쓸개암, GB cancer)

1. 개요

- 간외 담도계 악성종양 중 m/c (약 65%), 전체 GI 악성종양 중 5위 (1~2%)
- 60~80세에 호발, 남:여 = 1:2~4 (c.f., HCC와 cholangioca.는 남>여)
- adenocarcinoma가 90%
- 발생 부위 ; fundus 60%, body 30%, neck 10%

2. 위험인자

1. Gallstone의 risk factor와 비슷(e.g., estrogen) : 90%에서 gallstone 동반
2. Gallstone의 duration↑, 크기 (>3 cm)
3. Calcified (porcelain) GB : end-stage cholecystitis
4. Large (>1 cm) or sessile GB polyps
5. Anomalous pancreaticobiliary union, choledochal cyst ...
6. Inflammatory bowel dz.
7. chronic *S. typhi* carrier

　- 흡연, 알코올중독, 비만 등의 생활습관과의 관련성은 불확실함
- gallstone 환자의 0.2% 미만에서 adenocarcinoma가 발생하므로, 증상이 없으면 담낭암 예방을 위해 cholecystectomy를 할 필요는 없음

3. 임상양상

- 증상 ; chronic RUQ pain, 체중감소, 황달, RUQ mass
- 일단 증상이 발생하면, GB 밖으로 암이 퍼진 경우가 대부분 → unresectable!
  (간, 림프절, 복막, 총담관, 문맥혈관 등을 잘 침범)

4. 진단

- 수술 전에는 발견이 어려움 (80% 이상이 다른 목적의 수술 후에 발견됨)
  - 진단시 대부분 advanced (15~47%만 resectable), 예후 매우 나쁨 (cholangioca.보다도 나쁨)
  - incidental 'resectable' ca.는 예후 좋다 (5YSR : 50%)
- preOp. Dx ; US, EUS, CT (→ GB mass or irregular wall thickening 봄)

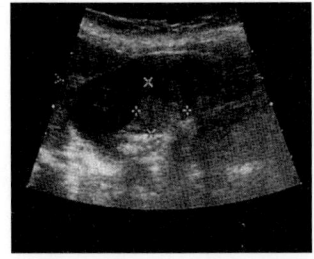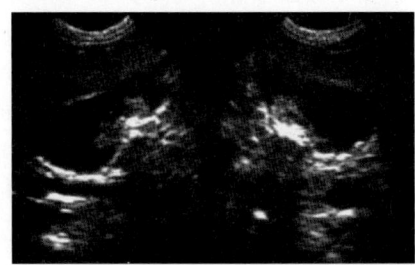

- EUS : 담낭암의 T stage 판정에 도움 → 수술 방법 결정에 매우 중요

- CT (spiral MD-CT) : 빠르게 진단 가능하며, 병기 및 치료방침 결정에도 큰 도움
  - → 담도계 질환의 진단에 일차적으로 많이 이용됨

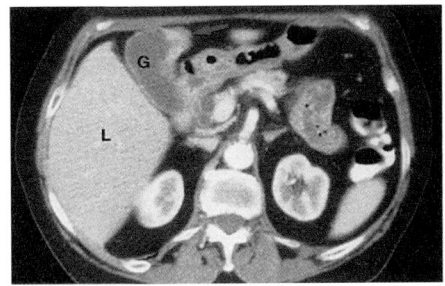

담낭벽이 편심성으로(eccentric) 불규칙하게 두꺼워져 있고, 종괴가 관찰됨

- MRI (MRCP) : 병변의 양성-악성 감별에 도움

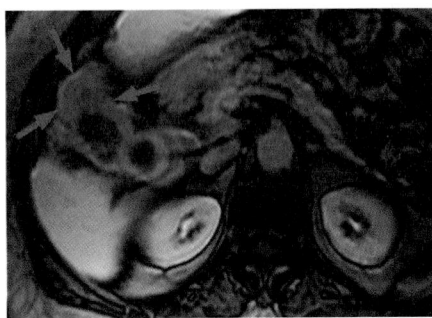

담낭벽이 불규칙하게 두꺼워져 있고, 담낭 기저부에 큰 종괴가 관찰됨(intermediate intensity)

5. 치료 및 예후

- 수술은 암이 담낭에 국한되어 있을 때만 효과적
  - T1a : 고유판(lamina propria, 점막 또는 점막하)에만 국한, 5YSR 100%
  - T1b : 근육층(muscular layer)까지만 침범, 5YSR 85%
    - 대개 담석 때문에 시행한 laparoscopic cholecystectomy 후 조직검사에서 우연히 발견됨
    - T1a는 laparoscopic cholecystectomy 만으로 치료는 충분하므로 추적관찰(F/U)만 함!
    - T1b는 재개복술 필요 → simple cholecystectomy (담낭만 절제)
- 수술 전에 담낭암이 발견된 경우
  - 반드시 open cholecystectomy 시행 (∵ 복강경 수술시 bile splage에 의해 암세포의 파종 위험)
  - 크기가 1.5 cm 미만인 경우는 조심스럽게 복강경 수술도 시행 가능
- stage II (T2) : 근육층을 넘어 perimuscular connective tissue를 침범한 경우 (LN 전이 가능성↑)
  - → regional LN의 광범위 절제를 포함한 radical (extended) cholecystectomy 시행!
- T3 : serosa (visceral peritoneum) 천공 *and/or* 간 침범 *and/or* 인접 장기 침범(e.g., 위, 십이지장)
  - 수술 가능하면 radical cholecystectomy 시행 (neoadjuvant or adjuvant Tx.는 효과 없음)
  - 간을 침범한 경우 → 간의 wedge resection 또는 anatomic resection 시행
- unresectable ca. (대부분) : 예후 매우 나쁨 (95%가 1년 이내에 사망, 5YSR <5%)
  - CTx. (gemcitabine + cisplatin)로 survival 3~6개월 증가, RTx.는 효과 없음
    - ↳ 신독성 위험 있으면 대신 oxaliplatin
  - 고식적 치료 (e.g., PTBD, ERBD)

■ 담관/쓸개관(bile ducts) 질환 ■

선천적 기형

1. 총담관낭/온쓸개관낭 (Choledochal cyst)

- 담관의 낭성 확장, 동양에 많다, 남:여 = 1:4
- classification (Todani)
  - ① type Ⅰ (m/c, 50~80%) : 간외담관에 국한된 확장
    - Ⅰa : fusiform (saccular) cyst, 췌담관합류이상(AUPBD) 有
    - Ⅰb : segmental cyst, 췌담관합류이상 無
    - Ⅰc : cylindrical/diffuse cyst, 췌담관합류이상 無
  - ② type Ⅱ : diverticular cyst, 췌담관합류이상 無
  - ③ type Ⅲ : 총담관류(choledochocele), 십이지장내 담관이 확장, 췌담관합류이상 無
  - ④ type Ⅳ : multiple cysts
    - Ⅳa (2nd m/c) : 간내담관 & 간외담관, 췌담관합류이상(AUPBD) 有
    - Ⅳb : 간외담관만
  - ⑤ type Ⅴ : 간내담관(intrahepatic duct)에만 국한된 낭종 (Caroli's dz.)
- 성인의 40% 이상에서는 췌담관합류이상(AUPBD) 동반 → 췌액이 담도로 역류 → 담도계 Cx
- 임상양상 : 영아형 (2/3) > 성인형 (1/3)
  - 영아형(<12개월) ; biliary atresia와 증상 비슷 (jaundice, acholic stool 등)
  - 성인형(10세 이후에 증상 발생) ; 비특이적 심와부 통증이 m/c (70~95%)
    - → classic triad (환자의 <20%에서만 나타남); abdominal pain, jaundice, palpable mass
  - 혈액검사 소견은(e.g., ALP↑) 모두 비특이적임
- Dx ; US, CT, cholangiography (ERCP, MRCP, PTC), EUS

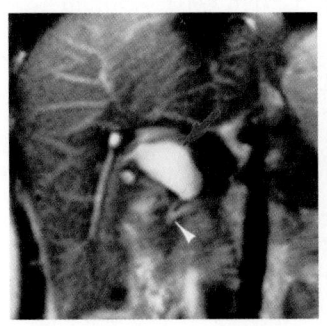 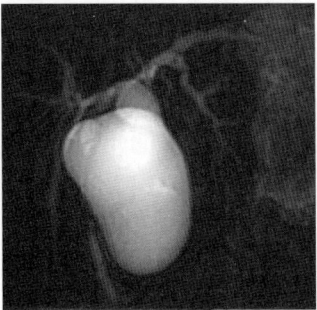 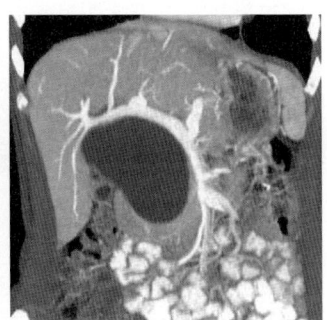

- Cx
  - brown pigment stones, acute cholecystitis
  - cholangitis, pancreatitis, liver abscess
  - 2ndary biliary cirrhosis, portal HTN, portal vein thrombosis
  - 담낭/담관계의 악성종양 (10~15%) ; cholangioca. (adenoca.)가 m/c, 나이 들수록 증가

- Tx : cholangioca. 발생 위험이 높으므로 반드시 수술
  - ┌ 낭종절제(cyst excision) +
  - └ biliary-enteric anastomosis (biliary drainage)
    - ; Roux-en-Y 담관공장문합술(choledochojejunostomy), 간공장문합술(hepaticojejunostomy)
  - 복잡해서 완전 절제가 불가능한 경우엔 simple decompression & internal drainage
  - Caroli's dz.의 경우는 간이식이 최선의 치료

2. 췌담관합류이상 (Anomalous union of pancreaticobiliary duct, AUPBD)

- 췌관과 담관이 십이지장벽 전에서 합류하여 긴(>15 mm) 공통관을 형성한 것 (짧은 경우도 많음)
  - → 췌액의 담도 내 역류(pancreaticobiliary reflux) 발생 (∵ Oddi 괄약근의 작용이 미치지 못해)
  - → 담도의 만성 염증 및 낭종성 확장 (담관낭종)
  - → 담석증, 담도염, 담낭암, 담관암 등의 담도계 합병증 발생
    (choledochal cyst 동반시엔 담관암, choledochal cyst 없을 땐 담낭암 발생 위험↑)
- 약 75%에서 choledochal cyst 동반, 약 17%에서 담도계 악성종양 발생
- 급성 췌장염 (약 20~40%에서 발생)
  - 담즙의 췌관 역류가 원인 (일반적으로 췌관 내압이 담관 내압보다 높음)
  - 역류가 증가되는 경우 ; 공통관 내의 담석증 or 단백전, SOD 등
- 진단
  - ① 담도조영 상에서 췌담 공통관의 길이 >15 mm ; ERCP, MRCP, EUS 등으로 확인
    (일본 ; 췌관과 담관이 십이지장벽 밖에서 합류하는 경우로 정의)
  - ② 담즙 내 amylase >10,000 IU
- 치료 ; 담관낭종 절제술, 합류 이상의 교정재건술(→ 역류 방지), 담낭절제술(∵ 암 위험) 등

c.f.) 정상 담관 및 췌관
  - ┌ 십이지장 유두부로 분리되어 개구 (약 1/3)
  - └ 합류하여 하나의 공통관 형성 (약 2/3) : 공통관의 길이 1~12 mm (평균 4.5 mm)

총담관결석/온쓸개관돌증 (choledocholithiasis, CBD stone)

1. 병인

(1) GB stone에서 기원 (secondary CBD stone) : 거의 대부분
  - GB stone의 10~15%가 CBD stone으로 이행
  - cholesterol or mixed stone

(2) CBD에서 primary (de novo)로 형성되는 경우 (대부분 brown pigment stone)
  - ① hepatobiliary parasitism (e.g., 간흡충, 회충) or chronic, recurrent cholangitis
  - ② congenital anomalies (특히 Caroli's dz.)
  - ③ dilated, sclerosed, or strictured bile ducts
  - ④ *MDR3* gene defect에 의한 biliary phospholipids 분비 감소

2. 임상양상/합병증

(1) 급성 담관염/쓸개관염(cholangitis)

- <u>Charcot's triad</u> (약 70%에서 나타남)
  ① biliary colic (RUQ pain/tenderness) ; 담낭염과 달리 복막자극 징후는 드묾(~15%)
  ② jaundice   ③ fever & chills
- Reynold's pentad = Charcot's triad + shock & confusion
- 담즙 배양시 75%에서 (+) − 흔한 원인균 ; *E. coli, Klebsiella, Pseudomonas, Proteus,*
  <u>*enterococci*</u> 등 (약 15%에서는 *Bacteroides fragilis, Clostridium perfringens* 등의 혐기성균도)
- Lab ; leukocytosis, blood culture (+)
- 치료
  ① nonsuppurative acute cholangitis (대부분) ⇨ 보존적 치료와 항생제에 잘 반응
  ② <u>suppurative acute cholangitis</u> : 치료 안하면 거의 다 사망
    ; severe toxicity (confusion, septic shock, thrombocytopenia)
      ⇨ 광범위 항생제 + <u>응급 **담도감압(배액)술**</u> (감염된 담즙의 drainage)
          ; ENBD (endoscopic nasobiliary drainage), ERBD, PTBD, EUS−BD 등
              (c.f., 내시경 불가능 or 실패시에는 PTBD [=PTCD] 시행)
      ⇨ sepsis에서 회복 후엔 ERCP & sphincterotomy (stone removal)
              + 추후 laparoscopic cholecystectomy 시행!

  c.f.) 기타 담관염의 원인 ; 담도계 수술/시술(e.g., ERCP), 간내 담석증(hepatolithiasis), 담도 협착,
      종양, choledochal/biliary cysts, sump syndrome (담도−십이지장 문합술의 합병증) ...

(2) 폐쇄성 황달 (obstructive jaundice)

- jaundice, pruritus, dark urine (bilirubinuria), light−colored (acholic) stools
- 초기에는 대부분 담도산통(biliary colic)이나 담관염 증상을 동반 안함
- chronic calculous cholecystitis의 동반은 매우 흔하지만, GB는 상대적으로 확장되어 있지 않다!
  → <u>palpable/dilated/nontender</u> GB시 담석보다는 종양에 의한 담관 폐쇄 시사(<u>Courvoisier's law</u>)
- bilirubin이 5 mg/dL 이상인 담관염 환자는 반드시 CBD stone을 의심!
  − 대개 15 mg/dL 이상은 상승하지 않는다
  − 20 mg/dL 이상인 경우는 악성종양에 의한 폐쇄를 의심
- 상승 순서 : ALP↑→ bilirubin↑ (황달) → aminotransferase↑
- obstruction relief시 호전 순서 : aminotransferase↓→ bilirubin↓→ ALP↓(∵ 반감기 긺)

(3) 담석성 췌장염(pancreatitis)

- non−alcoholic acute pancreatitis의 m/c 원인
- acute cholecystitis의 15%, CBD stone의 30% 이상에서 발생
  (이동이 용이한 multiple small stones이 췌장염을 잘 일으킴)
- 췌장염 동반 의심되는 임상 소견
  ① back pain or 좌측복통
  ② prolonged vomiting & paralytic ileus
  ③ pleural effusion (특히 좌측)

(4) Secondary biliary cirrhosis
- 담석보다는 협착/종양에 의한 장기간의 폐쇄 환자에서 더 호발
- 일단 cirrhosis가 발생하면 폐쇄를 교정해도 계속 진행 (→ portal HTN, 간부전)

(5) 지용성 vitamins (A, D, E, K) 결핍
- 흡수에 bile acids 필요
- vitamin K↓ → PT 연장

3. 진단

(1) transabdominal ultrasonography (TUS)
- 담도폐쇄 evaluation시 1st 영상검사 (CBD 확장 90% 이상 발견)
- 담낭담석에 비해 담도담석의 진단 sensitivity는 떨어지지만(50~70%), specificity는 높음(약 95%)
- 초음파에서 stone이 의심되면 치료까지 고려하여 ERCP를 시행하고, 종양 등 다른 원인이 의심되면 spiral CT, MRCP, EUS 등을 고려

(2) cholangiography ; ERCP (gold standard), MRCP, PTC
- ERCP : CBD의 확장 및 CBD 내 stone 음영 소견
  → 가장 정확한 검사법으로, 조직검사 및 치료(e.g., EST)도 병행 가능
- 담도결석의 진단 민감도 ; ERCP > EUS ≥ MRCP > spiral CT
  (담도결석이 많이 의심되면 치료도 고려해 ERCP를 하고, 조금 의심되면 EUS or MRCP로 R/O)
- PTC : 간내 담도 확장이 있고 ERCP가 불가능할 때 시행

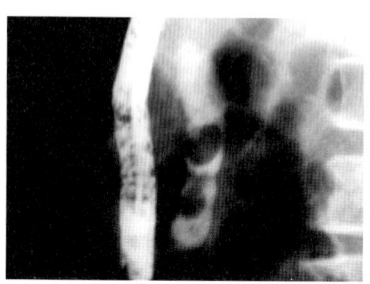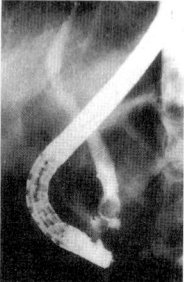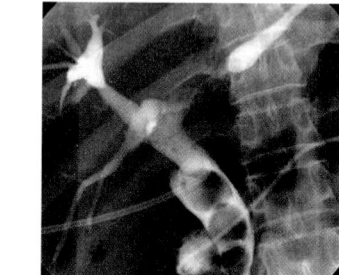

ERCP (filling defects)　　　　　　　　　　PTC (간내외 담도 확장, CBD stone)

(3) CT (spiral)
- 담관의 확장 및 종괴의 유무, 췌장 병변을 관찰 가능
- CBD stone 진단 민감도는 70~90% 정도 (spiral CT cholangiography는 조영제 부작용이 단점)
- 담도/췌장의 악성종양 의심 시에는 1st choice

4. 치료

* 담관결석은 무증상이라도 발견되면 반드시 치료가 필요함!

(1) 내과적 치료

- cholangitis 존재시 우선은 항생제로 control!
  - mild ; cefuroxime, ceftriaxone, levofloxacin, ciprofloxacin 등
  - severe ; ceftazidime/cefepime + metronidazole, cefoperazone/sulbactam, piperacillin/tazobactam, meropenem, imipenem/cilastatin 등
- fat 흡수장애 (steatorrhea) 동반시 → 지용성 vitamins 투여
  (e.g., vitamin K를 투여해서 PT를 정상화시켜야 됨)

(2) <u>Endoscopic sphincterotomy (EST) & stone extraction</u> : TOC

- 회복도 빠르고 CBD 수술(절개)에 따른 합병증도 방지 가능
- 2 cm 이하의 결석은 내시경적 방법으로 제거
- 2 cm 이상의 큰 결석은 분쇄하여 제거 ; basket을 이용한 mechanical lithotripsy, electrohydraulic lithotripsy (EHL), laser lithotripsy, ESWL, NB tube를 통한 용해제의 관류 등
- 내시경 시술이 성공하면 이후에 laparoscopic cholecystectomy 시행! (∵ 담도질환 재발 위험↑)

(3) 외과적 치료

- 개복술이 필요한 경우는 거의 없음
- common bile duct exploration + choledochoduodenostomy
- cholecystectomy with choledocholithotomy & T-tube drainage of bile ducts

간내 담석 (intrahepatic stone)

1. 개요/임상양상

- 정의 : 간내 담관에 담석이 존재하는 것
- 서양에는 거의 없고, 동아시아에서 흔하다 (전체 담석 중 우리나라 10~15%), 남:여=1:2
- 과거에는 대부분 갈색석(brown pigment stone), 최근 cholesterol 성분도 증가 추세임
- 발생 위험인자 ; 세균/기생충 감염, 선천적 담도 기형 or 담즙 저류
- 호발 연령은 담낭 담석보다 약간 젊다 (40~50대)
- 다발성, 대부분 담관 협착 동반 (→ 예후 나쁨)
- 환자의 약 5~10%에서 간내 담관암(cholangiocarcinoma) 발생!

2. 진단

- US, <u>CT</u> (초음파보다 우수), MRCP, PTC (가장 정확하나 invasive한 것이 단점)
- ERCP는 동반된 CBD stone에 의한 증상이 있는 경우에만 시행

3. 치료

- lobectomy or segmentectomy : 가장 좋다 (제거율 높고 재발률 낮음, 담도암 예방 효과도)
- PTCS (percutaneous transhepatic choledochoscopy) & stone removal : 제거율 64~92%, 재발 ↑
- 동반된 협착의 치료도 중요 (∵ 담석 재발의 위험인자)
  - → 담석의 제거 후 풍선 확장술이나 stent 등을 이용한 협착 부위의 고정
- 치료후 재발된 담석 or 잔류석 → 만성 반복성 담도염, 간부전, 간경변, 담도암 등을 일으킬 수 있음

혈액담즙증 (Hemobilia)

- 담도와 혈관의 비정상적인 교류로 담도 내로 출혈이 발생한 것
- 원인

> 1. Iatrogenic trauma (m/c, 40~60%) ; 중재적 방사선 시술(PTBD), 수술,
>   담관조영술(PTC, ERCP), biliary stent, percutaneous liver biopsy ...
> 2. Accidental trauma
> 3. Gallstone (CBD stone)
> 4. Biliary/Hepatic tumor bleeding
> 5. Hepatic abscess
> 6. Hepatic arterial aneurysm rupture
> 7. 간/담도계의 기생충 감염

- 심한 출혈은 드묾, 외상 후 수주~수개월 뒤에도 발생 가능
- 전형적 증상(triad)
  ① RUQ pain (biliary colic)
  ② 담도내 출혈 → anemia, melena or stool OB (+)
  ③ obstructive jaundice
- Dx : 내시경, ERCP (clot의 충만결손), angiography (m/g), CT (trauma 때 유용), 간담도 scan 등

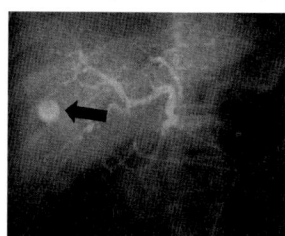
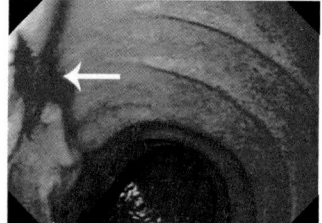

우측 간동맥에서 조영제가 빠져나감 　　　AoV (ampulla of Vater)에서의 출혈

- Tx ┌ minor hemobilia : 보존적 치료 (적절한 biliary drainage 등)
     └ major hemobilia : transarterial embolization (TAE)
       → 실패시 수술 (e.g., 출혈 혈관의 ligation, cholecystectomy)

간/담도계의 기생충 감염

- cholangitis, multiple hepatic abscess, ductal stones, biliary obstruction, cholangioca. 등을 일으킴
- 우리나라에 흔한 것 ; *Clonorchis sinensis* (m/c), *Ascaris lumbricoides*, amebiasis ...

c.f.) Oriental cholangiohepatitis (recurrent pyogenic cholangitis, RPC)
- 대만, 홍콩, 남부 중국 등에서 주로 발생하는, 재발성 담낭염과 간담석증이 특징인 질환
- 원인 : 간흡충(*Clonorchis sinensis*), 회충(*Ascaris lumbricoides*) 등의 감염
  - → 간내 담도의 협착/확장 → 담즙 저류 → brown pigment gallstone, biliary cirrhosis 발생
- 재발성 담낭염이 흔히 나타나고, cholangioca.도 발생 가능
- 진단 : cholangiography & stool ova
- 치료 : 구충제, 협착이 있으면 수술이 TOC (common duct exploration & biliary drainage)

원발성 경화성 담관염 (Primary sclerosing cholangitis, PSC)

1. 개요/임상양상

- 염증으로 인한 간내담관 and/or 간외담관의 fibrosis & stricture (primary autoimmune dz.로 추정)
- 20~40대에 호발, 남:여 = 2.3:1
- 임상양상 ; obstructive jaundice, pruritus, RUQ pain, anorexia, indigestion, cholangitis ...
- 약 20~44%는 증상이 없을 때 ALP level 상승에 의해 발견됨
- 경과는 매우 다양, 말기에는 secondary biliary cirrhosis (portal HTN 및 합병증), hepatic failure, cholangioca. (10~20%) 등도 발생 가능
- 예후 나쁨 : 진단 뒤 평균 9~12년 생존 (치료해도)
- poor Px. ; 고령, serum bilirubin↑, 심한 간조직 소견, splenomegaly

* **small duct PSC** : chronic cholestasis가 존재하고, 간 조직검사에서 PSC의 소견이 있지만, cholangiography는 정상인 경우 (PSC의 약 5%), 초기 PSC로 생각되며, 예후도 훨씬 좋음 (but, classic PSC와 말기 간질환으로 진행은 가능)

2. 관련질환

① IBD (70~90%에서 동반) : 특히 UC (c.f., UC의 severity와는 관련 없음!)
② autoimmune hepatitis, autoimmune pancreatitis
③ multifocal fibrosclerosis syndromes (e.g., retroperitoneal, mediastinal, periureteral fibrosis)
④ Riedel's struma
⑤ pseudotumor of the orbit
- UC와 마찬가지로 흡연시 risk 감소
- genetic factor ; HLA-B8, -DR3, -DR4 등과 관련

3. 진단

- ERCP or MRCP ; 담관 내면이 <u>염주알 모양</u> (군데군데 협착 부위들 사이에 정상/팽창 부위 혼재)

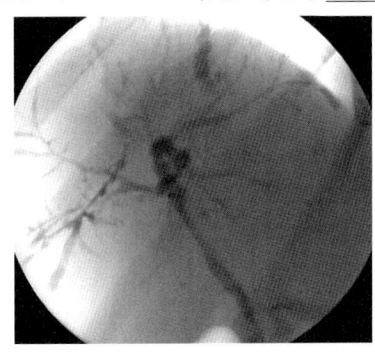

◁ ERCP

간내/간외 담관의
multifocal stricturing
& ectasia
(염주알 모양)

MRCP ▷

 - 약 75%는 간내담관 & 간외담관 모두 침범, 15~20%는 간내담만 침범
 - 주 협착 부위(dominant strictures) → hepatic duct 분지부가 m/c
- liver biopsy : 진단에는 제한적인 역할 (→ 대부분 담관조영술로 진단)
  ① 작은 간내담관의 협착시 (small duct PSC) 진단에 도움
  ② staging (inflammation과 fibrosis의 정도에 따라)

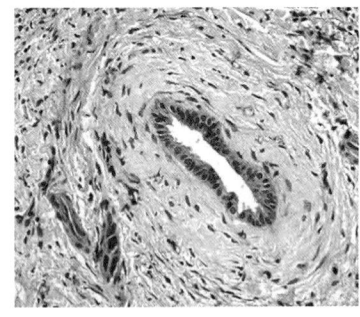

간내 담관 주위의 동심원 모양 섬유화
: "양파껍질 섬유화(<u>onion-skin fibrosis</u>) "
  → PSC의 특징적인 소견이지만 약 40~50%에서만 발견됨

염증세포 침윤도 동반 가능 (대개 여러 세포가 혼합된 형태)

- <u>p-ANCA</u> : 90%에서 양성
- ANA, anticardiolipin Ab., antithyroperoxidase Ab., RF 등도 양성일 수 있음
  (c.f., AMA → primary biliary cholangitis)

4. 치료

- 보존적 치료 (∵ 특별한 치료법이 없음)
  - cholestyramine (→ pruritus)
  - 항생제 (→ cholangitis)
  - vitamin D & calcium (→ bone mass 소실 방지)
  - <u>UDCA</u> (high-dose) : LFT는 개선되나, survival에는 영향 없음
- steroid, methotrexate, azathioprine, cyclosporine 등은 효과 없음!
- 담도 폐쇄가 심한 경우 → balloon dilatation and/or stenting, 담관절제 등
    (질병의 경과에는 영향 못 미치고, 합병증 발생 위험)
- 간이식 : advanced PSC의 유일한 치료법 (간이식 후엔 예후 좋음)

■ IgG4-associated cholangitis

- PSC와 영상/임상양상 매우 비슷함, IBD와는 관련 없음, autoimmune pancreatitis 동반 흔함
- Dx ; serum IgG4 ↑↑, 담도/간 조직에서 IgG4(+) lymphocytes (plasma cells) ↑
- Tx ; steroid에 반응 좋음 (TOC), 중단시엔 재발 흔함(특히 근위부 협착시에),
  steroid에 반응 적거나 재발시엔 steroid ± azathioprine 장기간 투여

→ 류마티스내과 12장도 참조

■ Secondary sclerosing cholangitis의 원인

- chronic CBD stone, cholangiocarcinoma
- 담도 손상 [수술, 외상, 독물(e.g., intra-arterial floxuridine)], 주변의 염증반응
- HTLV-1-associated myelopathy
- 면역저하자(e.g., AIDS)에서의 기회감염 [AIDS cholangiopathy]
  ; *Cryptosporidium*, MAC, CMV, *Cryptococcus*, *Trichosporon*, *Microsporidia*, *Isospora* ...
- congenital abnormalities, celiac sprue ...

담관내 유두상 종양 (Biliary IPN [Intraductal Papillary Neoplasm])

- 유두상 상피증식과 육안적 종괴 형성 : 담관의 장기간 염증 → 상피세포 과형성 & 점액선 증식
  → 유두상 병변 ; 매우 물러 tumor emboli에 의한 간헐적인 담도 폐쇄 유발
- 일부는 점도 높은 점액의 과다 분비 동반(intraductal papillary mucinous neoplasm, IPMN)
- 매우 드문 전암성 병변, 주로 한국/일본/대만에서 발생, 60대 남성에 호발
- 위험인자 ; 간내담석증, PSC, 담관의 만성염증(e.g., 간 기생충)
- 임상양상 ; 반복적인 복통(m/c), 황달, 담관염 ...
- 영상검사
  - cholangiograpy (ERCP, MRCP, PTC) ; 담관 확장, filling defect (점액에 가려지면 안 보일 수)
  - 경피경간담도경(percutaneous transhepatic choledochoscopy, PTCS)으로 유두종 직접 관찰(m/g)
- 치료 ; 절제 가능하면 수술, 수술 불가능하면 local ablation or biliary drainage, 간이식 등
- 성장이 매우 느리고 LN 전이 드물지만 40~80%는 악성화 (다른 담도암에 비해서는 예후 좋음)

담관암/온쓸개관암 (Cholangiocarcinoma, CCA)

*담도암 (biliary tract ca., BTC) = 담관암 + 담낭암 + 팽대부암 등을 총칭

1. 개요

- 간에서 바터팽대부(ampulla of Vater)까지의 담도 상피에서 발생하는 악성종양 (bile duct ca.)
- 50~70대에 호발, 남:여 = 6:4, 아시아에서 더 흔했지만 유럽/미국에서도 빠르게 증가 추세
- 병리 ; adenocarcinoma (90~95%, highly desmoplastic stroma & mucin 생성이 특징), SCC
- 비교적 천천히 성장하고 혈행성 전이는 적은 편이나, 벽이 얇고 장막이 없어 주변 조직으로의 전이는 쉽게 발생 (50% 이상에서 주변 LN 전이 존재)

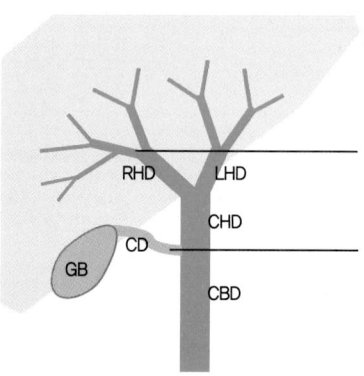

■ 위치에 따른 분류

① intrahepatic cholangiocarcinoma (iCCA)
; 5~10%, 2nd m/c 원발성 간암

② perihilar (central) cholangiocarcinoma (pCCA)
; 50~60% (m/c), 간문부 (CHD 분지부), Klatskin tumor

③ distal (peripheral) cholangiocarcinoma (dCCA) ; 25~35%

②+③= extrahepatic CCA

RHD (Rt. hepatic duct), LHD (Lt. hepatic duct), CD (cystic duct), CHD (common hepatic duct), CBD (common bile duct)

2. 위험인자

① primary sclerosing cholangitis (PSC) : 10~20% (부검시 40%)에서 담관암 동반, 대부분 간외에 (hepatic duct 분지부) 발생
(IBD 자체는 위험인자 아님! PSC 환자의 약 70%에서 동반 → 담관암 위험 더욱↑)

② intrahepatic duct stone (hepatolithiasis, 간내담석) : 5~10%에서 담관암 발생

③ congenital anomalies ; choledochal cyst, biliary atresia, anomalous pancreaticobiliary union, Caroli's dz. 등

④ 만성 간담도 기생충 감염 ; *Clonorchis sinensis, Opisthorchis viverrini, Fasciola hepatica* 등

⑤ biliary tract carcinogens ; thorotrast, radon, nitrosamines, dioxin, asbestos ...
(e.g., 고무, 자동차, 항공기, 화학약품 공장 종사자)

⑥ 이전의 biliary-enteric anastomosis/drainage

⑦ 만성 간담도 염증/손상 ; CBD stone, LC, HBV, HCV, alcoholic liver dz., 과음 등
(ㄴ 간내담관암과만 관련)

* gallstone, 흡연은 아님!

3. 임상양상

- progressive <u>painless jaundice</u> (severe), pruritus, weight loss, acholic stool
- vague RUQ pain with back radiation
- hepatomegaly
- nontender, palpable, distended GB (<u>Courvoisier's sign</u>) → 하부 담관암
- 오랜 담도폐쇄로 biliary cirrhosis, portal HTN도 발생 가능

4. 검사소견/진단

- total bilirubin↑, ALP↑, aminotransferase↑
- CEA↑, CA19-9↑, CA125↑ (AFP은 정상)
- US ; 담관의 확장 확인
- MRI & MRCP (m/g), dynamic CT : 비침습적으로 담도계 종양 확인 및 수술 가능성 판정
  - 담관의 국소적인 협착/종괴 & 그 상부 담관의 확장
  - hilar ca. (Klatskin tumor) : 간내 담관의 확장, 간외 담관 및 담낭의 허탈(collapse)
- ERCP (biopsy/cytology, stenting → biliary drainage), (intraductal) EUS ...

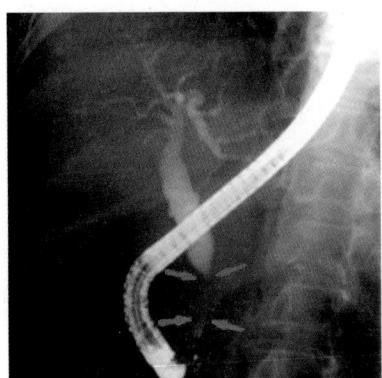

ERCP: distal CBD의 ca.
distal CBD의 협착 &
상부 및 간내 담관의 확장

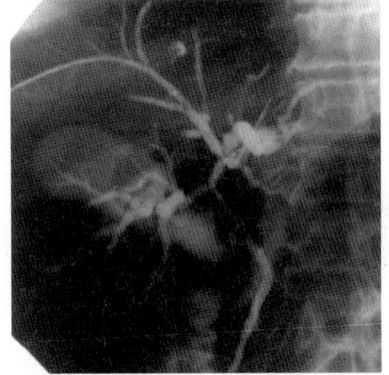

PTC: hilum 부위의 ca. (Klatskin tumor)
좌우 간내 담도가 모두 확장되어 있음

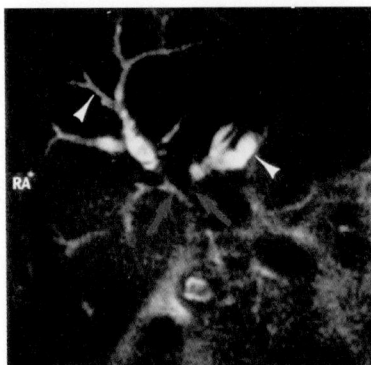

MRCP: hilum 부위의 ca.
화살표(빨간색) : ca.에 의한 협착
화살표머리(흰색) : 좌우 간내 담도의 확장

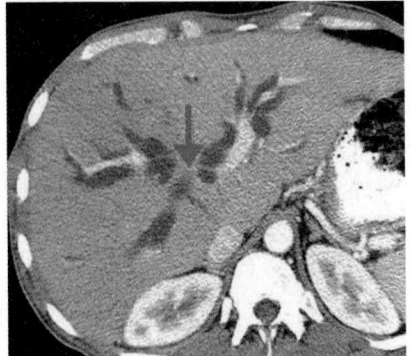

CT: hilum 부위의 ca. (화살표)
좌우 간내 담도의 확장도 관찰됨

5. 치료

(1) 절제술

- 유일하게 완치도 가능하지만, 약 20~30%만 수술 가능 (수술 후 재발은 국소재발이 m/c)
- solitary intrahepatic CCA → hepatic segmentectomy/lobectomy
- perihilar CCA (Klatskin tumor) → Bismuth classification에 따라

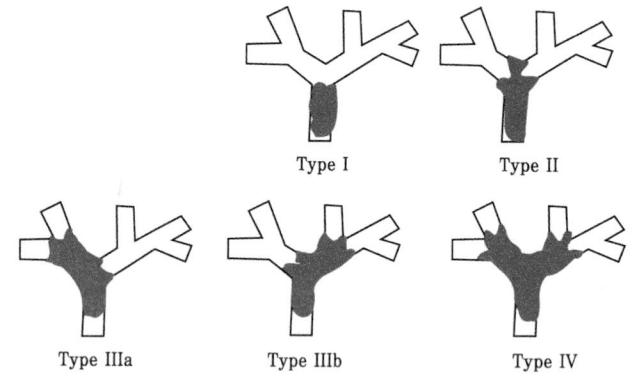

Type I　　　　Type II

Type IIIa　　　Type IIIb　　　Type IV

Perihilar cholangiocarcinoma (hCCA)의 수술 방법

Bismuth type	Operation
I	Hilar resection + LN dissection
II	± Caudate lobectomy
III a/b	+ Rt/Lt hepatic lobectomy + caudate lobectomy
IV	대개 수술 불가능

(resection 후에는 hepaticojejunostomy with transhepatic stent 시행)

- distal CCA → 췌십이지장 절제술 (Whipple's op. or PPPD) ± post op. adjuvant RTx.
- 수술 전 portal vein embolization → 반대쪽 간의 hypertrophy 유발 → 잔존 간 용적↑
- 일반적으로 neoadjuvant or adjuvant therapy는 수명 연장 효과 없음!
- 수술 전 biliary drainage의 적응 ; bilirubin >10 mg/dL, cholangitis, delayed surgery 등
- 수술 후 예후는 LN 전이 여부와 tumor-free margins (R0)이 m/i → (+)면 adjuvant CTx. 권장
- PSC 환자는 resection 안 하고 간이식 고려 (∵ 간부전, 2nd CCA 발생↑)

(2) 간이식

- 재발률이 높고 예후가 나빠서 (5YSR ~20%) 대부분은 적응 안됨!
- 초기 perihilar CCA에서 neoadjuvant chemoradiation 뒤 이식하면 예후 좋은 편 (5YSR ~82%) (Ix. ; 전이가 없는 3 cm 미만의 perihilar CCA, 심한 전신질환/감염 및 이전의 RTx. 병력 無)
- intrahepatic CCA는 재발률이 높아 간이식의 적응 아님 (5년 내 70% 이상 재발)

(3) Unresectable CCA

- CTx. : gemcitabine + cisplatin (or oxaliplatin)이 가장 효과적 (median survival 8~15개월)
- palliative biliary drainage (stenting, decompression) : 삶의 질 개선
  - ERBD (metal stent) or PTBD (→ iCCA에 더 적합)
    ↳ plastic stent보다 오래 유치 가능해(~8-10개월) 선호됨

- 황달이 해소되려면 전체 간 용적의 25~30% 이상이 배액되어야 됨
  - 간 용적의 50% 이상 배액(bilateral drainage)은 survival 연장 가능
- photodynamic therapy (PDT), intrabiliary RFA/brachyradiotherapy 등도 효과적
- targeted Tx. ; bevacizumab + erlotinib 등 일부 약간 효과도 있지만, 많은 연구가 필요

6. 예후

- 조기발견이 어려워 예후가 매우 나쁨 : 5YSR <10%
  (수술 가능한 경우라도 5YSR 10~30%)
- 위치에 따른 예후는 연구마다 조금씩 다르지만, 절제 불가능한 경우엔 모두 다 비슷하게 나쁨
  - resectability : iCCA < hCCA < dCCA (distal 쪽이 좀 더 높음)
  - curative R0-resection 후 생존율(5YSR) : iCCA > hCCA > dCCA (proximal이 좀 더 좋음)
- m/c 사인 : 간부전(hepatic invasion), 담관폐쇄의 합병증

바터팽대부(Ampulla of Vater) 암 / 팽대부암(Ampullary ca.)

- 대부분 adenocarcinoma (90%), adenoma가 흔히 선행됨
- 대장용종증후군 환자에서 호발 (특히 FAP → 50~86%에서 팽대부 adenoma 발생, 주로 다발성)
- ampullary adenocarcinoma는 예후 좋다
  - ∵ ┌ 증상(jaundice)이 일찍 발생
  - │ 서서히 자람 (대부분 localized)
  - └ 조기 진단이 쉬움 (ERCP)
- Sx ; obstructive jaundice (m/c), pruritus, weight loss, epigastric pain
  - 약 1/3에서 출혈 발생 → stool OB (+), IDA
  - Courvoisier's sign : dilated, palpable, nontender GB
- 국소 LN 전이 흔함 (약 50%), 원격전이는 간에 m/c
- Dx ; MRI (with MRCP), CT, ERCP, EUS
- Px ; periampullary ca. 중엔 예후 좋음, 진단시 77~93%가 절제수술 가능!
  - ┌ LN 전이가 없는 경우 수술하면 5YSR 59~78%
  - └ 수술 가능한 LN 전이 존재 → 5YSR 16~25%
- Tx ; surgical excision (pylorus-sparing pancreaticoduodenectomy, PPPD)
  - adjuvant CTx. or chemoradiation은 일부에서 생존율 향상 (특히 LN 전이 환자)
  - 수술 불가능한 환자에서 CTx. or RTx.의 역할은 불확실함

■ Periampullary cancer (팽대부 주위 암)

- 정의 : ampulla of Vater 근처(2 cm 이내)에 생기는 cancer
- 남>여, 50~60대에 호발
  - 빈도순 ; pancreatic head (50~60%) > ampulla of Vater (20%) > distal CBD > duodenum
  - 예후순(생존율) ; duodenum > ampulla of Vater > distal CBD > pancreatic head (나쁨)
- obstructive jaundice ; 황달, 소양감, 짙은 갈색 소변, urine urobilinogen (−)
- Dx ; US (screening), CT, MRCP, ERCP, EUS ...
- Tx ; 췌십이지장절제술(Whipple's op., PPPD) → Ⅱ-12장 췌장암 편 참조

c.f.) 담관의 외부 압박 원인
① 췌장 두부암 (m/c)
② 급성/만성 췌장염의 합병증
③ 림프종 또는 전이암의 간문부 림프절 침범

10
급성 췌장염/이자염 (AP)

개요

1. 정의

- 소화효소가 소장이 아닌 췌장 내에서 활성화되어 자기 자신을 소화(autodigestion) 시킴으로써 췌장의 염증과 괴사를 일으키는 병변
- 병인/경과(3 phases)
  - 1st : 소화효소의 <u>췌장내</u> 활성화(← cathepsin B 같은 lysosomal hydrolase) → acinar cell 손상
  - 2nd : neutrophils과 macrophages의 침윤, 활성화 → 췌장 내 염증반응
  - 3rd : 활성화된 단백분해효소(특히 trypsin) 및 cytokines → cellular injury & death (necrosis), 혈관확장/투과도↑(edema), SIRS, ARDS, multiorgan failure 등의 전신 증상

2. 췌장의 외분비 기능

- 하루에 1500~3000 mL의 20여종의 효소를 함유한 등장성 알칼리성(pH >8) 췌장액(이자액)을 분비
- 수분과 전해질 분비 (duct) : 중탄산염(bicarbonate)이 m/i (⇐ secretin, acetylcholine이 주로 자극)
  → 위산을 중화시켜 췌장 효소들의 활성에 적합한 pH 조성
- 효소분비 (acinus) : 모든 췌장효소는 alkaline pH에서 활성화됨 (⇐ CCK, secretin 등이 자극)
  ① amylolytic enzymes (e.g., amylase) : 전분을 oligosaccharides와 이당류인 maltose로 분해
  ② lipolytic enzymes ; lipase, phospholipase A, cholesterol esterase
    (colipase : lipase와 결합하여 담즙염의 lipase 억제 작용을 막음)
  ③ proteolytic enzymes : inactive precursors (zymogens) 상태로 분비됨
    - endopeptidases ; trypsin, chymotrypsin, elastase
    - exopeptidases ; carboxypeptidases, aminopeptidases
    * enterokinase (십이지장 점막에 존재) → trypsinogen을 분할하여 <u>trypsin</u>으로 만듦
                            다른 proteolytic zymogens을 활성화 ↵
  ④ ribonuclease ; deoxyribonucleases, ribonucleases
- **췌장 분비 자극**
  ① <u>secretin</u> (⇐ 위산) : <u>수분과 전해질</u>이 풍부한 췌장액 분비 촉진, 위배출 & 위산분비 억제
  ② <u>cholecystokinin [CCK]</u> (⇐ long-chain FA, 일부 AA, 위산) : <u>효소</u>가 풍부한 췌장액 분비 촉진
    (m/i), vagal nerve 통해 분비 자극, 담낭 수축↑, Oddi 괄약근 수축↓, 위배출 & 위산분비↓

③ gastrin : CCK와 구조 비슷하나, 췌장 분비 촉진 작용은 약함

④ 부교감신경(vagus nerve를 통해)

    - stimulatory neuropeptides ; acetylcholine (Ach), gastrin-releasing peptides (GRP)

    - secretin과 CCK의 췌장 효소분비 작용을 매개

    - VIP (secretin agonist) 분비 촉진

⑤ bile acids

• **췌장 분비 억제** ; somatostatin, pancreatic polypeptides, peptide YY, neuropeptide Y, eukephalin, pancreastatin, calcitonin, gene-related peptidse, glucagon, galanin 등

• 췌장의 자가방어(autoprotection)

    ① protease를 비활성 전구체 상태(zymogen)로 저장/보관

    ② protease inhibitors를 함유 (췌장의 acinar cells에 존재)

    ③ 췌장 내 낮은 Ca^{2+} 농도 → trypsin activity ↓

원인/위험인자

Obstructive
Gallstone (m/c, 30~60%) : 미세담석증 포함
SOD 또는 종양에 의한 ampullary obstruction
Choledochocele
Periampullary duodenal diverticulum
Pancreas divisum, annular pancreas
Primary or metastatic pancreatic tumors
Crohn's disease of duodenum
Parasites in pancreatic duct: *Clonorchis, Ascaris*

Toxins
Alcohol (2nd m/c, 15~30%),
Methanol, Organophosphorus,
Scorpion venom (*Tityus trinitatis*)

Trauma
Blunt abdominal trauma
ERCP (특히 biliary manometry 이후)
Postoperative state, cardiopulmonary bypass
Penetrating duodenal ulcer

Metabolic
Hypertriglyceridemia (대개 TG >1000 mg/dL)
Apolipoprotein C II deficiency (→ TG↑)
Acute fatty liver of pregnancy
Hypercalcemia (e.g., hyperparathyroidism)
Renal failure, 신장 또는 심장이식 후

Infections
Viral; mumps, coxsackievirus, CMV, echovirus,
Bacterial; *Mycoplasma, Salmonella, C. jejuni*
Mycobacterium avium complex

Vascular
Ischemic hypoperfusion (심장수술 후)
Celiac axis/hepatic artery의 aneurysms
Vasculitis
Cholesterol or atherosclerotic emboli
SLE, TTP, necrotizing angiitis

Drugs (2~5%)
확실히 관련
    Azathioprine, 6-mercaptopurine, Sulfonamides,
    Thiazides, Furosemide (loop diuretics),
    Estrogens, Tetracycline, L-asparaginase,
    Cytarabine, Valproic acid, Pentamidine,
    TMP-SMX, Dideoxyinosine (ddI) ...
관련이 의심
    Acetaminophen, Metronidazole, Methyldopa,
    Nitrofurantoin, Erythromycin, Salicylates,
    NSAID, ACEi, Chlorthalidone, Cimetidine,
    Mesalamine, Ethacrynic acid, Phenformin,
    Cocaine & Amphetamin abuse

Genetic
Hereditary pancreatitis
Cystic fibrosis

Idiopathic

재발성 췌장염 (약 25%)
    Alcohol과 Gallstone이 m/c 원인

특별한 원인없이 재발이 반복되는 경우 ★
    담관/췌관의 잠재 병변 (m/c)
    ; 특히 microlithiasis, biliary sludge
    Sphincter of Oddi dysfunction (SOD)
    Hypertriglyceridemia, hypercalcemia
    Alcohol, drugs
    Pancreatic cancer
    Pancreatic divisum
    Intraductal papillary mucinous neoplasm
    Cystic fibrosis 등의 유전성 췌장염
    Autoimmune, idiopathic

- biliary tract disease (<u>gallstones</u>)가 m/c (30~60%) 원인 (but, 담석 환자의 3~7%만 췌장염 발생)
  - gallstone이 ampulla of Vater를 통과하며 일시적인 췌관 폐쇄를 일으켜 발생
  - multiple, small (<5 mm) stone에서 더 호발 (∵ ampulla 도달 가능), 남:여 = 1:2
  - 약 75%의 환자의 대변에서 gallstone이 발견됨
  - 3 mm 미만의 작은 담석(microlithiasis or biliary sludge)은 재발성 췌장염을 일으킬 수 있음
- idiopathic pancreatitis (20~30%) 환자의 약 75%도 <u>microlithiasis</u>에 의한 occult gallstone dz.가 원인 (→ 진단 : duodenal aspirate에서 cholesterol crystal 확인!)
- alcohol : 2nd m/c 원인이지만, 알코올중독자에서 췌장염 발생률은 매우 낮음 → 다른 요인도 관여
- <u>post-ERCP pancreatitis</u>
  - ERCP 이후 5~10%에서 acute pancreatitis 발생, 여러 노력에도 불구하고 발생률 별로 안 감소 (asymptomatic hyperamylasemia는 35~70%에서 발생)

post-ERCP pancreatitis 발생 위험인자
<u>Young age, 여성</u>
Non-dilated duct, Normal serum bilirubin
SOD (sphincter of Oddi dysfunction)
이전의 post-ERCP pancreatitis, Recurrent pancreatitis
Pancreatic duct injection, difficult cannulation, pancreatic sphincterotomy, precut access, balloon dilation
비숙련자(e.g., 내시경 교육받는 사람) 참여
고위험군에서 pancreatic duct stent 미사용 등

  - 대부분 mild & self-limited
  - 예방 (특히 post-ERCP pancreatitis 발생 고위험군에서)
    - (1) ERCP 이후 단기간 pancreatic duct stent 유치 (ER pancreatic drainage, ERPD)
    - (2) rectal NSAID (diclofenac or indomethacin)
- 유전적 요인 (→ acute pancreatitis 발생 위험↑)
  - ① cationic trypsinogen gene (*PRSS1*) mutations → hydrolysis-resistant trypsin 생성
    ; familial/hereditary pancreatitis (AD 유전, 대부분 20세 이전에 증상 발생, 췌장암↑)
  - ② pancreatic trypsin inhibitor (serine protease inhibitor Kazal type 1; *SPINK1*) mutations
    → 활성화된 trypsin의 억제 장애
  - ③ cystic fibrosis transmembrane regulator (*CFTR*) mutation
  - ④ monocyte chemotactic protein 1 (*MCP-1*) mutation
- 흡연은 대개 관련 없다!

임상양상

1. 증상 및 징후

(1) abdominal pain (m/i)
- 지속적, 상복부 전체 or 명치부(epigastrium)에서 발생, 등으로 radiation (약 50%에서)
- 누워 있으면 심해지고 / 구부리고 앉거나, 옆으로 누워서 무릎을 가슴에 붙이면 완화
- 일단 시작되면 하루 이상 중단 없이 지속됨

(2) N/V, 복부팽만, 장음 감소 or 소실

  (∵ gastric & intestinal hypomotility, chemical peritonitis 때문)

  • abdominal tenderness & rigidity (복통에 비하면 경미한 편)

  • upper abdominal mass ; enlarged pancreas or pancreatic pseudocyst

(3) low-grade fever, tachycardia, hypotension

(4) shock - 발생 기전

  ① 혈액과 혈장단백의 retroperitoneal exudation에 따른 hypovolemia

  ② kinin peptides의 생성, 분비 증가 → vasodilatation & vascular permeability ↑

  ③ proteolytic & lipolytic enzymes의 systemic effects

(5) jaundice는 드물게 발생 (∵ 췌장 두부의 부종이 담관을 눌러서)

(6) erythematous skin nudules (∵ subcutaneous fat necrosis)

(7) 폐 증상 (10~20%) ; pleural effusion (주로 왼쪽), atelectasis, pul. edema

(8) ┌ Cullen's sign : 배꼽 주위의 blue discoloration (∵ hemoperitoneum 때문)
   └ Grey-Turner's sign : 옆구리의 blue-red-purple / green-brown discoloration

       (∵ hemorrhagic exudate가 후복막에 침착 → 조직의 hemoglobin catabolism 때문)

       ⇨ 심한 necrotizing pancreatitis를 시사, poor Px.! (methemalbumin ↑)

2. 검사소견

(1) serum amylase 상승

혈청 및 요 Amylase가 상승하는 경우 ★
1. 췌장 질환 ; 급성 췌장염, 만성 췌장염, pseudocyst, ascites, abscess, necrosis, 췌장암, 외상 ...
2. 타액선 질환 ; 이하선염, 귀밑샘염(parotitis), 타액선 결석, 방사선 조사, 턱얼굴 수술/외상, Sjögren's syndrome
3. 간담도 질환 ; 만성 간질환, 담낭염, 담관염, 담관 결석 ...
4. 신부전(renal insufficiency), 신이식 ...
5. 기타 복부 질환 ; 궤양의 천공, 장 폐쇄/경색, 복막염, 대동맥류, 수술 후, 자궁외임신 파열, 급성 충수염 ...
6. 종양 ; 췌장, 식도, 위, 유방, 난소, 폐, 전립선
7. 기타 ; Macroamylasemia, 수술, 화상, 외상, shock, 심폐정지, 폐렴, 폐경색, 뇌 외상, acidosis, type 2 DM, AIDS, 임신, 입덧/오조(hyperemesis gravidarum), 약물(e.g., morphine, anti-retroviral agents) ...

• 증상 발생 2~12시간 이내에 상승, 12~72시간에 peak, 2~3일 뒤 정상화! (환자의 85%에서)

• 정상상한치의 <u>3배</u> 이상 상승하고 다른 원인이 없으면 진단적 의미 있음!

  (복수 또는 흉수의 amylase도 상승하면 진단에 도움)

  c.f.) ┌ 복수 amylase↑ ; 췌장염, 장폐쇄, 장경색, 소화성 궤양 천공 ...
      └ 흉수 amylase↑ ; 급/만성 췌장염, 폐암, 식도 파열 ...

• 위양성/위음성이 많고(20~40%), 췌장염의 severity와는 관계없다!

  - false (+) : ERCP 후, 장폐쇄, 반복되는 구토, acidosis

  - false (-) : 실제 acute pancreatitis가 있으나 serum amylase는 정상인 경우

      ① delayed presentation, sample 늦게 채취 or 오래 보관, 병원에 늦게 왔을 때

      ② acute alcoholic pancreatitis (대개 3배 이하로 상승)

      ② chronic pancreatitis의 급성 악화기 ; lipase보다 amylase가 더 영향을 받아 낮음

      ③ hypertriglyceridemia-induced pancreatitis (∵ amylase inhibitor↑)

- 1주 이상 지속적으로 상승 시 다른 합병증의 발생을 고려 (→ US, CT)
  예) 광범위한 necrosis, 췌관(pancreatic duct)의 파열/폐쇄, pseudocyst, ascites ...
- isoenzymes ; 진단에 더 sensitive, 췌장외의 원인에 의한 hyperamylasemia시 진단에 유용
  (e.g., 급성 알코올중독, 수술후, DKA 등)
  - P isoamylase (pancreatic amylase) : pancreatic origin (약 40%)
  - S isoamylase : salivary gland 등의 nonpancreatic origin
- urinary amylase, ACR (amylase-creatinine clearance ratio)
  - 급성 췌장염 일부에서 상승하지만, false(+)/(−)가 많아 잘 사용 안함
- macroamylasemia : serum amylase↑, urinary amylase↓
  - amylase가 혈중에서 중합체 형태로 존재하여 신장으로 잘 배설 안 되어 만성적으로 상승함
  - 예 ; 정상(m/c), celiac dz., HIV, lymphoma, UC, RA, monoclonal gammopathy ...

(2) serum lipase 상승

- 급성 췌장염의 70~85%에서 상승, 4~8시간에 상승, 24시간에 peak, 8~14일 뒤 정상화
  (14일 이상 상승되면 poor Px or pancreatic cyst 합병 시사)
- 3배 이상 상승되면 급성 췌장염으로 진단 가능, 대개 amylase level과 비례하여 상승됨
  (amylase는 담석성 췌장염에서, lipase는 알코올성 췌장염에서 더 높은 경향)
- amylase보다 오래 상승되어 있기 때문에 내원이 지연된 경우 유용하지만, severity와는 무관
- 급성 췌장염 진단에 amylase보다는 더 specific하지만, 다른 많은 질환에서도 상승 가능함
  ; 만성 췌장염, 췌관 폐쇄, 신부전, 급성 담낭염, 장 폐쇄/경색, ERCP, PUD, 간질환, 알코올중독,
    DKA, type 2 DM, 종양, steroid, heparin (∵ lipoprotein lipase↑) ...
- 췌장 이외에 간, 위, 소장, 대장, 심장, WBC, 지방세포, 모유 등에도 존재함
- lipase isozymes ; pancreatic, intestinal, lipoprotein (LPL), gastric lipases
  - gastric lipase만 구조가 많이 다르고, 나머지는 서로 매우 유사함
  - 혈청에서는 pancreatic lipase가 대부분을 차지

Amylase & Lipase 상승	췌장 질환, 간담도 질환, 궤양 천공, 장 폐쇄/경색, 신부전, 임신, 입덧(오조), 염증성 장질환, Celiac dz., type 2 DM, DKA, AIDS, 외상, ERCP, 약물 ...
Amylase만 상승 ★	타액선 질환 ; 이하선염(mumps), 귀밑샘염(parotitis) 등 자궁외임신 파열, tubo-ovarian dz. 일부 종양(e.g., 난소, 폐), Macroamylasemia 일부
Lipase만 상승	급성췌장염의 delayed presentation, 만성췌장염의 급성 악화, 급성알코올성췌장염, hypertriglyceridemia에 의한 췌장염, Macrolipasemia

(3) trypsin/trypsinogen

- trypsinogen 1 & trypsinogen 2 → 십이지장에서 각각 trypsin 1 & trypsin 2로 활성화됨
- 혈중 trypsin은 α_2-macroglobulin or α_1-antitrypsin (AAT)과 결합되어 불활성화됨
- trypsin은 amylase/lipase와 달리 췌장에서만 생성됨! → 췌장 손상에 specific
- 몇 시간 내에 상승하고 amylase보다 오래 상승 지속됨
- 상승 정도는 췌장 염증 정도와 비례 → 급성 췌장염의 진단, severity 예측, F/U에 매우 유용

(4) 기타 검사소견

- leukocytosis (15,000~20,000/ μL)
- hemoconcentration (Hct >44%) and/or azotemia (BUN >22 mg/dL)
  : 심한 췌장염에서 fluid가 복강/후복막으로 유출되어
- hyperglycemia ($\because$ insulin↓, glucagon↑, glucocorticoid & catecholamine↑)
- hypocalcemia (25%에서)
  - 지방괴사에 의한 fatty acids와 calcium의 saponification (비누화) 때문에
  - 혈청 albumin 저하와 관련될 수 있음
  - 7 mg/dL 이하로 감소시 → tetany 발생, poor Px.!
- bilirubin↑(10%에서) ; >4 mg/dL, 대개 일시적, 4~7일 뒤 정상화
- LFT↑ (특히 <u>ALT</u> 3배 이상↑) → biliary (gallstone) pancreatitis 가능성 시사
- LD↑ (>500 U/dL), albumin↓ (<3 g/dL) → 심한 췌장염 & 나쁜 예후
- CRP↑ → pancreatic necrosis 발생을 시사
- <u>hypertriglyceridemia</u> (15~20%) : amylase & lipase level은 보통 정상
  - 췌장염의 합병증이라기보다는 원인/유발인자에 해당함, 재발성 췌장염을 일으킬 수 있음
  - fasting TG level 750 mg/dL 이상이면 췌장염 발생위험 증가, 300 mg/dL 이하면 위험 無
- methemalbumin↑ → 심한 괴사성 췌장염의 지표
- hypoxemia (PaO$_2$ ≤60 mmHg) → ARDS 발생을 예고
- CDT (carbohydrate-deficient transferrin) : 급성 췌장염 진단에는 민감도↓, 알코올중독의 마커
- urinary TAP (trypsinogen activation peptide) : 급성 췌장염 진단 민감도↓, severity와는 관련

(5) EKG

: 때때로 myocardial ischemia와 비슷한 ST & T 이상을 보임

3. 영상검사

* 급성/만성 췌장염 환자의 50% 이상에서는 정상

(1) 단순 복부촬영

- 다른 질환 (특히 장 천공)을 R/O하는 것이 주목적!
- "sentinel loop sign" : 췌장주변의 소장(특히 jejunum)의 localized paralytic ileus (LUQ에 m/c)
- "colon cut-off sign" : 췌장염증이 대장으로 파급되면 transverse colon이 spasm을 일으켜
  대장 공기음영이 갑자기 안 보임
- air-fluid level을 동반한 generalized ileus or duodenal distention
- mass effect (← pseudocyst)

(2) 복부 CT

- 가장 유용 ; pancreatitis의 정확한 진단, staging, severity 판정, 합병증 확인
- 췌장의 비대/부종, 가성낭종(pseudocyst), 췌관의 확장, 췌장 주위의 액체,
  정상적인 주위 경계의 소실, 지저분한 침윤(dirty fat sign)

- dynamic contrast-enhanced CT (CE-CT)
  - 조영증강이 안 되는 부분이 necrosis (air도 있으면 infected necrosis)
  - necrosis의 크기 파악 가능 → severity, prognosis 보는데 매우 유용
  - 적응 : severe pancreatitis or organ failure 환자에서 입원 (48~)72시간 이후에 시행
    (∵ 48시간 이내의 초기에 시행하면 necrosis가 제대로 형성 안 되어 놓칠 수 있음)
  - 입원 6~10일 뒤에 추가 시행이 필요한 경우 ; organ failure 지속이나 sepsis 징후 등의
    systemic Cx 의심, 임상상태 호전× or 악화, 첫 발병, 진단이 불확실할 때
  - 조영제 사용의 금기일 때는 MRI (MRCP) 시행
- fluid collection, necrosis → mortality 증가

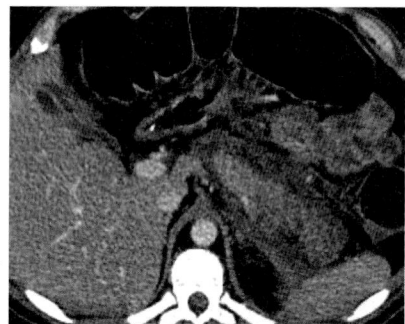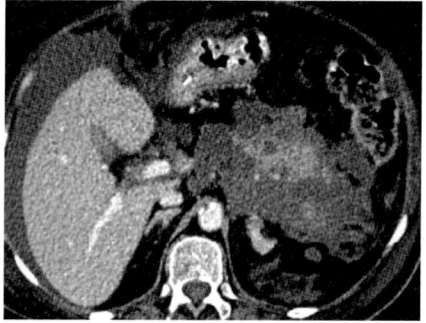

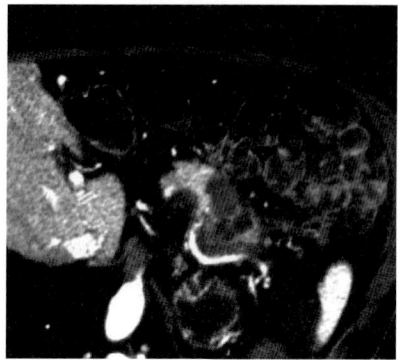

CE-CT: severe acute pancreatitis (necrosis)

(3) MRI (MRCP)

- contrast-enhanced MRI는 급성 췌장염 진단에 CE-CT와 비슷하게 유용함
- CT보다 장점 ; 담도계 병변(e.g., CBD stone), pancreatic hemorrhage 등도 확인 가능
- 단점 ; 위중한 환자에서는 CT에 비해 검사하기 어려움

(4) 복부 초음파

- GB & biliary tree를 확인하는 것이 주목적
  (but, 췌장염을 유발하는 gallstone은 대개 크기가 작아 US로 찾기 어렵다)
- acute pancreatitis 자체의 진단에는 별 도움 안됨
  - 췌장의 부종으로 hypoecho., 췌장 두부의 크기 증가 (>3 cm), 췌장 주위에 액체 고임,
    췌관 미부 확장 (pseudocyst 확인에 유용)
  - but, 장내 공기로 인하여 60%에서만 췌장의 관찰이 가능하고, CT에 비해 해상력이 떨어짐

(5) ERCP

- 시술관련 합병증 때문에 진단 목적으로 시행하지는 않음 (주로 치료 목적으로 이용)
- biliary sepsis (ascending <u>cholangitis</u>) 의심시엔 (WBC↑, LFT↑) 입원 1~2일 이내에 시행
- unexplained pancreatitis나 recurrent pancreatitis 때도 고려
- pancreas divisum이나 SOD 같은 드문 원인도 발견 가능

(6) EUS

- 1차적인 검사들에서 원인을 찾지 못했을 때 시행 ; 특히 malignancy, ampullary adenoma, pancreas divisum, <u>bile duct stones</u>, <u>microlithiasis</u> 등의 확인에 유용
- 담낭염 없이 지속적인 LFT↑ ± CBD 확장, 임신 등 때는 ERCP 여부 결정위해 먼저 시행
- necrotizing pancreatitis 때는 담도 평가에 EUS가 유용 (∵ ERCP시 조영제는 감염 확산 위험)

* 특별한 원인 없이 재발이 반복되며 imaging study에서 biliary and/or pancreatic ducts의 이상이 발견되지 않으면 → sphincter of Oddi manometry 시행 고려

진단

* 다음 중 2가지 이상에 해당되면 진단 가능!
① 임상양상 : 전형적인 복통 (등으로 방사 가능)
② 혈청 amylase and/or lipase 3배 이상 상승
③ 영상검사에서 급성췌장염 소견 : CE (contrast-enhanced) CT or MRI

급성췌장염의 감별진단
Perforated viscus (특히 peptic ulcer)
Biliary colic ; acute cholecystitis, suppurative cholangitis, CBD stone
Acute intestinal obstrution
Acute mesenteric vascular occlusion (bowel infarction)
Renal colic
Myocardial infarction
Dissecting aortic aneurysm
Connective tissue disorders with vasculitis : SLE, PN ...
Pneumonia
DKA

분류/예후/경과

1. 분류 (grades) – revised Atlanta classification (2012)

경증(mild) AP	장기부전(organ failure) 無 국소/전신 합병증 無
중등증(moderately-severe) AP	일시적인 장기부전 (48시간 이내에 호전) *and/or* 지속적인 장기부전을 동반하지 않은 국소/전신 합병증
중증(severe) AP	지속적인 장기부전 (48시간 이상) ; single, multiple

◆ **장기부전 평가** : 입원 후 ~24시간, 48시간, 7일째 중증도 평가 권장

Modified Marshall scoring system for organ dysfunction

Organ system	Score				
	0	1	2	3	4
호흡기 (PaO_2/FiO_2)*	>400	301~400	201~300	101~200	≤101
신장 (serum Cr, μ mol/L)[1]	≤134	134~169	170~310	311~439	>439
[mg/dL]	<1.4	1.4~1.8	1.9~3.6	3.6~4.9	>4.9
심혈관 (systolic BP, mmHg)[2]	>90	<90 수액에 반응	<90 수액에 반응X	<90, pH<7.3	<90, pH<7.2

(1) CKD 환자는 baseline Cr 대비 악화되는 정도로 판단, (2) inotropic support 없이

*기계환기가 아닌 환자에서 FiO_2는 아래와 같이 환산함

산소 공급 (L/min) :	Room air	2	4	6~8	9~10
FiO_2 (%) :	21	25	30	40	50

각 장기별 **2점** 이상을 organ failure로 정의함

◆ **형태학적 분류(morphologic criteria)** : 보통 입원 48시간 이후에 CT 시행 권장

	정의	CE-CT 소견
Interstitial (edematous) pancreatitis 간질성췌장염	조직괴사를 동반하지 않은 췌장실질과 주변조직의 급성 염증	조영제로 췌장실질이 조영됨, 췌장주위 괴사 소견 無
Necrotising pancreatitis 괴사성췌장염	췌장실질 and/or 주변조직의 괴사를 동반한 염증	조영제로 췌장실질 조영 잘 안됨 *and/or* 췌장주위 괴사 소견 (아래 참조) 有
APFC (acute peripancreatic fluid collection) 급성췌장주위액체저류	간질성췌장염 발병 4주 이내에 괴사를 동반하지 않은 췌장 밖 액체 고임	Homogeneous collection with fluid density, 뚜렷한 벽 無, 췌장 주위에 위치(no intrapancreatic extension)
Pancreatic pseudocyst 췌장가성낭종	간질성췌장염 발병 4주 이후에 뚜렷한 벽을 형성한 액체 고임	뚜렷한 벽(completely encapsulated) 안의 <u>homogeneous liquid</u> density, 췌장 외부에 위치
ANC (acute necrotic collection) 급성괴사저류	괴사성 췌장염에 동반된 괴사조직을 포함한 액체 고임	Heterogeneous non-liquid density, 뚜렷한 벽 無, 췌장 내부 *and/or* 외부에 위치
WON (walled-off necrosis) 기질화된괴사	대개 괴사성췌장염 발병 4주 이후 뚜렷한 벽을 형성한 괴사액체 고임	Heterogeneous with liquid & non-liquid density + 다양한 loculations, 뚜렷한 벽 有, 췌장 내부 *and/or* 외부에 위치

2. Severe acute pancreatitis (Poor Px.)의 지표/위험인자 ★

(1) 비만 (BMI >30), 고령 (>60세), hemoconcentration (Hct >44%), 심한 동반 질환

(2) **장기부전(organ failure)** : 아래 중 하나 이상

① 심부전(shock) : hypotension (systolic BP <90 mmHg) or tachycardia >130 bpm

② 호흡부전(hypoxia) : PaO_2 <60 mmHg

③ 신부전 : hydration 후에도 serum creatinine >2 mg/dL

④ 위장관출혈 (>500 mL/day)

(3) multiple factor clinical scoring systems

- acute physiology and chronic health evaluation (APACHE II) score ≥8 (입원 48시간 이내)

- <u>BISAP</u> (bedside index of severity in acute pancreatitis) score (입원 24~48시간) : 3개 이상이면 severe pancreatitis (간단하면서 다른 clinical scoring systems과 정확도 비슷)

B: BUN >25 mg/dL I: Impaired mental status 　(Glasgow coma scale <15) S: SIRS A: Age >60세 P: Pleural effusion on imaging study	SIRS : 다음 중 2개 이상 존재시 ① 체온 >38℃ or <36℃ ② 심박수 >90 bpm ③ 호흡수 >20 bpm or PCO_2 <32 mmHg ④ WBC >12,000/μL or <4000/μL 　or >10% band neutrophils

- Ranson criteria (주로 알코올이 원인일 때) : 3개 이상이면 severe pancreatitis

입원 또는 진단 당시	입원 48시간 이후
연령 >55세 WBC >16,000/μL Glucose >200 mg/dL LDH >400 IU/L AST >250 IU/L	Hematocrit 10% 이상 감소 수분 결핍(sequestration) 6 L 이상 Calcium <8.0 mg/dL Arterial PO_2 <60 mmHg BUN 5 mg/dL 이상 증가 (수액투여 후에도) Base deficit >4 mmol/L

- modified Glasgow system (모든 원인) : 3개 이상이면 severe pancreatitis (입원 48시간 이후)

WBC >15,000/mm^3 Glucose >180 mg/dL LDH >600 IU/L AST >200 IU/L	BUN >45 mg/dL Albumin <3.2 g/dL Calcium <8 mg/dL Arterial PO_2 <60 mmHg

- Ranson or Glasgow system은 복잡하고 예측력(specificity) 떨어져 요즘엔 잘 사용 안함

(4) <u>CTSI (CT severity index)</u> : 영상 점수체계 중 가장 많이 사용, 6점 이상이면 severe pancreatitis

급성 췌장염의 CT severity Index (Balthzar-Ranson)

Grade (비조영증강)		Necrosis (조영증강)	
A: 정상	0	괴사 없음	0
B: 췌장의 국소/미만성 비대(부종)	1	췌장 1/3 미만의 괴사	2
C: B + 췌장 and/or 췌장주위 염증	2	췌장 1/3~1/2의 괴사	4
D: C + 하나의 췌장내/외 액체 저류	3	췌장 1/2 이상의 괴사	6
E: C + 둘 이상의 액체 저류 or 췌장내 가스	4		
CTSI (CT severity index) = Grade + Necrosis score (total 0~10)			

(5) 혈성 복막액(hemorrhagic peritoneal fluid)

(6) 단일 검사 지표
- CRP >150 mg/dL (입원 48시간 이후)
- serum neutrophil elastase, IL-6 : 발병 12시간 내에 상승
- urine trypsinogen activation peptide (TAP) : active trypsin을 간접적으로 반영
- serum amylase level은 급성 췌장염의 severity와 관계없음!

3. 경과(phase)

- 대부분은 (85~90%) self-limited (치료 후 3~7일 내에 회복)
- 15~20%는 severe 경과로 necrosis 발생하여 치명적임 (→ 이중 70%는 감염 발생)

- 1st/early phase (첫 1~2주) ; 주로 <u>clinical parameters</u>로 severity 파악
  - 지속적인(2일 이상) 장기부전(SIRS)이 m/i parameter (→ 주요 사망원인)

- 2nd/late phase (2주 이후) ; clinical parameters와 <u>morphologic criteria</u> (i.e., necrosis)로 파악
  - <u>감염</u>이 주요 사망원인 (e.g., infected necrosis에 의한 sepsis)

- interstitial vs necrotizing pancreatitis의 구분이 중요
  - 장기부전 발생률 : interstitial pancreatitis 10%, necrotizing pancreatitis 54%
    (sterile necrosis보다 infected necrosis에서 더 흔함)
  - 단일 장기부전시 사망률 3~10%, 다발성 장기부전시 사망률 47%
  - but, 대분은 interstitial pancreatitis임, necrotizing pancreatitis는 드문 편 (10%)

치료

* 원칙 ; 췌장 분비를 감소시키는 대증적 요법

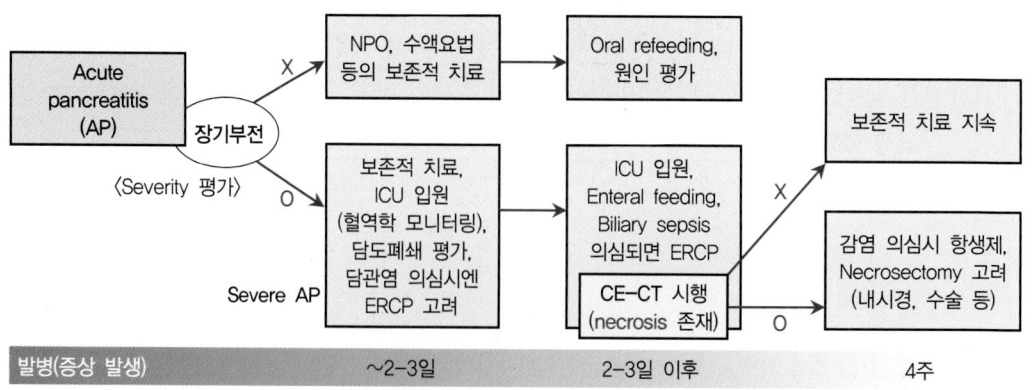

1. 일반적인 지지요법

- 수액 공급 & 전해질 교정 ; 초기 24시간 이내에 3~4 L 정도 ($\because$ 경미해도 심한 수분결핍 가능)
  - lactated Ringer's solution (SIRS 더 적게 발생해 선호됨) or normal saline 투여
  - F/U : 8~12시간마다 BUN, Hct 측정 → 12~24시간 이내에 감소하면 수액요법 충분하다는 증거
    → 상승하면 2 L fluid bolus 및 fluid 투여량↑ → 반응 없으면 ICU 입원 & 혈역학적 모니터링
  - 너무 과량의 수액은 장기부전↑, 췌장주위저류액↑, 사망률↑ 위험
- 진통제 (충분한 양으로 투여!) ; hydromorphone, morphine, meperidine (Demerol®), fentanyl ...
    (morphine이 오디괄약근을 수축시킬 수는 있지만 금기는 아님, 다른 약제들도 비슷비슷)
- N/V → promethazine IV, 5-HT$_3$ antagonists (e.g., ondansetron) oral/IV
- 예방적 광범위 항생제(i.e., carbapenems) : interstitial or necrotizing pancreatitis 모두 권장 안됨!
  - 항생제의 무분별한 사용은 오히려 진균 감염 (더 위험) or 췌장 농양 발생 위험을 증가시킴
  - 적응 ; (1) 췌장 외 감염 존재 (e.g., 담관염, catheter-관련 감염, bacteremia, UTI, 폐렴)
      (2) infected necrosis가 확진되었거나 감염의 징후가 뚜렷한 pancreatitis
      (c.f., severe acute pancreatitis에서는 예방적 항생제 사용을 권장하는 국가도 있음)

2. 췌장분비 억제 (pancreatic rest)

- NPO (금식) : mild~moderate AP의 경우 2~3일간 시행
  - 증상(복통, N/V)이 호전되고 공복감을 느끼기 시작하면 다시 경구섭취 허용!
    (amylase 상승이나 CT상 염증소견의 지속 여부와 관계없이)
  - 대개 2~3일 뒤부터 oral 저지방 고형식(low-fat solid diet) 시작
  - severe AP (특히 pancreatic necrosis)의 경우 4~6주간의 금식이 필요할 수도
- 금식 기간 중 영양공급은 TPN보다는 경장영양법(enteral nutrition)이 좋음
  - 비위관(nasogastric tube) 삽입이 비공장관(nasojejunal tube)보다 간편해서 선호됨
  - TPN보다 hyperglycemia, infection 등의 합병증 발생이 적음
    ($\because$ 장기간의 TPN → 염증/감염↑, 장점막 위축으로 장내세균의 췌장으로의 전위↑)
  - duodenal outlet obstruction, paralytic ileus 등의 경우에는 TPN 시행
- nasogastric suction (NG tube 삽입) : 심한 N/V or paralytic ileus 때에만 권장
  (일반적인 mild~moderate pancreatitis에서는 효과 없음)

3. 기타 약물요법

- protease inhibitor ; gabexate mesilate (Foy) → 합병증(췌장 손상)은 감소하나, 사망률엔 영향 없음
- somatostatin analogue ; octreotide → 사망률은 감소하나, 합병증은 감소시키지 못함
- 효과가 없는 것으로 판명된 약물 ; anticholinergics, glucagon, H$_2$-RA, calcitonin, glucocorticoid,
    NSAIDs, aprotinin (protease inhibitor), lexiplafant (platelet-activating factor inhibitor) 등
- H$_2$-RA나 PPI는 급성 위점막 병변이나 출혈성 궤양을 동반한 경우엔 투여 할 수 있음

4. Severe necrotizing pancreatitis (ANC, WON)

- 강력한 수액요법 등의 보존적 치료 & close F/U (dynamic CT)
- endoscopic drainage/necrosectomy (transmural self-expanding metal stents) 등의 intervention
- percutaneous drainage : 췌장에서 먼 부위의 fluid & necrotic collections 때 선호
- 수술은 꼭 필요한 경우에만, 가능한 늦게 시행 (발병 3~4주 이후)
- 수술 (laparotomy with necrotic tissue removal & percutaneous drainage)의 적응
  ① 다른 치료(endoscopic/percutaneous drainage) 실패시
  ② 심각한 합병증 발생 ; 장 천공, 출혈 지속, abdominal compartment syndrome,
     embolization에 반응 없는 pseudoaneurysm 등
  ③ 동반된 담관계 질환의 교정이 필요할 때
  ④ 지속적인 장기부전, 치료 4~6주 이후에도 경구섭취가 불가능할 때 등

5. ERCP ⋯ Gallstone pancreatitis

- 췌장염 유발 담석은 대개 크기가 작아 저절로 빠져나가기 쉽고 ERCP는 시술관련 합병증 위험이
  있으므로 신중히 시행 여부를 결정해야
- early (24~48시간 이내) ERCP with sphincterotomy (EST)
  : 담관염 등 담관 폐쇄가 의심되는 <u>severe acute biliary (gallstone) pancreatitis</u> 환자에서 시행
    (↳ WBC↑, LFT (특히 ALT)↑ 등)
- 담낭절제술(laparoscopic cholecystectomy)
  - mild gallstone pancreatitis 환자는 (acute attack이 호전되고) 퇴원 전에 시행
  - moderate 이상의 환자는 염증반응이 충분히 해소된 뒤에 elective surgery로 시행
- elective ERCP with sphincterotomy
  - 담낭절제술을 시행하기 어려운 biliary obstruction 환자
  - 담낭절제술 이후 CBD stone이 남아있을 것으로 의심되는 환자
- ERCP with stent placement : pancreatic duct disruptions 환자

6. Hypertriglyceridemia에 의한 pancreatitis

- 지속적인 hypertriglyceridemia가 있으며, 반복적인 pancreatitis의 재발 경향
- 체중감량(ideal weight로), 지방제한 식이, 운동
- 알코올 및 TG를 높이는 약 (e.g., estrogen, vitamin A, thiazide, β-blocker) 금지
- DM 또는 다른 원인이 동반되었으면 교정

c.f.) AIDS 환자에서 pancreatitis 발생률이 높은 이유
    (1) 감염의 췌장 침범 흔함 ; CMV, *Cryptosporidium*, MAC 등
    (2) AIDS 환자의 사용 약제들 ; didanosine, pentamidine, TMP-SMX, protease inhibitors 등

합병증

국소 합병증	1. Pancreatic 　　Necrosis ; sterile, infected, walled-off 　　Pancreatic fluid collection ; abscess, pseudocyst 　　Ascites ; 주체관(pancreatic duct)의 파열, pseudocyst의 누출 2. Nonpancreatic 　　Massive intraperitoneal hemorrhage 　　Bile duct obstruction (obstructive jaundice) 　　Thrombosis (splenic vein, portal vein) 　　Ileus and functional gastric outlet obstruction 　　Bowel infarction
전신 합병증	1. Cardiovascular ; Hypovolemia, Hypotension & shock, Pericardial effusion 2. Pulmonary ; Atelectasis, Pleural effusion, Pneumonitis, ARDS, Mediastinal abscess 3. GI ; PUD, Erosive gastritis, Gastric varices, Pseudoaneurysm 4. Renal ; Oliguria, Azotemia, ATN, Renal artery/vein thrombosis 5. Metabolic ; Hypoalbuminemia, Hypocalcemia, Hyperglycemia, Hypertriglyceridemia, 　　　Metabolic acidosis, Encephalopathy, Purtscher's retinopathy (sudden blindness) 6. Hematologic ; Vascular thrombosis, DIC 7. CNS ; Psychosis, Fat emboli 8. Fat necrosis ; Subcutaneous (erythematous nodules), Bone ...

1. 감염성 췌장궤사 (Infected pancreatic necrosis, IPN)

- acute pancreatitis 발병 후 2~4주경에 발생 (약 2%에서), 7~10일까지는 거의 감염 안 생김
- necrotizing pancreatitis 환자의 약 20%에서 세균 감염 발생 (50% 이상 괴사시 감염 확률 더욱↑)
- 원인균 ; *E. coli* (m/c), *S. aureus, Enterococcus, Klebsiella, Pseudomonas* ...
- 임상양상 ; persistent fever, leukocytosis, CRP↑, organ failure
- 사망률 25~30% (↔ sterile pancreatic necrosis는 사망률 약 10%)
- 진단 : CT-guided FNA (fine needle aspiration) with Gram stain & culture
  - sterile necrosis에서도 SIRS가 나타날 수 있으므로 임상양상만으로는 감별 어려움
  - 배양 음성 & fever 지속시 → 5~7일마다 FNA with Gram stain & culture F/U
- 최근에는 단계적 치료가 선호됨 (수술적 치료는 벽이 잘 형성될 때가지 가능한 늦추는 것이 좋음)
  - → 조기 수술(open surgery)보다 multi-organ failure, DM 등의 합병증 및 수술관련 사망률 감소
    (입원 중 사망률에는 차이 없다는 연구도 있고, 전체 사망률은 감소한다는 연구도 있음)
  - ① 원인균에 적합한 항생제 투여 (반응이 없거나 임상증상이 심하면 intervention 시행)
  - ② endoscopic or percutaneous catheter drainage (with necrosectomy)
    ; 막으로 잘 싸여있는 경우(wall-off necrosis)에 효과적, 광범위한 궤사 치료는 힘듦
  - ③ minimal access retroperitoneal pancreatic necrosectomy (MARPN) : 복강경 수술
  - ④ open surgical necrosectomy (개복술이 곤란한 환자는 ② or ③ 고려)

■ Walled-off necrosis (WON, organized necrosis)

- 괴사성췌장염에서 췌장주위 지방조직의 염증반응 발생 → 3~6주 뒤 췌장괴사와 췌장주위 지방조직괴사가 합쳐지고 섬유조직에 의해 encapsulation 된 것
- 함유물 ; 반고체 상태의 괴사조직, 짙은 액체(죽은 췌장/췌장주위조직이 액화된 것, 혈액 등)
- CT에서 pancreatic pseudocyst와 비슷해 보이므로 혼동 주의 (둘 다 췌장염의 후반기에 발생)
  - walled-off necrosis : 괴사조직파편을 포함한 이물질 함유, 췌장/췌장주위조직의 괴사 소견
  - pseudocyst : 주변에 조영제에 의해 조영되는 정상 췌장 조직 관찰됨, 췌관 파열 소견 흔함

2. 췌장 농양 (Pancreatic abscess)

- acute pancreatitis 발생 후 4~6주 뒤에 발생 (infected necrosis, pseudocyst 등보다는 드묾)
- 유발인자 (대개 pseudocyst or necrotic pancreatitis에서 발생)
  ① severe pancreatitis, postop. pancreatitis, early oral feeding, early laparotomy...
  ② 항생제의 무분별한 사용
  ③ pseudocysts ; 대장과의 교류, 불완전한 drainage, needling
- 임상양상 ; fever, leukocytosis, tenderness, ileus, 회복되던 환자가 갑자기 악화 ...
- infected pancreatic necrosis보다는 중증도와 사망률 낮음 (∵ necrosis가 없는 국소 농양도 有)
- 진단 : CT-guided FNA (fine needle aspiration) with Gram stain & culture
- 치료
  ① 항생제 : imipenem-cilastatin (→ 췌장 감염시 m/g 항생제)
  ② percutaneous (or endoscopic) catheter drainage : 방법은 pseudocyst와 비슷, 70~90% 성공
  ③ 호전 없으면 즉시 surgical drainage

* 췌장 감염이 의심되는 경우 (fever, leukocytosis, pseudocyst or extrapancreatic fluid collection)
  ① pseudocyts는 즉시 aspiration (∵ 50% 이상이 infected)
  ② extrapancreatic fluid collection은 aspiration할 필요 없다 (∵ 대부분 sterile)
  ③ necrotic pancreas의 aspiration이 sterile로 나오면 일단 5~7일 F/U (∵ 자연 호전이 흔함)
  ④ fever와 leukocytosis가 재발하면 re-aspiration

3. 췌장 가성낭종 (Pancreatic pseudocyst)

- 췌장 밖에 췌장액이 축적된 것 (췌장효소와 소량의 조직파편 함유), epithelial lining은 없고 낭종 벽은 괴사조직, 육아조직, 섬유조직 등으로 이루어져있음
- 70%가 주췌관과 연결되어 있음
- 유발인자
  ① pancreatitis (90%)
    - acute pancreatitis 발생 후 4~6주 뒤에 발생 (7~15%에서)
    - chronic pancreatitis의 경과 중 발생 (20~25%에서)
      (→ small pancreatic duct obstruction으로 발생하는 retention cyst의 일종)
  ② trauma (10%)
- 위치 ; body & tail (85%), head (15%) / 주로 single, 약 14%는 multiple

- 임상양상
  ① abdominal (LUQ) pain 증가, 지속
  ② papable, tender abdominal mass (복부 중앙 or LUQ)
  ③ serum amylase 상승 (때때로 계속 상승, 변동 심함) : 75%에서
- 진단 : abdominal US or CT로 쉽게 진단 가능 (CT가 US보다 약간 더 우수)

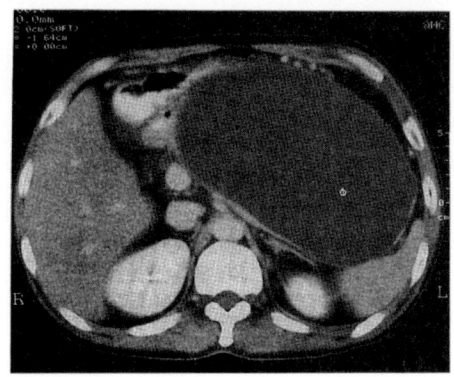
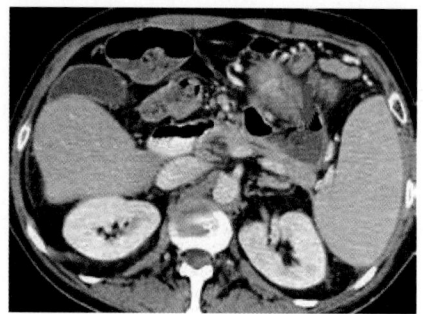

c.f.) Pancreatic abscess
: pseudocyst보다 벽이 두껍고 불규칙적임

- 자연소실 (25~40%에서) : 크기가 작은(<5 cm) 경우 (5 cm 이상은 6주 이상 지속 가능)
  ┌ acute pancreatitis에서 생긴 경우 약 86%가 자연 소실 → F/U이 안전하고 효과적
  └ chronic pancreatitis에서 생긴 경우 10% 미만만 자연 소실

- **증상(e.g.. 복통)이나 합병증 없으면 크기에 관계없이 경과관찰!** (6주 이후 대개 자연 소실됨) ★

- 크기가 점점 커지거나, 증상이 악화, 합병증이 동반된 경우 치료(intervention) 필요!
  ① 내시경적 배액술(endoscopic drainage) : 성공률 높고 합병증 적어 initial therapy로 권장됨
    (a) transpapillary drainage (ERCP) : 췌관과 연결되어 있는 작은 cyst (약 <9 cm)
    (b) EUS-guided transmural (transgastric or transduodenal) drainage
        : cyst와 장 벽이 밀접하게 (<1 cm) 붙어있어야
    - 내시경으로 접근이 어려운 부위는 percutaneous drainage or 수술 고려
  ② percutaneous needle aspiration or catheter drainage : 가장 간단하지만, 실패/재발률이 높음
  ③ 수술 : 위 치료에 반응이 없거나 출혈/감염 발생시 (낭종 벽이 잘 형성되는 4~6주 이후에 시행)
    (a) internal drainage : 가장 좋다 (재발률 5%)
        (cystogastrostomy, cystoduodenostomy, cystojejunostomy with Roux-en-Y loop)
    (b) external drainage : complicated pseudocyst에서 choice (재발률 22%)
    (c) excision
- 합병증 ⇨ 반드시 수술! (external drainage)
  ① infection/abscess (→ cyst에 대한 천자검사와 혈액배양 시행)
  ② rupture (→ shock 발생) ; 출혈 없으면 사망률 14%, 출혈 동반되면 사망률 60% 이상
  ③ hemorrhage ; mass 커지고, bruit 들림, 갑자기 BP/Hb/Hct 감소
  ④ GI obstruction ; 주로 십이지장 또는 위배출부 (→ N/V)
  ⑤ CBD obstruction (→ 황달)

  * rupture & hemorrhage가 m/c 사인

4. 가성동맥류 (Pseudoaneurysm)

- 약 10%에서 발생, pseudocyst와 fluid collection 분포 부위에서 나타남
- 침범 ; splenic artery (m/c) > inf. & sup. pancreaticoduodenal artery
- 임상양상
  ① 특별한 원인이 없는 upper GI bleeding
  ② pseudocyst의 갑작스런 팽창
  ③ 특별한 원인 없이 Hb 감소
- 진단
  ① CT ; pseudocyst 내 or 주위의 고음영(조영증강) 병변
  ② arteriography or CT angiography (확진)
- 치료 ; angiographic embolization (active bleeding이 없어도!), 수술

  c.f.) m/c venous Cx.은 splenic vein occlusion (→ splenomegaly, gastric varix)

5. 췌성 복수 (Pancreatic ascites)

- 원인 ; 주췌관(main pancreatic duct)의 파열, leaking pseudocyst
- 진단 ; 복수의 albumin↑(>3 g/dL) & amylase↑↑, ERCP/MRCP (조영제가 복강으로 빠져나감)
- 치료
  ① 보존적 치료 ; 금식, TPN, nasogastric suction, 치료적 복수천자
  ② somatostatin analogue (octreotide) → 췌장 분비 억제
  ③ 2~3주간의 내과적 치료 후에도 호전이 없으면 수술
     (ERCP로 췌관의 형태 및 췌장액 유출 부위를 확인 후) ; but 사망률이 높음
  ④ 주췌관 (앞쪽) 파열 → 내시경적(ERCP) 치료가 안전하고 효과적
     - endoscopic bridging pancreatic stent (EPS) or nasopancreatic drainage (ENPD)
     - 6주 이상 유치시 90% 이상에서 치유됨

  * pleural effusion : 췌관이 뒤쪽에서 파열되어 pleural space와 internal fistula를 형성시 발생
    (대개 왼쪽에서 대량의 effusion 발생)
    → ERCP & stenting (m/g), thoracentesis or chest tube drainage

11
만성 췌장염/이자염 (CP)

개요

1. 정의

: 췌장의 만성 염증 및 섬유화(fibrosis)로 인해 비가역적인 형태학적 또는 기능적(exocrine & endocrine) 변화가 발생된 상태 (c.f., 자가면역성, 폐쇄성 췌장염 등은 호전 가능)

2. Marseille-Rome의 정의/분류 (1988)

(1) 만성 석회화성 췌장염 (m/c) : 췌장의 불규칙한 섬유화, 췌관의 단백질 침전 또는 플러그, 췌석, 췌관의 위축/협착이 특징 (알코올이 대부분 원인, 원인이 제거되어도 구조/기능적 변화 진행 가능)

(2) 만성 폐쇄성 췌장염 : 췌관의 협착 및 근위부 췌관의 확장, 췌실질의 위축, 섬유화 등이 특징 (종양이나 양성 협착이 원인, 폐쇄가 해결되면 호전 가능)

(3) 만성 염증성 췌장염 : 섬유화, 단핵구 침윤, 위축 등이 특징 (무증상인 경우가 많음)

3. 원인 : TIGAR-O 분류(2001) ★

: Toxic-metabolic, Idiopathic, Genetic, Autoimmune, Recurrent, Obstructive

(1) 독성-대사성 (Toxic-metabolic)

- **알코올**(m/c, 50~70%) : 섭취량과 기간이 관련 (술의 종류, 섭취 빈도와는 관련 없음)
  - but, 알코올 간경변에 비해서는 연관성 적음 : 만성 음주자의 일부(<10%)에서만 발생, 음주량이 매우 적어도 발생 가능 (→ 알코올 이외에 다른 유전 or 환경 요인도 관여)
  - 알코올은 CP의 다른 원인에 의한 췌장 손상의 위험성도 증가시킴
- **흡연** : CP & ARP의 독립적 위험인자(dose-dependent), 알코올과 synergistic, 보다 젊을 때 발병
  ↳ pancreatic autodigestion↑, duct cell CFTR function↓
- hypercalcemia (e.g., hyperparathyroidism), hyperlipidemia (특히 hyperTG)
- CKD (∵ 제거 안 된 toxins이 췌장 손상 유발)
- 약물(e.g., phenacetin 남용), 독소 - organotin compounds (e.g., DBTC [dibutyltin dichloride])

(2) 특발성 (Idiopathic)

- 2nd m/c (20~50%), 이중 ~15%는 유전적 결함이 원인으로 추정됨
- idiopathic CP : 청소년형(early-onset, 20세 전후) or 노인형(late-onset, 50~70세, 석회화 심함)
- tropical (malnutrition-induced) CP : 열대지방 일부에서 호발, 등유 때문?, DM↑, 석회화 심함

(3) 유전성 (Genetic, Hereditary pancreatitis)

- 뚜렷한 원인을 모르는 ARP or CP 환자(특히 소아)에서 의심 & genetic testing 시행
- *PRSS1, SPINK1 (PSTI), CFTR, CTRC, CASR* 등의 mutations이 → 뒷부분 참조

(4) 자가면역성 (Autoimmune, 2~6%)

- autoimmune pancreatitis (AIP) → 뒷부분 참조
- 2ndary pancreatitis ; Sjögren's syndrome, IBD, PBC ...

(5) 재발성 급성 췌장염 (acute Recurrent pancreatitis, ARP)

- 반복적인 or 중증의 급성 췌장염이 만성 췌장염을 일으킬 수 있음 : postnecrotic
  (c.f., AP, ARP, CP를 한 질환의 진행에 따른 시기로 보기도 함)
- hypertriglyceridemia, vascular dz. (ischemia), radiation, genetic, idiopathic ...

(6) 폐쇄성 (Obstructive)

- 췌관 손상, 외상, 낭종, 종양(e.g., islet cell tumor) 등에 의한 췌관의 폐쇄
- 오디괄약근(sphincter of Oddi) 이상, 팽대부 협착/종양
- pancreatic divisum → 뒷부분 참조

c.f.) gallstone은 주로 acute/relapsing pancreatitis를 일으킴 (만성 췌장염은 거의 안 일으킴!)

임상양상

(1) abdominal pain (m/c, 90%)

- epigastric, deep-seated, 등으로 radiation, antacids에 반응 없음
- persistent or intermittent, mild~moderate 등 다양한 양상을 보임
  (만성췌장염이 오래 진행되면 감소되고, 5~15%의 환자는 복통 없이 다른 증상만 보일 수 있음)
- 음주나 식사 (특히 고지방식) 후 악화 / 구부리면 다소 완화
- 원인 ; 췌관 내압의 증가, 반복적인 염증, pseudocyst에 의한 압박, 췌장 분포 신경의 변화 등
- 통증의 심한 정도에 비해 이학적 소견은 경미 (약간의 복부압통, 미열)

(2) 흡수장애 (∵ exocrine function의 저하)

- 췌장의 90% 이상이 파괴되어야 흡수장애 발생 (장기간 F/U하면 결국엔 50~90%에서 발생)
- 지방 흡수장애가 가장 먼저 발생 (∵ lipase가 더 빨리 감소하고 더 쉽게 파괴되므로)
- 만성 설사, 지방변(steatorrhea, 기름기가 있는 무른 변, 고약한 냄새), 체중감소, 피로
- 약 20%의 환자는 복통 병력이 없이도 흡수장애의 임상양상을 보임
- 지방변에도 불구하고 임상적으로 현저한 지용성 비타민 결핍은 매우 드묾

(3) 내분비기능 장애 (endocrine insufficiency)

- glucose intolerance는 흔하고, DM은 췌장의 80% 이상이 파괴되어야 발생 (결국엔 40~80%에서)
- insulin과 glucagon이 모두 감소됨

* classic triad (pancreatic calcification, steatorrhea, DM) → 환자의 1/3 미만에서만 나타남

합병증

(1) cobalamin (vitamin B_{12}) malabsorption (40%에서)

(2) DM, impaired glucose tolerance (40~80%에서)
- but, DKA, HHS, DM의 chronic Cx (e.g., retinopathy) 등은 드물다!

(3) nondiabetic retinopathy (∵ vitamin A and/or Zinc deficiency 때문)

(4) ascites, pleural/pericardial effusion (fluid 내 amylase 농도 증가)

(5) pancreatic pseudocyst (20~40%에서) : 급성췌장염 때와 달리 자연 소실은 드묾(<10%)
  ; 대부분 3 cm 미만, 약 10%에서는 pseudoaneurysm을 형성하여 심각한 출혈 발생 위험

(6) gastric fundic varix (∵ splenic vein의 compression/thrombosis 때문)
  * <u>splenic vein thrombosis</u> (2~4%에서)
    - 췌장 tail의 염증으로 인해 thrombosis 발생
    - 주로 gastric varix를 동반 (→ GI bleeding!)
    - 정상 간기능의 splenomegaly & hypersplenism 발생
    - 진단 ; Doppler US로 splenic vein의 flow 확인, mesenteric angiography

(7) GI bleeding (∵ gastric fundic varix, peptic ulcer, gastritis, pseudocyst의 십이지장 침범 ...)

(8) jaundice (CBD obstruction) → cholangitis, biliary cirrhosis
  ┌ 췌장 두부의 부종 또는 가성낭종에 의한 압박
  └ 췌장 내 CBD 주위의 만성 염증 and/or 협착 때문

(9) subcutaneous fat necrosis : 하지의 붉은 결절로 나타남

(10) bone pain (∵ intramedullary fat necrosis)

(11) metabolic bone dz. (∵ 알코올, 흡연, vitamin D 등의 흡수장애, 만성염증)

(12) <u>췌장암</u> : 진단 20년 뒤 약 4%에서 발생, hereditary pancreatitis는 췌장암 발생위험 10배
   (췌장암의 약 6%가 만성췌장염에서 발생)

(13) 마약/진동체 중독 … 가장 흔하고 문제

검사소견/진단

1. 영상검사

(1) plain abdominal film (e.g., KUB) ; 30~50%에서 calcification 보임 (sensitivity 낮음)
  ┌ 대개 scattered calcification
  └ diffuse calcification → 췌장의 심각한(약 80%) 손상을 의미
  • calcification의 원인 ; alcohol (m/c), hereditary, trauma, hypercalcemia, islet cell tumor,
    idiopathic pancreatitis, tropical pancreatitis, serous cystadenoma ...
  • 심한 췌장염 환자의 1/3에서는 calcification이 감소되거나 소실되기도 함

(2) abdominal US ; 석회화, 췌관 결석 등 (복부 지방 및 가스로 인해 정확한 진단 어려움)

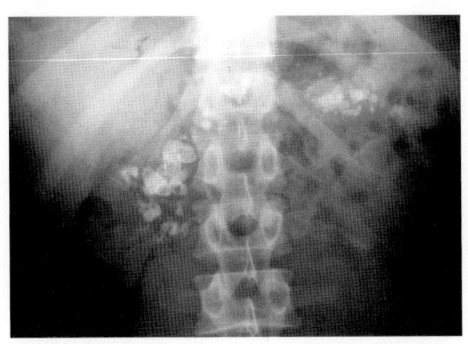 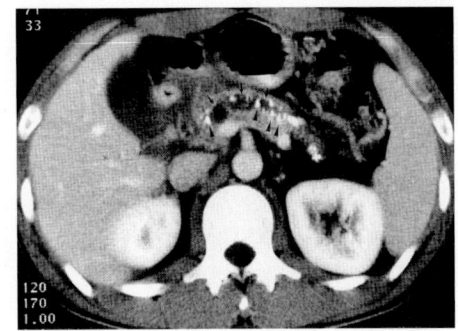

(3) **abdominal CT** ; 초음파보다 sensitive
- 췌관의 확장 및 염주알 모양 변형, 석회화, 췌관 결석, 췌실질의 위축, 불규칙한 윤곽, cavity …
- pseudocyst (약 25%), gallstone, 담관협착, 췌장암 등도 발견 가능

(4) **MRI (MRCP)** ; CP를 시사하는 소견은 CT와 비슷하고, 진단 민감도는 약간 더 높음
- CT or MRI는 severe CP의 진단에는 충분하지만, 초기/mild CP에서는 진단 민감도가 낮은 단점
- secretin-enhanced MRCP는 CP에서 췌관 변화 진단에 약간 더 예민함
- ERCP에 비하면 정확도가 약간 떨어지지만 noninvasive한 것이 장점

(5) **ERCP** ; 췌관을 정확하게 평가 가능, 영상검사 중 (초기/mild) CP의 진단 민감도는 가장 높음
- luminal narrowing
- ductal system irregularity ; stenosis, dilatation, sacculation, ectasia (→ "chain of lakes" 모양)
- intraductal stone, protein plug, pseudocyst 등도 발견할 수 있음
- 부작용 위험이 높으므로 (5~20%에서 post-ERCP pancreatitis 발생), 다른 비침습적 검사들에서 진단이 안 될 때에만 실시 → EUS로 대치되어 CP 진단 목적으로는 거의 사용 안됨

(6) <u>EUS</u> ; 유용하고 부작용이 적어 ERCP 대신 많이 시행, CT/MRI보다 진단 민감도 높음
- 아래 소견(criteria) 중 5개 이상 존재시 만성 췌장염(CP)으로 진단 가능
- parenchyma (fibrosis) ; hyperechoic foci, hyperechoic strands, lobular contour, cysts
- duct ; main pancreatic duct [MPD] calculi (stones), MPD dilatation, duct irregularity, hyperechoic margins (MPD wall), visible side branches (dilatation)
- but, 초기/mild CP 때는 진단 민감도 떨어지고 (secretin test가 더 예민), 위양성도 흔함
- 한 번에 외분비 기능검사도 같이 하는 EUS-ePFT (endoscopic pancreatic function test)가 만성 췌장염(CP)의 조기 진단에 가장 sensitive!

* 진단 민감도 : EUS-ePFT > ERCP > EUS > MRI (MRCP) > CT > US

2. 혈액검사

(1) amylase & lipase : 대개 정상 범위 - 진단적 가치 없음
(amylase↑ 경우 ; 췌관 폐쇄, 가성낭종, 췌성 복수, 급성 염증의 동반 등)

(2) **trypsinogen**↓ (<20 ng/mL) (정상: 28~58 ng/mL)
- 심한 췌장 외분비기능 감소의 진단에는 특이적이나, 민감도는 떨어짐
- 급성 췌장염 때는 증가, 지방변을 동반하지 않은 만성 췌장염 때는 정상

(3) bilirubin, ALP : distal CBD 주위의 염증으로 인한 이차적인 담즙 정체 때 상승될 수 있음

(4) DM 진단 ; FBS↑, OGTT

(5) 기타 ; calcium↓, albumin↓, Mg↓ ...

3. 췌장 (외분비)기능 검사

* 일반적인 췌장 외분비기능 검사의 적응증

  ① 만성췌장염이 의심되나 영상검사에서 진단이 안 될 때

  ② 지방변이 있을 때 이를 확인하기 위해

  ③ 만성췌장염 환자의 F/U 또는 치료효과 확인

(1) 직접자극검사(direct stimulation test)

: 민감도 약 90%, 특이도 약 95%로 CP 진단 정확도 가장 높지만, 초기에는 약간 떨어짐

① secretin (stimulation) test

  • IV recombinant secretin 투여 뒤 십이지장 내용물에서 bicarbonate 농도 측정

  • 이상 ; maximal bicarbonate 농도 저하 소견이 가장 정확

  • 췌장 외분비기능의 60% 이상이 파괴되어야 나타남 (→ 대개 만성 복통의 발생 시점과 관련)

	췌액 양	HCO_3^- 농도
Normal	>2 mL/kg/hr	>80 mmol/L
Chronic pancreatitis	정상	↓
Pancreatic cancer	↓	정상

② combined secretin-CCK stimulation test (m/g)

  • 가장 민감하지만, 침습적이고 환자에게 고통을 주므로 잘 이용 안함

  • 이상 ; bicarbonate 농도↓ + amylase, lipase, trypsin, chymotrypsin 등의 췌장효소 분비도↓

(2) 간접자극검사(indirect stimulation test)

: 민감도가 낮고 불편하여, 역시 잘 이용 안함

① Lundh test meal

  • liquid test meal 투여 → CCK 분비↑ → 췌효소 분비↑

  • 십이지장 내용물에서 trypsin의 농도를 측정

② bentiromide (NBT-PABA) test ; NBT-PABA 투여 → 췌장에서 생성된 chymotrypsin에 의해 NBT + PABA로 분해 → PABA는 소장에서 흡수 → 소변으로 배설되는 PABA 측정

③ pancreolauryl test : fluorescein dilaurate 투여 → elastase에 의해 분해 (소변 fluorescein 측정)

(3) intraluminal digestion products 측정

① stool의 현미경 검사 : 소화 안 된 meat fibers와 fat 확인

② stool fat 정량 검사 (c.f., intraluminal lipase가 크게 감소되어야 지방변 발생)

③ fecal nitrogen : 단백질 소화 장애로 증가됨

⇨ 만성 췌장염의 진단에는 sensitivity가 낮고, 흡수장애와 구별 안됨

* urinary D-xylose excretion test 등 소장성 흡수장애 검사는 정상임!

(4) 기타

① <u>stool elastase 1 ⬇</u> (<100 μg/mg)
- 중등도 이상의 만성췌장염 진단에 매우 sensitive (급성췌장염과 만성췌장염의 감별에 유용)
- 초기 만성췌장염 진단에는 sensitivity 떨어짐, cystic fibrosis에서도 감소됨

② stool chymotrypsin 측정 : false(+)/(−) 많아 잘 이용 안 됨

③ cobalamin (vitamin B_{12}) malabsorption
- Schilling test 이상 → pancreatic enzyme 복용하면 교정됨
  (∵ trypsin (protease)에 의한 vitamin과 R-protein의 분리 감소로)
- 만성췌장염에 specific 하지만, not sensitive (약 40%에서만 나타남)

④ triglyceride breath test ⋯ lipase

⑤ cholesterol octanoate breath test ⋯ carboxyl ester lipase

치료

* <u>통증과 흡수장애의 조절이 치료 목표 (보존적 치료)</u>

1. 내과적 치료

초기에는 통증을 완화하고 재발을 예방할 수 있지만
후기에는 통증을 완화하거나 경과를 바꾸지 못함

① 금주 및 금연

② diet : 과식 및 고지방식 피함
- moderate fat (30%), high protein (24%), low carbohydrate (40%)
- medium-chain fatty acids (lipase 없어도 직접 흡수됨)

③ <u>pancreatic enzyme</u> 보충 ⋯ 만성 췌장염 치료의 핵심!
- 대개 설사도 조절되고, 지방 흡수가 적절한 정도까지 회복되어 체중도 증가됨!
  (지방변도 호전되나, 완전히 회복되기는 어려움)
- cobalamin (vitamin B_{12}) 흡수장애도 교정됨 (folate는 아님!)
- 영양상태 정상화를 위해서는 대개 80,000~100,000 IU/meal의 lipase가 필요함
- 대부분 조성은 protease:lipase = 3~4:1
  - conventional (non enteric-coated) tablet (8개) : 위산에 의한 분해를 막기 위해 bicarbonate, H_2-RA, PPI 등도 함께 투여 (Ca^{2+} or Mg^{2+}을 함유한 antiacids는 오히려 지방변을 악화시킴)
  - enteric-coated capsule (2~3개) : feedback 작용 장소인 십이지장을 지나칠 수 있는 단점
  - 최근에는 microencapsulated enteric-coated sphere 형태의 3세대 효소제제가 널리 사용됨
    : 위산에 녹지 않고 십이지장에서 캡슐이 녹으며, 음식과 잘 섞여 십이지장으로 잘 내려감
- gastroparesis 동반시 반드시 치료 (∵ 십이지장으로 효소 emptying↓)
- 흡수장애가 지속되면 췌장효소 양을 두 배로 올려봄 → 호전 안되면 지방섭취↓(50~75 g/day), 식사를 조금씩 자주 섭취 → 호전 안되면 H_2-RA 등 투여

- 통증 감소에는 일관된 효과는 없는 것으로 연구결과 밝혀졌지만, 보통은 사용함
  (일부 환자에서는 non enteric-coated 췌장효소로 통증이 감소되었으나, 흡수장애에 의한 dyspepsia의
  호전 때문으로 추정되며, advanced [large-duct] CP 환자에서는 효과 없었음)
④ 통증 조절
  - 처음에는 비마약성(e.g., AAP) 진통제 식사 전 투여 → 효과 없으면 마약제 투여(e.g., tramadol)
    → 효과 없으면 강력한 마약제 투여 (but, 마약 중독 위험)
  - NSAIDs는 위장관 부작용 위험으로 권장 안됨
  - 항우울제(e.g., amitriptyline, SSRI), gabapentin, pregabalin 등의 추가도 도움
  - antioxidants (특히 selenium, vitamin E & C, β-carotene, methionine의 혼합물)
    : mild CP 환자에서 통증 감소에 효과적이었다고 하였으나, 최근 연구결과로는 효과 없음
⑤ pancreatic DM ⇨ 대개 insulin therapy가 필요하게 됨
  - 일부 환자는 경구혈당강하제에 반응하기도 함 ; metformin이 선호됨(∵ 2ndary 췌장암↓),
    GLP-1 analogs와 DPP-IV inhibitors는 급성췌장염과 췌장암 위험으로 사용 피함
  - 탄수화물의 제한은 피해야 (∵ 영양결핍 상태)

2. 내시경적 치료 (ERCP, EUS)

- 통증 치료에서 약물이 효과 없을 때 고려 / 췌관 폐쇄를 직접 해소하여 췌액 배출 개선
- 대개 large-duct CP (대개 alcoholic CP) 및 췌관의 심한 구조적 이상(dominant stricture)이 적응
  → 성공률은 높지만, 몇 년 뒤 약 20~30%는 재발
- 췌관 유두부 괄약근절개술(papillary sphincterotomy) : ERCP
  ① dilatation & stenting/drainage (배액관) → 95%에서 협착이 해소되고, 84%에서 통증이 완화됨
  ② stone removal ; intraductal lithotripsy, balloon, basket, rat tooth forceps, stenting 등
    * 약 70~90%에서는 ESWL과 병행 필요 → 90% 이상 성공
- 합병증이 많은 것이 문제 (e.g., ductal damage [폐쇄, 출혈 등], stent의 이동/기능장애, AP,
  pancreatic abscess, cholangitis) ; stenting 후엔 ~20%, lithotripsy 후엔 ~10% 정도
- ERCP 치료가 실패하거나 불가능하면, EUS-guided PD drainage 고려 (→ 약 70~90% 성공)
  ① EUS-guided rendezvous (췌관 랑데부법) : transgastric guide wire 삽입 → PD~AoV 통과
    → 십이지장 내에서 ERCP로 wire를 받아 plastic stent 삽입
  ② EUS-guided pancreaticogastrostomy : PD와 위(십이지장) 사이에 fistula를 만들고 stent 삽입
  * 마약성 진통제에 반응 없을 때 EUS-guided celiac plexus (or ganglia) block/neurolysis도 가능
- 내시경적 치료에 반응이 없거나 재발하면 수술 고려

* pseudocyst (급성췌장염 때와 동일) : endoscopic drainage → surgical internal drainage

3. 외과적 치료

만성 췌장염에서 수술의 적응
1. Intractable pain (m/c)
2. Suspicion of malignancy
3. Obstruction of common bile duct (CBD)
4. Symptomatic duodenal obstruction
5. Symptomatic pseudoaneurysm
6. Obstruction of major abdominal vessels
7. Obstruction of pancreatic duct (PD)

- 대개 내시경적 치료보다 효과적이고 오래 지속됨!
- ductal decompression : ductal obstruction & dilatation (>5 mm) 있을 때
  - longitudinal pancreatojejunostomy (측측 췌장공장문합술, modified Puestow procedure)
  - 80% 이상에서 단기간의 통증 감소를 가져오나, 장기적인 효과는 50%에서 뿐
- pancreatic resection : 병변이 국한되어 있고, ductal dilatation이 없을 때
  - classic pancreaticoduodenectomy (Whipple operation) or PPPD
  - duodenum-preserving pancreatic head resection (DPPHR)
- total pancreatectomy + autologous islet cell transplantation : 모든 치료에 반응 없을 때 고려

4. 신경차단/박리술(nerve block or neurolysis)

- 복강신경얼기 차단(celiac plexus block) : 약 1/2에서 단기적인 (대개 몇 달) 통증 완화 효과뿐이라 잘 안 쓰임, 반복 시술시에는 합병증 위험
  - → 통증이 매우 심한데 약물/내시경/수술이 효과 없을 때에나 고려 (e.g., 췌장암)
- 흉강경하 내장신경절제술(thoracoscopic splanchnicectomy) : celiac plexus block보다 좀 더 좋음

5. 예후 : 10YSR

$$\left[\begin{array}{l} \text{alcoholics : 65\%} \\ \text{non-alcoholics : 80\%} \end{array}\right.$$

c.f.) 췌관의 침범 크기에 따른 임상양상 차이

	작은 췌관 (초기 CP)	큰 췌관 (말기 CP)
성비	남<여	남>여
지방변	드묾	흔함
혈청 trypsinogen	N	↓
대변 elastase	N	↓
Secretin 자극검사	비정상	비정상
X선 상 췌장 석회화	드묾	흔함
ERCP 상 이상 소견	경미	현저
통증의 치료	내과적	내시경적/외과적

기타 드문 만성췌장염의 원인

1. Autoimmune pancreatitis (AIP)

(1) 개요/임상양상
- 일본에서 흔함 (우리나라에서도 드물게 발생), 50대 이상 남성에서 호발, 음주와 관계없음
- DM (42~76%) 및 다른 자가면역질환 동반 흔함(~50%) ; PBC, PSC, IBD, Sjögren's syndrome, RA, autoimmune thyroiditis, retroperitoneal fibrosis (→ 2ndary autoimmune pancreatitis)
- 증상은 대개 경미함 ; obstructive jaundice (50~75%), 체중감소 (심한 복통은 매우 드묾!)

(2) 진단기준
- revised HISORt criteria (Mayo Clinic) : (H) or [(I) + 나머지 하나]를 만족하면 AIP로 진단
  - (H) Histology에서 AIP 시사 소견 - lymphoplasmacytic sclerosing pancreatitis (LPSP)
    ; periductal lymphoplasmacytic infiltration, IgG4(+) cells↑, storiform fibrosis, idiopathic duct centric pancreatitis ...
  - (I) Imaging에서 AIP 시사 소견 (CT) ; diffuse enlargement/swelling with delayed enhancement (특히 head 부위 → 췌장암과 혼동될 수), capsule-like rim, ductal narrowing ...
  - (S) Serology ; IgG4가 정상상한치의 2배 이상 상승, ANA, RF 등의 자가항체 양성
  - (O) Other organ involvement ; biliary strictures, parotid/lacrimal gland involvement, mediastinal lymphadenopathy, retroperitoneal fibrosis
  - (Rt) Response to steroid Treatment
- 통일된 진단기준은 없음, 일본과 우리나라는 각각 따로 진단기준을 사용
- ERCP/MRCP ; diffuse/segmental/focal pancreatic ductal stricture, 협착 상류 췌관의 확장X, 담관 협착도 흔함 (석회화나 낭종의 동반은 드묾)

(3) 치료
- steroid 치료에 반응 좋음 (증상, 검사/영상/조직 소견이 빨리 호전됨)
  - 90% 이상이 반응하지만, 관해이후 중단하면 재발률이 약 30%로 높음
  - 관해유지 위해 steroid 유지요법 : 우리나라/일본 6개월 이상, 미국/유럽 3개월 ± 면역조절제
- 2~4주의 steroid 치료에도 반응 없으면 췌장암이나 다른 종류의 만성췌장염 의심
- 담관 협착은 steroid로 장기적인 치료 효과를 얻기가 어려워, 면역조절제가 필요할 수 있음
  ; azathioprine (m/c), 6-MP, mycophenolate mofetil, rituximab 등

2. Hereditary pancreatitis (HP, 유전성 췌장염)

- 한 가계 내에서 ARP or CP가 2세대 이상에 걸쳐 3명 이상인 경우 진단, 대개 20세 이하에 발병
- serine protease 1 gene (*PRSS1*) mutations : codon 29 (exon 2) 및 122 (exon 3) mutations
  - ↳ encodes trypsin-1 (cationic **trypsinogen**)
  - 췌장 내에서 hydrolysis-resistant trypsin 형성 → pancreatic autodigestion → 만성 췌장염
    (c.f., 정상 : trypsinogen이 십이지장으로 분비된 뒤에야 trypsin으로 변환되어 활성화되고, 만약 췌장 내에서 trypsin으로 활성화되더라도 주위의 다른 trypsin이 서로 공격하여 불활성화됨)

- AD 유전, HP의 약 60% 차지, 단독으로도 만성 췌장염 유발 가능
- chronic pancreatitis와 임상양상 비슷 (ARP에서 진행), acute attack시 amylase/lipase 대개 정상
- 석회화, DM, 지방변 등이 흔함, 췌장암 발생 위험 높음 (70세까지 ~40%)
- 평균 10세에 복통, 29세에 지방변, 38세에 DM, 55세에 췌장암 발생
- 복통의 치료로 흔히 surgical ductal decompression 필요
- serine protease inhibitor Kazal type 1 gene (*SPINK1*) mutations : AR 유전
  [= pancreatic secretory trypsin inhibitor gene (*PSTI*)]
  - SPINK1 : 활성화된 trypsin에 결합하여 inhibitor로 작용, 활성도 20%⇩ (trypsin의 1차 방어선!)
  - mutations (N34S가 m/i) 발생시 trypsin에 의한 pancreatic autodigestion → 만성 췌장염
- cystic fibrosis transmembrane conductance regulator gene (*CFTR*) mutations : AR 유전
  - 1200가지 이상의 매우 다양한 mutations 존재 (너무 많아서 각각의 연관성을 밝히기엔 어려움)
    → typical cystic fibrosis 또는 atypical cystic fibrosis (idiopathic pancreatitis 포함)로 발현
    (∵ 췌관에서 췌액 분비 장애 → 췌액 점도↑ → 만성 췌장염)
  - idiopathic pancreatitis 환자에서 *CFTR* mutation 1개 존재 확률은 11배, 2개 존재 확률은 80배
  - 소아 만성 췌장염의 m/c 원인 (미국)
- *CFTR* or *SPINK1* mutations 단독으로 직접 췌장염을 일으키기 어렵고 대개 다른 위험인자도 존재
- *CFTR* mutation 2개 → 췌장염 발생 위험 40배, *SPINK1* mutation → 췌장염 발생 위험 20배,
  CFTR mutation 2개 + *SPINK1* mutation → 췌장염 발생 위험 400배 ...
- 기타 ; chymotrypsin C (*CTRC*), carboxypeptidase A1 (*CPA1*), calcium-sensing receptor
  (*CASR*), claudin-2 (*CLDN2*) 등의 mutations

3. Annular pancreas (윤상췌장)

- 췌장 조직이 duodenum 주위를 둘러 싼 것
- 장폐쇄의 증상 발생 ; 식후 팽만감, 복통, N/V
- pancreatitis 및 peptic ulcer 발생 위험 증가
- Tx ; 수술 (retrocolic duodenojejunostomy 등)

4. Pancreas divisum (분할췌장)

- m/c pancreatic congenital anomaly (부검시 5~10%에서 발견됨)
- 복측췌관(dorsal duct → 부유두)과 배측췌관(ventral duct → 주유두)이 서로 융합되지 않은 상태
- 대부분의 췌장 외분비물은 긴 복측췌관 & 작은 부유두(accessory/minor papilla)를 통하여 배출됨
- 진단(ERCP/MRCP or EUS) : cross-duct sign (dorsal duct가 CBD 앞을 지나감) 등
- 거의 대부분에서 췌장염의 발생 위험이 증가하지는 않음, 약 5%에서만 증상 발생
  (minor papilla가 작은 경우엔 dorsal duct obstruction 발생 가능)
- 췌장염이 발생한 경우 원인은 대부분 모르며, pancreatic divisum 자체와의 관련성은 논란임
- 치료 (최적의 치료는 논란)
  - 일반적인 chronic pancreatitis와 같은 보존적 치료
  - acute recurrent pancreatitis의 경우 minor papilla sphincter therapy (내시경적/수술)가 도움

12 췌장암

개요

- 진행이 매우 빠르며, 조기 진단이 어렵고, 진단된 환자의 대부분이 사망하는 예후가 매우 나쁜 종양
  - pancreatic ductal adenocarcinoma (PDAC) : 90% 이상 (주위 조직/장기 침범 잘함)
  - endocrine (islet cell) tumors : 5~10% (원발 종양은 작지만, 원격전이가 된 경우가 흔함)
- 발생부위 : head (70%), body (20%), tail (10%)
- 50~70대에 호발, 남:여 = 1.5:1

위험인자
Smoking (m/i) : 약 2~3배 증가, 흡연량에 비례, 금연시 감소
Long-standing (>20년) DM, Obesity
Chronic pancreatitis
Pancreatic cancer의 가족력, Hereditary pancreatitis
일부 유전질환 ; Peutz-Jeghers, von Hippel-Lindau, familial atypical multiple-mole melanoma syndrome (FAMMM), ataxia-telangiectasia, Gardner's syndrome, Lynch syndrome II (HNPCC)
Chemicals ; 석유 화합물, 살충제 등

- diet, coffee, alcohol, prior partial gastrectomy/cholecystectomy, *H. pylori* 등의 관련성은 희박함
  - diet : 동물성 지방 과다 섭취시 risk 증가 / 과일, 야채 등의 섭취는 risk 감소 (일부 연구에서)
  - alcohol : 직접 관련은 없음, 흡엽/만성췌장염과 상승 작용은 가능
- *GSTT1* (glutathione-S transferase T1) 유전자 이상을 동반한 흡연자는 위험 크게 증가
- 췌장암에서 발견되는 유전자 이상
  ① *KRAS* oncogene의 mutation (m/c, >90%) : MCN과 IPMT에서도 발견됨
    - mutation (주로 codon 12)에 의해 활성화되면 독립적인 성장인자로 작용하여 *PI3K, MAPK, RAF* 등의 신호전달체계를 활성화하여 암 발생
    - pancreatic intraductal neoplasia (PanIN)에서부터 발현, 암 발생과 유지에 모두 관련
  ② tumor suppressor genes의 inactivation (mutation or deletion)
    ; *p16/CDKN2A* (95%), *TP53* (50~70%), *SMAD4/DPC4* (55%), *RB1* (<10%), *STK11* ...
    - *KRAS* mutation + *CDKN2A* inactivation은 췌장암에 매우 특이적임
    - *SMAD4* inactivation은 나쁜 예후 및 원격전이 발생과 관련

PanIN-1	PanIN-2	PanIN-3	PDAC
KRAS →	*p16*	→ *TP53, SMAD4/DPC4*	
Her2/new		*BRCA2*	

③ 기타
- DNA repair genes mutation ; *BRCA2, FANC-C, FANC-G, MLH1* ...
- *PALB2* (partner and localizer of *BRCA2*) mutation : 유전성 췌장암과 관련
- survivin overexpression : inhibitor of apoptosis (IAP) family의 일종, 80% 이상에서 관찰됨
- *IGF-1R* & *FAK* (focal adhesion kinase) pathway activation
- *c-Src* overexpression and/or aberrant activation

• 유전성 췌장암 (약 16%)
① familial multi-organ cancer syndrome ; Peutz-Jeghers syndrome (*STK11* mutations,
췌장암 발생 위험 최고[132배]), familial atypical multiple mole melanoma [FAMMM]
(*p16/CDKN2A*), familial breast-ovarian cancer (*BRCA1, BRCA2* mutations),
PALB2 (→ 유방/췌장암↑), HNPCC [Lynch syndrome] (*hMLH1, MSH2*),
ataxia-telangiectasia (*ATM* → 유방/췌장암, 림프종↑), FAP, Li-Fraumeni syndrome ...
② genetically driven chronic dz. ; hereditary pancreatitis (*PRSS1* [serin protease 1]),
cystic fibrosis, ataxia telangiectasia ...
③ familial pancreatic cancer (m/c) : 유전적 이상을 아직 모르는 것, 1차친족 중 2명 이상이
췌장암 환자면 familial pancreatic cancer로 간주함, 췌장암 발생위험 7배 높음

• desmoplastic stroma : PDAC 주변을 둘러싸 CTx.에 대한 방벽 역할과 암의 진행 및 전이에
필수적인 조절자를 분비함 ; activated pancreatic stellate cell,
glycoprotein SPARC (secreted protein acidic and rich in cysteine) overexpression

임상양상

1. 흔한 증상

① **obstructive jaundice** (∵ 담관 폐쇄) ; bilirubin, ALP, GGT 등 상승 동반
┌ head cancer ; 80~90%에서 발생 → 더 빠른 시기에 진단됨
└ body or tail ca. ; 약 6%에서만 발생 → 증상(체중감소가 m/c) 늦게 나타나 예후 나쁨
• pruritus, dark urine, clay-like stool 등도 동반됨
• 대개 통증도 동반됨 (다른 periampullary ca.와 차이)
② **abdominal pain** (>80%) : 지속적, 등으로 방사 (25%), 앞으로 숙이면 감소
• 심한 통증은 매우 큰 종양 or retroperitoneal/splanchnic nerve 침범을 시사
(advanced → 수술 불가능)
• 드물게 ductal obstruction에 의한 acute pancreatitis의 복통도 발생 가능 (일시적, amylase↑)
→ 음주력이나 담석증 없이 급성 췌장염이 발생한 경우 한번쯤 췌장암의 가능성을 고려해야 됨
③ **weight loss** (80%) ; 식욕부진, 조기 포만감, 흡수장애, 설사/지방변 등에 의해 발생

2. 기타 임상양상

① DM or glucose intolerance (6~68%) : 대개 진단 후 2년 이내에 발생
 → 중년 이후 새로 DM 발병한 경우 췌장암의 가능성을 고려해야 됨
② dilated, palpable, non-tender GB ("Courvoisier's sign") : 수술 가능 환자의 25%에서 발생
③ venous thrombosis
④ migratory or recurrent thrombophlebitis
 - Trousseau's syndrome : 췌장암 + 말초정맥혈전증
⑤ GI hemorrhage (∵ 종양의 문맥계 압박으로 인한 varix 때문)
⑥ advanced ca.의 경우 abdominal mass, ascites, hepatomegaly, splenomegaly
 (∵ splenic vein이 종양으로 둘러싸여)

진단

* 주로 영상검사를 통해 임상적으로 진단 (MDCT ± EUS) / 초기 증상이 비특이적이고,
 비침습적 검사들(e.g., CA19-9, US, CT)의 sensitivity가 부족한 편이라 조기 진단은 어려움

1. 영상검사

(1) 초음파
- CT보다 sensitivity 떨어짐
- obstructive jaundice 환자의 initial screening에 유용

(2) CT (pancreas protocol MD-CT)
- 췌장암 의심시 영상진단의 choice!
- 소견 ; 췌장의 종괴 (저음영 병변 : 정상 췌장보다 조영증강 덜 됨), 췌장의 국소적 비후,
  췌장 모양의 변형, 췌장 두부암은 담관/췌관/위/십이지장의 확장도 동반 가능 (석회화는 드묾)
- 주위 장기/혈관/림프절 침범 및 장/간/폐 전이도 확인 가능 → 수술 가능성 평가 가능!
  (but, 염증성 종괴와 종양성 종괴를 구별하기 어려울 수 있음)
- 의심이 되나 CT상 발견되지 않을 때는 EUS or ERCP가 도움이 됨

(3) MRI
- 진단 및 수술가능성 평가는 CT와 비슷
- 유용한 경우 ; 작은 간 병변의 성질 파악, 담도 확장의 원인 평가 (CT에서 mass 안 보일 때)

(4) EUS (endoscopic US)
- 췌장에 가장 근접해서 췌장을 관찰 가능
- 작은(<3 cm) 췌장암 발견에 매우 유용 (US, CT보다 sensitivity 높음!)
- local staging (e.g., portal vein 침범, LN 전이 확인), 다른 췌장 질환과의 감별 등에 유용
- 단점 ; 4~5 cm 깊이 밖에는 관찰 못함 (→ 간이나 췌장에서 먼 LN 전이 발견에는 정확도 부족)

▶ CT : 췌장 두부암

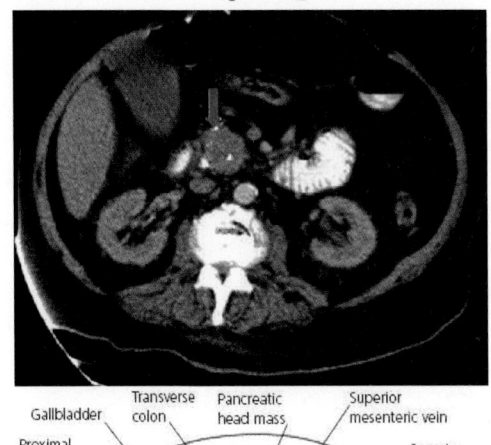

큰 췌장 미부암

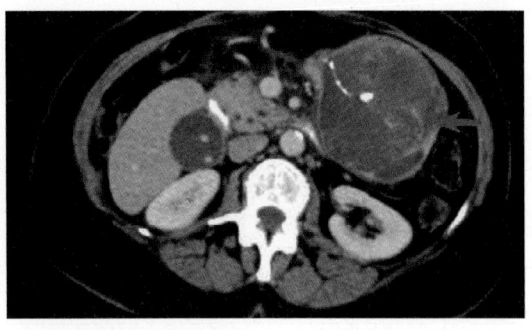

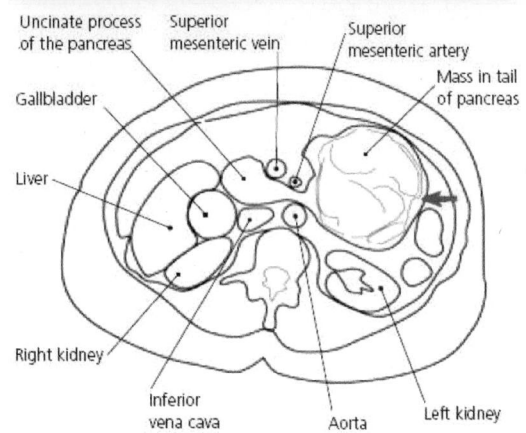

(5) ERCP

- 작은 췌장 병변 확인, 췌관/총담관의 협착/확장 확인, stent 유치 등에 유용
- 췌장암의 소견 ; 췌관의 협착/폐쇄 (abrupt cut-off of duct), 담관과 췌관이 함께 협착/확장됨 (double duct sign) → chronic pancreatitis와 감별이 어려울 수도 있음
- CT에서 발견 못했을 때, periampullary ca.의 감별진단 등에 유용
- 췌장암 진단에는 CT or MRCP가 더 선호되며, ERCP는 대개 치료적인 용도(stenting) or brushing cytology에 고려 (진단이나 치료범위 결정만을 위해서는 잘 이용 안함!)

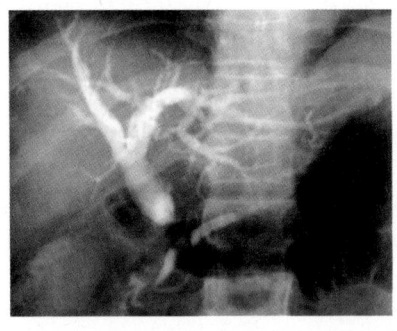

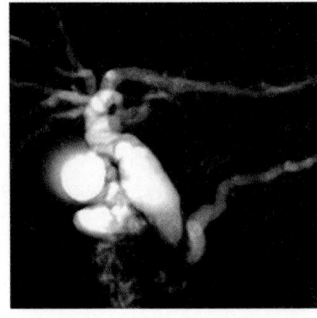

Double duct sign
: 담관 및 췌관 모두 확장
→ 췌장 두부암을 시사

(좌) ERCP
(우) MRCP

* MRCP ; 췌관과 담도계 구조 확인에 유용

(ERCP와 sensitivity는 비슷하지만 duct에 조영제를 투입하지 않는 것이 장점)

(6) PET (FDG-PET)

: 수술 or radical chemoradiotherapy 전에 occult distal metastasis 발견에 CT/MRI보다 유용

(7) 복강경

: 과거에는 수술 전 복막전이 R/O에 이용되었으나, MDCT로 거의 대치되었음

2. 조직검사

┌ 영상검사에서 췌장암이 거의 확실하고 <u>수술이 가능한 경우</u>에는 대개 필요 없음! (→ 바로 수술)
└ 적응 ; 췌장암인지 불확실한 경우, neoadjuvant therapy가 필요한 췌장암 환자

(1) EUS-guided FNA : head ca.에서는 바늘이 복강 내를 통과하지 않기 때문에 tumor seeding의
위험이 적어 선호됨 (정확도 약 90%)

(2) US/CT-guided percutaneous FNA cytology or biopsy : tumor seeding의 위험이 있고,
종양의 크기가 작을수록 위음성의 가능성 존재 (→ 수술 불가능한 전이암 환자에서만 이용)

(3) ERCP : ductal brushing or 췌장액 sampling

3. tumor markers

- CA19-9 (m/g), CEA, galactosyltransferase, pancreatic oncofetal Ag., 췌장암관련 Ag. ...
- CA19-9 ; sensitivity 86%, specificity 87%
  - 진단 및 screening에는 적합하지 않지만, 예후 평가 및 치료 후 F/U에는 유용함
    (수술 전 CA19-9 level은 tumor stage와 비례, 치료 전 높은 CA19-9는 독립적인 예후인자!)
  - 담관암, 위암, 대장암, 폐쇄성 황달 (담즙저류), 담관염, 췌장염, 간염, UC 등에서도 상승 가능
- CEA ; sensitivity 58%, specificity 75% (CA19-9보다 진단적 가치 훨씬 떨어짐)

4. Screening

- 정상인을 대상으로 하는 건강검진에서 췌장암 screening은 권장 안 됨 (∵ 위양성률 높음)
- 췌장암 발생위험이 10배 이상인 고위험군에서 권장됨
  - familial pancreatic ca. (1차친족 3명 이상), FAMMM, Peutz-Jeghers, hereditary pancreatitis
  - spiral CT, EUS, CA19-9 등

치료 및 예후

췌장암의 clinical (radiological) staging & AJCC TNM 8th	
Localized resectable stage I/II (T1~3, N0~1, M0) 동맥 침범 없음(T1~3) T1: ≤2 cm, T2: 2~4 cm, T3: >4 cm N1: regional LN 1~3개 침범	**Resectable** 동맥: 침범X 정맥: 변형/폐쇄 없이 180° 미만 침범
Locally advanced stage III (T4 & any N, T1~3 & N2) T4: 종양의 크기와 관계없이 주요 동맥 (CA, SMA, CHA) 침범 ⇨ unresectable primary tumor N2: regional LN 4개 이상 침범	**Borderline Resectable** 동맥: 단면의 180° 미만으로 침범 (대동맥은 침범X) 정맥: 정맥 재건수술이 가능한 침범
Metastatic (advanced) stage IV (any T, any N, M1) M1: 원격전이 존재 (주로 간, 복막 / 때때로 폐)	**Unresectable** 수술 불가능한 심한 혈관 침범 or 원격전이 (원격 LN 침범 포함)

- Critical arteries ; CA (celiac axis), SMA (superior mesenteric artery), CHA (common hepatic artery)
- Borderline Resectable *vs* Unresectable locally advanced 정의의 통일된 기준은 없음, 정맥보다 동맥이 중요

1. Resectable 췌장암 (surgical resection)

- only curative, 15~20%에서만 수술 가능 (stage I, II, 일부 III), 수술해도 5YSR 약 10%
- 수술 후 예후가 좋은 경우 ; R0 resection (residual tumor 無), small tumor (<3 cm), LN(-), well-differentiated, adjuvant CTx. 시행 → 평균 20~23개월 생존, 5YSR 약 20%
- 일반적으로 body와 tail이 head ca.보다 수술 가능성이 떨어지고 예후 나쁨

(1) surgical procedures

- head → PPPD (pylorus-preserving pancreatoduodenectomy, modified Whipple's op.)
- body/tail ca. → distal pancreatectomy (with splenectomy)

c.f.) 췌십이지장절제술(pancreatoduodenectomy, Whipple's op.)
- 자르는 부위 ; pancreatic head (SMA 부위까지), GB & CBD, distal stomach, entire duodenum, 1st 15 cm of jejunum
- 문합 ; gastrojejunostomy → pancreaticojejunostomy → choledocojejunostomy

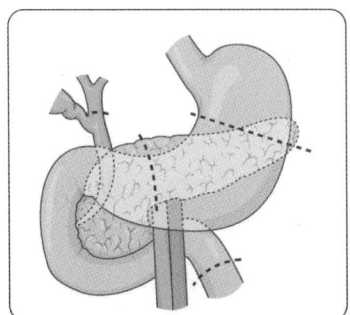

췌십이지장절제술의 범위

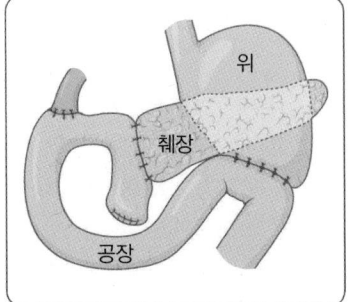

문합의 순서

c.f.) total pancreatectomy (다른 수술법에 비해 재발률을 더 낮추지는 못함)의 Cx. ;
: exocrine insufficiency, permanent DM, malabsorption (Ca, P, iron↓, steatorrhea, bowel habit change), anemia (∵ iron↓, weight loss 때문)

(2) adjuvant therapy
- 수술 후 gemcitabine + capecitabine 등의 combiCTx., chemoRTx. 등 → survival↑
  (↳ gemcitabine 단독보다 survival 2~3개월 더 증가)
- 수술 전(neoadjuvant) CTx.는 효과 불분명 (수술 시기 지연으로 오히려 안 좋을 수)

■ Borderline resectable 췌장암의 치료
: neoadjuvant therapy (FOLFIRINOX, GEM + nab-paclitaxel, chemoRTx. 등)
→ 수술 전 재평가 → 수술 (PPPD 등) → adjuvant therapy

2. 진행성(unresectable) 췌장암 : metastatic, 일부locally advanced

(1) CTx.
- 증상 호전, 삶의 질 향상, survival 증가 등이 목적이지만 매우 큰 효과는 없음
- gemcitabine (GEM)이 1st-line CTx.의 표준 약물 (but, 평균 5~7개월 생존)
- 5-FU계 경구 항암제(oral fluoropyrimidine) ; capecitabine (Xeloda®), S-1 (TS-1®)
  → 단독으로는 GEM보다 못하고, GEM과 병용시 survival 아주 약간↑
- FOLFIRINOX (5FU/FA + irinotecan + oxaliplatin) or
  gemcitabine + nab-paclitaxel (Abraxane®) 병합요법이 가장 효과적! (평균 8~12개월 생존)
  [nonoparticle albumin-bound]
  - 전신상태가 양호한 경우 TOC (∵ 부작용이 많음)
  - 전신상태가 나쁜 경우엔 gemcitabine (± capecitabine or S-1) 권장
- 1st CTx.에 실패하고 전신상태가 양호한 경우 → 1st와 다른 계열의 2nd CTx. 권장
- external RTx. : tumor size와 pain은 감소하나 survival 증가는 없다
- CTx. + RTx. : locally advanced 췌장암에서 survival 약간 더 증가

(2) Targeted therapy
- erlotonib (oral HER1/EGFR tyrosine kinase inhibitor) → GEM과 병용시 survival 약간↑
- BRCA2 or PALB2 (DNA 복구 단백 결함) mutations → PARP inhibitors
- microsatellite instability 동반 암 → anti-immune checkpoint monoclonal Ab
  ; anti-PD-1 (pembrolizumab, nivolumab), anti-PD-L1 Ab

(3) alliative procedures : biliary bypass
- 항암치료 or 수술 전 황달이 심하면 먼저 시행
- endoscopic biliary & duodenal stenting
- percutaneous transhepatic biliary drainage
- surgical biliary bypass ; cholecystojejunostomy, choledochojejunostomy

3. 증상 조절

- 근본적인 치료만큼 증상의 조절도 중요함
- 통증 조절 ; aspirin, acetaminophen, NSAID → 안 들으면 opioid (codeine, morphine)
    → nerve plexus block/ablation
- malabsorption → pancreatic enzyme 투여

4. 예후

- 5YSR : 5~6% (periampullary ca. 중 예후 가장 나쁨!)
    ┌ 진단 후 평균 수명은 4~8개월
    └ 수술 후 평균 수명은 17~20개월

췌장 낭성종양(cystic neoplasms)

* 췌장의 낭종(cyst)은 대부분 가성낭종(pseudocyst)이고, 낭성종양은 10~15% 뿐임
    → 급/만성 췌장염의 병력이 있으면 가성낭종일 가능성이 높음
* 췌장 낭성종양의 빈도 (우리나라) ; IPMT (IPMN) > MCN > SPN (SPEN) > SCN

1. 췌관내 유두상 점액종양 (Intraductal papillary mucinous neoplasm, IPMN)

- 60대에 호발, 남>여 (서양은 남≒여), 동양에 많음 (우리나라는 m/c), head에 호발
    - 대부분 무증상으로 검사 중 우연히 발견되는 경우가 많음 (특히 branch duct type)
    - 20~25%에서 췌장염 증상을 보임(복통, 황달, 체중감소 등), 약 20%는 재발성 CP 병력
- 대부분 낭종과 췌관의 연결이 있음, 낭종액(cystic fluid) 내 CEA↑, CA19-9↑
- 진단
    ① US, CT, MRI : 췌관의 확장, 포도송이 모양의 낭성 종괴
    ② 십이지장경 : 유두부(AoV) 종대, 유두 개구부에서 끈끈한 점액이 분비됨!
    ③ 췌관조영술 (m/i) : 주췌관이 근위부 협착 소견 없이 확장, 췌관 내 종양/점액에 의한 음영결손
    ④ EUS (FNA로 cystic fluid 분석도 가능), intraductal US (IDUS)
    - D/Dx ; mucinous cystic neoplasm
- 발생부위에 따른 분류 (대부분 악성화 위험이 높음)
    ┌ main duct type (MD-IPMN, 주췌관형) : 38~68% 악성화
    │ branch duct type (BD-IPMN, 부췌관형) : 12~47% 악성화
    └ mixed type (혼합형) : 38~65% 악성화
- 대부분 수술(e.g., PPPD)로 치료, 수술 이후 예후는 좋음 (5YSR 80% 이상)

- 증상이 없고 악성 위험이 낮은 부췌관형(BD-IPMN)은 F/U도 가능

부췌관형(BD-IPMN)에서 악성 위험이 높은 경우 ⇨ 수술	악성 위험이 낮은 BD-IPMN의 F/U
① 폐쇄성 황달 ② 주췌관 확장(직경 ≥10 mm), ③ 조영증강 고형병변(벽결절) ≥5 mm 기타; FNA에서 악성의심 등 (낭종의 크기는 절대적이지 않음)	<1 cm: 6개월 뒤 CT/MRI → 변화 없으면 이후 2년 마다 1~2 cm: 6개월 마다 CT/MRI (1년) → 1년 마다 (2년) → 2년 마다 2~3 cm: 3~6개월 뒤 EUS, 6개월 마다 CT/MRI → 이후 1년 마다 >3 cm: 3~6개월 마다 MRI + EUS (65세 이하 >2 cm 환자는 가능하면 수술 권장)

c.f.) 일부는 내시경적 치료도 시도 가능 ; EUS-guided ablation (ethanol ± chemoagent), EUS-guided RFA

2. 점액성 낭성종양 (Mucinous cystic neoplasm, MCN)

- 30~60대, 대부분 여성에서 발생, <u>body & tail</u>에 호발 (서양은 m/c cystic neoplasm)
- 대부분 multiple, large (>2 cm), 약 30%에서 낭종벽의 석회화 관찰, 낭종액 내 CEA↑
- 조직소견 ; 양성세포와 악성세포가 혼재되어 있는 것이 특징
- 악성화 위험도(malignant potential) 높음 (11~38%) → 수술이 원칙 (수술 후 예후 좋음)

3. 장액성 낭성종양 (Serous cystic neoplasm, SCN) = 장액성 낭선종 (Serous cystadenoma)

- 60대에 호발, 남<여, 췌장 전체에서 발생, 양성(benign)으로 간주됨
- 작고(<2 cm) 무수히 많은 낭종들이 군집을 이룸(→ 벌집 or 스펀지 모양), <u>중심부의 석회화</u>가 특징, 낭종액 내 CEA or CA19-9는 낮음!
- 악성화 위험도(malignant potential)는 거의 없음!, 증상이 심할 때만 수술

4. 고형 가유두상종양 (Solid pseudopapillary neoplasm, SPN) = 고형 유두상 상피종양 (Solid and papillary epithelial neoplasm, SPEN)

- 20~30대에 호발 (췌장 낭성종양 중 가장 어림), 대부분 여성, tail에서 m/c, 평균 약 10 cm 크기
- 처음에는 고형으로 시작 → 커지면서 낭성 변화 혼재, 대부분 양성 or 분화도가 좋은 악성
- 위험도는 낮지만 전암성 병변으로 간주됨, 수술하면 예후 좋음

	IPMN	MCN	SCN	SPN (SPEN)	Pseudocyst
빈도(우리나라)	40%	25%	18%	2~5%	*췌장염 병력
호발 연령	60대	40대	60대	20~30대	다양
성비	남>여	대부분 여성	남<여	대부분 여성	남>여
발생 부위	Head	Body/tail	전체	전체	전체
영상 소견	확장된 췌관에서 포도송이 모양의 multilocular 낭종, 벽(mural) 결절	원형/난형의 종괴 내에 격막(septated) & 고형물	Macrocystic 또는 honeycomb/sponge –like microcystic, 중심부 석회화 흔함	조영증강 되는 고형 종괴, 내부 변성부위	주로 unilocular, 경계 분명, 주췌관과 연결, 췌실질 석회화 등
악성화 위험	낮음~높음	중간~높음	거의 없음	낮음	없음
Cystic fluid					
Viscosity	⇧	⇧	↓	–	↓
Amylase	⇧	↓	↓	↓	⇧
CEA	⇧	⇧	↓	↓	↓

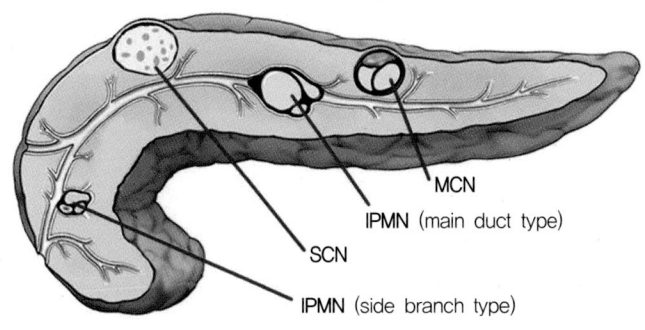

13
소화기 내분비종양

* NeuroEndocrine Tumor (NET, 신경내분비암종)
  - gastrointestinal NET (GI-NET) = carcinoid tumors
  - pancreatic NET (pNET) = pancreatic endocrine tumors (PET)

- GI NET (carcinoid 및 PET)의 일반적 특징
  (1) cell markers ; chromogranin (A, B, C), neuron-specific enolase (NSE), synaptophysin 등이 양성
  (2) 병리학적 특징
    - 모두 APUDoma (amine precursor uptake & decarboxylation)
    - 대개 dense-core secretory granules (>80 nm)을 가짐
    - 조직소견으로 임상양상을 예측할 수는 없음 (invasion or metastasis에 의해 악성/예후 결정!)
  (3) 생물학적 행동
    - 보통 성장(진행)이 느리다
    - 생물학적 활성을 가진 peptides or amines을 분비
    - 보통 고밀도의 somatostatin receptors를 가짐 (→ localization 및 치료에 이용)

	분비되는 활성 호르몬	임상양상	악성화(%)
Carcinoid syndrome (GI-NET)	Serotonin	Flushing, diarrhea, wheezing, hypotension	95~100
Gastrinoima (ZES)	Gastrin	Peptic ulcers, diarrhea	60~90
Insulinoma	Insulin	Hypoglycemia	<10
VIPoma (Verner-Morrison, WDHA)	VIP	Diarrhea, hypokalemia, hypochlorhydria	40~70
Glucagonoma	Glucagon	Mild DM, necrolytic migrating erythema, weight loss	50~80
Somatostatinoma	Somatostatin	DM, diarrhea, steatorrhea, gallstones	>70
GRFoma	GHRH	Acromegaly	>60
ACTHoma	ACTH	Cushing's syndrome	>95
기타 PET	PTH-rP Calcitonin Renin	Hypercalcemia Diarrhea (50%) HTN	84 >80 –
Nonfunctional PET	–	종양 자체에 의한 증상 ; 복통, 황달, 체중감소 등	>60

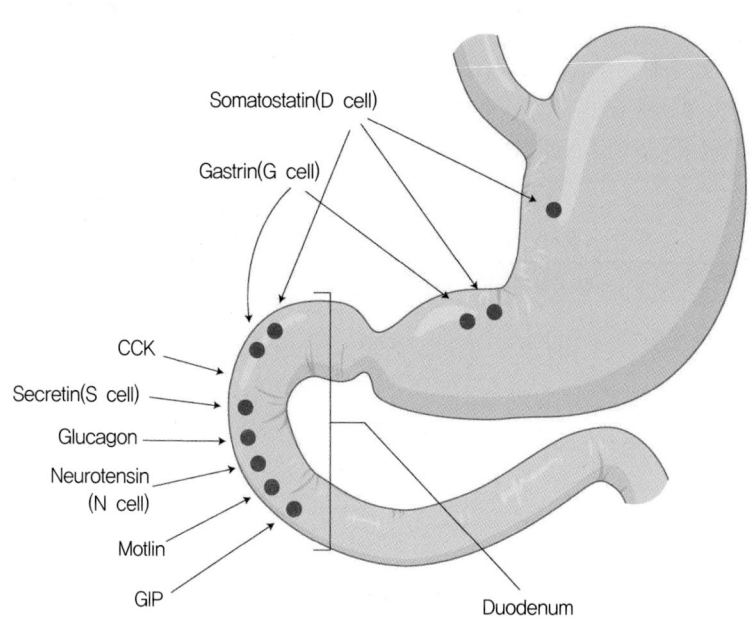

CARCINOID TUMORS (카르시노이드종양, 유암종), GI-NET

1. 개요

- m/c NET, enterochromaffin (Kulchitsky) cells에서 유래
- 발생률 : 1~2/10만, 40~60대에 호발, 남≒여
- 발생 기원에 따른 분류
  ① foregut ; 호흡기계, 식도, 위, 십이지장, 담도계, 췌장
  ② midgut ; 공장/회장, 충수, 결장, 간, 난소, 고환
  ③ hindgut ; 직장
- 호발부위 ; GI tract (64%), bronchus/lung (28%)
- 분비물질 ; NSE, 5-HTP, 5-HT (serotonin), synaptophysin, chromogranin, neurotensin, tachykinin, PP, motilin, VIP, GHRH, ACTH, kallikrein, substance P, gastrin 등
- 병리학적 특징
  - 육안적으로 고형의 노란색 병변
  - 위와 회장에서는 다발성 가능, 그 외에는 대부분 단일 병변
  - 결합조직증식증(desmoplasia) → 장기의 구조적 변형 → 장 또는 혈관 폐쇄
- 전이 (종양 크기가 2 cm 이상이면 거의 대부분 발생) ; 간(m/c), 드물게 폐나 뼈로

2. GI carcinoid tumors

- 호발부위 : ileum (m/c, 15%), rectum (13.6%), colon, stomach, appendix …
- 대부분 내시경/수술 도중 우연히 발견되거나, 오랫동안 애매한 증상을 앓은 뒤에나 진단됨

• 증상
┌ 종양에서 분비되는 물질에 의한 증상
└ 종양 자체의 물리적 영향에 의한 증상 : 비특이적 복통이 m/c
　(대장보다 소장에서 증상이 잘 나타남)

위장관 장기별 NETs (carcinoid tumors)

	위	소장(공장/회장)	충수	결장	직장
발생빈도	4.6% (증가추세)	16.7%	4.8%	8.6%	13.6%
Carcinoid syndrome	9.5%	9%	<1%	5%	거의 없음
원격전이	10%	58.4%	38.8%	51%	3.9%
임상양상	소화불량, 복통, 구토, UGI bleeding, 빈혈 (내시경 시행 중 우연히 발견되는 경우가 많음)	복통, 장폐쇄 <u>Carcinoid synd.</u>의 m/c 원인 (∵ 간전이 흔함)	대개 충수절제 수술시 우연히 발견됨	복통, 체중감소, 쇠약감, 설사, 변비	흑색변/혈변, 항분/직장 불쾌감, 변비, 배변습관변화 (1/2은 증상없이 우연히 발견)
예후	좋다	나쁨 (5YSR: 54%)	매우 좋다	매우 나쁨 (5YSR: 33~42%)	좋다 (5YSR: 72%)
치료	1. 내시경 절제술 　(<1 cm, <5개) 2. 수술 　(>1 cm or ≥5개)	광범위 절제술 + 림프곽청술	1 cm 미만 → 충수절제술 2 cm ↑ → Rt. hemicolectomy + 림프곽청술	2 cm 미만 → 국소절제술 2 cm ↑ → 광범위절제술	1 cm 미만 & 점막 층에만 국한 → 내시경 절제술 2 cm ↑ → 수술 (근치적절제술)

• 위 NET (carcinoid)의 분류

	빈도	크기	Gastrin	역학	예후 (전이)
Type I : autoimmune chronic atrophic gastritis 동반	80%	Small, multiple	↑	40~60대 여성에서 호발	좋음 (<10%)
Type II : MEN1/ZES 동반	6%				(10~30%)
Type III : sporadic	14%	Large, single	−	60대 남성에서 호발	나쁨 (54~66%)

• 췌장 : 매우 드물지만(0.7%), carcinoid syndrome 발생(20%) 및 전이(72%)가 흔함

■ 호흡기(기관지/폐/기관) carcinoid
- 전체 carcinoid의 약 <u>28%</u>, 원발성 폐 종양의 1~2% 차지
- bronchial adenoma (잘못된 용어지만..) 중 m/c
- 대개 양성 경과를 취하며, 원격전이(5.7%) 및 carcinoid syndrome (13%) 발생은 드묾!
- localization : chest X-ray, HRCT
- Dx : bronchoscopy, biopsy
- Tx : 수술(resection이 원칙)

3. Carcinoid syndrome

- <u>serotonin</u> 등의 여러 분비물질 때문
- 전체 carcinoid tumor 환자의 <u>약 10%에서만</u> 발생 (간 전이시 발생 증가)

(1) **cutaneous flushing** (m/c, 85~90%) ; 처음에는 2~5분 짧게 지속되다 병이 진행될수록 길어짐
   - 주로 얼굴과 목에서 갑자기 발생, 흔히 열감 동반, 때때로 가려움증, 눈물, 부종도 동반
   - 유발인자 ; 스트레스, 운동, 음주, 식사(e.g., 치즈), 약물(e.g., catecholamines, pentagastrin, SSRI)
   - 주로 tachykinin 때문 (serotonin은 flushing과는 관련 없음!)

(2) **diarrhea** (85%) : watery, 대개 flushing과 함께 발생
   - mixed secretory & hypermotility-induced (→ 금식해도 계속 지속)
   - 지방변(67%)이나 복통(10~34%)도 동반 가능
   - 주로 serotonin 때문 (→ 장 분비 촉진, 재흡수 억제, motility↑, fibrogenesis 촉진)

(3) **valvular heart dz.** (26%) : histamine과 serotonin 때문
   - endocardial fibrosis (주로 <u>우측</u> 심장) ; <u>TR</u> (m/c), PR, TS, PS (좌측 심장 침범은 11% 뿐)
   - 이중 약 80%는 우심실부전의 증상 발생 (드물게 좌심실부전, 협심증도 발생 가능)

   * "classic" triad : (1) + (2) + (3)

(4) wheezing or asthma-like Sx. (8~18%) : bronchoconstriction, flushing attack시 현저

(5) pellagra-like skin lesions (2~25%) : niacin 부족 때문

(6) carcinoid crisis
   - 심한 증상을 가진 foregut tumor 또는 urinary 5-HIAA level이 매우 높은 환자에서 호발
   - 심한 홍조, 설사, 복통, 빈맥, 고혈압/저혈압, 기관지연축 등이 발생하며, 치료 안하면 사망도 가능
   - 유발인자 ; 스트레스, 마취, CTx., biopsy 등

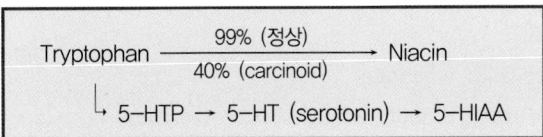

```
Tryptophan ──── 99% (정상) ────→ Niacin
           ──── 40% (carcinoid) ────
        └ 5-HTP → 5-HT (serotonin) → 5-HIAA
```

┌ 5-HTP : hydroxytryptophan
├ 5-HT : hydroxytryptamine
└ 5-HIAA : hydroxyindoleacetic acid

┌ typical carcinoid syndrome : midgut에서 발생, 5-HT & 5-HIAA↑ (serotonin pool↑)
└ atypical carcinoid syndrome : foregut에서 발생, 5-HTP ▷ 5-HT로의 전환 감소,
　　　　　　　　　　　　　　5-HT와 5-HIAA는 정상이거나 약간만 상승

4. 진단

- <u>urinary 5-HIAA</u> 측정 (N: 2~8 mg/day) : carcinoid syndrome 환자의 약 73%에서 증가
  - 진단적 유용성 큼 (specificity 약 100%), 치료 반응 평가에도 유용
  - 5-HIAA level을 높이는 물질들 (→ 검사시 금기!) - serotonin 함유식품
     ; 바나나, 파인애플, 키위, 호도, 땅콩, 건포도, avocados, guaifenesin, AAP
  - 5-HIAA의 false depression을 일으키는 것 ; aspirin, levodopa

- urinary 5-HTP or 5-HT : 5-HIAA가 정상인 경우 검사 (e.g., foregut tumors)
- serum serotonin : 약 92%에서 증가 (but, 증가해도 12~26%는 carcinoid syndrome이 없음)
- platelet serotonin (5-HT) : 5-HIAA보다 민감하나, 일반적인 사용은 어려움
- 기타 분비물의 측정
  - chromogranin A : GI-NETs 환자의 56~100%에서 증가하고, 종양의 크기와 비례, 비특이적 (pNET와 다른 NETs에서도 증가)
  - NSE (neuron-specific enolase) : chromogranin A보다 덜 민감 (17~47%에서만 증가)
- carcinoid syndrome 같은 특징적인 증상이 없는 경우엔 조직검사로 확진
- 전이의 진단
  - liver 전이 ; CT, MRI, angiography
  - bone 전이 ; bone scan
  - SRS (radiolabeled octreotide scan) ; 위 방법으로 알 수 없을 때

5. 치료

* carcinoid syndrome 환자의 대부분은 전이를 동반 (→ 절제 불가능)

(1) somatostatin analogue ; octreotide, lanreotide
- carcinoid cells의 hormone 분비를 억제
- diarrhea, flushing, wheezing 등의 증상 완화에 매우 효과적이고, carcinoid crisis도 예방 가능
- 장기간 사용시 부작용 ; 담석, 지방변, 내당능장애

(2) 기타 대증요법
- diarrhea → loperamide, diphenoxylate, atropine
- H_1 & H_2-RA combination → flushing ↓ (e.g., diphenhydramine & ranitidine or cimetidine)
- phenoxybenzamine → bradykinin 분비 억제
- bronchodilators & glucocorticoids → dyspnea & wheezing ↓
- serotonin antagonists (e.g., cyproheptadine, methysergide, ketanserin) → diarrhea ↓
  (but, 다른 Sx엔 별 효과 없다)
- β-agonist : 금기 (∵ 급성 발작 유발 가능)

(3) tumor reductive Tx.
- 수술 : 완치가 가능한 유일한 방법이지만, 10%에서만 완전 절제가 가능
  - 충수의 small (<1 cm) tumor → simple appendectomy
    (1~2 cm은 simple appendectomy or 광범위 절제술[Rt. hemicolectomy])
  - 직장의 small (<1 cm) tumor → local resection : endoscopic or transanal
    (1~2 cm은 local full-thickness excision)
  - 소장의 small (<1 cm) tumor ; 논란, 15~69%는 전이 존재, 광범위 절제술 + 림프절 곽청술
  - 2 cm 이상인 경우는 광범위 절제술 필요
  - 종양의 90% 이상이 절제되어야 증상 완화의 효과가 나타남
- gastric carcinoid의 절제술
  - 1 cm 이하면 내시경 절제술

- type I & II 1~2 cm → "내시경 절제술 + somatostatin" or 수술
- type I & II >2 cm or local invasion → total gastrectomy or anterectomy (type I)
- type III >2 cm → 수술적 절제 & 국소 림프절 절제
• liver metastasis의 치료
  - 단발성의 경우 전이 부위의 절제
  - TACE (hepatic artery chemoembolization) : somatostatin analogue로 증상 조절에 실패했을 경우 사용하는 것이 바람직
• interferon-α : adjuvant therapy (40~70%에서 증상 완화)
• systemic chemotherapy : 효과 적고(20~30%), survival에 영향 없음
• radiolabelled somatostatin analogue를 이용한 방사선치료

6. 예후

• 5YSR ; local dz. 95%, LN involvement 65%, liver metastasis 18%
• urinary 5-HIAA 상승 정도와 반비례   → 뒷부분 참조

PANCREATIC NEUROENDOCRINE TUMOR (pNET)

* 이자/췌장의 랑게르한스섬(Langerhans islets)에서 분비되는 호르몬

세포	주로 분비되는 호르몬
A	glucagon
B	insulin
D	somatostatin
D_2	VIP
EC	substance P, serotonin
G	gastrin
PP	PP (pancreatic polypeptide)

1. Gastrinoma (Zollinger-Ellison syndrome, ZES)

(1) 개요
• 30~50세에 호발, 남자가 약간 더 많음
• m/c pancreas islet cell tumor (non-β islet cell tumor)
• 20~25%는 MEN I과 관련 (AD 유전) → sporadic ZES와는 치료가 다름!
  (1) parathyroid hyperplasia (m/c) : hyperparathyroidism, 대부분 mild, 대개 ZES보다 선행
  (2) pancreatic NETs ; nonfunctional pNET > gastrinoma (ZES) > insulinoma ...
      → sporadic ZES보다 평균 10년 젊음, multiple 많음, 설사 적음, 경과 양호함
  (3) pituitary adenomas ; prolactinoma >ACTH-secreting > GH-secreting
   - gastric carcinoid tumor 발생도 sporadic ZES보다 많다

- 발생부위 ; 십이지장(45~90%), 췌장(10~45%), 난소, 간, 담관, 위, LN, 심장, 뼈 등
  ↳ 췌장 종양보다 작고(<1 cm), 성장이 느리고, 원격전이가 적음
- 60% 이상은 malignant : metastasis 존재 (장기 생존의 m/i 예후인자는 liver metastasis 유무)
- 처음 진단시 30~50%는 multiple lesions or metastasis를 가짐
- 다른 NETs와 비슷하게 90% 이상에서 somatostatin receptor over-/ectopic expression

(2) 임상양상

- 대부분(>90%) 전형적인 PUD (peptic ulcer dz.) 동반 : 복통 (typical DU 때문)
- 위산 과다분비에 의한 만성 (수양성) 설사, 지방변, GERD, 체중감소 ...
  (∵ pancreatic lipase 불활성화, bile acid 감소 → micelle 형성 장애 → 지방 흡수장애)
- gastrinoma (ZES)에 의한 PUD를 시사하는 소견 ⇨ serum gastrin level 측정!
  ; 비전형적인 위치에 발생, 다발성 병변, 설명되지 않는 설사/지방변, 치료에 반응 없거나 지속,
  위/십이지장 점막주름의 비후, MEN-1 동반(e.g., hypercalcemia, 신결석), H. pylori 음성,
  basal hyperchlorhydria, PUD의 합병증(e.g., 출혈, 폐쇄, 식도협착), PUD의 강한 가족력 ...

(3) 진단

① fasting serum gastrin↑ (>150~200 pg/mL)
  - ZES가 의심되지만 낮게 나오는 경우(e.g., PPI 복용) 반드시 재검
  - PPI는 검사 7일전 중단, H_2-RA로 대치 (gastrin에 대한 영향이 짧음), 1일전에는 제산제만
② 위산분비 평가
  - 내시경 or NG tube를 통한 위액 채취, basal gastric pH 측정
    ┌ pH <3 → gastrinoma 시사
    └ pH >3 → gastrinoma를 R/O하기에는 부족, 정식 위산 분석 검사 시행
  - BAO↑ (>15 meq/h), BAO/MAO >0.6 → ZES일 가능성이 매우 높음
③ gastrin provocation tests
  - secretin stimulation test (m/g)
    ┌ ZES → gastrin level 크게 증가 (15분 이내에 120 pg/mL 이상 증가)
    └ normal or common DU → 거의 변화 없음
      - PPI는 false(+)를 일으킬 수 있으므로 검사 1주일 전 중단
  - calcium infusion study ; 덜 정확하고, 부작용이 심해 거의 이용 안 됨
④ tumor localization … 생화학검사로 gastrinoma가 진단되면 시행
  - 우선 원격전이를 R/O ; SRS (somatostatin receptor scintigraphy), CT, MRI
  - SRS (somatostatin receptor scintigraphy)가 m/g!
    - OctreoScan® with SPECT : ^{111}In-pentreotide 이용
    - PET : ^{68}Ga-labelled somatostatin analogs 이용, OctreoScan보다 해상도 더 우수함
  - 원격전이가 R/O되면, 수술 가능성을 결정하기 위해 primary gastrinoma 위치파악/평가
    ; EUS (+ 십이지장 내시경 검사 포함), 시험적 개복술 (수술 중 US or transillumination),
      SASI (selective arterial secretin injection, functional gastrin localization) 등
  - 췌장 gastrinoma의 진단 민감도는 높지만, 십이지장 gastrinoma는 크기가 작아 민감도 낮음

ZES에서 영상검사의 진단 민감도(%)		
	Primary Gastrinoma*	Metastasis
SRS (OctreoScan)	69~72	92~97
EUS	70	–
Angiography (요즘엔 잘 안씀)	48~68	62~65
CT	38	42~48
MRI	22~40	63~71
수술 중 US	83	–
SASI**	86~89	–

* primary duodenal gastrinoma (<1 cm)를 놓치는 경우가 많아 전체 민감도는 낮음
** 침습적이라, 수술 예정이고 다른 모든 영상검사에서 음성일 때만 고려

(4) 감별진단

Hypergastrinemia의 원인	
Inappropriate hypergastrinemia (위산 분비 증가)	Gastrinoma (ZES) Retained gastric antrum Antral gastrin (G) cell hyperplasia/hyperfunction (secretin test에는 반응×, meal stimulation에는 반응) Pheochromocytoma, RA, DM
Appropriate hypergastrinemia (위산 분비 감소에 따른 feedback)	심한 hypochlorhydria, achlorhydria (e.g., pernicious anemia) Atrophic gastritis, gastric ulcer, PPI or H$_2$-RA, vagotomy CKD, chronic *H. pylori* infection (pangastritis) Massive small bowel obstruction or resection Gastric outlet obstruction

(5) 치료

① 위산 과다분비의 치료
- 대부분 위산분비억제제로 잘 조절됨 ; long-term high-dose PPI (DOC)
  - vitamin B$_{12}$ 결핍 발생이 흔하므로 반드시 vitamin B$_{12}$ level monitoring
  - PPI로 조절 안 되고 somatostatin receptor 양성이면 somatostatin analogues 추가 고려
- total gastrectomy ; 위산분비억제제를 복용할 수 없는 극히 일부 경우에만
- MEN I/ZES ; parathyroidectomy 먼저 (→ 위산↓, 위산분비억제제에 대한 감수성↑)

② gastrinoma 종양의 치료
- 완전 절제는 15~20%에서만 가능 (→ 이중 40~60% 완치, 일부는 위산 과다분비 지속됨)
- 최근 수술 성적의 향상으로 sporadic ZES 환자는 가능하면 수술을 먼저 고려
- MEN I/ZES ; 수술 어려움(∵ multiple), sporadic ZES보다 예후 좋아 권장×
- advanced metastatic pNET
  (1) well-differentiated pNET (grade 1, 2)
    - somatostatin analogues (e.g., octreotide, lanreotide) ; gastrin & 위산 분비 억제
      + pNET와 GI-NET 종양의 성장을 억제함, 다른 약제들에 비해 부작용 적은 편

- CTx ; streptozocin (STZ)/doxorubicin (± 5-FU) ; 20~45%에서 반응, 완치는 드묾
    → 최근 연구 결과로는 temozolomide (TMZ)/capecitabine이 더 효과 좋음
- 표적치료제 ; everolimus (mTOR inhibitor), sunitinib (TK receptor inhibitor)
- IFN-α2b ; somatostatin analogue와 효과 비슷, somatostatin receptor 음성이면 고려
(2) poorly-differentiated pNET (grade 3) → CTx (etoposide, vincristine, paclitaxel)
• 수술 불가능 & 간 전이만 있는 경우 → TAE/TACE, radioembolization (^{90}Yttrium) 도 고려

(6) 예후
• 5YSR 62~75% (간 전이시 <20%)
• 종양 전체를 수술로 완전 제거시 5YSR >90%, 불완전 제거시 5YSR 43%

예후가 좋은 경우	예후가 나쁜 경우
Primary duodenal gastrinoma Isolated LN tumor 개복술에서 종양이 발견 안 되었을 때 MEN1/ZES	고령, 여성, 진단 전 짧은 유병기간 위산과다분비 조절 힘듦 Sporadic ZES (MEN1 無) High gastrin level (>10,000 pg/mL) Large pancreatic gastrinoma (>3 cm) Poorly-differentiation LN, 간, 뼈 등의 전이 간 전이가 빨리 성장할 때 Ectopic Cushing's syndrome 발생

2. Insulinoma

(1) 개요
• 대개 작고 (90% 이상이 2 cm 미만), 단발성
• pancreas의 head, body, tail에서 골고루 발생
• 약 10%에서 malignant (예후는 좋음) / 8%에서 MEN I (Wermer's syndrome)과 관련

(2) 임상양상
• 40~50세에 호발
• Whipple's triad   → 내분비내과 참조
  ① fasting hypoglycemia (≤ 40 mg/dL)
  ② hypoglycemia의 Sx
  ③ glucose 투여 (IV) 뒤 즉시 호전
• neuroglycemic Sx ; 두통, 시각장애, 혼돈, 지남력장애, 혼수 ...
• 2ndary adrenergic Sx ; sweating, tremer, anxiety, palpitation ...
• 체중 증가 (∵ 음식 섭취의 증가로)

(3) 진단
• 72시간 금식 시험 : 어느 때라도 glucose <40 mg/dL면 진단
  → insulin, C-peptide 등도 측정
• hypoglycemia인데도 insulin level은 정상 or 증가 (insulin/glucose >0.3)
• hypoglycemia의 다른 원인을 R/O (e.g., insulin or 혈당강하제의 과다 사용, 심한 간질환,
  알코올중독, 영양결핍)

(4) localization
- EUS (77~93%) : pancreas의 종양 발견에 매우 민감
- angiography with selective venous sampling (80%)
- CT (50%)

(5) 치료
① glucose IV, frequent small meals

② diazoxide (insulin 분비 억제) → 50~60%가 반응

③ 기타 약물치료 ; verapamil, diphenylhydantoin, octreotide (somatostatin)

④ 환자의 75~95%는 surgical resection으로 완치됨

⑤ malignant insulinoma ; 우선 약물치료뒤 효과 없으면 TACE, CTx. 등

3. VIPoma (Verner-Morrison syndrome, pancreatic cholera, WDHA [Watery Diarrhea, Hypokalemia, Achlorhydria] syndrome)

(1) 개요
- 대부분 body or tail에 위치
- 예후 안 좋다 (40~70% malignant)
- MEN I 과 관련 거의 없다

(2) 임상양상
- large-volume (>1 L/day) secretory diarrhea (100%), dehydration (83%)
- hypokalemia (80~100%), hypochlorhydria (54~76%), flushing (20%)
- 25~50%에서는 hyperglycemia와 hypercalcemia도 발생

* 진단 : 혈장 VIP 상승 + large-volume diarrhea

(3) 치료
① fluid & electrolyte 보충

② somatostatin analogues : octreotide or lanreotide (→ VIP 분비 감소)

③ 수술 : 37~68%는 간전이가 존재하여 대부분 수술 불가능

④ metastatic dz. → CTx. chemoembolization 등

■ NET의 나쁜 예후 인자

GI-NETs (carcinoids)	pNETs

발생부위: 췌장>소장>폐,직장>충수
Carcinoid syndrome 존재
남성, 다른 악성종양 동반
Urinary 5-HIAA ↑
Plasma neuropeptide K ↑
Serum chromogranin A ↑
TGF-α, gain chr 4p, gain chr 14,
   chr 16q LOH (loss of heterozygosity),
   loss of 3p13 (ileal carcinoid),
   Hoxc 6 upregulation
	발생부위: 췌장이 십이지장보다 예후 나쁨
	여성
	MEN-1 없을 때
	Ha-Ras oncogene or p53 overexpression
	Serum chromogranin A ↑
	  (gastrinoma에서는 gastrin ↑)
	조직: c-KIT(+), cyclin B1 ↓, PTEN loss, FGF-13(+)
	HER2/neu ↑, chr 1q, 3p, 3q, or 6q LOH,
	   EGF receptor ↑, gain chr 7q, 17q, 17p, 20q,
	   VHL gene alterations (deletion, methylation)

고령, 증상 발생
간 전이 & 침범 정도, LN 전이, 뼈 등 간외 전이
침범 깊이, 빠른 성장 속도
원발 종양의 크기 및 발생부위
Serum ALP ↑, chromogranin A ↑, 말초혈액에 종양세포 존재
조직 특징 ; differentiation, growth index ↑ (Ki-67, PCNA), mitotic content ↑, aneuploidy,
   vascular or perineural invastion, necrosis, cytokeratin 19, CD10 metalloproteinase ↑,
   VEGF ↑ (low-grade or well-differentiated NET에서만)	

- 일반적으로 pNETs (insulinoma는 제외)가 GI-NETs (carcinoids)보다 예후 나쁨
- 간 전이가 단일 예후인자 중 가장 중요!, 간 전이의 발생의 m/i 요인은 원발 종양의 크기임!

순환기
내과

1 서론

일반적인 이학적 소견

- 피곤해 보임 ; chronic low CO state
- 빠른 호흡수 ; pul. venous congestion
- central cyanosis, clubbing ; Rt-to-Lt 심장/심장외 shunt, 폐의 oxygenation 부족
- 사지 말단의 cyanosis, 차가운 피부, 땀 증가 ; vasoconstriction (심한 심부전시)
- 기립성 저혈압 & 빈맥 ; 혈액량 감소 (휴식시 빈맥 → 심부전)
- 경정맥 확장 (CVP↑) ; cardiogenic shock, heart failure, AMI, cardiac tamponade ...
    (c.f., hypovolemic shock에서는 CVP↓)

* infective endocarditis ; petechiae, Osler's nodes, Janeway lesions ...

복부 진찰

- pulsatile, expansible mass → abdominal aortic aneurysm
- large, tender liver → heart failure, constrictive pericarditis
- systolic hepatic pulsations → tricuspid regurgitation
- splenomegaly → severe heart failure의 말기, infective endocarditis
- ascites → constrictive pericarditis
- continuous ⓜ → arteriovenous fistula
- 신장 위의 systolic bruit → renal artery stenosis

동맥압 (arterial pulse)

1. 정상 동맥압

- central aortic pulse : 급격한 상승, 둥근 정점, 약간 완만한 하강이 특징
  - 상행 패임 맥박 (anacrotic notch) : 상승 곡선 중 혈류가 가장 빠를 때 (최고 동맥압 직전) 발생
  - 하행 패임 맥박 (incisura) : 하행 곡선 중 aortic valve가 닫힐 때 발생

- 말초로 갈수록 상승곡선의 경사는 더 급해지고, anacrotic notch는 희미해짐, 날카로운 incisura는 완만한 중복맥박패임(dicrotic notch)으로 바뀌고, 중복파(dicrotic wave)가 뒤따름 (dicrotic wave는 고령, 고혈압, 동맥경화 등 때 감소됨)
- 따라서, 말초 동맥압(e.g., radial pulse)은 중심 동맥압(e.g., carotid pulse)에 비해 얻을 수 있는 정보가 적다 (예외; bisferiens pulse나 pulsus alternans는 말초에서 더욱 뚜렷함)
- 경동맥압(carotid pulse) : central aortic pulse를 가장 잘 반영, sternocleidomastoid muscle을 이완 시키고 환자의 목을 의사 쪽으로 약간 돌린 자세에서 가장 잘 촉진됨
- trisection : 동맥압 촉진시 손끝의 압력을 다양하게 변화시키며 각 파형을 평가

2. 비정상 동맥압

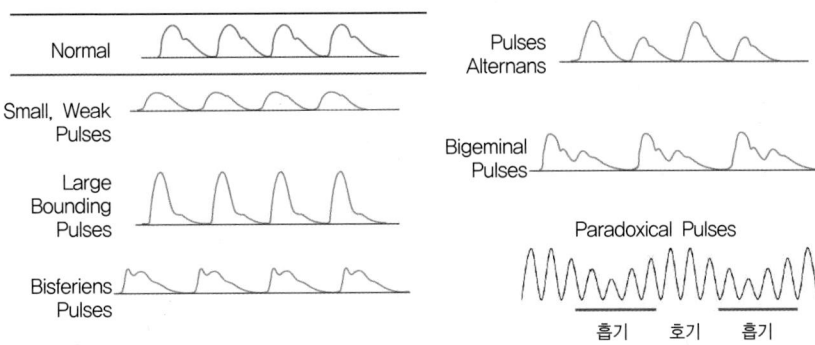

(1) Hypokinetic pulse : pulsus parvus (소맥)
- 작고 약한 pulse
- 원인 ; LV의 stroke volume 감소, narrow pulse pr., 말초혈관저항 증가
  (e.g., hypovolemia, LV failure, restrictive pericardial dz, MS)

(2) Anacrotic pulse : pulsus tardus (지연맥)
- LV outflow obstruction으로 systolic peak가 지연됨 (S_2에 가까워짐)
- 원인 ; AS (aortic valve stenosis)

(3) Hyperkinetic pulse (large bounding, water hammer)
- 크고 강한 pulse
- 원인 ; LV의 SV 증가, wide pulse pr., 말초혈관저항 감소와 관련

> 1. 비정상적으로 증가된 stroke volume ; complete heart block, hyperkinetic circulation
>   (e.g., 흥분, 빈혈, 운동, 발열), thyrotoxicosis, pregnancy ...
> 2. 동맥계에서 혈액이 비정상적으로 빨리 빠져나갈 때 ; PDA, Valsalva sinus aneurysm의 파열,
>   peripheral AV fistula ...
> 3. MR, VSD (∵ early systole 동안의 강한 LV ejection 때문)
> 4. AR (∵ stroke volume과 ventricular ejection rate의 증가 때문)

(4) Pulsus bisferiens (bisferiens pulse, 이단맥)
- 2개의 systolic peaks을 보이는 것 (2개의 pulse가 모두 dicrotic notch 전에 발생)
- 구성 ┌ rapid upstroke (percussion wave)
  │ pressure의 잠깐 감소 (∵ midsystole때 ejection rate의 빠른 감소로)
  └ slow & small upstroke (tidal wave)

- 원인 ; AR (± AS), HCM (첫번째 wave가 더 큼)
- 촉진으로는 관찰할 수 없는 경우 → Valsalva maneuver나 amyl nitrate 흡입으로 유발 가능

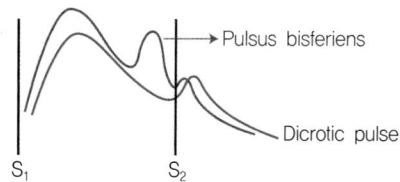

(5) Dicrotic pulse (중복맥)

- dicrotic wave가 비정상적으로 커져 systole, diastole 때 모두 pulse가 만져지는 것
- stroke volume이 매우 낮을 때 발생 (systolic pr. 130 mmHg 이상시 드묾)
- 원인 ; 심한 심부전(e.g., DCM), cardiac tamponade, hypovolemic shock, sepsis, AVR ...
  - 말초혈관저항이 감소된 정상적인 저혈압에서도 발생 가능(e.g., fever)
  - 드물게 건강한 청소년이나 젊은 성인에서도 관찰될 수 있음

(6) Pulsus alternans (교대맥)

- 좌심실 수축력의 변화에 의해서 맥박의 크기가 규칙적으로 강-약-강-약-강-약 변하는 것
  : <u>regular rhythm</u>이면서 amplitude만 규칙적으로 변화함 (20 mmHg 이상)
  → 심한 좌심실 기능 (CO) 감소를 의미!
- 원인 ; LVF (loud S_3 동반), AR, systemic HTN, venous return 감소 (e.g., NG 투여, 기립자세)
  - premature beat, paroxysmal tachycardia 등에 의해 유발 가능

 * electrical alternans : EKG 상에서 QRS의 크기가 변하는 것
     예) pericarditis, cardiac tamponade

(7) Pulsus bigeminus

- irregular rhythm이면서 맥박의 크기가 규칙적으로 강-약…강-약…강-약 변하는 것
- 각 정상 beat 뒤에 짧은 간격을 두고 약한 beat가 뒤따름 (↔ pulsus alternans는 rhythm 규칙적)
- 원인 ; 각 regular heart beat 뒤에 VPC 발생시

(8) Paradoxical pulse (pulsus paradoxus, 기이맥)

- 흡기시의 systolic arterial pr. 감소가 비정상적으로 심해짐 (>10 mmHg)
  - 정상적으로는 흡기시 3~4 mmHg 정도 감소
  - 흡기시 15 mmHg 이상 크게 감소되면 상완동맥이나 대퇴동맥에서도 촉지됨
  - 심한 경우 흡기시 peripheral pulse는 거의 사라짐
- 원인

> Cardiac tamponade or Pericardial effusion (∵ 흡기 → RV vol.↑ → LV 압박 → CO↓)
> Constrictive pericarditis (약 1/3에서 보임), Restrictive cardiomyopathy, Hypovolemic shock
> Severe airway obstruction (e.g., COPD, asthma), RVF, SVC obstruction
> Massive pulmonary embolism, Tension pneumothorax, Pregnancy, Extreme obesity ...

- reversed pulsus paradoxus : 흡기시 systolic pr. 증가 (예; HCM)

 * 상지와 하지의 pulse가 불일치 (뒤의 pulse가 약해지고 지연됨) → CoA

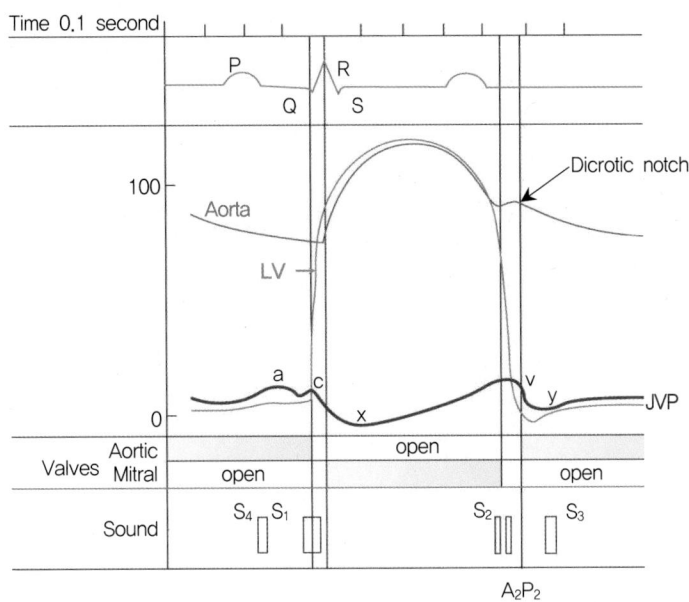

경정맥압 (jugular venous pulse, JVP)

1. 개요

- 경정맥 관찰의 목적 ; 정맥파(JVP)의 분석, CVP의 측정
- CVP = JVP + 5 cm (∵ RA는 sternal angle보다 약 5 cm 아래에 위치)
    (c.f., CVP의 reference point : midaxillary line의 4th ICS)
- JVP : sternal angle에서 Rt. internal jugular pulse까지의 수직 거리 (높이)

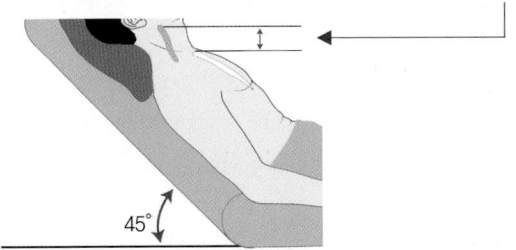

- 보통 상체를 45° 정도 일으킨 상태에서 관찰(촉진) : 정상 <4 cm
    ┌ CVP 증가 : 더 많이 일으켜야 관찰 가능 (때때로 ~90℃까지)
    └ CVP 감소 : 똑바로 누워도 관찰 안됨
- RA 및 체액량 상태 (systemic venous pr.)를 반영

- 정상 CVP (mean RA pr.) : 5~10 cmH$_2$O (midaxillary point 기준)
    - CVP가 증가되는 경우 ; biventricular HF (m/c), TR, TS, pul. HTN, cardiomyopathy, constrictive pericarditis, cardiac tamponade, volume↑ ...
    - CVP가 감소되는 경우 ; hypovolemia, intrathoracic pr.↓ ...

2. 정상 JVP

(1) *a* wave : RA 수축에 의한 정맥 팽창으로 발생, S_1 직전에 발생, "dominant wave" (특히 흡기시)

(2) *c* wave : RV의 isovolumetric systole 동안 TV가 RA 쪽으로 팽창되어 또는
　　　　　 인접한 carotid artery의 영향에 의해 발생

(3) *x* descent : RA 이완 및 RV 수축기 동안 TV가 RV 쪽으로 이동되어 발생

(4) *v* wave : RV 수축기에 TV가 닫힌 상태로 RA가 혈액으로 채워지면서 발생

(5) *y* descent : TV가 열리면서 혈액이 RV로 빠르게 이동되어 발생, diastole

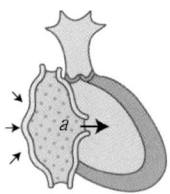 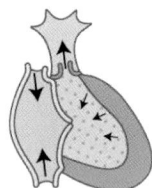 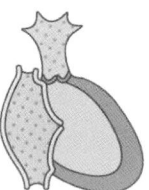 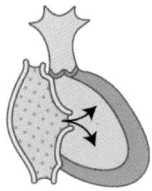

a wave　　　　　*x* descent　　　　　*v* wave　　　　　*y* descent

3. 비정상 JVP

(1) large *a* wave (peak는 S_4 발생 시점과 동일)

　① RA가 증가된 저항에 대항하여 수축할 때 발생 ; pul. HTN, pul. stenosis, tricuspid stenosis

　② RV 수축에 의해 TV가 닫혔을 때 RA가 수축도 발생 ("<u>cannon *a* wave</u>")
　　　┌regular (junctional rhythm) ; paroxysmal nodal tachycardia
　　　└irregular (AV dissociation) ; VT, complete AV block

(2) absent *a* wave ; atrial fibrillation, atrial flutter

(3) prominent *x* descent ; cardiac tamponade, constrictive pericarditis
　　(RV 확장 때는 x descent가 감소되고, TR에서는 방향이 반대로 되는 경우가 흔함)

(4) prominent *v* wave ; TR
　　(TR이 심하면 *x* descent가 소실되면서 *v* wave와 함께 큰 단일 positive wave를 이룸)

(5) prominent *y* descent ; constrictive pericarditis, severe TR, severe RVF, high venous pr.

(6) slow *y* descent ; TS, RA myxoma　("cardiac tamponade"시는 *y* descent가 감소되거나 소실)

* abdominojugular (hepatojugular) reflux : 우상복부(liver)를 10초 이상 강하게 누르면 JVP 상승 &
　손을 뗀 뒤 적어도 15초 이후까지 3 cm 이상 상승이 지속되면 (+)　(정상인은 별 변화 없음)
　　- PCWP or CVP의 증가 상태를 의미
　　- 원인 ; Lt. heart filling pr. 증가로 인한 Rt-sided heart failure, TR

* <u>Kussmaul's sign</u> : 흡기시 JVP (CVP)가 증가되는 것 (정상적으로는 감소됨)
　　- severe Rt-sided heart failure에서 흔함
　　- 예 ; constrictive pericarditis, CHF 일부, RV infarct, TS

심음 (heart sound)

1. 제1심음 (S₁)

- MV와 TV가 닫히면서 나는 소리 (약 0.1초의 차이므로 대개 하나의 심음으로 들림)
- MV에서 대부분의 소리가 발생, LV 수축이 시작될 때 MV leaflet의 위치가 m/i

(1) S₁ 증가

① tachycardia ($\because$ diastole 짧아져)

② high CO ($\because$ atrioventricular flow 증가) ; HTN, hyperthyroidism, exercise, anemia

③ 초기 MS ($\because$ atrioventricular flow 길어져) : ant. leaflet이 mobile할 때

④ short PR interval

(2) S₁ 감소

① chest wall 통한 sound 전달이 감소 ; 심한 비만

② LV pr. pulse가 천천히 상승 ; DCM

③ contractility 감소 (e.g., MI)

④ bradycardia

⑤ long PR interval ; 1st degree AV block

⑥ MR ($\because$ imperfect closure)

⑦ 후기 MS (ant. leaflet이 fibrosis, calcification으로 immobile할 때)

(3) S₁의 splitting

- 정상 : 10~30 ms, MV→TV 순으로 발생
- S₁의 wide splitting ; complete RBBB ($\because$ RV 수축 지연)
- S₁의 reversed splitting (TV에 의한 음이 먼저 발생) ; severe MS, LA myxoma, LBBB

2. 제2심음 (S₂)

: AV와 PV가 닫히면서 나는 소리 (A₂, P₂)

(1) S₂ 증가

- A₂ 증가 ; systemic HTN
- P₂ 증가 ; pul. HTN, Lt-to-Rt shunt (ASD, VSD)

(2) S₂ 감소

- A₂ 감소 ; AS, AR
- P₂ 감소 ; PS, TOF (tetralogy of Fallot)

(3) S₂의 physiologic splitting

- 호기시엔 단일 음으로 들림
- 흡기시 venous return 증가(→ RV로의 inflow↑ → ejection 시간↑)로 인해 P₂가 지연되어 A₂와 P₂로 분리

(4) wide splitting of S_2 (A_2-P_2 interval 증가)

- 호기시에도 분리되어 들리고, 흡기시에는 더욱 크게 분리되어 들리는 것
- P_2가 늦게 발생하는 경우
  - RV의 전기적 자극 지연 ; complete RBBB, LV pacemaker, LV ectopy
  - RV pr. overload (RV 수축이 오래 지속) ; PS, acute massive pul. embolism
  - RV volume overload ; RVF
  - 폐혈관계의 저항 감소 ; ASD
- A_2가 빨리 발생하는 경우 ; MR, VSD, constrictive pericarditis

  * 폐혈관 저항 증가(pul. HTN) ; P_2↑, S_2 splitting↓ (pul. embolism이 원인일 때는↑)

(5) fixed splitting of S_2

- 호흡주기와 관계없이 A_2와 P_2가 지속적으로 넓게 분리되어 들리는 것
- (large) ASD (∵ LA와 vena cava로 부터의 flow의 비율이 호흡에 따라 알맞게 변해서 RA filling flow는 일정하게 유지)

(6) reversed (paradoxical) splitting of S_2

┌ 호기시 splitting이 커지고 (P_2가 먼저, A_2가 나중에 발생)
└ 흡기시 감소 또는 단일 음 (P_2가 늦어져 A_2와 가까워짐)

- A_2가 늦게 발생하는 경우
  - LV의 전기적 자극 지연 ; LBBB (m/c), RV ectopy, RV pacemaker
  - 기계적 원인으로 LV 수축이 오래 지속 ; severe aortic outflow obstruction (e.g., AS, HTN), large aorto-to-pulmonary arterial shunt (e.g., PDA), chronic IHD, 심근병증에 의한 LVF
- P_2가 빨리 발생하는 경우 ; RV의 조기 수축, WPW syndrome (type B), pul. HTN

(7) persistently single S_2

- 호흡주기에 관계없이 지속적으로 단일 음으로 들리는 경우
- P_2가 안 들릴 때 ; 흉곽이 커진 노인(m/c), pulmonary atresia, severe PS, dysplastic PV, 대혈관의 완전 전위
- A_2가 안 들릴 때 ; immobile AV (severe calcific AS), aortic atresia
- A_2와 P_2가 항상 동시 발생 ; nonrestrictive VSD 동반한 Eisenmenger syndrome

3. 기타 수축기 심음

(1) ejection sound (click)

- 수축 초기 S_1 직후에 들리는 날카로운 고음
- 원인 ; AV or PV의 stenosis, aorta or pul. artery의 dilatation

(2) nonejection or midsystolic click

; MVP, tricuspid valve prolapse

4. 기타 이완기 심음

(1) opening snap (OS)

- 이완기 초기에 들리는 짧은 고음, 대개 MV (m/c) or TV의 stenosis에 의해 발생
- rheumatic MS 때 특징적으로 발생
- A_2-OS interval (0.04~0.12초) : 평균 LA pr.와 반비례 ($\downarrow \Rightarrow$ severe MS)

(2) 제3심음 (S_3, ventricular gallop)

- A_2 0.14~0.16초 뒤에, rapid filling period가 끝남과 동시에 들리는 저음
- 이완기초(rapid filling 기)에 ventricular filling rate/volume 증가 or 심실기능 이상 때문에 발생
- 소아나 CO이 증가된 젊은 성인에서는 정상적으로 들릴 수도 있음
- 40세 이후(특히 남성)에서 나타나면 비정상!
- S_3의 원인

> 심실 기능 장애 (heart failure)
> AV valve regurgitation (MR, TR), AR
> 심한 myocarditis
> Cardiomyopathy

　　left-sided S_3 : 호기시 LV apex에서 가장 잘 들림 (Lt. lat. position에서)
　　right-sided S_3 : 흡기시 흉골좌연이나 xiphoid 바로 아래에서 잘 들림

* pericardial knock (early loud S_3) : constrictive pericarditis에서 조기에 (A_2 0.1~0.12초 뒤) 발생한 고음 (∵ 유착된 심막에 의해 diastolic filling이 갑자기 멈춤)

(3) 제4심음 (S_4, presystolic/atrial gallop)

- 이완기말(atrial filling phase)에 심실의 compliance 저하로 ventricular filling 저항이 증가되었을 때 발생되는 저음의 presystolic sound
- effective atrial contraction과 관련 → AF (atrial fibrillation) 발생하면 소실됨
- 건강한 노인에서도 들릴 수 있음 (특히 운동후), 누워서 isometric/isotonic 운동시 크기 증가
- S_4의 원인 ; systemic HTN, AS, HCM, IHD (AMI), acute MR
- Rt-sided S_4 ; RVH (PS, pul. HTN에 이차적으로) → JVP에서 large *a* wave 동반 흔함

* S_3, S_4 : 저음(low-pitch) → 청진기의 bell로 들어야!

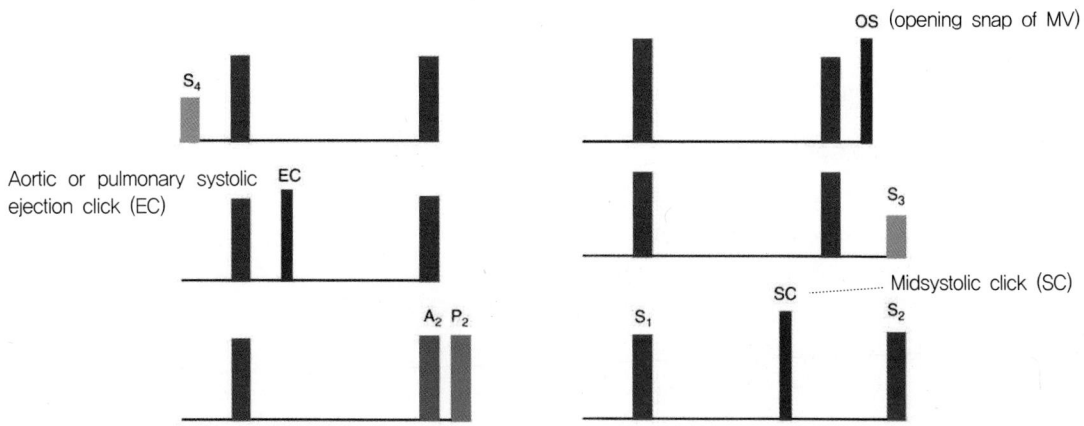

심 잡음 (Murmur)

■ **murmur의 intensity (loudness)**

grade
- Ⅰ : 너무 작아서 주의를 기울여야만 들림
- Ⅱ : 작지만 잘 들림
- Ⅲ : 큰 murmur (thrill은 만져지지 않음)
- Ⅳ : thrill을 동반한 큰 murmur
- Ⅴ : 청진기를 약간 떼고도 들림
- Ⅵ : 청진기를 완전히 떼고도 들림

■ **murmur의 위치** (D = diastolic) ★
- 흉골 우연 상부 (RUSB) ; AS, VSD
- 흉골 좌연 상부 (LUSB) ; TOF, PS, ASD, PDA, VSD (subarterial)
- 흉골 좌연 하부 (LLSB) ; VSD, AR (D), TR
- 심첨부 (apex) ; MS (D), MR, VSD

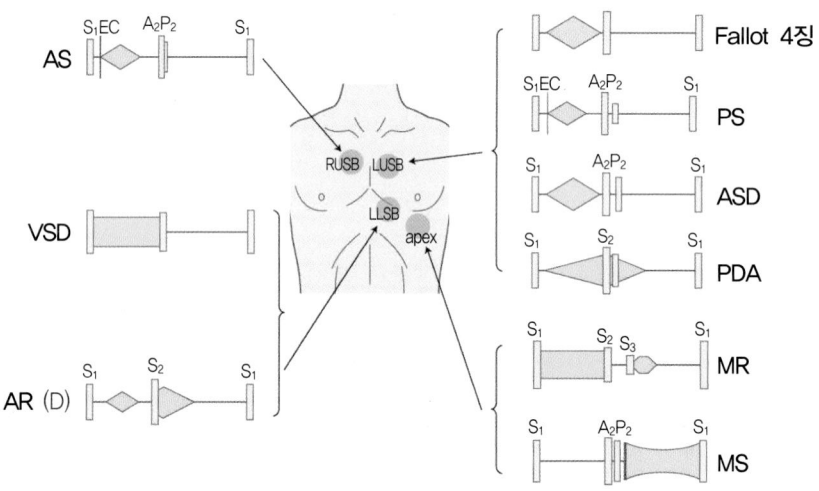

1. Systolic murmur

(1) pansystolic (holosystolic) murmur
- 수축기 내내 ($S_1 \sim S_2$) ⓜ가 발생하는 것
- 원인 ; MR, TR, VSD, aortopulmonary shunt
  (c.f., MS는 presystolic ⓜ, mid-diastolic rumble)
- 정상인에서도 경미한 판막역류는 흔히 관찰되나, 대개 ⓜ는 안 들림
  - Doppler 심초음파에서 MR 45%, TR 70%, PR 88%
  - AR은 훨씬 드물며, 나이가 듦에 따라 증가

(2) midsystolic (systolic ejection) murmur

- S_1과 S_2 사이에서 분리되어 들리는 ⓜ, 보통 crescendo-decrescendo 형태
- 원인 ; AS, HCM, ASD (pul. ejection ⓜ), PS
  (IHD 때 papillary muscle dysfunction에 의한 MR에서도 들릴 수 있음)

(3) early systolic murmur

- S_1 때 시작되어 midsystole 때 끝나는 ⓜ
- 원인 ; large VSD with pul. HTN, small muscular VSD, TR (pul. HTN 없을 때),
  acute MR (LA의 compliance 감소시)

(4) late systolic murmur

- S_1 이후에 시작되어 S_2 때까지 커지는 ⓜ
- 원인 ; papillary muscle dysfunction (AMI, angina, diffuse myocardial dz.),
  MVP (late systolic MR 때문에), PDA (pul. HTN 동반시)

(5) functional (benign, innocent, physiologic) murmur

- 심장질환이 없이 ⓜ가 들리는 것 (수축기에만 들림)
- 예 ; 소아 및 청소년, 노인의 대동맥판 협착성 ⓜ, 혈류량 증가(e.g., fever,
  thyrotoxicosis, pregnancy, anemia), 임산부의 유방 잡음

2. Diastolic murmur

(1) early diastolic murmur

- 이완기 초기에 S_2와 함께 시작되어 decrescendo 형태로 끝남
- 원인 ; AR, PR

(2) mid-diastolic murmur

- AV valve stenosis (MS, TS) : 판막협착 정도는 ⓜ의 크기보다는 기간과 더 관련
- nonstenotic AV valve를 통과하는 혈류 속도/량의 증가
  - MR, VSD, PDA, complete heart block
  - TR, ASD, anomalous pul. venous return
- acute, severe AR (diastolic MR 때문)
- acute rheumatic fever, atrial myxoma ...

(3) late diastolic (presystolic) murmur

- mid-diastolic ⓜ와 비슷하지만 crescendo 형태로 S_1 때까지 발생되는 ⓜ
- AV valve stenosis (MS, TS), atrial myxoma ...
- severe, chronic AR : Austin-Flint ⓜ (mid-diastolic or presystolic)

3. Continuous murmur (Gibson's murmur)

- 수축기 때 시작되어, S_2 때 가장 크고, 이완기(일부) 때까지 지속되는 ⓜ
- 압력이 높은 곳에서 낮은 곳으로의 unidirectional flow에 의해 발생
  (c.f., AR의 to-and-fro ⓜ : systolic ⓜ와 early diastolic ⓜ 사이에 뚜렷한 pause가 있음)
- continuous ⓜ의 원인

> PDA (continuous machinary ⓜ) : pul. HTN 없을 때
>   (pul. HTN 발생하면 systolic ⓜ만 들림)
> Arteriovenous fistula (systemic, pulmonary, coronary)
> Valsalva sinus aneurysm rupture
> CoA, aortopulmonary fenestration
> Pulmonary embolism (부분 폐쇄된 폐동맥에 의해)
> VSD + AR (∵ VSD : systolic, AR : diastolic)
> 좌심방압이 증가된 small ASD
> 폐동맥에서 기원하는 Lt. coronary A. 존재시
> Proximal coronary A. stenosis
> Systemic (e.g., renal) or pul. A. branch의 stenosis
> Cervical venous hum

* 유방잡음(mammary souffle) : 임신 후반기와 산후 초기에 유방 위에서 들리는 정상 ⓜ
  (systolic or continuous)

4. Provocation method

> ▶일반적으로
> (1) 좌심실 용적 감소시키는 조작시 (preload↓) ⇨ ⓜ 감소
> ; standing, amyl nitrate, tachycardia, Valsalva maneuver   예외 : HCM, MVP
> (2) 좌심실 용적 증가시키는 조작시 (preload↑) ⇨ ⓜ 증가
> ; supine, squatting, hand grip, exercise, bradycardia, propranolol

■ 심음과 심잡음에 영향을 주는 요인들

(1) 호흡
① 흡기시 증가 : Right-sided ⓜ & sounds ; TR의 systolic ⓜ, normal/stenotic valve를 통한
  pulmonic blood (e.g., PS), TS or PR의 diastolic ⓜ, right-sided S_3 & S_4
② 호기시 증가 : Left-sided ⓜ & sounds

(2) 체위 변화
① standing : 대부분의 ⓜ 감소 (예외 ; HCM, MVP)
② squatting : 대부분의 ⓜ 증가 (예외 ; HCM, MVP)

(3) 운동
① 운동시 증가 (e.g., hand-grip exercise → 혈압 및 심박수↑)
  - normal/obstructed valves (예; PS, MS)를 통과하는 혈류에 의한 ⓜ
  - MR, VSD, AR에 의한 ⓜ
  - left-sided S_4와 S_3 (특히 ischemic heart disease에 의한)
② 운동시 감소 ; HCM or AS에 의한 ⓜ

(4) Valsalva maneuver

① 대부분의 ⑩ 감소 <u>(예외</u> ; HCM, MVP의 ⑩는 증가)

② Valsalva 해제시 right-sided ⑩는 left-sided ⑩보다 빨리 정상으로 돌아옴

(5) VPC or AF 이후

① normal/stenotic AV or PV의 ⑩는 증가

② 반대로 AV valve 역류에 의한 systolic ⑩는 변화가 없거나 감소(papillary muscle dysfunction), or 짧아짐(MVP)

(6) 약물

① amyl nitrite inhalation

- initial relative hypotension phase

   ┌ MR, VSD, AR에 의한 ⑩ 감소
   └ AS, PS에 의한 ⑩는 증가

- later tachycardia phase : MS 및 우측 심장 병변의 ⑩ 증가
- MVP에서의 반응은 biphasic (softer → louder)

② phenylephrine (동맥수축제)은 반대의 효과를 일으킴

(7) 일시적 동맥 압박

: 양팔을 최고 수축기 혈압보다 20 mmHg 이상으로 cuff inflation

  → MR, VSD, AR의 ⑩ 증가 (다른 원인에 의한 ⑩는 아님)

c.f.) 심잡음의 추가 evaluation을 위해 심초음파가 필요한 경우 (40세 이상에서)

① diastolic or continuous ⑩

② systolic ⑩ 중 grade ≥III, holosystolic or late-systolic

③ systolic ⑩ 중 grade I~II, midsystolic ⑩이지만

   ┌ 다른 심장질환의 증상/징후 존재
   └ EKG or CXR 상 이상 소견

c.f.) Valsalva maneuver : 성문(glottis)을 닫고 강제로 호기를 하는 것

     (일상생활에서 무거운 물건을 들어 올릴 때, 기침, 배변, 구토 등에서 일어남)

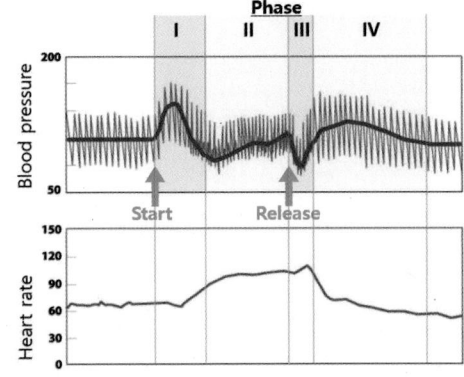

Phase I : 강제 호기 → 흉곽내압 상승 → LA로의 폐 혈류 증가
→ stroke volume↑ → BP↑, HR↓

Phase II : 상승된 흉곽내압에 따라 venous return도 감소
(preload↓) → stroke volume↓ → BP↓, 보상성 HR↑

Phase III : 호기 중단 즉시 흉곽내압 감소 → 폐혈관과 대동맥이
다시 커짐 (preload↓, afterload↑) → stroke volume↓↓
→ BP↓↓, HR↑

Phase IV : 흉곽내압이 낮아져 venous return 다시 증가
(overshoot) → stroke volume↑ → BP↑, 보상성 HR↓

심장초음파 (Echocardiography)

- transthoracic echocardiography (TTE) ; M-mode, 2D, 3D, Doppler 등
- 기타 ; transesophageal echocardiography (TEE), stress echocardiography
- 의학영상에서 주로 사용되는 초음파의 파장 : 2~5 MHz

1. 2D (dimensional) echocardiography

- 장점 ; 실시간으로 영상을 얻고 해석 가능, 이동(응급시 이용) 가능
- 단점 ; 고해상도의 영상을 얻을 수 없음 (특히 흉벽이 두껍거나 심한 폐질환 환자)
  - → TEE or nuclear imaging 고려

(1) chamber size & function
- LV의 size와 function : M-mode or quantitative 2D echo.를 이용하면 정량적인 측정도 가능
- regional wall motion abnormalities, thickening 등도 관찰 가능 (e.g., LVH)
- RV는 복잡한 구조 때문에 2D echo.로 정량적인 검사가 어려움

(2) valve abnormalities
- valve의 형태와 움직임을 볼 수 있음
- stenosis의 severity도 (short axis view에서 MV area) 측정하거나, regurgitation의 원인도 알 수 있으나, 대개는 Doppler echo.가 필요함

(3) pericardial dz.
- effusion ; 심장 주위의 black echolucent area
- tamponade ; RV collapse, RA collapse, dilated IVC
- echo-guided pericardiocentesis

(4) intracardiac mass
- LV thrombus ; echo-dense structure (대개 apical region에 존재), regional wall motion abnormalities 동반
- atrial myxoma ; 경계가 뚜렷한 mobile mass가 atrial septum에 붙어있음
- 대개는 정확한 진단을 위해 고해상도의 TEE가 필요
  (특히 LA appendage 쪽은 TTE로 보기 어려우므로 TEE로 봐야 함)

(5) aortic dz.
- dilated aorta의 F/U에 이용 가능
- aortic dissection의 intimal flap 볼 수 있음 (but, 확진을 위해서는 TEE 필요)

Transducer의 위치와 cardiac views

1. Parasternal
    Long-axis view
    Short-axis view
2. Apical
    4-chamber view
    5-chamber view
    2-chamber view
3. Subcostal
4. Suprasternal notch

* parasternal long-axis view에서는 RA가 안보임!
　(parasternal short-axis view, apical view, subcostal view 등에서는 보임)

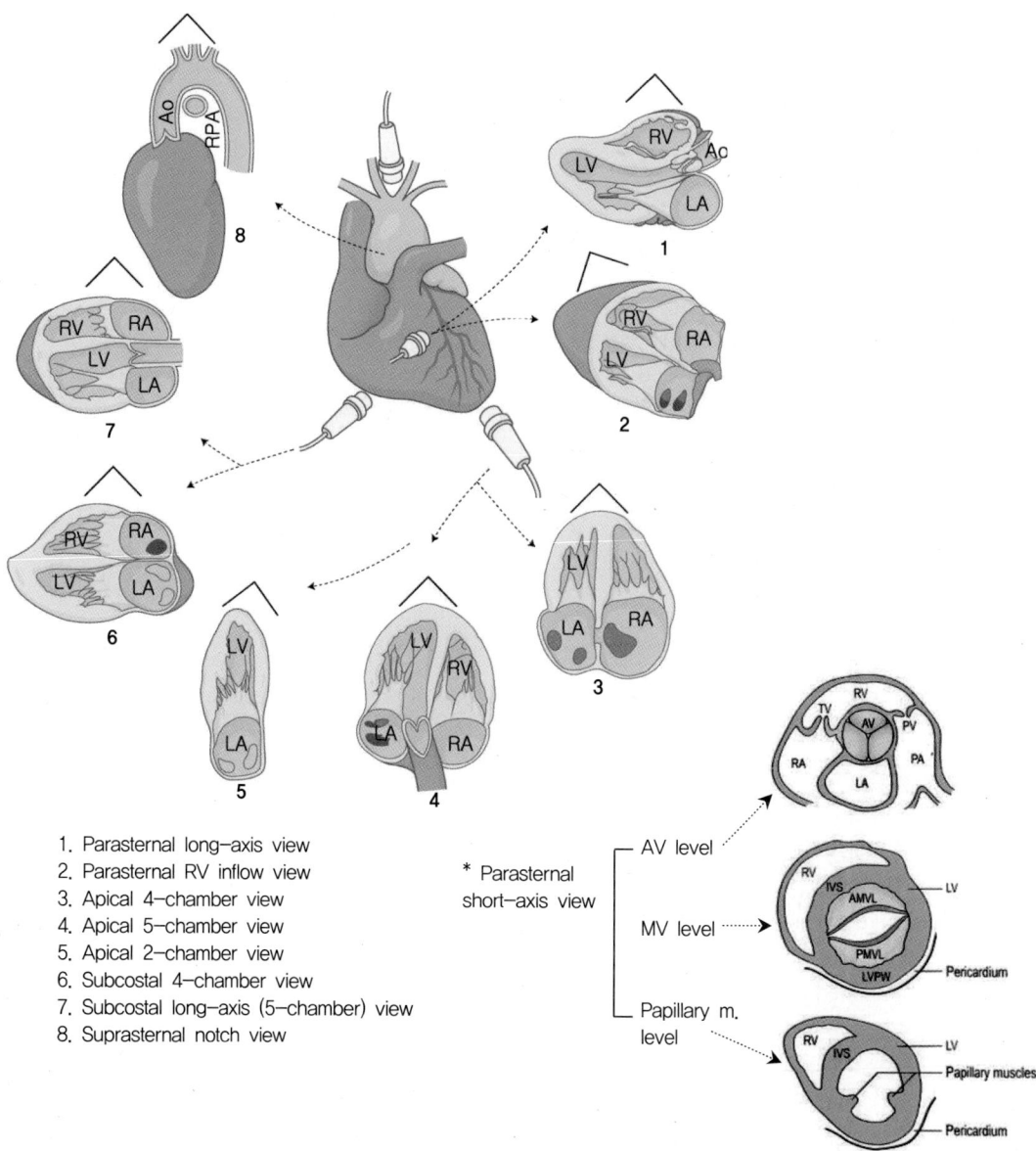

1. Parasternal long-axis view
2. Parasternal RV inflow view
3. Apical 4-chamber view
4. Apical 5-chamber view
5. Apical 2-chamber view
6. Subcostal 4-chamber view
7. Subcostal long-axis (5-chamber) view
8. Suprasternal notch view

* Parasternal
　short-axis view

AV level

MV level

Papillary m. level

■ M-mode echocardiography

- 2D echo.의 marker line이 지나는 곳의 시간에 따른 움직임을 표현한 영상
- 시간(심장주기)에 따른 심장(특히 valve)의 움직임을 정확히 평가하는데 유용
- 단점; 1차원 영상만 볼 수 있고, 공간상에서 각 구조물의 관계를 알 수 없음

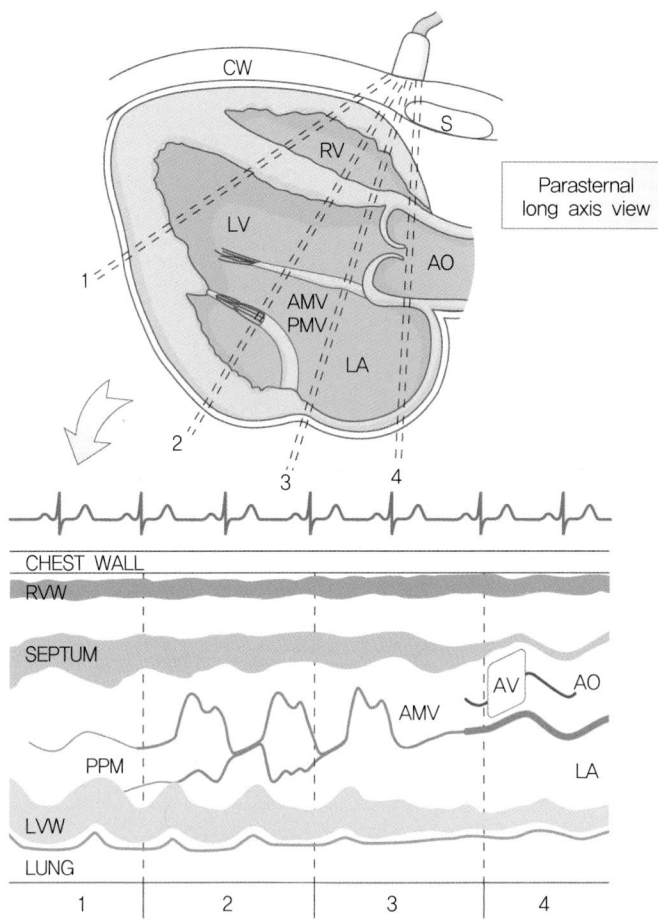

< M-mode echocardiography의 schematic diagrams >

CW, chest wall; T, echocardiographic transducer; S, sternum; AO, aortic root; AMV, anterior mitral leaflet; PMV, posterior mitral leaflet; RVW, right ventricular wall; AV, aortic valve; PPM, posterior papillary muscle; LVW, left ventricular wall.

c.f.) M-mode echo에서 EF (ejection fraction, 구혈률) 계산

$$\Rightarrow \text{simplified Quinones method} : EF\ (\%) = \frac{EDD^2 - ESD^2}{EDD^2} \times 100$$

(EDD: end-diastolic dimension, ESD: end-systolic dimension)

2. Doppler echocardiography

- 기본원리 : RBC (or 심근)에서 반사되는 초음파를 이용하여 혈류 속도를 측정(or 조직 운동 파악)
  - 속도는 혈류(RBC, 20~100 cm/s)가 심근(<20 cm/s)보다 빠르고, 신호의 강도는 혈류보다 심근이 훨씬 강하므로, 각 측정 대상에 맞게 조정하여 flow or tissue doppler로 이용
- 종류
  ① pulsed-wave (PW) Doppler : 2D echo. 영상의 특정 부위에서의 혈류(or 조직) 속도를 측정
  ② continuous-wave Doppler : pulsed wave와 원리는 같지만 뒤바뀜 현상(aliasing phenomenon)이 없음, high velocity blood flow 측정 가능 (e.g., 판막의 협착 or 역류, intracardiac shunt)
  ③ color flow Doppler : 혈류(or 조직)의 방향을 서로 다른 색으로 표시, 정확한 속도의 측정보다 동시에 전반적인 비정상적 혈류(or 조직 운동)를 관찰하는데 유용
  ④ tissue Doppler imaging (TDI) : 심근 조직이 움직이는 속도를 측정, myocardial strain rate (심근 움직임의 정량적 평가)로 국소 심근의 생존 여부 판단에 도움, 승모판 혈류 및 승모판륜 (mitral annulus) 조직 속도를 통한 좌심실 이완기능의 정확한 평가

(1) valve regurgitation

- color flow Doppler로 비정상적인 retrograde flow를 확인할 수 있음
- regurgitation의 severity도 반정량적으로 측정 가능

(2) valve gradient

- <u>modified/simplified Bernoulli equation</u> : 두 공간 사이의 최고속도를 이용하여 압력 차이를 구함

  $$\boxed{\text{Pressure gradient } (\Delta P) = 4 \times V^2} \ \bigstar$$

- MS에서는 catheterization으로 측정한 것보다 더 정확함

(3) intracardiac pressure

- pr. gradient를 통해 계산할 수 있음!
- RV systolic pr. = assumed RA pr. + pr. gradient (TV 사이의)
- AS에서 LV systolic pr. = systolic aortic pr. + pr. gradient (AV 사이의)
- AR에서 LVEDP = diastolic aortic pr. - pr. gradient (AV 사이의)

  * 예 ; PS 환자에서 <u>우심방압(RAp)</u>을 알고 있을 때 우심실압(RVp)과 폐동맥압(PAp) 구하기

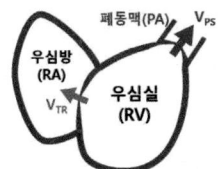

  - 우심실압(RVp) = <u>RAp</u> + $4(V_{TR})^2$
  - 폐동맥압(PAp) = RVp - $4(V_{PS})^2$
    = RAp + $4(V_{TR})^2$ - $4(V_{PS})^2$
  ★ 만약 폐동맥판막(PV)이 정상이라면 수축기 PAp = RVp

(4) cardiac output

- <u>SV</u> (= EDV - ESV) = <u>단면적(AV orifice area)</u> × <u>velocity × time</u> = (직경)^2×0.785×TVI
  ↳ (직경/2)^2× π　　　↳ TVI (time velocity integral)
- CO = SV × HR
- CI (cardiac index, L/min/m^2) = CO (L/min) / 체표면적(BSA; body surface area, m^2)

(5) ventricular diastolic function의 측정 ★

- transmitral velocity curve에 영향을 주는 인자
  ① 좌심실의 이완 속도
  ② 좌심실의 compliance
  ③ MV를 지나는 driving force (LA contraction)

- transmitral velocity curve (mitral inflow velocity)의 parameters
  ① E velocity : 좌심실 이완에 의한 초기 이완기 충만 속도(early diastolic inflow velocity)
    * e′ velocity : early diastolic mitral annular tissue velocity, TDI로 측정 (정상 >8 cm/s)
    * E/e′ ratio : LVEDP (LA pr) 반영, 이완기능장애 평가 및 MI 장기 예후 예측에 매우 유용
        ⇨ 평균 E/e′ ratio가 13 이상이면 diastolic dysfunction 확진 (정상 <8)
  ② A velocity : atrial contraction에 의한 후기 이완기 충만 속도(late diastolic inflow v.)
  ③ E/A ratio = E velocity / A velocity (정상 : 1~2)
  ④ DT (deceleration time, 이완기 감속 시간) : E velocity가 최고→최저로 감속되는 시간
     (정상 : 160~240 msec) → 좌심실의 compliance 반영
  ⑤ IVRT (isovolumetric relaxation time) : AV closure ~ MV opening 사이의 시간
     (정상 : 70~90 msec)

■ Diastolic dysfunction의 경과/분류

시기	I	II	III(가역적), IV(비가역적)
기전	**Relaxation 이상** LA와 LV의 pr. gradient 감소, E velocity 감소 보상적으로 A velocity는 증가	LA congestion → LA와 LV의 pr. gradient 다시 증가 마치 정상과 비슷한 소견을 보임 (<u>pseudonormalization</u>)	**Restrictive filling** LV의 compliance 감소 LA congestion 더 심해짐
LVEDP	N~↑	↑↑	↑↑↑
E/A ratio	<1	1~1.5 (정상과 감별 어려움)	>2
DT	>240	160~240	<160
iVRT	>90	<90	<60
Vp (mitral propagation velocity), cm/s	<50	<<50	<<<50

- restrictive filling의 예 ; LV failure, restrictive cardiomyopathy, volume overload,
    severe acute AR

- <u>Diastolic Dysfunction의 평가</u> ⋯ true normal과 pseudonormalization (stage II)의 감별
  ① 승모판 혈류(mitral inflow) 속도 및 color M-mode pattern : E/A <0.5
  ② 승모판륜 속도(mitral annulus velocity, TDI로 측정) ; E/e′ ≥13 & mean e′ <9 cm/s
  ③ 최고 TR 속도
  ④ 좌심방 용적지수(volume index) : >34 mL/m² 이면 좌심방확장(LAE)
      좌심질량↑(LVH) : LVMI (LV mass index) >115 g/m²(남), >95 g/m²(여)
  ⑤ 폐정맥 혈류(pul. vein flow velocity)

⑥ <u>preload reduction</u>시 E/A ratio (50% 이상) 감소하면 pseudonormalization (↔ 정상과 차이)
(↳ Valsalva maneuver, sitting, sublingual NG)

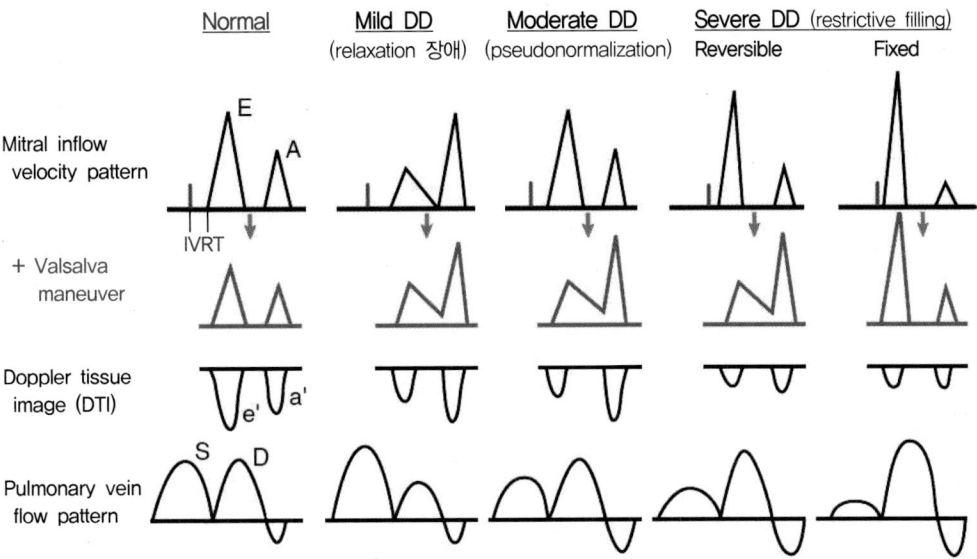

(DD: diastolic dysfunction, E: early diastolic mitral inflow velocity, A: late diastolic mitral inflow velocity,
e′ : early diastolic mitral annulus velocity, a′ : late diastolic mitral annulus velocity,
IVRT: isovolumetric relaxation time)

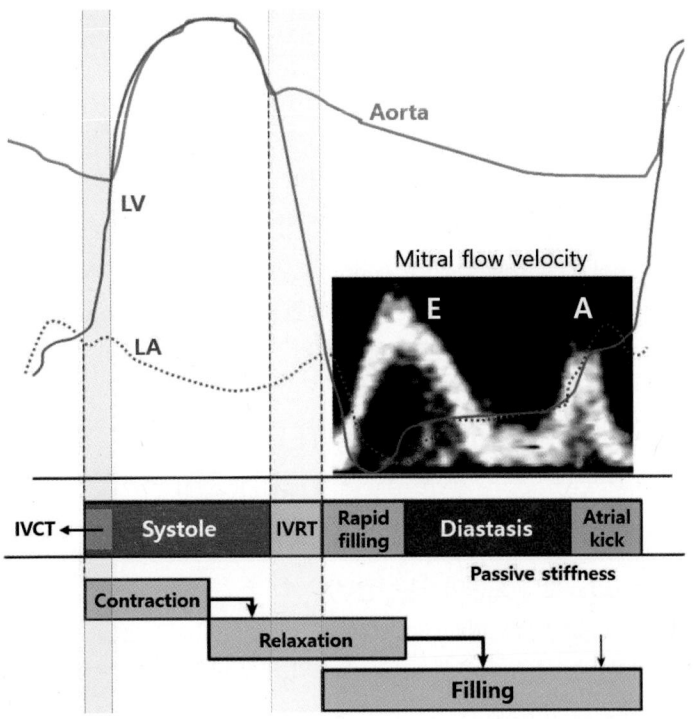

3. Stress echocardiography

- 부하(stress) ; 운동(treadmill, bicycle) or 약물(dobutamine, vasodilator [dipyridamole, adenosine])
- 적응 ; CAD의 진단 및 severity 평가 ⋯ exercise EKG보다 더 정확함 ★
  ⇨ confounding factor로 resting EKG 해석이 어려운 경우 exercise EKG 대신 시행!!
    ↳ preexcitation syndrome, resting ST depression, LVH, LBBB, paced rhythm 등

(1) 심근허혈(myocardial ischemia)의 소견

① regional WM (wall motion) abnormality : 증상과 EKG 이상보다 먼저 발생

② EF (ejection fraction) 감소

③ end-systolic volume 증가

(2) Dobutamine stress echocardiography (DSE)

- dobutamine (β_1-agonist) → 심근의 산소 요구량을 증가시킴
- 심근허혈 및 CAD 진단, myocardial viability 평가에 이용

안정시	부하(stress)시	해석
WM 정상	→ hyperdynamic	정상
WM 정상	→ 새로운 WM 이상 발생 or hyperdynamic ×	Ischemia
WM 이상	→ 악화 (hypokinetic → akinetic → dyskinetic)	Ischemia
WM 이상	→ 변화 없음	Infarct
A- or hypo-kinetic WM	→ hypokinetic/normal로 호전 or biphasic response	Viable myocardium

* biphasic response : low-dose dobutamine (5~20 μ g/kg/min)에 반응하여 수축력이 증가하였다가,
  high-dose dobutamine (30~40 μ g/kg/min)에는 다시 수축력의 감소를 보이는 것

(3) Vasodilator stress echocardiography

- doppler TTE에서 Lt. main coronary artery와 proximal LAD 관찰 가능
- vasodilators (adenosine or dipyridamole)로 부하를 가하여 관상동맥혈류예비력(coronary flow reserve, CFR) 측정 → 1.9~2.0:1 이하로 감소되면 70% 이상의 협착 & poor Px.를 시사
  → 뒷부분 Angiography/혈관내초음파(IVUS) [→ 침습적인 것이 단점] 부분도 참조

  c.f.) 심근조영 (부하) 심초음파(myocardial contrast echocardiography, MCE)
  - 미세기포를 함유한 조영제를 투여하여 심장내 혈류 평가와 endocardium 경계까지 관찰 가능
  - coronary stenosis (blood flow), LV volume/EF/WM, myocardial perfusion 평가에 유용

4. Transesophageal echocardiography (TEE)

⎡ 심장 뒤쪽 구조물(LA, MV, aorta 등)을 보는데 TTE보다 좋다
⎣ 특히 LA appendage 쪽은 TTE로는 보기 어려움

(1) 적응 (transthoracic echo.보다 도움이 되는 경우)

① aorta (thoracic) ; dissection, atherosclerosis ...

② embolism의 원인 파악 ; LA or LA appendage의 thrombi, patent foramen ovale, aortic debris

③ intracardiac mass ; LA myxoma ...

④ infective endocarditis ; vegetation으로 진단 가능, 합병증 평가에도 이용

⑤ mitral prosthetic valve의 이상 여부 확인

⑥ 심장 수술의 방향 결정에 도움 ; MV repair, septal myectomy ...

* AF에서 cardioversion 시행 전에도 TEE로 LA thrombi R/O하는 것이 좋음 (∵ embolism 위험)

(2) 금기

① 식도의 병변 ; stricture, varix, tumor, diverticula, scleroderma

② 이전의 흉부 RTx.

③ perforated viscus

④ 목이 굽혀지지 않는 심한 atlantoaxial joint dz.

Echocardiography의 종류 및 이용	
2D echocardiography	심장의 구조, 심실 및 판막의 운동 평가, 심낭 질환, 심장 내 종양 M-mode & Doppler echo.의 위치 결정
3D echocardiography	Chamber volume 직접 & 자동 측정, regional LV wall motion 평가, 판막, 선천성 등 구조적 심장질환의 3D 시각화 (→ intervention 치료 가이드)
M-mode echo	크기 측정, timing cardiac events
Pulsed wave Doppler	Normal valve flow patterns, LV diastolic function, SV, CO
Continuous wave Doppler	판막 질환(협착, 역류)의 severity 평가, shunt flow의 속도 측정
Color flow mapping	역류 및 단락(shunt) 평가
Tissue Doppler imaging	심실 기능(특히 diastolic dysfunction), myocardial viability

핵의학 영상검사

1. 심실기능 검사 (radionuclide ventriculography/angiography, RNV, RVG)

(1) Equilibrium radionuclide angiography/ventriculography (= gated blood pool imaging)
- ^{99m}Tc-labelled RBC or albumin 이용 → 혈관계 내에 골고루 분포된 뒤 영상을 얻음
  (주사 6시간 뒤까지도 반복 촬영이 가능, 다중 촬영 가능)
- 측정할 수 있는 것 ; LV의 volume, EF, 국소 벽운동, RV의 크기와 기능, 심방과 대혈관의 크기,
  diastolic filling parameters, valvular regurgitation의 severity (regurgitant fraction)

(2) First-pass radionuclide angiography/ventriculography
- radionuclide를 순간(bolus) 주사하여 짧은 시간 (1분) 내에 영상을 얻는 것
- 신장으로 빨리 배설되는 ^{99m}Tc-DTPA (diethylenetriaminepentaacetic acid)를 주로 이용
- 장점 ; 빠른 시간에 영상을 얻을 수 있음, 좌/우를 분리시켜 조영 가능
- 단점 ; 한 방향만 촬영 가능, 반복 촬영 불가능, 해상도가 낮음
  (→ RV 기능, 심장내 shunt 평가 정도에만 사용되며 equilibrium technique이 훨씬 많이 사용됨)

* ejection fraction (EF, 구출률)$= \dfrac{SV}{EDV} = \dfrac{EDV - ESV}{EDV}$ (정상 : 50~80%)

- 측정 : radiocontrast or radionuclide angiography, echocardiography
- 단점 : 심실 기능을 정확히 평가하지 못할 때가 있음
  (심실 기능이 정상이어도 EF (or CO)가 감소할 수 있음)
  예) preload↓ (e.g., hypovolemia), afterload↑, MS, MR, AR ...

2. 심근관류영상 (Myocardial perfusion imaging, MPI) ··· SPECT

(1) 개요
- 대부분 gated SPECT imaging을 이용
- 최대 부하(stress)시에 동위원소 주입 → 몇 시간 뒤 재분포(redistribution)
- ^{99m}Tc-sestamibi (MIBI) or tetrofosmin : 심근관류 SPECT에 m/c 이용, 살아있는 심근세포에
  의해서 섭취됨(passive uptake), 섭취되는(uptake) 정도는 coronary blood flow와 비례함
- ^{201}Tl (thallium) : active uptake, ^{99m}Tc 제제보다 반감기 훨씬 긺, 4~24시간 뒤의 지연 영상에서
  섭취를 보인다면 생존 가능 심근으로 진단 가능(stunned or hibernating myocardium)
  → viability 평가에는 ^{201}Tl을 사용하고 (PET가 더 우수), 나머지는 ^{99m}Tc 제제를 주로 사용함
- 부하(stress) 검사 : 심근혈류를 증가시켜 coronary flow reserve를 평가
  ① 운동부하 : 일반적인 운동은 심근혈류 2~3배 증가시킴 (최대 운동은 약 5배 증가)
  ② 약물부하 : 운동이 불가능하거나, 기저 ECG 이상으로 ECG 평가가 어려운 경우
    (a) vasodilator ; adenosine, dipyridamole (이차적으로 adenosine↑) → 심근혈류 3~4배↑
      – 기관지수축성 폐질환, 심한 heart block, 심한 경동맥 폐쇄 환자는 금기
      – dipyridamole은 반감기가 길어 부작용(저혈압) 위험 → aminophylline (길항제!)
    (b) inotropic agent ; dobutamine → 심근혈류 2~3배↑ (심한 부정맥/고혈압 환자는 금기)

(2) 판정기준

부하시	안정시(재분포시)	의의
정상	→ 정상	임상적으로 의미있는 CAD 없음
관류결손	→ 정상	부하에 의해 유발되는 심근 허혈(ischemia)
관류결손	→ 관류결손	MI, scar, hibernating myocardium
관류결손	→ 부분적 재분포	scar + ischemia, or persistent ischemia

(3) 임상적 이용
- 허혈성 심질환(CAD)의 진단, 중증도(severity), 예후 평가
- revascularization (PCI or CABG) 치료방침 결정 및 치료 후 평가(재협착 진단)
- 심근의 생존능력(viability) 평가

- 단점
  ① 감쇠현상 (심한 비만 or 유방이 크거나 치밀한 여성은 감마선 일부가 연조직에 흡수되어
     위양성을 보일 수 있음 → PET가 더 정확)
  ② perfusion scan (cold spot imaging)은 AMI와 old MI를 구별 못함

SPECT MPI에 사용되는 동위원소의 상대적 장점

Thallium-201 (^{201}Tl)	Technetium-99m (^{99m}Tc) Sestamibi (MIBI) or ^{99m}Tc-tetrofosmin
광자에너지가 낮고 반감기 길, 값 저렴 임상경험이 풍부 (장기간의 예후 등) Lung uptake 증가도 측정 가능 심근 생존능력(viability) 평가에 유용 (기절 심근, 동면 심근)	광자에너지가 더 높고, 반감기 짧음(→ 검사시간 짧다, 비용 절감) 더 좋은 화질 더 우수한 정량검사 가능, 특히 resting perfusion defect (infarct size) 심실기능 측정 가능(first-pass or gated SPECT) AMI or unstable angina 환자에서 응급 검사 가능

3. PET (positron emission tomography)

(1) myocardial perfusion PET

- ^{13}N-NH$_3$ (방사선 노출↓), rubidium-82 (촬영시간↓, 고가) 등을 이용한 PET
- absolute regional blood flow 측정 가능 (↔ SPECT는 relative blood flow 측정)
- SPECT보다 화질 더 좋음 (특히 심한 비만 및 유방이 크거나 치밀한 여성에서 유용)
- SPECT보다 진단적 정확도 및 예후 평가 우수 → SPECT 결과가 모호할 때 주로 이용됨

(2) ^{18}F-FDG (fluorodeoxyglucose) PET

- 심근의 대사를 측정 → 주로 myocardial viability 평가에 이용!   … 7장 AMI 편 참조
    - ↳ PET가 gold standard (SPECT보다 정확도 10~20% 높음)
- perfusion이 감소된 부위에서 FDG uptake 증가시 (blood flow/glucose "mismatch", 관류대사 불일치) → 생존 심근으로 진단 가능 ; revascularization 이후에 기능을 회복할 가능성이 있는 ischemia or hibernating (viable) myocardium 임을 시사
- ^{201}Tl or ^{99m}Tc-sestamibi SPECT에서 infarction으로 분류된 부위의 10~20%가 PET에서는 ischemia or hibernating (viable) myocardium으로 확인됨

High risk perfusion (poor Px) 소견 ★

1. Severe resting/exercise LV systolic dysfunction (EF <35%)
2. Stress-induced large perfusion defect (LV의 20% 이상, 특히 전벽)
3. Stress-induced multiple perfusion defects (2개 이상)
4. LV 확장을 동반한 large fixed perfusion defect
5. Transient (post-stress) LV dilatation
6. Lung uptake 증가 (PCWP 증가를 의미) - thallium

Stress echocardiography	Stress myocardial perfusion imaging (MPI)
Specificity 높다 검사하기가 쉽고 편함 (응급 때도 이용 가능) 심장 구조/기능을 광범위하게 평가 가능 (판막 포함) 저렴	Sensitivity 높다 기술적인 성공률이 높다 예후 및 viability에 대해 더 정확히 평가 가능 (데이터 많음) 휴식기 multiple regional WM 이상이 있는 경우 더 정확

CT/MRI

: 심전도 동기화를 이용하여 움직이는 심장을 촬영(ECG-gated) → coronary artery도 판독 가능

1. CT (MDCT)

- 대개 β-blocker를 투여하여 심박수를 60회/분 이하로 낮추고, 숨을 참는 동안 촬영함
- CTA (CT angiography) : 정확도는 MRA와 비슷, 대동맥 질환 및 pul. embolism 진단에
  매우 유용 (전신 혈관 구조의 평가 가능)
- **coronary CTA (CCTA)** : 3차원(volume-rendered, VR) MDCT로 비교적 정확히 관상동맥을
  평가 가능 (but, 아직은 coronary angiography가 해상도 더 높아 gold standard)
  - coronary artery calcification (atherosclerosis에서 동반) 확인에 매우 sensitive
  - 석회화점수(coronary artery calcium score, CACS) → CAD severity 및 예후와 관련
    (but, stenosis의 생리/해부학적 severity와 관련성은 부족함!)
    → 석회화점수 높으면(CAC >400) high-risk → stress test 시행 권장
  - CE CTA : 관상동맥 주요 분지의 병변 발견에 catheterization 90% 이상 수준의 정확도 보임
    (left main 및 left-sided coronary artery 근위부의 진단에 가장 정확하고, 더 말단 가지나
    빨리 움직이는 right coronary artery의 진단에는 sensitivity 떨어짐)
    → 관상동맥 병변 with 대혈관과 관련된 해부학적 이상 확인이 필요할 때 권장
- 단점
  - 방사선 노출, 요오드성 조영제 사용 (신장 질환, allergy 환자에서 문제)
  - 심박동이 빠르거나 부정맥(e.g., AF), 심한 비만, 심한 석회화(CAC 400~1000), stent 유치 환자
    등에서는 영상의 질 저하로 의 stenosis 평가에는 부정확함!
- 임상적 이용 (적응증)
  - CAD 진단 : intervention이 필요하지 않을 것으로 예상되는 경우 ⋯ 음성예측도가 매우 높음!
    (CAD 의심 증상이 있지만, equivocal stress test & 위험도가 낮은 환자의 초기 선별검사로)
  - revascularization 치료 이후 평가, 다른 심장 수술 전 coronary stenosis 평가
  - 심실 기능 : 동영상 촬영으로 EF, EDV, ESV, WM 등도 측정할 수 있으나.. 시간 해상도가
    아직 부족하여 (빠르게 움직이므로) 제한적
  - 심근관류/생존능(viability) : 지연영상(delayed enhancement)으로 평가 가능 (but, 방사선 노출↑)
  - 심낭 질환, 심장 종양, 심장 기형, 대동맥 질환 등 구조적 질환에 주로 이용 (해상도 매우 높음)

2. CMR (cardiac MRI)

- 수많은 영상을 찍은 뒤 컴퓨터로 재구성하는 CT와 달리, (초음파처럼) 고주파를 쏜 뒤 받아들여
  영상을 획득하므로(= sequence), 목적/질환에 따라 검사 전 정확한 sequence 설정이 필요함
- soft tissue를 더 잘 볼 수 있고, 대혈관과 심근의 우수한 영상을 얻을 수 있음
- 선천성 심질환, 대동맥 질환, 심근/심낭 질환, 혈전, 종양 등의 진단에 우수함
- gadolinium-enhanced MRI ; CAD 진단 및 myocardial viability 측정 가능
  - <u>myocardial perfusion</u> (± <u>stress</u>) 측정 (→ CAD 진단), 심실기능 및 WM 평가 가능
    ↳ 약물(adenosine, dipyridamole)

- 지연조영증강(late gadolinium-enhancement, LGE) : 조영제 주사 10~30분 뒤 영상 획득
  - normal (viable) : 살아있는 심근세포 층은 빠르게 빠져나감(wash-out) → 조영↓(black)
  - nonviable or infarction : 심근세포가 괴사된 (or 기타 이유로 섬유질로 대치된) 부위의 간질공간 증가 (→ 해당 부위에 조영제 분포) → 조영↑
- SPECT보다 해상도가 높아 small subendocardial infarction을 더 잘 발견하고, infarction 범위를 정확하게 평가 가능 (transmural extent <50% → 재관류 치료 후 회복될 가능성 높음)
- LGE는 infarction or fibrosis를 의미하지만, 그 자체가 특정 심근병리에 특이적인 것은 아님
  → 질환에 따라 LGE 양상/분포가 다르므로, 여러 비허혈성 심근질환의 감별에도 활용됨
- cine-MRI ; 대개 SSFP (steady-state free precession) 기법으로 촬영 (숨을 참은 상태에서 10초 이내의 동영상을 획득, retrospective gating, 시간 해상도↑)
  → 심실의 크기와 기능, 심장내 shunt, 판막 기능, 심장내 종괴 등을 평가 가능
- MRA ; 흉복부의 대동맥 및 대혈관 관찰에 유용
- coronary MRA ; 아직 CCTA보다 오래 걸리고 해상도 낮음, 관상동맥 기형 등에 제한적으로 사용
- 단점 (방사선 노출이 없는 장점이 있지만, 아직은 CT보다 촬영시간이 오래 걸림)
  ① 일부 체내 삽입장치의 MR 안전성 문제, 혈역학적 불안정이나 심한 호흡부전 시에는 금기
  ② 심한 부정맥 환자에서는 image quality 떨어짐
  ③ coronary MRA에서는 석회화를 확인하기 어려움
  ④ 신질환 환자에게 gadolinium 투여시 systemic fibrosis 발생 위험

■ 참고: 심부전 환자에서 영상검사들의 효용성

		심초음파	CMR(MRI)	MDCT	SPECT	PET
Remodeling, Dysfunction	LV volume	++	+++	++	++	++
	LV mass	++	+++	++	−	−
	LV EF	++	+++	++	++	−
	RV volume, mass, EF	++	+++	++	−	−
	LV diastolic dysfunction	+++	+	−	−	−
	Dyssynchrony	++	+	−	+	−
Etiology	CAD (viability 포함)	+++	+++	±	+++	+++
	Valvular stenosis	+++	+	++	−	−
	Valvular regurgitation	+++	++	−	−	−
	Myocarditis	+	+++	−	−	−
	Hypertrophic CMP	+++	++	−	−	−
	Dilated CMP	+	+++	−	−	−
	Restrictive CMP	++	+++	+	−	−
	ARVD (ARVC)	++	+++	+	−	−
	Sarcoidosis	+	+++	−	−	++
대표적 장/단점		가용성, 휴대성, 저렴, window	고화질, 방사선 無, 부정맥시 화질 저하	초고화질, 방사선, 부정맥시 화질 저하	방사선	고화질, 방사선, 가용성↓

■ 참고: 심혈관계 영상검사의 적합한 사용 가이드라인(적응) 예

심부전	적합	적합할 수도
심부전 의심 증상/징후 환자의 평가	Echo, RNV, CMR	SPECT
AMI로 입원시 초기 좌심실기능 평가	Echo, CMR, Cath	RNV, SPECT(S), S-Echo
허혈성심질환의 원인 파악	S-Echo, S-SPECT, S-PET, S-CMR, CCTA, Cath	Echo, PET, CMR
심근생존능(viability) 평가	SPECT(S), PET(S), CMR(R), S-Echo	Echo, CCTA

안정 허혈성심질환	적합	적합할 수도
CAD 의심 증상이 있는 환자의 진단/평가		
Low pretest probability	E-ECG, S-RNI, S-echo	S-CMR, CCTA
Intermediate pretest probability	E-ECG, S-RNI, S-echo	S-CMR, CCTA, Cath
High pretest probability	S-RNI, S-echo, S-CMR, Cath	CCTA
증상이 없는 환자의 진단/평가 (Low global CHD risk는 필요 없음)		
Intermediate global CHD risk	–	E-ECG, S-RNI, S-echo, Ca
High global CHD risk	E-ECG	S-RNI, S-echo, S-CMR, Ca, CCTA
실신 (ischemic equivalents 동반X) 환자의 CAD 진단/평가		
Low global CHD risk	–	E-ECG, S-RNI, S-echo
Intermediate~high risk	E-ECG, S-RNI, S-echo	S-CMR, CCTA
심장외 수술 전 평가 (Low risk surgery or 활동능력 좋고[≥4 METs] 위험인자 없으면 필요 없음) → 뒷부분 참조		
Intermediate risk surgery	–	E-ECG, S-RNI, S-echo, S-CMR
Vascular surgery	S-RNI, S-echo	E-ECG, S-CMR
신장 or 간 이식	S-RNI, S-echo	E-ECG, S-CMR, Cath

S-: ±stress test, (S): rest test 및 ±stress test, 없으면 rest test
Ca: calcium scoring, CAD: coronary artery dz., Cath: invasive coronary angiography (catheterization),
CCTA: coronary CT angiography, CHD: coronary heart dz., CMR: cardiac MRI, E-ECG: exercise ECG,
Echo: echocardiography, METs: metabolic equivalents, RNI: radionuclide imaging (myocardial perfusion scan)
RNV: radionuclide ventriculography, SPECT: single-photon emission tomography

체내 삽입장치들의 MR 안전성

안전	안전성 확인 필요	금기
Coronary stent	Cardiac pacemaker/defibrillator	안검 스프링, 망막 압정
인공 심작 판막	Cochlear implants (인공와우)	Injection port (chemoport)
인공 관절 (열 발생은 가능)	Insulin pump, clip, staples,	약물 흡수용 피부 패치
인공 렌즈 (백내장 수술)	sternal wire, filter, coil ...	
미용적 유방 삽입물	⇨ 근래 출시된 MRI-conditioned	
IUD (intrauterine devices)	장치들은 대부분 안전함	

중재적 심장학, 심도자술(Cardiac catheterization & angiography)

1. 개요

(1) 준비사항

- 대부분 외래로 시술하는 추세
- mild sedation (e.g., diazepam, midazolam, benzodiazepine), 최소 6시간 이상 금식 필요

심도자술 시술 전 항응고제 중단	
경구항응고제(warfarin)	3일 전 ⇨ Femoral approach는 INR을 1.8 이하로 (Radial approach는 2.2 이하로) 유지해야 됨 *꼭 필요한 환자는 heparin으로 교체하고 시술 4시간 전에 중지
DTI (dabigatran)	24시간 전 (eGFR 50~79 면 36시간 전, 30~49면 48시간 전) PCI (intervention) 가능성 있으면 시간 2배로
Direct Xa inhibitors (rivaroxaban, apixaban, edoxaban)	24시간 전 (eGFR 30 미만이면 36시간 전) PCI (intervention) 가능성 있으면 48시간 전
Aspirin 등의 경구 항혈소판제	계속 복용해도 됨

- CAD 의심 환자는 시술 전 aspirin 복용 권장 (∵ intervention 시행하게 되면 도움)
- 예방적 항생제는 사용하지 않아도 됨
- vascular access
  - ┌ Rt. heart cath. ; femoral vein (m/c), internal jugular or subclavian veins
  - └ Lt. heart cath. ; femoral artery (m/c), radial artery (점점 증가), brachial artery
    - radial artery ; femoral에 비해 access site Cx.적고, 시술 후 바로 활동이 가능하지만 guide catheter의 직경 제한으로 intervention (PCI)의 종류나 IABP는 제한될 수
    - 복부 대동맥 및 iliac/femoral artery 등의 병변 시에는 brachial or radial artery 이용
    - 장기간의 혈역학적 monitoring이 필요한 경우는 int. jugular vein 이용

	Right catheterization	Left catheterization
Pressure 측정	RA, RV, PA, PCWP(=LA)	Ao, LV, LA
Oximetry	O (심장내 shunt 확인)	O
Cardiac output	열희석법(thermodilution)으로 측정	X
기타	폐동맥조영술, EPS, pacemaker 삽입	관상동맥조영술, 대동맥조영술

(2) 적응/금기

- 진단적 적응증
  ① CAD ; ACS, stress test 시행한 적 없는 high probability 환자, stress test에서 고위험 소견, stress test와 증상이 일치하지 않을 때, 원인을 모르는 새로운 LV dysfunction/WM 이상, CCTA에서 50% 이상의 협착 or severity를 알 수 없는 병변 등
  ② 판막질환 ; 수술 전, 판막질환의 정도에 비해 심한 pul. HTN or LV dysfunction or Sx.
  ③ 심근질환 ; 심근질환 의심시, 확진시, 재평가, 치료방침 결정 등
  ④ pul. HTN ; 심초음파에서 RV systolic pr. 상승, 원인을 모르는 pul. HTN, 치료반응 평가

⑤ 심장 내 shunt ; shunt anatomy or fraction이 불확실한 경우

⑥ 기타 임상적 및 noninvasive test에서 의심되는 질환의 확진이 필요하고, severity를 결정할 때

(but, 선천성 or 판막 질환의 대부분은 noninvasive test 만으로 치료방침 결정)

- 치료적 적응증

---

1. **Coronary stenoses & occlusions의 치료**
   Percutaneous transluminal coronary angioplasty (PTCA)
   Laser techniques
   Intravascular stents
   Atherectomy
2. **Valvular stenoses의 치료**
   Balloon valvuloplasty (aortic, mitral, pulmonic)
3. **Congenital defects의 치료**
   Atrial septostomy
   PDA & ASD/VSD의 umbrella closure
   Undesired collateral vessels의 coil closure
4. **Peripheral arterial stenosis**
   Balloon dilatation
   Stent or covered stent

- 생명유지를 위해 꼭 필요한 경우, 절대적 금기는 없다
- 상대적 금기

조절되지 않는 부정맥, CHF, HTN 등
심한 hypokalemia 등의 전해질 불균형 or 조절되지 않는 digitalis toxicity
원인을 모르는 열성 질환 or 조절되는 않는 현성 감염
심한 응고장애 or 항응고제 사용으로 INR >1.8
급성 뇌졸중, 최근의(<1개월) CVA
급성 위장관 출혈, 심한 빈혈
ARF or 심한 CKD
방사선 조영제에 대한 심한 알레르기
협조가 안 되는 환자, 임신

---

(3) 부작용

- 진단적 심도자술의 전체적인 부작용은 1.35%, 사망률은 0.01~0.1% 정도

심도자술에 의한 부작용/사망의 위험인자

고령(>75세), 비만, 응급으로 시행시	심한 CAD 환자 (e.g., UA, AMI)
이전의 CVA, DM, 신부전, 심한 폐질환, 말초혈관질환	Lt. main coronary stenosis
조절되지 않는 HTN	심한 3-vessel coronary artery dz.
혈역학적으로 불안정한 환자	심장 판막 질환 동반
CHF, LV dysfunction (LVEF <35%)	Aortic aneurysm

- 조영제에 의한 부작용

① 알레르기 반응 (1%) : urticaria ~ anaphylaxis (→ 반복 노출시 ~50%에서 재발)

 - 예방 ; steroid (prednisone), antihistamines (diphenhydramine), H_2-blocker (cimetidine)

 - low-/iso-osmolar 조영제 사용으로 크게 감소했음

② 신부전 (3~7%) : CIN (contrast-induced nephropathy) → 신장내과 4장 참조

 - 조영제 투여 환자의 10~20%에서 신기능 저하 발생 (but, 투석이 필요한 경우는 0.14%)

 - 24~48시간 후부터 발생, 3~5일 이내 Cr 최고치, 대개 7일 이후 호전

- 위험인자 ; dehydration, hypotension, IABP, HF, 75세 이상, anemia, <u>DM</u>, 조영제 양↑, 이전의 신기능 저하(serum Cr >1.5 mg/dL or <u>eGFR <60 mL/min/1.73 m²</u>)
- 예방 ; 시술 전후의 hydration, iso-/low-osmolar 조영제 사용 (N-acetylcysteine은 아님)
- AMI (0.05%), stroke (0.07%), 일시적인 tachy/bradyarrhythmia
- catheter 삽입 부위의 출혈/자반/혈종 (femoral보다 radial access가 훨씬 적음)
- 심장 파열이나 대동맥 박리는 매우 드묾

참고: 심도자술 관련 합병증 (STEMI가 아닌 환자에서) – 미국

	진단적 심도자술	PCI 시행
전체 합병증	1.35%	4.53%
Bleeding (any)	0.49%	1.4%
Heart failure	0.38%	0.59%
Cardiogenic shock	0.24%	0.47%
CVA/stroke	0.17%	0.17%
Vascular Cx. (치료가 필요한)	0.15%	0.44%
신부전 (새롭게 투석치료 필요)	0.14%	0.19%
입원 기간 중 CABG 시행	7.47%	0.81%

■ Swan-Ganz (pulmonary artery) catheter (PAC) : Rt. heart cath.

- multilumen catheter로 tip은 우심방과 우심실을 지나 폐동맥 분지 내에 위치시킴
- 호흡주기에 의한 영향을 최소화하기 위해 호기말에 압력 측정

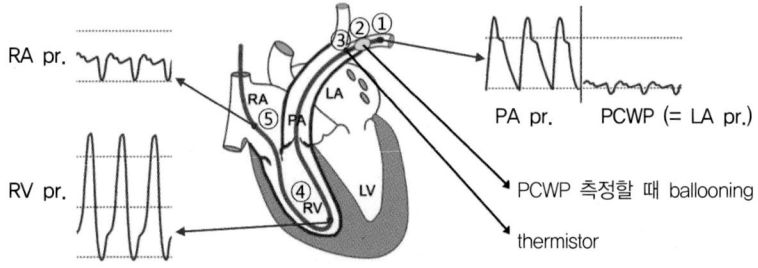

① tip (PA distal lumen) : 폐동맥압(PA pr.) & PCWP 측정, 혈액 sampling도 가능 (→ SvO2)
② balloon port : tip 바로 뒤, 풍선을 불면 (air 1.5 cc) 폐동맥 분지를 막아 PCWP 측정 가능
③ thermistor port : tip에서 약 4 cm 지점에서 PA 온도 측정 (thermodilution CO 측정에 이용)
④ RV distal lumen : tip에서 약 19 cm 지점, 우심실압(RV pr.) 측정
⑤ RA proximal lumen : tip에서 약 30 cm 지점, 우심방압(RA pr. = CVP) 측정, thermodilution시 cold saline 주입

- 측정 - CO와 PCWP 측정이 주목적!
  ① 압력 ; CVP, RA, RV, PA, PCWP (= LA pr. = LVEDP)
  ② CO (thermodilution method 등)
  ③ mixed venous blood sampling ; oxygen tension, saturation, Hb 등 측정
  ④ 우측 심장의 O₂ saturation (→ 심장내 shunt 확인)
  ⑤ 계산 ; 폐혈류량/저항, 체혈류량/저항, 판막 넓이 등
- 중환자의 혈역학 감시에 많이 사용되었었지만, 점점 덜 침습적인 장치로 대치되어 급감하였음

적응	금기
ACS의 보존적 치료 중 합병된 cardiogenic shock 환자 심한 만성 systolic HF에 의한 cardiogenic shock 환자 inotropic, vasoactive drugs가 필요한 심한 만성 HF 환자 우심실과 좌심실의 기능이 조화되지 않는 환자 Sepsis와 pseudosepsis의 감별 Reversible systolic HF ; fulminant myocarditis, 　peripartum cardiomyopathy Pul. HTN의 원인 및 치료반응 파악 심장 이식 W/U Air embolism의 치료	**절대 금기** 　우측 심내막염 　Mechanical TV or PV 　Rt. heart mass (thrombus, tumor) **상대 금기** 　응고장애 or 항응고제를 끊을 수 없는 경우 　최근에 PPM or ICD를 삽입 　LBBB 　Bioprosthetic TV or PV

• Swan-Ganz catheter (balloon flotation)의 부작용

① pneumothorax, hemothorax, arterial injury (e.g., carotid artery hematoma)

② PA rupture (<1%) : 사망률 50%

　- pul. HTN, 60세 이상, 항응고제 복용 환자 등에서 발생위험 증가

　- 갑자기 선홍색 객혈 발생시 의심 (특히 ballooning 직후) → 응급 수술

③ valvular injury, endocardial injury (e.g., subendocardial hemorrahge, IE)

④ arrhythmia ; VPB (m/c, 1~63%), nonsustained VT, RBBB

⑤ thromboembolism (유치 기간이 길수록↑), air embolism, pulmonary infarction

⑥ catheter infection, sepsis (유치 기간이 길수록, femoral access시 ↑)

2. Hemodynamics

(1) hemodynamic parameters의 참고치

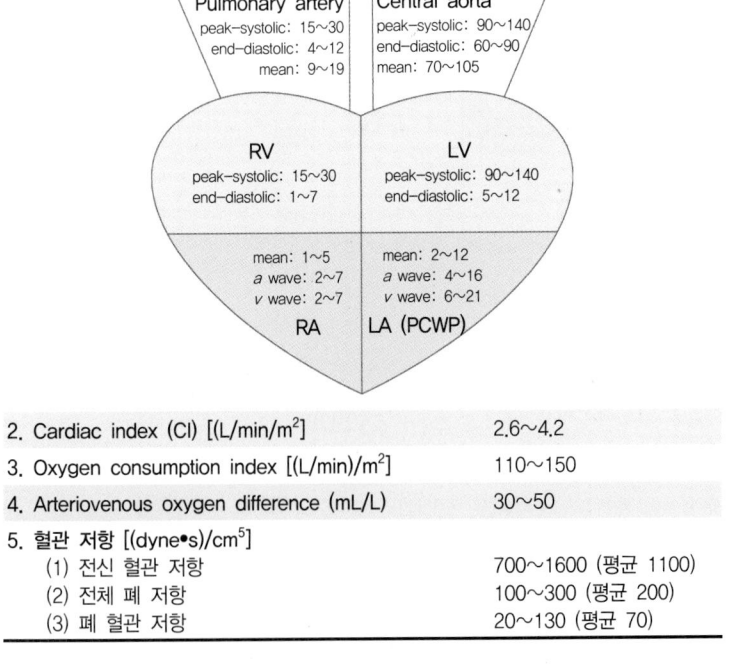

1. Pressures (mmHg)

Pulmonary artery
peak-systolic: 15~30
end-diastolic: 4~12
mean: 9~19

Central aorta
peak-systolic: 90~140
end-diastolic: 60~90
mean: 70~105

RV
peak-systolic: 15~30
end-diastolic: 1~7

LV
peak-systolic: 90~140
end-diastolic: 5~12

RA
mean: 1~5
a wave: 2~7
v wave: 2~7

LA (PCWP)
mean: 2~12
a wave: 4~16
v wave: 6~21

2. Cardiac index (CI) [(L/min/m²]	2.6~4.2
3. Oxygen consumption index [(L/min)/m²]	110~150
4. Arteriovenous oxygen difference (mL/L)	30~50
5. 혈관 저항 [(dyne•s)/cm⁵] 　(1) 전신 혈관 저항 　(2) 전체 폐 저항 　(3) 폐 혈관 저항	 700~1600 (평균 1100) 100~300 (평균 200) 20~130 (평균 70)

(2) cardiac output (flow)의 측정

① direct Fick oxygen method

$$Q \ (L/min) = \frac{O_2 \ consumption \ (mL/min)}{arteriovenous \ O_2 \ difference \ (mL/L)}$$

- pulmonary blood flow (Qp) = $\dfrac{O_2 \ consumption}{(PV - PA) \ O_2 \ difference}$

- systemic blood flow (Qs) = $\dfrac{O_2 \ consumption}{(aorta - mixed \ venous) \ O_2 \ difference}$

$$Qp/Qs = \frac{(Ao - \underline{mixed \ venous}) \ O_2 \ difference}{(PV[=Ao] - PA) \ O_2 \ difference}$$

- mixed venous O_2 content : shunt 바로 직전 chamber의 O_2 saturation을 사용
  예) ASD → (3×SVC + 1×IVC)/4, VSD → RA, PDA → RV, no shunt → PA
- 장점 : low CO 환자에서 가장 정확 / 단점 : 많은 시간과 노력이 필요

c.f.) 혈관저항의 계산
 ┌ 전신혈관저항 = 80 (Ao$_m$ −RA$_m$) / Qs
 └ 폐혈관저항 = 80 (PA$_m$ − LA$_m$) / Qp
  (Ao$_m$: 평균 대동맥압, RA$_m$: 평균 RA압, PA$_m$: 평균 폐동맥압, LA$_m$: 평균 LA압)

② thermodilution technique

- Swan-Ganz catheter의 근위부 (RA)에서 cold (<25℃) saline or dextrose를 주입한 뒤
  catheter 끝의 온도계에서 온도의 변화를 측정 → 시간에 따른 그래프로 그림
  (그래프의 curve의 면적은 CO와 반비례함 → 컴퓨터에서 CO 계산)
- 장점 ; 간단하고 시간이 적게 걸림
- 단점 ; Rt. CO를 반영(→ TR 환자에서는 시행 곤란), low CO 환자에서는 과다 측정됨,
  변동이 많음(→ 여러 번 측정하여 평균을 계산)

c.f.) indicator dilution technique : 정확하지만 많은 양의 혈액 채취가 필요,
  시간도 오래 걸림 (→ 대부분 thermodilution technique으로 대치됨)

③ angiographic technique

- SV = EDV - ESV, CO = SV × HR
- 단점 ; 원래 volume의 측정이 정확하지 않음 (특히 역류 or AF 시)
- 장점 ; 심한 AR or MR 환자에서 stenotic valve area 계산시 다른 방법보다 선호됨

c.f.) PAC보다 덜 침습적인 혈역학 감시법(hemodynamic monitoring) → 주로 CO 측정을 위해
  (1) 동맥파형추출법 (arterial line) : 동맥압 상승 ~ dicrotic notch까지 아래 면적으로 CO 계산
    예) PiCCO®, Flotrac®, LiDCO®, ProAQT® → SV/CO, SVV, PVV 등 측정 가능
      (SVV: stroke volume variation, PVV: pulse pressure variation)
  (2) 비침습적 ; USCOM® (doppler echo.), NICOM® (bioreactance), Nexfin® (finger cuff) 등
    연속 측정은 불가능 ↵   흉부에 전극을 붙여 측정 ↵   ⇨ 모두 PPV는 측정 못함

3. 각 질환별 이용

■ 정상

- systole 때 LV와 aorta (radial artery)의
  압력이 같다 (→ aortic valve 봄)
- diastole 때 LA (PCWP)와 LV의
  압력이 같다 (→ mitral valve 봄)

c.f.) PCWP = LA pr. = LVEDP
(좌심실확장기말압력)

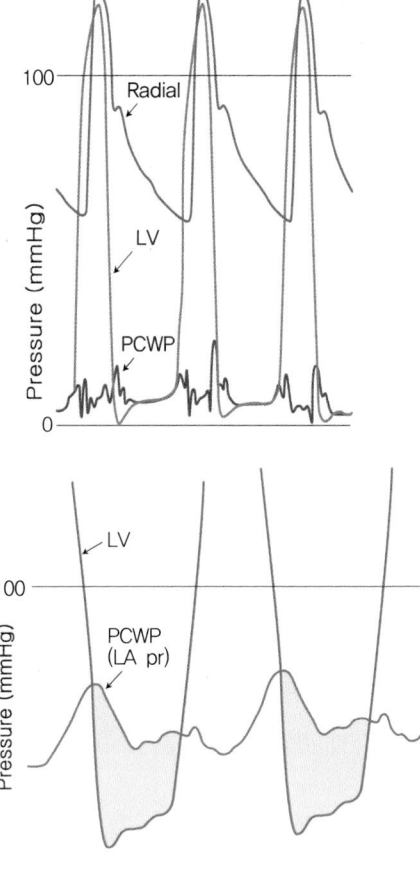

(1) Mitral Stenosis (MS)

- PCWP (LA pr.) 증가
- diastole 때 PCWP (LA pr.) > LV pr.

(2) Mitral Regurgitation (MR)

- systole 때 LV pr. < arterial pr.
- 운동할수록 mean PCWP & v wave 증가

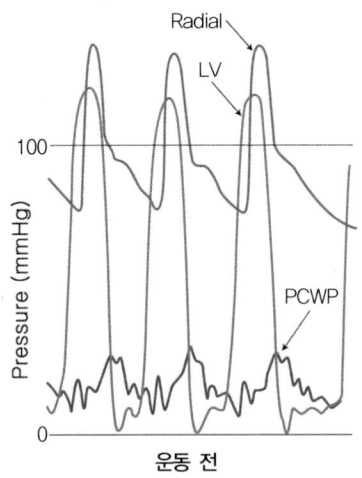

운동 전

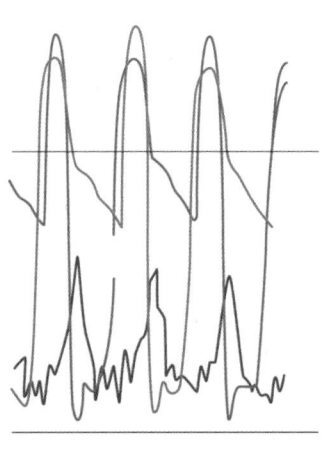

운동 중 (supine bicycle exercise)

(3) Aortic Regurgitation (AR)

- aortic pulse pressure의 폭 증가
- diastole 때 LV pr. = aorta
  (radial or femoral A.) pr.
- early diastole 때 LV pr.가 PCWP
  (LA pr.)보다 크다
  (→ MV의 premature closure 시사)
  … severe AR의 특징!

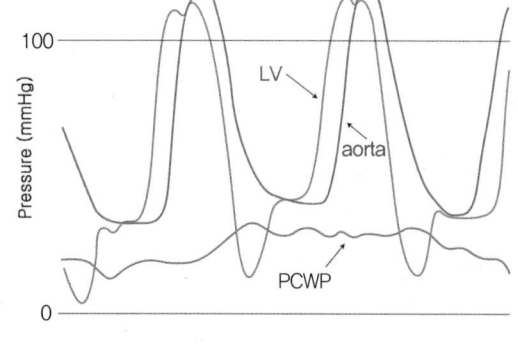

(4) Aortic Stenosis (AS)

- systole 때 LV와 aorta 사이의
  pr. gradient (LV pr. > aorta pr.)
- aortic orifice (valve area) 감소

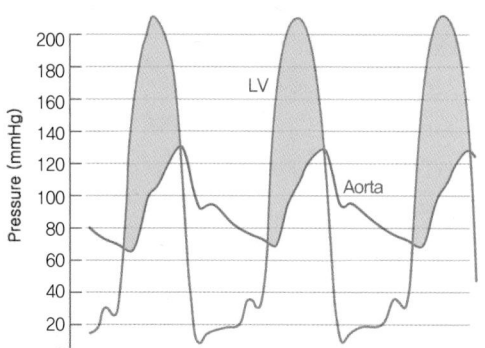

(5) 기타 판막 질환

- TS : diastole 때 RA pr. > RV pr.
- TR : RA pr.와 RV pr.가 거의 유사

(6) Constrictive Pericarditis

- 4 chambers (LV, LA/PCWP, RV, RA)의 이완기말 압력의 상승 및 평준화
  ("equalization of diastolic pressure")

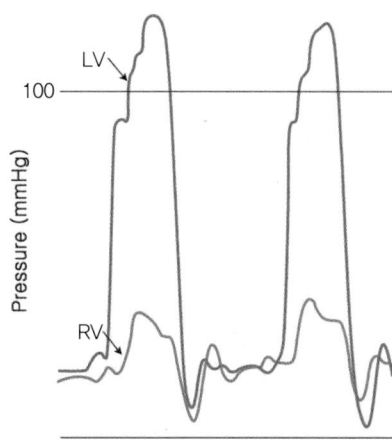

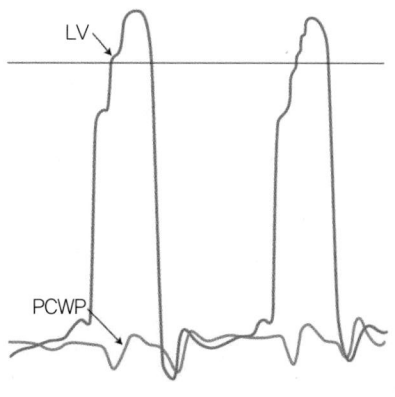

LV & RV distolic pr.의 diastolic
dip & plateau pattern
("square root sign")

PCWP에서 early systolic &
early diastolic dips

(7) Congenital heart dz.

- mixed venous blood (SVC, IVC)와 RA 사이에 O_2 step up

  ; ASD, Valsalva sinus의 RA로의 rupture, partial anomalous pul. venous connection ...
- RA와 RV 사이에 O_2 step up ; VSD
- RV와 PA 사이에 O_2 step up ; PDA

4. Angiography

(1) ventriculography

; 심실의 크기 및 기능 평가, MR의 발견 및 severity 평가

(2) aortography

① AR의 발견 및 severity 평가

② aorta와 우측심장과의 비정상적 교류 발견

예) PDA, ruptured aneurysm of a sinus of Valsalva

③ aortic aneurysm

④ aortic dissection (intimal flap 확인할 수)

(3) coronary angiography (cine angiography)

① stenosis의 위치 및 severity 평가

② coronary blood flow 속도 평가

③ 심근의 capillary filling 평가

④ collateral blood supply 확인

⑤ congenital anomaly 발견 (e.g., coronary fistulae)

* borderline stenosis (40~70%)의 추가 검사

(a) stenosis 전후의 pressure gradient 측정

(b) adenosine (vasodilator) 투여 뒤의 혈류 증가 정도 평가

(c) intravascular US (IVUS)로 내강의 정확한 단면적 및 plaque 확인

■ 혈관내초음파(intravascular US, IVUS)
- 관상동맥 내로 US probe를 통과시키며 동맥의 횡단면 영상을 얻어 혈관벽 및 atheroma 평가
  → atherosclerotic plaque, 내강 단면적, 혈관 크기 등을 정확히 측정 가능

IVUS의 임상적 적응
1. Intermediate (borderline) stenosis (40~70%)
2. Indeterminate findings (e.g., ostial lesion, bifurcation lesion, aneurysm, hazy lesion)
3. 환자의 증상 or noninvasive tests와 일치하지 않은 관상동맥조영 소견
4. In-stent restenosis or thrombosis
5. Transplant vasculopathy
6. PCI 이후 증상 or 관상동맥조영 소견 호전이 만족스럽지 않을 때

- plaque area = 전체혈관면적(external elastic membrane [EEM]이 경계) - 내강면적
  (c.f., 일반적으로 IVUS 상의 혈관단면적이 angiography 상의 혈관 단면적보다 큼)

- atherosclerosis의 vascular remodeling
  - (+) remodeling : plaque가 혈관단면적의 40%를 차지할 때까지 혈관이 적응 확장되는 것
    (→ angiography 상에서는 정상 혈관처럼 보일 수 있음)
  - (−) remodeling : chronic vessel shrinkage, 혈관 내강 감소에 더욱 기여
- PCI 도중/이후 stenosis 평가 및 stent가 잘 설치되었는지 평가도 가능
- VH-IVUS (virtual histology IVUS) : plaque의 조직학적 특성(성분)도 파악 가능
- 기타 plaque를 더 자세히 확인할 수 있는 검사법들 ; intravascular optical coherence tomography (OCT), angioscopy, thermography ...

■ 관상동맥의 생리학적 검사 (stenosis의 기능적 평가)

(1) 관상동맥혈류예비력(coronary flow reserve, CFR) = 최대충혈시 혈류 / 휴식시 혈류
  - 2.0 미만이면 의미있는(심한) stenosis (→ 심근허혈 유발 가능)
  - Doppler flow guidewire로 휴식시 & 최대충혈시(e.g., adenosine 투여 이후) 혈류 측정
  - 최대충혈 상태가 아닌 경우 실제보다 낮게 측정됨 → stenosis를 과대평가
  - 단점 ; 심외관상동맥병변과 미세혈관병변을 구별 못함, 혈역학적 상태의 영향 많이 받음

(2) 분획혈류예비력(fractional flow reserve, FFR) = stenosis 원위부의 압력 / 근위부의 압력
  = 최대충혈시 P_d/P_a [mean distal coronary pr. (P_d) / mean aortic pr. (P_a)]
  - 0.75 미만이면 혈역학적으로 의미있는(심한) stenosis를 의미 (→ intervention 필요)
  - pressure guidewire로 휴식시 및 최대충혈시(e.g., adenosine 투여 이후) 측정
  - 최대충혈 상태가 아닌 경우 실제보다 높게 측정됨 → stenosis를 과소평가

  * 비침습적인 심초음파, PET-MPI (myocardial perfusion imaging)로도 측정 가능

5. PCI (percutaneous coronary intervention)

→ 6장 참조

실신 (syncope)

실신(syncope)의 원인
1. 신경매개 실신 혈관미주신경 실신(vasovagal syncope) 반사매개 실신(reflex-mediated syncope) 　Carotid sinus hypersensitivity 　폐 ; 기침, 재채기, 관악기연주자, 역도선수, "Mess Trick" and "Fainting Lark", 기도 장치 　비뇨생식기 ; 배뇨후, 전립선 마사지, 비뇨생식기 장치 　위장관 ; glossopharyngeal neuralgia, 연하, 식후, 식도 자극, 직장수지검사, 배변, 위장관 장치 　기타 ; 눈 압박, 안과 검사, 안과 수술
2. 기립성 저혈압
3. 심장질환에 의한 실신 부정맥 ; sinus node dysfunction, AV dysfunction, SVT, VT, inherited channelopathies ... 구조적심장질환 ; 판막질환, 심근허혈, 심근질환, 심낭질환, atrial myxoma ...
4. 뇌혈관계 질환에 의한 실신 ; Subclavian steal syndrome (vascular steal syndrome), 편두통, 일과성 뇌허혈, 간질 ...

1. 개요

- 정의 : 갑자기 의식을 잃고 쓰러지나, 특별한 조치 없이 <u>짧은 시간 내에 스스로 의식을 회복</u>하는 것
- 진단적 접근 (bradyarrhythmia 환자도 비슷)
  (1) 자세한 병력조사, 신체검사, 체위변화에 따른 혈압/심박 측정, EKG
  (2) 혈액검사 ; 일상적인 routine panel 검사 및 cardiac markers는 도움 안됨 → target 검사로
  (3) 자율신경계 검사
    - <u>기립경사 검사(tilt table test, TTT)</u> ; 일반적으로 40분 이상 기립 (기립성저혈압 확인은 5분 이상)
    - 부교감신경계 검사 ; deep respiration 및 Valsalva maneuver에 대한 HR variability 등
    - 교감 cholinergic 기능검사 ; thermoregulatory sweat response, quantitative sudomotor axon reflex test (QSART) 등
    - 교감 adrenergic 기능검사 ; Valsalva maneuver에 대한 BP 반응 등
  (4) carotid sinus massage
    - carotid sinus syncope 의심, 50세 이상에서 원인 미상의 반복성 실신 등 때 시행
    - 경동맥 분지 부위의 경동맥동(carotid sinus)을 손가락으로 압박하여 과민반응 여부 확인
      (처음 압박시 반응이 없으면 5초간 손가락을 좌우로 비비거나 동그랗게 문지르며 반응을 봄)
    - 양 쪽의 반응이 다를 수 있으므로 반대쪽에서도 시행하며, 양쪽 동시 자극은 금기
    - 반드시 EKG & BP monitoring 하에서 시행
    - carotid bruit, plaques, stenosis 등이 있을 때는 금기 (∵ embolism 발생 위험)
  (5) 심장 검사
    - <u>24hr EKG monitoring</u> ; Holter (SCD 위험↓ 환자) or 입원 중 monitoring (SCD 위험↑)
    - 심초음파 ; 심장질환의 병력 or 구조적 심장질환이 의심될 때
    - exercise test ; 운동 중 or 직후 실신 발생시
    - EPS ; EKG 이상을 동반한 구조적 심장질환 환자에서 noninvasive test로 원인을 못 찾을 때
      (sensitivity/specificity가 낮아 실신 환자에서는 거의 시행 안함)
  (6) 정신과 검사 ; 원인을 모르는 실신이 반복될 때 고려

실신 환자에서 입원 또는 적극적인 검사가 필요한 고위험 소견
CAD를 시사하는 흉통, CHF 의심, 중등도 이상의 판막질환
심초음파 상 허혈 의심 소견
심실부정맥의 병력, SCD의 가족력
Prolonged QT interval (>500 msec)
SA block or sinus pauses 반복, 지속적인 sinus bradycardia, trifascicular block
AF, nonsustained VT
Preexcitation syndrome (e.g., PSVT), 심전도 상 Brugada pattern 등

2. Vasovagal (neurocardiogenic, vasodepressor) syncope (VVS)혈관미주신경실신 (Neurally mediated hypotension or syncope)

- 정상인에서 가장 흔한 실신의 원인, 주로 장시간 서 있을 때 발생
- 유발인자 ; emotional stress, 덥고 혼잡한 주위환경, 운동, 목욕, 피로, 음주, fever, injury, pain …

- 기전 : venous return↓ → SV↓ → sympathetic activity↑ → 심장의 과도한 자극(e.g., 두근거림)
  - → 갑작스런 sympathetic withdrawal & <u>parasympathetic activation</u>
    - → **vasodilation** & bradycardia → brain ischemia (syncope), hypotension
- Sx ; hypotension (심하진 않다), bradycardia, nausea, pallor, diaphoresis ...
  - (→ 눕거나 다리를 올리면 회복)
- Dx : <u>기립경사 검사</u>(upright tilt-table test, head-up tilt test)
  - ┌ 60° ~ 80° 기립 상태를 20~45분 이상 시행시 갑자기 HR/BP↓ & syncope 발생
  - └ provocation drugs ; isoproterenol (m/c), NG, edrophonium, adenosine
  - ① cardioinhibitory type : vagal tone↑ → BP의 변화 없이, 갑자기 <u>HR</u> 크게 감소
  - ② vasodepressor type : sympathetic failure (혈관 확장) → HR의 큰 변화 없이, 갑자기 <u>BP</u> 감소
  - ③ mixed type : HR & BP 모두 감소
  - – autonomic dysfunction/failure : BP 점진적으로 감소하지만 HR의 보상성 증가 없음
  - – postural tachycardia : BP는 거의 변화 없고, HR가 과도하게 증가됨
- 치료
  - ① 교육/신체훈련 (m/g) ; 안심, 유발인자 회피, 적절한 염분/수분 섭취, tilt (standing) training,
    - isometric counterpressure maneuvers (e.g., leg crossing or handgrip with arm tensing)
  - ② 가능하면 저혈압 유발 약물(e.g, 항고혈압제)의 중단/감량
  - ③ 약물치료 : 대부분은 효과의 근거가 빈약해서 recurrent VVS에서나 고려
    - – β-blockers : 교감신경계↓, 심근수축력↓, 42세 이상 recurrent VVS에서 고려
    - – mineralocorticoid (fludrocortisone) : 염분/수분 섭취에 반응 없는 recurrent VVS에서 고려
    - – α-agonist (midodrine) : HTN, HF, urinary retention 병력이 없는 recurrent VVS에서 고려
    - – SSRI 항우울제(e.g., paroxetine, fluoxetine, sertraline)
  - ④ cardiac pacing : dual chamber pacing (AAI, VVI, VDD 등은 금기)
    - ↳ severe bradycardia나 asystole을 동반한 recurrent VVS (40세 이상)외에는 효과 없음

3. Carotid sinus hypersensitivity

- carotid sinus baroreceptor (common carotid artery의 분지 부위에 위치)의 압박에 의해 sinus arrest, SA exit block, AV block 등이 유발 (e.g., 면도, 꽉끼는 칼라, 넥타이 맬 때 등)
- 주로 50세 이상 남성에서 발생
- 진단 : carotid sinus massage
  - ① cardioinhibitory type : 3초 이상의 asystole 발생
  - ② vasodepressor type : vasodilatation → systolic BP 50 mmHg 이상 감소
  - ③ mixed type
- 치료
  - ① 유발 약제의 복용 중단 (e.g., digitalis, clonidine, α-methyldopa, β-blocker)
  - ② cardioinhibitory type → atropine, pacemaker
  - ③ vasodepressor or mixed type → RT or surgical carotid sinus denervation

4. 기립성 저혈압 (Postural/orthostatic hypotension)

- 기립경사검사(누워 있다가 일어난 뒤) 3분 이내에 혈압이 20/10 mmHg 이상 감소되는 것
  (∵ venous return↓ → but, sympathetic reflex 상실 → systemic arterial BP↓)
- 노인에서 syncope 원인의 30% 차지 (특히 혈압약, 항우울증약 복용시)
- 원인

Primary Disorders of Autonomic Failures
  Pure autonomic failure (Bradbury–Eggleston syndrome)
  Multiple system atrophy (Shy–Drager syndrome)
  Parkinson's disease with autonomic failure

Secondary Neurogenic
  노화, Idiopathic immune–mediated autonomic neuropathy
  일반 질환 ; DM, amyloid, alcoholism, renal failure
  대사 질환 ; vitamin B_{12} deficiency, porphyria, Fabry disease, Tangier disease
  자가면역질환 ; Guillain–Barré syndrome, MCTD, RA, Eaton–Lambert syndrome, SLE
  Paraneoplastic/carcinomatosis autonomic neuropathy
  신경계 감염 ; HIV, Chagas disease, botulism, syphilis
  중심 뇌병변 ; multiple sclerosis, Wernicke encephalopathy,
      vascular lesions or tumors involving the hypothalamus and midbrain
  Spinal cord lesion, sympathectomy
  Dopamine beta–hydroxylase deficiency
  Familial hyperbradykinism
  Hereditary sensory neuropathies, dominant or recessive

Drugs
  Diuretics, α –blocker, ACEi, antidepressants, alcohol, vasodilators
  terazosin (Hytrin), labetalol, guanethidine, monoamine oxidase inhibitors, ganglion–blocking drugs,
  hexamethonium, mecamylamine, tranquilizers, phenothiazines, barbiturates, prazosin, hydralazine,
  centrally acting hypotensive drugs, methyldopa, clonidine
  (c.f., β –blocker와 CCB는 기립성저혈압이 거의 없음)

Postprandial hypotension
Volume depletion ; adrenal insufficiency, acute blood loss ...

- 치료
  ① 교정 가능한 원인의 제거 ; 유발 약제(e.g., vasodilator, diuretics)의 중단 등
  ② 일반적인 교육/치료 ; 적절한 염분과 수분 섭취, 일어날 때는 천천히, antigravity or g suit,
      elastic stocking, head elevation, isometric counterpressure maneuvers ...
  ③ 약물 치료
    - fludrocortisone
    - vasoconstrictor ; midodrine, pseudoephedrine, ephedrine ...
    - 반응 없으면 pyridostigmine, yohimbine, DDAVP, erythropoietin 등 추가 고려

5. 기타 syncope의 원인들

(1) 심혈관 질환 ; arrhythmias, pul. embolism, pul. HTN, atrial myxoma, massive MI,
    LV myocardial restriction/constriction, pericardial constriction/tamponade,
    aortic outflow tract obstruction, AS, HCM ...
(2) 뇌혈관 질환 ; vertebrobasilar insufficiency, basilar artery migraine ...

	신경매개 저혈압 (vasovagal syncope)	부정맥 (arrhythmia)	간질 (seizure)	심인성 (psychogenic)
임상양상	남<여 젊음(<55세) 발생 흔함(>2회) 장시간 서있음, 더위, 흥분 등의 유발인자	남>여 고령(>54세) 발생 드문 편(<3회) 운동중 or 누워있음 급사의 가족력	젊음(<45세) 어느 상황에서도 발생 가능 특별한 유발인자 없음	남<여 젊음(<40세) 다른 사람들 있을 때 발생 발생 흔함(하루에도 몇 번) 특별한 유발인자 없음
전구증상	깊(>5초) <u>Palpitations</u> Blurred vision Nausea Warmth <u>Diaphoresis</u> (식은땀) Lightheadedness	짧음(<6초) Palpitations 덜 흔함	갑자기 발생 or 짧은 조짐(deja vu, olfactory, gustatory, visual)	대개 없음
실신의 양상	Pallor Diaphoretic Dilated pupils Slow pulse, low BP Incontinence (실뇨), brief clonic movements 도 발생 가능	Blue, not pale Incontinence, brief clonic movements 도 발생 가능	<u>긴 시간 실신(>5분)</u> <u>Blue face</u>, no pallor 입에 거품 <u>혀 깨묾</u> Horizontal eye deviation 맥박 및 혈압 상승 Incontinence 흔함 (실뇨 뿐아니라 실변도 가능) Grand mal시에는 tonic-clonic movements	Normal color Not diaphoretic Eyes closed 맥박/혈압 정상 Incontinence 없음 장시간(수분) 실신 흔함
잔류증상	흔함 지속적인 피로(>90%) 의식 회복 빠름	드묾 의식 회복 빠름	흔하고 오래 지속 근육통, 두통, 피로 발작 후 졸림과 혼미 지속	드묾 의식 회복 빠름

기타

1. 혈관내피인자

- vasodilator – prostacyclin (PGI_2), EDRF (NO), EDHF
- vasoconstrictor – PDGF, endothelin
- 혈전생성억제 – prostacyclin, EDRF, thrombomodulin
- * NO (nitric oxide) radical의 역할
  - ① smooth muscle 수축 감소 (→ vascular tone 감소)
  - ② 백혈구가 endothelium에 부착되는 것을 방해
  - ③ smooth muscle의 증식 억제
  - ④ 혈소판의 adhesion과 aggregation 억제

2. 운동시의 심혈관계 변화

- 정맥 환류(venous return) 증가 → ventricular filling & preload 증가
  - (∵ 과환기, 근육의 펌프 작용, 정맥수축)
- 심근의 수축력 증가 → stroke volume 증가 (∵ 아드레날린성 자극↑, 혈중 catecholamine↑, 빈맥)
- 이완기말 압력 및 용적 (EDP, EDV)은 변화가 없거나 감소 (심부전 환자는 EDV 증가)
- 근육의 동맥은 <u>이완</u> → 심박출량(cardiac output)은 최대 5배까지 증가하지만,
  - 말초혈압(arterial pr.)은 중등도로만 증가하게 제한

3. 임신시 심혈관계의 변화

- systemic vascular resistance↓, uterine blood flow↑, blood volume↑(40~45%), HR↑(10~20%)
  - → CO↑ (2nd trimester 때 최대, 40%↑)
- BP ┌ systolic : 약간 감소 or 변화 없음
     └ diastolic : 크게 감소
- pulmonary vascular resistance↓, 하지의 venous pr.↑ (→ 약 80%에서 발 부종 발생)
- S_3, systolic ejection ⓜ, bounding pulse

c.f.) 임신을 피하거나 중단해야할 고위험 심장질환
Pulmonary hypertension
Dilated cardiomyopathy (EF <40%)
Symptomatic obstructive lesions ; AS, MS, PS, CoA
Marfan syndrome (aortic root >40 mm)
Cyanotic lesions
Mechanical prosthetic valves

4. 노인에서의 심혈관계 변화

- 구조적 변화 ; myocyte의 크기↑, 수↓, matrix connective tissue↑
- 대동맥의 elasticity (compliance)↓ → after load↑ → systolic BP↑, LVH, interstitial fibrosis
  - → LV의 이완능력(compliance)↓ → 정상 LVEDV 유지하기 위한 atrial contraction↑
- CO (EF)
  - ① resting시 : 정상 (SV의 증가에 의해)
  - ② 운동시 : maximal HR↓ (→ 운동능력↓)
- β-agonist에 대한 반응성↓
- baroreceptor의 반응성↓ → postural hypotension

5. Stroke (CVA)의 위험인자

고혈압 (치료 가능한 m/i 위험인자) 동맥경화 ; hyperfibrinogenemia, hyperhomocystinemia 당뇨병 (조절되지 않는) 고지혈증 (LDL↑, HDL↓) 흡연, 음주, 비만, 활동부족 ...	이전의 TIA (transient ischemic attack) 심장질환 ; AF (m/c), MS, MI, DCM, 　　mural thrombi ... (→ cerebral emboli) 경동맥질환 ; carotid stenosis ... 고령

Ischemic stroke의 원인

혈전증(thrombosis)	색전증(embolic occlusion)	
	동맥	심장
Lacunar stroke (소혈관) 대혈관 혈전증 탈수	경동맥 분지부 대동맥궁 동맥 박리	심방세동(AF)-m/c 심장벽 혈전 심근경색 확장성 심근병증	판막 질환 ; MS, 인공판막, 　세균성 심내막염 Paradoxical embolus ; ASD, 　patent foramen ovale Atrial septal aneurysm Spontaneous echo ; contrast

6. Sudden Cardiac Death (SCD) : 급성(돌연) 심장사

- 정의 : 심장 질환으로 인한 급성 증상 발생 후 1시간 이내에 사망하는 경우
  - acute low CO state ; massive acute PE, aortic aneurysm rupture, intense anaphylaxis, cardiac rupture & tamponade 등이 원인 → SCD로 분류하지는 않음
  - cardiovascular collapse : 심장 and/or 말초혈관의 acute dysfunction으로 인한 뇌혈류의 감소로 갑자기 의식이 소실된 것 (→ vasodepressor syncope이나 서맥이 원인인 경우 대개 자연 회복)
- 1st peak (~생후 6개월 : sudden infant death syndrome [SIDS]) & 2nd peak (45~75세)
- 남:여 = 4:1, 나이 들수록 남녀 차이는 감소 (45~64세 7:1, 65세~74세 2:1)
- 위험인자 ; 고령, 흡연, LDL↑, DM, HTN, 좌심실비대, CRP↑ 등 (→ CAD의 위험인자와 같음)
- 기저질환
  - 관상동맥질환(CAD)이 m/c (70~80%)
  - 심근질환 (10~15%) ; DCM, HCM (운동선수에서 m/c), arrhythmogenic RV dysplasia ...
  - 기타 ; 판막질환, 선천성 심장병, 염증/침윤성 질환, 전기생리학적 이상(e.g., WPW syndrome)
  - inherited d/o. ; congenital LQTS, Brugada syndrome, catecholaminergic PMVT ...
    (↳ 청소년 및 젊은 성인에서 SCD의 흔한 원인)　　　　　　　　→ 2장 부정맥 편 참조
- functional contributing factors ; coronary flow 변화, CO↓, metabolic abnormalities (e.g., K^+↓), neurologic disturbances, toxic responses (e.g., proarrhythmic drugs, cocaine, digitalis)
- cardiac arrest의 원인 (electrical mechanism) ; VF (m/c, 50~80%), bradyarrhythmia & asystole (10~30%), pulseless electrical activity (PEA), sustained VT ...
- 첫 EKG 소견에 따른 예후(퇴원시 생존율) ; VT (67%) > VF (25~40%) > PEA (11%) > asystole (0~2%)
- coronary heart dz. 사망의 50%는 SCD
- AMI 입원시, 첫 72시간에 발생한 심실빈맥보다 72시간 이후에 발생한 심실빈맥이 사망률 더 높다
- SCD 재발 방지에는 항부정맥제보다는 ICD (implantable cardioverter/defibrillator)가 더 효과적임!
- cardiac arrest의 응급소생술 후 병원에 입원한 경우의 사망원인은 CNS injury (anoxic encephalopathy & infection)가 가장 많음
- 병원 밖에서 cardiac arrest 이후 생존한 환자 (이후 2년 이내 사망률 10~25%)
  - CAD (특히 high EF) → anti-ischemic therapy (e.g., PCI, thrombolysis)
  - 다른 심장질환(e.g., 심근질환, 유전질환), EF 30~35% 이하의 MI → ICD
- 2ndary cardiac arrest시에는 70%가 사망

7. 심장이식 (cardiac transplantation)

(1) 적응

- 대상 : end-stage heart dz. (e.g., 말기 심부전)
  ① 관상동맥질환 (m/c)　　c.f.) 우리나라는 심근질환이 약 2/3 차지
  ② 심근질환 (2nd m/c) : DCM이 90% 이상
  ③ 기타 ; 판막질환, 선천성 심장병, 심근염 등

심장이식의 금기	
고령(70세 이상), 고도 비만	활동성 궤양성 질환(PUD)
활동성 감염(e.g., HCV, HIV)	Circulatory cytotoxic Ab 양성
활동성 전신질환(SLE, sarcoidosis, amyloidosis)	IDDM : 조절이 안되거나
현재 악성종양 or 치료되었지만 재발률 높은 경우	end-organ damage 동반
최근의 폐경색, 비가역적 폐고혈압	심한 뇌혈관 or 말초혈관 질환
심한 폐질환(e.g., COPD: FEV1 <1 L/min)	마약 또는 알코올 중독자
비가역적 신부전 or 간부전	예후가 나쁜 정신질환 (치료X 등)

- 이식시기 : 향후 예상 수명이 6개월~1년 남았을 때
  ① LVEF <20% & NYHA class Ⅳ 증상
  ② 운동중 최대산소섭취량(maximal V_{O_2}) <12 mL O_2/kg/min (⋯ 최대 CO과 비례함)
  ③ 다른 치료에 반응 없는 심각한 ventricular arrhythmias 존재

심장 이식 대기자의 응급도 (우리나라)	
0순위	VA-ECMO 치료 중인 환자 심부전으로 인한 인공호흡 중인 환자 기계적 순환 보조장치(MCS)가 필요한 VT/VF 삽입형 심실보조장치(VAD)를 가진 환자가 심각한 합병증으로 ICU에 입원 비삽입형 심실보조장치(VAD)
1순위	인공심장(artificial heart), 심실보조장치(VAD), IABP 치료 중 연속적으로 4주 이상 Ⅳ 강심제 투여 중인 환자 1주 이상 고용량 단일 강심제 or 2개 이상의 중등도 용량의 강심제가 필요한 경우 지속성 VT/VF가 자주 반복 되거나 심실제세동기(ICD)가 자주 작동하는 경우

(2) immunologic preparation

- ABO typing, Ab screening test, panel-reactive antibody (PRA), HLA typing 등 검사
- PRA test : circulating anti-HLA Ab 유무와 그 특이성 동정, 고형장기이식 전후로 검사
  - 공여자의 HLA에 대한 anti-HLA Ab에 감작된 경우 (donor-specific Ab, DSA)
    → antibody-mediated rejection의 원인이 됨 (이식×)
    (virtual cross-matching : 환자의 anti-HLA에 대응하는 HLA 항원을 가진 공여자를 미리 배제)
  - complement dependent cytotoxicity (CDC) : 살아있는 림프구를 이용하여 검출 (과거)
  - flow cytometry crossmatch (FCXM), Luminex-PRA → 민감도 우수함
- HLA compatibility (환자-공여자간 HLA 항원 일치)를 맞출 필요는 없음
- 수술 전후 면역억제요법(induction therapy)
  ; steroid + <u>calcineurin inhibitor (CNI)</u> + <u>antiproliferative agent</u> + <u>IL-2 receptor Ab</u>
  　　　　　　[tacrolimus or cyclosporine]　[mycophenolate mofetil (MMF)]　[basiliximab or daclizumab]

(3) 합병증

① 수술 직후 ; 폐혈관 질환으로 인한 RVF

② 수일~수주 ; <u>acute rejection</u>

   ⓐ acute cell-mediated (cellular) rejection → 예방/치료위해 면역억제요법 시행!

     – 신장/간이식과 달리 rejection의 serologic marker는 없음 (일부에서 troponin I을 사용하기도 함)

     – 위험인자 ; 젊음 환자, 여성, 여성 공여자, CMV(+), 감염, HLA 불일치 개수

     – Dx : endomyocardial biopsy (1~2주 간격, 몇 달 이후엔 1달마다 ~6-12개월까지 시행)

     – Tx : high-dose steroid, OKT3, ATG (ALG)

   ⓑ acute Ab-mediated (vascular) rejection : 이미 형성된 항체(e.g., anti-HLA)가 원인

     – 위험인자 ; 여성, high PRA level, (+)crossmatch

     – 임상적으로 진단, 심초음파상 심장기능↓ or shock / biopsy에서 cellular rejection 無

     – Tx : IV steroid, plasmapheresis, IVIg, rituximab 등

③ 첫 1년 이내 ; 감염

  – CMV infection ; 흔하고, graft rejection도 촉진함

예방적 항생제 요법	
CMV	Ganciclovir (IV 4주 → oral valganciclovir ~3개월) [주기적 CMV Ag level 보며 투여 여부 결정하기도]
Pneumocystis jirovecii	Bactrim (~1년간)
HSV1, HSV2	Acyclovir (~1개월) [Ganciclovir 투여 중일 때는 필요 없음]
Oral candidiasis	Topical nystatin (~6개월)

④ 1년 이후 ; <u>chronic rejection</u> (대개 CAD 형태로 나타남)

        ↳ 이식 심장의 CAD (1년 이후 사망원인의 20~30% 차지)

  – 위험인자 ; 반복적인 rejection, hyperlipidemia, DM, CMV infection

  – 일반적인 CAD와 차이 ; diffuse, concentric, longitudinal, 근위부보다 원위부에서 호발

  – 병이 상당히 진행되어도 협심증 호소는 드묾 (∵ 이식된 심장은 denervation된 상태)

  – 조직 ; smooth muscle cell hyperplasia, intimal proliferation, lipid-laden macrophage 침윤

  – 예방/치료

    (1) CCB, ACEi, statins → CAD 발생 감소

    (2) 면역억제제로 MMF, mTOR inhibitors (sirolimus, everolimus) 사용 → CAD 발생 감소

    (3) anticoagulation, aspirin, cyclosporin A : 효과 적다

    (4) revascularization (CABG or PCI) : 대개 별 도움 안됨

    (5) 재이식만이 유일한 완치법

⑤ 악성종양

  – 원인 ; 면역억제제, virus (e.g., EBV(림프종), HHV-8(Kaposis' sarcoma)) ...

  – 피부암(m/c, 특히 SCC(4~20배 증가), 입술), 림프종(40~50배 증가), 항문암, 여성생식기암 등

8. 비심장수술 환자의 수술 전 심장위험(cardiac risk) 평가 ★

(1) <u>응급수술(urgent surgery)</u>이 필요한 환자 ⇨ 그냥 수술 진행

  ↓ No

(2) <u>Active/unstable 심장질환</u>* ⇨ 다학진료를 통해 치료방침 결정 (심질환 먼저 치료 or 수술 진행)

  ↓ No

(3) <u>수술의 위험도(surgical risk)</u>** 평가 → Low ⇨

> 예정대로 수술 진행, 생활습관개선 및 약물치료
> 1개 이상의 clinical risk factors → ECG monitoring
> 허혈성심장질환 환자 → low-dose β-blocker
> Systolic dysfunction인 심부전 환자 → ACEi
> 혈관수술 예정 환자 → statin 등 고려

  ↓ Intermediate~high

(4) <u>활동능력(functional capacity)</u>*** → >4 METs ⇨

> 위의 조치 +
> 1개 이상의 clinical cardiac risk factors****
>   → Noninvasive stress test 고려

  ↓ ≤4 METs

(5) <u>수술의 위험도(surgical risk)</u>** → Intermediate-risk ⇨

> 위의 조치 + 심실기능평가: Rest echocardiography
> & biomarkers (CK-MB, BNP, troponin) 검사 고려

  ↓ High-risk surgery

(6) <u>심장위험인자(cardiac risk factors)</u>**** → 2개 이하 ⇨

  ↓ High-risk (≥3개)

<u>Noninvasive stress test</u> : DSE (dobutamine stress echocardiography) or pharmacologic stress MPI
(stress test 불가능하면 심근조영 심초음파 or Rest <u>MPI</u>심근관류영상 고려 / coronary angiography는 적응 안됨!)

┌ No/mild/moderate ischemia ⇨ 적절한 예방약물치료 시작/지속 이후 예정대로 수술 진행
└ Extensive ischemia ⇨ 환자에 따라 치료방침 결정 (revascularization 방법 vs 수술 등)*****
    – 비심장 수술 전 심장위험을 낮추기 위한 무조건적인 revascularization 치료는 권장 안됨 (survival 차이X)
    – Lt. main coronary artery dz.는 비심장 수술 전 revascularization 치료시 survival 향상
    ⇨ But, 대부분의 extensive ischemia는 revascularization을 염두에 두고 심도자술을 시행함

* Active cardiac conditions (수술 전 심장 평가/치료 필수)	
Unstable coronary syndromes	Unstable or severe angina (CCS class III~IV), recent (<30일) MI
Decompensated HF	NYHA functional class IV, 최근에 발생 or 악화되는 HF
Significant arrhythmias	고도 AV block, Mobitz II AV block, 증상 있는 심실부정맥, 증상 있는 서맥, 심실속도가 조절 안되는(HR >100 bpm, rest) SVT (AF 포함)
Severe valvular disease	심한 AS (mean pr. gradient >40 mmHg, AV area <1.0 cm², or 증상 동반), 증상 있는 MS (운동시 악화되는 호흡곤란, presyncope, or HF)

** 수술의 위험도(surgical risk)	
High (cardiac risk >5%)	대동맥 등의 대혈관 수술, 말초혈관 수술
Intermediate (cardiac risk 1~5%)	복부/흉부 수술, 두경부 수술, 정형외과 수술, 전립선 수술, 경동맥 내막절제술
Low (cardiac risk <1%)	내시경 시술, 피부/점막 시술, 백내장 수술, 유방 수술 등

*** 활동능력(functional capacity)	
1 MET	스스로 돌보기, 먹고/옷입고/화장실가기, 실내에서 걷기, 2.3~4.8 km/hr로 평지 걷기 (1~2블럭)
4 METs	청소/설거지/가구옮기기 등의 집안일, 6.4 km/hr 정도로 평지 걷기, 계단(2층 이상)/언덕 오르기, 짧은 거리의 달리기, 가벼운 운동 (골프, 볼링, 복식 테니스, 댄스, 공던지기 등)
>10 METs	힘든 운동 (수영, 단식 테니스, 축구, 야구, 스키 등)

**** RCRI (revised cardiac risk index) 심혈관위험 임상지표 ★	
1. 고위험 수술	혈관 수술, 복부/흉부 수술
2. 허혈성심질환	MI 병력, 현재 허혈성 흉통 존재, NG 설하정 치료 필요, exercise test (+), EKG에서 pathologic Q wave, PTI/CABG 받고 현재 허혈성 흉통 존재
3. 울혈성심부전	좌심부전의 징후, 발작야간호흡곤란, 폐부종, S3 gallop, 양측 폐의 수포음, CXR 상 폐부종
4. 뇌혈관 질환	TIA or CVA의 병력
5. 신기능 저하	수술전 혈청 creatinine >2 mg/dL
6. Insulin으로 치료 중인 당뇨병	(2.~6.: clinical risk factors)

* 위험도 분류 ┌ Low (0개) : cardiac events 발생 위험 0.4~0.5%
            │ Intermediate (1~2개) : cardiac events 발생 위험 0.9~1.3% (1개), 4~6.6% (2개)
            └ High (3개 이상) : cardiac events 발생 위험 9~11% ⇨ noninvasive stress test 시행

* 수술전후 예방약물치료 (수술 후 심혈관계 합병증 예방 위해)
  - β-blocker (e.g., bisoprolol) : RCRI high risk 환자(≥3개), 수술전 noninvasive test에서 intermediate~high risk myocardial ischemia시 권장 (1일↑ 전부터, 수술 당일 시작은 X)
    → 혈압 140/90 mmHg, 심박수 60~80 bpm 이하로 유지
  - statins : atherosclerosis or DM 환자, 혈관수술 예정 환자에서 권장 (2주↑ 이전부터)
  - aspirin, thienopyridine : cardiac risk 감소 효과 불확실!, 중단/지속은 환자에 따라 결정 (중단에 따른 심장/혈전증 위험보다 복용에 따른 출혈 위험이 높지 않으면 계속 복용)
  - CCB : cardiac risk 감소 효과 불확실, 전에 복용하던 환자는 계속 복용
  - ACEi/ARB : HTN으로 복용하던 환자는 계속 복용

***** Revascularization 먼저 시행한 이후의 비심장 수술(elective noncardiac surgery) 가능 시기	
Balloon angioplasty (풍선성형술)	2주 이후 (+ aspirin 지속)
Bare-metal stent (BMS, 일반금속스텐드)	4주 이후 (4주 이상의 dual antiplatelet therapy 필수)
Drug-eluting stent (DES, 약물방출스텐트)	구형(1세대) 12개월 이후, 신형(2세대) 6개월 이후 (dual antiplatelet therapy는 유지 ∵ stent thrombosis 위험)
CABG (관상동맥우회술)	1~5년 사이

2 심전도와 부정맥

심전도(ECG or EKG) 개요

1. 자극전도계 (conduction system)

(1) **sinoatrial (SA) node** (동방결절) = sinus node (동결절)
   : RA와 SVC 사이에 위치, electrical impulses 생성 (pacemaker)

(2) ┌ internodal conduction tracts (3개) → AV node로
    └ Bachmann bundle → LA로

(3) atrioventricular (AV) junction
   ① **AV node** (방실결절)
   ② His bundle (히스다발, 히스속) ┐ His-Purkinje system

(4) bundle branch (BB)
   ① Rt. BB (→ RV로)
   ② Lt. BB (→ LV로)
       ↳ Lt. ant. & post. fascicles

(5) Purkinje network (Purkinje fibers) ┘

■ 심근 세포의 흥분/탈분극(action potential)

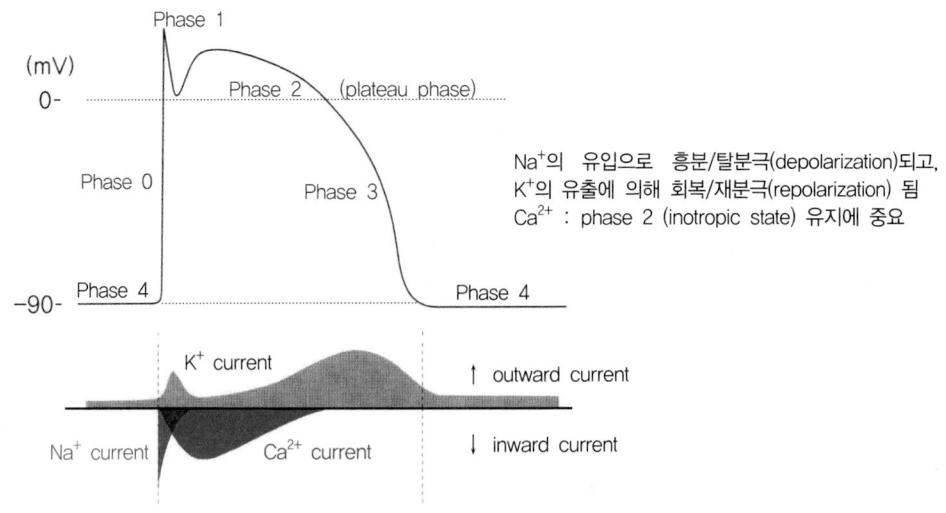

Na+의 유입으로 흥분/탈분극(depolarization)되고,
K+의 유출에 의해 회복/재분극(repolarization) 됨
Ca2+ : phase 2 (inotropic state) 유지에 중요

2. EKG 파형의 구성

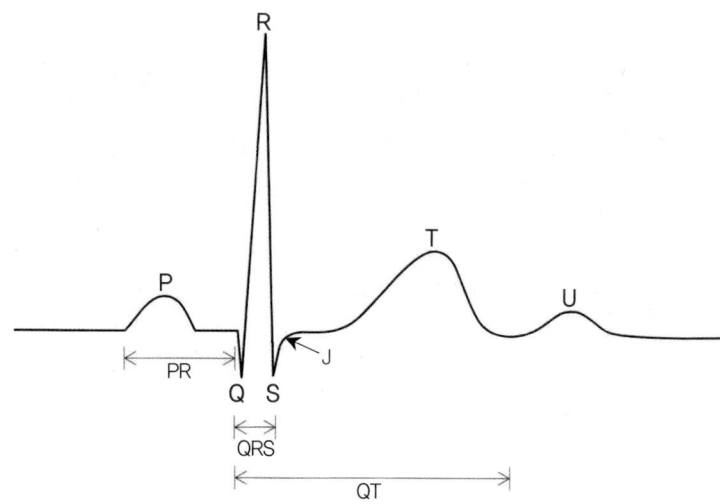

(1) intervals

① RR interval
- 두 개의 연속된 ventricular depolarization 사이의 시간 (heart rate)
- rhythm이 규칙적인지 불규칙적인지, 빠른지 느린지 파악

② PR interval
- atrial depolarization 시작부터 ventricular depolarization 시작까지의 시간 (atrium ~ Purkinje fibers까지의 탈분극), 대부분은 AV junction (AV node + His bundle)에서 정체되는 시간
- 정상 : 0.12~0.2 sec

③ QT interval
- 심실의 depolarization 시작부터 repolarization 끝까지의 시간 (QRS 시작 ~ T wave 끝), 심실의 수축기와 일치, 대개 RR interval의 1/2 이하, HR 빨라지면 상대적으로 감소
- QT 단축 ; <u>hypercalcemia</u>, hyperkalemia, acidosis, hyperthermia, <u>digoxin</u>, catecholamine ...
- rate-related (corrected) QT interval : $QTc = QT/\sqrt{RR}$ (정상: ≤ 0.44 sec)

(2) waves

① P wave
- atrial depolarization을 반영 (SA node에서 시작)
- 전반부는 주로 RA, 후반부는 주로 LA의 depolarization에 해당
- 0.08~0.12 sec / leads I, II, aVF, $V_{4\sim6}$에서는 (+), aVR에서는 (−), 나머지는 다양
- "2.5×2.5" : EKG 기록지에서 높이와 폭이 각각 2.5칸 이내여야 함
- 대개 lead II에서 P-mitrale나 P-pulmonale의 유무를 봄

② QRS complex
- ventricular depolarization을 반영 (duration : 0.06~0.1 sec)
- ⌈ Q wave : 첫 번째 (−) wave, R wave 이전에 나옴
  | R wave : 첫 번째 (+) wave (이후에도 (+) wave가 나타나면 R', R")
  ⌊ S wave : R wave 이후의 첫 번째 (−) wave (이후에도 (−) wave가 나타나면 S', S")
- 크기가 작은(<5 mm) 부분은 소문자를 사용하여 표기함 (e.g., qRs)

• frontal QRS axis (limb leads) : 정상 −30° ~ +100°

　　┌─ LAD (left axis deviation) : −30° 보다 (−)인 경우
　　└─ RAD (right axis deviation) : +100° 보다 (+)인 경우

LAD (좌축편위)	RAD (우축편위)	
LVH	RV overload	Lt. post. fascicular block
Lt. ant. fascicular block	Lateral wall MI	좌우 leads의 바뀜
Inferior MI	Dextrocardia	정상 (특히 소아, 젊은 성인)
	Lt. pneumothorax	

• abnormal Q wave (대개 duration >0.04 sec, 높이 >QRS의 1/4)　　→ 7장 AMI 편 참조

③ T wave

• ventricular repolarization을 반영, 대개 QRS complex와 같은 방향, 둥글고 약간 비대칭
• 0.1~0.25 sec duration, 5 mm 이하 / leads Ⅰ, Ⅱ, $V_{3\sim6}$에서는 (+), aVR에서는 (−)
• 모양이 너무 뾰족하고 크면 myocardial infraction/ischemia, hyperkalemia, CVA, LV volume overload 등을 의심할 수 있음
• inverted T wave ; LVH, cardiomyopathy, myocarditis, CVA ...

④ U wave

• T wave 다음에 나타나며, 정상적으로 T wave와 같은 방향이며 크기는 1 mm 미만
• 정상인에서는 가운데 precordial leads에서 HR가 느릴 때 잘 보임
• 커지는 경우(prominent U wave) ; drugs (dofetilide, amiodarone, sotalol, quinidine, procainamide, disopyramide), hypokalemia
• 매우 큰 경우 ; torsade do pointes의 발생 위험을 시사
• inverted U wave ; LVH, ischemia

(3) ST segments

• ventricular repolarization의 앞부분을 반영 (QRS 끝 [J point] ~ T wave 시작)
• 정상적으로 flat하지만, precordial lead에서는 2 mm, limb lead에서는 1 mm 정도 상승하고, 0.5 mm 정도 하강 가능
• ST elevation의 원인 ★

```
1. Myocardial ischemia/infarction
     AMI
     Post−MI (ventricular aneurysm pattern)
     비경색성 transmural ischemia (e.g., Prinzmetal's angina, Tako−Tsubo syndrome)
2. Acute pericarditis
3. LVH, LBBB
4. Normal variants (early repolarization pattern 포함)
5. 기타 (드묾)
     비허혈성 심근 손상 ; myocarditis, LV 침범 종양, 심실 외상
     Acute pulmonary embolism
     Brugada syndrome (Rt. precordial leads에서 ST elevation을 동반한 RBBB−like pattern)
     Class Ic 항부정맥제, DC cardioversion
     Hypercalcemia, Hyperkalemia, Hypothermia, SAH (subarachnoid hemorrhage)
```

• ST depression ; unstable angina, NSTEMI, myocardial strain, digoxin, LVH, hypokalemia ...

■ 표준 12 leads system

(1) 6 limb leads

① 3 standard "<u>bipolar</u>" leads ; Ⅰ, Ⅱ, Ⅲ … 두(+/−) 전극 사이의 전위차

② 3 <u>augmented</u> "unipolar" leads ; aVR, aVL, aVF … 기준(참고) 전극과의 전위차

(2) 6 chest/precordial leads ("unipolar") ; $V_1 \sim V_6$

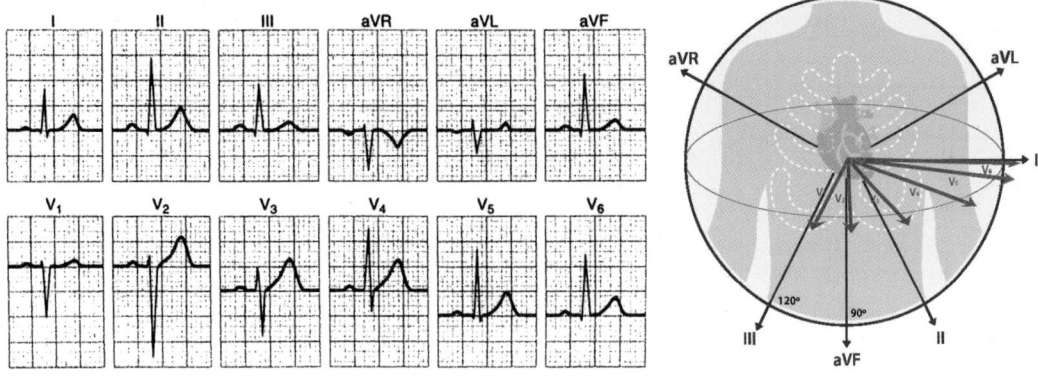

3. Hypertrophy & Enlargement

(1) LVH (left ventricular hypertrophy)

- $V_{1\sim2}$에서 deep S wave, $V_{5\sim6}$에서 tall R wave
- $V_{5\sim6}$에서 ST depression, T inversion ("LV strain" pattern)

$\left[\begin{array}{l} V_1의 \ S \ wave + V_{5\sim6}의 \ R \ wave \geq 35 \ mm \\ lead \ Ⅰ의 \ R \ wave + Ⅲ의 \ S \ wave \geq 25 \ mm \end{array}\right.$

→ false (+)/(−)가 많으므로 심초음파 등을 통한 확인이 필요

(e.g., 여성, 비만, 흡연자 등에서는 진단 민감도 떨어짐)

- 원인 ; severe HTN, HCM, AS, 심한 심실기능 장애를 동반한 CAD …
- 일반적으로 심혈관계 질환의 이환 및 사망률 증가와 관련

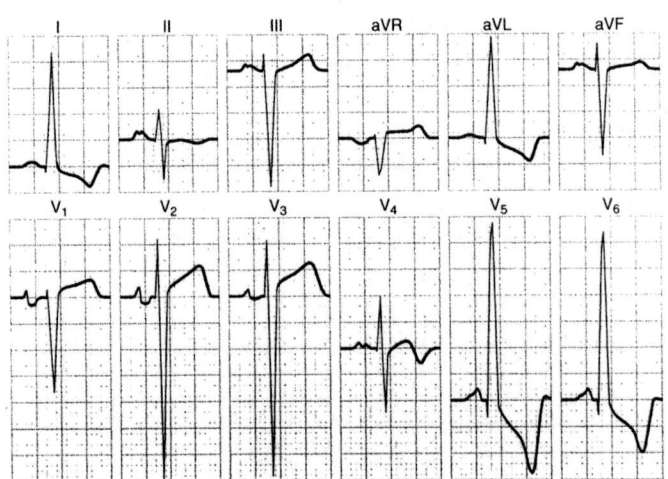

(2) RVH (right ventricular hypertrophy)

- V_1을 비롯한 precordial leads 모두에서 Rs (R > S), RAD
- $V_{1\sim3}$에서 ST depression, T inversion ("RV strain" pattern)
- 원인 ; 선천성심장병(ASD, PS, TOF), 폐질환, 폐고혈압(e.g., severe MS) ...
- pul. HTN이나 폐질환의 severity 평가에는 가치가 떨어지며, 폐기능/혈역학과의 관련성도 적음

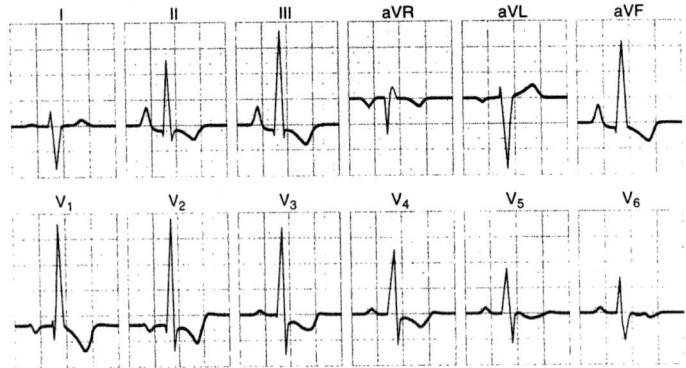

(3) RAE (right atrial enlargement/overload)

- P-pulmonale (Ⅱ, Ⅲ, aVF에서) : <u>tall, peaked</u> P wave (≥2.5 mm)
  (LA는 변화가 없기 때문에 P wave의 폭은 변화 없음)
- 예 ; COPD, status asthmaticus, acute pul. embolism, acute pul. edema

(4) LAE (left atrial enlargement/overload)

- <u>prolonged</u> (≥0.12 sec) P wave duration (∵ LA depolarization ↑)
- P-mitrale (I , Ⅱ에서) : notched P wave (**M** 맥도날드 → P-**M**itrale)
  (두번째 notch는 LAE에 의한 depolarization을 의미)
- P-terminal force (V_1) : deep, broad terminal trough (biphasic P wave)
- 예 ; HTN, <u>mitral</u> or aortic valve dz., AMI, 좌측 심부전에 의한 pul. edema

	Normal P wave	RAE	LAE
Ⅱ	아주 작은 notch	높은 봉우리	두개의 봉우리
V_1	RA LA Biphasic	RA LA	RA LA 큰 (−) 부분

4. 전해질 및 기타 대사장애

(1) Potassium

- hyperkalemia (K$^+$ >5.5 mEq/L)

  ① tall & peaked T wave (tenting) : >6 mEq/L

  ② P wave 감소, sinus bradycardia : >7 mEq/L

  ③ PR prolong, P 소실, QRS widening : >8 mEq/L

  ④ sine wave (∵ QRS와 T가 합쳐짐) : >9 mEq/L (VF도 발생 가능) → asystole

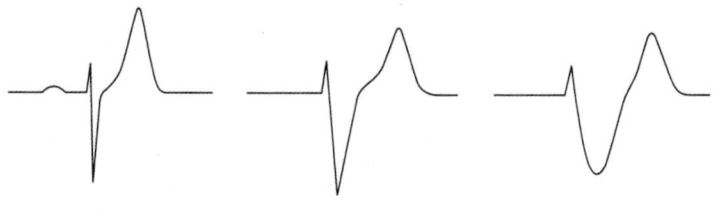

  Mild (>6 mEq/L)   Moderate (>7 mEq/L)   Severe (>8 mEq/L) Hyperkalemia

  c.f.) CKD의 EKG 소견

  ① peaked T wave (∵ hyperkalemia)

  ② QT prolongation (∵ hypocalcemia)

  ③ LVH (∵ HTN)

- hypokalemia (K$^+$ <3.5 mEq/L) ; prominent U wave, T wave 음성화, QT (QU) 연장
  (c.f., 여기에 QT prolong 약제가 더해지면 TdP를 초래할 위험이 높아짐)

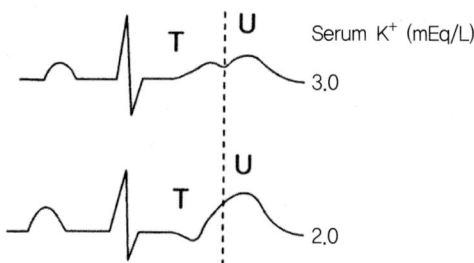

  Serum K$^+$ (mEq/L)
  3.0
  2.0

(2) Calcium

- hypercalcemia : QT interval (ST segment) 단축
- hypocalcemia : QT interval (ST segment) 연장

(3) Magnesium

- severe hypermagnesemia : AV & intravascular conduction 장애
  → complete heart block, cardiac arrest (Mg^{2+} >15 mEq/L)
- hypomagnesemia : 대개 hypocalcemia or hypokalemia와 동반되어 발생
  → EKG 소견은 hypokalemia와 유사 (ST 저하, T wave 음성화, U wave)

(4) Hypothermia

; sinus bradycardia, <u>J wave</u> (Osborn wave), ST elevation

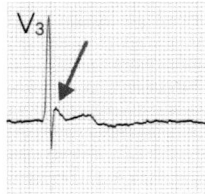

(5) TCA overdose

; sinus tachycardia, QRS 및 QT-(U) 연장

부정맥(arrhythmia) 개론

1. 부정맥에 대한 접근 순서

: P와 QRS 분석에 가장 적합한 lead는 lead Ⅱ와 V_1

① QRS
- 분당 횟수 (RR interval), 규칙성, axis
- 모양 ┌ 정상(narrow) QRS → 심실내 전도는 정상 → VT를 R/O 가능
  └ wide QRS ; ventricular pacemaker, aberrant conduction

② P
- 분당 횟수 (PP interval), 규칙성, 모양, axis
- P wave가 안 보일 때
  ┌ 앞의 T wave에 숨어 있음 (m/c)
  │ AF (너무 많아서 없는 것처럼 보임)
  └ 진짜로 없는 경우

③ P와 QRS의 관계
- 매 QRS 앞에 P가 있는지?, P:QRS = 1:1인지?, PR interval은 정상인지?

조기 수축

Origin	Atrium	AV junction	Ventricle
P wave	QRS 앞에 (모양은 정상)	대부분 QRS 뒤에	QRS에 선행 안함
QRS	정상 (aberration 없으면)		비정상(wide & bizarre)

2. Bradyarrhythmia (서맥성 부정맥)

(1) 양대 원인
- 동기능 부전 (sinus dysfunction)
- 방실전도 장애 (AV conduction disorder)

(2) 형태
① bradycardia : 규칙적임
  - sinus bradycardia
  - 3° AV block
  - blocked atrial bigeminy
  - 심한 hyperkalemia
② pause : 갑자기 나타남
  - 2° AV block, 심한 sinus arrhythmia (sinus arrest)
  - SA block : P wave 없음
  - nonconducted (blocked) APC : m/c
  - concealed conduction : 전기자극이 자극전도계의 일부에 불완전히 침투하여 다음 전기자극의 전도를 지연/차단시키는 현상 (주로 AV node에서 발생)

3. Tachyarrhythmia (빈맥성 부정맥)

(1) tachyarrhythmia의 발생기전
① 자극 전달의 장애 : reentry (m/c)
  - 회귀(reentry)의 성립 조건
    (1) 전기생리학적 특성(conduction and/or refractoriness)이 다른 둘 이상의 구역(pathway)이 서로 연결되어 closed loop를 형성
    (2) 한 pathway의 한 방향 전도 차단(unidirectional block)
    (3) 다른 pathway의 전도속도 지연(slow conduction)
    (4) 차단(block) 되었던 pathway의 reexcitation
    → activation loop 형성
  - premature complexes, rapid stimulation (pacing)에 의해 유발/종료됨
  - reentry의 형태/예
    (1) fixed anatomical pathway 존재 → 대개 stable, monomorphic 양상
      - 대부분의 SVT (e.g., AF, Af, WPW, AVRT, AVNRT)
      - scar-related reentry : 구조적 심장질환에 동반된 sustained VT의 m/c 원인
      - verapamil-sensitive VT (LV fascicular VT)
    (2) functional (electrophysiologic) reentry ; AMI 이후의 VT, 유전적 ion 채널 이상에 의한 VT (e.g., Brugada syndrome, long QT syndrome, catecholaminergic polymorphic VT)
      → 대개 unstable, polymorphic 양상

② 자극 형성의 장애

ⓐ enhanced automaticity

- sinus node 이외에도 atrial fiber, AV junction, Purkinje fiber 등에서 automatic pacemaker activity가 나타날 수 있다 (e.g., MI 이후의 AIVR)
- 원인

내인성/외인성 catecholamines 증가
전해질 이상 (e.g., hypokalemia)
Hypoxia or ischemia
Mechanical effects (e.g., stretch)
Drugs (e.g., digitalis)

- pacing에 의하여 유발되거나 종료되지 않음

ⓑ triggered activity

- early afterdepolarization (EAD) – phase 2 or 3에 발생

; TdP, long QT syndrome, bradycardia, hypokalemia, myocardial ischemia ...

- delayed afterdepolarization (DAD) – phase 4에 발생

; digitalis 중독, AIVR (reperfusion VT), outflow tract VT (RVOT-VT, 운동유발 VT 등), hypercalcemia, familial catecholaminergic polymorphic VT ...

- 흔히 pacing에 의하여 유발 가능

(2) QRS 분석

┌ narrow QRS (<120 ms) ⇨ sinus or atrial or AV junctional tachycardia (VT는 R/O 됨)
│   ↳ irregular tachycardia면 AF, AT/Af with variable AV conduction, MAT 등
└ wide QRS (>120 ms) ⇨ VT의 가능성을 먼저 생각

- VT와 aberrant ventricular conduction의 감별이 主 : V_1에서

┌ mono- or biphasic pattern → VT를 시사
└ triphasic pattern → RBBB형 aberration

- SVT with aberrant conduction (functional branch block)

- bundle branch나 심실이 불응기일 때 전기자극이 전달되면(e.g., tachycardia, premature contraction) 전도가 지연/차단되어 wide QRS (RBBB 모양이 m/c)가 생기는 것
- 원인 ; premature atrial or junctional contraction, atrial tachycardia, Af, AF, nonparoxismal junctional tachycardia, PSVT

- vagal maneuver or adenosine의 시험적 투여

① narrow QRS tachycardia

┌ PSVT (AVNRT, AVRT) → tachycardia를 종료시킬 수 있음
└ Af, AF, AT → transient AV block → underlying atrial rhythm 노출

② wide QRS tachycardia

┌ SVT with aberrant conduction → SVT를 종료시킴 or 선행 P파 노출
└ VT (accessory pathway) → VT 종료 안됨 (arrest 유발 위험)

- AV dissociation, fusion, captured beat 등은 VT를 시사하는 중요한 소견!

→ 뒷부분 VT 부분 참조

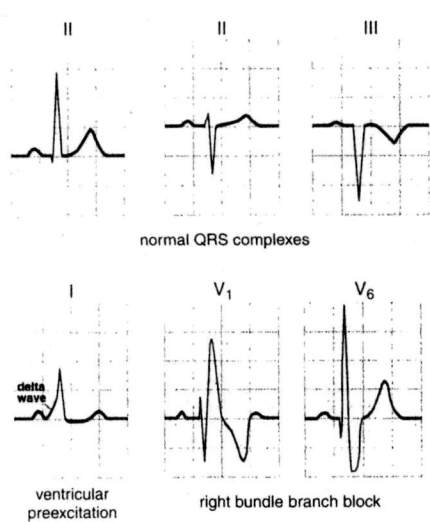

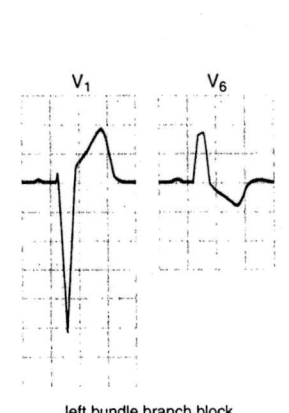

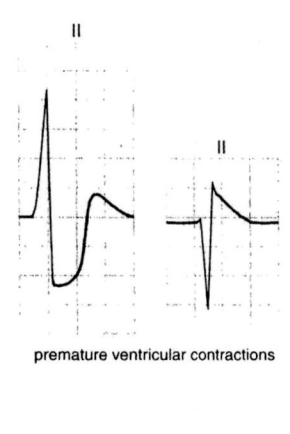

SA Node Dysfunction (동기능부전)

■ 분류/원인

Intrinsic	Extrinsic
Degeneration (fibrosis) – m/c CAD Pericarditis, myocarditis Rheumatic heart dz. CVDs ; SLE, RA, MCTD ... Senile amyloidosis Iatrogenic ; RTx, 수술, 외상 Hereditary (rare)	Drugs ; β –blocker, non–dihydropyridine CCB, digoxin, 항부정맥제(Ⅰ,Ⅲ), 　　acetylcholinesterase inhibitors (donepezil, rivastigmine – Alzheimer 치료제), 　　adenosine, clonidine 등의 sympatholytics, lithium, cimetidine, amitriptyline, 　　phenothiazines, narcotics (methadone), pentamidine ... Vagal stimulation ; vasovagal syncope, intubation Carotid sinus hypersensitivity Hypothyroidism, advanced liver dz., hypothermia, typhoid fever, brucellosis, 　　severe hypoxia, hypercapnea, acidemia, sleep apnea, IICP ...

- 흔한 원인 ; 연령 증가에 따른 idiopathic degeneration (m/c), drugs
- 외인성 원인의 경우 원인 제거가 치료의 우선
- SA node dysfunction 환자의 1/3~1/2에서는 supraventricular tachycardia (대개 AF or Af)도 발생
  → chronic AF 발생 위험이 증가되는 경우 ; 고령, HTN, DM, LV 확장, 판막질환, 심실 pacing

■ 진단/평가 (SSS)

- Hx. & P/Ex., EKG, 24hr Holter monitoring (50~70% 진단, EKG 변화와 증상의 관련성이 중요)
- cardiac event recorder : 2~4주간 기록 가능, 증상 발생이 드물 때 24hr Holter보다 더 sensitive
- implantable loop recorder : 1년 이상도 기록 가능, 증상이 매우 드물게 발생할 때
- 운동 부하 검사 : 심박수 변동 부전(chronotropic incompetence) 진단 때
- 약물 부하 검사 (→ sinus rate↑) ; atropine, isoproterenol, adenosine … 일상적으로 쓰지는 않음
- EPS (invasive) : 비침습적 검사들에서 진단이 어려울 때만 드물게 사용 (∵ sensitivity 낮음)

1. Sinus bradycardia (동서맥)

- HR (동성 P파) : 60회/분 미만 (병적인 경우는 대개 40회/분 미만), 규칙적
- 증상 없으면 observation, 증상 있으면 치료
  ; atropine, isoproterenol / pacemaker (만성적이거나, 기저 심장질환이 있을 때)
- ACS 환자에서 (특히 RCA 침범시) SA nodal artery ischemia에 의한 sinus bradycardia 발생 흔함 → 경과 관찰 or 일시적인 심박수 상승제(e.g., atropine) 투여

2. Sinus arrhythmia

- sinus cycle의 길이 (RR interval)가 주기적으로 변하는 것 (regularly irregular)
- 진단기준 ; [최대 RR - 최소 RR >120 ms] or $\dfrac{\text{최대 RR - 최소 RR}}{\text{최소 RR}} > 10\%$
- 가장 흔한 부정맥 (젊은이에서 호발), 정상적인 현상으로 봄
  - respiratory : 흡기시 RR interval 감소, 호기시 증가
  - nonrespiratory : 호흡과 관련 없음 (e.g., digitalis 중독)
- 대개 무증상이며, 치료할 필요 없음

3. Sinus pause (동휴지) or Sinus arrest (동정지)

- sinus에서 자극을 만들지 못한 것, 대개 3초 이상의 동정지를 병적인 것으로 봄
- P파 및 QRS군이 모두 없고, 동정지 동안의 RR (PP)간격은 방실(AV)전도장애 와는 달리 정상 RR 간격의 배수가 안된다 (RR 간격 불규칙)

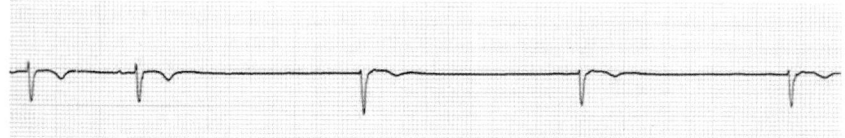

- 치료 ; 증상 없으면 observation, 증상 있거나(SSS) 3초 이상이면 pacemaker

4. Sinoatrial (exit) block (동방차단)

- 분류 (AV block의 분류 방식과 동일함)
  ① 1st-degree SA exit block
    - SA node에서 atrium으로의 전도 시간이 길어진 것
    - EKG에서는 나타나지 않고, EPS를 시행해야 진단 가능
  ② 2nd-degree SA exit block
    - SA 자극의 일부가 atrium으로 전도되지 못하는 것
    - EKG에서 간헐적으로 P파 및 QRS군이 모두 사라지고, 차단기 동안의 PP (RR) 간격은 정상 PP 간격의 배수임
    - type Ⅰ : RR 간격이 점차 짧아지다가 pause 발생
    - type Ⅱ : RR 간격이 일정하다가 pause 발생

③ 3rd-degree SA exit block
- P파가 완전히 사라지거나 ectopic pacemaker 존재
- EKG에서는 sinus arrest와 구별할 수 없고, EPS 필요
- 대개 일시적으로 발생하며, 증상이 없으면 치료할 필요 없음

5. Sick sinus syndrome (SSS)

- 정의 ; EKG상 동서맥, 동정지, 동방차단 등의 SA node dysfunction이 "증상"을 동반한 것
  (dizziness, syncope, confusion, fatigue, hypotension, exertional dyspnea 등)
- 치료 목표 ; 증상 완화 (∵ SA node dysfunction은 사망률을 증가시키지 않음)
- 치료 ; permanent pacemaker (DDD가 효과적, chronotropic incompetence가 있으면 DDDR)
- 일부에서는 cardioactive drugs 사용 시에만 증상이 나타날 수 있음
  (e.g., cardiac glycosides, β-blocker, CCB, amiodarone, 기타 항부정맥제)
  → 일단 drugs를 중단하고, temporary pacemaker를 삽입한 후 F/U

■ **빈맥서맥증후군(tachycardia-bradycardia syndrome)**
: paroxysmal atrial arrhythmia (e.g., AT, Af, AF) 뒤에 SSS 발생
or tachyarrhythmia와 bradyarrhythmia가 교대로 반복되는 것
⇨ 치료 ; pacemaker + 빈맥 치료를 위한 RFA or 항부정맥제

6. Chronotropic incompetence (심박수 변동 부전)

- 운동을 해도 심박수가 증가되지 않은 것
- 정의 : 운동시 최대 심박수가 최대 예상 심박수(220-age)의 85% 미만 or 100회/분 미만
  or 같은 연령 집단보다 -2SD 미만
- exercise test : chronotropic incompetence와 resting bradycardia를 감별하는 데 도움

c.f.) Sinus tachycardia (ST)

- 대부분 이차적인 원인에 대한 생리적 반응으로 발생 ; 발열, 불안, 운동, 저혈압, 심부전,
  volume depletion, thyrotoxicosis, anemia, hypoxemia ...
- HR는 대개 100~200회/분 (점진적으로 시작되고 종료됨), P wave는 정상
- 치료 ; 원인 교정 (e.g., CHF → β-blocker, ACEi, ARB 등이 도움)

ATRIAL ARRHYTHMIA

1. Atrial premature contraction/beat/depolarization (APC/APB/APD, 심방 조기수축)

- 비정상 모양의 P'파(ectopic P)가 예정보다 일찍 나타나는 것
- 정상인에서도 24hr Holter 상 60% 이상에서 발견됨
- nonconducted (blocked) APC : APC가 너무 일찍 발생되어 전도가 안된 것
   (→ sinus pause or SA block과 감별해야)
- aberrant conduction : 심실내 전도로 중 일부가 불응기에 있어서 QRS군이 비정상 모양을 한 것
   (→ VPC와 구별해야!)

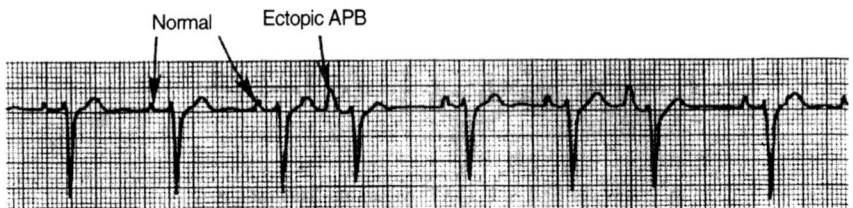

- coupling interval (연결간격) : 조기박동과 바로 앞 정상박동과의 간격 (R-R')
- pause (휴지간격) : 조기박동과 그 다음 정상박동과의 간격 (R'-R)
- compensatory pause (보상성 휴지간격) : coupling interval과 pause의 합(R-R' + R'-R)이 정상 심주기 (R-R)의 딱 2배 → VPC
- noncompensatory pause (비보상성 휴지간격): 정상 심주기의 2배 이하인 경우 → APC

- 치료
   ① 증상 없으면 (대부분) → 치료할 필요 없음 (경과관찰)
   ② 증상(심계항진) 있거나 PSVT를 유발하면
      - 유발인자 제거 (alcohol, smoking, adrenergic stimulants 등)
      - mild sedation, β-blocker, class I C 항부정맥제(구조적 심장질환 존재시엔 금기)
      - 자주 재발하면 catheter ablation

2. Atrial tachycardia (AT, 심방빈맥)

- 원인 (대부분 고령에서 발생) ; digitalis 중독, 심한 심폐질환, CKD, hypokalemia, hypomagnesemia, theophylline, adrenergic drugs ...
- 심방 내의 ectopic pacemaker에 의해 발생한 빈맥 (동성 P파와 모양이 다른 P'파 발생)
   - 구조적 심장질환을 동반하지 않은 focal AT는 대부분 심방의 특정 위치에서 유래함
   - 12 leads EKG 상 P'파의 모양으로 위치 추정 가능 (→ catheter ablation 치료에 중요)
- atrial rate는 대개 150~200회/분
- P'파는 대개 선행 T or QRS에 감추어져 안 보인다

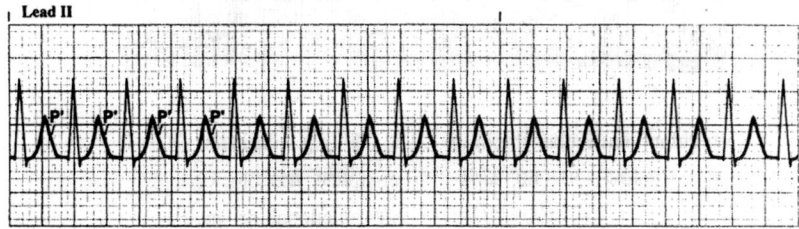

- focal AT의 발생기전 ; automatic, triggered, micro-reentrant 등

	Automatic AT*	Reentrant AT**
AT 시작시의 P파 모양	이후의 P파와 동일	이후의 P파와 다름
Adenosine에 대한 반응	AV block, AT 느려지며 종료됨	AV block, AT 느려지거나 종료 안됨
Programmed 심방 자극	AT 유발 안됨	AT 유발됨

 * **Automatic AT** : 점차 빨라지면서 AT 시작(warming-up 현상) & 느려지면서 종료(cooling down 현상) 보임, isoproterenol infusion에 의해 AT 유발됨
 ** Focal **microreentrant AT** // macroreentrant AT의 m/c 형태는 atrial flutter (Af, AFL) (→ nonfocal AT)
  - 둘의 감별은 어려울 수 있음
  - 대개 focal AT는 slow, 구조적 심장질환 동반 드묾, P파 사이는 isoelectric baseline을 보임
  - AFL (Af)는 대개 isoelectric baseline을 보이지 않음, 심방 수술 병력이 있으면 반드시 AFL을 의심

- atrial tachycardia with block : atrial rate가 빨라지면 AV 전도의 장애가 생겨 Mobitz type I 2nd-degree AV block 발생, 약 1/2은 atrial rate가 불규칙하여 Af와 감별이 어려울 수 있음, 특히 digitalis toxicity에서는 AT with variable AV block이 특징
- multifocal atrial tachycardia (MAT) : atrial rate 100~150회/분, P파의 모양이 다양 (3가지 이상) & PP 간격 완전히 불규칙 (irregularly irregular), 대개 심한 만성 폐질환 환자에서 발생
- 치료 : digitalis가 원인이 아닌 경우에는 AF/Af와 비슷
 ① 원인 질환의 교정이 중요 (e.g., digitalis or theophyllline 중단, KCl, Mg 투여 등)
 ② rapid ventricular rate시엔 ventricular response 억제 (rate control)
  ; AV node 억제제(digitalis, β-blocker, CCB 등)
 ③ 항부정맥제 ; procainamide, flecainide, propafenone, sotalol, amiodarone 등
 ④ 약물치료에 반응 없으면 cardioversion (MAT엔 효과×)
 ⑤ catheter ablation : focal AT의 90% 이상 완치 가능, MAT는 일부만 효과적

 * 항혈전치료 : AF/Af와 달리 대개는 필요 없지만, AF 고위험군에서 심방확장(LA 직경 >5 cm) and/or paroxysmal AF 동반 병력이 있으면 고려

3. Atrial fibrillation (AF, 심방 세동/잔떨림)

 ┌ 치료가 필요한 부정맥 중 가장 흔하다! (우리나라 성인 인구의 약 0.7%)
 └ 인구 고령화에 따라 유병률 증가 추세 (60세 이상의 1%, 70세 이상의 5%)

(1) 발생기전

① initiation (triggering) : **폐정맥 입구** (LA와의 접합부) 및 그 주변에서 한 개 이상의 <u>ectopic</u> "driver(s)" (automatic, triggered, or microreentrant foci)가 발생하여 빠른 리듬 방출(wavelet) ⇨ focal activation theory ⋯ paroxysmal AF (→ catheter ablation 치료가 효과적)

② maintenance : 심방 전체의 multiple macroreentrant circuits에서 fibrillation을 지속적으로 만듦 ⇨ multiple wavelets theory ⋯ persistent AF (→ Maze 수술이 효과적)

③ remodeling : chronic substrate fibrosis ⋯ permanent AF로

(2) 원인

① 정상인에서 ; emotional stress, 수술 후, 운동, 급성 알코올중독 …

② 심폐질환자에서 ; acute hypoxia, hypercapnea, metabolic/hemodynamic derangement …

③ persistent/permanent AF (대개 심혈관 질환에서 발생) ; rheumatic heart dz., nonrheumatic mitral valve dz., ASD, 고혈압, 심근병증, 만성 폐질환 …

④ thyrotoxicosis

• 노화에 따른 심방 근육의 재형성(remodeling)이 원인, 약 1/3은 유전자이상도 발견됨(e.g., *Pitx2*)

• 4대 유발요인 ; HTN (m/c), MS, IHD, hyperthyroidism

• 판막질환이나 다른 기존 심질환이 있는 AF 환자는 mortality 2배

(3) 특징

• atrial rate는 350~600회/분 정도로 매우 '불규칙', 뚜렷한 (원래의) P'파는 안보이며, 대신 무질서하게 발생한 흥분파(atrial f wave)가 나타남

　┌ fine AF : f wave의 크기 <1 mm (작아서 안보이는 경우가 흔함)
　└ coarse AF : f wave의 크기 ≥1 mm

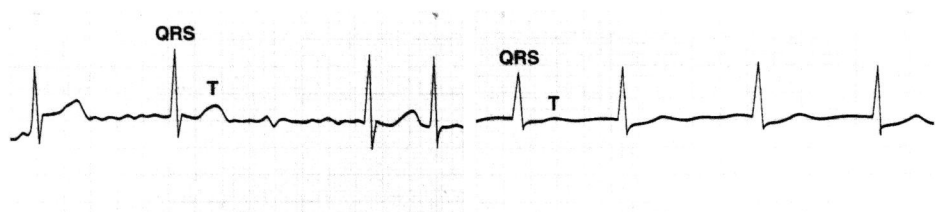

coarse/fine atrial fibrillation　　　　fine atrial fibrillation

• ventricular response (rate)는 보통 100~160회/분 (∵ concealed conduction), <u>irregulary irregular</u>, QRS 모양은 대개 정상

• ventricular response의 결정 요인 ; AV node의 불응기 및 전도율

• regular ventricular rhythm을 보일 때 (e.g., digitalis 중독이 흔한 원인)

　┌ slow (30~60 회/분) → complete AV block을 시사
　└ rapid (≥100 회/분) → AV junctional or ventricular tachycardia 의심

• Af (atrial flutter)로 전환될 수도 있음 (특히 quinidine or flecainide 등의 항부정맥제 사용시)

　: atrial rate는 느려지지만 concealed conduction의 영향이 감소하여 ventricular response는 오히려 증가 가능

심방세동(AF)의 분류	
처음 진단된 AF	증상/중증도에 관계없이 병원에서 처음 진단된 AF
발작성(paroxysmal) AF	7일 (보통은 48시간) 이내에 자발적으로 종료된(정상 동율동으로 전환된) AF
지속성(persistent) AF	7일 이상 AF가 지속되고, 동율동 전환을 위해 pharmacologic or electrical cardioversion이 필요한 경우
장기간 지속성(long-standing persistent) AF	1년 이상 지속된 AF
영구적(permanent) AF	Cardioversion 치료에 반응 없는 long-standing persistent AF (c.f., surgical or catheter ablation으로는 완치 가능)

(4) 임상양상
- S_1의 크기가 변화, JVP에서는 a wave가 없음
- pulse deficit (말초동맥의 박동수 < 심박동수)
- echo. ; LA 확장 (LA 직경 >4.5 cm이면 치료해도 sinus rhythm으로의 전환 및 유지가 어렵다)
- 증상 ; 무증상, 심계항진(palpitation), 맥박이 불규칙한 느낌 등
- AF에 의한 morbidity의 원인
  ① 과도한 ventricular rate → 저혈압, pul. congestion, angina, 빈맥매개심근병증 등 유발 가능
  ② AF 종료 뒤의 pause → syncope
  ③ 심방수축이 CO에 기여하지 못함 : CO↓ → fatigue
  ④ 심계항진(palpitation)에 따른 불안
  ⑤ 심방내 혈류 불규칙/정체 → 심방내 혈전 형성↑ (특히 LA appendage)
   → systemic embolization ; cardioembolic stroke의 m/c 원인

- <u>CVA (stroke) 발생의 위험인자</u> ★
  - CVA or TIA의 과거력 (m/i)
  - 75세 이상, HTN, DM, CHF, renal failure, rheumatic heart dz. (e.g., MS)
  - 심초음파 소견 ; LV dysfunction (EF <35%), 심한 LAE (>5.0 cm), LA thrombi, LA appendage velocity <20 cm/s, complex aortic atheroma
   ⇨ 이런 고위험군에서 chronic or paroxysmal AF 지속시 항혈전치료(antithrombotic Tx) 필요

(5) Acute AF의 치료
① 유발인자의 교정 (e.g., 발열, 폐렴, 알코올중독, thyrotoxicosis, CHF, PE, pericarditis)
② 혈역학적으로 불안정 ⇨ 긴급 DC cardioversion (TOC)
③ 혈역학적으로 안정된 경우
  (a) <u>심박수 조절(rate control)</u> 먼저! ··· 심실반응(ventricular rate)을 감소시킴
    - LVEF ≥40% ⇨ β-blocker or CCB (verapamil, diltiazem) : 작용이 빨라 선호됨
      → 조절 잘 안되면 digoxin 추가
    - LVEF <40% or <u>CHF (acute pul. edema or cardiogenic shock)</u>
      ⇨ β-blocker (저용량) and/or <u>digoxin</u> (CCB는 심근 수축력 저하 위험)
       *혈역학적 불안정 or 심한 LVEF 감소시에는 amiodarone도 가능 (동율동전환도 고려)
    - AV node의 불응기를 증가시키고 전도를 지연시킴
    - 초기에는 느슨하게 HR를 조절하는 것이 무난함 : initial resting HR target <110 bpm

(b) 동율동(sinus rhythm)으로의 전환 (cardioversion, **rhythm control**)
- 항부정맥제(pharmacologic cardioversion) ; flecainide, dofetilide, propafenone, ibutilide (CAD, HF, LVH 등의 구조적 심장질환 존재시엔 amiodarone) 등이 효과적
    - digoxin과 sotalol은 동율동 전환에 권장 안됨
    - 항부정맥제에 의해 concealed conduction이 감소되면 AV node를 통한 전도가 증가되어 ventricular response↑ 위험 → 항부정맥제 투여 전 반드시 AV node의 불응기를 먼저 증가시켜야 됨 (β-blocker, CCB, digoxin 등으로)!
- DC cardioversion (200 J) : 매우 효과적, 항부정맥제 실패시 or primary therapy로도 유용 (→ 실패하면 internal cardioversion)
    - Ix ┌ 혈역학적으로 불안정 (심부전시에는 가장 효과적)
        └ 24시간 동안의 약물치료에도 반응 없을 때
    - AF가 2일 이상 지속된 경우 ⇨ 3주 이상 anticoagulation (INR 2~3 유지) 시행 후 or TEE로 LA thrombus를 R/O한 뒤에 시행
    - C/Ix ; digitalis 중독, 1년 이상 지속된 AF, large LA, sick sinus syndrome, advanced heart block 등 (→ DC cardioversion 치료에 대한 반응이 불량함)
- cardioversion 이후 1~2%에서 embolism 발생 (pharmacologic, DC 모두 비슷함)

■ 뇌졸중(stroke)/Systemic Embolism 예방 (anti-thrombotic therapy) ★
- AF가 2일 이상 지속되었거나 발생 시기를 모르는 경우 필요함
- ┌ 동율동 전환(cardioversion) 시행 전 3주 이상 INR 최소 1.8 이상 (2~3 권장) 유지
  └ 동율동 전환 후에도 최소 4주 이상 필요, 그 뒤 증상이 없으면 중단 가능
- AF 발생 2일 미만이면 (안전하게는 24시간 이내) 항혈전치료 없이 cardioversion 가능
- 응급 cardioversion시 3주 anticoagulation 치료 or TEE를 시행 못했으면 heparin 투여 권장
- TEE상 LA thrombus가 없으면 2일 이상 지속된 AF라도 anticoagulation 필요 없이 바로 cardioversion 가능

- nonvalvular AF 환자에서 뇌경색 위험도 예측 : CHA_2DS_2-VASc ★

위험인자	점수		CHA_2DS_2-VASc score	Stroke 발생위험	권장 치료	
CHF, LV dysfunction (EF≤40%)	1					
HTN (>140/90 mmHg)	1		0	0.2%/yr	항혈전치료 필요 없음	
Age ≥75세	2		1	0.6%/yr		
DM	1		2	2.2%/yr	(여성)	(남성)
Stroke, TIA, TE의 병력	2		3	3.2%/yr		
Vascular dz.의 병력 (MI, PAD 등)	1		4	4.8%/yr	경구항응고제 : NOAC or warfarin (INR 2~3)	
Age 65~74세	1		5	7.2%/yr		
Sex - Female	1		6~9	>9%/yr		

* (Sex 위험인자를 제외하면 남녀 모두에서) 위험인자 2개 (or 2점) 이상시 반드시 경구항응고제 치료 권장!
* 위험인자 1점 1개인 경우는 논란 : 개인 특성/선호도 및 추가 검사소견 등을 고려하여 권장 (뇌경색↓ vs 출혈↑)
    ⇨ No Tx. or Aspirin or Anticoagulation
    (e.g., troponin, BNP, 심초음파상 좌심방/좌심실 확장 등)

- <u>NOAC (new oral anticoagulant)</u> = non-vitamin K antagonist
  - ⌐ oral direct thrombin inhibitor ; **dabigatran** (신기능저하 or 고령이어도 감량해야)
  - ⌙ oral factor Xa inhibitor ; **rivaroxaban, apixaban, edoxaban**
  - – vitamin K antagonists (warfarin)보다 출혈(특히 뇌출혈 등의 major bleeding) 부작용과
    약물상호작용이 적고, 채혈을 통한 PT monitoring이 필요 없어 우선적으로 권장됨
  - – NOAC 간의 효과는 비슷함 / 신기능 저하시 감량해야 → 정기적인 신기능검사 필요
    (신장으로의 배설 정도는 dabigatran 80%, rivaroxaban 33%, apixaban 27%, edoxaban 50%)
- valvular AF (moderate~severe MS or mechanical valve), C_{Cr} <30 mL/min, severe LC 환자
  → vitamin K antagonist (warfarin) 권장 (판막질환에서는 NOAC보다 더 효과적이고 부작용 적음)
- 항혈소판제(aspirin + clopidogrel) : 항응고제보다 혈전예방 효과는 부족하면서 출혈 위험은 동일
  → 경구항응고제가 불가능하거나 거부하는 환자에서만 고려 (NOAC의 도입으로 극히 드묾)

■ 동율동(sinus rhythm) '유지'를 위한 <u>장기</u> 약물 요법 (AF 재발 방지) ★

구조적 심장질환이 없거나 경미할 때 (e.g., mild LVH)	Flecainide, Propafenone, Pilsicainide, Sotalol, Dronedarone ⇨ 반응 없으면 Amiodarone
구조적 심장질환이 있을 때	CAD (EF 정상, CHF 無) : 일부 class Ⅰ 항부정맥제는 사망률을 증가시킴 ⇨ Sotalol, Dronedarone ⇨ Amiodarone
	LVH (LV wall 두께 >14 mm) : ventricular proarrhythmia 위험 증가 ⇨ Amiodarone
	CHF and/or EF<40% : 많은 항부정맥제가 사망률을 증가시킴 ⇨ Amiodarone

- 항부정맥제는 부작용이 많으므로 안전성을 먼저 고려 & 세심한 관찰 및 조절 필요
- 장기간 치료해도 항부정맥제의 종류에 관계없이 1/2 이상에서는 AF 재발
- 동율동(sinus rhythm) 유지는 장기 생존율을 증가시키지만, 항부정맥제에 의한 동율동 유지
  (rhythm control) 효과는 rate control & anticoagulation과 비슷함
- 항부정맥제가 효과 없으면 전극도자절제술(catheter ablation) 고려

(6) Chronic (or persistent) AF의 치료

※ 동율동(sinus rhythm)으로의 전환이 어려운 경우
  - ⌐ long-standing rheumatic heart dz. (1년 이상)
  - ⌙ markedly enlarged atrium
    → 동율동 전환은 포기하고 AV node (AVN) 작용 약물로 심실반응을 조절(rate control)

① 심박수 조절(심실 반응 감소, rate control) ; β-blocker, CCB, digoxin
  - AF with slow ventricular response의 경우는 AVN 작용 약물을 쓰면 안되고, pacemaker 삽입
  - 약물치료로 심실반응이 조절되지 않거나 증상이 지속되는 경우
    ⇨ His bundle/AV junction catheter ablation (→ complete heart block 만듦)
      & permanant pacemaker 삽입
  - rate control 치료시 반드시 chronic anticoagulation도 병행!

② 비약물적 치료 : ablation therapy
- Ix ; recurrent symptomatic AF, 초기 rhythm control에 실패한 뒤 rate control이 어려운 AF, 장기간 약물 복용을 원치 않는 환자 등
- 전극도자절제술(RF catheter ablation, RFCA)
  - 폐정맥 차단술 : paroxysmal AF에서 효과적 (더 심한 AF에서는 재발률↑)
  - 최근엔 폐정맥동 전체와 LA 후벽을 포함시키는 선형절제술 → 50~80%에서 AF 완치 가능
  - Cx (사망률 0.1%) ; cardiac tamponade (m/c 사인), pulmonary vein stenosis, cerebral thromboembolism, vascular injury, atrioesophageal fistula ...
- surgical ablation (Cox-MAZE Ⅳ procedure)
  - Ix ; 다른 open heart surgery 예정 (∵ cardiopulmonary bypass 필요), RFCA 실패 환자
  - 폐정맥-LA 차단 및 RA/LA에 multiple scars를 만들어 (모든 macroreentry 회로 차단) 심방에서 fibrillatory waves의 전파를 막음 → 75~95%에서 AF 완치 가능
* paroxysmal AF - chronic AF와 치료 및 예후는 비슷함

(7) 특수한 상황
- postoperative AF
  - 개심술 이후 AF 호발 (e.g., CABG or 판막치환술 이후 25~40%에서 발생)
  - postop AF 예방 효과가 있는 항부정맥제 ; β-blocker, sotalol, amiodarone
    (amiodarone만 입원기간 및 postop stroke 발생률 감소 효과가 있음)
  - temporary atrial pacing도 postop AF 발생률을 약 40% 감소시킴
  - long-chain polyunsaturated FA, atorvastatin, hydrocortisone 등도 postop AF 예방 효과 有
- 임신 중 발생한 AF (드묾)
  - rate control은 digoxin, β-blocker, CCB 등으로 혈역학적으로 불안정하면 DC cardioversion
  - 혈역학적으로 안정시 pharmacologic cardioversion으로 quinidine or procainamide
  - 위험군에서는 항혈전치료도 시행 ; 1st trimester 및 마지막 한 달은 heparin (unfractionated or LMWH), 고위험군에서는 2nd trimester 때 warfarin

4. Atrial flutter (Af, AFL, 심방 조동/된떨림)

(1) 개요
- 원인 ; septal defects, pulmonary emboli, MS/R, TS/R, HF, 이전의 atrial ablation, 심장수술, 노화 등에 의한 심방 확장, thyrotoxicosis, alcoholism, pericarditis 등 AF의 원인과 비슷
- AF보다는 짧게 지속되며, 1주일 이상 지속되면 AF로의 전환이 흔함
- classic/typical Af는 삼첨판륜(tricuspid annulus)과 IVC 사이의 협부(cavotricuspid isthmus)를 포함하는 심방중격과 우심방벽 사이의 unifocal macroreentry에 의해 발생 → saw-tooth 모양 (약 80%는 반시계방향 Af, 20%는 시계 방향)
- left Af도 발생할 수 있지만 right (classic) Af보다는 훨씬 드묾
- systemic embolization 위험은 AF와 비슷하므로 예방조치(항응고제 치료) 필요!

(2) 특징

- 톱날(saw-tooth) 모양의 F wave (동일하게 반복되는 wave)
- F파 (atrial rate)는 대개 **260~300회/분** 정도로 '<u>규칙적</u>' (평균 300회/분)
  - 대개 inferior leads (II, III, aVF)에서 잘 보임
  - lead V_1에서는 coarse AF와 Af가 비슷해 보일 수 있음
    (Af가 훨씬 규칙적인 모양이며, 다른 leads를 보면 AF를 확인 가능)
- 심실에는 AV block에 의해 2:1 (m/c, 130~150회/분) ~ 4:1의 비율로 전달
- QRS는 대개 규칙적이며 정상 모양

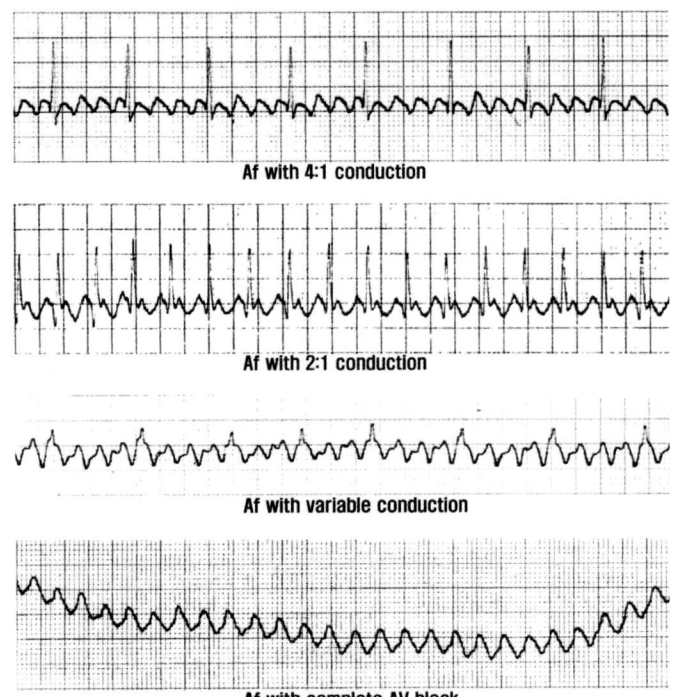

Af with 4:1 conduction

Af with 2:1 conduction

Af with variable conduction

Af with complete AV block

- 1:1 방실전도(rapid ventricular response) 발생시(e.g., 운동시) PSVT등과 감별이 힘들지만, carotid sinus massage, verapamil or adenosine 주사시 2:1 이상으로 방실전도가 감소 (심박수 감소)되므로 감별 가능
  (<u>adenosine</u> : 일시적인 AV block 일으킴 → underlying atrial rhythm 노출 → AF, Af의 진단이 불확실할 때 유용 / 대개 Af를 종료시키지는 못하고 AF를 유발할 수 있으므로 치료에는 사용×)
- AF보다 심박수(ventricular response)가 빠르기 때문에 환자는 더 힘들어함

(3) 치료 : AF와 비슷

① 증상이 경미하고 환자 상태가 안정된 경우
  (a) rate control (먼저!) ⋯ 일반적으로 AF보다 심박수 조절은 어려움
    - CCB (verapamil, diltiazem), β-blocker (e.g., esmolol), digitalis, amiodarone 등
    - 동율동 전환(rhythm control)이 어렵거나 유지가 힘든 상태에서는 rate control만 시행

(b) rhythm control (cardioversion) ; ibutilide, dofetilide 등의 항부정맥제 → 60~90% 성공
- but, QT 간격을 연장시켜 torsades de pointes 부작용 발생 위험
- 만약 (a)보다 먼저 사용하면 AV conduction을 촉진하여 1:1 ventricular response 발생 위험
- 대개 cardioversion이 더 효과적이지만, 환자가 원하지 않거나 불가능할 때 항부정맥제 고려
② 빨리 sinus rhythm으로 전환해야할 때 (혈역학적 불안정 or 심한 증상)
   (a) synchronized DC cardioversion (50~100 J) : 불안정한 환자가 아니라도, 효과가 좋아
       항부정맥보다 선호됨 → 성공률 매우 높지만, 재발률도 높아 이후 catheter ablation도 필요
   (b) 신속심방조율(rapid atrial pacing) : Af 속도의 115~130% 정도로 빠르게 조율
       ┌ 심장수술 후에 Af 발생시, AMI에서 Af 재발시
       │ permanent pacemaker or ICD를 가지고 있는 경우
       └ digitalis 중독(→ cardioversion 금기) 이 의심될 때
③ antithrombotic therapy도 AF와 동일하게 시행
④ 재발 방지 (장기 유지 치료)
   (a) 협부(cavotricuspid isthmus, CTI) catheter ablation (TOC) : 성공률 높음(90~100%)
   (b) flecainide, propafenone, sotalol, dofetilide, amiodarone 등의 항부정맥제 (AF와 비슷)
       : 재발률(>80%/yr) 및 독성/부작용 위험 높음

AV JUNCTIONAL ARRHYTHMIA

1. AV junctional premature complex/beat (JPC, JPB)

- His bundle에서 발생 (정상 AV node는 automaticity 없음)
- APC나 VPC보다 드물지만, 심장질환이나 digitalis 중독 등과의 관련은 더 흔함
- QRS군은 정상 (→ supraventricular origin 임을 의미)
- ectopic P파는 관찰 안됨 (retrograde P 파는 QRS 뒤에 나타날 수도 있음)
- 보통 compensatory pause를 보임 (R-R' + R'-R = R-R ×2)
- 증상 없으면 경과관찰, 증상이 있으면 APC와 같이 치료

2. Junctional tachycardia (JT)

- AV junction에서 focal automatic rhythm 발생, HR는 60~140회/분, regular, narrow QRS
- retrograde P 파가 관찰될 수 있음 (digitalis 중독 때는 retrograde conduction 없음!)
- EKG 상 PSVT (AVRT, AVNRT) 와 감별이 어려울 수 있으나,
  vagal maneuver로 PSVT는 종료되지만 junctional tachycardia는 종료 안됨
- 기전 ; automaticity or triggered activity   (reentry는 아님)
- 원인 ; digitalis 중독(m/c), myocarditis, inf. wall MI, valve surgery, acute rheumatic fever,
  acute resp. failure, catecholamine excess ...
- 대부분 일시적으로 발생, digitalis 중독 이외에는 대개 저절로 회복됨

- nonparoxysmal junctional tachycardia ; 주로 digitalis 중독 때 발생, HR 70~130회/분
  - PSVT처럼 갑자기 발생/소실되는 것이 아니라, 서서히 발생/소실됨 (warm-up & cool-down)
  - intermittent AV dissociation이 흔히 관찰됨
  - HR가 100회/분 이하인 경우 accelerated junctional rhythm이라고도 부름
- rapid & paroxysmal junctional tachycardia ; 젊은 성인에서 흔히 운동과 관련되어 발생 가능
- 치료
  ① 원인제거(e.g., digitalis 중단) → 대부분 정상으로 돌아옴
  ② abnormal automaticity에 의한 경우 β-blocker, 항부정맥제(IA or IC) 시도 가능
  ③ abnormal automaticity에 의한 JT가 지속되면 catheter ablation 고려 (but, AV block 위험)

3. Paroxysmal supraventricular tachycardia (PSVT, 발작성 심실상성 빈맥/발작 심실위 빠른맥)

- 빈맥의 대부분은 회귀(reentry) 기전에 의해 발생 (e.g., PSVT, VT, Af)
- PSVT의 EKG 소견
  ① narrow QRS (모양은 정상)
  ② regular rhythm (120~250회/분) ; A:V activity = 1:1 (AR=VR)
  ③ P wave : 안보이거나, 보일 땐 inverted P' wave로 대개 QRS 뒤에 나타남
     (retrograde atrial activation, short RP' interval)
  ④ 시작과 종료가 돌연
  c.f.) SVT에선 사실 ST, AT, AF, Af, AVNRT, AVRT 등이 모두 포함되므로 PSVT란 용어는
       잘못된 용어로 볼 수 있지만, 통상적으로 AVNRT와 AVRT를 PSVT라고 부름

(1) AV nodal reentrant tachycardia (AVNRT)

- 서양에서 PSVT의 m/c 원인 (50~60%), 우리나라는 30~40%, 남<여, 10~30대에 호발
- 대개 구조적 심장질환과 관련 없음
- 증상 ; 심계항진, 실신, 저혈압, 심부전 등
- 대부분 APC에 의해 유발 → PR 간격이 연장되면서 PSVT가 시작됨
- retrograde P' wave는 QRS에 가려서 안 보이는 경우가 많다
  (∵ 심실수축과 fast pathway를 통한 retrograde 심방수축이 거의 동시에 발생)

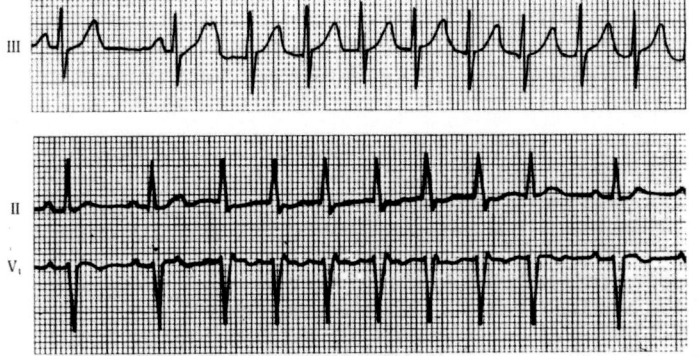

AVNRT에 의한 PSVT

(PR prolong이 동반된 APC 이후에 PSVT가 시작됨)

- EPS (electrophysiologic study)
  - atrial pacing → <u>AH interval 연장되다가</u> (jump 현상) atrial echo beat 발생 → PSVT 발생
  - ventricular pacing → fast (β) pathway를 통한 retrograde conduction 잘 됨 (VA time↓)
  - ventricular pacing시 차이
    - concentric retrograde atrial activation → 대개 AVNRT (∵ AVN에서 양심방으로 전파)
    - eccentric retrograde atrial activation → AVRT (∵ AP가 좌측에 위치 → LA부터 수축)

■ AV nodal reentry의 기전 (microreentry)

- AV node에 2개의 pathway 존재
  - α pathway : slow conduction, shorter refractory period (삼첨판의 후중격부와 관상정맥동 입구 사이에 위치)
  - β pathway : fast conduction, longer refractory period (심방중격의 전상부에 위치)
- ① 정상 : 심방으로부터의 자극은 β pathway로만 심실로 전달 → 정상 PR
- ② APC : β 에서 blocked, α (slow pathway)를 통해서만 심실로 전달 → **PR 연장**
- ③ more APC : β 에서 blocked, α 에서 더욱 지연 → PR 더 연장
  - * retrograde impulse → β 를 통해 심방으로 빨리 전달 → atrial echo beat (P') 발생
- ④ more APC : β (fast pathway)를 통한 <u>retrograde</u> conduction과 reentry 발생 → typical (slow-fast) AVNRT
- * 드물게(5~10%) 역방향 reentry도 발생 (α 로 retrograde conduction) ; atypical (fast-slow) AVNRT

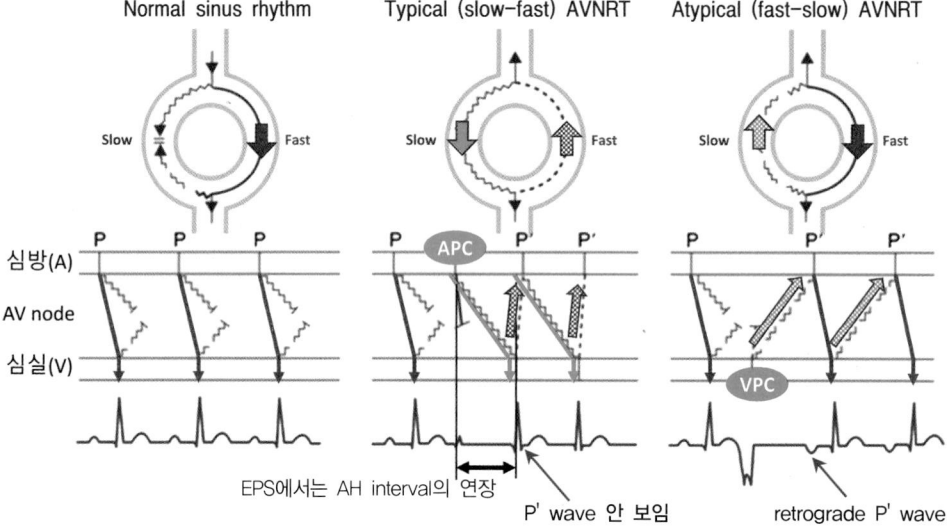

| Normal sinus rhythm | Typical (slow-fast) AVNRT | Atypical (fast-slow) AVNRT |

EPS에서는 AH interval의 연장

P' wave 안 보임

retrograde P' wave

(2) AV reentrant tachycardia (AVRT)

- 우리나라에서 PSVT의 m/c 원인, 95%는 O-AVRT
- AV bypass tract (<u>AP; accessory pathway</u>)을 통해 역방향 전도(retrograde conduction) & AV node를 통해 순방향 전도 발생(orthodromic macroreentry, O-AVRT)
  - * PSVT는 WPW syndrome에서 발생하는 것과 같은 모양이나, AP를 통한 antegrade conduction은 발생하지 않는 것이 차이점
- APC or VPC에 의해 유발되며, VPC에 의해 PSVT가 유발되면 거의 AVRT로 진단 가능
- retrograde P' wave는 대개 QRS <u>뒤</u>에 나타남, RP' 간격 < P'R 간격 ("short RP tachycardia")
  (∵ 심실이 수축된 뒤에 retrograde 심방수축 발생)
- 때로는 AP를 통한 전도가 매우 느린 경우도 있음 → long retrograde conduction
  → long RP' 간격 (long RP tachycardia)

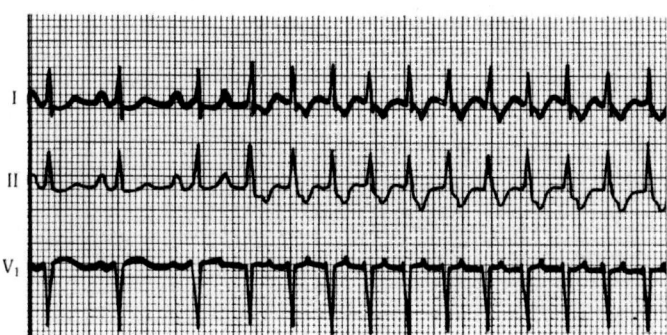

Orthodromic AVRT에 의한 PSVT (PSVT 시작 전의 APC의 PR 간격은 정상임)

- 대부분의 bypass tract (AP)은 <u>좌측</u> 외벽(LA→LV 연결)에 존재 (>50%)
  - → PSVT or ventricular pacing시에 eccentric atrial activation (LA가 먼저 수축됨) 발생
- 기타 AP의 위치 ; 후중격(20~30%), 우측외벽(10~20%), 전중격(5~10%)

┌ manifest AP (WPW syndrome) : AP를 통해 anterograde & retrograde conduction 모두 가능
└ concealed AP : AP를 통해 retrograde conduction만 발생 (PSVT 때만 AP가 발현됨)

■ **조기흥분증후군(Preexcitation syndrome) ; WPW (Wolff-Parkinson-White) syndrome**

- AV bypass tract (AP, Kent fiber)을 통해 전방향전도(<u>antegrade conduction</u>)가 발생하여 심실이 조기에 수축되는 것 (antidromic macroreentry)
  (c.f., AP로 전방향 전도만 일어날 때는 preexcitation, AP로 전방향 및 역방향 전도가 모두 가능하면서 빈맥의 병력이 있으면 WPW syndrome이라고 함)
- 특징 ┌ **short** (<0.12 s) **PR** (∵ AP를 통한 빠른 anterograde conduction)
  │ **delta wave** (∵ AP에 인접한 심실근육이 조기에 흥분되어 발생)
  │ **wide QRS** (∵ 정상 전도 + AP를 통한 전도가 합쳐져서 발생)
  └ secondary ST-T wave changes
- 표준 12-leads EKG로도 AP의 위치 예측 가능

lead V_1에서 delta wave & QRS	(+) ⇨ 좌심실(LV)	Posteroseptal	Ⅱ,Ⅲ,aVF에서 (−) delta wave & QRS
		Lateral	Ⅰ,aVL,V_5,V_6에서 isoelectric or (−)delta
	(−) ⇨ 우심실(RV)	Posteroseptal	Ⅱ,Ⅲ,aVF에서 (−) delta wave & QRS
		Right free wall	Left axis
		Anteroseptal	Inferior axis

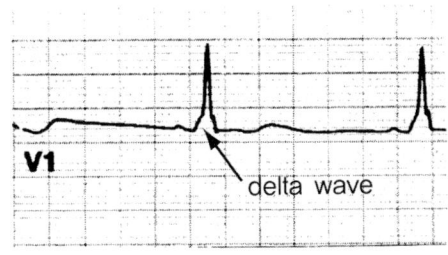

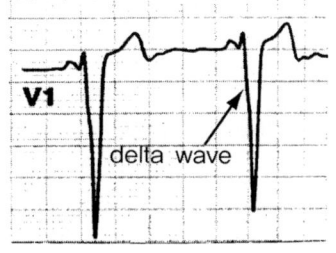

- 원인 ; 선천성 기형(e.g., Ebstein's anomaly, MVP), cardiomyopathy ...
- WPW 자체는 증상이 없으나, tachyarrhythmia 발생시 임상적으로 문제
- 10~36%에서 빈맥성 부정맥 발생 (PSVT 80%, AF 15%, Af 5%) : 고령일수록 증가
  - 유발인자 : APC, VPC
  - PSVT : 대개 정상 AV system을 통해 antegrade conduction이 되고, AP를 통해서는
    retrograde conduction이 일어남 (orthodromic AVRT)
    (드물게 약 5%에서는 반대의 양상을 보임 → antidromic AVRT, wide QRS tachycardia)
  - AF or Af : AP를 통해 심방자극이 빨리 전달되어 빠른심실반응(심하면 VF) 발생 위험
- EPS (확진) ; AP의 위치 및 역할 확인 (AVRT or AF inducibility), AF/Af시 VF 발생위험 평가,
  치료방법 결정 등에 이용
- 증상과 빈맥의 병력이 없으면 <u>observation</u>, 대부분 예후 좋음 (1% 미만에서만 PSVT 발생)

(3) PSVT의 치료

① <u>vagal stimulation</u> : AV node의 전도를 지연/차단, 빈맥 초기에 효과적
  (carotid sinus massage, Valsalva maneuver, squatting, upside-down position,
  gag reflex (구역질), diving reflex, eyeball pressure (안구압박) 등)
  → 약 80%에서 PSVT 종료됨 (c.f., 심실에서 발생하는 빈맥에는 효과 없음)
  - 저혈압시엔 phenylephrine (IV)도 같이 투여
  - carotid sinus massage → digitalis 중독증엔 금기 (∵ VF 유발)
② <u>adenosine</u> : vagal stimulation 실패시 first choice!, 반감기 매우 짧고, 부작용 적음
③ 2nd-line agents ; <u>verapamil, diltiazem</u> (1세 미만 소아에서는 금기!) or β-blocker
④ temporary pacemaker : 약물로 빈맥이 종료되지 않거나 재발이 반복될 경우
⑤ 혈역학적으로 불안정한 경우엔 반드시 DC cardioversion (100~200 J)

* digitalis는 작용시간이 느리므로, 급성 PSVT시에는 금기!
* 저혈압시에는 (−) inotropic 효과가 있는 verapamil, β-blocker, disopyramide 등의 사용은 피함
  (→ adenosine or DC)
* isoproterenol, β-agonist, atropine (vagolytic) 사용시에는 증상 악화됨!

■ WPW + AF/Af with rapid ventricular response

: ventricular rate가 250~300 bpm을 넘으면 의식소실, VF, arrest 위험

① 혈역학적 불안정 ⇨ DC cardioversion
② 혈역학적 안정시 ⇨ <u>procainamide</u>, <u>ibutilide</u>, amiodarone 등 (procainamide가 가장 효과적)
  - AP의 전도를 느리게 함 (but, AVN의 전도를 빠르게 하여 심실반응을 증가시킬 위험도 있음)
  - 효과 없으면 즉시 cardioversion 시행
③ 회복 후엔 반드시 EPS 뒤에 catheter ablation 시행 (성공률 95% 이상)

* <u>AV node에 작용하는</u> digitalis, verapamil, adenosine, β-blocker IV 등은 금기!! ★
  (∵ AV node는 억제하고, AP의 불응기는 감소시킴 → AP를 통한 anterograde conduction 증가
  → VF 발생위험 증가) [c.f., oral verapamil에서는 안 나타남]

• EKG 소견 : fast, irregular RR interval, abnormal wide QRS complex

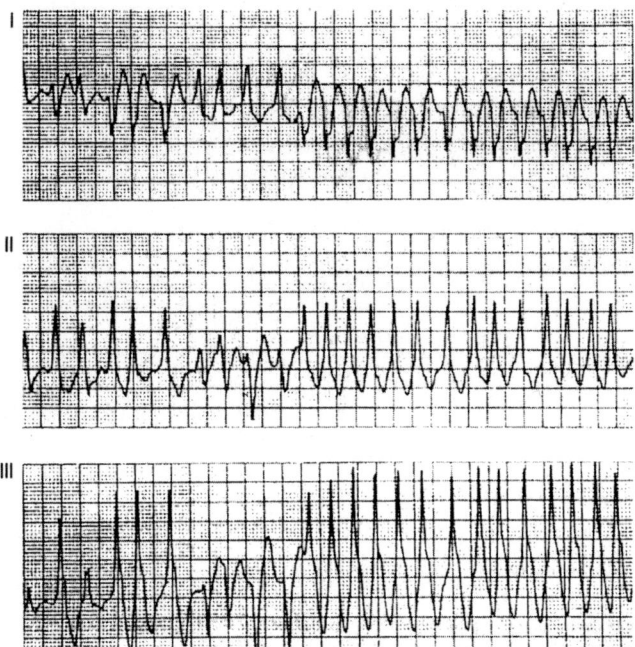

Artrial fibrillation & multiple accessory pathways

* polymorphic VT (PMVT)와의 감별
    - PMVT : baseline EKG와 상이하며, normal EKG가 거의 관찰되지 않음, regular rhythm
    - WPW + AF : maximal preexcitation 때의 EKG와 비슷하고, normal EKG가 wide QRS
      사이에서 비교적 많이 보임

(4) PSVT의 재발 방지

① drugs : 임상상황 및 약물의 부작용 등을 고려하여 선택
    • antegrade slow pathway에 작용하는 약물 (더 선호됨) ; β-blocker, CCB, digitalis
    • fast pathway (AP)에 작용하는 약물 ; class I A (quinidine, procainamide, disopyramide) or
      I C (flecainide, propafenone)
② pacemaker
③ radiofrequency catheter ablation (TOC) : AVNRT 95% 이상, AVRT 90% 이상을 완치 가능
    - AVNRT에서는 slow pathway를, AVRT에서는 accessory pathway를 절제함
    - 만약 실패하면 surgical ablation 고려

c.f.) Sinus node reentry tachycardia (sinoatrial nodal reentrant tachycardia, SANRT)

• sinus node 인접 심방조직과 sinus node의 microreentry로 발생한 focal AT의 일종
• AVNRT나 AVRT보다 드묾, 대부분 무증상이며 기저 심장질환을 가진 경우가 많음
• HR 100~150 bpm, P wave 모양은 sinus rhythm 때와 동일, PR interval은 연장
  (intraatrial reentry : P wave 모양 변화, PR interval 연장)
• 치료는 다른 PSVT와 비슷함 (catheter ablation의 성공률은 낮다)

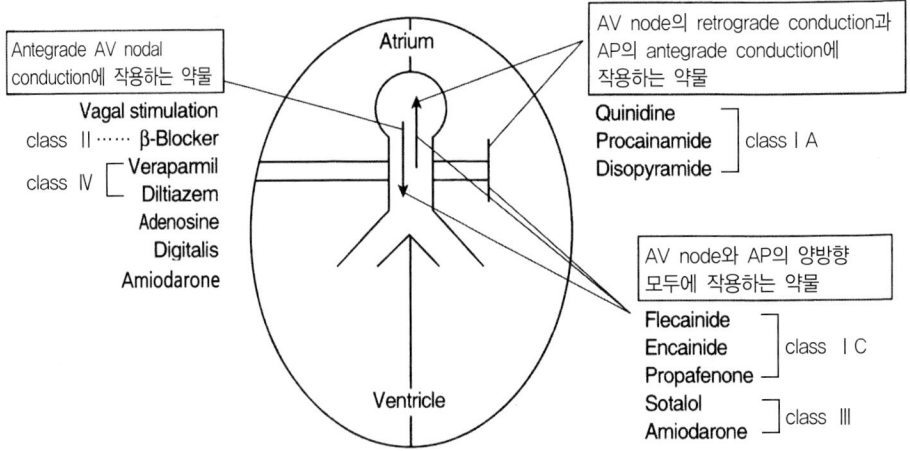

WPW syndrome에서 항부정맥제의 작용 부위

Carotid sinus massage의 영향	
Sinus tachycardia	massage중엔 서서히 느려지고, massage후엔 서서히 빨라짐
PSVT	영향 없음 or 약간 느려지다가 갑자기 종료됨 (sinus rhythm으로 전환)
Nonparoxysmal SVT	영향 없음 or AV block, ventricular rate 감소 or 점진적 감소
Atrial flutter	AV block (ventricular rate 감소) or 영향 없음 or AF
Atrial fibrillation	AV block (ventricular rate 감소) or 영향 없음
Ventricular tachycardia	영향 없음 or AV dissociation

* 기타 vagomimetic methods ; Valsalva maneuver, 찬물에 얼굴 담그기, edrophonium 투여 등

VENTRICULAR ARRHYTHMIA

1. Ventricular premature contraction/beat/depolarization (VPC/VPB/VPD, 심실조기수축)

(1) 특징
- 예정된 sinus-conducted QRS보다 먼저 발생하는 ventricular ectopic beats
- 부정맥 중 m/c, 정상 성인의 60% 이상에서 24hr Holter상 관찰됨
- 발생이 증가되는 경우 ; 구조적 심장질환 (e.g., IHD, 판막질환, idiopathic cardiomyopathy), drugs (e.g., digitalis), hypokalemia, 고령 ...
- wide (>0.14 s) & bizarre QRS, 모양은 대개 RBBB or LBBB와 비슷
- P파 선행 안함 (↔ APC with aberrant conduction과의 차이)

- 대부분의 VPC (=PVC)는 심방으로 retrograde conduction 되지 않는다!
  → 완전한 보상성 휴지기(fully <u>compensatory pause</u>)를 관찰 가능!
- interpolated VPC : VPC가 원래의 rhythm에 영향을 안미치고, 정상 QRS군 사이에 나타난 것
  (R–R' + R'–R = 2RR)

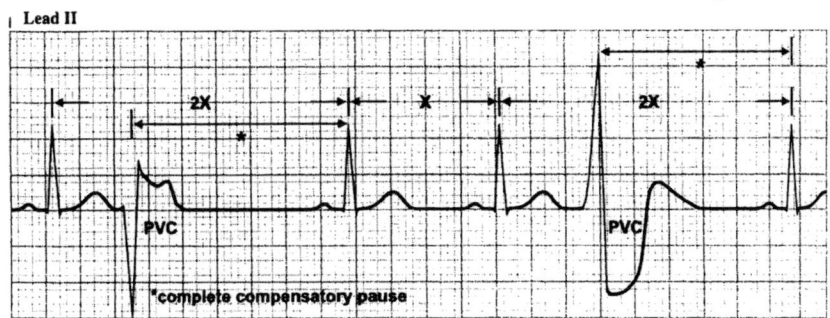

┌ bigeminy : VPC가 동성 QRS군과 교대로 나타나는 것
│ trigeminy : 2개의 동성 QRS군 뒤에 VPC가 나타나는 것
│ couplet (pair) : 2개의 VPC가 연속으로 나타나는 것
└ VT : 3개 이상의 VPC가 연속으로 나타나고 HR는 100회/분 이상일 때

- ventricular parasystole : coupling interval은 불규칙하고, VPCs 간의 간격은 일정한 것,
  multifocal VPCs에서 흔함
- multiform (polymorphic, multifocal) VPC : QRS군의 모양이 다양하게 나옴
- R-on-T (very early cycle) VPC : 심근허혈이나 QT간격 연장시 등 때 발생하면 VT or VF로
  진행할 위험이 높으며, 나쁜 예후 인자임

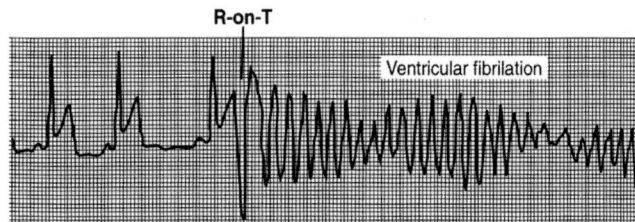

R–on–T 현상 뒤의 VF

┌ VPC가 선행 T파의 peak (취약기)에 발생하여 VF을 일으킨 경우
└ 기전 : early afterdepolarization (short coupling interval)

c.f.) CHF : proarrhythmia를 일으킬 수 있는 m/i 위험인자

(2) 임상양상

- MI 환자에서는 80%에서까지 관찰됨
  - frequent (>10/hr), complex (multiform), R-on-T 등의 경우 사망률 증가
  - but, 심실기능부전처럼 강력한 위험인자는 아니며, VPC 자체가 직접 치명적 부정맥
    (VT or VF)의 원인인지도 확실치 않음
- 심장질환이 없는 경우는 VPC가 있어도 사망률/이환율이 증가하지 않음

- 증상 ; 심계항진이나 목의 박동 (∵ VPC 뒤의 정상보다 큰 박동 때문 → canon *a* wave),
  심장이 멈춘 것 같은 느낌 (∵ VPC 뒤의 long pause 때문)
- CO 감소에 의한 어지러움이나 실신은 드물다!

(3) evaluation
- EKG에서 우연히 발견된 경우 구조적 심장질환 R/O 위해 심초음파(or CMR) 시행
- 운동에 의해 증상이 발생하거나 CAD 위험군인 경우는 exercise stress test도 시행

(4) 치료
■ **구조적 심장질환이 없는 경우**
- 증상이 없으면 치료 필요 없음! (모양이나 횟수에 관계없이)
- 지속적인 증상이 있을 때 → 증상 조절이 치료 목표
  - chronic β-blocker therapy
  - β-blocker에 반응이 없으면 amiodarone or catheter ablation 고려

■ **구조적 심장질환이 있는 경우**
- 심부전(심실기능저하) 환자에서 frequent VPC, nonsustained VT는 사망률 증가와 관련
- 대부분 항부정맥제로 VPC를 조절해도 예후(생존율)에는 차이 없음!
  - 오히려 QT prolongation & TdP 같은 심각한 부정맥을 초래할 위험이 있음
  - AMI 후 VPC를 없애기 위한 or VF를 예방하기 위한 항부정맥제 투여는 오히려 사망률을
    증가시킬 수 있기 때문에 권장되지 않음
- SCD의 위험이 높은 환자 (EF <40% & nonsustained VT)
  - amiodarone으로 VPC를 억제하면 SCD 감소 효과 (but, 생존율 향상은 없음)
  - EPS & ICD (implantable cardioverter/defibrillator) 권장 → 생존율(5YSR) 향상됨

2. Ventricular tachycardia (VT, 심실빈맥) – Monomorphic VT

- 급성 심장사(SCD)와 관련, 구조적 심장질환에서 잘 동반됨
- 원인 ; chronic IHD, AMI (특히 hypoxia or acidosis 동반시), cardiomyopathy, MVP, CHD,
  digitalis toxicity, prolonged QT syndrome ...
- ┌ sustained VT : 30초 이상 지속 or 혈역학적 불안정으로 치료 필요
  └ nonsustained VT : 30초 이내에 자연 종료됨, 대개 증상이 없고, 심장질환이 없이도 발생 가능
- 발생기전 (→ 앞부분 참조)
  (1) reentry ; scar-related reentry (m/c), spiral wave reentry
  (2) triggered activity ; early afterdepolarization, delayed afterdepolarization
- 특징
  - 3개 이상의 VPCs가 연속으로 나타남
  - 심박수는 100~250회/분, 대부분(90%) 매우 규칙적(regular rhythm)
  - P파는 대부분 보이지 않으며, 드물게 역행전도도 나타남
  - QRS : wide & bizarre (모양은 previous VPC와 같음)
  - 모든 precordial lead에서 일정한 QRS pattern (e.g., all (+) or (−) deflections)
  - RBBB 형태 + sup. QRS axis (LAD), LBBB 형태 + 심한 LAD

VT	RBBB 형	LBBB 형
QRS duration (V₁)	>140 ms	>160 ms
QRS 앞부분의 활성화 지연	R 시작 ~ S 최하점 >100 ms	V₁₋₂의 R wave >40 ms
비전형적인 QRS 모양	V₆에서 deep S (R/S ratio <1) V₁에서 mono or biphasic	V₆에서 Q wave notched S downslope

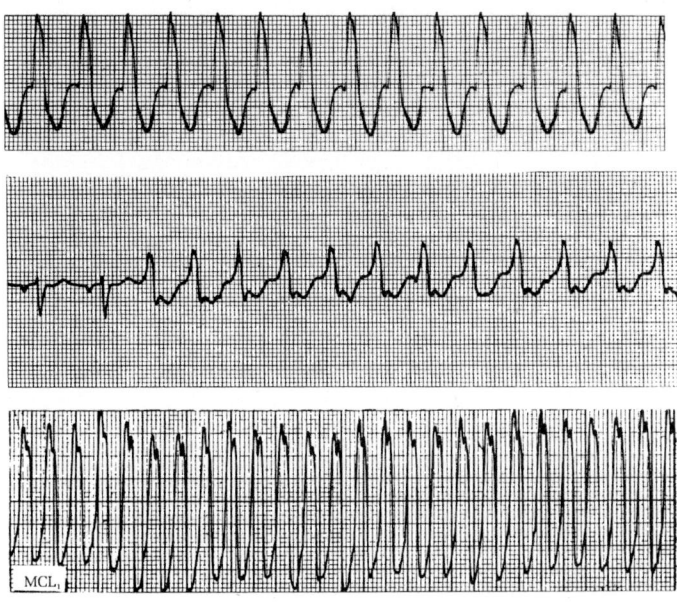

Sustained Monomorphic VT의 예

* <u>AV dissociation</u>, <u>fusion beat</u>, <u>capture beat</u> → VT를 강력히 시사!

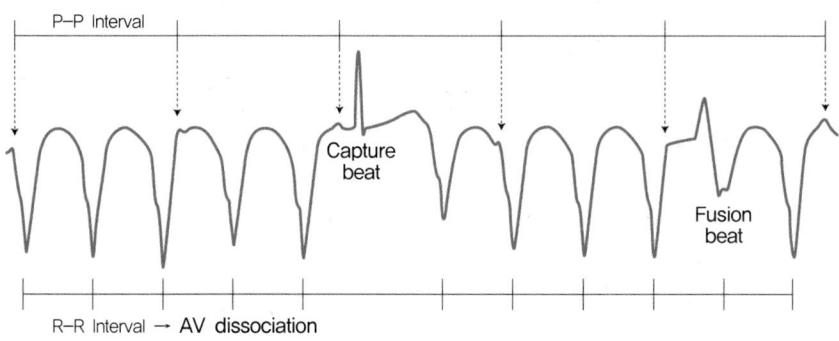

┌ **Fusion beat** (complex) : ventricular origin의 complex와 supraventricular origin의 complex가 합쳐진 것
└ **Capture beat** : ventricular origin의 complex가 supraventricular origin의 complex에 의해 "capture"되어
　　　　　　　　　 정상 모양의 QRS가 나타난 것

* Aberrant intraventricular conduction을 동반한 SVT (wide QRS SVT)와의 감별이 중요

① 구조적 심장질환 존재 (m/i) → VT

② 간헐적인 canon *a* waves, S_1 크기의 변화 → <u>AV dissociation</u> (VT)

③ EKG 소견

- leads Ⅱ, Ⅲ, aVF에서 upright P wave 확인됨 → SVT
- sinus rhythm 때와 tachycardia 때의 QRS 모양이 동일 → SVT
- sinus rhythm 때 infarction pattern (Q wave) → VT
- 매우 불규칙적인 wide, complex, bizarre tachycardia
    → AV bypass tract을 통해 전도되는 AF (WPW + AF)
- QRS >0.2 s → preexcitation에서 더 흔함
- coupling interval 규칙적, compensatory pause → VT

④ verapamil or adenosine의 시험적 투여 → PSVT를 종료시킴

(but, VT 환자에서는 arrest를 유발할 수 있으므로 매우 위험함!)

c.f.) **Brugada's criteria** (wide QRS tachycardia 감별, precordial leads에서)

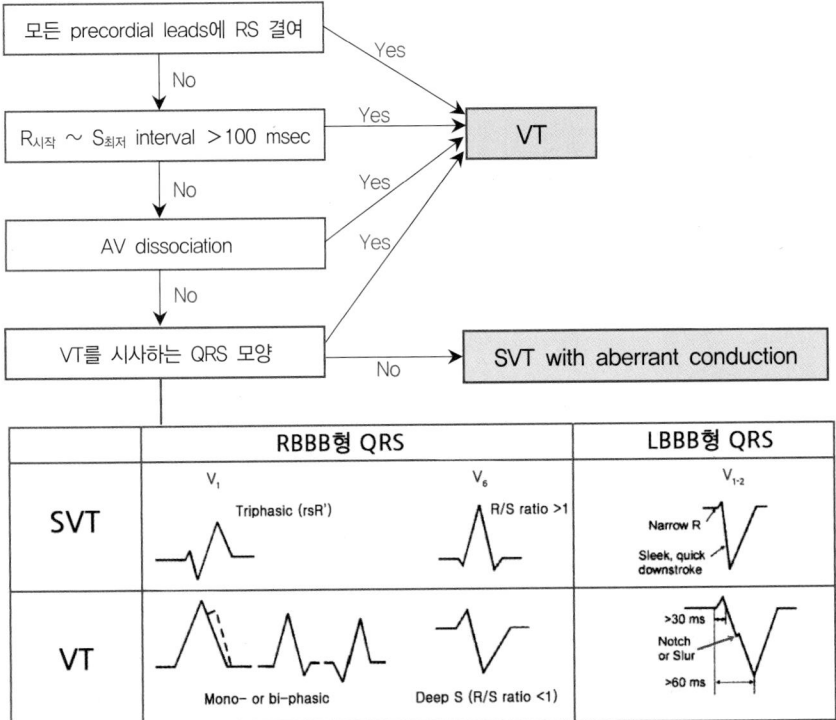

c.f.) <u>aVR</u> Vereckei algorithm : aVR lead에서 아래중 하나 이상이면 VT, 모두 아니면 SVT

(└ 정상적으로는 negative vector여야!)

(1) initial dominant R wave 존재

(2) initial r- or q- wave width >40 msec 존재

(3) predominantly (−)QRS & (−)limb에 notch 존재

(4) Vi/Vt ≤1 (Vi: QRS initial 40 ms의 크기, Vt: QRS terminal 40 ms의 크기)

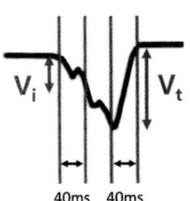

■ VT의 치료/예후

(1) VT의 단기 치료
- 비지속적이고 증상이 없으면 <u>observation</u> (예외 ; congenital long QT syndrome은 치료 필요)
- 구조적 심장질환이 있지만 **혈역학적으로 안정시** : <u>amiodarone</u>, <u>procainamide</u>, <u>lidocaine</u>, sotalol
  - amiodarone이 작용 시작은 느리지만 효과는 가장 좋은 편 (but, 서맥 및 저혈압 발생 위험)
  - 심실성 빈맥은 항부정맥제의 성공률이 낮고(<30%), survival 향상 효과는 없음
  (→ 반응 없거나 재발하면 한번 더 투여) ⇨ 반응 없으면 DC cardioversion
- **혈역학적으로 불안정**하거나(e.g., 저혈압, 현기증, 실신), ischemia, CHF, CNS hypoperfusion
  등의 존재시 ⇨ 즉시 DC cardioversion (≥100 J) *or* overdrive pacing + ICD
- 제세동기가 없을 때는, 발견 즉시 가슴을 때리면(thump version) VT가 종료될 수도 있지만
  취약기에 심장 자극이 되면 오히려 VT 가속 or VF 초래 가능하므로 제세동기는 필수
- 반드시 원인 질환에 대한 고찰과 치료도 병행되어야 됨

(2) VT의 장기 치료 (재발 방지 및 SCD의 예방)
- <u>ICD</u> (implantable cardioverter/defibrillator) : 가장 효과 좋지만, 비용과 거부감이 문제
- 약물요법 : <u>ICD에 보조적으로</u> *or* ICD의 금기/환자가 싫어할 때 ICD 대신
                  ↳ ICD의 개입(shock) 횟수를 감소시켜, 삶의 질 개선 효과
  - EPS (programmed stimulation)를 통해 효과적인 항부정맥제를 선택할 수도 있지만
  - <u>amiodarone</u> or sotalol의 경험적 사용이 더 효과 좋다!
  - β-blocker : 거의 모든 환자에게 투여 (prior MI, HF, LV dysfunction 환자 포함)
      → VT 재발 방지 및 survival 향상(항부정맥제 중 유일) 효과
- catheter ablation (RFCA) : ICD 대신 고려 가능 (초기 성공률은 70~90%, 25~50%에서 재발)

(3) 예후
- 기저 심장질환과 관련
- AMI 후 6주 이내에 sustained VT 발생하면 예후 나쁨 (1년 내 75% 사망)
- AMI 후 nonsustained VT가 발생하더라도 사망률 3배 증가
  (but, nonsustained VT와 SCD와의 인과관계는 불확실)
- 심장질환이 없는 환자의 uniform VT는 예후 좋고, SCD 위험도 매우 낮다

3. Idiopathic VT (특발성 심실빈맥)

: <u>구조적 심장질환 없이</u> monomorphic VT가 발생하는 것 (VT의 약 10%)
       ↳ 모든 심장관련 검사에서 정상 (but, MRI에서는 구조적 이상이 발견될 수 있음)

(1) Outflow tract (adenosine-sensitive) VT (유출로 심실빈맥)
- m/c idiopathic VT (80~90%), 남<여, 30~50대에 발생, 예후 좋음!(SCD와는 거의 관련 없음)
- 약 80%는 <u>우심실 유출로(RVOT-VT)</u>, 약 20%는 좌심실 유출로(LVOT-VT)에서 발생
- 기전 : catecholamine cAMP-mediated delayed afterdepolarizations (<u>DADs</u>), triggered activity
      → vagal maneuver, adenosine, β-blocker, CCB로 종료됨 (일반적인 VT와의 차이점)
- 운동, 스트레스, 카페인, 호르몬(e.g., 생리, 임신, 폐경) 등에 의해 심계항진(VT) 유발

- EKG : 비지속적인 VT burst and/or frequent VPCs
  - inferior leads (Ⅱ, Ⅲ, aVF)에서 large monophasic R waves
  - RVOT-VT : V_1에서 LBBB 형태의 QRS와 inferior (negative) axis

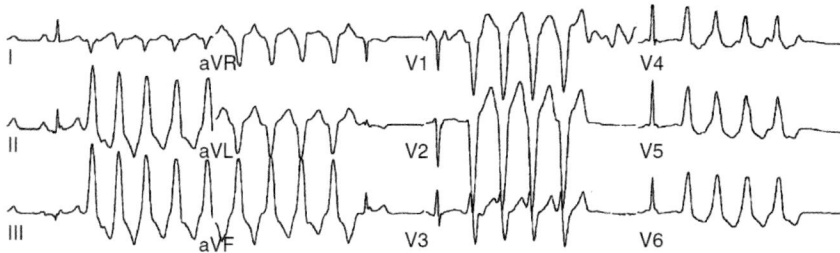

  - LVOT (aortic cusp)-VT : V_1에서 RBBB 형태의 QRS와 superior (positive) axis

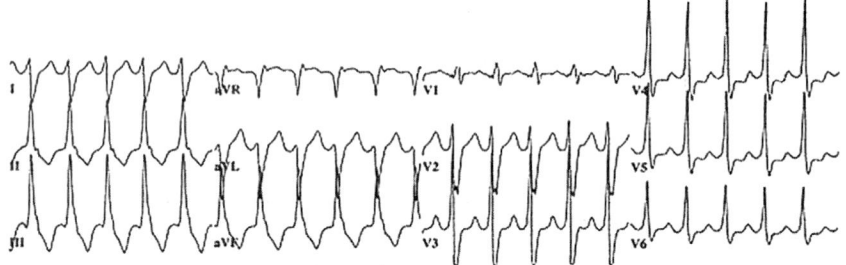

- acute Tx : vagal maneuver, IV adenosine, CCB (verapamil), β-blocker
     (혈역학적으로 안정하므로 대개 응급 약물 치료는 필요 없음)
- chronic Tx
  - CCB or β-blocker로 흔히 VT 예방 가능 (class ⅠA, ⅠC, sotalol 등도 효과적)
  - catheter ablation : 90% 이상 완치 가능
- EPS : 진단이 불확실하거나 catheter ablation 예정일 때에만 시행

(2) Fascicular (verapamil-sensitive) VT (섬유속 심실빈맥, idiopathic LV tachycardia)

- 2nd m/c idiopathic VT (10~15%), idiopathic left VT중 m/c, 남>여, 15~40세, 예후 좋음
- LV post. Purkinje system의 macro-reentry에 의해 발생
- EKG : narrow RBBB 형태의 QRS와 left superior axis

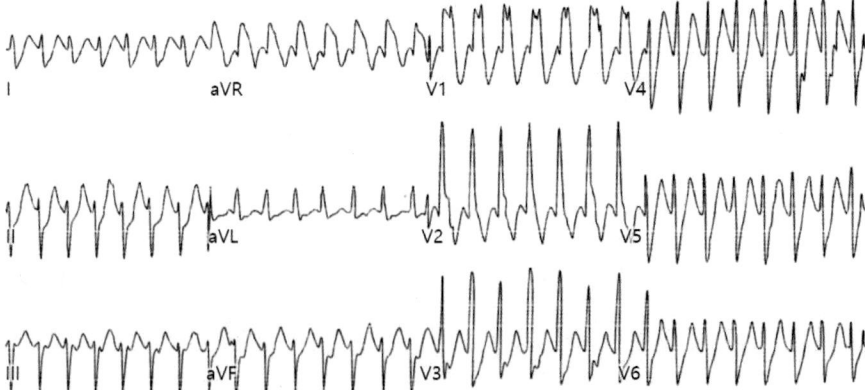

• rapid atrial or ventricular pacing에 의해 유발 가능 (때때로 운동, isoproterenol에 의해서도)
• acute Tx. : IV <u>verapamil</u>로 쉽게 종료됨 (vagal maneuver, adenosine, β-blocker는 효과 없음!)
• chronic Tx. : 증상이 경미하면 verapamil, 심하면 catheter ablation (90% 이상 완치)

4. Polymorphic VT (PMVT)

⌈ QRS의 모양 및 크기가 다양하게 나타나는 VT
⌊ monomorphic VT보다 more dynamic and/or unstable process 임
　(대개 혈역학적으로 불안정하여 쉽게 VF로 진행)

(1) PMVT with normal QT

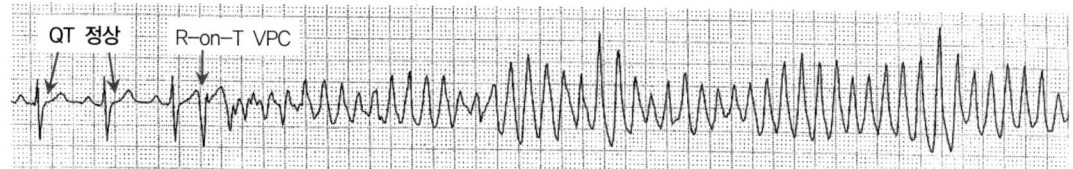

① 허혈성 심질환에서 발생된 경우
• "R-on-T" VPC에 의해 시작됨, reentry가 기전
• 치료 (TdP와는 완전히 다름!)
　- acute ischemia (ACS)시는 항부정맥제보다는 revascularization (PCI, CABG)이 효과적!
　- 항부정맥제 ; β-blocker, amiodarone, lidocaine, sotalol …
② catecholamine 증가 상태에서 발생된 경우 (e.g., 운동)
• short-coupled VPCs에 의해 시작됨, triggered activity가 기전, 치명적
• 치료 : β-blocker, implantable defibrillator (ICD)

(2) Torsade de Pointes (= PMVT with prolonged QT, pause dependent)

• 특징 : QRS군이 base line을 중심으로 크기가 변화하면서 회전하는 것
　- PMVT 발생 전에 marked <u>QT prolongation</u>이 선행 (pause dependent)
　- 대부분 "R-on-T" VPC에 의해 PMVT가 시작됨

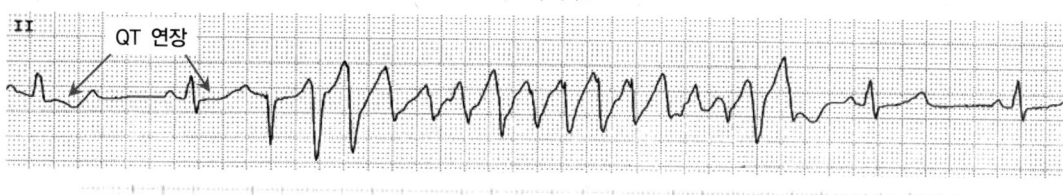

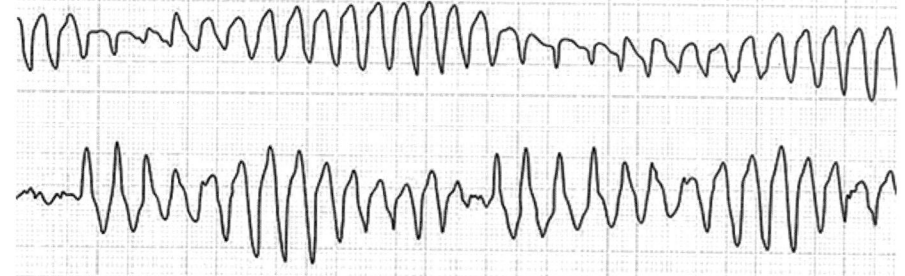

• acquired long QT syndrome

QT interval↑ & Torsade de Pointes 원인 ★
전해질 이상 ; hypokalemia, hypocalcemia, hypomagnesemia
항부정맥제 ; class IA (quinidine (m/c), procainamide, disopyramide), class III (amiodarone, sotalol, ibutilide, dofetilide, almokalant), 일부 class IC (e.g., flecainide)
항정신성 의약품 ; phenothiazines (e.g., chlorpromazine), thioridazine, droperidol, haloperidol, lithium, mesoridazine, pimozide, trifluoperazine, sertindole, zimeldine, ziprasidone, TCA (e.g., imipramine, doxepin, amoxapine, nortriptyline, amitriptyline)
마약성 ; cocaine, metadone, levomethadyl
항히스타민제(H_1-antagonists) ; astemizole, diphenhydramine, terfenadine, hydroxyzine
항생제 ; macrolides (e.g., EM, azithromycin, clarithromycin), quinolones (e.g., levofloxacin, moxifloxacin, gatifloxacin), ampicillin, TMP-SMX, clindamycin, pentamidine, chloroquine, fluconazole, ketoconazole, 항바이러스제(e.g., amantadine), 일부 antimalarials ...
GI stimulants ; cisapride, metoclopramide, domperidone
기타 drugs ; albuterol, salmeterol, thiazide, furosemide, octreotide, vasopressin, probucol, tacrolimus, vandetanib, arsenic trioxide, organophosphates ...
심장질환 ; 심근허혈, myocarditis, MVP, ganglionitis, 심한 서맥 (특히 3도 AV block), stress cardiomyopathy
내분비질환 ; hypothyroidism, hyperparathyroidism, pheochromocytoma, hyperaldosteronism
CNS 장애 ; 출혈, 뇌염, 외상 등
영양 장애 ; 식욕부진(anorexia nervosa), 굶주림, 고단백 유동식, gastroplasty & ileojejunal bypass, celiac dz.

c.f.) Digitalis overdose 때도 polymorphic or bidirectional VT가 발생할 수 있음

• 기전 : early afterdepolarization (LQTS), transmural reentry (TdP 지속화에 주로 관여) 등
• EKG상 warning sign
   ① marked QT prolongation (보통 >0.6초)
   ② abnormal T wave
   ③ prominent U wave
• LQTS 기준 - Bazett's formula [$QTc = QT / \sqrt{RR}$]에서 QTc >460ms (남), >480 ms (여)
• 치료 (acquired LQTS)
   ① 원칙 : 원인을 찾아 제거 (→ 대부분의 발작은 자연히 종료됨)
      예) 전해질이상 교정, QT 연장시키는 약물 중단
   ② magnesium sulfate IV (Mg^{2+} 정상이라도 투여) - 가장 먼저!
   ③ Mg^{2+}이 효과 없으면 HR를 올려 QT interval을 줄이고 VPCs 억제 (→ 원인 교정 시간을 범)
      - atrial/ventricular overdrive pacing (temporary pacemaker)
      - β-agonist (isoproterenol) IV : 부정맥을 악화시킬 수도 있으므로 주의 깊게 투여

   * QT interval을 연장시키는 class IA, class III, 일부 class IC 항부정맥제등은 TdP을 더욱
      악화시킬 수 있으므로 금기
   * 자연 종료가 흔하므로 defibrillation은 시행 안함
      (∵ 오히려 TdP 재발 or true VF로 진행할 위험 증가)

(3) Congenital long QT interval syndrome (LQTS)
• 기전 : 세포내 calcium 축적으로 인한 early afterdepolarization (triggered activity)
• 원인 : cardiac ion (e.g., K, Na, Ca) channels의 mutations
   - LQT1 (m/c, KCNQ1 유전자변이) ; broad T wave (→ long QT), 운동(특히 수영)/흥분
      등에 의해 심실빈맥 유발, 남성의 80% 이상이 20세 이전에 cardiac event 발생

- LQT2 (*KCNH2* 변이) ; notched & bifid T wave, 수면/흥분/소음 등에 의해 빈맥 유발,
여성의 경우 출산 후 (e.g., 수유시) cardiac event 위험이 증가하므로 주의
- LQT3 (*SCN5A* 변이) ; late-onset peaked biphasic T or asymmetric peaked T wave,
주로 수면/휴식 중 심실빈맥 발생, 예후 가장 나쁨 (특히 남성)
⎡ Romano-Ward 증후군 (AD 유전)
⎣ Jervell-Lange-Nielsen 증후군 (AR 유전) - congenital deafness
• 임상양상 ; <u>recurrent syncope</u>, ventricular arrhythmias (TdP, VF), SCD
• EKG ; QT prolongation, TdP, T-wave alternans, notched T-wave
• 치료 ; β-blocker (propranolol, nadolol), ICD (가족력이 있거나 고위험군은 예방적 ICD 시행),
left cardiothoracic sympathetic denervation (LCSD), 격렬한 운동은 금기
(c.f., LQT3 type : β-blocker가 효과 없고, 운동이 제한되지 않음, LCSD 효과 좋음)

c.f.) **Short QT syndrome**
• 정의 : QT interval <320 ms (HR 100 bpm 이하에서)
• 원인 ⎡ 유전적 ; *HERG, KvLQT1, KCNJ2* genes mutations
⎣ 후천적 ; hyperkalemia, hypercalcemia, hyperthermia, acidosis, digitalis
• AF 또는 VF (→ SCD 위험)로 진행 가능
• 치료 ; ICD (TOC), quinidine

(4) Brugada syndrome (BrS)
• RV outflow tract (RVOT) epicardium 부위의 inward sodium current 감소 때문
• 원인 유전자 ; 대부분은 모름, cardiac sodium channel (*SCN5A*) gene mutation (18~30%)
• AD 유전, 동양의 젊은 남성에서 호발, 구조적 심장질환 없음! (echo., MRI, biopsy 등 정상)
• 특히 <u>수면(휴식)</u> 중 심한 부정맥(PMVT, VF)/실신 or <u>SCD</u> 발생
• EKG 소견 (환자 상태, 시간에 따라 정상 ~ Brugada pattern 등 유동적인 변화를 보임)
 - <u>V$_{1\sim3}$</u> 중 2개 이상에서 <u>coved ST elevation</u> & T-wave inversion (→ pseudo RBBB 모양)

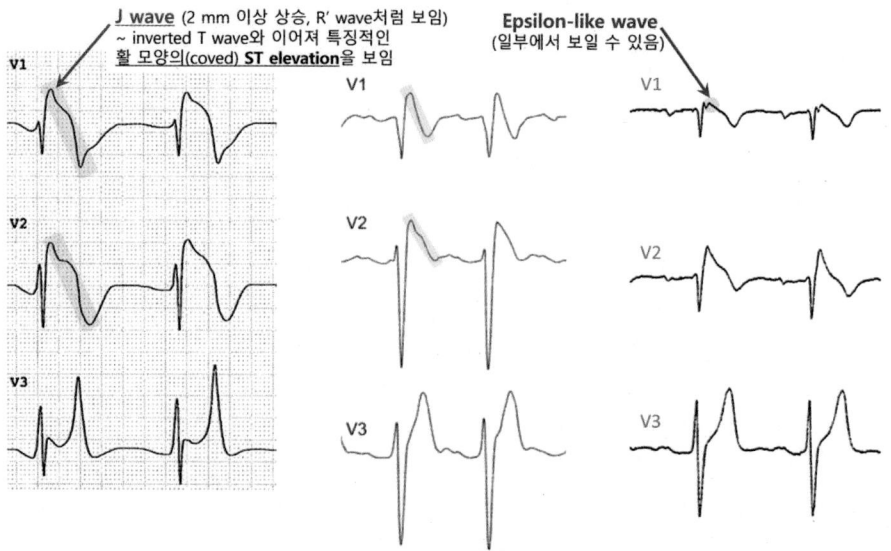

 - Brugada pattern의 유발인자 ; <u>fever</u>, pain, Na-blocker, β-blocker, TCA, lithium, alcohol...
(↳ cardiac arrest or SCD도 유발 가능)

– 비특이적이면 sodium channel blocker (procainamide, flecainide, ajmaline)로 유발검사!
　(but, polymorphic VF 발생 위험이 있으므로 반드시 defibrillator 갖추고 검사)
(c.f., hyperkalemia : 일시적 Na channel 차단에 의해 Brugada-like EKG pattern 가능)
- recurrent VT의 acute Tx ; isoproterenol, quinidine
- ICD가 치료 및 예방에 m/g, 가족들도 EKG screening 필요

c.f.) 유전자 이상이 밝혀진 부정맥 관련 질환(예) ★
① congenital LQTS (long QT syndrome), short QT syndrome
② Brugada syndrome
③ catecholaminergic PMVT (CPVT) ; ryanodine receptor (*RyR2*) gene mutation
④ arrhythmogenic RV dysplasia (ARVD)
⑤ hypertrophic cardiomyopathy

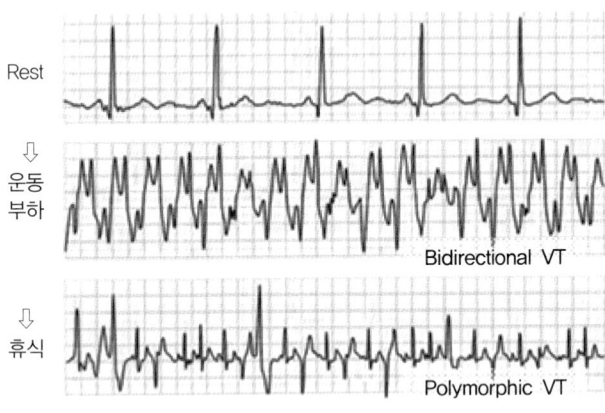

Rest
⇩ 운동 부하
Bidirectional VT
⇩ 휴식
Polymorphic VT

Catecholaminergic PMVT (CPVT)

- 심근 이상으로 세포내 calcium overload
- ryanodine receptor 2 (*RyR2*, AD 유전, 60%) *or* calsequestrin 2 (*CASQ2*, AR) mutation
- 평균 7~9세에 발병 (syncope으로), 남=여
- SCD 위험 (30세 이전에 30% 이상 사망)
- adrenergic drive (e.g., 운동, 스트레스)
　→ 특징적인 bidirectional or PM VT 발생
- Tx : *β -blocker*, CCB, Na-channel blocker (flecainide), ICD (*β* -blocker는 병용)

* adult type ; 40대 여성, SCD 위험 낮음

■ Arrhythmogenic RV dysplasia/cardiomyopathy (ARVD/ARVC)

- 병인 : 심근세포의 desmosomal proteins 및 adherens junction 구성 성분의 mutations
　　　→ apoptosis, fibrogenesis, adipogenesis → impaired RV function & arrhythmogenicity↑
- sporadic (더 흔함) or familial (30% 이상, 대부분 AD 유전)
　- 관련 유전자 ; desmoplakin (ARVD8), plakophilin 2 (*PKP2*, ARVD9), desmoglein-2,
　　　desmocollin-2, transmembrane protein 43 (*TMEM43*, ARVD5), cardiac ryanodine
　　　receptor *RyR2* (ARVD2), TGF-*β*3 (ARVD1) 등
　- Naxos dz. (plakoglobin mutations, AR 유전)
　　: ARVD + palmar-plantar keratosis + 곱슬머리(woolly hair) → 젊을 때 SCD 위험 높음
- 건강해 보이는 소아~성인에서 심실 부정맥의 중요 원인, 남:여 = 2~3:1
- 임상양상 (4 phases)
　① 초기 ; 대개 무증상이나 cardiac arrest or SCD로 처음 나타날 수 있음 (특히 운동선수)
　② 부정맥기 ; 대개 청소년~젊은 성인 때 시작, palpitation, syncope ...
　③ diffuse RV dz. ; 중년 이후 시작, Rt-sided HF로 나타날 수 있음 (LV 기능은 대개 보존)
　④ 말기 ; LV 침범 및 biventricular HF 발생

• EKG 소견
  – sinus rhythm 때 ; lead $V_{1~3}$에서 T-wave inversion & complete/incomplete RBBB,
    Rt. precordial leads (V_1, V_{3R}, V_{4R} 등)에서 delayed RV activation에 의한 QRS widening
    & terminal notching ("epsilon wave"), S-wave prolongation

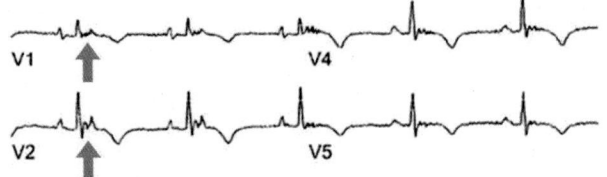

Epsilon wave 및
(QRS 이후의 작은 심전도 파)
V_5까지의 T wave inversion

  – <u>VT</u> 때 (다양한 형태) ; V_1의 <u>LBBB</u> pattern, $V_{1~6}$의 poor R-wave progression이 전형적
    ↳ monomorphic VT
• 영상검사
  – 심초음파 ; RV enlargement, RV wall motion abnormalities, RV apical aneurysm
  – MRI (선호) ; RV의 fatty replacement, RV free wall thinning, fibrosis 증가, WM 이상 등
      (LV 쪽 병변도 흔히 발견됨)
• 조직검사 ; 심근 내 섬유지방세포 침윤(fibrofatty infiltration) → RV free wall (but, 천공 위험)
• 치료 (진행성 질환, 지속적인 VT 발생시 예후 나쁨)
  – 항부정맥제 ; amiodarone, β-blocker, sotalol
  – ICD (m/g) ; 항부정맥제에 반응 없거나 복용 어려울 때 (but, RV 벽이 얇아 천공 위험)
  – catheter ablation ; mappable sustained VT/Vf에서 고려, 진행성 질환이라 완치는 어려움
  – 격렬한 운동 금지, 심부전시 일반적인 심부전 치료, 일부는 교감신경차단술
  – anticoagulation ; AF, 심한 심실 확장, 심실 aneurysm 등 존재시 시행
  – 심장이식 ; 심부전이 심하거나, 심실 부정맥이 도저히 조절되지 않을 때

ARVD 환자에서 SCD의 위험인자
어릴 때 발병, 실신 병력, 심정지 or 혈역학적으로 불안정한 VT의 병력, 좌심실 침범
ARVD2 (*RyR2* mutation ; polymorphic VT, 교감신경자극에 의한 청소년기 심장돌연사)
Naxos disease 환자
QRS dispersion↑ (최대 QRS – 최소 QRS ≥ 40 ms)
S wave upstroke ≥0 ms

5. Ventricular flutter & fibrillation (Vf/VF, 심실조동/세동)

• QRS 군, ST 분절, T 파 등의 구분이 불가능해 짐
  ┌ VF : 크기, 모양, 속도가 다양하고 전반적으로 불규칙한 파형
  └ Vf : 150~300회/분 정도의 규칙적이고 크기가 큰 sine wave 형태 (rapid VT와 구별 어려움)
• 심실 내의 macroreentry가 주된 기전
  ┌ ischemic VF : 대개 R-on-T 현상에 의해 유발된 rapid VT가 VF로 진행
  └ nonischemic VF : 대개 coupled VPC로 시작된 단기간의 rapid VT가 VF로 진행

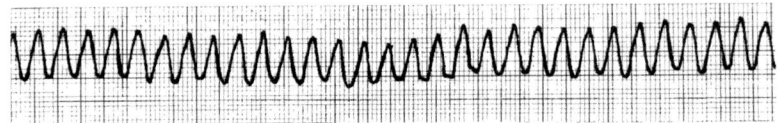

Ventricular flutter (Vf)

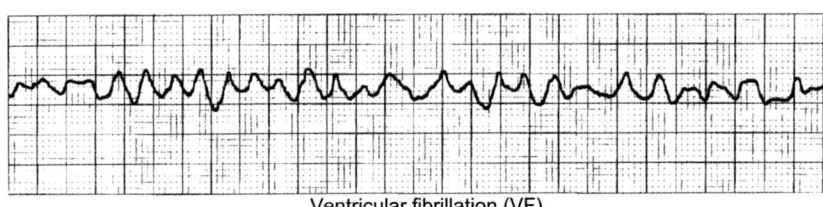

Ventricular fibrillation (VF)

- 원인 ; 허혈성심질환(m/c), 항부정맥제(특히 QT간격↑ & TdP를 일으키는 약물),
  심한 hypoxia or ischemia, 빠른 심실반응을 동반한 WPW + AF, 전기적 충격
- 심박출량이 없는 상태로 급격히 의식이 소실되고, 치료하지 않으면 3~5분 이내에 사망
  (SCD의 약 3/4이 VT or VF 때문)
- 치료 ; 즉시 defibrillation (최소 200 J부터)
- 재발 예방 ; ICD (m/g), amiodarone, catheter ablation 등
- 예후 ; AMI 후 2일 이내에 발생한 primary VF는 예후가 좋으나,
  AMI와 관계없이 발생한 VF는 예후 나쁘다

■ VF or pulseless VT에 의한 cardiac arrest 시의 응급 치료 ★

① defibrillation (200 J, 200~300 J, 360 J) 3회 (충전 중에는 CPR)
  - arrest 발생 5분 이내면 즉시 defibrillation, 5분 이상 지났으면 60~90초간 CPR 먼저 시행
  - CPR (Compression → Airway → Breathing) : 심장마사지 30회 이후 인공호흡 2회
② 실패하면 intubation, CPR 계속, IV line 확보, epinephrine 1 mg IV (or vasopressin 40 U),
  defibrillation 반복
③ 실패하거나 의식이 회복되지 않으면 epinephrine 증량, ABGA 시행
  - NaHCO$_3$는 routine으로는 투여하지 않는다 (지속적인 acidosis가 있으면 1 mEq/kg 투여)
④ VT/VF 지속/재발되면 amiodarone 투여
  - 금기 등으로 amiodarone을 사용하지 못하거나 반응이 없을 때는 lidocaine
  - acute coronary syndrome 초기의 VF 때에도 alternative로 lidocaine 가능
⑤ calcium gluconate는 routine으로는 투여하지 않는다
  (Ix. ; acute hyperkalemia, known hypocalcemia, CCB overdose)
⑥ hypomagnesemia가 의심되거나 TdP가 보이면 magnesium sulfate 투여
  (일부 resistant VF/Vf에도 효과적)

6. VT storm

- external cardioversion/defibrillation or ICD shock 치료가 자주 필요한 VT가 반복되는 것
  (정의상은 24시간 이내에 2번 이상 발생하는 것이지만 대부분 훨씬 자주 발생함)
- long QT interval이 없는 recurrent polymorphic VT → active IHD or fulminant myocarditis
  → IV lidocaine or amiodarone, 즉시 coronary artery 평가 or endomyocardial biopsy 등 고려
- QT prolongation & TdP → QT 연장시키는 원인 교정 & 응급 pacing
- polymorphic VT storm에서는 IV β-blocker 치료도 반드시 고려
- recurrent monomorphic VT → IV lidocaine, procainamide, amiodarone 등의 경험적 투여
  (procainamide와 amiodarone이 효과는 더 좋지만, recurrent or incessant VT 유발 위험)
- 재발 및 항부정맥제의 부작용을 방지하기 위해서는 VT 초기에 catheter ablation도 고려

7. Accelerated idioventricular rhythm (AIVR)

→ 7장 급성 심근경색 편 참조

- slow sustained VT와의 감별이 어려울 수 있음
- AIVR을 시사하는 소견 ; acute infarction or myocarditis에서 발생,
  심박수의 가속(warm-up) 시기 및 주기(cycle-length) 변동 등이 뚜렷
- VT를 시사하는 소견 ; chronic infarction or cardiomyopathy에서 발생, programmed stimulation
  에 의해 유발, 전도가 매우 느린 만성 병적인 심근에 의한 large macroreentrant circuit ...

■ External DC Cardioversion & Defibrillation

■ DC energy
- AF : 200~400 J, Af : 50~100 J
- reentry PSVT : 75~200 J
- VT : 100~400 J (∵ unifocus)
- VF : 200~400 J (∵ multifocus)

■ 적응증
① 혈역학적 장애(e.g, 저혈압)를 동반한 모든 부정맥
  (sinus tachycardia 제외)
② 약물에 의한 동율동 전환(pharmacologic cardioversion)이 실패했을 때

■ 금기
① digitalis 중독 (∵ ventricular arrhythmia 유발 위험)
② repetitive, short-lived tachycardia
③ multifocal atrial tachycardia
④ Large LA & longstanding AF, AF & advanced block
⑤ 갑상선기능항진증
⑥ 가까운 시일내 심장수술 예정인 경우

- cardioversion : QRS와 동기화된 전기충격(countershock)
- defibrillation : 비동기적인 (asynchronously) countershock → VF/Vf 시에만
  (∵ QRS파가 감지되지 않으므로)

■ 이식형 심실 제세동기 (ICD, implanted cardioverter/defibrillator)

(1) 적응증 (class I) ★

① VF or hemodynamically unstable sustained VT로 인한 cardiac arrest에서 생존한 환자 (일시적이거나 교정 가능한 원인이 아닐 때)

② 구조적 심장질환과 관련된 spontaneous sustained VT

③ 원인을 모르는 syncope 환자가 EPS에서 syncope을 동반한 hemodynamically significant sustained VT or VF가 유발됨

④ MI 40일 이후에 LVEF <35% & NYHA functional Class Ⅱ/Ⅲ

⑤ nonischemic dilated cardiomyopathy에서 LVEF <35% & NYHA functional Class Ⅱ/Ⅲ

⑥ MI 40일 이후에 LVEF <30% & NYHA functional Class Ⅰ

⑦ MI 이후 nonsustained VT 환자가 LVEF <40% & EPS에서 VF or sustained VT 유발됨

(2) 효과

① 부정맥의 재발과 SCD 예방

② back-up pacing으로 bradyarrhythmia로 인한 SCD 예방

전도 장애 (Conduction disturbances)

■ 원인

① 운동선수 (→ chronic 1st degree AV block), carotid sinus hypersensitivity, vasovagal syncope

② AMI (특히 inferior), coronary spasm (특히 Rt. coronary artery)

③ 약물 ; digitalis, β-blocker, CCB, adenosine, lithium, 항부정맥제(I, III)

④ 감염 ; endocarditis, viral myocarditis, acute rheumatic fever, infectious mononucleosis, Chagas dz., toxoplasmosis, syphilis, Lyme dz. ...

⑤ 기타 ; SLE, RA, MCTD, scleroderma, sarcoidosis, amyloidosis, hemochromatosis

⑥ 종양/외상 ; mesothelioma, catheter ablation, 판막수술 ...

⑦ 선천성

　┌ 비유전성 ; SLE 산모에서 태어난 아기, 선천성심장병(TGA, ASD, VSD 등)
　└ 유전성 ; Holt-Oram syndrome (AD 유전; 상지형성장애, ASD, AV node의 전도장애)

⑧ degenerative dz.

　┌ Lev's dz. : fibrous cardiac skeleton을 침범
　└ Lenegre's dz. : 전도계(conducting system)를 침범

　- 성인에서 isolated chronic heart block의 m/c 원인

　- 대개 bundle branch block을 동반한 AV block을 일으킴

　- HTN, AS, MS : 전도계의 degeneration을 직접 일으키거나 악화시킴

1. AV Block (방실전도장애)

```
┌ AV node ; 1st, 2nd (type I), 3rd
└ His-Purkinje system ┌ His bundle ; 3rd
                      │ Bundle branches ; 2nd (type II), 3rd (trifascicular)
                      └ Purkinje fibers
```

(1) 1st degree AV block (prolonged AV conduction)

- PR 간격만 연장 (>0.2초), 대개 일정한 크기로
- level of block
  ① AV node → normal (narrow) QRS, PR 간격 ≥0.24초
  ② His-Purkinje system → wide QRS, PR 간격은 상대적으로 정상
  - but, wide QRS는 모든 level의 block에서 나타날 수 있음
- EPS에서만 정확한 block 부위를 알 수 있음
- 대부분 증상이 없고 예후 양호, 성인에서는 특별한 치료 필요 없다

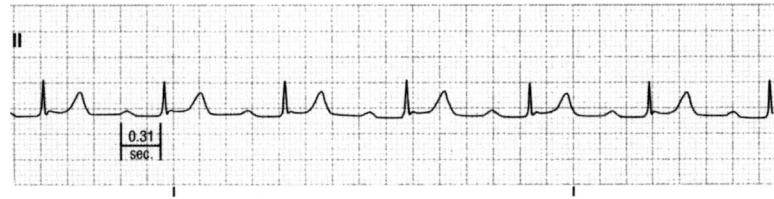

(2) 2nd degree AV block (intermittent AV block)

: 심방자극 (P wave)의 <u>일부가</u> 심실로 전도되지 못하는 것

① Mobitz type I (Wenckebach block)
- PR 간격이 점차 길어지다가.. 심실전도 차단, 정상(narrow) QRS
- 원인 (AV node 장애) ; inf. wall & RV infarct, drugs (digitalis, β-blocker, CCB),
  심장수술, vagal tone이 증가된 정상인 ...
- 심실반응이 충분하고 증상이 없으면 치료할 필요 없다 (chronic heart block으로의 진행 드묾)

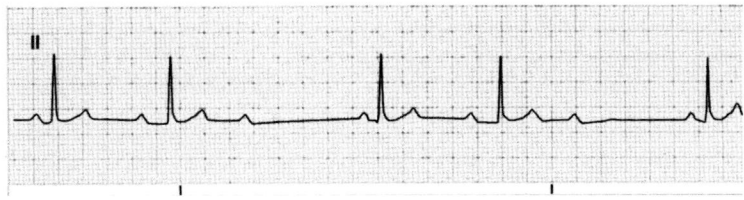

② Mobitz type II
- PR 간격이 일정하다가.. 갑자기 심실전도 차단, wide QRS
  (narrow QRS → intra-His 장애 → complete heart block으로의 진행↑)
- 원인 (His-Purkinje system 장애) ; anteroseptal infarct, 퇴행성 질환
- 2:1 AV block 시에는 Mobitz type I과 감별 어려울 수 있음 → EPS, 다음 표 참조
- advanced (high-grade) AV block : 연속적으로 2개 이상의 P파가 전도 안 되는 것
  (2개 이상의 P파 뒤에 QRS군이 나타남)
- paroxysmal AV block : advanced 2nd or 3rd degree AV block이 갑자기 발생된 것

- type I에 비해 드물고, 예후 나쁨 (complete AV block으로 진행 잘함)
  - → permanent pacemaker 치료 필요

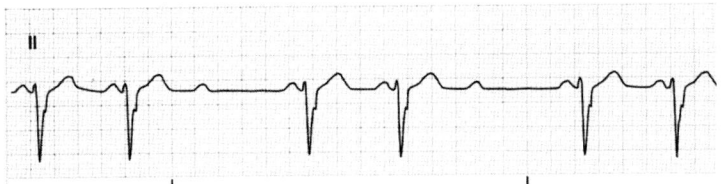

(3) 3rd degree (complete) AV block

- 심방자극(P파)이 전혀 심실로 전도되지 않는 것
- 심방과 심실은 각각 따로 조율 → P파와 QRS는 해리(dissociation)됨
  (PR interval은 파악할 수 없고, RR interval은 대개 동일)
- 심박수(VR)가 40회/분 이하면 complete AV block을 가장 먼저 생각!
- escape rhythm
  ① His bundle의 분지부 상부 (AV nodal block)에서 기원
  - → 정상적인 narrow QRS (idiojunctional rhythm), 매우 규칙적인 리듬

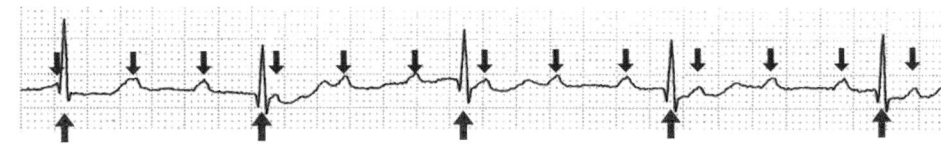

  ② His bundle 이하의 block
  - → idioventricular rhythm (wide QRS, HR <40회/분) → pacemaker (permanent) 필요

- escape focus (block 부위)가 낮을수록 HR가 느려지고, QRS는 넓어지고, 예후는 나쁨
  (→ pacemaker 필요)

Block 부위 ★		AV node	His bundle 이하 (⇨ Pacemaker 필요)
Escape rhythm	Heart rate (bpm)	40~55	<40
	QRS duration	정상(narrow)	Wide
	Stability	대개 stable (asystole 드묾)	흔히 unstable (asystole 증가)
	Atropine, isoproterenol, 운동 등(sinus rate↑)에 대한 반응	Escape rate 증가 (AV node의 전도 향상)	His-Purkinje 전도 악화 (rate 증가 없거나 감소)
	Carotid sinus massage (vagal stimulation)	Escape rate 감소 (AV node의 전도 악화)	Rate 영향 적거나 증가
	전도되는 P wave의 PR interval	>0.3 sec	≤0.16 sec
AMI와의 관련		Inferoposterior	Anteroseptal
Compromised arterial supply		RCA (90%), LCX (10%)	LAD의 septal perforators

* His bundle 이하 block시엔 일부 retrograde conduction도 관찰될 수 있음!

(4) 치료

① 가역적인 원인이 존재하면 교정

② <u>증상</u>이 있는 2nd/3rd AV block ⇨ 바로 pacemaker! (temporary or permanent)

- 증상이 없더라도 HR (escape rhythm) 40회 이하, asystole 3초 이상, LV dysfunction 등이 동반되었으면 pacemaker 치료 (→ 뒤의 pacemaker 부분 참조)
- <u>증상이 없는 3rd AV block</u> ⇨ <u>EPS</u>를 시행해서 치료방침 결정

③ pacemaker 사용 전에 응급으로 사용할 수 있는 drugs

- vagolytic agents (e.g., atropine) : AV node 장애 시에 유용
- catecholamines (e.g., isoproterenol) : 모든 block에 사용 가능
- AMI 환자에서는 isoproterenol 금기 (→ transcutaneous pacing을 선호)

* Stokes-Adams 증후군 : transient asystole or VF

; 의식상실, 실신, 현기증 (→ pacemaker)

2. Intraventricular conduction disturbance

┌ complete : QRS 폭 ≥0.12초
└ incomplete : QRS 폭 0.10~0.12초

• QRS vector는 보통 block된 쪽을 향한다!

(1) Right bundle branch block (RBBB)

① QRS duration ≥0.12초

② V_1에서 rSR' or rsR' (토끼 귀 모양, Rabbit → RBBB)

③ V_6에서 deep, slurred S wave (qRS)

• 원인 ┌ congenital ; ASD 등
       └ acquired ; valvular heart dz., IHD 등

• 구조적 심장질환이 없는 정상인의 경우 LBBB보다 RBBB가 더 흔히 관찰됨

(2) Left bundle branch block (LBBB)

① QRS duration ≥0.12초

② V_1에서 (−) deep, wide QS or rS wave

③ V_6에서 large positive monophasic R wave (or rsR', RsR') (q, S wave 無)

　　　　　　(→ LVH와 혼동될 수)

④ QRS-T discordance ┐→ echo. 시행!
┌ V_1에서 ST elevation (→ AMI와 혼동될 수) ┘
└ V_6에서 ST depression, T wave inversion

- LBBB 환자에서 AMI가 발생한 경우 EKG로 진단이 어려운데, 이 normal QRS-T discordance의 loss시 AMI를 의심할 수 있음

• 원인 ; IHD (특히 좌심실 기능장애 동반시), 고혈압성 심질환, aortic valve dz., cardiomyopathy

• RBBB와 달리 대부분 <u>구조적 심장 질환</u>에서 발생, overt cardiac dz. 발생 위험과 cardiac mortality 높음 (순전히 LBBB만 있는 경우는 예후 좋음) ⇨ LBBB 발견시 <u>심초음파</u> 시행!

(3) Hemiblock (fascicular block)

· hemiblock의 특징

① block된 쪽으로 small Q → R, 안 된 쪽으로 small R → S

② axis deviation이 심하다

③ QRS duration은 정상

	RBBB	LBBB	LAH	LPH
without MI				
with MI				

(LAH: left anterior hemiblock, LPH: left posterior hemiblock)

* RBBB와 LBBB의 감별은 V_1이 가장 좋다; RBBB: (+) deflection, LBBB: (−) deflection

■ AV dissociation

· 심방과 심실이 서로 다른 pacemaker에 의해 독립적으로 조율되는 것 : P와 QRS의 간격이 불규칙

  ┌ complete AV block에서 발생

  └ 일차적인 전도장애 없이 발생 ; isorhythmic AV dissociation, interference AV dissociation

· 전도장애(heart block) 없이 발생하는 경우

(1) isorhythmic AV dissociation

- 심한 sinus bradycardia에 대한 반응으로 AV junctional or ventricular escape rhythm 발생

- 심방R_{rate} (P rate) ≒ 심실R (QRS rate) (complete AV block은 심방R > 심실R)

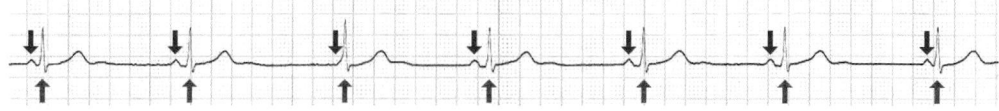

- 치료

① sinus bradycardia의 원인 제거 (e.g., digitalis, β-blocker, CCB)

② sinus node 가속 (→ P rate↑) : vagolytic agents (e.g., isoproterenol, atropine)

③ pacemaker (escape rhythm이 느리고 증상이 있으면)

(2) interference AV dissociation

- lower (junctional or ventricular) pacemaker가 항진되어 정상 sinus rhythm을 초월한 것
- 심방R (P rate) < 심실R (QRS rate)
- 원인 ; VT, myocardial ischemia/infarction, accelerated junctional/ventricular rhythm
    (digitalis intoxication), cardiac surgery ...
- 치료 ; 항부정맥제 및 원인의 교정

심박조율기 (Pacemaker)

1. 개요

(1) temporary pacing

- 대개 int. jugular or subclavian vein을 통해 RV apex에 삽입
- 목적/적응증
  ① permanent pacemaker 사용 전에 임시적으로 필요시
  ② 일시적인 원인(e.g., ischemia, drugs)에 의해 발생한 bradycardia or AV block 치료
  ③ 일시적인 원인에 의해 발생한 TdP의 심박수를 85~100회/분으로 억제할 때
- 부작용
  ① 삽입 부위의 감염 ┐ 2일 이상 pacing wire 유치시 발생위험↑
  ② thromboembolism ┘
  ③ 심장 파열, 기흉
- 응급 상황에서는 transcutaneous ventricular pacing도 사용 가능

(2) permanent pacing의 적응

	class I ★	class IIa
SA node dysfunction (SND)	증상이 있는 서맥 or 증상이 흔한 동정지 증상이 있는 chronotropic incompetence 꼭 필요한 약물로 인해 유발된 증상이 있는 서맥	증상과 서맥과의 관련성이 불확실한 심박수 40회/분 미만의 SND 원인 불명 실신 환자가 EPS에서 심한 SND가 발견 또는 유발된 경우

AV block	3도/고도 AV block 환자가 아래 중 1개 이상을 동반시
	  (a) AV block에 의한 증상(HF 포함) or 심실부정맥
	  (b) 증상이 있는 서맥을 일으키는 약물 치료가 필요시
	  (c) 3초 이상의 asystole 또는 escape rate <40회/분
	  (d) 5초 이상의 동정지를 동반한 무증상 AF
	  (e) AV junction의 catheter ablation 이후
	  (f) 수술 후 발생한 AV block이 호전되지 않을 때
	  (g) 전도계를 침범할 수 있는 신경근육질환
	    (e.g., myotonic dystrophy, Kearns–Sayre synd., Erb dystrophy, peroneal muscular dystrophy)
	증상을 동반한 2도 AV blcok
	무증상의 3도 AV block: 심비대/좌심부전 환자에서 평균 ventricular rate >40회/분 (any block site) or AV node 아래의 block
	운동유발성 2/3도 AV block (ischemia 없을 때)
		무증상의 3도 AV block: 심비대 없는 환자에서 평균 ventricular rate >40회/분
		무증상의 His 이하 부위의 type II AV block (EPS로 발견된)
		Pacemaker syndrome과 비슷한 증상 or 혈역학적 불안정을 보이는 1/2도 AV block
		무증상의 narrow QRS type II 2도 AV block (*isolated RBBB를 포함한 wide QRS 발생시엔 class I 적응이 됨)

만성 Bi- or trifascicular block	Advanced 2도 AV block or 간헐적인 3도 AV block Type II 2도 AV block 교대성 BBB	원인(e.g., AV block, VT)을 찾지 못한 실신 무증상 환자의 EPS상 HV interval ≥100ms EPS상 pacing에 의해 infra-His block 유도
AMI 이후	His 이하 부위의 3도 AV block or 교대성 BBB를 동반한 His 이하 부위의 지속적인 2도 AV block BBB를 동반한 일시적인 2/3도 infranodal AV block 지속적이고 증상이 있는 2/3도 AV block	[class IIb] AV node level의 지속적인 2/3도 AV block (증상에 관계없이)

■ 기타 class I 적응

1. 지속성 pause-dependent VT에서 빈맥 발생 예방을 위해
2. 자동으로 빈맥을 발견/종료시키기 위해 조율하는 pacemaker
   (1) 조율(pacing)에 의해 종료되는 증상이 있는 재발성 SVT (약물과 catheter ablation 실패 후)
   (2) 증상이 있는 재발성 sustained VT에서 automatic defibrillator system의 일부분으로
3. Carotid sinus hypersensitivity & neurocardiogenic syncope
   (1) Carotid sinus 자극에 의해 발생되는 재발성 syncope
   (2) Carotid sinus를 살짝만 압박해도 3초 이상의 asytole 발생시
4. 심장이식 이후 발생한 부적절한 or 지속적 증상을 동반한 서맥이 호전될 기미가 안 보일 때

* class I : 널리 인정되는 적응증 / class II : 논란이 있지만 긍정적인 면이 우세한 적응증

- endocardial leads (subclavian, axillary, cephalic veins 등을 통해 leads를 심장 내에 삽입/고정)
  - atrial pacing → RA appendage
  - ventricular pacing → RV apex
- epicardial leads의 적응 (개흉술 후 leads를 심근외벽에 고정)
  ① 정맥을 통한 삽입이 불가능할 때
  ② 심장수술 등으로 흉부를 절개하였을 때
  ③ endocardial leads를 제대로 위치시키기 어려울 때 (e.g., 혈관 기형)

2. Pacing modes

예) Single-chamber atrial P.

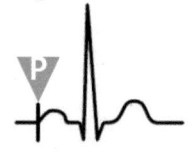

심방에서 자발 P wave를 탐색
하다가(sensing), P wave가
감지되지 않으면 심방에서
전기 자극 발산(pacing)

Single-chamber ventricular P.

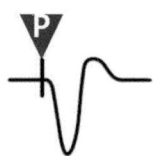

심실에서 자발 QRS wave를 탐색
하다가(sensing), QRS wave가
감지되지 않으면 심실에서
전기 자극 발산(pacing)
→ wide QRS complex

Dual-chamber Pacemaker

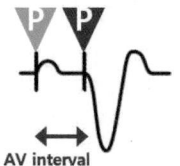

AV interval

심방에서 자발 P wave가 감지되지 않으면
전기 자극 발산 / 설정된(programmed)
PR interval (AV interval) 이후로 심실에서
QRS wave가 감지되지 않으면 심실에서
전기 자극 발산 → wide QRS complex

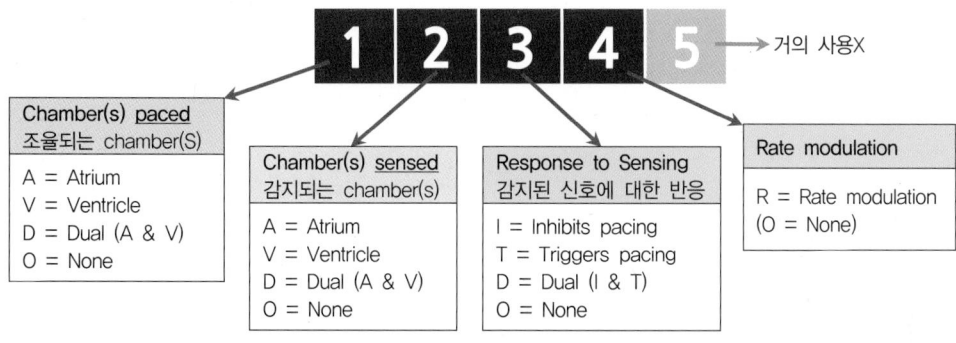

1 2 3 4 5 → 거의 사용X

Chamber(s) paced
조율되는 chamber(S)

A = Atrium
V = Ventricle
D = Dual (A & V)
O = None

Chamber(s) sensed
감지되는 chamber(s)

A = Atrium
V = Ventricle
D = Dual (A & V)
O = None

Response to Sensing
감지된 신호에 대한 반응

I = Inhibits pacing
T = Triggers pacing
D = Dual (I & T)
O = None

Rate modulation

R = Rate modulation
(O = None)

* 가장 흔히 쓰이는 모드 ; VVIR, DDDR
　　(R: 운동 등의 생리적 변화에도 반응하여 HR를 조절, physiologic pacing)

(1) VVI

- 장점 ; 크기가 작고, 간단하며, 저렴하고, 수명이 길다
- 단점 ; AV synchrony를 유지할 수 없어 심박출량 감소, AF 및 embolism의 위험
- 금기 ; pacemaker syndrome을 가진 환자

(2) AAI

┌ AV conduction이 정상인 (e.g., PR <0.24초, 각차단 無, HR 120~140 이상에서 1:1 방실전도)
└ symptomatic sinus node dysfunction (SND) 환자에 사용 가능

　　↳ 드물지만 AV 전도장애를 동반할 수 있으므로, 대개는 DDD(R)를 사용함
　　　　　　　　　　　　　　　　　　⬇

　① 변형 AAIR pacing with backup ventricular pacing : AAIR 모드에서 AV block이
　　　감지되면 DDDR로 자동 전환, AV block이 없으면 다시 AAIR로 자동 전환
　② AV delay management (AVdm) : 불필요한 RV 조율(pacing) 방지를 위해
　　　(∵ RV pacing에 의한 부작용↓, 배터리 수명↑) AV interval의 수동 최적화 or
　　　AV hysteresis 프로그래밍 (자발 심실박동이 감지되면 설정한 값만큼 다음 pacing을 늦춰
　　　자발 박동을 더 오래 기다림 → pacemaker 개입을 최소화하여 자발 박동의 회복 유도)

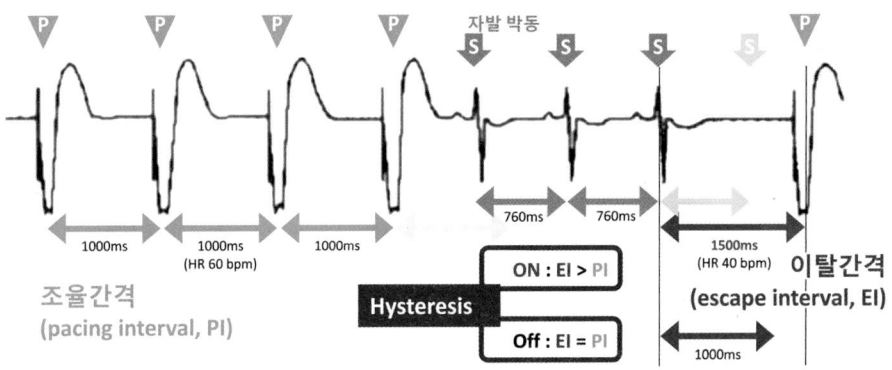

Base rate (pacemaker) = 60 bpm, AV hysteresis rate = 40 bpm

(3) DDD

- 장점 ; AV synchrony를 유지할 수 있으며, 신체생리(혈역학)에 가장 적합
- 단점 ; crosstalk (pacemaker에서 나오는 심방자극이 심실감지기에서 감지되어 심실자극이 억제됨), pacemaker-mediated tachycardia 발생 가능
- 금기
  ① chronic Af or AF
  ② chronotropic incompetence 환자 (→ VVIR or DDDR 모드로)
  ③ retrograde VA conduction을 가진 환자 (∵ pacemaker-mediated tachycardia 발생 위험)
- 간헐적인 atrial tachyarrhythmia 환자는 자동으로 DDI or VVI로 전환되는 기능이 있는 DDD pacemaker를 사용해야 됨

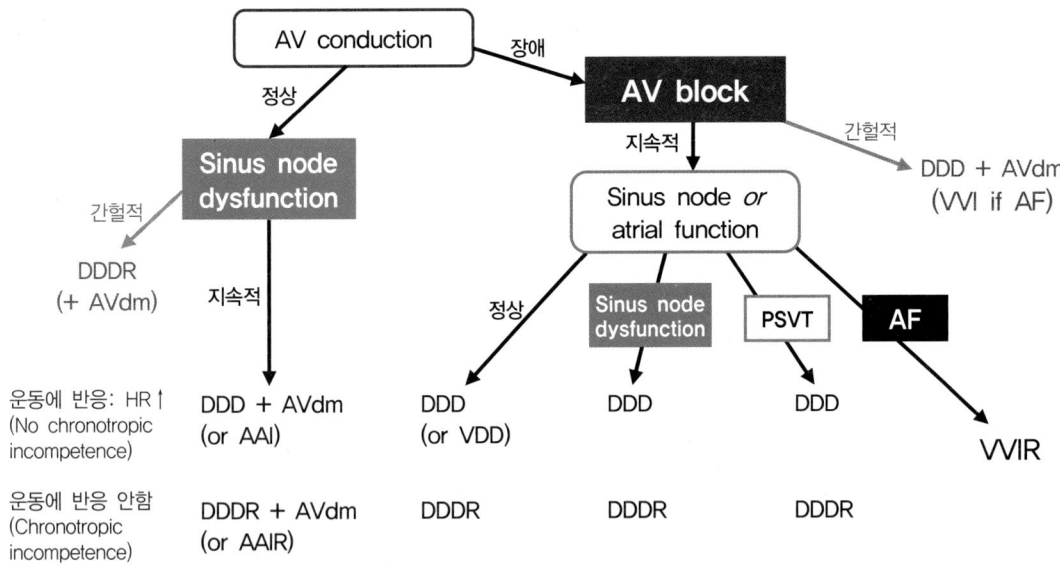

*AVdm (AV delay management) : AV interval 조절 or hyteresis를 통한 불필요한 RV pacing 방지

3. 부작용

(1) Pacemaker syndrome

- <u>VVI</u>, DDD 모드(ventricular pacing)에서 AV synchrony 상실시 발생 가능
- 발생기전
  ① atrium이 ventricular systole에 기여 못함
  ② TV가 닫힌 상태에서 심방이 수축 → vasodepressor reflex (cannon *a* wave에 의해 시작)
  ③ AV valve가 닫힌 상태에서 atrial contraction → systemic & pul. venous regurgitation
- 증상 ; 피곤, 어지러움, 실신, 목과 흉부의 고통스런 박동, JVP↑, CHF, BP↓
- 대책
  ① dual-chamber pacing (DDD)으로 바꿈 (AV conduction이 정상이면 AAI)
  ② ventricular demand pacemaker 사용자의 경우 escape rate를 paced rate보다 15~20 bpm 느리게 reprogramming (i.e., <u>hysteresis</u>)

(2) Pacemaker-mediated tachycardia

- <u>DDD</u> 모드에서 발생 가능
- 발생기전 ; 심실의 조기 수축 or 조율(pacing)된 심실의 자극이 역전도(retrograde conduction) 되어 심방을 depolarization 시킴 (negative P wave)
  → pacemaker에서 감지되어 다시 심실을 자극
  → endless-loop tachycardia 발생
- 대책
  ① retrograde VA 전도를 일시적으로 차단할 수 있는 vagal maneuver
  ② 자석을 갖다 대어 일시적으로 pacemaker의 tracking을 마비시킴
  ③ 심방의 불응기를 길게 reprogram 또는 DVI, VVI 모드로 바꿈

(3) Leads 이탈

: 맥발생기(pulse generator)가 흉벽의 피하 주머니 내에서 움직여서 유도(leads)가 이탈된 것

Twiddler syndrome	Reel syndrome	Ratchet syndrome
맥발생기가 수직으로 회전해서 유도선들이 꼬이며 빠진 것	맥발생기가 수평으로 회전하며 유도선들이 휘감겨 빠진 것	맥발생기가 한번 회전하고 꺾여 유도선들이 빠진 것

전기생리학적검사 (electrophysiologic study, EPS)

1. 이용

① 부정맥의 진단과 electrophysiologic mechanism 파악

② tachycardia의 치료 (electrical stimulation or electroshock),
myocardial ablation으로 further tachycardia 발생 예방

③ 치료의 효과 판정

④ 급사 위험이 높은 환자의 발견

2. 전극카테터의 위치

① HRA (high RA) : 우심방 상부 (SVC와 RA의 경계부)

② HIS or HBE (His bundle electrogram) : 삼첨판고리 전중격부

③ RVA (RV apex) : 우심실 첨부

④ CS (coronary sinus) : 좌측 심장의 AV groove

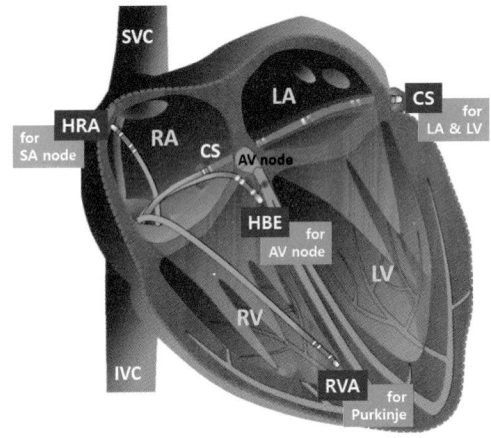 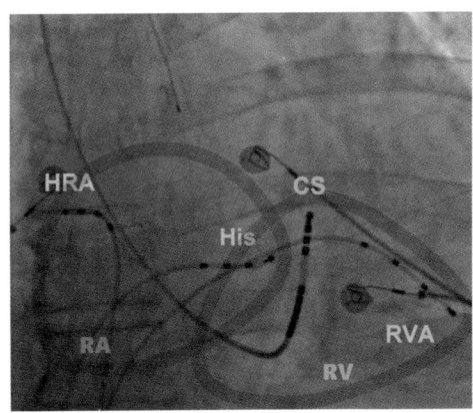

3. 활용 예

(1) AV block

- atrial-His (AH) interval (정상 : 60~125 ms) - AV node의 conduction time을 반영
- AV block 환자에서 EPS (intracardiac ECG recording)의 적응증 ★
  (증상이 있는 2/3-degree AV block 환자는 바로 pacemaker로 치료하므로 필요 없고,
  아래 4그룹의 환자들에서 pacemaker 삽입 여부 결정위해 필요)

  ① AV block이 없고 BBB or bifascicular block을 보이는 syncope 환자
  - HV interval 연장시 (>100 ms) → permanent pacemaker
  - 다른 원인 확인위해 심방/심실을 포함한 완전한 EPS 시행

② 2:1 AV conduction 환자

 - ECG에서는 Mobitz type I (intranodal), II (infranodal)의 전형적인 소견을 감별하기 어려우므로 전도장애의 부위를 파악하기 위해 EPS 시행
 - infranodal (infra- or intra-His bundle) block의 소견 (→ pacemaker 치료)

> conducted P wave의 PR interval ≤0.16 s
> atropine or exercise에 대한 반응 : 악화
> carotid sinus massage에 대한 반응 : 호전
> retrograde conduction 존재

③ BBB를 동반한 Wenckebach (Mobitz type I) block 환자

 : PR interval의 최대 변화가 50 ms 이하일 때 intra- or infra-His block 시사 → pacemaker

④ 증상이 없는 3rd-degree (complete) AV block 환자

 - junctional pacemaker의 stability를 평가
 - exercise/atropine/isoproterenol 등에 대한 반응이 안 좋거나, ventricular pacing에 의해 junctional recovery time이 연장되면 ⇨ pacemaker 치료!

(2) intraventricular conduction disturbance

- His-ventricular (HV) interval (정상 : 35~55 ms)
 - His-Purkinje system의 conduction time을 반영
 - complete AV block 발생 예측에 high specificity (80%), low sensitivity (66%)
- long HV interval (>55 ms) → trifascicular block 발생 위험↑, 구조적 질환 존재↑, 사망률↑
- very long HV interval (>80~90 ms) → AV block 발생 위험 증가
- 적응증 ; 증상(syncope)이 bradyarrhythmia나 tachyarrhythmia와 관련이 있어 보이지만 원인이 밝혀지지 않은 환자 (→ 실제 원인은 AV block 보다 심실 tachyarrhythmia인 경우가 많다)

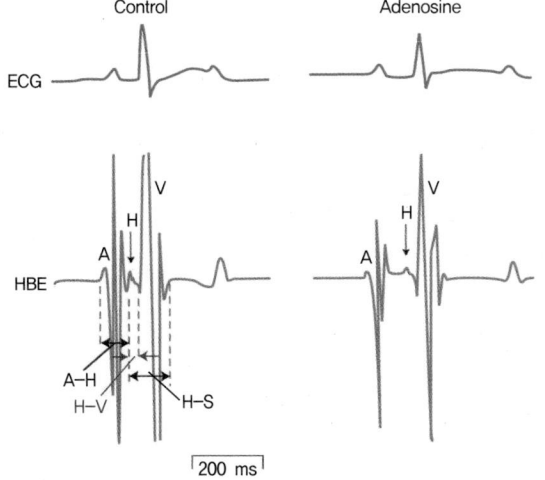

< EPS의 예 >

정상 및 adenosine 투여 후 HBE
 (His-bundle electrogram)

A : atrial deflection
H : His-bundle spike
V : ventricular deflection
A-H (atrial-His) interval
H-V (His-ventricular) interval
H-S : total ventricular conduction time

* adenosine 투여 후에 A-H interval이
  연장된 것이 관찰됨

* PR interval = A-H + H-V

(3) sinus node dysfunction

- 예 ; slow sinus rate, sinus pause (arrest), sinoatrial block 등
- 적응증 ; SA node dysfunction 증상이 있지만, EKG (24hr)에서 arrhythmia가 발견되지 않을 때
- SNRT (sinus node recovery time) ⇧ : overdrive atrial pacing (suppression) 후
  정상 sinus rhythm을 회복하기까지의 시간 (pause) [정상 <1500 msec]
  - secondary pause : pacing 후 처음에는 normal sinus cycle이 나타나고, 이후에 secondary
    pause가 발생하는 것 → sinoatrial exit block에서 호발
- cSNRT (corrected SNRT) ⇧ = SNRT − intrinsic sinus cycle length (msec) [정상 <525 msec]
  - spontaneous sinus rate가 SNRT에 영향을 미치므로
  - intrinsic sinus cycle length = 60000/HR
  * SSS의 경우 대개 SNRT ≥2000 msec, cSNRT ≥1000 msec
- SACT (sinoatrial conduction time) ⇧ [정상 45~125 msec]
  - SACT와 SNRT 각각은 sensitivity 약 50%
  - SACT + SNRT 측정시 sensitivity 65%, specificity 88%
- IHR (intrinsic heart rate) ⇩ [정상 IHR = 118.1 − (0.57×age)]
  - autonomic blockade (atropine + β−blocker) 뒤 HR 측정
  - asymptomatic sinus bradycardia 환자의 분류에 이용
    - primary sinus node dysfunction : IHR 감소
    - autonomic imbalance : IHR 정상
- SA node dysfunction은 다른 장애(e.g., AV 전도장애)도 동반되어 있는 경우가 흔하므로
  해석에 주의가 필요함

(4) tachycardia

- EKG에서 aberrant conduction을 동반한 SVT와 VT가 감별이 어려울 때 도움
  - SVT : HV interval이 정상 (normal sinus rhythm 때와 동일) or 증가
  - VT : HV interval 감소 or His deflection이 not clear
    - VT에서 HV interval이 일관되게 감소된 경우
      ① ventricle−origin activation에 의한 His bundle의 retrograde conduction (e.g., PVC, VT)
      ② accessory pathway를 통한 conduction (preexcitation syndromes)
    - VT에서 HV interval이 정상 or 약간 증가된 경우 (유일)
      ; bundle branch reentry (His activation은 retrograde direction)
- 적응증
  ① symptomatic, recurrent, or drug−resistant SVT or VT 환자에서 치료 방법 선택을 위해
  ② tachyarrhythmia가 드물게 발생하는 환자에서 정확한 진단을 위해
  ③ wide QRS tachycardia에서 aberrant conduction을 동반한 SVT와 VT의 감별
  ④ 비약물적 치료 예정시 (e.g., electrial devices, catheter ablation, 수술)
  ⑤ cardiac arrest 이후에 생존한 환자의 평가
  ⑥ prior MI 환자에서 sustained VT 발생 위험 평가
  - long QT syndrome과 TdP는 적응이 아님

4. 합병증

① stroke, systemic embolization, MI 등의 발생 위험은 거의 없음
   (∵ EPS는 대부분 정맥을 통하여 우측 심장에서 시행)
② 심근천공(cardiac tamponade), 동맥을 이용한 경우 pseudoaneurysm, nonclinical arrhythmia 유발
   (각각 0.2% 미만)
③ therapeutic maneuvers (e.g., ablation) 추가시엔 합병증 발생 증가
   • 약 1~3%에서 major complication 발생, 시술관련 사망률은 0.2%
   • 발생위험↑ ; EF <35%, multiple ablation targets

항부정맥제 (antiarrhythmic agents)

1. 분류 (Vaughn-Williams)

Class I	Local anesthetic or membrane-stabilizing activity
	: fast-response action potential을 가지는 조직의 inward <u>Na$^+$ current를 block</u>하여 depolarization phase의 maximal velocity (V_{max})를 감소시키고 심장 내 전도를 느리게함
	  A. ↓ V_{max} & ↑ 불응기(action potential duration)
	    – Ix ; SVT, VT/VF, symptomatic VPC의 예방
	    – 예 ; Quinidine, Procainamide, Disopyramide, Ajmaline
	  B. ↓ 불응기(action potential duration)
	    – Ix ; VT/Vf, symptomatic VPC의 예방
	    – 예 ; Lidocaine, Phenytoin, Tocainide, Mexiletine
	  C. ↓↓ V_{max}
	    – Ix ; life-threatening VT or VF, refractory SVT
	    – 예 ; Flecainide, Encainide, Propafenone, Moricizine, Pilsicainide

Class II	β-blockers : SA node의 automaticity↓, AV node의 불응기↑ & 전도속도↓
	(상심실성 빈맥 및 교감신경계 항진에 의한 부정맥에 유용)
	    – Ix ; SVT/VF의 예방
	    – 예 ; Propranolol, Esmolol, Nadolol, Acebutolol

Class III	Fast-response action potential을 가지는 조직의 outward <u>K$^+$ current를 block</u>하여 repolarization phase를 지연시켜 action potential duration (불응기) 연장
	    – Ix ; Aiodarone: refractory VT, SVT/VT, VF 예방; Sotalol: VT; Bretylium: VF, VT
	    – 예 ; <u>Amiodarone</u>, Dronedarone, Bretylium, Sotalol, ibutilide, Dofetilide, Almokalant

Class IV	Slow CCB : slow-response action potential을 가지는 조직의 전도속도 감소 & 불응기 증가
	    – Ix ; SVT
	    – 예 ; Verapamil, Diltiazem만 항부정맥제로 쓰임

Class V	분류 안 되는 것
	    – Ix ; SVT 등
	    – 예 ; Digoxin, Adenosine

• 작용 부위에 따라 크게 두 범주로 나눌 수 있음
   (1) <u>AV node</u> blocking drugs : 칼슘전류에 의존적인 AV node에 주로 작용
      ⇨ class Ⅱ, class Ⅳ, adenosine, digoxin
         (c.f., amiodarone은 class Ⅲ이지만 AV node의 전방향 전도에도 영향을 미침)

(2) membrane-active antiarrhythmic drugs : 빠르게 반응하는 조직에 주로 작용
  (심방, 심실근, accessory pathway 등의 전도에 고루 영향)
    ⇨ class Ⅰ, class Ⅲ
• but, 대부분의 항부정맥제는 다양한 작용 기전을 가지고 있음

2. 부작용

	Proarrhythmic Cx	Nonarrhythmic Cx
Quinidine	Long QT & TdP, Af에서 1:1 심실반응, 구조적심장질환자에서 일부 심실빈맥↑	설사, N/V, cinchonism, 혈소판감소
Procainamide		Lupus 양상, A/N, neutropenia
Disopyramide		항콜린작용, 심근수축력↓
Lidocaine	Sinus node depression, His-Purkinje block	Dose-related CNS toxicity ; 어지러움, 혼돈, 섬망, 경련, 혼수
Mexiletine	부정맥 악화, 서맥, 저혈압 (드묾)	떨림, 말더듬, 어지러움, 감각이상, 복시, 안구진탕, 혼돈, 불안, N/V
Flecainide	Af에서 1:1 심실반응, 구조적심장질환자 에서 일부 심실빈맥↑, 동성 서맥	어지러움, 구역, 두통, 심근수축력↓
Propafenone		미각이상, 소화불량, N/V
Amiodarone*	동성 서맥, AV block, defibrillation의 불응기↑, 드물게 TdP	떨림, 말초신경병증, 폐독성, 간독성, 갑상선이상(hypo/hyperthyroidism)
Sotalol	Long QT & TdP, 동성 서맥	저혈압, 기관지수축
Dofetilide, Ibutilide	Long QT & TdP	구역
Digoxin	고도 AV block, 가속접합부율동, 심방빈맥	A/N/V, 색각이상(yellow vision)
Adenosine	모든 부정맥 발생 가능하나 비교적 안전	기침, 홍조, 호흡곤란, 저혈압

- bretylium, sotalol, dofetilide, procainamide, disopyramide, flecainide 등은 신장으로 배설되므로, 신기능 장애시 용량↓

*Amiodarone
- Ix ; 다양한 supraventricular & ventricular tachyarrhythmia (e.g., PSVT, AF/Af, VT, VF)
- cardiac arrest에서 defibrillation으로 VT/Vf가 종료되지 않을 때에도 사용 (lidocaine보다 권장됨)
- 동율동 유지에 가장 효과적인 편
- 부작용이 많음!
 (1) hepatotoxicity (15%) → 소화기내과 Ⅱ-3장 참조
 (2) hyperthyroidism (1~2%), hypothyroidism (2~4%) → 내분비내과 4장 참조
 (3) pulmonary toxicity (<3%) : 심장 외 부작용 중 가장 심각
   - 위험인자 ; 고령, 고용량, 투여전 diffusing capacity (DL$_{CO}$)↓
      (투여기간과는 관계가 적은 편이며, 드물지만 저용량에서도 발생 가능함)
   - 임상양상 ; 호흡곤란, 마른기침, 발열 등 / PFT는 restrictive pattern, diffusing capacity↓
   - 기전 ; hypersensitivity reaction, widespread phospholipidosis
   - 폐 독성이 의심되면 즉시 amiodarone 중단 (사망률 10%)
   - 투여 전 PFT, CXR 시행 → 첫 1년은 3개월 마다, 이후에는 6개월 마다 F/U
 (4) 임신 중 안전성은 모름, 다른 대체약물이 없을 때에만 사용 가능

*Dronedarone
- noniodinated derivative of amiodarone, amiodarone과 비슷하지만 rapid sodium current를 더 강력히 억제함
- Ix ; AF/Af의 동율동 전환 및 유지
- 부작용
 (1) 심부전 악화 (→ NYHA class Ⅲ or Ⅳ 환자는 금기), QT 연장 (부정맥 유발은 드묾)
 (2) GI intolerance (e.g., nausea, diarrhea)
 (3) iodine이 없으므로 amiodarone보다 폐 및 갑상선 부작용은 적음
 (4) 임신부엔 금기(pregnancy category X)

3 심부전

- 심부전 : 여러 원인에 의한 심장구조/기능의 이상으로 전신 조직에서 필요한 만큼의 충분한 혈류를 공급하지 못하는 병태생리학적인 상태
  (과거에는 대부분 부종을 동반하므로 울혈성 심부전[congestive HF, CHF]이라 하였으나,
  이뇨제등의 발달로 울혈을 동반하지 않는 경우가 많으므로 그냥 심부전으로 부름)
- 유병률 약 1.6% (연령에 따라 급격히 증가, 70세 이상의 6~10%), 고령화와 의료발달로 증가 추세
- 남늑여 (우리나라: 남<여) ⋯ 여성의 수명이 길기 때문

- Cardiac output (C.O) = stroke volume (SV) × heart rate (HR)

  * <u>stroke volume의 결정인자</u>
  ① myocardial contractility
  ② preload ; 확장기말 심실용적(VEDV)
  ③ afterload ; 수축기동안 심실벽에 발생되는 긴장(systolic wall stress)
  $$= \frac{심실내압력 \times 심실크기(직경)}{2 \times 심실벽두께} \quad \text{(LaPlace's law)}$$

  - 임상에서 afterload의 예측에는 수축기 동맥압이 유용
  - afterload가 증가된 경우 CO 감소 또는 혈압의 상승을 의미

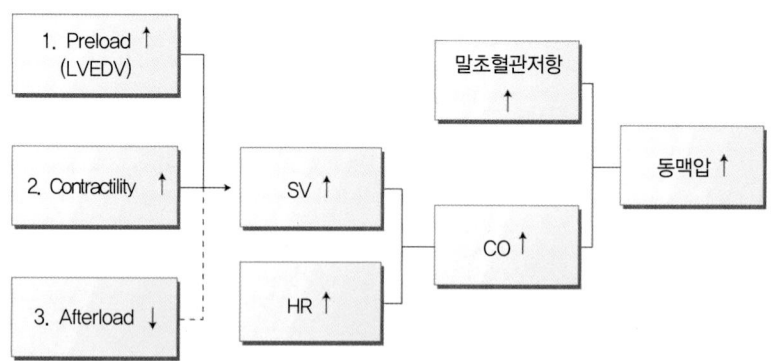

■ 참고: 좌심실의 작업곡선 (pressure-volume curve/loop/cycle)

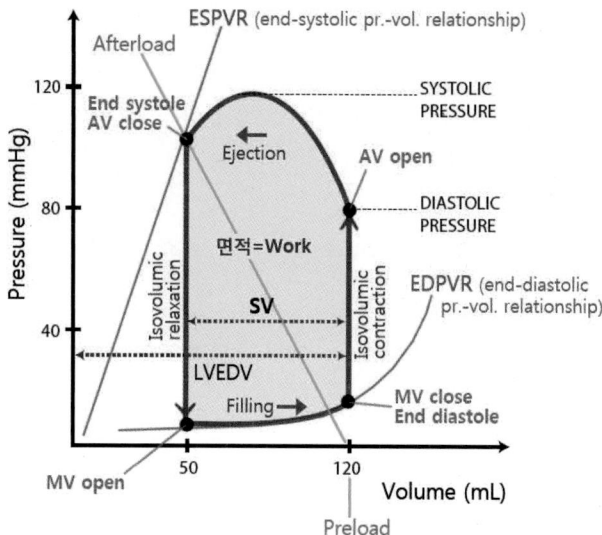

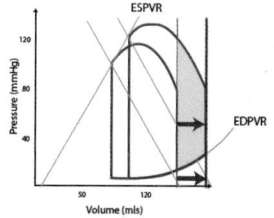

Preload 증가
EDPVR 곡선이 오른쪽으로 이동
LVEDV↑, SV↑
예) distensibility↑

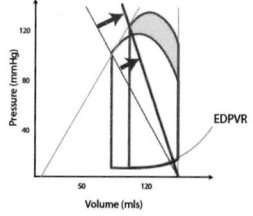

Afterload 증가
작업곡선이 위쪽으로 늘어남
LVESV↑, SV↓, BP↑
예) AS, HTN

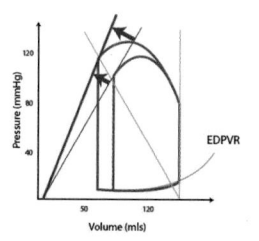

Contractility 증가
ESPVR 곡선의 기울기 증가
SV↑, BP↑
예) inotropic agents

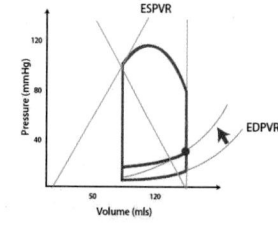

Stiffness 증가
EDPVR 곡선 상승
LVEDP↑, SV은 유지
예) cardiac tamponade,
constrictive pericarditis

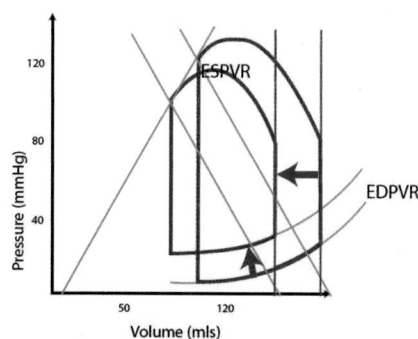

★ *Diastolic* heart failure
LVH에 의한 stiffness↑ (elastance↑, compliance↓)
→ EDPVR 곡선 좌상향 (LVEDP↑)
Preload 감소, EF는 유지되는 편

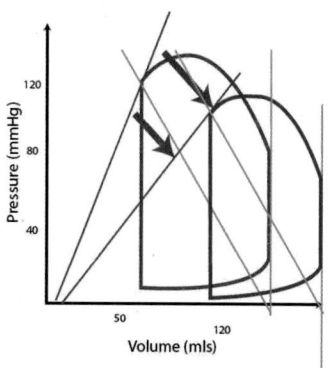

Systolic heart failure
Contractility감소가 주 기전 ⇨ ESPVR 곡선 우하향
→ preload를 증가시키는 보상기전 작동
Systolic & diastolic BP↓, EF↓

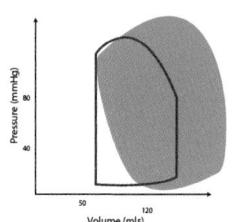
Aortic regurgitation
isovolaemic relaxation 상실

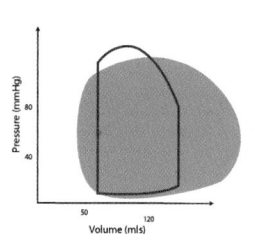
Mitral regurgitation
isovolaemic contraction 상실

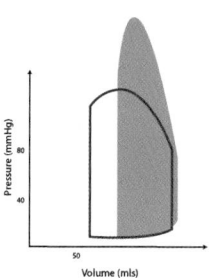
Aortic stenosis
afterload 증가

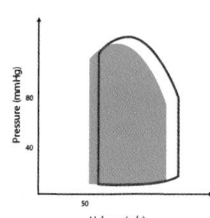
Mitral Stenosis
LV filling 장애→preload ↓

- 심부전의 원인/병인

Systolic dysfunction (수축 장애) → EF 감소	허혈성 심근손상 or 기능장애 ; CAD, hypoperfusion (shock) 만성 압력 과부하 ; HTN, obstructive valve dz. 만성 용적 과부하 ; regurgitant valve dz., 심장내 L-to-R shunt, 심장외 shunt 비허혈성 확장심근병증 ; familial/genetic, toxin/drug, infection, infiltration 등
Diastolic dysfunction (이완 장애) ; restricted filling, stiffness ↑ → EF 정상/보존★	병적 심근비후 ; primary (HCM), 2ndary (HTN) 노화, 허혈, 섬유화 제한심근병증 ; infiltration (e.g., amyloidosis, sarcoidosis), storage dz. 등 Endomyocardial disorders
기계적 이상	심장내 ; valve dz., 심장내 shunt, 기타 선천성 질환 심장외 ; 폐쇄성(e.g., coarctation, supravalvular AS), L-to-R shunt (PDA)
Rate & rhythm의 장애	서맥성 부정맥 ; sinus node dysfunction, 전도 장애 등 빈맥성 부정맥 ; ineffective rhythm, chronic tachycardia 등
Pulmonary heart dz.	Cor pulmonale, 폐혈관질환 등
High-output states	대사성 ; thyrotoxicosis, beriberi 등 과도한 혈류 요구 ; chronic anemia, systemic AV shunt 등

- Myocardial failure (m/c) ; ischemic heart diseases
- Afterload의 증가 ; acute hypertensive crisis, severe pul. embolism ...
- Preload의 감소 ; severe MS, severe TS, HCM, 제한심근병증, constrictive pericarditis ...

* 원인 질환 : 거의 모든 심장질환에서 발생할 수 있음 (HTN은 75%에서 동반됨)
  ① 허혈성심질환/관상동맥질환 (m/c, 60~75%)
  ② 심근병증 (2nd m/c)
  ③ 기타 ; 고혈압성, 판막성, 선천성 심질환

- 만성 심부전의 악화(acute decompensation) 원인

치료의 중단, 과도한 활동, 무분별한 식사, 음주, 고지대
약물(cardiac depressant) ; CCB, β-blocker, 항부정맥제, doxorubicin, cyclophosphamide, anti-TNF Ab ...
수분/염분저류(e.g., estrogen, androgen, steroid, NSAIDs), Volume overload (e.g., 수혈, 수액 투여)
감염, 발열, 빈혈, 갑상선중독증, 임신
부정맥, 감염성 심내막염, 심근염
HTN의 악화, MR/TR의 악화
심근 허혈/경색
폐색전증 (→ pulmonary HTN)

* arrhythmia가 HF를 유발하는 기전
  ① tachyarrhythmia → ventricular filling time ↓ → diastolic HF
     (IHD 환자에서는 ischemic myocardial dysfunction도 유발)
  ② AV dissociation → atrial pump 기능 (atrial kick) 소실 → atrial pr. ↑
  ③ abnormal intraventricular contraction → 심실 수축의 부조화
  ④ HR 감소(e.g., complete AV block, 심한 서맥) → CO ↓

심부전의 보상기전(병태생리)

- 보상기전 자체가 심부전을 더욱 악화시킬 수 있음
- 긍정적인 면과 부정적인 면이 공존
  ┌ 초기에는 긍정적인 면이 우세하여 CO 유지에 도움 (→ 증상 발생 지연)
  └ 말기에는(심근수축력이 더욱 감소하면) 부정적인 면이 우세해짐

1. Frank-Starling mechanism

- preload (VEDV)가 증가할수록 심근의 수축력은 증가됨 (→ CO↑)
- 초기에는 salt & water retention 등으로 preload를 증가시켜 CO를 유지하지만,
  진행되면 폐울혈 및 전신부종 등의 증상을 일으킴

c.f.) preload에 영향을 미치는 인자
  ① total blood volume
  ② blood volume의 distribution ; body position, intrathoracic pressure, intrapericardial pressure,
     venous tone, skeletal muslce의 pumping action
  ③ atrial contraction

2. Compensatory hypertrophy (ventricular remodeling)

  ① eccentric hypertrophy (심장확대) → systolic failure
    - volume overload에 의해 발생 (e.g., valvular regurgitation)
    - wall thickness/ventricular cavity size ratio 변화 없음
  ② concentric hypertrophy (심장비대) → diastolic failure
    - pressure overload에 의해 발생 (e.g., AS, untreated HTN)
    - wall thickness/ventricular cavity size ratio 증가
  ③ hypertrophy & dilatation : MI 뒤 경색 부위는 압력에 의해 늘어나고(stretching), 비경색 부위는
     pressure & volume overload에 의해 hypertrophy가 발생되는 형태
  - 초기에는 심근의 양을 증가시켜 각 심근세포의 부담(wall stress)을 감소시킴
  - hypertrophy가 부족하면, 심실이 확장되어 wall stress는 더욱 증가되는 악순환에 빠지게되고, 또한
    심한 hypertrophy는 ventricular filling을 어렵게 하며 myocardial ischemia도 일으킬 수 있음

■ Ventricular Remodeling

- 심장 손상 and/or 비정상적인 혈역학 부하에 의해 LV mass, volume, shape, composition 등이 변하는 것 → 심장의 모양이 <u>구형</u>으로 변하고 (LVEDV↑), 심실벽이 <u>얇아짐</u>(wall thinning)
- LV dilation
  (1) afterload 증가 → functional afterload mismatch → stroke volume↓에 기여
  (2) papillary muscles tethering → functional MR → 혈역학 부하 더욱 증가
- end-diastolic wall stress↑
  (1) subendocardial hypoperfusion → LV function 악화
  (2) oxidative stress↑ → free radical generation-sensitive genes 활성화↑ (e.g., TNF, IL-1β)
  (3) stretch-activated genes 지속적 활성화 (e.g., angiotensin II, endothelin, TNF) and/or hypertrophic signaling pathways의 stretch 활성화
- myocyte biology의 변화 ; hypertrophy, myocytolysis, β-adrenergic desensitization, <u>excitation-contraction coupling</u>, myosin heavy chain gene expression, cytoskeletal proteins
  ↳ Ca^{2+} (심근 수축/이완의 중심 조절자) cycling proteins ; ryanodine receptor 2 (RyR2), L-type Ca^{2+} channel, sarcoplasmic/endoplasmic reticulum Ca^{2+} ATPase 2a (SERCA2a), phospholamban complex 등 → 기능 or 유전자발현 이상 → 심근수축 장애
- remodeling은 심장간질의 변화도 동반함(→ myofibrils 방향 변화, progressive fibrosis)
  ⇨ ejection 효율↓ (forward CO↓) ; 특히 transmural MI에서 현저하게 발생

3. 혈류의 Redistribution

⌈ vital organ (뇌, 심장 등)으로 blood flow를 더 많이 가게 함
⌊ non-vital organ (근육, 피부, 신장 등)으로의 blood flow는 감소
- 중요한 보상기전으로 작용 / 초기에는 운동시에만 뚜렷하지만, 진행되면 평상시에도 나타남
- 수분 축적 (신혈류↓), 미열 (피부혈류↓), 피로 (근혈류↓)
- adrenergic-induced vasoconstriction 때문
  (but, vasoconstriction에 의해 afterload가 증가되면 CO은 더욱 감소 가능)

4. 신경호르몬 및 cytokines의 변화

① 교감신경계의 활성화 : <u>혈중</u> norepinephrine (NE) ↑↑
- 초기에는 HR와 심실수축력을 증가시켜 CO↑
- 말기에는 afterload↑ (말초혈관저항↑), 부정맥, 직접적인 심독성(에너지 소비 증가와 Ca^{2+} overload에 의한 심근세포의 손상↑) 등을 일으킴
- 혈중 NE 농도가 높을수록 예후는 나쁘다!
- chronic severe HF에서는 myocardial β-receptors와 cardiac NE stores는 감소됨
  - 일반적으로 β_1-receptor가 down-regulation되며, β_2-receptor는 큰 변화 없음
  - β-adrenergic receptor kinase 1 (βARK1 = G protein-coupled receptor kinase 2 [GRK2]) 발현은 증가됨 → β_1- & β_2-receptors desensitization에 모두 기여

② renin-angiotensin-aldosterone (RAA) system의 활성화

$\Big[$ angiotensin Ⅱ ↑ → vasoconstriction

$\Big[$ aldosterone ↑ → Na^+ retention, edema 악화, 교감신경계 활성화,

　　　　　심근/혈관/혈관주위 섬유화, arterial compliance ↓

- 국소 심근조직 내에서도 항진되어 angiotensin Ⅱ는 직접 심장독성을 일으킴

  (→ cardiac hypertrophy ↑ & ventricular remodeling)

③ arginine vasopressin (AVP, ADH) ↑ : 강력한 vasoconstrictor, 신장에서 free water 재흡수 ↑

④ endothelin & TNF-α

- endothelin ↑ (매우 강력한 vasoconstrictor) → afterload ↑↑
- 혈중 & 심근내 TNF-α ↑ → 심실 기능장애를 일으킴
- endothelin or TNF-α antagonists → LV 기능↑ (but, 예후 향상은 없음)

⑤ vasodilator peptides ↑

- ANP (atrial natriuretic peptide), BNP (brain natriuretic peptide) 등이 대표적
- 작용 ; sodium 배설↑ (소변양↑), 혈관저항↓, renin-angiotensin 분비↓
- 다른 신경호르몬 활성화에 의한 sodium 저류와 혈관수축을 완화하는 유리한 작용을 하지만 효과는 부족함
- 혈중 ANP, 특히 BNP의 상승은 나쁜 예후와 관련

Vasodilators	Vasoconstrictors
ANP, BNP	Endothelin 1
Bradykinin	Renin, angiotensin Ⅱ
Nitric oxide (formerly EDRF)	Thromboxane A_2
Prostaglandins (PGE_2, PGI_2), Prostacyclin	Vasopressin (AVP, ADH)
Eicosanoids, Kinins, Adenosine	Oxygen-free radicals
EDHF (endothelium-derived hyperpolarizing factor)	Neuropeptide Y, Urotensin Ⅱ

심부전의 형태

* 심부전의 형태를 구분하는 것은 임상적으로 (특히 초기에) 유용하나, 말기로 갈수록 구분은 사라짐

1. Systolic v/s Diastolic HF

(1) Systolic HF (= HF with reduced EF, HFrEF)

- 정상적으로 수축하여 충분한 혈액을 내보내지 못하는 것 (CO↓) : EF <40%

  → weakness, fatigue, exercise tolerance 감소, 기타 hypoperfusion의 증상
- arterial-mixed venous oxygen difference 증가
- 예 ; acute massive MI (cardiogenic shock) or PE, idiopathic DCM, chronic HTN ...
- 대부분의 HF 환자는 systolic HF와 diastolic HF가 공존 (e.g., chronic IHD)

(2) Diastolic HF (≒ <u>HF with preserved EF</u>, HFpEF)

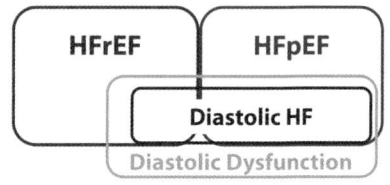

- 심실이 정상적으로 이완(relaxation) 및 filling되지 못하는 것
  → 좌/우 심실의 이완기 압력 증가에 의한 증상 발생
- 정의 : EF ≥50%이면서 HF의 증상/징후를 보이는 것
  (EF로는 나타나지 않는 systolic dysfunction 동반도 많음)
- 남<여, 특히 <u>고령</u>의 HTN <u>여성</u>에서 흔함, 예후는 systolic HF (HFrEF)보다 좋음 (입원시엔 비슷)
- 위험인자 ; <u>HTN</u> (→ LVH & fibrosis), 고령, CAD, DM, 수면관련 호흡장애, CKD, 비만 …
  - 노화 ; myocytes↓ (apoptosis), fibrosis↑, vascular compliance↓
  - <u>허혈성심질환</u> ; subendocardial fibrosis 또는 acute/intermittent ischemic dysfunction 때문
    (↳ 치료의 발달로 infarct size↓ → LV remodeling↓ → HF with preserved EF 증가)
- <u>LV의 크기는 대개 정상</u>, <u>LA는 확장됨</u> (∵ diastolic filling 제한)
- 심실 이완에는 ATP가 중요 ; 심근 허혈로 인해 ATP 농도가 낮아지면 심실 이완 속도 감소
- HF 환자의 15~30%는 systolic dysfunction은 없는 '순수한' diastolic dysfunction만 가짐

① ventricular relaxation 장애 – 대부분의 심장질환에서 초기의 장애
  (resting시 LVEDP 증가는 없고, 운동시 dyspnea가 생길 수 있음)
  ; LVH, HCM, myocardial ischemia/infarction
  ⇨ tachycardia 예방이 중요한 치료 목표 (∵ HR↑ → diastolic filling time↓ → LVEDP↑)

② restrictive filling (LV compliance↓ → ventricular inflow에 대한 저항↑
  & ventricular diastolic capacity↓ → resting LVEDP↑)
  ; constrictive pericarditis, restrictive / hypertensive / hypertrophic cardiomyopathy
  ⇨ LA pr. (preload)를 줄이는 것이 치료 목표 (e.g., diuretics)

③ myocardial fibrosis & infiltration
  ; dilated / chronic ischemic / restrictive cardiomyopathy, subendocardial fibrosis

	Systolic HF	Diastolic HF
LV hypertrophy	++	++++
LV dilation	++	−
LA enlargement	++	++
EF 감소	++++	−

* LVEDP (= mean LA pr. = PCWP)
  ┌ 정상 : 12 mmHg
  │ >18 mmHg → congestion 시작
  └ >20 mmHg → pul. edema

* CO (cardiac index)의 정상 범위 : 2.2~3.5 L/min/m²

■ Ejection fraction (EF)이 보존된/정상인 경우 (HFpEF)

: 전체 HF 환자의 약 50% 차지
① diastolic dysfunction : HFrEF보다 약간 적지만, 점점 증가 추세
② cardiomyopathies with preserved EF, pericardial dz., right HF (e.g., pul. HTN, RV infarct)
③ high-output HF
④ acute AR
⑤ episodic or unrecognized systolic dysfunction ; intermittent ischemia, arrhythmia,
  severe HTN, alcoholic cardiomyopathy (일부에서 금주시 빨리 EF 회복) …

2. Low v/s High Output HF

(1) Low-output HF
- 대부분 안정시 CO이 정상 하한치 정도는 유지됨 (운동시에는 정상적인 CO 상승이 없음)
- 예 ; IHD, HTN, dilated cardiomyopathy, valvular disease, pericardial disease...

(2) High-output HF
- CO이 정상 범위의 상한치 or 증가 : cardiac index 2.5~4.0 L/min/m^2
- arterial-mixed venous oxygen difference 정상 or 감소 (정상 : 35~50 mL/L)
- 예 ; AV fistula, thyrotoxicosis, anemia, beriberi, Paget's disease, myeloma, psoriasis, 신장질환, 간질환, 비만, 임신, polycythemia, carcinoid syndrome, fever 등

3. Acute v/s Chronic HF

(1) Acute HF
- 심장기능이 정상이었다가 갑자기 HF 발생하는 것
- 저혈압과 폐부종이 주 증상 (말초 부종은 없음)
- 예 ; 판막 파열 (e.g., AMI, 외상), 감염성 심내막염, acute MR, aortic dissection ...

(2) Chronic HF
- 비교적 장기간에 걸쳐 서서히 증상이 악화되는 경우
- 호흡곤란, 전신부종 등은 흔하나, 혈압은 말기 이전까지는 잘 유지됨
- 예 ; dilated cardiomyopathy, multivalvular heart dz. ...

4. Right v/s Left-sided HF

(1) Right-sided HF (RHF)
- 폐울혈에 의한 증상은 드물고, 말초부종, 울혈성 간비대, 전신 정맥확장 등이 주로 나타남
- 예 ; RV infarction, PS, chronic pul. embolism, primary pul. HTN,
      cor pulmonale (e.g., COPD) ...   (but, left-sided HF가 m/c 원인!)

(2) Left-sided HF (LHF)
- 폐울혈에 의한 dyspnea, orthopnea, rales 등이 주 증상
- 예 ; AR, ischemic heart dz. ...

* RHF의 가장 중요한 원인이 LHF이므로 이 둘의 차이는 뚜렷하지 않으며, HF가 수개월~수년 지속되면 좌우의 구분은 사라짐
   (이유) ① LHF → 2ndary pul. HTN → RHF
        ② salt & water retention
        ③ 좌우심실의 muscle bundles, wall, septum은 연속적
        ④ HF에서의 생화학적 변화는 좌우심실에 다 영향을 미침

임상양상/분류

1. 폐울혈에 의한 증상

- **호흡곤란**(심부전의 m/c 증상) ; 초기에는 운동시 호흡곤란으로 시작
  → 점차 적은 운동시에도, 말기에는 휴식시에도 호흡곤란 발생
- 기좌호흡(orthopnea) : 누워 있으면 호흡곤란이 심해지고 앉으면 호전됨
- paroxysmal nocturnal dyspnea (PND) : 밤에 자다가 심한 호흡곤란, 천명, 기침 등이 발생하는 것
  - cardiac asthma : PND에 기관지수축도 동반된 것
  - orthopnea와는 달리 앉아도 증상이 지속됨
- Cheyne-Stokes respiration (periodic or cyclic respiration)
  (∵ respiratory center의 arterial PCO_2에 대한 sensitivity 감소로)
- acute pulmonary edema (폐울혈이 진행되어 매우 심해진 상태)   → 뒷 부분 참조
  ; 극심한 호흡곤란, rales, bloody sputum 등이 발생
- pleural effusion (hydrothorax) : 대개 양측성으로 발생하지만, 단측성인 경우 오른쪽에서 더 흔함
- **rales** (moist, inspiratory, crepitant) : 수분저류 정도보다는 HF 진행 속도를 반영,
  chronic HF에서는 드묾

2. 전신울혈에 의한 증상

- RHF에서 보다 잘 나타나나, 심한 LHF에서도 나타남
- 말초부종 : 중력을 받는 부위에 호발 (↔ 신장질환의 부종과 차이)
  ; 다리의 pitting edema (특히 pretibial, ankle) / 저녁에 가장 심함, 이뇨제 치료시에서는 드묾
- 울혈성 간비대(tender, pulsating), 비장비대, 복수
  → advanced HF를 시사 (특히 constrictive pericarditis, TV dz.에서 심함)
- 황달(bilirubin↑), 간효소↑ … 급성 간울혈일수록 심함

3. 기타 증상

- fatigue, weakness, reduced exercise capacity (∵ CO 감소 때문)
- 식욕부진, 오심, 복통, 복부팽만감 (∵ 장관벽 부종 및 간울혈 때문 … RHF)
- 뇌동맥경화 노인에서는 심한 HF시 의식장애 발생 가능 ; 착란, 집중/기억 장애, 두통, 불면증, 불안
- nocturia (흔하며, 불면증을 일으키기도 함), 심한 만성 HF 환자에서는 우울증과 성기능장애도 흔함
- 심인성 악액질(cardiac cachexia)
  - chronic severe HF에서 심한 체중감소와 함께 발생, poor Px.
  - 원인 ① cytokines (e.g., TNF) ↑
    ② 호흡근의 운동량↑, 심근의 O_2 요구량↑ → metabolic rate↑
    ③ 울혈성 간비대에 의한 식욕부진/오심/구토 등, digitalis 중독
    ④ 장관 정맥 울혈에 의한 intestinal absorption 장애
    ⑤ protein-losing enteropathy

4. 청진 소견

- 심부전의 원인 질환에 의한 소견도 청진 가능
- S_3 ; 심한 LV dysfunction에 특이적인 소견이지만, EF가 감소되고 LV filling pr.가 증가된 일부 환자에서만 들림
- S_4 ; HF에 비특이적이며, 대개 <u>diastolic dysfunction</u>시 들림
- 심실 확장 → 2ndary MR (TR) → systolic ⓜ : advanced HF에서 흔함

  ┌ MR의 ⓜ : apex에서 잘 들림
  └ TR의 ⓜ : 흉골좌연 하부에서 잘 들림
- 폐울혈 → 양측 폐야 하부의 흡기시 수포음
  (cardiac asthma에서는 호기시 wheezing도 동반 가능)

5. 기타 진찰 소견

- systolic BP : 초기에는 정상/증가, 말기에는 대개 감소 (∵ 심한 좌심실부전)
- diastolic BP 증가 (∵ generalized vasoconstriction)
- CO↓ (HFrEF) ⇨ pulse pr.↓, <u>pulsus alternans</u> (교대맥), <u>displaced LV apical impulse</u>
  (심첨박동_{point of maximal impulse} 전위 [좌하로] : HF에 특이적인 편이지만, 흔하지는 않음)
- 전신 정맥압 (CVP) 상승 ⇨ <u>경정맥 확장 (JVP↑)</u> : HF에 특이적인 편이지만, 흔하지는 않음
- abdominojugular (hepatojugular) reflux : 복부에 압력을 가하면 JVP 상승 → HFrEF 시사
- skin ; (CO↓ →) cold, pale, diaphoretic (∵ 교감신경계 활성화 때문)
- urine ; 소변량 감소, SG↑, sodium 농도↓, albumin (+)
  - prerenal azotemia도 발생할 수 있음
- severe, acute HF ; systolic hypotension, sinus tachycardia, Cheyne-Stokes respiration

6. 검사

(1) routine lab. ; CBC, electrolytes, BUN, Cr, LFT, UA 등
  (일부 필요한 환자에서는 DM, dyslipidemia, 갑상선관련 검사 등도 시행)
(2) EKG ; 동성 빈맥(예후와도 관련), 심방 부정맥(AF 등), LVH or RVH, Q wave (IHD),
  PR↑ (infiltrative cardiomyopathy), QT↑ (전해질 이상, 심근질환, 약물 등 → TdP 위험) ...
(3) chest X-ray ; <u>cardiomegaly</u> (약 1/2에서), <u>pul. congestion</u>, Kerly B line, pleural effusion 등

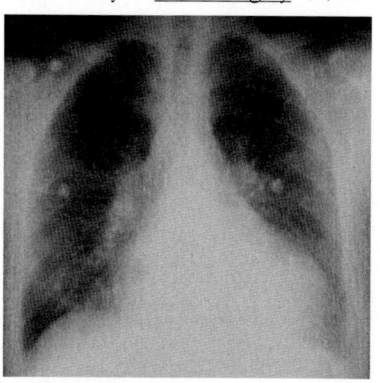
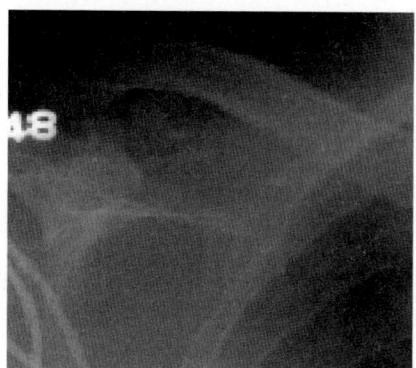

(4) 영상검사 (LV 기능 평가)

- **심초음파** (필수) ; HF의 정확한 진단 및 치료방침 결정에 중요
  - 좌심실의 용적 및 기능 평가, HF의 원인 질환, 판막 상태 확인 등에 유용
  - LVEF ; 2D echo.에서 modified Simpson's rule로 많이 측정, 3D echo.가 더 정확
  - doppler echo. (color, TDI) ; LV mechanics (diatolic dysfunction)의 정량적 평가!

구조적 이상	LAE: LAVI (LA volume index) >34 mL/m^2 LVH: LVMI (LV mass index) >115 g/m^2 (여성 >95)
기능적 이상	평균 E/e' ratio ≥13 (정상: <8) ··· 좌심방 압력(LVEDP)을 반영! 평균 e' velocity <9 cm/s (정상: >8) E/A ratio <1 (relaxation 이상), >2 (restrictive filling) (정상: 1~2) IVRT >90 (relaxation 이상), <60 (restrictive filling) (정상: 70~90 msec)

  c.f.) EF 측정(echo.)의 단점 ; afterload and/or preload 변화의 영향을 받음, MR 환자는 심근 수축능이 저하
      되어 있어도 LVEF는 높게 측정될 수 있음, diastolic dysfunction 진단에는 민감도/특이도 낮음

- 심초음파 F/U이 필요한 경우 ; 임상양상의 의미 있는 변화 or 사건, 심장 기능에 영향을 미칠 수
  있는 치료를 받은 경우, 기구치료의 대상자인 경우 등
- 심초음파가 불충분한 경우 MRI, CT, 핵의학검사(SPECT, PET, ventriculography) 등 고려
  - MRI ; 심장 구조 + 기능 파악에 유용 (LV 크기/용적 평가의 gold standard)
  - 핵의학검사 ; 동반 허혈성심질환(IHD) 진단 및 동면(생존 가능) 심근 진단에 유용
→ 1장 참조

(5) biomarkers

- BNP (B-type natriuretic peptide) or N-terminal pro-BNP (NT-proBNP) ↑
      ↳ ≥35 pg/mL   ↳ ≥125 pg/mL
  - 심근세포에서 합성되어 wall stress가 증가되면 분비됨, EF 감소하면 더욱 많이 증가
  - HF 진단 (dyspnea의 D/Dx), severity 판정, 예후 예측, 약 용량 결정, 치료효과 판정에 유용!
  - 치료를 받지 않은 환자에서 BNP가 정상이면 HF를 R/O할 수 있음! (NPV 높음)
  - HF 외에 증가되는 경우 ; 고령, 여성, 신부전, CAD, 심근질환 (LVH 포함), 판막/심장막질환,
    심근염, 독성/대사성 심근 손상 (CTx. 포함), 심장수술, cardioversion, AF, PE, pul. HTN,
    심한 폐렴, 폐쇄성 수면 무호흡, LC, anemia, bacterial sepsis, severe burn, ARNI 복용 ...
    (c.f., 모든 종류의 CAD 환자에서 BNP는 독립적인 예후인자임)
  - HF 환자에서 BNP가 낮은 경우 ; 안정되고 증상이 없는 HF, 치료받은 HF, 비만,
    급격히 진행된 폐부종(1~2시간 이내), 좌심실 위쪽 원인에 의한 HF (acute MR, MS)
- 심근 손상 표지자 ; troponin T & I (명확한 CAD 없어도 HF 환자에서 상승 가능) → poor Px.
- 심근 섬유화 표지자 ; soluble ST-2, galectin-3 → HF 환자의 입원율과 사망률 예측에 유용,
  BNP에 더해 HF 진단에 추가적인 유용성을 보임
- but, HF의 치료방침 결정을 위한 biomarkers의 연속적인 측정은 권장되지 않음!
- 기타 ; midregional fragment of proadrenomedullin, growth differentiation factor-15,
  C-terminal fragment of provasopressin (copeptin), Cystatin C ...

(6) exercise test (treadmill or bicycle) ; 심장이식을 고려하는 경우 시행
    (peak oxygen uptake [Vo$_2$] 14 mL/kg/min 이하면 내과적 치료보다는 심장이식이 생존율↑)

CHF 진단의 Framingham Criteria ★

Major criteria	Minor criteria
발작성 야간 호흡곤란	운동시 호흡곤란
수포음(rales)	야간 기침
심비대(cardiomegaly)	말초(전신) 부종
급성 폐부종(acute pulmonary edema)	간비대(hepatomegaly)
경정맥 확장	Pleural effusion
정맥압 증가 (>16 cmH$_2$O)	Vital capacity 정상보다 1/3 감소
제3 심음 (S$_3$ gallop)	Tachycardia (≥120 회/분)
Hepatojugular reflux (+)	5일간 치료 후 4.5 kg 이상 체중 감소

* HF의 진단을 위해서는 major 2개 or major 1개 & minor 2개 이상 만족

	ACC/AHA stage	NYHA functional classification		
		Class	신체 활동의 제한	증상 발생
A	HF 고위험군, 구조적심질환이나 증상은 없음			
B	구조적심질환은 있지만, HF 증상/징후는 없음	I	없음	심한 활동시
C	구조적심질환이 있고, 과거 또는 현재 HF의 증상 존재	II	약간 제한됨	일상적인 활동시
		III	심하게 제한됨	일상보다 적은 활동시
D	특수한 치료가 필요한 refractory HF	IV	모든 활동이 제한됨	휴식시에도

NYHA IIIa: 휴식시 호흡곤란 없음, IIIb: 최근에 휴식시 호흡곤란 발생
(ACC: American College of Cardiology, AHA: American Heart Association, NYHA: New York Heart Association)

★ LVEF에 따른 분류 ⇨ 치료방침 결정!

	ACC/AHA guideline (2013)		ESC guideline (2016)	
	LVEF(%)		LVEF(%)	
HFrEF	≤40%	Systolic HF	<40%	
HFpEF	≥50%	Diastolic HF	≥50%	NP↑(BNP >35 pg/mL and/or NT-pro BNP >125 pg/mL) + 아래 중 하나 이상 (1) 구조적심질환 (LVH and/or LAE) (2) 이완기장애 (E/e' ≥13 & mean e' <9 cm/s)
HFpEF, borderline	41~49	Borderline or intermediate group	HFmrEF 40~49	
HFpEF, improved	>40	과거에 HFrEF였다가 호전됨		

(ESC: European Society of Cardiology, HFrEF: HF with reduced EF, HFpEF: HF with preserved EF, HFmrEF: HF with mid-range EF)

* 현재 HFrEF는 치료방침도 있고 약물에 의한 survival 연장 효과가 증명되었지만, HFpEF는 survival 연장 효과가 증명된 약물이나 확립된 치료방침이 없음!

		HFrEF	HFpEF
역학/병력	평균 연령	67.2세	<u>74.6세</u>
	성비	남>여	남<여
	CAD	++₊	++
	HTN	++₊	+++₊
	AF	++	+++
	DM	++	++.
	COPD	+	+₊
증상 진찰소견	Paroxysmal nocturnal dyspnea	++₊	++
	경정맥확장	++₊	++
	Soft heart sound	+++	+
	S3	+	±
	S4	±	+
	Pulsus alternans	+	−
	심첨 박동 전위	+	−
CXR EKG	Cardiomegaly	+++	+
	Pul. congestion	+++	+++
	Low voltage	+++	−
	LVH	++	++++
	Q waves	++	+
Echo.	좌심방 확장(LAE)	++	++
	좌심실 확장(LVE)	++	−
	좌심실 비대(LVH)	++	++++
LV 구조/기능	LA pr. (LVEDP)	↑	↑
	Stroke volume (SV)	↓	N (운동시↓)
	LVEDV, LVESV	↑	N
	LV mass	↑	N or ↑
	LV geometry	Eccentric	N or Concentric
	Myocardial stiffness	N (or ↑)	↑
예후 (입원율, 사망률)		+++	++

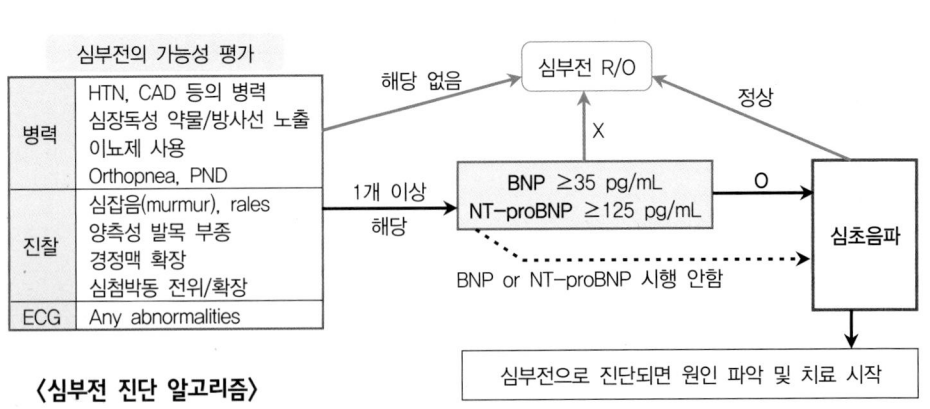

〈심부전 진단 알고리즘〉

치료

1. 심부전 치료의 구성 요소

(1) 일반적인(비약물) 치료
(2) 기저질환(원인)의 교정
(3) 유발인자의 제거
(4) 심기능 악화의 예방
(5) 울혈성 심부전 상태의 치료

* 치료 목표(원칙)
① excessive sodium & water retention의 조절
② cardiac workload (preload & afterload)의 감소
③ myocardial contractility의 향상

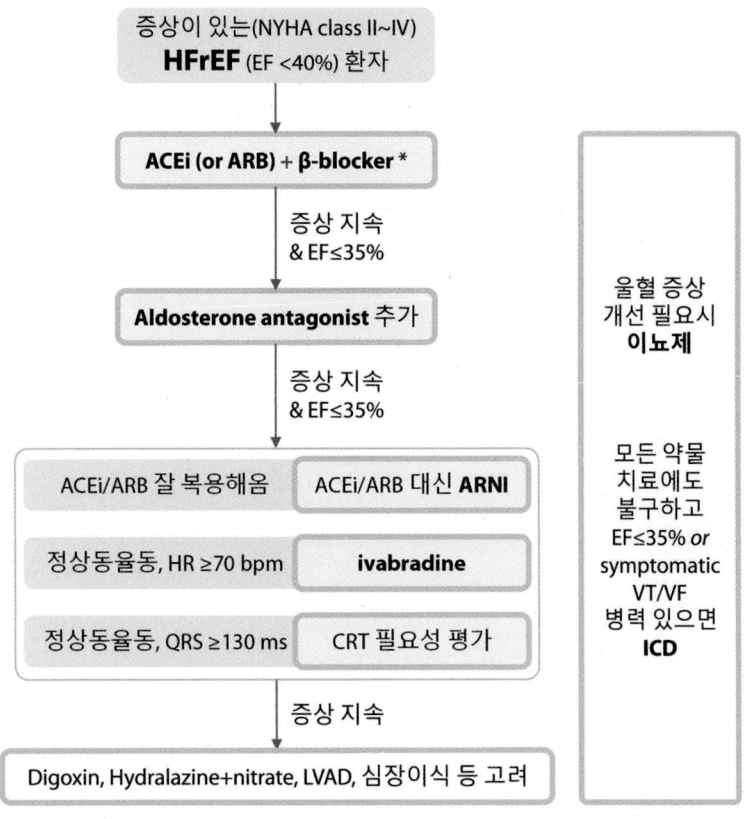

* ACEi or β –blocker 중 어느 것을 먼저 시작하냐는 중요치 않음 (결과 동일)
  둘 다 목표 용량까지 시기적절하게 잘 증량하는 것이 더 중요함 (약 2주 간격으로 증량 권장)
* 용량을 늘릴수록...
  ┌ ACEi : 입원율 감소 (survival 향상은 없음)
  └ β –blocker : 용량과 비례하여 심장기능 향상, 입원율 및 사망률 감소 (but, 약 1/4만 최대 용량 도달 가능)

심부전의 ACC/AHA/HFSA "stage"에 따른 치료

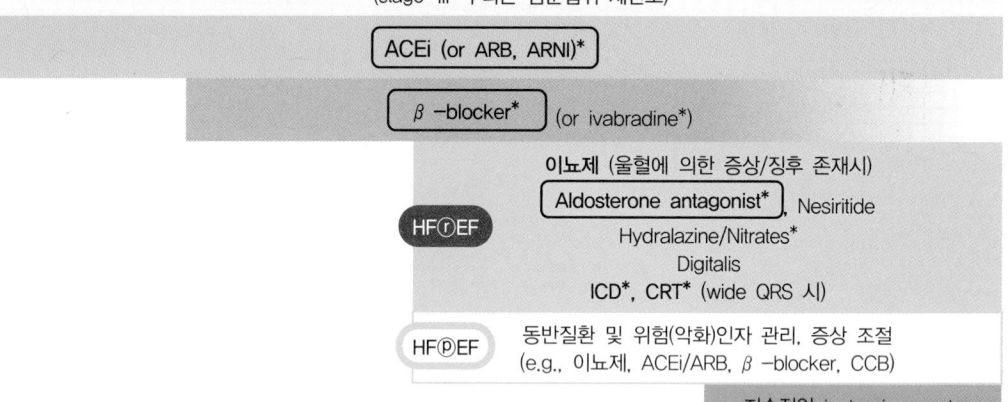

Stage A	Stage B	Stage C	Stage D
HF 고위험군, No Sx	구조적 심질환, No Sx	구조적 심질환, Sx 有	Refractory end-stage HF

일반적인(비약물) 치료 ; HTN 치료, dyslipidemia/metabolic syndrome 치료, 금연, 절주, 규칙적인 운동
(stage III 부터는 염분섭취 제한도)

ACEi (or ARB, ARNI)*

β-blocker* (or ivabradine*)

이뇨제 (울혈에 의한 증상/징후 존재시)
HF⑰EF
Aldosterone antagonist*, Nesiritide
Hydralazine/Nitrates*
Digitalis
ICD*, CRT* (wide QRS 시)

HF⑰EF
동반질환 및 위험(악화)인자 관리, 증상 조절
(e.g., 이뇨제, ACEi/ARB, β-blocker, CCB)

지속적인 inotropic agents
VAD (ventricular assist device)
심장이식, 기타 연구중인 치료법

*Survival↑(사망률↓) 효과 증명된 것

(ACC: American College of Cardiology, AHA: American Heart Association, HFSA: Heart Failure Society of America)

Stage	NYHA classification	ACEi	ARB	β-blocker	이뇨제	Aldosterone antagonist	Digitalis	ICD	CRT (QRS >120)
B	무증상 LV기능이상 (class I)	○	ACEi 금기시	Post-MI	×	Recent MI	AF	×	×
C	증상이 있는 HF (class II)	○	○	○	수분저류시	Recent MI	AF, 더 심한 HF 에서 회복	○	×
	심한 HF (class III~IV)	○	○	○	○ (병합요법)	○	○	○	○
D	말기 HF (class IV)	○	○	○	○ (병합요법)	○	○	×	○

2. 일반적인(비약물) 치료

- 염분(NaCl) 제한 : HF가 심해질수록 더 많이 제한
  - 대개 정제염(salt, NaCl) 5 g/day (≒ natrium [sodium] 2 g/day) 미만으로 제한
  - 수분 저류를 동반한 심한 HF의 경우 salt 1 g/day로 제한
  - HF 말기에 수분 배설 장애로 dilutional hyponatremia 발생시 염분 뿐아니라 수분 섭취도 제한
  - mild HF 환자는 염분 섭취 제한만으로도 증상의 호전 가능
- 수분 제한 : 말초부종을 동반한 급성 악화, hyponatremia 시에만 1.5~2 L/day로 제한
- 비만 환자는 체중 감량 (열량 섭취 제한 /but, 영양결핍이 발생되지 않도록 주의)
- 육체적 & 정신적 휴식 (but, absolute bed rest는 안 좋음)

- regular, isotonic exercise (예; 걷기, 수영, 실내 자전거 등) 적극 권장, 심한 운동은 금기
  → 효과 ; 증상↓, 운동능력↑, 삶의 질 향상
- 고혈압, CAD, DM, 고지혈증, 빈혈 등 동반질환의 치료, 금연, 알코올 제한
- NSAIDs (COX-2 inhibitors 포함) 사용 제한 (∵ 신부전 및 수분저류 위험 증가)
- 고혈압/협심증 동반시 치료제로 $^{non-DHP}$CCB (verapamil, diltiazem) 사용은 금기! (∵ 심근 수축력↓)
  → $^{2/3세대DHP}$CCB (amlodipine, felodipine)는 사용 가능 (심부전 사망률 감소 효과는 없음)
- 항부정맥제 대부분은 HF의 사망률을 증가시킴 (예외 ; amiodarone, dofetilide)
- influenza 및 pneumococcal vaccination
- 운동과 심장재활(cardiac rehabilitation) 치료 → 심실기능과 삶의 질 개선, 사망률 감소

3. 이뇨제

: 과다 축적된 염분과 수분의 배설↑ → preload↓
  ┌ 울혈에 의한 심부전 증상을 호전/예방 (but, survival 연장 효과는 없다)
  └ 수분 저류 (울혈에 의한 증상/징후)가 있는 모든 HF 환자에서 우선적으로 투여!

(1) Thiazide diuretics (e.g., hydrochlorothiazide, chlorthalidone)

- mild HF에는 단독으로 투여 가능, severe HF에서는 다른 이뇨제와 병용
- GFR이 정상의 50% 이상이어야만 효과적
- Cx. ① hypokalemia (→ digitalis intoxication 위험 증가)
    * 예방 ┌ K^+-sparing diuretics 병용 (spironolactone, triamterene)
           └ intermittent dosage schedule, KCl 보충
  ② hyperuricemia, Na^+↓, Cl^-↓, Ca^{2+}↑, Mg^{2+}↓
  ③ glucose intolerance (hyperglycemia), hyperlipidemia (TG & cholesterol 5~10%↑)
  ④ skin rash, purpura, dermatitis
  ⑤ thrombocytopenia, granulocytopenia

(2) Metolazone

- thiazide와 작용 비슷하지만 더 강력함, 중등도의 renal failure 환자에서도 효과적
- thiazide와 metolazone은 loop diuretics의 효과를 증가시킴

(3) Loop diuretics

- furosemide (lasix), bumetanide, torsemide
- 매우 강력한 이뇨제, 특히 심한 HF 때 유용 (e.g., 난치성 HF, 폐부종)
  (Na^+, K^+, Cl^- 재흡수 억제 및 free water clearance ↑)
- hypoalbuminemia, hyponatremia, hypochloremia, GFR↓ 환자에서도 효과적
- 난치성 HF에서는 IV로 투여하거나 다른 이뇨제와 병용
- Cx ; circulatory collapse, renal blood flow↓, prerenal azotemia, metabolic alkalosis,
    hypokalemia, hypocalcemia, hyperuricemia, hyperglycemia, weakness, bloody dyscrasia ...

(4) K^+-sparing diuretics

- spironolactone : aldosterone의 경쟁적 억제제로, 이뇨 작용뿐 아니라 신경호르몬 억제제로서의
  작용도 가짐 (low-dose는 이뇨 효과는 약하지만, advanced HF 환자에서 수명연장 효과는 있음)

- triamterene, amiloride : spironolactone과 신장에서의 효과는 비슷하지만, 기전은 다름
  (직접 distal tubule/collecting duct에 작용)
- 효과 ; Na^+ diuresis, K^+ retention
- loop and/or thiazide diuretics와 병용해야 가장 효과적 (hypokalemia 예방)
- C/Ix. ; serum K^+ >5 mmol/L, renal failure, hyponatremia

■ 이뇨제의 선택

- mild~moderate HF → oral thiazides/metolazone or loop diuretics
  (hyperglycemia, hyperuricemia, hypokalemia가 없는 환자에서)
- severe HF → loop diuretics + thiazide/metolazone + K^+-sparing diuretics
- acute HF (특히 폐부종시) → IV loop diuretics
- K^+-sparing diuretics ; thiazides와 loop diuretics의 효과를 증가시킴
- spironolactone ; 심각한 secondary hyperaldosteronism을 동반한 HF

4. 활성화된 신경호르몬계의 억제

* renin-angiotensin-aldosterone system (RAAS) 및 교감신경계의 만성적인 활성화는
  ventricular remodeling, 심기능의 악화, 부정맥 등을 일으킴

(1) ACE inhibitor (ACEi)

- 약제 ; captopril, enalapril, lisinopril, ramipril, trandolapril ...
- 기전 (angiotensin I → angiotensin II로의 전환 및 kininase II 억제)
  ① angiotensin II에 의한 혈관수축 억제 → 혈관확장
  ② aldosterone 분비 감소 → Na^+ retention, myocardial fibrosis 감소
  ③ kininase II 억제 → bradykinin level↑ → PG, nitric oxide↑ (→ 심장보호 작용)
  (↳ nonproductive cough, angioedema 유발)
- 작용/효과 : 주로 local (tissue) renin-angiotensin system 억제에 의해
  ① 혈관확장 → preload, afterload 감소 → 심실벽 stress, 산소요구량 ↓
  ② ventricular remodeling 억제
  ③ ventricular ischemia or arrhythmia 감소
  ④ 이뇨제와 함께 염분의 배설 촉진
  ⑤ 운동능력 향상, 입원 감소 (용량이 높을수록 입원 더욱 감소)
  ⑥ 심부전 환자의 증상 및 사망률 감소, survival 증가
  ⑦ 심부전이 없는 심실기능장애 환자에서 심부전 발생 예방
- 특히 MI, HTN, valvular regurgitation 등에 의한 systolic HF에서 효과적
- Ix. ; 특별한 금기가 없는 한 모든 심실기능장애 및 심부전 환자에게 사용!
- C/Ix. ; 임신, angioedema, 신기능장애(Cr >3 mg/dL), hyperkalemia (K^+ >5.5 mmol/L),
  (절대 금기)   심한 저혈압(SBP <80 mmHg), bilateral renal artery stenosis
- Cx. ; cough (m/c, ~15%), hyperkalemia, hypotension, renal insufficiency, dysgeusia, rash,
  neutropenia, proteinuria, angioedema (<1%)...
- ACEi를 장기간 사용하면 angiotensin II level이 다시 상승되는 "escape" 현상이 나타날 수 있음

(2) Angiotensin Receptor Blockers (ARB)

- 약제 ; valsartan, candesartan, irbesartan, losartan …
- angiotensin II의 나쁜 효과에 관여하는 type AT1 receptor를 직접 차단
- Ix. ; hyperkalemia와 신기능감소 <u>이외</u>의 부작용(cough, angioedema, leukopenia) 때문에 ACEi를 사용할 수 없는 심부전 환자에서 사용 (모든 환자에서 ACEi 대신 우선 사용하자는 근거는 부족함)
  - ACEi + β-blocker 사용 중인 class II~IV HF 환자에서 2nd line Tx로도 사용 가능
  - ★ hyperkalemia/신기능장애로 ACEi/ARB 사용 못하면 ⇨ hydralazine + isosorbide dinitrate (but, 사망률 감소 효과는 ACEi/ARB보다는 적음)
- C/Ix. ; 임신(절대 금기), Cr >3 mg/dL, hyperkalemia, 저혈압, bilateral renal artery stenosis
- ACEi처럼, β-blocker와 병용시 LV remodeling 억제, 증상 호전, 입원 감소, 수명 연장 효과
- 이미 ACEi + β-blocker를 투여 받는 환자에게 ARB 추가시 survival 이득은 없이 부작용 증가

(3) Angiotensin Receptor-Neprilysin Inhibitor (ARNI) : Entresto®

- dual inhibitor = <u>sacubitril</u> + valsartan (ARB)
  - ↳ neprilysin(neural endopeptidase, NEP)을 억제하여 natriuretic peptides 농도↑
- HFrEF 환자에서 ACEi or ARB보다 더 입원율과 사망률을 감소시킴!
- ARB or ACEi를 대신하여 HFrEF 1차 치료제로 사용 가능
- Cx. ; hypotension, angioedema (ARNI 투여 최소 36시간 이전에는 ACEi를 중단해야)

(4) Aldosterone (mineralocorticoid) receptor antagonist (ARA, MRA, AA)

- spironolactone (nonselective), eplerenone (selective)
- RAAS의 활성화에 의해 생성된 aldosterone에 의한 부작용들(e.g., 염분 저류, 전해질 이상, endothelial dysfunction → myocardial fibrosis)을 감소시킴
- K^+-sparing diuretics보다는 neurohormonal antagonist로 생각해야 됨 (단독으로는 이뇨 작용이 약하므로 대개 다른 이뇨제와 병용)
- advanced HF (NYHA class III, IV) 환자에서 다른 약물 치료에 추가시 LV remodeling 억제, 증상 개선, 입원율 및 사망률 더 감소 효과 (특히 SCD 크게 감소)
- Ix. ; class II~IV HF & EF≤35% 환자에서 ACEi + β-blocker 등에 추가적으로 사용
- Cx. ; <u>hyperkalemia</u> (m/i), painful gynecomastia (10~15%, eplerenone은 드묾)
  - ↳ 신기능저하시 발생↑, K^+-sparing diuretics 및 신독성약제(e.g., NSAID)와 병용 주의
- Cr >2.5 mg/dL (C_{Cr} <30 mL/min) or K^+ >5 mmol/L면 권장 안됨
  - c.f.) eplerenone은 간에서 같이 대사되는(CYP3A4) ketoconazole, itraconazole 등과 병용 금기
- ACEi, ARB, aldosterone antagonist 3가지 동시 사용은 안됨 (∵ hyperkalemia↑)

c.f.) 기타 neurohormonal inhibitors
  - direct renin inhibitor (aliskiren) : 심부전에서는 입원율/사망률 감소 효과 없이, 부작용 위험만 큼 (e.g., hyperkalemia, 저혈압, 신기능장애)
  - endothelin antagonist (bosentan, tezosentan) : 폐고혈압에 의한 Rt-HF에서는 이득이 있지만, HFrEF 환자에서는 심부전을 오히려 악화시킴, 급성심부전에서 사망률 감소 효과 없음
  - centrally acting sympatholytic agent (moxonidine) : 좌심부전 예후에 나쁜 효과
  - omapatrilat (ACEi + neprilysin inhibitor) : survival 향상 없고, 오히려 angioedema↑

(5) non-ISA β-blockers

- metoprolol(지속형), bisoprolol, nebivolol (70세 이상) : selective β_1-blocker
- carvedilol : nonselective $\beta_1+\beta_2$-blocker, weak α-blocker (이외 다른 β-blocker들은 효과 없음!)
  (↳ mild vasodilation과 antioxidant activity 효과도 가짐)
- 교감신경계의 활성화는 심부전 진행에 관여하는 중요한 기전이므로, β-blockers의 적절한 사용은 HF에 의한 사망률을 감소시킴 (기전 ; HR↓, ventricular remodeling 억제, apoptosis↓ 등)
- Ix. : 특별한 금기나 내성이 없는 한 모든 심실기능장애 및 stable HF 환자에서 사용
  (대개 ACEi, 이뇨제 등과 병용), 심한 HF시는 주의
- 저용량으로 시작하며, 2~4주 간격으로 증량 → 목표 용량까지 / 반응 없으면 최대한 고용량!
- C/Ix. ; asthma (COPD는 아님), 2/3도 AV block
- relative C/Ix. (주의 깊게 or 전문가가 사용 가능)
  ① severe HF (e.g., NYHA class IV)
  ② 최근에(4주 이내) 증상이 악화되거나, 심한 수분저류 (폐부종, JVP↑, 복수, 말초부종) 환자
  ③ 증상을 동반한 저혈압 (systolic BP <90 mmHg)
  ④ sinus bradycardia (<60 bpm)
  ⑤ 휴식시 허혈 증상이 있는 말초동맥질환
  ⑥ IV inotropic agents 치료를 받고 있는 환자
- 만약 β-blocker 사용 환자에서 (+) inotropic agents가 필요한 경우에는 반드시 phosphodiesterase Ⅲ inhibitor (milrinone)를 사용해야 됨
- β-blocker 사용 중 문제 발생시
  - 수분저류(e.g., 호흡곤란) → 이뇨제 추가/증량, β-blocker 감량/중단 (이뇨제 효과 없을 때)
  - 증상(e.g.. 피곤)을 동반한 서맥(<50 bpm) → β-blocker 감량 (심하면 중단),
    다른 HR-slowing drugs (e.g., digoxin, amiodarone, CCB) 용량/필요성 재검토
  - 증상(e.g., 현기증, 어지러움)을 동반한 저혈압 → CCB, vasodilators, nitrates 등의 용량/필요성 재검토, 수분저류 증상이 없으면 이뇨제나 ACEi의 감량도 고려

(6) ivabradine

- sinus node의 funny (I_f) K^+ channel에 작용하여 심장 수축력에는 영향 없이 맥박수만 감소시킴
- 관상동맥 확장 작용도 있음 → CO 유지, coronary flow↑ → 심장의 산소 요구량 감소 효과
- class Ⅱ~Ⅲ HFrEF, HR 70 bpm 이상 환자에서 입원율 및 사망률 감소가 증명되었음
  ⇨ ACEi + β-blocker + aldosterone antagonist 치료 후에도 HR 70 bpm 이상인 경우 투여
  (β-blocker보다 심박수 감소, 삶의 질 개선, 사망률 감소 등에 더 효과적임)
- Ix.(우리나라 보험) : 정상 동율동이 확인된 chronic HF 환자에서 LVEF ≤35%, HR ≥75 bpm이지만 β-blocker를 쓸 수 없을 대 대신 or β-blocker 최대 용량에서도 HR 저하가 부족할 때 병용

5. 심근수축력 촉진제 (강심제, inotropic agents)

(1) Cardiac glycoside (Digitalis)

- 작용기전
  - ① myocardial contractility↑ : (+) inotropic effect
    (Na^+, K^+,–ATPase 억제 → 세포내 Na^+↑ → 세포내 Ca^{2+}↑)
    - 다른 약물들과 달리 HR의 증가 없이 수축력을 증가시킴
  - ② AV node의 전도 지연 → Af/AF에서 심실반응을 느리게 함
  - ③ ectopic beat↑, reentry↑ : 고농도에서 (automacity & ectopic impulse activity↑)
- digitalis의 적응증
  - ① ACEi, β–blocker, 이뇨제 등의 표준치료 이후에도 증상이 지속되는 HF 환자
  - ② chronic IHD나 과도한 volume/pressure overload를 가진 hypertensive, valvular, or congenital heart dz.에 의해 심실수축력이 저하된 환자
  - ③ Af/AF를 동반한 symptomatic LV systolic HF 환자
  - ④ AV nodal reentry에 의한 PSVT의 예방
- 증상완화(입원기간↓, 재입원율↓)에는 도움이 되지만, survival 연장 효과는 없음!
- 효과가 적은 경우 ; 정상 sinus rhythm의 HF 환자, EF/수축기능이 정상인 환자(HFpEF), cardiomyopathy, myocarditis, MS, chronic constrictive pericarditis, AMI (∵ 이미 심근이 괴사), multifocal atrial tachycardia
- WPW syndrome에서 빈맥증(PSVT, Af, AF) 발생시는 금기 ★
  (∵ accessory pathway의 불응기를 감소시켜, VF 유발 위험)
- digoxin의 분포
  - 유일하게 경구로 투여 가능한 inotropic agent
  - 반감기 1.6일, 85%가 신장을 통해서 배설됨
  - plasma에는 투여량의 1%만 존재하고, 99%가 조직에 결합 (심장 내 농도는 plasma의 30배)
    → dialysis, exchange transfusion, cardiopulmonary bypass 등에 의해 효과적으로 제거 안됨
- 단점 : 치료효과와 독성을 보이는 혈중 농도의 차이가 적다
- digitalis 투여시 주의점
  - ① 반드시 EKG monitoring
  - ② renal function test (∵ digitalis는 신장으로 배설)
  - ③ PO가 IV보다 효과가 좋고, IM은 효과가 없다
  - ④ hypokalemia, hypercalcemia시 독성위험 커지므로 전해질 검사 필요

■ Digitalis Intoxication

- 증상 : 2 ng/mL 이상에서 독성 발생 ⇨ 혈중 농도는 반드시 1 ng/mL 미만으로 유지!
  - ① GI Sx. (anorexia, nausea, vomiting) – earliest Sx.
  - ② 두통, 어지러움, 의식장애, 경련, 색각이상(yellow vision)
  - ③ 부정맥 (1/2에서는 심장외 증상보다 선행)

> (1) Automaticity↑ (세포내 calcium↑) → SVT, PVC 등
> (2) AV conduction↓ (AV node의 vagal effect↑) → AV block 의 조합으로 발생

- VPCs (m/c, bigeminy/trigeminy 형태로), VT (polymorphic/bidirectional VT 포함), VF
- sinus/atrial arrhythmia ; sinus bradycardia, SA block, AT (with 2:1 AV block), AF, Af ...
- 다양한 degree의 AV block ; 특히 nonparoxysmal atrial (or AV junctional) tachycardia with variable AV block이 특징

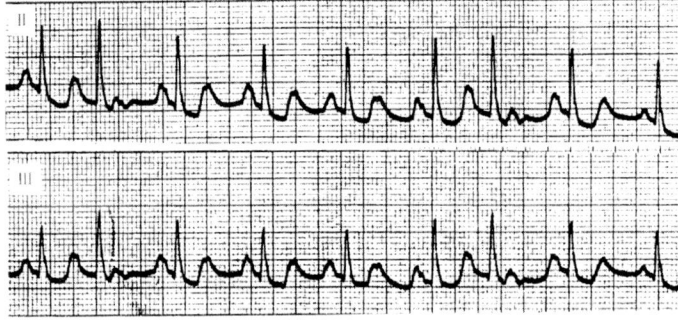

Atrial tachycardia (AT)
with 3:2 Wenckebach
& 2:1 AV block

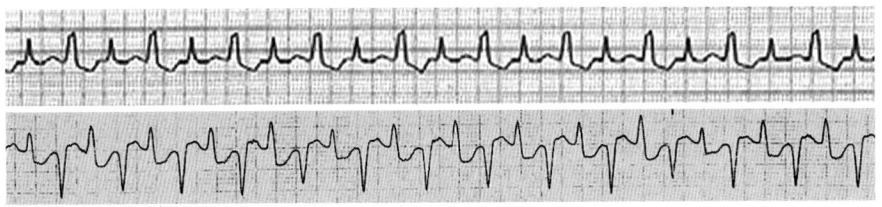

Bidirectional tachycardia (QRS vector가 교대로 규칙적으로 바뀜)
- 두 개의 전도로를 가진 VT일수도 있고, 좌/우 교대로 전도하는 AV junctional tachycardia일수도 있음
- digitalis toxicity or herbal aconite (부자, 附子) poisoning이 원인

Digitalis Intoxication 유발인자 ★	

고령
AMI or ischemia
Renal insufficiency
Hypothyroidism (hyperthyroidism시는 digoxin 농도↓)
Hypoxemia (e.g., COPD)
Hypokalemia (m/c) (e.g., 이뇨제 사용, 2° hyperaldosteronism)
Hypomagnesemia
	Hypercalcemia (e.g., hyperparathyroidism)
	DC cardioversion
	혈중 digoxin 농도↑ 약물 ; quinidine,
	  verapamil, amiodarone, flecainide,
	  propafenone, spironolactone,
	  omeprazole, itraconazole, TC, EM,
	  alprazolam 등

• 치료
  ① digitalis 사용 중단
  ② potassium (high-grade AV block, hyperkalemia 때는 금기), magnesium
  ③ 심실빈맥 → lidocaine, phenytoin, overdrive pacing 등
      - quinidine, procainamide, bretylium 등은 금기!
  ④ 심방빈맥 → β-blocker (심한 HF, AV block 때는 금기!)
  ⑤ AV block → atropine, pacemaker 등
  ⑥ digitalis antibody (purified Fab fragment) : severe intoxication 시

  * DC cardioversion : 심한 부정맥을 유발할 수 있으므로 가능한 사용하면 안 됨! (VF시는 씀)

• chronic digitalis intoxication ; anorexia, N/V, HF 악화, 체중감소, cachexia, neuralgia, gynecomastia, yellow vision, delirium 등의 증상을 보임

(2) Sympathomimetic amines

β_1 : heart rate ↑, 수축력 ↑

β_2 : vasodilation

α : vasoconstriction

* 주로 β-receptor에 작용하는 것 → 심근 수축력 ↑

  ; isoproterenol, norepinephrine, epinephrine, dopamine, dobutamine

• HF시 dopamine, dobutamine이 가장 효과적 (continuous IV infusion)

• survival 연장 효과는 없고 부작용이 흔하므로 매우 제한적으로 사용됨

• intractable, severe HF (특히 가역적 요소가 있는 경우)에 유용

  → 단기간의 inotropic support가 필요한 경우 사용

  (e.g., 심장수술 후, AMI, shock, 폐부종, 심장이식 전단계)

• 가장 큰 문제점 - adrenergic receptors의 down regulation에 의한 반응 감소

  (계속 주입시 8시간쯤 후에 발생, 간헐적 투여로 예방)

• tachyarrhythmia 및 ischemia 유발 위험 (tachycardia에 의해 HF가 악화된 경우엔 증상을

  더욱 악화시킬 수 있으므로 금기!)

1) Dopamine

① low dose (<2 μg/kg/min) : dopamine receptor에 작용 → 신장/내장혈관 확장, Na^+배설↑

② moderate dose (2~4) : 심근의 β_1-receptor에 작용 → (+) inotropic & chronotropic 효과

③ high dose (≥5) : α-receptor에도 작용 → 말초혈관수축(전신혈관저항↑) → 동맥압 상승

- dobutamine보다 chronotropic & vasocontrictive effect 큼 (→ 빈맥과 부정맥을 더 잘 일으킴)

- BP와 coronary blood flow 유지 위해서는 moderate~large dose 필요 (특히 MI 뒤)

- 저혈압(systolic BP <60~80) 때문에 dobutamine을 사용할 수 없는 HF 환자에서만 사용

2) Dobutamine

- β_1 (主), β_2, α-receptors에 모두 작용, 용량 2.5~10 μg/kg/min

- 효과 : 강력한 inotropic 작용, 약한 chronotropic 작용, 말초혈관확장

  (동시에 CO은 증가되므로 심한 HF에서 혈압이 떨어지지는 않음)

- dopamine에 비해 chronotropic (빈맥) & vasocontrictive effect는 적음

  → systemic arterial pressure엔 별 영향 없다

- 저혈압이 없는 acute HF (특히 AMI에 의한) 때 유용!

3) Norepinephrine

- 주로 α-receptor에 작용, 강력한 vasoconstricter (주로 말초동맥), afterload를 크게 증가시킴

- 심한 저혈압(SBP <60 mmHg)이 동반된 중증 환자에만 일시적으로 사용

(3) Phosphodiesterase-3 (PDE3) inhibitors ; milrinone, enoximone(유럽), amrinone

• bipyridines : noncatecholamine, nonglycoside agents

• phosphodiesterase Ⅲa 억제 → 심근 & 혈관평활근 cAMP↑ → (+) inotropic & 혈관확장 작용

  (dobutamine보다 혈관확장 작용이 커서 LV filling pr.를 크게 감소시킴, 저혈압 위험도 큼)

• severe HF의 혈역학적 이상을 교정할 수 있음 (IV로만 사용), β-blocker 사용 중에도 사용 가능

• 일시적인 증상의 호전뿐, 장기간 사용하면 오히려 사망률 증가

• milrinone (enoximone)이 amrinone보다 부작용이 적고 작용시간이 짧아 많이 쓰임

(4) myofilament Calcium sensitizer (e.g., levosimendan)

- 다른 inotropics와 달리 심근세포 내 Ca^{2+} 농도를 증가시키지 않으면서 수축력을 향상시킴
  (→ 심근 산소요구량 증가 및 심장리듬에 나쁜 영향 없음)
- (+) inotropic & 말초혈관확장 작용, dobutamine보다 부정맥 빈도는 낮고 혈역학적 효과는 우수
  - 심한 저혈압이 없는 low CO HF 치료에 가장 우수한 inotropic agent!
  - β-blocker 사용 중에도 사용 가능, 심한 저혈압 or shock 환자에서는 혈관수축제와 병용해야

(5) cardiac Myosin activators (e.g., omecamtiv mecarbil)

- 다른 inotropics와 달리 ejection 시간을 연장시켜 심근 수축력을 향상시킴 (산소요구량↑ 없음)
- 심기능 향상 및 증상 환화에 더 효과적일 수도 있지만, 아직 연구가 더 필요함

* 혈관확장작용 있는 inotropic agents ; dobutamine, low-dose dopamine, milrinone, levosimendan

6. 혈관확장제 (vasodilators)

- afterload/preload↓ → SV↑ → CO↑, O_2 소비↓
- subendocardial perfusion 유지, aortic pr. 유지, myocardial contractility 유지
- ACEi 치료에도 불구하고 systemic vasoconstriction을 보이는 HF 환자에서 유용
- vasodilators의 분류
  ① arterial vasodilator
    - 주로 afterload를 감소시킴 (SV↑) → systolic HF
    - phentolamine, phenoxybenzamine
    - hydralazine, minoxidil : direct acting vasodilator
  ② venodilator ; nitrate (e.g., nitroglycerin, isosorbide dinitrate)
    - 주로 preload를 감소시킴 (LVEDP↓) → diastolic HF, CPE (cardiogenic pul. edema)
    - m/c 부작용은 두통 (경미하면 진통제로 치료, 자연 소실되는 경우가 흔함)
  ③ balanced vasodilator (combined arterio-venodilator)
    - afterload와 preload 모두 감소시킴 : pressure-volume curve를 왼쪽으로 이동
      → SV↑, LVEDP↓ (심내막하 심근관류 증가)
    - sodium nitroprusside : 대사산물인 cyanide 독성이 문제
    - isosorbide dinitrate/hydralazine 복합제 (BiDil®) : 미국 흑인 HF 환자에게만 허가됨
    - Nesiritide : recombinant hBNP (human B-type natriuretic peptide), 강력한 혈관확장 작용,
      일부에서는 이뇨 효과
    - ACE inhibitor (e.g., captopril)
- acute HF ; 작용 시작이 빠르고 지속시간이 짧은 약물을 IV로 투여
  ⇨ sodium nitroprusside, nitroglycerin, nesiritide 등이 효과적
- chronic HF ; 부작용등으로 ACEi/ARB를 사용할 수 없거나, ACEi/ARB에 반응이 없을 때
  ⇨ hydralazine + isosorbide dinitrate 병합투여(oral) / survival은 향상되나, ACEi보다는 효과 적음
    (미국 흑인 NYHA class Ⅲ~Ⅳ HFrEF 환자에서는 ACEi + β-blocker 등에 추가 권장)
- hypotension 때는 금기

7. 기타

(1) 항응고제/항혈소판제

- severe/advanced HF 환자는 embolism 위험 증가 (e.g., stroke, 폐색전증, 말초동맥색전증)
- embolism 발생 위험이 높은 HF 환자 ; **AF**, 혈전색전증 병력(e.g., stroke, TIA), 허혈성 심근질환 (최근의 large ant. MI *or* LV thrombus를 동반한 최근의 MI)
  ⇨ warfarin (INR 2~3 유지) or NOAC 투여 권장 (→ 앞 장 참조)
- 위험인자가 없는 정상 sinus rhythm의 HF 환자는 항응고제/항혈소판제 투여 권장 안됨!
- <u>aspirin</u> : 허혈성 심근질환에 의한 HF 환자에게 투여 권장 (ACEi 복용 여부에 관계없이)
  ↳ ACEi의 효과를 약화시킬 수 있음 (∵ PG 합성↓)
- clopidogrel 등의 다른 항혈소판제는 ACEi 약화 작용이 없어서 더 효과적일 것으로 예상되지만, HF 환자에서의 추가적인 효과는 아직 검증 안 되었음

(2) 기타 약물

- statins : 다른 적응증이 없으면 권장 안됨 (심부전의 예후와 관련 없음)
- <u>AVP (vasopressin) antagonists</u> (tolvaptan, conivaptan) : 다른 치료(수분제한, ACEi/ARB 등)에 반응 없는 severe hyponatremia (인지장애) 동반 심부전 환자에 사용 가능 (사망률엔 영향×)
- omega-3 (ω-3) polyunsaturated fatty acids (PUFAs, fish oil) : 심혈관질환에 의한 사망률 및 입원율 감소 효과 → (금기가 없으면) 심부전 환자에서 다른 치료에 보조적으로 사용 권장
  (c.f., 항혈소판제/항응고제와 함께 투여하면 출혈 위험 증가 주의)
- 미량영양소(micronutrient) 보충 : thiamine, coenzyme Q10 (CoQ10), L-carnitine, taurine 등이 HF 환자에서 심장기능을 호전시킨다는 일부 연구가 있지만, 일상적으로 권장은 안됨

(3) 부정맥의 치료/예방

- 부정맥의 유발요인
  ① 전해질 및 산염기 이상 (특히 diuretics-induced hypokalemia)
  ② digitalis intoxication
  ③ class I 항부정맥제(e.g., quinidine, procainamide, flecainide)
- amiodarone과 dofetilide를 제외한 대부분의 항부정맥제는 HF에서 (−)inotropic & proarrhythmic
- amiodarone : 대부분의 supraventricular arrhythmias (e.g., AF), asymtomatic VT에서 TOC
  - phenytoin과 digoxin의 농도를 높이고 warfarin과 상승작용 있으므로 주의
  - dronedarone은 (AF에는 효과적이지만) HF를 악화시켜 사망률을 증가시킴
- **심방세동(AF)** : m/c, HF의 15~30%에서 동반, HF 증상 악화 및 thromboembolic Cx. 위험
  - rate control에는 β-blocker가 선호됨 (∵ digoxin : 안정시에만 효과, 운동시에는 효과 없음)
  - rate control이 잘 안되거나 β-blocker를 사용하기 어려운 경우 rhythm control
    ; amiodarone이 안전 → 증상이 지속되면 catheter ablation (pul. vein isolation) 고려할 수
  - 가이드라인에 따라 뇌졸중 예방을 위한 항응고제도 사용
- advanced HF ; VPC, asymtomatic VT 등이 흔함
  ↳ 약 1/2은 VF/VT에 의한 **SCD**로, 1/2은 pump failure로 사망
- 심실부정맥은 항부정맥제 단독으로는 치료 안 되고 위험 ⇨ ICD 삽입! (secondary prevention)
  (ICD 단독 or amiodarone and/or β-blocker와 병용)

HFrEF 환자에서 SCD 예방(primary prevention) ⇨ 심율동전환 제세동기(ICD)의 적응(우리나라) ⇨ 사망률↓

(1) **비허혈성 HF**: 3개월 이상의 적절한 약물치료에도 증상이 지속되는 EF ≤35% NYHA class Ⅱ~Ⅲ 환자

(2) **허혈성 HF**: MI 발병 40일 이후, 적절한 약물치료에도 증상이 지속되는 EF ≤35% NYHA class Ⅱ~Ⅲ 환자
  - NYHA class Ⅰ 환자는 EF ≤30% 여야
  - EF ≤40% + 비지속성 VT + EPS에서 혈역학적으로 의미있는 VF or 지속성 VT 유발되는 경우

* **예외** ; 예상 생존 수명이 1년 이하이거나, 삶의 질에 문제가 될 때

(4) 심장재동기화 치료(cardiac resynchronization therapy, CRT)

- CRT-P : dual chamber/biventricular pacemaker (일반적인 pacemaker와 달리 dyssynchrony 개선이 목표) → RA, RV apex, LV (coronary sinus)를 조율하여 resynchronization
- EF 감소된 symptomatic (NYHA Ⅲ~Ⅳ) HF 환자의 약 1/3에서 inter-/intraventricular conduction 이상 (QRS >120 ms) → 심실 수축의 부조화(ventricular dyssynchrony) → ventricular filling↓, LV contractility↓, MR duration/severity↑ → HF 악화
- 효과 ; EF↑, LV remodeling 역전, 운동능력↑, 삶의 질 향상, 입원 및 사망률 감소 (QRS >150 ms이면서 전형적인 LBBB 모양일 때 CRT의 치료 효과가 가장 큼)
- Ix. (간략) : 3개월 이상의 적절한 약물치료에도 증상이 지속되는 EF ≤35% HF 환자에서 sinus rhythm & QRS >130 ms면 CRT 사용이 권장됨

HFrEF 환자에서 CRT의 적응(우리나라)

CRT-P (Pacemaker)
  : 3개월 이상의 적절한 약물치료에도 불구하고 증상이 지속되는 HF 환자에서 아래에 해당하는 경우

(1) **Sinus Rhythm의 경우**
  (a) QRS ≥130 + LBBB + EF ≤35% + NYHA class Ⅱ, Ⅲ, 거동 가능 Ⅳ
  (b) QRS ≥150 + non-LBBB + EF ≤35% + NYHA class Ⅱ, Ⅲ, 거동 가능 Ⅳ

(2) **Permanent AF의 경우**
  (a) QRS ≥130 + LBBB + EF ≤35% + NYHA class Ⅲ, 거동 가능 Ⅳ
  (b) EF ≤35% 환자에서 심박수 조절을 위해 방실결절차단술(AV junction ablation)이 필요한 경우

(3) 기존 pacemaker의 CRT upgrade or ICD 추가 : EF ≤35% + NYHA class Ⅲ, 거동 가능 Ⅳ 환자에서 심조율 비율(pacing rate)이 40% 이상인 경우

(4) (다른 원인에 의한) pacemaker 적응 환자 : EF ≤40% + 심조율 비율 40% 이상으로 예상되는 경우 (3개월 이상의 적절한 약물 치료가 없는 경우에도 인정 가능함)

CRT-D (Defibrillator)
  : CRT-P와 ICD 기준에 모두 적합한 경우에 인정하되,
  위의 (1)에 해당되면서.. NYHA class Ⅱ인 경우에는 QRS ≥130 ms + LBBB + EF ≤30%인 경우에 인정함

- 최근엔 ICD와 결합된 형태의 장비가 개발되어 (CRT-D, CRT-ICD), HF 환자에서 심장수축력 개선 및 VT/VF에 의한 SCD의 예방 효과도 있음 (→ CRT-P보다 사망률 더 감소)

심부전(HFrEF)에서 survival 연장 (사망률 감소) 효과가 증명된 약제/치료법 ★

① ACEi, ARB, ARNI
② β-blocker
③ aldosterone antagonist
④ hydralazine + isosorbide dinitrate
⑤ ivabradine
⑥ ICD and/or CRT (biventricular pacing)
⑦ 운동과 심장재활(cardiac rehabilitation) 치료
⑧ 심장이식
  (digitalis 등의 수축촉진제나 일반적인 이뇨제는 수명 연장 효과 없음!)

8. 기계적 순환 보조장치(mechanical circulatory support, MCS)

: 최대한의 약물치료에도 반응 없는 acute cardiogenic shock or ADHF 환자에서 심실 기능을
보조 or 대치하기 위해 고안된 기계적 장치들

(1) 적응/목적

① bridge to recovery (BTR) : 심실 기능이 회복될 것으로 예상될 때 temporary MCS를 사용
- 예 ; AMI, acute myocarditis, postcardiotomy cardiogenic shock
- 만약 예상대로 심근이 회복되지 않으면 implantable MCS or 심장이식으로 진행해야 됨
(bridge to bridge [BTB] or BTT application)
- C/Ix ; 심근 회복이 어려워 보일 때, 심장이식이나 implantable MCS가 불가능할 때
② bridge to candidacy (BTC)/ bridge to decision (BTD) : 심장이식 등 치료방침 결정이 아직
불확실할 때, 환자 상태를 안정시킬 목적으로 temporary MCS를 사용
③ bridge to transplantation (BTT) : 심실 기능이 회복이 예상되지 않는, 심장이식이 예정된
환자에서 이식 전까지 심실 기능 유지를 위해 사용
- 예 ; longstanding ischemic/valvular/idiopathic cardiomyopathy, severe AMI/myocarditis
④ destination therapy (DT) : 말기 심부전(chronic advanced HF) 환자에서 근치적 목적으로
(심장이식 대체) durable implantable MCS (e.g., HeartMate)를 사용하는 것

근치적(DT) 목적의 MCS 사용 적응(모두 해당해야)

1. 심장이식에 적합하지 않음
2. 심각한 기능 장애 : 지난 60일 중 45일 이상 NYHA class IIIb or IV 증상 발생
(가이드라인에 따른 최대 용량의 약물치료에도 불구하고)
3. LVEF <25%
4. IV inotropes 14일 동안 (or IABP 7일) 유지하지 않으면
최대산소섭취량(peak exercise oxygen consumption, peak VO_2) ≤14 mL/kg/min
↳ 최대 심박출량과 비례

- 말기 심부전 환자의 삶의 질 및 생존율 향상에 (약물 치료보다) 큰 도움!
- 최근에는 부작용(e.g., CVA, 감염, 출혈, 기계고장)도 많이 줄어 사용이 증가하고 있음

(2) temporary MCS devices

• intra-aortic balloon pump (IABP)
- femoral artery로 삽입 후 mild thoracic aorta에 거치함
- "counterpulsation" : 이완기에는 풍선을 가스(helium)로 부풀리고, 수축기에는 가스를 뺌
- 효과 : 이완기 혈압↓, afterload↓, 심근 산소 소모량↓, coronary artery perfusion↑, CO↑

IABP의 적응

AMI에 의한 cardiogenic shock associated
Revascularization 치료 전/후로 고위험 환자를 안정화 (PCI 중에도 사용 가능)
LV dysfunction (EF <40%); 폐색된 관상동맥이 심근의 40% 이상을 담당할 때
AMI의 기계적 합병증 ; MR, VSD(R)

*Aortic insufficiency or Aortic dissection에서는 절대 금기임

- 연구 결과 AMI cardiogenic shock 환자에서 (revascularization 치료를 적절히 받은 경우)
생존율 차이 없음 / AMI에 의한 기계적 합병증(e.g., VSR, MR)에서 수술 전 가교치료는 도움

- extracorporeal life support (ECLS) (= ECMO) : 심폐 bypass 순환 (혈액 산소화로 preload↓)
  - cardiogenic shock & oxygenation 장애에서는 venoarterial (VA)-ECMO가 choice
  - 심각한 심부전 환자에서 가교치료(BTR or BTD)로 사용시 생존율 향상 효과
- **경피적 심실보조장치(ventricular assist device, VAD)** : LV의 부담↓ & forward flow↑
  - ⇨ 심근 산소 소모량↓, coronary perfusion↑, 평균 동맥압↑, PCWP↓
  - TandemHeart paracorporeal VAD (pVAD) : LA의 혈액을 대동맥으로 펌프, LV support
  - Impella 2.5, CP, 5.0 (혈류량↑) : LV의 혈액을 체외 장치를 통해 대동맥으로 펌프, LV support
    (Impella RP : IVC의 혈액을 폐동맥으로 펌프, Rt-HF에 사용)
  - IABP 대비 사망률은 비슷하지만, CO (cardiac index) 향상 및 LV unloading 효과는 우수함
- CentriMag VAD : Rt, Lt, or biventricular support

(3) long-term durable MCS devices
- 말기 심부전 환자에서 장기간 사용(DT)을 목적으로 개발된 장치로 수술로 체내에 펌프 삽입
- 삽입형(implantable)/이식형 좌심실보조장치(left ventricular assist device, LVAD)
  - continuous flow pump (예전의 pulsatile VAD에 비해 구조가 간단하고 내구성이 우수함)
  - HeartMate II, III ; LV apex → 인공혈관 → 펌프(심장주변) → 인공혈관 → 상행 대동맥
    (배터리와 컨트롤러는 체외에 위치)
  - HVAD ; LV apex에 펌프 유입부 삽입 → 인공혈관 → 상행 대동맥 (배터리/컨트롤러는 체외에)
- Syncardia total artificial heart-temporary (TAH-t) : 양심실을 제거하고 인공심실을 이식

9. 수술/심장이식/세포치료

- revascularization (HF 동반 IHD 환자에서는 PCI보다는 CABG가 완전 재관류율 높음)
  - 좌심부전에 angina가 동반된 환자에는 강추 (angina가 없는 경우에는 논란)
  - 관상동맥우회술(CABG) : LVEF ≤35% 이하 ischemic cardiomyopathy (multi vessel dz.)에서
    약물치료 대비 CABG가 심혈관 사망률, 전체 사망률, 입원율 등 감소
- 좌심실용적축소술/좌심실재건술(LV volume reduction, surgical ventricular restoration, SVR)
  - 좌심실 전벽 dysfunction이 주인 ischemic cardiomyopathy 환자에서 확장된 심실 구조를
    원래의 모양으로 재건하는 수술 (infarct 부위 제거, 가능한 곳은 CABG 시행, 필요시 MR 교정)
    → but, CABG 단독 시행 군보다 survival 향상 효과는 없음
  - nonischemic HF 환자에서는 장점보다 사망률이 높아 시행 안함
- 좌심실류 절제술(left ventricular aneurysmectomy) : akinetic aneurysmal segment 제거
- functional MR의 교정 : survival 향상되는 지는 불확실함
- 심장이식 : 가장 근본적인 치료, 고위험군에서 예후↑ (우리나라 1YSR 94%, 5YSR >84%)
  - 말기 HF에서, 운동부하 최대산소섭취량이 14 mL/min/kg 미만이어야 심장이식의 예후가 좋음
  - 적응 ① cardiogenic shock으로 강심제 or MCS가 필요한 말기 심부전 환자
    ② PCI/CABG가 불가능하고 어떠한 치료에도 반응하지 않는 협심증 환자
    ③ RFA 및 ICD에 반응하지 않는 악성 심실부정맥 환자
- 세포치료(cell-based therapy) : 효과는 기대되지만, 아직은 근거가 불충분함
- 유전자치료 ; SERCA2a, ANGPTL2 등을 타겟으로 하는 연구들이 있지만, 효과는 불확실함

■ HFpEF (diastolic HF)의 치료

- 대개 EF 40~50% 이상인 환자, systolic HF (HFrEF)보다 전체 사망률은 낮지만, HF로 인해 병원에 입원한 경우에는 재입원율/사망률 비슷함
- HFrEF와 달리 치료방침이 정립되어 있지 못하고, survival 연장 효과가 증명된 치료법은 없음!
- 치료
  ① HFpEF의 원인/동반 질환의 치료 ; IHD, HTN, dyslipidemia, DM → 각 질환별 지침에 따름
     - <u>철저한 혈압조절</u> (m/i) ; ACEi/ARB 우선, β-blocker와 CCB도 사용 가능
  ② HF 악화인자의 예방 및 빠른 치료 (e.g., tachycardia, AF)
  ③ HF의 증상 조절 ; <u>이뇨제(loop diuretics)</u>-울혈에 의한 증상시 반드시 사용, ACEi/ARB, β-blocker,
     <u>aldosterone antagonist</u> 등
     (↳ EF ≥45%, BNP↑ or 1년 이내에 HF로 입원 병력, eGFR >30, Cr <2.5, K^+ <5.0일 때 고려 가능)
  * nitrates, digitalis → 도움 안 됨!

■ Refractory HF

- <u>refractory HF</u>의 진단 전에 고려해야할 사항
  ① 치료 가능한 원인질환의 R/O (e.g., infective endocarditis, thyrotoxicosis, silent AS or MS)
  ② 심부전의 유발/악화 요인의 R/O (e.g., infection, embolism, anemia, hypoxia, arrhythmia)
  ③ 과도한 치료에 의한 부작용을 R/O (e.g., digitalis 중독, 전해질 이상, hypovolemia)
- 가능한 치료 방법
  ① 이뇨제 병합요법, 혈관확장제 추가, (+) inotropic agents, ultrafiltration 등
     (IV vasodilator, PDE inhibitor, inotropes 등 병합치료 → 서로 상승효과; CO↑, filling pr.↓)
  ② LV or biventricular pacing
  ③ 기계적 순환 보조(mechanical circulatory support, MCS) ; IABP, ECMO, VAD, 인공심장 등
  ④ 심장 이식
  ⑤ 심장수술법 ; ventricular remodeling surgery, dynamic cardiomyoplasty, MV repair ...
- 치료 목표 (Swan-Ganz catheter 이용)

  ┌ PCWP : 15~18 mmHg
  │ RA pr. : 5~8 mmHg
  │ CI >2.2 L/min/m²
  └ 전신혈관저항 : 800~1200 dyn·s/cm⁵
- 모든 치료에도 반응이 없는 NYHA class IV 환자
  - 1년 이상 생존 어렵다
  - 기계적 순환 보조(MCS) and/or 심장이식 고려
    (심실보조장치는 심장이식의 전단계로도 이용되나, 약 10%는 회복도 가능)

동반 질환의 관리

1. 고혈압

- ACEi/ARB, β-blocker, MRA(AA)를 각각 1차, 2차, 3차 치료제로 사용함
- ACEi/ARB, β-blocker, MRA(AA) 병합요법에도 혈압조절이 안되면 thiazide diuretics
    (만약 thiazide diuretics를 투약 받던 환자라면 loop diuretics로 바꿈)
    or amlodipine ($^{2/3세대DHP}$CCB) *or* hydralazine 추가
- ACEi/ARB, β-blocker, MRA(AA), 이뇨제 병합요법에도 조절 안되면 felodipine 추가 고려
- α-blocker는 신경호르몬계 활성화, 수분 저류, 심부전 악화를 일으킬 수 있으므로 금기

2. 당뇨병

- 심부전 발생의 중요 위험인자이며, 심부전 환자의 기능 악화 및 입원율/사망률 증가와 관련
- 혈당 조절은 덜 엄격하게 권장 : HbA$_{1c}$ <8.0%
- thiazolidinediones (TZD) : 수분 저류로 HF를 악화시킴, NYHA Ⅱ 이상에서는 금기
- metformin : AHF or 혈역학적 불안정시에만 주의 (∵ lactic acidosis 유발 위험)
- DPP4 inhibitor : 심부전 및 심혈관질환에 대한 영향은 없음
- GLP-1 agonist (e.g., liraglutide) : 심혈관 위험도를 감소시키는 약제로 권장 (50세 이상)
- SGLT2 inhibitor (e.g., empagliflozin) : 심혈관 사망률 및 HF에 의한 입원율 크게 감소
    (but, lower-UTI, ketosis, 골밀도↓/골절 위험 등을 증가시키므로 주의)

3. 심장-신장 증후군(cardiorenal syndrome, CRS)

- HF 환자의 40% 이상이 만성 신질환을 동반, 혈액투석 환자의 약 20%는 기존에 HF 존재,
- AHF 환자의 약 25%에서 입원중 CRS 발생 (→ 이중 약 1/3은 회복, 1/3은 악화된 eGFR 유지,
  1/3은 계속 악화되어 사망하거나 신대치요법을 받게됨)

- cardiorenal syndrome (CRS) : 심부전과 신부전이 서로 상호작용하면서 악화되는 고리 현상

CRS type Ⅰ (acute cardiorenal syndrome)	심장기능의 급격한 악화로(e.g., AHF) AKI가 발생한 것 *위험인자 ; 고령, 여성, 고혈압, 기저 eGFR↑, BNP↑, CVP↑, loop diuretics (→ RAAS 더 활성화하여 신장내 혈역학 악화)
CRS type Ⅱ (chronic cardiorenal syndrome)	심장기능의 만성적인 이상으로(e.g., CHF) CKD가 발생한 것
CRS type Ⅲ (acute renocardial syndrome)	급격한 신기능의 악화로(e.g, AKI) 급성 심장 이상이 발생한 것 (e.g., volume overload, heart failure, hyperkalemia)
CRS type Ⅳ (chronic renocardial syndrome)	CKD로 인해 심장기능 저하, 심장 섬유화/비대, and/or 심혈관계 사건 등이 발생한 것
CRS type Ⅴ (2ndary cardiorenal syndrome)	전신질환(e.g., 다발성 외상, sepsis)이 심장기능과 신기능 이상 둘 다 유발한 것

- CKD(특히 ESRD)에서 HF 발생 기전 ; pressure overload (HTN), volume overload, cardiomyopathy
- CKD는 BNP (or NT-proBNP) level을 높임 → 일반적으로 eGFR이 60 mL/min/1.73m^2 미만이면 HF의 진단 기준을 200 (or 1200) pg/mL로 높여야 됨
- advanced HF에서 신기능 악화 기전 ; 신장 혈류↓, GFR↓, 근위부 water 재흡수↑, 헨레고리에서 sodium 재흡수↑, nephron의 전반적인 water 배설능↓, 특히 effective arterial blood volume 감소는 vasopressin 분비 촉진 → water retention 악화
- CRS type Ⅰ의 확립된 치료법은 없음
  - 동맥관류 저하시 보통 dobutamine or milrinone을 사용하지만, 사망률엔 영향 없음
  - 울혈 해소를 위해 조심스럽게 이뇨제 → 반응 없으면 초미세여과(ultrafiltration) (but, 장기적인 효과는 불명확하므로 refractory CRS 환자에서 최후의 보루로 고려)
- CKD (투석) + HF 환자는 금기가 없는 한 정립된(survival 연장이 증명된) HF 치료법 시행 ; ACEi or ARB, β-blocker, 필요시 추가 항고혈압제 등 → survival 연장
  c.f.) 혈액투석 과정에서 대부분의 ACEi는 제거되고, ARB는 제거 안됨! (용량조절이 쉬워 ARB를 선호하기도 함)
  ↳ 대부분은 괜찮지만, 투석 중 고혈압 발생 환자는 ARB or 제거되지 않는 ACEi (fosinopril)로 대치

4. 수면 호흡장애(sleep-disordered breathing)

- HF 환자에서 흔히 동반되며(30~60%), 특히 HFrEF (EF <40%)에서 흔함
- central sleep apnea (m/c, CSA, "Cheyne-Stokes breathing"), obstructive sleep apneas (OSA) → 수면중 각성에 의한 adrenergic surges → HTN 및 systolic & diastolic dysfunction 악화
- 수면 호흡장애를 의심해야 하는 경우 ; 약물치료로 심실 재형성이 역전되었는데도 고혈압 조절이 어렵거나 피곤 증상이 지속될 때, 좌심실 기능은 호전되었는데 우심실 기능은 악화될 때
- Tx. ; 야간 지속기도양압(continuous positive airway pressure, CPAP) → LVEF (CO)↑, 운동 능력 및 삶의 질 향상 (사망률 감소 효과는 확실치 않음) (c.f., adaptive servo-ventilation은 사망률이 오히려 증가되어 권장 안됨)

5. 빈혈

- HF 환자의 25~40%에서 동반되며, 운동능력 및 삶의 질 저하, 사망률 증가와 관련 있음 (→ 빈혈을 교정하면 운동능력과 삶의 질은 향상되지만, 사망률도 감소시키는지는 논란)
- 잘 동반되는 경우 ; 고령, 여성, advanced stage, renal insufficiency
- IDA → IV iron이 효과적 (경구 철분제는 효과 없음)
- 특별한 원인이 없는 빈혈 환자에서 EPO 제제(e.g., darbepoetin) 투여는 예후는 호전 못시키고, venous thromboembolism 위험만 증가되므로 권장 안됨

6. 우울증

- 말기 심부전에서 매우 흔함(20~40%), 삶의 질 저하 및 생존율 감소와 관련
- Tx. ; 지지적 정신치료, 인지행동치료, 항우울제 등을 복합
  - SSRI (e.g., sertraline) : 비교적 안전, warfarin/digoxin/cisplatin 등의 혈중 농도를 높일 수 있음
  - TCA는 기립성 저혈압, 심장전도이상, 부정맥 등의 부작용이 있으므로 금기

만성 심부전의 예후

* 주로 원인질환의 상태와 악화/유발인자의 존재 여부에 의해 예후가 결정됨
  (대개 20~30%는 1년 이내 사망, 40~60%는 5년 이내 사망)

1. 좋은 경우

① 밝혀진 악화/유발인자가 치료된 경우
② 원인질환이 효과적으로 치료 가능한 경우 (e.g., 심장판막질환)
③ 최소한의 치료에도 호전을 보이는 경우

2. 나쁜 경우 ★

① 특별한 원인/유발인자가 없는 경우 (→ survival은 6개월~4년)
② 치료에 반응이 적은 경우
③ EF의 심한 감소 (<15%)
④ 최대 산소 섭취량 감소 (<10 mL/kg/min)
⑤ 정상 속도로 3분 이상 걸을 수 없을 때
⑥ serum $Na^+\downarrow$ (<133 mEq/L), serum $K^+\downarrow$ (<3 mEq/L)
⑦ 혈중 ANP, BNP, ST-2, NE, renin, aldosterone 등의 상승
⑧ EKG ; AF, dyssynchrony (QRS >120 ms), frequent ventricular extrasystoles (VPC) 등
⑨ 동반질환 ; DM, HTN, pul. HTN, sleep apnea, obesity, COPD, 신부전, 간질환 등

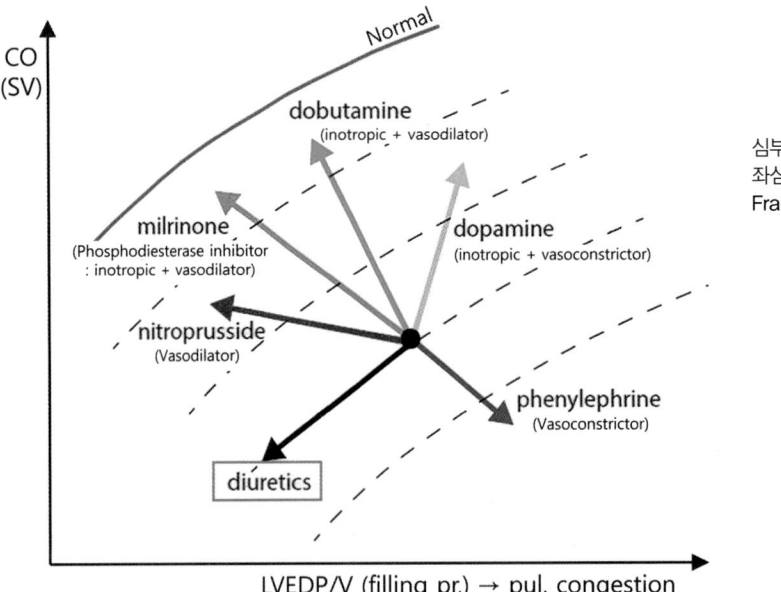

심부전에서 Ⅳ 약물들의
좌심실에 대한 영향
Frank-Starling curves

급성 심부전 (acute heart failure)

1. 정의/분류

- 빠르게 발생하고 급속히 악화되어 신속한 치료가 필요한 심부전 (아래 둘을 통칭)
  - ┌ acute de novo HF신생 급성 심부전 : 심부전이 처음 발생된 경우 (e.g., AMI)
  - └ acute decompensated HF (ADHF)비대상성 급성 심부전 : 안정기 심부전 환자가 급격히 악화되는 경우

급성 심부전의 증상/징후

	증상	징후
체액 저류 (congestion)	호흡곤란, 기침, 쌕쌕거림(wheezing)	수포음(rales), 흉막삼출(pleural effusion)
	발과 다리의 불편감	말초 부종
	복부 불편감/팽만감, 조기 포만감, 식욕부진	복수, RUQ 통증/불편감, 간비종대, 공막 황달, 체중 증가, 경정맥 확장(JVP↑), 간목정맥역류(abdominojugular reflux), S_3 증가, P_2 강화
관류 저하 (hypoperfusion)	피곤	사지의 냉감
	의식저하, 착란, 주간 졸림, 집중력저하	창백, 어두운 피부색, 저혈압
	어지럼, 실신	맥압 감소, 교대맥(pulsus alternans)
기타	우울증	기립성 저혈압 (hypovolemia)
	수면 장애	S_4
	두근거림	수축기 & 이완기 심잡음

- 임상상태에 따른 Forrester 분류 (4 category) … acute HF의 hemodynamic profiles 및 치료방침
  - 울혈 상태 (wet↔dry) : 경정맥 확장, 복수, 부종, 폐 수포음 ⇨ 폐동맥쐐기압(PCWP)
  - 조직관류 상태 (warm↔wet) : 피부온도↓, 소변량↓, 의식저하 ⇨ 심박출계수(CI, cardiac index)

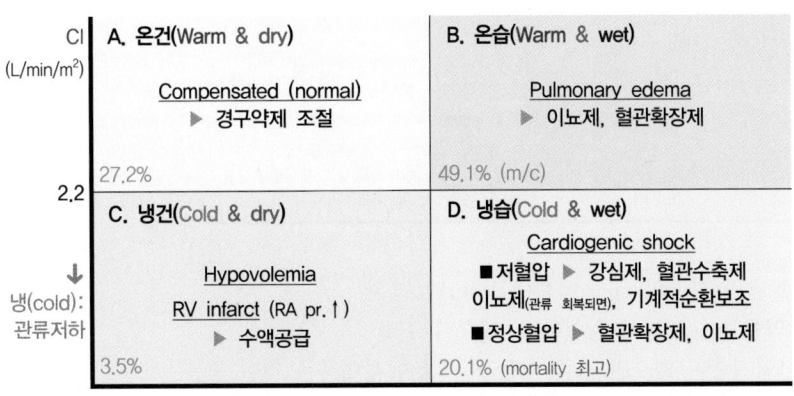

- ┌ CO (CI) : 감소되면 tissue perfusion↓ ("**cold**")
- └ LV filling pr. (PCWP) : 증가되면 fluid retention 증상 ("**wet**"), 정상이면 "**dry**"
- A → D로 갈수록 예후가 나쁨
- acute HF의 치료 목표는 혈역학적 이상의 빠른 교정, 악화 요인의 발견/치료
- acute HF의 m/c 원인은 만성 심부전의 급성 악화 상태임 = <u>ADHF</u> (acute decompensated heart failure)

2. 원인/악화인자

Acute coronary syndrome, 부정맥(빈맥, 서맥, 전도장애), 과도한 혈압 상승(고혈압성 응급증)
저염/수분제한/약물복용 불이행
독성 물질(e.g., 알코올, 각성제), 약물(NSAIDs, steroids, negative inotropics, 심장독성 항암제)
COPD의 악화, Pulmonary embolism
감염(e.g., pneumonia, infective endocarditis, sepsis)
수술 및 수술 합병증
Increased sympathetic drive, stress-related cardiomyopathy
대사성/호르몬 장애(e.g. 갑상선기능 이상 diabetic ketosis, adrenal dysfunction, 임신/주산기관련 이상)
뇌혈관 손상
급성 구조적 손상: ACS에 합병된 심근파열(free wall rupture, ventricular septal defect, acute MR),
　흉곽 손상, cardiac intervention, endocarditis에 의한 급성 판막부전, aortic dissection or thrombosis) 등

*우리나라 ; 허혈성 심질환이 m/c (37%), 평균 69세, 남>여
　　　　원내 사망률 6.1%, 1년 사망률 15%, 3년 사망률 26% (미국 5YSR <33%)

3. 평가/진단

- 비침습적 ; EKG, CXR, 심초음파, BNP (or NT-proBNP), troponin, ST2 등
　　　(기본 혈액검사 ; CBC, LFT, electrolytes, BUN, Cr, glucose, TFT 등)
- 침습적(invasive)
  - 우심도자술(Swan-Ganz/pul. artery catheter) ; 임상적으로 체액상태를 판단하기 어려울 때
　　　(특히 LV filling pr.와 CO이 불명확할 때), 심각한 저혈압(SBP <90 mmHg or Sx.),
　　　초기 치료에 반응이 없거나 악화될 때 등만
  - 허혈에 의한 심부전이 의심되는 경우 → 재관류를 고려한 관상동맥조영술
  - 심내막 심근 생검은 특정 질환이 의심되는 경우에만

4. 치료

입원의 적응	ICU 입원 대상
저혈압, 관류저하, 신기능 저하, 의식장애 안정시 호흡곤란 (SaO$_2$ <90%) 급성관동맥증후군(ACS) Hypertensive emergency 심각한 부정맥 급성 구조적 손상 ; 심실 파열, MR, 흉곽 외상 등 급성 폐색전증	기도삽관 저관류(hypoperfusion)의 증거 산소 공급에도 불구하고 SaO$_2$ <90% 호흡시 accessory muscles 사용 　& 분당 호흡수 >25회 심박수 <40 bpm or >130 bpm 수축기 혈압 <90 mmHg

* 기존 심부전으로 치료 받던 환자의 급성 악화(ADHF)인 경우
  - 기존 심부전 치료 약물들을 면밀히 확인하고, 필요시 조절
  - 혈역학적 불안정과 금기증이 없으면 기존 약물들은 계속 투여하는 것이 좋음!!
  - β-blocker의 일시적 감량/중단이 필요한 경우 ; 심한 서맥/저혈압/CO↓에 의한 증상 존재,
　　　최근에 β-blocker를 시작/증량, shock → 환자가 안정화되면 저용량부터 다시 시작
　　　(c.f., 혈압이 낮은 경우 β-blocker보다는 다른 약제의 감량을 먼저 시도하는 것을 권장함,
　　　β-blocker를 갑자기 중단하거나 많이 감량하는 것은 좋지 않다!)
  - 신기능이 악화된 경우 ACEi, ARB, MRA (AA) 등은 감량/중단 → 회복된 뒤 저용량부터 시작

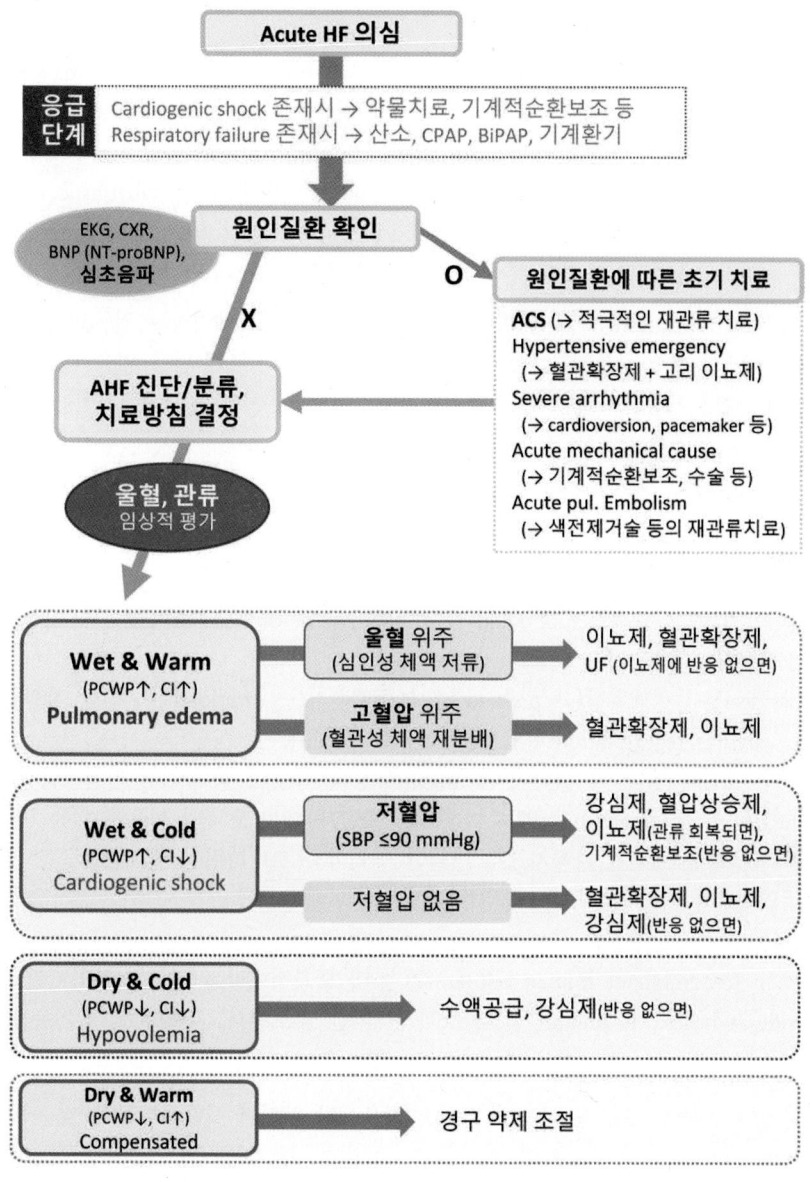

(1) 호흡 보조

- 산소공급 : 저산소증 환자에서만 투여, SaO₂ 90% 이상 유지
    (산소 정상인 경우 투여하면 전신혈관저항↑ → CO↓ 위험)
- noninvasive ventilation (NIV) : Bi-PAP or CPAP, 산소공급에도 불구하고 저산소증과 빈호흡
    (RR >25회/분)이 지속되는 경우에만 고려 (일상적인 사용은 안됨)

* morphine ; 일시적 정맥 확장 및 dyspnea와 anxiety 감소 효과로 사용하기도 하지만,
    호흡저하의 부작용(사실은 크지 않음) 위험 등으로 현재는 권장 안 되는 편임

(2) 이뇨제

- 수분저류(폐울혈, 부종) 완화에는 <u>IV loop diuretics</u>가 m/g (내원 즉시 투여, CO과 관계없이)
  [volume overload with congestion] ↳ <u>furosemide</u>, torsemide, torsemide
  - 간헐적 or 지속적 주사는 결과에 차이 없음
- 반응 없으면 loop diuretics 증량 → 반응 없으면 다른 이뇨제 추가 (synergistic effect)
  ; <u>metolazone</u>, hydrochlorothiazide, chlorthalidone, spironolactone, acetazolamide 등
- 이뇨제는 euvolemia가 될 때까지 투여 / JVP↓ & biomarkers↓면 퇴원 가능

  * 초미세여과(ultrafiltration) : 투석 비슷하게 체외에서 수분을 제거하는 것(aquapheresis)
    - acute HF에서 울혈(수분저류)이 매우 심한 경우 (약물 치료에 반응 없을 때) 고려 가능
    - 약물 치료보다 체중감소에는 더 효과적이나, Cr 감소나 사망률에서는 차이가 없음

(3) 혈관확장제

- HF survival 연장 효과는 없지만 / <u>저혈압이 없는 경우</u> 빠른 증상 완화를 위해 제한적으로 사용
- nitrates (NG) IV (m/c) : 정맥확장(→ preload↓) → 폐울혈의 빠른 감소
  - HTN, IHD, severe MR 동반 acute HF (폐부종) 환자에서 <u>dyspnea</u>를 빨리 호전시켜 도움됨
  - IV NG이 없는 경우에는 sublingual NG, NG patch, oral isosorbide dinitrate 등도 유용함
  - Cx. ; 저혈압, 두통, 지속 사용시 내성
- nitroprusside IV : 정맥확장(→ preload↓) + 동맥확장(→ afterload↓), 심한 저혈압 발생 위험
  - acute valvular regurgitation이나 severe HTN 때 유용
  - 드물지만 오래 사용시 대사산물인 cyanide 독성 문제(e.g., 식욕저하, 전신무력감, 의식변화)
- nesiritide IV (recombinant hBNP) : 다른 혈관확장제 대비 효과의 이득은 없음
- 저혈압이 발생하면 예후가 나빠지므로 면밀한 혈역학적 모니터링이 필요함
  (특히 주의해야하는 경우 ; HFpEF, MS, AS)
- 기타 새로운 혈관확장제
  - serelaxin (recombinant human relaxin-2) : 더 효과적이라는 연구들이 있지만, 아직은 부족함
  - ularitide (synthetic urodilatin) : 더 효과적이지는 않으면서, 저혈압 및 신기능 악화는 더 흔함

(4) 강심제(inotropics) 및 혈관수축제

- 심박출량(CO) 감소로 관류가 심하게 저하된 경우에만 단기간 사용 (부정맥, 심근허혈 발생 위험)
- dobutamine (m/c)
- milrinone (PDE3 inhibitor)
  - 심한 좌심실기능장애에 의한 폐부종 환자에 유용, β-blocker 사용 중인 환자도 효과적
  - dobutamine보다 혈관확장 작용이 강해 전신 저혈압 발생 위험 높음
- levosimendan : 유럽에서는 dobutamine에 비하여 우선적 사용 권장, 혈관확장 작용도 있으므로
    저혈압(SBP <85 mmHg) 또는 cardiogenic shock 환자에서는 혈관수축제와 병용이 필요함
- omecamtiv mecarbil (cardiac myosin activator)
- 혈관수축제(혈압상승제) IV ; phenylephrine, norepinephrine, dopamine (high-dose)
  - 저혈압(SBP <90 mmHg) & 동반 증상/징후, 장기 손상 위험시에만 사용
  - 말초동맥수축으로 주요 장기로의 혈류 유지 역할

(5) 부정맥의 치료

- 빈맥성 부정맥 치료를 위해 digoxin과 amiodarone은 사용할 수 있음
  - 대부분의 class Ⅰ, Ⅲ 항부정맥제들은 β차단 효과로 HF 악화 위험 매우 높음
  - digoxin ; AHF 심박동수 조절에 m/g, 신기능 이상이나 전해질 불균형 동반시에는 주의
  - amiodarone ; HF에서 사망률 증가가 없어 심방 및 심실 빈맥성 부정맥에 사용 가능
- AF with rapid VR (m/c) : AF로 인해 AHF가 유발될 수도, HF 악화로 AF가 유발될 수도 있음
  - 폐부종 때문에 발생된 경우는 폐부종이 개선되면 호전됨
  - digoxin IV / 불안정한 경우가 아니면 cardioversion은 안함 (∵ AF 재발율 높음)
- 심방수축 또는 방실동조 소실 → pacemaker

(6) 기계적 순환보조(mechanical circulatory support, MCS)

- 심한 HF에서 모든 약물 치료에 반응이 없고 혈역학적으로 매우 불안정한 경우 고려 가능
- 급격한 악화로 근치적 치료법(e.g., 이식, 수술, implantable VAD)을 결정하지 못했거나
  or 심장기능 회복이 기대되는 경우 "bridge to decision/recovery"로 사용 가능
- 대동맥내풍선펌프(intra-aortic balloon pump, IABP) ; AMI의 기계적 합병증(e.g., VSR, MR)에
  의한 cardiogenic shock 환자에서 수술 전 혈역학적 안정화를 위한 가교역할로 사용은 도움
- 경피적 심실보조장치(percutaneous ventricular assist device, pVAD) ; TandemHeart, Impella
- 체외형 생명구조장치(extra corporeal life support, ECLS) = 체외막형산소섭취(extra corporeal
  membrane oxygenation, ECMO) ; 심폐기능 보조 → 생존율 향상에 효과적

(7) 수술/심장이식

수술이 필요한 acute HF	
다혈관 관상동맥 질환의 AMI에 의한 심인성쇼크	허혈성 유두근 파열/기능이상, 점액성 건삭 파열, 심내막염,
심실중격 파열	외상 등으로 유발된 급성 승모판 역류
심실외벽 파열	심내막염, 대동맥박리, 폐쇄성 흉부외상 등으로 유발된
기존 심장판막 질환을 가진 환자의 급성 악화	급성 대동맥판 역류
인공판막 부전 또는 혈전증	발살바동 파열
심낭 안쪽으로 파열된 대동맥류 또는 대동맥박리	혈역학적으로 불안정하고 혈전용해제 치료가 불가능한
기계적 순환보조를 시행하는 심부전 환자의 급성 악화	폐색전증

- 심장이식 : 약물 치료에 불응하는 말기 심부전 환자에서 가장 근본적인 치료

급성 폐부종 (acute pulmonary edema)

1. 분류/원인

(1) cardiogenic pulmonary edema (CPE)

- 폐정맥압(PCWP) 상승 → 폐모세혈관압↑ → 혈관외 공간(간질)으로 액체 증가 (부종)
- 원인 ; **심부전**(m/c, LHF), MS, 폐동맥압 증가(overperfusion pul. edema)

(2) noncardiogenic pulmonary edema

- PCWP 상승 없이(≤18 mmHg), Starling force의 불균형으로 액체와 단백질이 폐포공간에 축적

> 1. Alveolar-capillary membrane permeability의 변화 ; **ARDS/ALI** (m/c)
> 2. Lymphatic insufficiency ; 폐이식, Lymphangitic carcinomatosis
> 3. 간질의 음압 증가 ; 기흉의 급격한 교정, 급성 기도폐쇄
> 4. 기타 ; High-altitude pul. edema (HAPE), Neurogenic pul. edema, TRALI, Pul. embolism, Opioid overdose, Salicylate (aspirin) toxicity, Virus (e.g., hantavirus, dengue, influenza), Eclampsia, Cardioversion, Cardiopulmonary bypass, 마취 ...
> 5. Plasma oncotic pr. 감소 (hypoalbuminemia) ⋯ 단독으로는 폐부종 안 일으킴
>   HFpEF 환자에서 고령에 따른 hypoalbuminemia, 영양실조, sepsis 등에 의해 폐부종 유발 가능
>   (c.f., 급성 심부전 환자에서 hypoalbuminemia는 pleural effusions을 일으킬 수 → poor Px.)

2. 임상양상/진단

- severe cardiogenic pulmonary edema와 ARDS는 임상양상 및 CXR 소견이 비슷함
  - 임상양상 ; 급성 호흡곤란, 빈호흡, 빈맥, 심한 저산소혈증, 고혈압 (대개 체내에서 분비된 catecholamines 때문) (c.f., 저혈압 → severe LV dysfunction, cardiogenic shock)
  - Hx. ; 심질환(e.g., MI) 이후 발생하면 cardiogenic / sepsis 이후 발생하면 noncardiogenic
- cardiogenic v/s noncardiogenic pulmonary edema의 감별
  - color flow Doppler echocardiography, EKG, BNP (or NT-proBNP) 등
  - Swan-Ganz (pul. artery) catheter (꼭 필요한 경우에만)
    - ⌈ 적응 ; 폐부종의 원인이 불확실할 때, 치료에 반응이 없을 때, 저혈압이 동반되었을 때
    - ⌊ PCWP 측정 ; 정상(≤18 mmHg) → noncardiogenic / 상승 → cardiogenic
  - but, 감별이 어려울 때도 많음 (e.g., ARDS 환자의 ~20%는 LV dysfunction도 동반)

→ 2권, 호흡기 15장 ARDS 편 참조

c.f.) 드문 원인에 의한 폐부종

* **재팽창성 폐부종(reexpansion pulmonary edema)**
  - 기흉, 무기폐 등으로 폐 허탈이 있던 상태에서 빠른 속도로 폐가 재팽창될 때 발생
  - 위험인자 ; DM, 큰 기흉, 흉수 동반
  - 심한 경우 폐포로의 급격한 수분 이동에 의해 저혈압이나 핍뇨 발생 가능
    (→ 이뇨제 등의 preload 감소 치료 금기)
  - 치료 : 대개 자연 회복됨, 산소 및 환기보조

* **고소 폐부종(high altitude pulmonary edema, HAPE)**
  - 고산병의 심각한 형태 (주 사망원인)
  - 위험인자 ; 이전에 고소폐부종 병력, 남성, 낮은 기온, 과도한 산행, 호흡기 감염, 폐고혈압 등
  - 임상양상 ; 마른기침, 분홍색 가래, 호흡곤란, 빈맥, 빈호흡, 신경증상(고산병, 50%), 발열, 피곤
  - 예방 : CCB (nifedipine), long-acting inhaled β_2-agonist (salmeterol), dexamethasone, PDE5 inhibitors (sildenafil [Viagra®], tadalafil [Cialis®])
  - 치료 : 낮은 곳으로 이동과 산소 (m/i), 휴식, CCB, β_2-agonist, PDE5 inhibitors 등
    (이뇨제, nitrates, morphine 등은 권장 안됨)

4 고혈압

정의/원인

고혈압의 정의 (우리나라, 2018)

분류(category)	Systolic BP (mmHg)		Diastolic BP (mmHg)	미국(ACC/AHA, 2017)
정상(normal)	<120	and	<80	Normal
주의혈압(elevated)	120~129	and	<80	Elevated
고혈압 전단계(preHTN)	130~139	or	80~89	HTN stage 1
고혈압(HTN stage I)	140~159	or	90~99	HTN stage 2
고혈압(HTN stage II)	≥160	or	≥100	HTN stage 2
수축기 단독고혈압 Isolated systolic HTN (ISH)	≥140	and	<90	c.f.) 우리나라와 유럽은 기존의 HTN 정의를 유지함

- systolic & diastolic pr.의 category가 다를 때에는 높은 쪽의 category로 분류
- initial screening시엔 두 번 이상의 방문 때 각각 두 번 이상 측정한 것의 평균으로 해석

- 115/75 mmHg부터 시작하여 혈압이 상승할수록 심장질환, 뇌혈관질환, 기타 혈관질환에 의한 사망률이 증가함
- systolic BP 20 mmHg, diastolic BP 10 mmHg 상승할 때마다 심혈관질환의 위험은 2배씩 증가됨!
- 노인에서는 systolic BP와 pulse pressure가 심혈관질환에 대해 더 큰 예측력을 가짐

1. 본태성 고혈압 (Essential/primary/idiopathic HTN)

: HTN을 일으킬 만한 이차적인 원인이 없는 것 (80~95%)

(1) 유전적 요인 ; 30~60% 정도의 역할, 가족 연구에 의하면 혈압의 유전성(heritability)은 15~35%
(2) 환경 요인 ; 비만(HTN 환자의 50% 이상), 염분섭취↑, 음주, 정신사회적 스트레스 등
(3) <u>salt sensitivity</u> ; HTN 환자의 약 60%에서 혈압이 salt intake의 영향을 받음
   - vascular volume (sodium)은 동맥압 결정의 주요 인자임
   - pressure-natriuresis : NaCl 섭취↑ → 혈압을 높여 신장에서 sodium 배설↑ → 혈압 정상화
   - NaCl(volume)-dependent HTN : 신장질환 또는 mineralocorticoid 증가로 신장 sodium 배설↓
        → sodium balance를 유지하기 위해 동맥압↑
   - ESRD가 volume-dependent HTN의 대표적 예

(4) autonomic nervous system

- NE는 주로 α-receptors를, epinephrine은 주로 β-receptors를 활성화시킴
  - α_1 활성화 → 혈관 수축
  - α_2 활성화 → (-)feedback ; 더 이상의 NE 분비 억제
  - β_1 활성화 → 심박수 및 수축력↑ (→ CO↑), 신장에서 renin 분비↑
  - β_2 활성화 → 혈관 확장
- 장기간의 sympathetic activation → 신혈관 수축, 신장의 sodium retention, 혈관 비대, 혈관 저항↑, Na-K pump 억제 등 → 혈압↑
- 젊은 HTN 환자 ; catecholamines↑ → PR↑, 혈관 수축, CO↑ 등
- catecholamine blockers는 강력한 항고혈압제임

(5) renin-angiotensin-aldosterone (RAA) system

① low-renin essential HTN (약 30%)
- unidentified mineralocorticoid의 과다 생산 : volume-dependent HTN
  → sodium retention, renin↓ (hypokalemia는 없음)
- angiotensin II (AT-II)에 대한 부신의 반응성↑

② nonmodulating essential HTN (약 50%)
- sodium retention (volume)에 대한 부신의 반응성↓ (sodium이 AT-II에 대한 부신/신혈관의 반응에 영향을 미치지 않음, nonmodulator)
- 신장이 sodium을 제대로 처리하지 못해 salt-sensitive HTN도 나타냄
- insulin resistance 흔함, 유전적 소인과 관련, 남성 및 폐경후 여성에서 호발

③ high-renin essential HTN (약 20%)
- plasma renin이 HTN 발생에 중요한 역할 : vasoconstrictive HTN
- angiotensin II↑ + adrenergic system activity↑

(6) vascular mechanisms

- 혈관 수축, 혈관 비대, 혈관 이완× → HTN의 원인/결과
  (atherosclerosis : vascular compliance↓, stiffness가 커질수록 <u>wide pulse pr.</u>를 보임)
- Na^+-H^+ exchange 활성화
  ① 세포내 Na^+ 유입↑ → Na^+-Ca^{2+} exchange 활성화 → 세포내 Ca^{2+} 유입↑
  ② 세포내 pH↑ → Ca^{2+} sensitivity↑ → 혈관 수축↑
  ③ mitogens에 대한 sensitivity↑ → 혈관 비대
- NO 같은 혈관 이완 기능↓ → 병적인 혈관 재형성(remodeling)

(7) insulin resistance (hyperinsulinism) : metabolic syndrome

① Na^+ 재흡수 증가 (renal sodium retention) 및 교감신경계 활성화
② insulin의 mitogenic action → 혈관 평활근의 비대
③ Na-K-ATPase 자극으로 세포내 Ca^{2+} 증가 → vascular reactivity↑
④ 다른 일차적 고혈압 발생기전의 marker (e.g., nonmodulator)

2. 이차성 고혈압 (Secondary HTN)

: 원인이 밝혀진 HTN, 5~20% 차지 (3차 병원에서는 15~35%)　　　　→ 뒷부분 참조

고혈압의 영향/합병증

: 고혈압은 심부전, CAD, stroke, 신장질환, PAD 등의 독립적인 선행인자임

1. 심장

- LVH, diastolic dysfunction, CHF, CAD, arrhythmias ...
- A_2 증가, faint ⓜ of AR, S_4, S_3 gallop rhythm
- 대부분의 사망은 MI 또는 CHF 때문임

2. 신경계

- stroke (infarction, hemorrhage) : 특히 65세 이상에서 systolic BP와 관련
- 인지장애 (∵ single infarct or multiple lacunar infarct)
- encephalopathy (∵ malignant HTN) ; 심한 두통, N/V, 의식장애
    → 치료 안하면 혼미, 혼수, 발작, 사망

3. 신장

- 동맥경화와 고혈압에 의해 glomerulosclerosis 발생 (systolic BP와 더 관련)
- GFR 감소, 세뇨관 장애 → proteinuria, microscopic hematuria
  - microalbuminuria : renal injury의 early marker
  - 1 g/day 이상의 단백뇨, active urine sediment → primary renal dz.를 시사
- 신부전 : HTN 환자 사망원인의 약 10% 차지

4. 말초혈관

- 하지의 PAD (peripheral arterial dz.)
- retinal change (Keith-Wagener-Barker classification) ; scotomata, blurred vision, blindness ...

c.f.) HTN 환자에서 blood loss의 원인 ; 신장병변, 코피, 객혈, 자궁출혈 ..

증상

1. 혈압 상승 자체에 의한 증상

- headache (occipital) : severe HTN의 특징, 아침에 일어날 때 발생
- dizziness, palpitation, easy fatigability, impotence ...

2. 고혈압성 혈관질환에 의한 증상

; epistaxis, hematuria, 시야혼탁, weakness/dizziness (∵ TIA), angina pectoris, dyspnea (∵ HF)

3. 이차성 고혈압에서 기저 질환에 의한 증상

- chronic pyelonephritis ; 반복되는 UTI ...
- renal artery stenosis ; abdominal bruit ...
- primary aldosteronism ; polyuria, polydipsia, 근력약화, hypokalemia ...
- Cushing's syndrome ; weight gain, emotional lability ...
- pheochromocytoma ; episodic headache, palpitation, diaphoresis, postural dizziness ...

진단

1. 혈압 측정

(1) 진료실(병원)에서의 측정 [office BP]
- 측정 전 최소 <u>5분</u> 동안 조용히 앉아 휴식한 뒤에 측정
- 측정 30분 전부터는 흡연, 음주, 카페인 섭취를 금함
- 측정은 2분 이상의 간격으로 2번 이상 측정하여 평균을 냄
- 양팔에서 혈압을 측정하여 높은 쪽의 혈압을 취함
- 상완을 심장 높이에 맞추고 측정함 / 심장보다 낮으면 높게 측정됨(e.g., 누웠을 때 → 베게로 높여줌)
- 공기주머니/압박대(cuff)
  - antecubital fossa보다 2~3 cm 위에 감음, 중심은 brachial artery 부위에
  - cuff 내의 bladder(공기주머니) 길이는 팔 둘레의 80% 이상 (성인의 표준 cuff 길이 : 약 35 cm)
  - 폭은 상완 둘레의 40% 이상 (성인의 표준 cuff 폭 : 약 12~13 cm)
  - cuff가 작으면 혈압은 실제보다 높게 측정되고(e.g., 비만), cuff가 크면 혈압은 낮게 측정됨
- systolic BP 측정시는 BP(박동이 사라진 지점)보다 적어도 30 mmHg 이상 높게, 빠르게 inflation
- cuff의 압력을 내릴 때는 초당 2~3 mmHg의 속도로 내림 (너무 빠르게 감압하면 낮게 측정됨)
- 청진기의 bell 쪽으로 들어야 함
  - systolic BP : Korotkoff sound phase I (강한 음)이 <u>2회</u> 이상 들리기 시작하는 시점
  - diastolic BP : Korotkoff sound phase V (음이 완전히 소실) 시점
    - c.f.) AR 환자에서 phase V sound가 나타나지 않으면 phase IV (muffled sound)
- 기립성 저혈압 의심시 ; 앉은 자세에서 측정 & 일어선 상태에서 1분과 3분 후 측정
- 1기 고혈압은 1~2개월 내에, 2기 고혈압은 즉시 약물치료를 시작하거나 1주일 내에 혈압을 <u>재측정</u>하여 치료방향을 결정함!

  c.f.) 가성고혈압(pseudohypertension) : 동맥경화(석회화)로 혈관이 딱딱해진 노인에서 실제보다 혈압이 높게 측정되는 경우

(2) variation

- 일중 변동(diurnal variation) : 야간에 10~20% 정도 하락(dipper), 아침 기상 직후 급격히 상승
  - non-dipper : 야간 혈압 감소(dipping)가 10% 이하 → 심혈관계 사망 위험 2.56배 증가
    (sleep apnea, autonomic neuropathy [DM], 2차성 고혈압, 노인, 흑인 등에서 흔함)
  - extreme dipper : dipping이 20% 이상 → 고령의 HTN 환자에서 뇌혈관 질환 위험 증가
    (TIA와 myocardial ischemia 위험이 증가하므로 과다한 항고혈압제 사용을 피해야)
  - riser : 야간에 혈압이 더 높은 경우 → 예후 가장 나쁨(심혈관계 사망 위험 3.69배 증가)
- 계절적 변동
- 좌우 상지 혈압은 5~10 mmHg 정도 차이날 수 있다 (대개 우>좌)
  - → 10 mmHg 이상의 차이가 있으면 양다리에서 혈압을 측정
- 염분 섭취에 따라 systolic BP는 5 mmHg 정도 변동 가능
  (신장기능 저하로 염분 예민성이 높은 노인은 20 mmHg까지도 상승 가능)
  - → 노인에서 혈압 변동이 많거나, 갑자기 상승한 경우 저염식 시행 1~2주 뒤에 재확인 권장

(3) 가정혈압

- 1주일에 5회 이상, 아침과 저녁으로 1~3회 측정 권장 (앉은 자세에서 1~2분 안정 후에)
  - ┌ 아침 : 일어나서 1시간 이내에 소변을 본 후 고혈압약 복용 전에 측정
  - └ 저녁 : 잠자리에 들기 전에 측정
- 일간 변동은 아침 혈압이 가장 적음

(4) 24시간 활동 혈압 측정 (ABPM, ambulatory BP monitoring)

ABPM의 적응증
White coat HTN (평상시 혈압 < 진료실 혈압) 의심시
masked HTN (평상시 혈압 > 진료실 혈압) 의심시
paroxysmal or nocturnal HTN의 진단
약물치료에 반응이 적거나, 자주 저혈압에 빠질 때
혈압과 증상 발생과의 관련성 파악
임신성 고혈압
Orthostatic hypotension or autonomic failure 의심시
Stage 3 이상의 CKD 환자 (∵ 약 2/3에서 masked nocturnal HTN)

- ABPM 및 가정 혈압은 일반적으로 진료실에서 측정한 혈압보다 낮음
- ABPM 및 가정 혈압이 진료실 혈압(office BP)보다 심혈관계 질환(TOD) 위험과 상관성 더 높음!

혈압 측정 방법에 따른 HTN의 기준 ★

	Systolic (mmHg)	Diastolic (mmHg)
진료실 혈압(conventional office BP)	≥140	≥90
가정 혈압(home BP) 평균 Automated office BP (AOBP)*	≥135	≥85
24시간 활동 혈압(ABPM)		
주간 평균 혈압(awake)	≥135	≥85
야간 평균 혈압(sleep)	≥120	≥70
일일 평균 혈압(24hr)	≥130	≥80

* 진료실자동혈압(AOBP) : 의료진이 없는 방에서 5분간 휴식 후 1분 간격 연속 3회 측정한 평균값

c.f.) 2017년 미국 ASH에서 진단기준과 목표혈압을 130/80 mmHg으로 낮춘 근거는 SPRINT 연구가 기반이 되었는데, 이 연구는 AOBP를 이용한 점을 고려해야 됨 (→ 일반적인 office BP보다 5~15 mmHg 낮음)

(5) 백의 고혈압(white coat HTN, isolated clinic HTN)

- 평상시 혈압(가정혈압, ABPM)은 높지 않은데 (<135/85 mmHg) 병원(진료실)에서 측정할 때만 고혈압으로 나오는 경우 (≥140/90 mmHg)
- 상황 및 상태에 대한 불안감이 원인 (situational anxiety)
- HTN 환자의 10~20%에서 나타남
- TOD 발생 및 지속적(진성) 고혈압으로 진행할 위험 높음
  (TOD 발생 위험 : 정상 < white coat HTN < 진성 고혈압)

(6) 가면 고혈압(masked HTN, isolated home HTN)

- 진료실 혈압은 높지 않은데 (<140/90 mmHg), 평상시(가정혈압, ABPM) 고혈압을 보임
  (주간 ≥135/85 or 야간 ≥120/70 mmHg) ≒ sustained HTN → 심혈관질환(TOD) 위험 높음
- HTN 환자의 5~10%에서 나타남
- 미국 흑인, DM, CKD 환자 등에서 흔함 / 항고혈압제 복용 환자에서 더 흔함
- 관련요인 ; 남성, 고령, 비만, 스트레스, 흡연, 음주, 카페인 섭취, 피임약, 좌식 생활습관, HTN 가족력, HTN 전단계, 항고혈압제(∵ 대개 아침에 복용) 등

2. 기타 검사

(1) 고혈압의 initial evaluation

기본 검사	선택적 검사
Serum Na, K, Ca, uric acid 　BUN, Cr (eGFR), LFT	TSH WBC count
Fasting blood glucose, HbA$_{1c}$	Serum phosphate
Total cholesterol, LDL, HDL, TG	24시간 단백뇨 정량검사
Hb and/or hematocrit	Chest x-ray
U/A (protein, blood, glucose),	Echocardiogram
microscopic urinalysis	Carotid US, ABPM, ABI
12-lead EKG	안저검사(fundoscopy)

(2) 이차성 고혈압을 screening하기 위한 특수검사

- renovascular disease ; ACEi (captopril) renogram, renal duplex US, MR angiography
- pheochromocytoma ; 24시간 urine creatinine, metanephrine, catecholamines
- Cushing's syndrome ; overnight DMST, 24시간 urine cortisol & creatinine
- primary aldosteronism ; plasma aldosterone/renin ratio

고혈압의 예후에 영향을 미치는 인자들	
Cardiovascular disease 위험인자	수축기 및 이완기 혈압 수준 맥박압(pulse pressure) 수준 : 노인에서 연령 : 남 >55세, 여 >65세 조기 심혈관질환의 가족력 (남 <55세, 여 <65세) DM, 복부 비만, 흡연 Dyslipidemia (LDL >115 mg/dL) Impaired fasting glucose (102~125 mg/dL) or glucose tolerance test 이상
Subclinical TOD (target organ damage)	좌심실 비대 경동맥 벽의 비후 또는 plaque eGFR ≤60 mL/min/1.73 m^2 Microalbuminuria Ankle-brachial BP index <0.9
Established TOD (target organ damage)	뇌혈관질환 ; 허혈성 뇌졸중, 뇌출혈, TIA 심장질환 ; CHF, MI, angina, prior coronary revascularization 신장질환 ; 당뇨병성 신병증, 신부전, 심한 단백뇨 말초동맥질환 Advanced retinopathy: hemorrhages or exudates, papilledema

치료

1. Guideline

- 주의혈압(elevated, ≥120/80 mmHg) 이상의 모든 환자에서 즉시 생활습관개선 시행
- stage Ⅰ HTN (≥140/90 mmHg)부터는 약물치료 권장
  - 위험인자/장기손상/심뇌혈관질환이 없으면 수개월 경과관찰(생활습관개선) 뒤에 약물치료 시작!
  - stage Ⅱ HTN (≥160/100 mmHg)부터는 바로 약물치료 시작

심뇌혈관질환 위험도 및 치료방침

위험인자* 수	고혈압 전단계 (130~139/80~89)	1기 고혈압 (140~159/90~99)	2기 고혈압 (≥160/100)
0개	생활요법	생활요법 or 약물치료	생활요법 + 약물치료
1~2개 (DM 제외)	생활요법	생활요법 or 약물치료	생활요법 + 약물치료
≥3개 or 무증상장기손상	생활요법	생활요법 + 약물치료	생활요법 + 약물치료
심뇌혈관질환, DM, severe CKD	생활요법 or 약물치료*	생활요법 + 약물치료	생활요법 + 약물치료

*설정된 치료 목표혈압에 따라 즉시 약물치료 시행 가능 (심혈관질환, 특히 CAD 환자는 즉시 시행 고려)

☐ 10년 심뇌혈관질환 발생률: ■ 최저위험군(<5%), ☐ 저위험군(5~10%), ■ 중위험군(10~15%), ■ 고위험군(>15%), ■ 최고위험군(>20%)

심뇌혈관질환 위험인자 (각 항목별로 위험인자 1개에 해당함)
나이: 남≥45세, 여≥55세
조기 심뇌혈관질환의 가족력: 남<55세, 여<65세
흡연
비만(BMI ≥25 kg/m²) or 복부비만(복부둘레 남>90 cm, 여>80 cm)
이상지질혈증: total cholesterol ≥220 or LDL ≥150 or HDL <40 or TG ≥200 mg/dℓ
공복혈당 장애(100≤ 공복혈당 <126 mg/dℓ) or 내당능 장애
당뇨병: 공복혈당 ≥126 mg/dℓ or 경구 당부하 2시간 혈당 ≥200 mg/dℓ or 당화혈색소 ≥6.5%

무증상 장기손상(subclinical organ damage)* 및 심뇌혈관질환
뇌: 뇌졸중, 일과성허혈발작(TIA), 혈관성 치매
심장: 좌심실비대(LVH)*, LV dysfunction*, 협심증, 심근경색, 심부전
콩팥: 미세알부민뇨(30~299 mg/day)*, 현성 단백뇨(≥300 mg/day), 만성콩팥병(eGFR<60ml/min/1.73㎡)*
혈관: 죽상동맥경화반, 대동맥질환, 말초혈관질환, 발목-위팔 혈압 지수<0.9*, 동맥경직도 증가*, 경동맥 내-중막 최대 두께 ≥1.0 mm, 경동맥 대퇴동맥간 맥파전달속도 >10 m/sec*
망막: 3~4단계 고혈압성 망막증*

치료 목표 혈압 ★	
<140/90 mmHg	일반적인 고혈압 (80세 이상은 <150/90 mmHg) 심뇌혈관질환, 관상동맥질환, 단백뇨 없는 CKD 등
<140/85 mmHg	당뇨병(DM) … 대한당뇨병학회, JNC8 등의 기준
<130/80 mmHg	심뇌혈관질환 과거력이 있는 50세 이상의 고위험군 (10년 심뇌혈관질환 발생률 15% 이상) 단백뇨를 동반한 만성콩팥병(CKD)

- 혈압을 10~12/5~6 mmHg 낮추면 (치료 5년 뒤) 상대위험도가 CHD 12~16%, stroke 35~40%, heart failure >50% 감소
- 135~140/80~85 mmHg 이하로 조절하면 심혈관위험 감소가 최대화되지만, 정상인 수준은 안 됨!
  - 130/80 mmHg 미만으로 낮추는 것은 추가적인 이득이 없어 대부분 <140/90 mmHg이 권장됨
  - SBP를 120 mmHg 미만으로 낮추면 오히려 심혈관사건 및 사망률이 증가함
- J-curve hypothesis (phenomenon) : diastolic BP를 과도하게 낮추면 CAD/사망률이 오히려 증가
  (∵ 관상동맥 혈류↓) … 다양한 연구결과들로 논란, 아직 확실한 전향적 연구결과는 없음
  → 혈압은 낮을수록 좋은 건 아님, 가능하면 diastolic BP는 70 mmHg 이상 유지하는 것이 좋음
- isolated systolic HTN : systolic BP 140~145 mmHg (diastolic BP는 70 mmHg 이상 유지) 권장

2. 생활습관개선 (Lifestyle modification)

⇨ 혈압강하 및 HTN 예방 효과 (혈압강하가 적은 경우라도 항고혈압제의 수/용량 감소 효과)

- 체중 감량 (BMI <25 kg/㎡ 달성 및 유지)
  - 9.2 kg 감량시 평균 6.3/3.1 mmHg 혈압 강하
  - 체중 감량은 혈압 강하 효과뿐 아니라 insulin sensitivity도 증가시킴
- 규칙적인 운동 : 무산소(걷기, 뛰기, 자전거, 수영 등) 및 무산소(역도, 팔굽혀펴기 등)
  - 체중감량 및 혈압조절에 모두 도움이 됨 / 하루 30분 이상, 최대 운동능력의 80%까지
  - 무산소(isometric) 운동은 일시적으로 혈압을 높일 수 있으므로 유산소 운동 이후 권장

- 염분(sodium) 섭취 제한 : 하루 sodium 2.4 g (= NaCl[녹정제염] 6 g) 이하
  - 일부 HTN 환자는 salt-sensitive : 염분 제한시 혈압 3.7~4.9/0.9~2.9 mmHg 강하
  - 직접 혈압을 낮추지는 못하더라도, 거의 모든 항고혈압제의 작용을 강화시킴
    (→ 용량 및 부작용을 줄일 수 있음)
- 균형잡힌 식사 … DASH (dietary approaches to stop hypertension)-type diet
  - 포화지방, 콜레스테롤, 총 지방 함량은 줄임
  - 칼륨, 칼슘, 마그네슘, 단백질, 섬유소 함량은 늘림 예) 야채, 과일, 저지방 유제품, 잡곡(전곡류)
  - 칼륨(potassium) ; 혈압 강하 효과, sodium의 혈압 상승효과 희석, stroke 사망률 감소
    * Ca ; 약간의 혈압 강하 효과 (but, 장기간 trial시 MI 위험을 높일 수 있음)
    * Mg ; 약간의 혈압 강하, CVD (특히 CHD) 감소 → Ca, Mg 보충은 아직 일반적인 CVD 예방으로 권장×
  - 채식 위주의 건강한 식습관은 (칼로리↓, 동물성 지방↓, 야채/과일/생선/견과류/유제품↑)
    혈압 11.4/5.5 mmHg 강하 효과
- 금주/절주 : 남자는 하루 2잔(30 mL) 여자는 1잔(15 mL) 이하로
  (∵ 과도한 음주는 혈압을 상승시킴)
- caffeine (e.g., 커피, 차) ; 적절한 커피 섭취는 혈압에 도움이 되기도 하지만 근거는 약한 편임
  - 커피 안마시던 사람이 커피 마시면 혈압, insulin 저항성, glucose intolerance 등 악화 (→ 제한)
  - 만성적으로 커피 마시던 사람은 내성이 생겨 혈압 등에 악영향 없음 (→ 제한하지 않아도 됨)
- 금연, 안정, 스트레스 해소 …

생활요법에 따른 혈압 감소 효과(대한고혈압학회)

생활요법	혈압 감소 (mmHg)		권고사항
	수축기	확장기	
소금 섭취 제한	-5.1	-2.7	하루 소금 6 g 이하
체중 감량	-1.1	-0.9	매 체중 1 Kg 감소
절주	-3.9	-2.4	하루 2잔 이하
운동	-4.9	-3.7	하루 30~50분 일주일에 5일 이상
식사 조절	-11.4	-5.5	채식 위주의 건강한 식습관

3. 약물요법 (항고혈압제)

(1) 원칙

① 가능한 환자의 순응도가 높은 약물을 사용함 ; 1알, 하루 1회 복용, 저렴한 약

② 1차 선택약 : ACEi, ARB, CCB, thiazide계 이뇨제, (β-blocker)적용시에만 등 5가지
  - 혈압 강하 효과는 모든 class의 약물이 비슷한 편임 (표준 용량시 8~10/4~7 mmHg 하락)
    - 젊은층 : high-renin HTN인 경우가 많음 ⇨ ACEi/ARB, β-blocker에 더 잘 반응
    - 노인 및 흑인 : low-renin HTN인 경우가 많음 ⇨ 이뇨제 or CCB에 더 잘 반응
  - 일부 연구에서 β-blocker는 심혈관계 사건, 뇌졸중, 신부전, 전체 사망률 감소에 열등함
    (특히 atenolol은 뇌졸중 예방 효과가 열등함)
  - 심부전 예방 효과는 이뇨제가 우월하고, CCB가 열등함

- 동반 질환이 있는 경우는 이환율/사망률/부작용에서 차이가 많음 → 뒷부분 참조
- 부작용을 고려하여 환자 개인의 특성에 맞도록 고혈압약을 선택함
- 처음 투여할 때는 부작용을 피하기 위해 저용량으로 시작함
- 반응 적으면 용량 증가 or 다른 계열의 항고혈압제 추가

③ 대부분의 HTN 환자에서 단일제형 복합제(single pill combination, SPC)로 시작 권장
- 권장 2제 병용요법(복합제) : [ACEi/ARB] + [CCB or 이뇨제]
  - 이뇨제 + β-blocker 병용은 혈당↑ 및 이상지질혈증을 유발 수 있으므로 주의
    → 비만, 당내성, 당뇨병 가족력 등 당뇨병 발생 위험이 높은 환자는 피함!
  - ACEi/ARB + β-blocker 또는 ACEi + ARB 조합은 권장되지 않음!
- SPC의 장점 ; 개별 두 가지 약물에 비해 빠르고 효과적인 혈압조절, 복약 순응도 증가
- 예외 : low-risk stage I HTN (특히 SBP <150 mmHg) 및 노쇠한 환자는 단일약제 고려
  c.f.) 단일 약제의 용량 증가시 단점
    (a) counterregulatory mechanism에 의한 효과 감소 : 증량해도 효과 별로 안 좋아짐
    (b) 용량에 비례해 부작용 증가 (더 중요) → 환자의 순응도 감소
  * β-blocker는 적응이 되는 경우만 사용(e.g., CAD, HF, AF, 빠른 심박수, 임신 중/예정 여성)

④ 2제 병용요법(복합제)으로 혈압이 조절되지 않으면 3제 병용요법(복합제) 사용
- 권장 3제 병용요법(복합제) : ACEi/ARB + CCB + 이뇨제
- 2제 병용은 환자의 약 2/3만 목표 혈압으로 조절됨, 3제 병용은 80% 이상에서 조절됨

⑤ 3제 병용요법(복합제)으로 혈압이 조절되지 않으면 저항성 고혈압(resistant HTN)
- spironolactone (or 다른 이뇨제, α-blocker, β-blocker) 추가
- 그래도 조절되지 않으면, 이차성 고혈압에 대한 자세한 검사
- 이차성 고혈압의 원인이 발견되지 않으면, 식이 평가
  (염분 섭취를 5 g/day 이하로 줄이면 혈압은 흔히 조절됨)

⑥ 고혈압약의 감량 및 중단
- 1년 이상 목표혈압 이하로 잘 조절되는 경우 혈압약의 감량을 고려해 볼 수 있음
- 서서히 감량하여 140/90 mmHg 이하로 유지되는 최소 유지 용량을 결정
- 감량/중단은 점진적으로 시행 & 자주 혈압 F/U (∵ 몇 주 ~ 몇 달 이내에 갑자기 상승 가능)
- 생활습관개선을 철저히 시행하는 환자에서만 시도, 최소한 3개월 간격으로 병원 방문 권장
- HMOD (HTN-mediated organ damage) or accelerated HTN 병력 환자는 중단하면 안됨

(2) 이뇨제

- 강압 기전 : 초기엔 Na^+ 흡수 감소 (blood volume 감소), 장기적으론 말초혈관 확장(저항 감소)
- hydrochlorothiazide에 비해 thiazide-like 이뇨제(e.g. chlorthalidone, indapamide)가 권장됨
  (∵ 강압 효과 더 우수 → HF 덜 발생 / CAD 사망 및 nonfatal MI 발생은 비슷함)[ALLHAT 연구]
  c.f.) single pill combination (SPC) 제제 ; 대개 hydrochlorothiazide가 사용되었으나, 최근에는 chlorthalidone을
    사용한 제제도 나오고 있음 (e.g., Amosartan plus® : amlodipin + losartan + chlorthalidone)
- thiazide(-like) 이뇨제는 부작용이 많지만 저용량에서는 거의 문제 안됨 (12.5~25 mg/day 사용)
- loop diuretics : 강압 효과는 떨어짐, CHF or CKD stage 4~5 환자에서 고려
- 보통 GFR 30 ml/min/1.73㎡ 이상이면 thiazide(-like), 30 미만이면 loop diuretics 사용

(3) CCB

- 강압 기전 : 말초 및 관상동맥 확장 ; dihydropyridines > diltiazem > verapamil 순으로 강함
  ↳ stable angina에 효과적, 특히 variant angina에 매우 효과적
- long-acting CCB 사용 (속효성 CCB는 빈맥을 초래하며 심장에 부담을 줄 수 있으므로 피함)
- 주요 부작용 ; dose-dependent ankle edema (∵ selective arterial dilation) → ACEi/ARB 병용

(4) ACEi/ARB

- 기전 등 → 앞 장 심부전 편 참조
  c.f.) ACEi-induced hyperkalemia 발생의 위험인자 ; DM, renal insufficiency, effective
  circulating volume 감소, K^+-sparing diuretics의 병용, NSAIDs

* direct renin inhibitor (DRI) : oral aliskiren (prorenin → renin 전환을 차단)
  - ACEi/ARB보다 더 철저하게 renin-angiotensin system을 억제 가능
  - 혈압 강하 효과는 ACEi or ARB와 비슷함 (더 효과적이지는 않음)
  - 아직 1차 항고혈압제로 권장되지는 않음
  - 금기 ; ACEi/ARB와의 병용(∵ 저혈압, AKI, hyperkalemia 증가), 임신

* MRA (mineralocorticoid receptor antagonist, aldosterone antagonist, AA)
  - low-dose spironolactone (12.5~50 mg/day) or eplerenone (25~100 mg/day)는 저항성
    고혈압 환자에 추가시 매우 효과적임

(5) β-blockers

Non-selective	ISA-	Nadolol, Propranolol, Timolol, Sotalol, Tertalolol
	ISA+	Pindolol, Carteolol, Penbutolol, Alprenolol, Oxprenolol
Cardio-elective	ISA-	Atenolol, Esmolol, Metoprolol, Bisoprolol, Betaxolol, Bevantolol, Nebivolol
	ISA+	Acebutolol, (Practolol), Celiprolol
With α-blocking activity		Labetalol, Bucindolol, Carvedilol

- ISA (intrinsic sympathomimetic activity)를 가진 β-blockers
  - carteolol, perbutolol, acebutolol, pindolol, celiprolol, xamoterol 등
  - endogenous sympathetic activity (catecholamines)가 낮을 땐 partial agonist로 작용함
  - non-ISA보다 negative inotropic & chronotropic activity가 적다
  - CHF나 MI 환자에서는 효과가 적으므로 사용하면 안됨
- non-ISA β-blockers ; metoprolol, bisoprolol, carvedilol 등
  - 심박수 감소 효과가 더 뛰어남!
  - CHF 및 post-MI 환자에서 생존율 향상 (but, 지질이상은 ISA+ β-blockers보다 많음)
- cardio (β1-) selective β-blockers ; atenolol, bisoprolol, esmolol, metoprolol, nebivolol 등
  (c.f., β_1-receptor : 심장에 존재 / β_2-receptor : 기관지, 말초혈관 등에 존재)
  - angina, MI, tachyarrhythmia 동반한 경우 권장
  - non selective β-blockers와 혈압강하 효과는 비슷함
  - 당대사장애(혈당↑) 및 지질이상(TG↑, HDL↓) 부작용은 적다

- <u>vasodilating β-blockers</u> ; carvedilol, labetalol, nebivolol, celiprolol
  ; classic β-blocker 대비 심부전 환자의 예후 향상에 효과적이고, 당대사에 악영향이 없음
  (1) carvedilol, labetalol : α & β-blocker
    - 혈압강하 효과는 주로 말초저항 감소 때문, 심부전과 CAD에 효과적
    - α-blocker 효과 → insulin sensitivity 향상
  (2) <u>nebivolol</u> : most selective β_1-blocker, 혈압 & 심박동수↓ + 말초혈관저항↓
    - 혈관내피세포를 자극하여 <u>NO (nitric oxide)</u> 분비 촉진 → 직접 혈관확장 작용
      (말초 혈류↑ → 근육에서 glucose 흡수↑ → insulin sensitivity 향상)
    - 고령의 isolated systolic HTN 치료에 특히 유용
    - mild~moderate HF에도 유용 (CAD 동반한 고령 환자에 효과적)
  (3) celiprolol : partial β_2-agnoist 작용도 있음 → 말초혈관확장, 말초저항↓

■ 참고: ESC/ESH Guidelines(2018) – Drug treatment strategy

	일반적인 HTN	CAD	CKD	HFrEF	AF
Initial therapy*	ACEi/ARB + CCB or 이뇨제	ACEi/ARB + BB or CCB, CCB + BB or 이뇨제, BB + 이뇨제	ACEi/ARB + CCB or 이뇨제[1]	ACEi/ARB[2] + 이뇨제[3] + BB	ACEi/ARB + BB, non-DHP CCB[5], BB + CCB
Step 2	ACEi/ARB + CCB + 이뇨제	3제 병용(복합제)	ACEi/ARB + CCB + 이뇨제[1]	ACEi/ARB[2] + 이뇨제[3] + BB + MRA[4]	ACEi/ARB + BB + DHP-CCB or 이뇨제, BB + DHP-CCB + 이뇨제
Step 3	+ spironolactone (or 다른 이뇨제, AB, BB)	+ spironolactone (or 다른 이뇨제, AB, BB)	+ spironolactone (or 다른 이뇨제, AB, BB)		
	BB: 적응시에 사용 (e.g., CAD, HF, AF, 임신, 빠른 심박수)	고위험군 CAD 환자는 SBP ≥130 mmHg면 치료 시작 고려	BB: 적응시에 사용 (e.g., CAD, HF, AF, 임신, 빠른 심박수)	항고혈압제가 필요 없으면 HF 가이드라인 에 따차 치료	적응이 되면 경구 항응고제도 사용함

1) GFR 30 ml/min/1.73㎡ 미만이면 loop diuretics 사용 (∵ thiazide계 이뇨제는 효과 떨어짐)
2) ACEi/ARB 대신 angiotensin receptor-neprilysin inhibitor (ARNI)도 사용 가능
3) 부종 환자에서는 thiazide계 대신 loop diuretics 고려
4) mineralocorticoid receptor antagonist (MRA) : spironolactone, eplerenone
5) non-DHP CCB (verapamil or diltiazem)과 BB (β-blocker)의 병용은 권장 안됨 (∵ 심박수의 심한 감소)

* Low-risk grade 1 HTN (특히 SBP <150 mmHg), 초고령(≥80세), 노쇠한 환자는 단일약제(monotherapy) 고려

고혈압약의 적응증과 금기(대한고혈압학회)

	적극적 적응	적응 가능	주의 요망	금기
ACEi/ARB	심부전 당뇨병성 신증		신혈관 협착증 고칼륨혈증	임신 혈관부종
β-blocker	협심증 심근경색	빈맥성 부정맥	혈당 이상 말초혈관질환	천식 심한 서맥
CCB	수축기단독고혈압 협심증		심부전	서맥(non-DHP)
이뇨제	심부전 수축기단독고혈압		혈당 이상	통풍 저칼륨혈증

고혈압 약제의 금기 및 대표적인 부작용

약물	절대적 금기	상대적 금기	대표적인 부작용
이뇨제(thiazide계)	Gout	Metabolic syndrome, Glucose intolerance, Hypercalcemia, Hypokalemia, 임신	Gout, Hyperuricemia, Hyponatremia, Hypokalemia, Hypercalcemia, Dyslipidemia, Glucose intolerance, 발기장애
β−blocker	Asthma, High−grade SA/AV block, Bradycardia (<60 bpm)	Metabolic syndrome Glucose intolerance 운동선수, COPD	Asthma, AV block, Bradycardia, Dyslipidemia, Glucose intolerance, 발기장애
CCB (DHP)	−	Tachyarrhythmia HFrEF (class III∼IV) Severe leg edema	Peripheral (ankle) edema, 안면홍조(flushing), 두통,
CCB (non−DHP) : verapamil, diltiazem	High−grade SA/AV block, Severe LV dysfunction, HF, Bradycardia (<60 bpm)	Constipation	심장전도장애, 변비 잇몸비대(gingival hyperplasia)
ACEi	임신, angioneurotic edema, Hyperkalemia, Bilateral RAS	가임기 여성	Hyperkalemia, Leukopenia, 발진, 이상미각,
ARB	임신, Hyperkalemia, Bilateral RAS	가임기 여성	Bilateral RAS 환자에서 ARF 유발, Angioneurotic edema (주로 ACEi) *ACEi ; 마른기침 (∵ bradykinin↑)
AA(aldosterone antagonist)	ARF, Hyperkalemia	−	Hyperkalemia, 여성형 유방

특정 약제의 사용이 우선적으로 추천되는 임상 상황

단백뇨, 신부전	ACEi/ARB
무증상 죽상동맥경화증	CCB, ACEi
심실비대(LVH)	CCB, ACEi/ARB
심근경색증(MI)	β−blocker, ACEi/ARB
협심증	β−blocker, CCB
심부전증(HF)	β−blocker, ACEi/ARB, AA (aldosterone antagonist), 이뇨제
AF, 심박동수 조절	β−blocker, non−DHP CCB
대동맥류	β−blocker
말초혈관질환	ACEi, CCB
수축기 단독 고혈압 (노인)	이뇨제, CCB, ACEi/ARB
대사증후군	ACEi/ARB, CCB
당뇨병(DM)	ACEi/ARB
임신	β−blocker (labetalolo), Methyldopa, CCB (nifedipine)
뇌졸중 2차 예방	CCB, ACEi/ARB, 이뇨제

대표적인 항고혈압제

약제	적응증	금기/주의	부작용
① 이뇨제			
<u>Thiazides</u> (HCTZ) <u>Thiazide-like</u> (e.g., indapamide, chlorthalidone)	Heart failure 노인 Isolated systolic HTN <u>Osteoporosis</u>	<u>DM</u>, hyperuricemia (<u>gout</u>), hypokalemia, dyslipidemia, primary aldosteronism, sexually active male	<u>Hypokalemia</u>, Hyponatremia, Hypercalcemia, hyperuricemia, <u>hyperglycemia</u>, cholesterol & TG ↑ dermatitis, purpura, depression, libido ↓, impotence, 기립성 저혈압
<u>Loop diuretics</u> (e.g., furosemide, torsemide, bumetanide, ethacrynic acie)	신부전(Cr >1.5 mg/dL or GFR <30 ml/min/1.73㎡) Heart failure Hypertensive emergency	<u>DM</u>, hyperuricemia (<u>gout</u>), hypokalemia, dyslipidemia, primary aldosteronism	<u>Hypokalemia</u>, hyperuricemia, ototoxicity, hyperglycemia, hypocalcemia, blood dyscrasias, rash, N/V, 설사
<u>Potassium-sparing</u> Spironolactone Triamterene Amiloride	Resistant HTN Primary aldosteronism Thiazide or loop diuretics에 보조적으로 hypokalemia를 방지하기 위해 Heart failure	Renal failure, hyperkalemia	<u>Hyperkalemia</u>, <u>gynecomastia</u>, 월경이상, 설사 Hyperkalemia, N/V, 설사, leg cramps, 신결석
② Antiadrenergic drugs			
(1) Central Clonidine Methyldopa (also acts by blocking sympathetic nerves)	신장질환을 동반한 HTN Mild~moderate HTN (oral), Malignant HTN (IV) 임신성 고혈압, 신부전	Pheochromocytoma, active hepatic disease (IV), MAOI 투여중	기립성 저혈압, drowsiness, dry mouth 기립성 저혈압, sedation, fatigue, 설사 ejaculation 장애, fever, gynecomastia, lactation, (+) Coombs' tests, chronic hepatitis, acute UC, lupus
(2) α-Blocker <u>Non-selective</u> Phentolamine Phenoxybenzamine <u>Selective</u> Prazosin Terazosin Doxazosin Urapidil (α₁ₐ)	Pheochromocytoma Pheochromocytoma Resistant HTN, BPH, DM, Dyslipidemia	심한 CAD, Heart failure 노인에서는 주의 HTN에 단독사용은 권장 안됨	Tachycardia, weakness, dizziness, flushing 기립성 저혈압, tachycardia, miosis, nasal congestion, dry mouth First dose 현상 (syncope), headache, sedation, dizziness, tachycardia, anticholinergic effect, fluid retention
(3) β-Blocker <u>Non-selective</u> Propranolol <u>Cardio-selective</u> Atenolol Bisoprolol Esmolol Metoprolol Nebivolol ...	Mild~moderate HTN (특히 hyperdynamic state시) Hydralazine 치료 때 보조적으로 <u>CAD</u> (angina, MI) Heart failure Tachyarrhythmia 임신(말기)	<u>Asthma</u>, COPD, DM, <u>SSS</u>, <u>2/3도 AV block</u>, MAOI 투여 중, dyslipidemia, 운동선수, 심한 말초혈관질환 <u>CCB와 병용시 주의</u> 심한 심부전시 Anaphylaxis의 과거력	Dizziness, depression, bronchospasm, N/V, diarrhea, constipation, HF, fatigue, Raynaud's phenomenon, hallucinations, psoriasis, TG ↑, insulin intolerance, impotence bradycardia 심질환자에서 갑자기 끊으면 angina or myocardial injury 유발할 가능 •Vasodilating β-blocker (e.g., carvedilol, nebivolol)는 당대사에 악영향이 없음
(4) α/β-Blocker Labetalol Carvedilol	Heart failure, post-MI		Dizziness, 기립성 저혈압, bradycardia, edema (fluid accumulation)

약제	적응증	금기/주의	부작용
3 혈관확장제			
Hydralazine	moderate~severe HTN (oral), malignant HTN (IV or IM), 신질환, 임신	SLE, 심한 CAD (∵ reflex sympathetic tone ↑), aortic dissection	Headache, tachycardia, angina pectoris, anorexia, N/V, 설사, lupus-like syndrome, rash, 수분 저류
Minoxidil	Severe HTN & RF	심한 CAD	Tachycardia, aggravates angina, marked fluid retention, hypertrichosis, facial features의 coarsening, pericardial effusions
Diazoxide	Severe/malignant HTN	DM, hyperuricemia, CHF, IHD, aortic dissection	Hyperglycemia, hyperuricemia, sodium retention
Nitroprusside	Malignant HTN (aortic dissection)		Apprehension, weakness, diaphoresis, N/V, muscle twiching, cyanide toxicity, teratogenic
4 Calcium channel blocker			
Dihydropyridines Nifedipine Nicardipine Nisoldipine Felodipine Isradipine Amlodipine	Mild~moderate HTN, CAD (variant angina) Dyslipidemia Systolic HTN 노인 → DHP-CCB 말초혈관질환	CHF, AMI	Tachycardia, GI disturbances, hyperkalemia, headache, flushing, ankle edema
Non-DHP Verapamil Diltiazem	Post-MI, SVT, angina, hypertrophic cardiomyopathy	2/3도 heart block β-blocker와 병용시 주의	(tachycardia/edema 대신) Heart block, 저혈압, 변비, 간기능이상 등 일으킬 수
5 ACE inhibitors			
Benazepril Captopril Enalapril Enalaprilat (IV) Fosinopril Perindopril Lisinopril, Moexipril Quinapril, Ramipril Trandolapril	Renal A. stenosis (unilateral) DM, HFrEF시 DOC (∵ afterload ↓) LV dysfunction ACS, post-MI COPD Dyslipidemia Nephropathy, 신부전 •CNS 부작용 없음	Acute renal failure Bilateral renal A. stenosis Hyperkalemia 임신 (∵ 선천선 기형 가능) •심한 CKD시엔 용량 감량	First dose 현상, hyperkalemia, bilat. renal A. stenosis에서 ARF 유발, leukopenia, pancytopenia, hypotension, 마른기침 (m/c, ~15%), idiosyncratic angioedema, urticarial rash, fever, 식욕 상실
6 Angiotensin II antagonist (receptor blocker) : ARB			
Azilsartan Candesartan Eprosartan Fimasartan Irbesartan Losartan, Valsartan Olmesartan Telmisartan	ACEi에 의한 기침 발생시 기타 ACEi와 동일	임신 Bilateral renal A. stenosis Hyperkalemia	저혈압, hyperkalemia, bilat.l renal A. stenosis에서 ARF 유발, angioedema (드묾)
7 Mineralocorticoid receptor antagonist (aldosterone antagonist, AA)			
Spironolactone Eplerenone	Mineralocorticoid 과다에 의한 HTN, resistant HTN, thiazide 치료에 보조적으로, heart failure	Renal failure, hyperkalemia	Metabolic acidosis, hyperkalemia, gynecomastia, libido↓, 월경이상 등 (eplerenone은 anti-androgenic/ progesterone 부작용이 없음)

(6) 기타 약물

- 항혈소판제(aspirin)
  - 심뇌혈관질환이 없는 HTN 환자에서 심뇌혈관질환의 1차 예방에는 효과 없음 (권장 안됨)
  - low-dose aspirin (100 mg) : 심뇌혈관질환의 2차 예방 효과는 뚜렷함 (권장됨)
  - 고위험군(e.g., 신기능↓, DM, TOD, 심혈관위험인자 3개↑)에서도 권장됨
  - 혈압이 조절된 후 투여해야 하고, 위장 등 장기출혈 여부를 수시로 확인해야 됨
- statins (e.g., atorvastatin, rosuvastatin) → 심뇌혈관질환 예방 효과
  - 고위험군(e.g., 신기능↓, DM, TOD, 심혈관위험인자 3개↑)에서 권장됨
  - 목표 LDL : 심혈관질환 無 <130 mg/dL, 고위험군 <100 mg/dL, CAD <70 mg/dL

4. 동반 질환에 따른 항고혈압제 선택

(1) 신장질환

- CKD 환자의 목표 혈압 <140/90 mmHg (albuminuria 동반시엔 <130/80 mmHg)
- ACEi/ARB : intraglomerular pr. 및 단백뇨를 낮춤 → 신부전의 진행을 늦춤 (신장보호 효과)
- aliskiren (direct renin inhibitor, DRI) : 혈압강하 효과와 독립적으로 신장보호 효과 있음
- 혈압이 낮은 경우 ACEi/ARB/aliskiren의 신장보호 효과는 다른 약제에 비해 덜 분명해짐
- renovascular HTN (unilateral renal A. stenosis) → ACEi/ARB
- bilateral renal artery stenosis나 solitary or transplanted kidney에서의 renal artery stenosis 시에는 ACEi/ARB/DRI 금기! (∵ angiotensin II↓ → renal perfusion↓ → AKI 발생 위험)
- CKD 환자에서 철저한 혈압조절시 creatinine은 조금 상승할 수 있음 (∵ intraglomerular pr.↓)
- GFR이 빨리 감소하는 ARF 때는 ACEi/ARB 중단 (∵ functional renal insufficiency 유발)

(2) 당뇨병(DM)

- 심혈관질환 및 DM 합병증 예방을 위해 철저히 혈압조절 : 목표 혈압 <140/85 mmHg
  (c.f., ESC/ESH_2018 목표 <130/80 mmHg [65세 이상은 SBP 130~139 mmHg], 최소 120/70 mmHg 이상 유지)
- 일반적으로 혈압 조절이 혈당 조절보다 심혈관질환을 최소화시키는 데 보다 효과적임
- ACEi/ARB가 1차 선택약 (특히 단백뇨나 신기능 이상이 동반된 경우)
- 대개 DHP-CCB or 이뇨제 병용(복합제)
- β-blocker : CAD를 동반한 경우 반드시 추가
- thiazide, pure β-blocker 등은 혈당을 높일 수도 있으므로 주의

(3) 심장질환

- CAD (coronary artery diseases)
  - stable angina : β-blocker (1차 약제, coronary spasm시는 주의), DHP-CCB 권장
  - post-MI : non-ISA β-blocker (SCD 예방 효과),
    ACEi/ARB (ventricular remodelling 예방 효과, LV dysfunction 없어도 고려)
- CHF (or LV systolic dysfuction) → ACEi (1차 약제), ARB, non-ISA β-blocker, diuretics
  (1세대 or non-DHP CCB와 α-blocker는 심부전을 악화시킬 수 있으므로 금기!)
- 2/3도 AV block → β-blocker, non-DHP CCB 금기

(4) dyslipidemia

- α-blocker, CCB, ACEi/ARB 등이 lipid level에 영향을 안 미침
- 상대적 금기 ; thiazide (고용량), non-ISA β-blocker

(5) 임신성 고혈압

- severe HTN (>160/110 mmHg) 이상이면 약물치료 시작!
- stage 1 HTN은 약물치료를 해도 주산기 예후 향상이 없고, 태아 성장을 억제할 수 있음
- 목표 혈압 : <150/100 mmHg & DBP ≥80 mmHg (장기손상 동반시엔 <140/90 mmHg)
    → 분만 이후에는 <140/90 mmHg로 조절
- methyldopa (m/c), hydralazine, β-blocker (특히 labetalol), CCB (nifedipine) 등이 안전
- β-blocker : 비교적 안전하지만 가능하면 말기에 사용 (but, labetalol은 꽤 안전한 편)
- 엄격한 염분 제한 and/or 이뇨제는 fetal loss의 위험이 있으므로 권장되지 않음
- 금기 ; ACEi/ARB/DRI, MRA (e.g., spironolactone), nitroprusside

* 출산 이후 ; 임신 때와 비슷하게 사용 가능
    (methyldopa는 산후 우울증을 유발할 수 있으므로 피하라는 연구도 있음)
* 모유 수유 (모유 수유는 혈압을 낮추는 데 도움이 됨)
    - 대부분의 항고혈압제는 모유로 분비되지만, 소량이라 문제는 안됨

	모유 분비량 적음 (안전)	주의 or 근거 부족
β-blocker	Propranolol, Metoprolol, Labetalol	Atenolol, Acebutolol
CCB	Diltiazem, Nifedipine, Nicardipine, Verapamil	Amlodipine
ACEi	Captopril, Enalapril (but, 신생아에서 저혈압 발생할 수도 있으므로 주의)	나머지 ACEi ARBs

(6) 노인 (isolated systolic HTN[ISH]이 흔함)

- 나이가 들수록 혈압은 지속적으로 상승하지만, 약 55세 이후 systolic BP는 계속 상승하지만 diastolic BP는 하락함 (ISH), 대개 동맥경화 때문, 여성에서 더 흔함
- white coat HTN 빈도 높음, 수면 중 혈압이 하강하지 않는 non-dipper가 많음
- 혈압 조절로 stroke, MI, 심혈관 사망률, 심부전 입원 등이 감소, 치매 진행도 느리게 함
    - 소량의 약제에도 강압 효과가 큼 (diastolic BP가 65 mmHg 이하로 내려가지 않도록 주의)
    - 약물대사가 느리고 자율신경 반사가 느리므로 저용량으로 시작하고 천천히 조절
        (초기 용량은 젊은 성인의 1/2에서 시작, 증량시에는 서서히 조심스럽게 증량)
- thiazide, DHP-CCB (stroke 예방 효과↑), ACEi/ARB (CAD 예방 효과) 등이 선호됨
    - thiazide : hyponatremia를 일으킬 수 있으므로 주의, 저용량(12.5 mg/day)으로만 사용!
    - β-blocker : heart block, 운동능력↓, 우울증 유발 위험 → CAD or 심부전 때만 사용
- 목표 혈압 : 80세 미만은 <140/90 mmHg, 80세 이상은 <150/90 mmHg

(7) 기타

- 뇌졸중(stroke)의 2차 예방 ⋯ 혈압 강하의 정도가 m/i
    → CCB, ACEi/ARB, 이뇨제 (CCB가 가장 좋다는 연구도 있음) / β-blocker는 열등함
- 골다공증 → thiazide (∵ urinary calcium excretion 감소)

- intubation시 혈압의 급상승 예방 → esmolol (very short-acting β-blocker)
- COPD, asthma, 심한 말초혈관질환 → β-blocker 금기
- bilateral renal A. stenosis, hyperkalemia → ACEi/ARB 금기
- gout → 이뇨제 금기
- hyperkalemia → ACEi/ARB/DRI, aldosterone blocker 금기
- 두통 유발 약제 ; hydralazine, CCB, nitroglycerin

5. 저항성 고혈압(resistant HTN)

- 이뇨제를 포함한 3가지 이상의 약제를 충분한 용량으로 사용해도 혈압이 140/90 mmHg (노인 ISH는 160 mmHg) 이하로 떨어지지 않는 것 (환자의 5~10% 정도)
- ABPM or HBPM (home BP monitoring)으로 확인되고, 다른 원인들이 R/O되어야 됨
- 치료
  - 생활습관개선 강화 (특히 염분 섭취 제한)
  - 기존의 3제 요법(e.g., ACEi/ARB + CCB + 이뇨제)에 low-dose **spironolactone** 추가
  - spironolactone 금기/부작용의 경우 eplerenone, amiloride, 고용량 thiazide(계) 이뇨제, β-blocker (e.g., bisoprolol) or α-blocker (e.g., doxazosin) 사용

Resistant HTN의 원인/감별진단

Pseudo-resistant HTN	True resistant HTN
약 순응도 부족 (m/c, ~50%) 부적절한 혈압 측정 Office BP 측정 기술 문제 (e.g., 너무 작은 커프) 백의고혈압(white-coat phenomenon) 노인에서 심하게 석회화된 혈관(brachial artery)에 　의한 가성고혈압(pseudohypertension)	생활습관 관련요인: 과도한 체중증가, 과음(폭음), 과도한 염분 섭취 약물 관련요인: 감기약, NSAID, steroid, erythropoietin, 피임약, 　일부 항암제(e.g., cyclosporine/tacrolimus), 감초, 코카인 등 부적절한 처방: 용량 부족, 부적절한 이뇨제, 부적절한 병용요법 등 수면무호흡증후군(obstructive sleep apnea) Advanced HMOD: CKD, large-artery stiffening 발견 못한 이차성고혈압(e.g., aldosteronism, RVH)

c.f.) Percutaneous intervention
  (1) renal denervation ; 기대만큼 혈압 강하에 효과적이지 못함
  (2) carotid baroreflex activation therapy (baroreflex amplication) ; 연구 중, 약 20 mmHg 강하

■ 이차성 고혈압 (secondary hypertension)

1. 이차성 고혈압에 대한 검사가 필요한 경우 ★

(1) 30세 이하 or 55세 이상에서 새롭게 HTN 발생시
(2) HTN의 가족력이 없을 때
(3) 심한 HTN (≥180/110 mmHg), 기저 혈압이 갑자기 높아진 경우

(4) 발견 당시 표적장기손상(TOD)의 증거가 있는 경우

① 안저검사 상 grade 2 이상의 병변

② serum creatinine ≥1.5 mg/dL

③ 영상검사 상 심비대나 심전도상 LVH가 있는 경우

(5) 이차적 원인이 의심되는 소견이 있을 때

① 다른 원인이 없는 hypokalemia (→ hyperaldosteronism)

② 복부의 bruit (→ renovascular HTN)

③ ACE inhibitor 투여 후 신기능 악화 or AKI 발생 (→ renovascular HTN)

④ 두통, 발한, 두근거림, 떨림 등의 증세가 있고, 혈압의 변동이 큰 경우 (→ pheochromocytoma)

⑤ 상하지의 혈압 차이가 30 mmHg 이상 (→ Takayasu's arteritis, CoA, aortic dissection)

⑥ 가족력 상 신장질환의 병력이 있을 때 (e.g., ADPKD)

(6) 약물치료에 반응이 적거나 없는 경우

2. 원인

2ndary HTN의 원인

1 Systolic & diastolic hypertension
  1. Renal diseases (m/c) ; 거의 모든 신장질환이 고혈압을 유발할 수 있음
    Renal parenchymal disease ; chronic nephritis, polycystic disease, collagen vascular
      disease, diabetic nephropathy, hydronephrosis (obstructive uropathy), acute GN ...
    Renal artery stenosis (renovascular HTN, RVH) ; arteriosclerotic, FMD
    Renal transplantation
    Renal tumors (e.g., renin-producing tumors)
  2. Endocrine disorders
    Adrenal hyperfunction
      Primary aldosteronism
      11-deoxycorticosterone (DOC), 18-OH DOC 등의 mineralocorticoids overproduction
        (e.g., 17α-hydroxylase deficiency, 11β-hydroxylase deficiency
      Congenital adrenal hyperplasia
      Cushing's syndrome/disease
      Pheochromocytoma
    Extra-adrenal chromaffin tumors
    Hypothyroidism (myxedema) : diastolic HTN
    Hyperparathyroidism, Hypercalcemia
    Acromegaly
  3. Neurologic disorders ; Psychogenic, Diencephalic syndrome, Familial dysautonomia
    Polyneuritis (acute porphyria, lead poisoning), IICP (acute), Spinal cord section (quadriplegia),
    Guillain-Barre syndrome
  4. Coarctation of the aorta (CoA)
  5. Pregnancy-induced HTN
  6. Obstructive sleep apnea
  7. Intravascular volume의 증가 (대량 수혈, PV 등)
  8. Drugs and chemicals ; cyclosporine, oral contraceptives (estrogen), cocaine, glucocorticoids,
    mineralocorticoids, sympathomimetics, tyramine & MAO inhibitors, erythropoietin,
    antidepressants, appetite suppressants, NSAIDs, nasal decongestants, phenothiazines ...

2 Isolated systolic hypertension (wide pulse pressure)
  1. 고령 (동맥경화 등 vascular compliance 감소)
  2. 심박출량(CO) 증가 ; AR, PDA, thyrotoxicosis, anemia, fever, hyperkinetic heart syndrome
  3. 말초혈관저항 감소 ; AV shunts, Paget's disease of bone, Beriberi

■ 이차성 고혈압의 흔한 원인

① <u>renal parenchymal dz.</u> (m/c, 전체 고혈압의 2~5%) ; <u>CKD</u>의 80% 이상에서 HTN 동반
  - chronic glomerulonephritis은 감소하고, DM과 HTN이 CKD의 m/c 위험인자가 되었음
  - microalbuminuria (30~300 mg/day) TOD와 밀접히 관련 (→ 모든 HTN 환자에서 검사해야)
  - 일반적으로 interstitial dz.보다 glomerular dz.에서 HTN이 더 심함
② renovascular HTN (2nd m/c, 전체 고혈압의 1~2%)　　　　　　　→ 신장내과 참조
③ 경구피임약 복용
④ primary aldosteronism, Cushing's syndrome, pheochromocytoma　　→ 내분비내과 참조

	임상양상			1차 검사
	증상,병력	진찰소견	검사소견	
Renal parenchymal dz.	요로감염/협착의 과거력, 진통제 남용, ADPKD의 가족력	복부내 종양 촉진 (ADPKD의 경우)	요검사상 단백질, 적혈구, 백혈구 등 GFR 감소	신장 초음파
Renovascular HTN	갑작스런 발병, 3가지 이상의 약제에 반응 없는 저항성 고혈압	복부잡음 청진	복부 초음파상 두 신장 길이가 1.5 cm 이상 차이가 남	신장 doppler sonography
Aldosteronism	근력감퇴, 조기 발병, 고혈압의 가족력, 40세 이전 뇌졸중 과거력	부정맥 (hypokalemia 아주 심할 때)	Hypokalemia	Plasma renin, Serum aldosterone
Cushing's syndrome	체중 증가, 다뇨, 다음	중심비만, 월상안, 자색선조, 다모증	Hyperglycemia	24hr 소변 cortisol
Pheochromocytoma	두통, 심계항진, 발한, 창백, 심한 혈압의 변화	기립성 저혈압	부신우연종	24hr 소변 / 혈중 metanephrines,

c.f.) 수술로 치유 가능한 고혈압의 원인
  ① renovascular HTN (m/c)
  ② pheochromocytoma
  ③ Cushing's syndrome
  ④ primary aldosteronism
  ⑤ CoA (coarctation of aorta)
  ⑥ renin-producing tumor

고혈압성 위기(crisis)

1. 정의

(1) 고혈압성 응급(hypertensive emergency)

- 혈압이 심하게 상승되어(>180/120 mmHg) <u>표적장기손상(TOD)</u>이 발생 or 발생위험이 큰 경우 (→ 주로 CNS, 심혈관계, 신장을 침범)
- 수분~1시간 이내에 즉시 혈압을 낮추어야 함 (IV 항고혈압제 투여)
- moderate hypertensive retinopathy (과거 accelerated HTN^{가속성 고혈압}) : 혈압의 급격한 상승
  + retinal hemorrhage (flame or dot-shaped), cotton-wool spots, exudates (grade 3 retinopathy)
- severe hypertensive retinopathy (과거 malignant HTN^{악성 고혈압}) : 혈압의 급격한 상승
  + optic disc edema [papilledema] (grade 4 Keith-Wagener-Barker [KWB] retinopathy)
- acute hypertensive nephrosclerosis (과거 malignant nephrosclerosis) 동반도 흔함

고혈압 응급(hypertensive emergency)의 예
Accelerated HTN (망막출혈/삼출)
Malignant HTN (유두부종)
Stroke (ischemic, hemorrhagic)
ACS ; AMI, UA
Acute LHF with pulmonary edema
Acute aortic dissection
Adrenal crisis (e.g., pheochromocytoma, cocaine or amphetamine overdose, clonidine withdrawal, acute spinal cord injury)
Hypertensive encephalopathy
ARF, eclampsia, head trauma, severe burn
혈관수술 후 봉합부위의 출혈, 조절되지 않는 비출혈 …

(2) 고혈압성 긴박(hypertensive urgency)

- 표적장기손상(TOD) 없이 혈압이 심하게 상승된 것(>180/120 mmHg)
- 대개 24시간 이내에 혈압을 낮추면 되며, 급격히 혈압을 낮추면 심장, 신장, 뇌 등의 관류저하로 해로울 수 있음

2. 임상양상

- 혈압의 현저한 상승 (대개 이완기 혈압이 130 mmHg 이상)
- 고혈압성 뇌증(hypertensive encephalopathy) ; severe headache, N/V,
  transient blindness/paralysis, convulsion, stupor, coma …
  (혈압이 내려가면 신경학적 이상은 대개 정상으로 돌아옴)
- 심장 부전(decompensation), 신기능의 급격한 저하 (oliguria, ARF), 단백뇨 …

3. 병인

- generalized arteriolar fibrinoid necrosis ; 신장, 망막, 뇌 등 (→ 혈압이 조절되면 회복 가능)
- peripheral plasma renin activity 증가, aldosterone 생산 증가

- microangiopathic hemolytic anemia (arteriolar walls에 fibrin 침착), DIC
- 뇌 동맥의 확장 (∵ 심한 동맥압 상승에 따른 정상 autoregulation의 파괴로)

4. 역학

- HTN 환자의 1% 미만에서 발생
- 평균 진단 연령 : 40세, 男 > 女
- 사망원인 ; renal failure, cerebral hemorrhage (CVA), CHF ...
- 효과적인 약물치료의 발전으로 1/2 이상이 5년 이상 생존

5. 치료

- 즉시 치료를 요하는 medical emergency
- 치료 목표 : 수분~2시간 이내에 평균 동맥압을 25% 이내에서 낮춤 or 160/100~110 mmHg 유지
  (∵ 너무 많이 낮추면 뇌, 심장, 신장 등의 perfusion 감소 위험)

(1) immediate onset drugs (IV) : 몇 분 이내 작용

① sodium nitroprusside (continuous IV) - DOC
  : 동맥과 정맥을 모두 확장, 투여 즉시 작용 & 효과 뛰어남, tachyphylaxis 안 일으킴
② nitroglycerin (continuous IV) : 정맥을 더 확장 / CABG, MI, UA, LVF 등 동반시 유용
③ diazoxide (IV bolus) : 세동맥을 확장시킴, 사용하기 편하나 효과는 떨어짐
  - aortic dissection, MI, DM 때는 금기 (∵ 심근 수축력 ↑)
④ esmolol (continuous IV) : aortic dissection, perioperative hypertensive crisis 때 특히 유용
  - CHF, COPD, asthma 때는 금기 (∵ β-blocker)
⑤ fenoldopam (continuous IV) : selective dopamine-1 receptor agonist,
  전신 및 신장 혈관 확장, GFR 증가 및 이뇨작용도 있음

c.f.) adrenal crisis (e.g., pheochromocytoma) → phentolamine (DOC) or nitroprusside
        (methyldopa, reserpine, guanethidine 등은 금기)

(2) delayed onset drugs : 5~10분 이후 작용

① hydralazine IV/IM ; aortic dissection, MI 시에는 금기
② nicardipine IV ; 수술 후 심장질환자에 특히 유용
  (c.f., nifedipine 설하정은 부작용 및 조절 어려움 때문에 사용 안함)
③ labetalol IV (α- & β-blocker)
  - MI, angina, aortic dissection 등 때 특히 유용 (∵ 혈압 & 심근수축력 ↓)
  - 이전에 β-blocker로 치료 받았으면 효과 없다
  - HF, asthma, bradycardia, heart block 시에는 금기
  - hydralazine에 듣지 않는 eclampsia에도 사용할 수 있음
④ urapidil IV (α_1- blocker, serotonin $5HT_{1A}$ agonist) : ACS, acute HF 때 사용 가능
⑤ furosemide ; encephalopathy 및 CHF 회복 촉진, 항고혈압제의 sensitivity ↑
⑥ ACEi (enalaprilat) IV ; LV failure시 좋다, 15~60분 이후에 작용

	목표	1st-line	2nd-line
Malignant hypertension ± ARF	몇 시간 이내 MAP 20~25%↓	Labetalol Nicardipine	Nitroprusside Urapidil
Hypertensive encephalopathy	즉시 MAP 20~25%↓	Labetalol Nicardipine	Nitroprusside
Acute coronary syndrome	즉시, SBP <140 or MAP 60~100 mmHg	Nitroglycerin Labetalol	Urapidil
Acute cardiogenic pulmonary edema	즉시, SBP <140 or MAP 60~100 mmHg	Nitroprusside + loop diuretics	Nitroglycerin Urapidil + loop diuretics
Acute aortic dissection	즉시 SBP <120 mmHg & HR <60 bpm	Nitroprusside + esmolol or NG or nicardipine	Labetalol or metoprolol
Acute ischemic stroke (>220/120 mmHg)	1시간 MAP 15%↓	Labetalol	Nicardipine Nitroprusside
Acute ischemic stroke :thrombolysis 예정 (>185/110 mmHg)	1시간 MAP 15% 미만↓	Labetalol	Nicardipine Nitroprusside
Cerebral hemorrhage (SBP >180 or MAP >130 mmHg)	1시간 SBP<180, MAP<130	Labetalol	Nicardipine Nitroprusside
개두술(craniotomy)	즉시	Nicardipine	Labetalol
Adrenergic crisis (pheochromocytoma)	즉시	Phentolamine	Nitroprusside, Urapidil
Eclampsia, severe preeclampsia/HELLP	즉시 <160/105 mmHg	Labetalol (+ MgSO_4)	Nicardipine Ketanserin

* stroke (∵ 뇌혈류의 autoregulation 장애로 뇌혈류 유지를 위해 보다 높은 동맥압 필요)

   ┌ infarction ; >220/120 mmHg면 혈압강하 치료 (→ 처음엔 15% 이상 낮추면 안됨)

   │ (thrombolytic therapy 예정이면 >185/110 mmHg면 혈압강하 치료)

   └ hemorrhage ; SBP >200 mmHg or MAP >150 mmHg면 혈압강하 치료

      (뇌압상승 소견이 있으면 SBP >180 mmHg or MAP >130 mmHg면 혈압강하 치료)

  • nicardipine, labetalol, urapidil 등이 DOC (urapidil은 개두술 때는 뇌압상승 유발)

  • nitroprusside와 hydralazine은 뇌압상승을 일으킬 수 있으므로 금기

5 동맥경화증 (죽상경화증, Atherosclerosis)

병리

1. **Fatty streaks** : earliest lesion, lipid-laden macrophage가 특징
2. **Atheroma** : lipid (LDL) 방울들이 모여 lipid core를 형성 (→ 육안적으로 노란색을 띰)
3. **Fibroatheroma** : advanced atherosclerosis, smooth muscle cells의 증식 및 ECM 침착으로 fibrous cap 형성 (Fibrous plaques : 주로 SMC와 ECM으로만 이루어진 atheroma)
4. **Complicated lesion** : calcified fibrous plaques with necrosis, thrombosis, ulceration
   → hemorrhage, aneurysm, thrombus 형성

* macrophage가 가장 중요한 역할 → macrophage 침착이 많을수록 plaque rupture 가능성 증가
* 관상동맥 협착시 혈류는 협착 정도에는 영향을 받으나, 협착 길이는 관계없다
* 잘 일으키는 부위 … 주로 branch point가 많다
  ① Lt. ant. descending coronary artery의 근위부
  ② renal artery의 근위부
  ③ carotid bifurcation
  - 하지 > 상지
  - epicardial coronary artery를 잘 침범 (intramural은 드물다)

병태생리

1. Atheroma (lipid core)의 생성

(1) Lipoprotein 축적
- atherogenic lipoprotein (LDL)이 혈관의 intima sublayer (subintima)의 ECM (주로 proteoglycan)에 결합되어 축적 (proteoglycans중 heparan sulfate 증가시 축적 증가)
  ⇨ lipoprotein 축적 촉진, 국소 염증반응 유발, chemical modification↑
- LDL은 원래 혈관 내피세포(endothelium)을 쉽게 통과하지 못하는데, endothelial dysfunction도 동맥경화의 시작에 관여 … "leaky endothelium" (∵ turbulent flow, monocytes 등)

(2) Lipoprotein modification (atherogenesis 촉진)

① oxidation (∵ plasma의 antioxidants로부터 격리되므로) → **oxidized LDL**이 동맥경화의 주범
  - cytotoxic, proinflammatory, chemotaxic, proatherogenic 등 독성 성질을 가짐
        → chemotaxis, 다시 내피세포 자극(→ adhesion molecules 발현)
  - subendothelium에서는 NO (← macrophages)가 LDL 산화의 주범

② nonenzymatic glycation : DM 환자에서

(3) 백혈구의 침윤

- monocytes와 lymphocytes (T cells)가 혈관벽에 부착된 뒤 혈관내(subendothelium)로 이동
  (c.f., T cells은 macrophages 활성화 정도에만 관여함)
- endothelium에서 adhesion molecules 발현 (VCAM-1, ICAM-1, P-selectin)
  - cytokine (IL-1, TNF-α) → VCAM-1, ICAM-1의 발현 촉진 ┐
  - oxidized LDL → chemotaxis와 VCAM-1의 발현 촉진   ┘ macrophages와 T cells 부착↑
  - <u>laminar shear force</u> → 발현 감소 (NO 생산도 촉진) / <u>turbulent flow</u> → 발현 증가!
        (c.f., atherosclerotic plaques 파열 위험도 높임)

(4) Foam-cells 형성

- **monocytes**는 intima 내에서 <u>macrophages</u>로 분화
  ⇨ 더 많은 LDL 산화, LDL을 섭취하여 lipid-laden **foam cells**로 됨, 혈관벽에 lipid 축적 촉진
    (macrophages는 atheroma에서 lipoproteins을 삼켜phagocytosis 없애는 역할
        → 죽을 때까지 삼키고, 죽고 난 잔해가 동맥경화의 necrotic core를 형성하는 주성분이 됨)
- **necrotic core (lipid core, lipid-rich center)** : foam cells의 파괴(apoptosis)에 의해 생성됨
    → complicated atherosclerotic plaques의 특징! (∵ 노출되면 많은 TF 생성 → thrombogenicity 높음)
- 일부 macrophages는 plaque 내에서 cytokines (e.g., <u>IL-1</u>, <u>TNF-α</u>)을 생산 → growth factors
  (PDGF, FGF 등) 국소 생산 촉진 → SMCs의 migration과 ECM 생성 촉진 (안정화에 중요)

■ Atheroma initiation (동맥경화증의 촉진 인자)

- phagocytic leukocyte에서 reactive O_2 species 분비 → 촉진
- HTN → 촉진 / DM → 촉진 / lipoprotein(a) → 촉진
- fibrinogen↑, plasminogen activator inhibitor 1 (PAI-1)↑, EDRF↓ → 촉진
- homocysteine↑ → thrombosis 촉진
- smoking → atherogenesis 촉진과의 연관성은 아직 모름
- 감염 및 염증(e.g., Kawasaki dz.) → 촉진

* <u>NO radical</u> ; endothelial cells에서 분비된 → 저농도에서는 AS의 진행을 방해
  ① smooth muscle 수축 감소
  ② 백혈구의 endothelium에의 부착 억제
  ③ smooth muscle 증식 억제
  ④ 혈소판의 응집 및 부착 억제

* macrophages ; toxic amount의 NO 분비 (∵ 주로 이물질 특히 세균을 산화시켜 죽이기 위함)
      → LDL도 이물질로 인식해 산화시킴

2. Fibroatheroma의 형성

(1) Smooth muscle cells의 참여 : fibroproliferative action

- fatty streak → 대부분 atheroma로 진행 됨 (모두는 아님)
- smooth muscle cells (SMCs) → ECM 생성 → fibrous plaque (섬유조직으로 주로 구성됨)
  - SMCs은 atheroma를 혈관손상으로 인식하여 섬유성 조직으로 만들어 치료하려고 노력함
  - PDGF (SMCs의 migration 촉진), TGF-β (SMCs의 ECM 생성 촉진) (← macrophage에서 생산)
- fibroproliferative action이 충분치 않으면 lipid core를 둘러싼 막이 약해 파열될 위험이 높아짐
- SMCs도 apoptosis 가능 → atheroma가 완전히 fibrous해지기도 함
  (SMC 증식을 억제하는 TGF-β, IFN-γ 같은 cytostatic factor 분비 때문)

(2) Atheroma의 진행 및 합병증

- blood coagulation & thrombosis → atheroma 형성에 기여
- activated platelets : PDGF, TGF-β 등 분비 → fibrotic response 촉진
- thrombin : protease-activated receptors를 자극하여 SMCs migration, proliferation,
    ECM 생산 등을 촉진하기도 함
- vasa vasorum과 이어지는 microvessels이 발달
    → intraplaque hemorrhage, rupture, focal hemorrhage (→ thrombosis)
- atherosclerotic plaques (lipid core) 내에는 Ca^{2+}도 침착됨

3. 임상발현

- 죽상경화판의 성장 및 혈관협착의 진행은 간헐적 양상으로 호전/악화 가능, 대부분은 무증상
- 죽상경화판(atherosclerotic plaques)
  (1) 초기 (arterial remodeling)
    - plaque가 바깥쪽으로 성장 (abluminal)
    - 혈관내경이 커짐 (compensatory enlargement) ; coronary angiography에서는 협착이 없거나
        심하지 않아도 intravascular US에서는 진행된 atheroma가 관찰될 수 있음
    - internal elastic lamina 반경의 40% 차지하면 안(lumen)쪽으로 성장
  (2) 후기
    - flow-limiting stenosis → stable syndromes (e.g., stable angina)
    - plaques instability & rupture (대부분 nonocclusive stenosis에서 발생) → unstable ACS (e.g., MI)
    - 작은 plaque rupture가 반복 & 치유되면 보다 안정적인 fibrous plaques로 전환될 수도 있음
- unstable ischemia (acute coronary syndrome)의 발생 기전
    - superficial erosion of endothelium ┐ ⇨ thrombosis(동맥경화가 임상적 문제를 일으키는 주 기전)
    - plaque rupture, fissure, ulceration ┘
    - plaque rupture (더 심함) ⇨ ACS (2/3), 경동맥/대동맥 질환
        (↳ 대량의 lipid core가 갑자기 방출되어 급격한 응고 항진 → 심한 thrombosis 발생 위험)
    - local or systemic thrombogenic condition ⇨ 말초동맥질환, ACS (1/3)
- IFN-γ (T cell에서 분비) : SMCs의 성장과 collagen 합성 억제
- TNF-α or IL-1 (macrophage), IFN-γ (T-cell) : plaque cap ECM을 분해하는 proteinase 분비
    ⇨ plaque cap이 얇아져 rupture 발생 위험↑   (e.g., matrix metaloproteinase, MMP)

파열하기 쉬운 경화판(vulnerable/unstable plaque) ★
Eccentric Large lipid core (>40% of plaque volume) 얇은 섬유성막(fibrous cap) 많은 lipid-laden monocytes/macrophages 침윤 Matrix metaloproteinases (MMP) 생산 증가 Smooth muscle cells or ECM (e.g., collagen) 감소

원인/위험인자

심혈관계질환 or 동맥경화증(atherosclerosis)의 위험인자 ★

1. 이상지혈증
   - high LDL-cholesterol (≥160 mg/dL)
   - low HDL-cholesterol (<40 mg/dL)
2. 흡연
3. 고혈압 (≥140/90 mmHg 또는 항고혈압제 복용)
4. 관상동맥질환(CAD) 조기 발병의 가족력 (1차친족 중 남성 <55세, 여성 <65세)
5. 고령: 남성 ≥45세, 여성 ≥55세

주요 위험 인자

6. **당뇨병** (c.f., 이상지혈증 치료 기준에서는 고위험군에 해당, CAD risk equivalent)

7. Insulin resistance (metabolic syndrome), impaired fasting glucose (IFG)
8. 남성, 폐경기 여성
9. 생활습관 ; 비만(BMI ≥30), 신체활동 부족, 동맥경화성 식습관
10. 정신사회적 요인 ; 우울증, 스트레스, 불안, 사회적 격리 등
11. 기타 : hsCRP, lipoprotein(a) [Lp(a)], lipoprotein-associated phospholipase A2 (Lp-PLA₂),
    apolipoprotein B (Apo B), homocysteine, prothrombotic factors (e.g., fibrinogen, PAI),
    proinflammatory factors, ankle-brachial blood pressure index,
    carotid intimal medial thickening (CIMT), coronary calcium score 등

- HDL ≥60 mg/dL는 "negative" 위험인자임
- 교정할 수 없는 위험인자 ; 연령, 성별, 유전적 성향 (premature CAD의 가족력) 등
- estrogen (± progestin) 투여 받는 폐경기 여성도 CAD 위험 약간 증가

■ 기타 새로운 (관련성이 부족한 or 연구 중인) 위험인자들

1) 이상 지질단백

① lipoprotein(a) [Lp(a)] : CAD 위험 1.13배 증가, 매우 높은 경우에만 의미가 있는 편

② TG-rich lipoprotein (TRL) remnants ↑

③ LDL subclass
   - A형 ; 크기와 부력이 큼, LDL-1~2
   - B형 ; 작고 치밀(small dense LDL), LDL-3~7 → more atherogenic, AMI ↑

④ HDL subclass
   - HDL2
   - HDL3 → AS와 관련

⑤ oxidized LDL (OX-LDL) ↑

2) atherosclerosis 및 endothelial function의 imaging/non-invasive tests
  ① 경동맥 내중막 두께(carotid intima-media thickness, CIMT) : 고해상도 초음파
    - CIMT 두께 0.1 mm 증가할수록 향후 ASCVD 위험 9% 증가
    - but, 다른 위험인자들로 분류한 뒤에는 기여도가 없음 → 측정 권장 안됨
  ② 동맥 맥파속도(pulse wave velocity, PWV) : 동맥 경직도의 지표
  ③ flow-mediated dilation of brachial artery
  ④ 관상동맥 칼슘(coronary artery calcification, CAC) : MDCT coronary angiography
    - 다른 위험인자들과 관계없이 ASCVD 위험 증가와 관련
    - CAC score가 낮아도 고위험군일 수 있고, 비용 및 방사선 노출 때문에 많이 사용은 안함
3) 염증 및 감염
  ① CRP (hsCRP) : ASCVD(Atherosclerotic Cardiovascular Disease)의 위험 및 예후(Framingham score)와 관련
    - LDL level과 관계없이 CAD 위험 증가와 관련
    - 중간위험군(10yr risk 7.5~20%)에서 statin 치료 여부 결정하기 애매할 때 추가로 검사
  ② lipoprotein-associated phospholipase A2 (Lp-PLA$_2$) : 혈중에서 lipoproteins (e.g., apo B)에
      의해 운반되므로 LDL level에 의존적임 → LDL 보정을 하면 CAD 위험과 관련성은 부족
  ③ low-grade 감염(e.g., gingivitis) or *Chlamydia pneumoniae*, *H. pylori*, HSV, CMV 등의 보균
      : ASCVD와의 관련성이 적거나 없으며, 치료하면 CAD 위험이 감소한다는 증거도 없음
4) 혈전형성이 용이한 상태(thrombogenic state)
  ① PAI-1 (plasminogen activator inhibitor 1) : fibrinolysis 억제 → CAD 위험↑
  ② Lp(a) : fibrinolysis 억제 가능 → CAD 위험↑
5) 기타 ; homocysteine, myeloperoxidase, lipoprotein-associated phospholipase A$_2$ ...
    - homocysteine : thrombosis와 일부에서 CAD와 관련 (but, 임상시험 결과 homocysteine level을
      낮춰도 CAD는 감소 안함) → 젊은 나이 or 저위험군의 동맥경화 환자에서만 검사 고려

치료/예방

동맥경화증 위험인자의 조절 예

위험인자	치료
High LDL level, high hsCRP	Statins
High Lp(a) level	Nicotinic acid (niacin), PCSK9 inhibitor
High TG level	Fibric acid derivatives
Low HDL level	Nicotinic acid (niacin)
Hypertension	Antihypertensives
Hyperglycemia	Insulin
Hyperhomocysteinemia	Folic acid
High fibrinogen level	Fibric acid derivatives

■ **HMG-CoA reductase inhibitor (statin)**

- 임상적 효과 ; cardiovascular events 및 total mortality 감소, MI의 재발 및 stroke 감소, revascularization 또는 입원의 필요성 감소 등
- 기전
  ① hepatic HMG-CoA reductase 억제 (主) → hepatic cholesterol biosynthesis 감소
  → hepatic LDL receptors level 증가 → 혈중 LDL 및 LDL precursors 제거
  ② hepatic apolipoprotein B100 합성 억제 → TG-rich lipoproteins의 합성/분비 감소
- cardiovascular events 감소의 원인
  ① lipid lowering ; LDL 25~40%↓, total cholesterol 20~30%↓, TG 10~20%↓
     (→ 대개 6~24개월의 치료기간이 필요)
  ② endothelial function (endothelium-dependent vasodilators에 대한 vasomotor response)의
     개선 : arterial endothelial level에서의 NO 생성 증가 때문 (→ 대개 6개월 이내에 발생)
  ③ 동맥경화성 병변(plaque)의 안정화 (obstructive lesion의 크기는 많이 감소시키지 않음)
  ④ 기타 ; 염증세포의 이동 및 증식 감소, 혈전 형성 감소 등

→ 내분비내과 참조

■ **알코올(음주)과 심장질환**

- 기존의 음주자 → 음주량 제한 (하루에 남자 2잔, 여자 1잔 이하)
  - 이것 이상의 과도한 음주
     ⇨ ① TG↑, 비만
        ② 혈압상승, cardiomyopathy, arrhythmia, heart failure, SCD, CVA
        ③ 유방암, 알코올중독, 자살/사고 위험 증가
- 비음주자 → 적당한 음주의 시작도 금기! (∵ 부작용 증가, 중독 위험)

▶ 알코올(특히 포도주)이 심장질환 예방에 도움이 된다는 연구결과도 있지만, 대부분 다른 생활습관 인자(e.g., 운동, 야채/과일섭취↑, 포화지방섭취↓)가 관여된 것으로 추정되며, 알코올과 심장질환 과의 정확한 관련성은 더 연구가 필요함

▶ 알코올의 HDL 상승 효과는 증명되었지만, 이 효과 때문에 음주가 권장되지는 않음!

c.f.) antioxidant vitamin therapy
- 비타민이 풍부한 야채, 과일 등의 섭취는 CAD를 감소시킴
- but, 비타민제제의 복용은 CAD에 영향 없음

6

허혈성 심장질환(Ischemic heart disease, IHD)

개요/정의

- 허혈성 심장질환(IHD) : 심근의 산소 부족으로 인한 질환들을 총칭 (≒ CAD)
- 협심증(angina pectoris) : 심근의 관류 저하(ischemia)로 산소 요구량과 공급량의 불균형이 발생하여 산소부족에 의한 chest pain이 발생하는 질환

  ┌ stable angina (chronic CAD)
  └ ACS (acute coronary syndrome) : UA/NSTEMI, STEMI

* 심근의 산소 요구량/소모량의 결정 인자
  ① heart rate
  ② systolic pressure (wall tension) ┐
  ③ myocardial contractility ┘ 主 (90% 이상)
  ④ wall shortening against a load
  ⑤ basal oxygen requirements

* 심근 허혈(ischemia)의 결과
  ① chronic focal ischemia → 심근수축의 국소적인 장애 ; segmental akinesia, bulging (dyskinesia)
  ② acute severe ischemia
     ┌ 일시적(reversible) → angina pectoris
     └ 지속적(대개 <u>20분</u> 이상) → myocardial necrosis & scarring (± MI의 증상)

* 허혈(ischemia)에 대한 심근의 반응
  (1) **전처치(preconditioning)** : 짧은 기간의 허혈 & 재관류를 반복하면, 심근세포는 후속되는 보다 긴(or 심한) 허혈에 대항하여 자신을 보호하려는 저항성을 가지게 됨 (→ transmural necrosis↓)
  (2) **기절심근(stunned myocardium)** : acute ischemia 이후 국소 심실 기능(수축력)이 저하되었으나 재관류 후에도 일정 기간(몇 시간~몇 주, 대개 1주 이내) 기능저하가 지속되다가 회복되는 것
     - recurrent ischemia가 없으면 대부분 자연 회복됨 (ischemia가 반복되면 영구적 기능 상실 발생)
     - 심근 에너지 대사는 정상, inotropic agents (e.g., β-agonist)에는 반응하여 회복됨
     예) acute MI, cardiac arrest, CABG 등의 심장수술 이후
  (3) **동면심근(hibernating myocardium)** : 만성적 혈류 감소로 심실 기능은 저하되어 있으나 허혈성 대사변화는 심하지 않아 (평형 상태), 재관류시에는 심실 기능이 회복되는 상태(viable)
     예) chronic stable angina, silent ischemia

병인

1. <u>atherosclerotic coronary artery dz.</u> (m/c) → atherosclerosis의 위험인자는 앞 장 참조
   - epicardial coronary arteries (= conductance vessels)를 주로 침범
   - 직경의 50% (단면적의 75%) 정도가 감소하면 심근의 산소요구량 증가를 혈류 증가로
     충족시키지 못함 (→ 운동시 흉통 발생)
   - 직경의 80% 이상 감소하면 안정시 혈류도 감소되고, 조금만 더 감소해도 심근 허혈 발생
2. nonatheromatous coronary obstructive lesions ; arterial spasm, thrombi, emboli, luetic aortitis
   (e.g., conductance vessels의 비정상적인 spasm → Prinzmetal's angina)
3. myocardial oxygen demands의 심한 증가 ; severe LV hypertrophy, severe HTN, pul. HTN,
   AS, AR, HCM, pheochromocytoma, hyperthryoidism
4. 혈액의 산소 운반능 저하 ; severe anemia, carboxyhemoglobin의 존재
5. congenital coronary abnormalities
   - Anomalous origin of LCA from Pulmonary Artery (ALCAPA) : 치료 안하면 대부분 사망
   - Anomalous origin of a Coronary Artery from the Opposite Sinus (ACAOS) : SCD 가능

Obligatory ischemia	ALCAPA, coronary ostial atresia or severe stenosis
Episodic ischemia	ACAOS, coronary artery fistulas, myocardial bridge
Absence of ischemia	split RCA, ectopic RCA from right cusp, ectopic RCA from left cusp 등등

■ <u>microvascular angina</u> (cardiac syndrome X)
   - 정의 : angina or angina-like chest pain + normal coronary arteriogram
   - 기전 : coronary microvascular (intramyocardial arterioles = resistance vessels) dysfunction
     (확장 장애) or spasm or endothelial dysfunction 등 아직 불확실하고 복잡
   - coronary arteriography 시행하는 환자의 10~20% 차지, 여성(특히 폐경전)에서 흔함
   - 검사소견
     - resting EKG는 대개 정상 or nonspecific ST-T wave abnormalities (때때로 흉통과 함께)
     - 약 80%는 exercise test 음성 (but, 많은 환자가 피로/흉통으로 운동을 완료 못함)
     - LV function은 stress 중에도 대개 정상 (obstructive CAD에서는 dysfunction 발생 흔함)
     - MDCT 상 coronary calcification은 정상인과 obstructive CAD 환자의 중간 정도
     - 관상동맥혈류예비력(CFR, FFR) 감소 ; 심도자, 심초음파 등으로 측정
   - 치료 : nitrate, β-blocker, CCB, ACEi, estrogen 등 (but, 치료에 대한 반응은 다양함)
   - obstructive CAD 환자보다는 예후 매우 좋음

c.f.) obstructive CAD 이외의 원인에 의한 angina 환자의 평가
   ; coronary angiography, endothelial function testing, microvascular testing,
     FFR (fractional flow reserve), IMR (index of microcirculatory resistance), IVUS

(만성) 안정형 협심증 (stable angina pectoris, stable IHD)SIHD

- transient myocardial ischemia에 의한 episodic clinical syndrome
- 70%가 남자, 남자는 50~60세, 여자는 65~75세에 호발

1. 임상양상

(1) 흉통(chest pain, typical angina) : 대개 substernal

- 쥐어짜는, 짓누르는, 조이는, 터질 것 같은, 뻐근한 양상의 흉통
- short duration : 30분 이내 (대개 1~5분) → 30분 이상 지속되면 MI
- radiation ; 왼쪽 어깨, 양 팔(특히 왼팔 안쪽, 새끼손가락), 등, 목, 아래 턱, 치아, 견갑골사이 등
  - 유발인자 ; 운동(m/c), 섹스, 과식, 정신적 스트레스, 추위에 노출, 흡연 등
  - 호전인자 ; 휴식, 안정, sublingual NG 복용시 소실됨
- 비전형적 증상(anginal equivalents) : angina 이외의 myocardial ischemia에 의한 증상
  ; 호흡곤란, 피곤, 실신/어지러움, 발한 등 … 노인, DM, 수술 후 환자 등에서 흔함
- 흉통이 발생하는 threshold는 사람마다 다르며, 하루 중에도 시간과 감정상태에 따라 다름
- 관상동맥 협착 정도와 반드시 비례하지는 않음

협심증에 의한 통증이 아닐 가능성이 높은 경우
30초 미만의 찌르는 듯한 예리한 통증
AMI가 아니면서 1시간 이상 지속되는 경우
수 초 내에 통증의 강도가 가장 심해지는 경우
엄지 손가락, 턱 위쪽, 배꼽 아래쪽 등의 방사통
호흡이나 자세를 바꿈에 따라 통증의 강도가 변하는 경우
통증 부위가 손가락 하나로 정확히 지적할 수 있을 정도로 작은 경우
흉벽의 국소적인 압통이 있는 경우

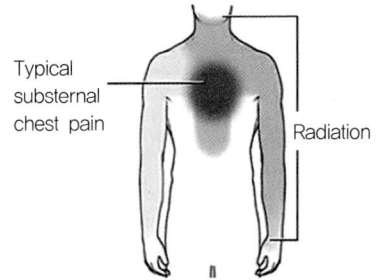

Typical substernal chest pain

Radiation

흉통(Chest pain)의 감별진단	
1. Cardiovascular 　Obstructive CAD (e.g., SIHD, MI) 　<u>Angina-like chest pain with normal 　　coronary angiogram</u> 　　　Endothelial dysfunction 　　　Microvascular angina (dysfunction) 　　　Prinzmetal variant angina 　　　Myocardial bridging of coronary artery 　　　Coronary AV fistula 　　　비후성심근병증(HCM) 　　　Severe AS or AR 　　　심한 systemic HTN, 심한 RVH 　　　심한 anemia/hypoxia 　　　통증 지각 이상/과민 (sensitive heart) 　　기타 　　　Aortic dissection 　　　Pericarditis 　　　Mitral valve prolapse	2. Gastrointestinal 　식도 경련/역류/파열, 식도염, 소화성궤양(PUD), 위염 　담낭염, 담석, 췌장염, 비장 경색(spleneic infarction) 　Mallory-Weiss syndrome 3. Pulmonary 　폐고혈압(pulmonary HTN), 폐색전증, 폐렴, 기흉, 흉막염 　흉부 종양, Precordial catch syndrome 4. Neuromusculoskeletal 　Thoracic outlet syndrome 　DJD of cervical/thoracic spine 　Cervial angina (C6-7 radiculopathy) 　Costocondritis (Tietze's syndrome) 　Herpes zoster, 흉벽 통증/압통, 외상 5. Psychogenic 　불안, 우울, 공황장애 　Cardiac psychosis, Cocaine use

(2) 진찰소견

- 증상이 없을 때는 대부분 정상
- 다른 부위의 동맥경화 징후 ; 복부 대동맥류, 경동맥 잡음, 하지의 동맥압 감소, xanthoma 등
- anginal attack 시에는 transient LV failure에 의한 S_3 and/or S_4, dyskinetic cardiac apex, MR, pulmonary edema 등이 관찰될 수도 있음 (→ poor Px.)

(3) 검사소견

- U/A ; DM 및 신장질환의 확인 (e.g., microalbuminuria)
- 혈액검사 ; lipid profile, glucose, creatinine, Hb 등 (심근효소는 증가×)
- chest X-ray ; 대부분 정상 (심비대, ventricular aneurysm, HF 등 IHD의 합병증 소견이 나타날 수도 있음)

2. 진단

(1) 증상 … typical angina

(2) 심전도(EKG)

① resting EKG - 약 1/2에서는 정상, 나머지는 비특이적인 이상 소견들

　　　 ; nonspecific ST-T changes (m/c), old MI, 심실내 전도장애, LVH 등

② 24시간 보행 심전도 (Holter monitoring)

　- ST depression, T wave inversion ; 흉통과 일치

　- MI의 초기, variant angina에서는 ST elevation을 보일 수도 있음

c.f.) **ST segment의 변화(↑↓)** :
　J point (QRS의 끝)에서 60~80 ms
　　(2칸) 이후 지점에서 판독
　⇨ 1 mm 이상 변화시 양성

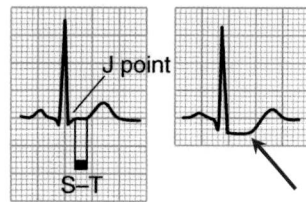

(3) 운동부하 심전도(exercise stress EKG test)

- screening test로 유용 (가장 많이 사용) ; 답차(treadmill), 자전거(bicycle ergometer)
- **treadmill test (TMT)**를 흔히 사용 (Bruce protocol)

　: 각 stage 당 3분씩 단계적으로 증가하는 운동량으로 구성됨, 총 5~7 stage
- 보통 Sx-limited test (HR-limited로 시행하면 AMI 후 6일경에도 시행 가능)
- 적절한 운동 부하 → 목표 심박수(= 최대 심박수[220 - age]의 85%)에 도달해야
- sensitivity (45~68%)와 specificity (77~90%)가 부하검사 중엔 가장 나쁨

　- 음성이라도 CAD를 R/O 하지 못함 (but, 3-vessels or Lt. main CAD 가능성은 매우 낮음)

　- 검사전 확률(pretest probability)이 너무 낮거나 높으면 다른 검사를 시행하는 것이 좋음

　　 (↳ 연령, 증상 등 기본적인 정보들을 통해 예측한 CAD 일 가능성)
- m/i 예후(사망률 및 심혈관질환) 예측 인자는 functional (exercise) capacity임

　→ <u>predicted METs</u> 도달 정도 or 운동 시간 등을 통해 예측

　　 ↳ [남] 18 - (0.15×age), [여] 14.7 - (0.13×age)

■ "positive" 소견 (→ myocardial ischemia, CAD 시사)

① typical anginal chest pain 발생

② ST segment의 horizontal (flat) depression 발생

: ≥0.1 mV (1 mm) & 0.08초 (80 msec) 이상 지속

┌ ① + ②면 (+) predictive value 90% (②만 있으면 70%) : 고령일수록↑
└ ②만 있어도 ST depression 2 mm 이상이면 90%

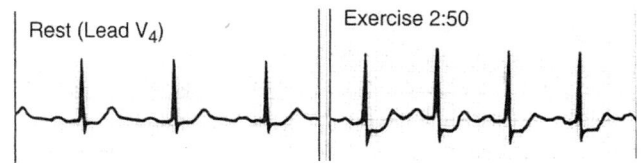

Rest (Lead V₄)   Exercise 2:50

* abnormal T-wave, conduction disturbance, ventricular arrhythmia 등은 진단적 가치 없음
* ST depression은 허혈 부위와 관련 없음 = 허혈 부위(침범된 관상동맥)는 예측할 수 없음!
  (↔ ST elevation은 허혈 부위와 관련 있음)

■ strong positive : poor prognostic (high-risk CAD) indicator ★

⇨ left main or multivessel dz. 가능성↑ (→ coronary angiography/revascularization 고려)

① 적은 운동량에서 = Bruce protocol stage Ⅱ 완료 (6분, 6METs) 이전에
  흉통(angina) 발생으로 운동중단 or ST depression (≥1 mm) 발생

② 심한(≥2 mm) ST depression 발생, 5개 이상의 leads에서 ST depression 발생

③ 운동 중단 후 회복기에도 5분 이상 ST depression (≥1 mm) 지속

④ 새로운 ST elevation (≥2 mm) 발생 (aVR lead는 제외)

⑤ 지속적(>30초) or 증상이 있는 VT/VF 발생

⑥ 운동 중 혈압이 상승하지 못하거나(systolic BP ≤120 mmHg) or
  지속적으로 하락시(10 mmHg 이상↓ or 휴식시 혈압 이하로) → LV dysfunction 시사

* METs (metabolic equivalents) : 소비되는 에너지 단위 (1METs = O₂ 3.5 mL/kg/min 소비)

c.f.) Duke treadmill score = 운동시간(분) − [5×ST하강정도(mm)] − [4×Angina Score]
  (0 = no angina, 1 = nonlimiting angina, 2 = angina로 인해 운동 중단)

┌ high-risk : ≤ −11점 (annual mortality >3%)
│ moderate-risk : −11 ~ 5점 (annual mortality 1~3%)
└ low-risk : ≥5점 (annual mortality <1%)

Exercise test를 종료해야 하는 절대적응

1. Q wave가 없던 leads에서 ST elevation (>1 mm) 발생 (aVR, aVL, V₁은 제외)
2. 심근 허혈의 징후를 동반한 10 mmHg 이상의 systolic BP 하락
3. Moderate~severe angina (grade 3/4) 발생
4. CNS Sx ; ataxia, dizziness, near-syncope 등
5. 순환 장애의 징후 ; cyanosis, pallor 등
6. 지속적인 심실빈맥 or 심박출량(CO) 이상을 일으킨 부정맥
7. EKG or BP monitoring의 기술적인 문제 발생
8. 환자가 중단하기를 원할 때

Exercise stress test의 절대금기 ★

1. 2일 이내의 AMI (c.f., Old MI는 아님! → 예후 예측에 유용)
2. 고위험 불안정 협심증 (e.g., 2일 이내에 안정시 흉통 발생 병력)
   * 흉통 소실 후 2일 이상 지났으면 시행 가능
3. 혈역학적으로 불안정 조절되지 않는 부정맥, advanced AV block
4. 비대상성(decompensated) 심부전
5. Active endocarditis
6. 급성 심근염 or 심장막염
7. 증상을 동반한 심한 대동맥판협착(AS)
8. 급성 폐색전증 or 폐경색
9. 안전하고 적절한 검사를 방해하는 신체장애

상대적 금기
Lt. main coronary artery stenosis 환자
증상과의 관련성이 불확실한 중등도의 대동맥판협착
심실속도가 조절되지 않는 빈맥성 부정맥
Acquired complete heart block
Resting pr. gradient가 심한 비대심근병(HCM)
협조능력이 제한된 정신장애

Exercise EKG test의 위양/음성 원인

위양성 [false (+) stress test]	위음성 [false (−) stress test]

1. CAD 가능성이 낮은 사람 : 위험인자가 없고 무증상인 40세 이하의 남자 or 폐경전 여성
2. Digitalis나 quinidine 같은 심혈관계 약물 복용자
3. Intraventricular conduction disturbances
   예) R/LBBB, WPW syndrome
4. 안정시 ST 및 T 파의 이상
5. Ventricular hypertrophy (LVH)
   예) severe HTN, HCM, severe AS/AR, anemia
6. 기타 ; hypokalemia, severe hypoxia, hyperventilation, diuretics ...
	1. Lt. circumflex artery에 국한된 CAD
	   (∵ LCX 공급을 받는 뒷부분은 ECG상 잘 안 나타남)
	2. 충분한 운동량에 도달하기 전에 조기 중단시
	3. Lt. ant. hemiblock, Lt. axis deviation (LAD)
	4. 약물 ; β-blocker, CCB, nitrates 등의 anti-anginal drugs

(4) 핵의학검사: 심근관류영상(myocardial perfusion imaging, MPI) ⋯ SPECT

- IHD 진단에 exercise EKG보다 sensitivity와 specificity 좋다! (85~90%)
- radionuclide agents ; ^{99m}Tc-sestamibi (m/c) 등
- gated SPECT ; regional & global LV function도 측정 가능, artifacts 감소
- uptake 감소 (defect 부위) → hypoperfusion을 의미
  - transient (stress image에서만 defect) → reversible ischemia
  - resting or persistent (모든 image에서 defect) → infarction (old or recent)
    * defect를 보일 수 있는 다른 질환들 ; infiltrative dz. (sarcoidosis, amyloidosis), LBBB, DCM ...
- 부하검사(stress test) ; exercise (treadmill, bicycle) or pharmacologic agents
- pharmacologic stress tests (약물부하검사)
  - 운동 못하는 환자에서 시행 (e.g., 말초혈관/근육질환, 호흡곤란, 상태악화)
  - agents ; vasodilators (adenosine, dipyridamole), inotropes (dobutamine)주로 심초음파에서

■ indication (운동부하 심전도보다 유용한 경우)

① resting EKG 소견이 exercise EKG 소견을 해석하기 어렵게 할 때(confounding) ★

    예) LBBB, baseline ST-T change, low voltage, LVH, digitalis effect, WPW syndrome, intraventricular conduction abnormalities, electronically paced ventricular rhythm ...

② exercise EKG 소견이 증상과 일치하지 않을 때 확진을 위해

    예) 증상이 없는 환자에서 (+) 소견 보일 때 (false-positive R/O)

③ 목표 심박수 (최대 심박수의 85%) 이상 도달하지 못하는 환자

④ ischemia 부위의 localization

⑤ ischemia와 MI를 구별하기 위해

⑥ CABG or PCI 이후에 vascularization 정도를 평가하기 위해

■ poor prognostic (high-risk CAD) indicator ★

① 둘 이상의 관상동맥 관류 지역(coronary beds)의 multiple perfusion defects

② large perfusion defect : 심근의 10% 이상

③ 폐의 uptake 증가 (∵ PCWP 증가 때문)

④ 운동 중 RV의 uptake 증가

⑤ LV dysfunction

    ┌ fixed or stress-induced LV dilation (ventricular volume↑ & LVEDP↑)
    └ resting EF <35%, peak exercise EF <45% or stress로 EF 10% 이상 하락

* myocardial perfusion PET (^{13}N-NH$_3$, rubidium-82 등을 이용) ; SPECT보다 더 우수함

* ^{18}F-FDG (fluorodeoxyglucose) PET : 생존 심근에 섭취됨 → 심근의 viability 평가!

    (∵ anaerobic glycolysis를 통하여 glucose를 에너지원으로 사용)

* ^{99m}Tc-pyrophosphate scan : 괴사된 심근에 섭취 (hot-spot image)

* radionuclide angiography (ventriculography) ; 심실의 기능 평가 (e.g., EF)

▶ **SPECT의 segments 구분**

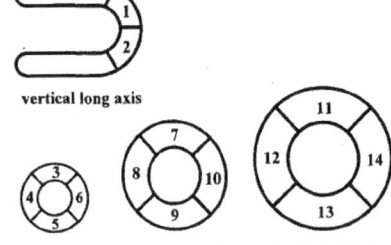

vertical long axis

apical short axis   mid short axis   basal short axis

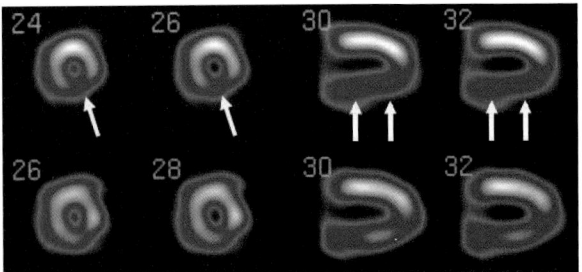

SPECT : inferior wall의 defect

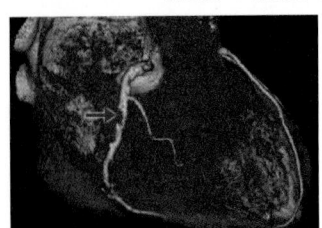

CT angiography
: RCA의 obstruction

(5) 심초음파(echocardiography)

- 여러 심장 질환에서 LV function 평가에 유용 　　　　　　　　　　→ 1장 서론 편 참조
- stress echo.는 (stress MPI와 같이) IHD 진단에 exercise EKG보다 더 정확함
  (ischemia 소견 ; regional WM abnormalities , EF↓, end-systolic LV volume↑)
- <u>dobutamine</u> stress echo. : 심근 생존 가능성(myocardial viability)도 평가 가능

■ poor prognostic (high-risk CAD) indicator ★

① LV dysfunction : resting EF <35%, peak exercise EF <45% or EF 10% 이상 하락

② stress-induced LV dilation

③ multiple (>2 segments or 2 coronary beds) regional WM abnormalities

④ 저용량 dobutamine or 낮은 심박수(<120 bpm)에서 wall motion (WM) abnormalities 발생

Stress imaging study의 비교

심초음파	심근관류스캔
1. 진단 특이도 높음	1. 기술적인 성공률이 높음
2. 다목적 (심장 구조 및 기능의 폭넓은 평가 가능)	2. 진단 민감도 높음 (특히 LCX 병변시)
3. 매우 편리하고 효율적인 이용성	3. multiple resting WM 이상 존재시에도 정확한 진단 가능
4. 저렴한 비용	4. 풍부한 database (특히 예후 평가시)

(6) CMR (cardiac MRI)

- cine imaging, T2 edema imaging, MPI (rest & stress), LGE imaging 기법들을 사용
- dobutamine stress CMR ; WM abnormalities를 echo.보다 높은 해상도로 관찰 가능
- adenosine stress CMR (MPI) ; myocardial perfusion defects 평가 가능
  (기존 핵의학검사 대비 해상도↑, 검사시간↓, 방사선 조사 無)
- T2 edema imaging에서 부종이 동반된 관상동맥협착은 recent MI / 부종 없으면 old MI

(7) Coronary CT angiography (CCTA) : MDCT

- coronary calcium 정량 가능(e.g., Agatston score) : 관상동맥석회화점수(CACS)
  → AS (atherosclerosis)와 높은 상관관계 (but, 예후와의 관련성은 아직 불확실함)
- 의미 있는 CAD (관상동맥 협착 ≥50%)을 정확히 진단 가능 : sensitivity 85~99%,
  specificity 64~90% (→ specificity가 부족해 확진보다는 선별검사로서 더 의미)
- poor prognostic (high-risk CAD) indicator
  ① 관상동맥석회화점수(CACS) >400
  ② multivessel CAD (≥70% stenosis) or Lt. main stenosis (≥50% stenosis)

(8) Invasive coronary arteriography (catheterization)

- coronary obstruction을 직접 확인 가능 … CAD 진단/치료의 gold standard
- 적응증
  ① 약물 치료에도 불구하고 증상이 심하거나, revascularization (PCI or CABG)을 고려할 때
  ② 고질적인 증상이 있는데 다른 검사들에서 IHD 확진 or R/O이 안될 때
  ③ 심정지 이후에 생존한 angina 환자 or angina 의심 환자
  ④ noninvasive tests에서 high-risk CAD 소견 or ventricular dysfunction

- 기타 적응증의 예
  - 전형적인 anginal chest pain이 있으나, stress test에서 (−)일 때
  - ACS가 의심되어 입원을 반복하나, 진단이 내려지지 않고 CAD의 존재 여부를 결정해야 할 때
  - 타인의 안전을 책임져야 하는 직업인 (e.g., pilots)에서 의심되는 증상 있거나,
    증상은 없이 noninvasive test에서 (+)가 의심될 때
  - AS or HCM 환자에서 IHD가 원인으로 의심되는 흉통이 있을 때
  - valve replacement를 받을 예정인 45세 이상의 男 (55세 이상 女)
  - AMI 후 angina 재발 or HF, VPC 자주 발생하거나, stress test에서 ischemia 소견을 보일 때
  - coronary spasm이 있거나 myocardial ischemia의 다른 비동맥경화성 원인이 의심될 때
    (e.g., coronary artery anomaly, Kawasaki's dz.)
- 단점 ; arterial wall에 관한 정보는 얻을 수 없음, 심한 동맥경화가 존재해도 내경이 좁아지지
  않을 수 있음
- intravascular US (IVUS) → 1장 서론 편 참조 (c.f., IVUS로 stent 시술해도 예후엔 별 차이×)

■ poor prognostic (high-risk CAD) indicator ★
① LV dysfunction의 소견 ; LVEDP/V↑, EF↓
② 침범된 coronary artery의 수↑
③ Lt. main or proximal LAD (left anterior descending) artery 침범(stenosis >50%)
④ stenosis의 정도(%)↑
⑤ segmental atherosclerotic plaques의 fissures or filling defects

◆ CAD (IHD) evaluation에서 부하검사(stress test)의 선택

Stress test의 적응
1. IHD의 정확한 진단을 위해
2. 환자의 functional capacity 평가
3. IHD 치료 방법의 적정성 평가
4. CT CAC (coronary artery calcium) score↑ (>300~400)

* Stress test 금기시 → coronary angiography 고려

⇨ resting EKG, 운동 수행능력, 임상양상, 체형 등에 따라 선택

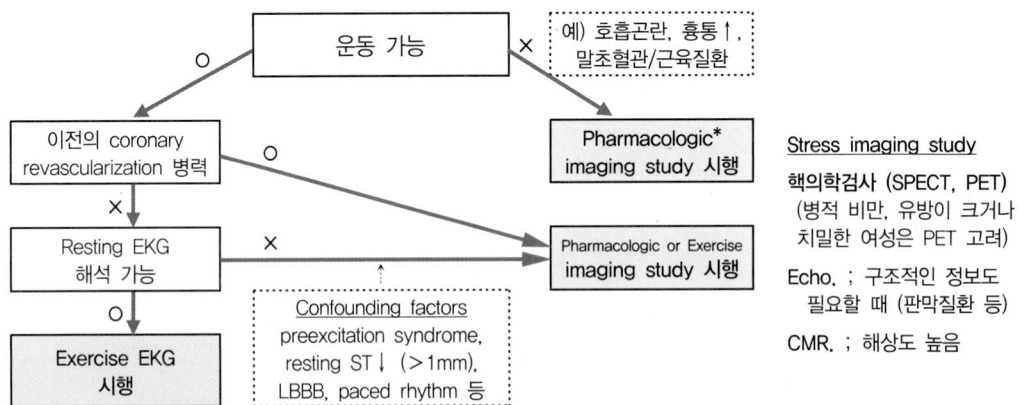

* adenosine (or dipyridamole) SPECT, dobutamine echo. or CMR c.f.) Noninvasive stress tests의 CAD 진단 정확도

Stress test	Sensitivity (%)	Specificity (%)
Exercise ECG	68	77
Exercise SPECT	88	75
Adenosine SPECT	90	82
Exercise echo.	85	88
Dobutamine echo.	81	84
CCTA	97	78
Pharmacologic CMR	92	82

3. 치료 및 예후

(1) 위험인자 및 악화요인의 제거

- CAD를 악화시킬 수 있는 질환 치료 (e.g., 폐 질환, aortic valve 질환, cardiomyopathy)
- HTN, DM, hyperlipidemia, hyperthyroidism, anemia 등의 CAD 위험/악화인자 치료
- 금연, 적절한 운동, 체중감량, cholesterol과 saturated fat 섭취 제한 ...
  - exercise test에서 ischemia가 발생하는 심박수의 80% 이내에서 규칙적인 등장성 운동
  - 아침, 식사직후, 춥거나 험한 날씨 때는 에너지 소비를 줄여야 됨

(2) 약물 치료

- 흉통의 완화가 협착 정도의 개선을 의미하지는 않는다
- thrombolytic therapy를 바로 시행하지는 않는다

증상 조절 (흉통↓)	ACS로의 진행 예방 (심혈관 사망률↓ 효과)
1차 ; Nitrates, β-blocker and/or CCB 2차 ; Ranolazine, Molsidomine, Nicorandil, 　　　Trimetazidine	Lipid-lowering agents (-statin) Antiplatelet agents (aspirin), Anticoagulants β-blocker, ACEi/ARB, Trimetazidine, Nicorandil

★ 1차 권장 치료제 ; nitrates, β-blocker, ACEi/ARB, aspirin

① 질산염(nitrates)

　┌ nitroglycerin ; 설하정, spray, patch, 연고, oral, IV
　└ long-acting nitrates ; isosorbide dinitrate, isosorbide-5-mononitrate 등

- 작용기전 : vascular smooth muscle 이완 (vein > artery)
  - ① 심근의 산소요구량 감소
    　┌ 전신정맥확장 (venous return↓) → preload (LVEDV) & LV wall tension↓ (주기전)
    　└ 말초세동맥 저항 (afterload)↓ → systemic BP↓, reactive tachycarida
  - ② 심근의 혈류 증가 ; 관상동맥 확장 및 수축예방, collateral blood flow↑
  - ③ antithrombotic activity도 있음 (platelet activation 억제)
- 흉통 발생시 & 흉통을 유발할 수 있는 stress 상황 약 5분전에 사용
  - nitroglycerin 설하정이 신속한 흉통 완화에 가장 효과적 (사용 4~8분 뒤에 maximal effect)
  - 1st dose로 효과 없으면 → 5분 간격으로 2nd or 3rd dose 투여
    → 그래도 효과 없으면 ACS의 가능성이 있으므로 즉시 응급실로 내원

- 효과 ┌ chronic angina 환자에서는 exercise tolerance 향상
       └ unstable 및 variant angina 환자에서는 ischemia 호전
- Cx ; headache (m/c), facial flushing, palpitation, hypotension (m/i) ...
- 약제에 대한 <u>내성</u>이 잘 생김 → intermittent하게 사용해야!
- 공기, 습기, 햇빛 등에 노출되거나 3개월 이상 경과시 효능 감소
  (sublingual site에서 burning sensation 없으면 약효 상실된 것임)

② β-blockers

┌ propranolol, metoprolol, timolol, acebutolol, labetalol, pindolol 등 (하루 2~3회 투여)
└ long-acting ; atenolol, nadolol, betaxolol, bisoprolol 등 (하루 1회 투여)

- 기전 ; HR↓, 심근 수축력↓, 혈압↓ → 심근의 산소요구량↓
- 효과 ; angina & ischemia 호전, 항고혈압 작용, 특히 AMI 이후 재경색 및 사망률 감소 효과
  ⇨ 금기증이 없는 한 모든 IHD 환자에게 투여! (CCB보다는 1차 치료제로 권장됨)
- <u>C/Ix</u> ; asthma, COPD, high-degree AV block, 심한 동서맥 (e.g., SSS), variant angina,
  증상이 있는 말초혈관질환, Raynaud's phenomenon, β-blocker의 부작용 발생시
  (e.g., 우울증, 악몽, 성기능장애, 피로, exercise tolerance 감소, bronchospasm, intermittent
  claudication, 서맥, LV failure, hypoglycemia 악화 ...) / DM은 아님!
  ⇨ 이와 같은 경우엔 β-blocker 대신 <u>CCB</u>를 사용!
- β1-specific β-blocker (e.g., metoprolol, atenolol, esmolol)
  ; 경미한 기관지폐쇄, insulin이 필요한 DM, intermittent claudication 환자 등에서 유용

③ calcium channel blocker (CCB)

- 기전 ; 혈압(afterload)↓, coronary vasodilator, 심근 수축력↓ → 심근의 산소요구량↓
- <u>적응증</u> ┌ β-blocker의 금기 or 부작용 발생 or 효과 없을 때
             └ 경련성 관상동맥 수축이 주병인인 variant angina에 특히 효과적! (nitrates와 병용시)
- non-DHP CCB (verapamil, diltiazem) : 전도장애, 서맥 유발, HF 악화 위험
  (특히 β-blocker와 병용시 and/or 좌심실기능이 감소된 환자에서)
- dihydropyridine (DHP)-CCB
  - 1세대(nifedipine, nicardipine)속효성(short-acting), 2세대(nifedipineSR/GITS, nicardipineSR(서방정),
    isradipine, felodipine, nisoldipine 등), 3세대(amlodipine 등)
  - vasodilator 역할이 강해 HTN을 동반한 angina 치료에 유용 (수축력과 전도계 악영향 無)
  - short-acting 제제(1세대)는 angina 악화 ~ infarction을 일으킬 수 있으므로 금기!
    (∵ 강력한 혈관확장 → 보상성 빈맥), 특히 β-blocker 없이 단독으로 사용시
- C/Ix ; LV dysfunction, high-degree AV block (특히 verapamil과 diltiazem)
- β-blocker와의 병용
  - verapamil : 병용 금기 (∵ 심근수축력 억제↑, HR↓ → HF 악화 가능)
  - diltiazem : 심실기능이 정상이고 전도장애가 없으면 가능
  - amlodipine 등의 2/3세대 DHP-CCB는 병용 효과 우수! (서로 보완작용)

* β-blocker와 CCB가 모두 금기이면 long-acting nitrates 사용

상황별 β-blocker or CCB 권장 선택	
Sinus bradycardia, SSS, severe AV block	2/3세대 DHP-CCB
Sinus tachycardia (원인이 심부전은 아닐 때)	β-blocker
SVT, rapid AF	β-blocker, verapamil, or diltiazem
Ventricular arrhythmia, Heart failure (mild)	β-blocker
Heart failure (moderate~severe, EF<40%)	Amlodipine or felodipine (nitrate)
MS, mild AS	β-blocker
MR, AR	2/3세대 DHP-CCB
비대심근병증(HCM)	β-blocker or 2/3세대 DHP-CCB
Systemic HTN	β-blocker or CCB
심한 편두통 or 혈관성 두통	β-blocker, verapamil, or diltiazem
천식, 기관지수축을 동반한 COPD	CCB, ranolazine
Hyperthyroidism	β-blocker
말초혈관질환, Raynaud 현상, 심한 우울증	CCB

4 antiplatelet agents & anticoagulants
- 동맥경화의 악화를 방지하여 AMI 예방 효과 ⇨ 금기증이 없는 한 모든 IHD 환자에게 투여!
- aspirin : platelet cyclooxygenase를 비가역적으로 억제 (→ platelet 활성화 ↓)
  - stable angina 환자에서 adverse cardiovascular events를 33% 감소시킴
  - 부작용 (C/Ix.) ; GI bleeding, dyspepsia, allergy
  - 5~10%에서는 내성 발생 → 고용량 aspirin and/or clopidogrel
- ADP-induced platelet aggregation 억제제 (thienopyridine derivatives)
  - 부작용 등으로 aspirin을 사용할 수 없는 경우 투여
  - clopidogrel : chronic stable IHD 환자에서 aspirin과 효과 동일
  - clopidogrel + aspirin 병합요법은 ACS or stent 삽입 환자에서 나쁜 사건(MI, stroke, 사망)을 감소시킴 (chronic stable IHD 환자에서는 clopidogrel을 추가해도 이득 없음!)
  - prasugrel : ACS 이후 stent 삽입 환자에서 clopidogrel보다 효과 더 좋지만, 출혈 위험↑
- warfarin : coronary events 예방에 aspirin 만큼 효과적
  - AF 동반된 angina 환자에게 권장되지만, 출혈 위험은 높음
  - warfarin + aspirin 병합요법 : INR 2 이상이면 aspirin보다 더 효과적이지만, 출혈 위험↑

5 ACEi
- 동맥경화성 심혈관 질환에서 MI, CVA, 사망 등을 감소시키는 효과
  ⇨ 금기증이 없는 한 모든 CAD 환자에게 투여 권장됨
- 특히 HTN, LV dysfunction, DM 등을 동반한 환자는 반드시 투여!

6 기타
- ranolazine : piperazine derivative
  - 기전 ; late inward sodium current (I_{Na}) 억제 → 세포내 calcium↓ → 심근 산소요구량↓
  - HR or BP에 별 영향 없이 anti-ischemic effect를 보임
  - 다른 약물이 효과 없거나 부작용(e.g., HR or BP↓)으로 사용 못하는 angina 환자에 유용
  - 기타 약간의 항부정맥 작용 및 혈당(HbA_{1c}) 강하 작용도 있음

- molsidomine : 대사체인 SIN-1이 NO donor로 nitric oxide 방출, 질산염과 달리 내성 없음
- nicorandil : ATP-sensitive potassium channel opener와 nitrate의 복합체
  - 일본에서 개발되어 일본과 우리나라에서 널리 쓰임 (사용 근거는 미흡하지만)
  - 전신 정맥 및 관상동맥 확장으로 angina 예방 효과, 내성 없음
- trimetazidine : 지방산 산화의 β-oxidation을 부분적으로 억제 → 당 대사↑ → 허혈시
    더 많은 ATP 생성 → anti-anginal effect (허혈 이후 심기능을 빠르게 회복시킴)
  - 혈역학적 변화(혈관/HR에 영향) 없이, 허혈로 인한 손상으로부터 심근을 보호함
  - 증상↓, 운동능력↑, 좌심실 기능 향상, survival↑ 효과
- ivabradine : sinus node의 funny (I_f) K^+ channel에 작용 HR만 감소 + 관상동맥 확장 작용
  - HF 치료제로는 승인되었지만, SIHD (안정형 협심증) 치료제로는 별 도움 안됨
  - resting HR 70 bpm 이상 & LV dysfunction 동반 IHD 환자에서는 심혈관사건 감소 효과
- NSAIDs : 일반적으로 IHD 환자에서는 금기 (∵ MI & mortality 약간 증가)
    → 꼭 사용해야 하는 경우에는 최저 용량으로 aspirin과 병용

(3) enhanced external counterpulsation
- 하지의 pneumatic cuffs → 심장의 workload 및 심근 산소요구량↓, 관상동맥 혈류↑
- angina, exercise capacity, regional myocardial perfusion 개선 효과

(4) angina와 HF가 동반된 경우의 치료
- transient LV failure → nitrates가 유용
- CHF → CHF의 치료(e.g., ACEi, digitalis, 이뇨제) + β-blocker, nitrates ...
  - 대개 예후가 나쁘므로 angiography & revascularization을 고려

(5) 중요한 예후인자
① LV의 functional state (m/i)
② coronary artery 협착 부위와 정도
③ myocardial ischemia의 severity/activity

* CAD의 빠른 진행을 시사하는 소견
  ; 최근에 증상 발생, stress tests에서 심한 ischemia 발생, unstable angina

* 나쁜 예후인자 ; AS risk factors, CRP↑, coronary calcification↑, carotid intimal thickening
    (e.g., 고령[>75세], HTN, dyslipidemia, DM, obesity, 말초/뇌혈관질환, prior MI)

4. Coronary artery revascularization

(1) Revascularization의 적응증
① 최적의 약물치료에도 불구하고 증상(흉통)이 지속되는 환자
② 적은 활동량에서도 ischemia 발생 or 운동능력이 떨어진 환자
    : 증상 호전 및 삶의 질 향상을 위해 약물치료보다 PCI를 선호하는 경우
③ severe ischemia ; early (+) exercise test, 허혈심근 면적↑(>10% of LV),
    proximal LAD stenosis (>50%) 등
④ high-risk coronary anatomy ; severe Lt. main CAD (stenosis ≥50%), 3-vessel CAD
    (심하지 않은 3-vessel CAD 안정된 환자는 약물 치료를 우선 시도해볼 수 있음)

⑤ LV dysfunction (EF <40%)

⑥ ACS (e.g., high-risk unstable angina, STEMI)

(2) PCI (percutaneous coronary intervention)

- PTCA (balloon dilatation) + stenting이 가장 흔히 이용됨
- 약 95%에서 일차적 성공을 보임 : 증상 소실 & 적합한 혈관 재개통

    (시술 전보다 직경 20% 이상 증가, 잔여 협착 50% 미만)

- stable angina 환자에서 약물치료보다 PCI가 증상 호전과 운동능력 향상에는 더 효과적이지만, MI 발생 위험 및 사망률을 더 감소시키지는 못함 = 예후(survival) 향상 없음!

    ▶ high-risk angina가 아니면 약물치료, PCI, CABG의 예후(survival)는 비슷함!

    c.f.) ACS (UA, MI) 환자에서는 예후도 개선됨

    - high-risk ACS 환자는 약물치료보다 PCI가 사망률과 MI 발생 감소에 더 효과적임

        (↳ refractory ischemia, recurrent angina, 심근효소↑, new ST↓, EF↓, 심한 부정맥, 최근의 PCI/CABG)

    - STEMI 환자는 thrombolysis보다 primary PCI가 reperfusion 및 심근생존에 더 효과적임

- DES 도입 후 중/고위험군에서는 survival 향상도 있을 것으로 보이지만, CABG보다는 효과 적음

- 적응증

    ① 앞의 revascularization 적응에 해당 & PCI에 합당한 anatomy일 때

    ② CABG에 합당한 환자이지만 수술이 불가능할 때 ; 고령, 쇠약, 심한 동반질환(e.g., COPD), LV dysfunction, 적합한 이식혈관 無, 우회 대상 부적합 등

    ③ CABG or PCI 이후의 restenosis & angina 재발시

- PCI에 합당한(이상적인) lesions

    ① single vessel CAD, proximal LAD를 침범하지 않은 2-vessel CAD

    ② proximal, concentric lesion

    ③ 심한 calcification or plaque dissection 없어야

    ④ 큰 가지의 분지부로부터 떨어져 있어야

- stenosis가 비연속적이고 대칭적인 경우는 3 vessels까지도 시행

    (기술의 발전으로 complex, diffuse, calcified, total occlusion 등도 PCI로 성공적 치료 가능)

    * CTO (chronic total occlusion) : 관상동맥의 완전 폐쇄(TIMI grade 0)가 3개월 이상 지속된 것

        - 관상동맥조영술 시행 환자의 약 1/3에서 관찰됨, collaterals 등의 발달로 증상이 적을 수도 있음

        - 증상이나 ischemia가 심하면 revascularization (대개 CABG) 시행 → 증상, 심장기능, 예후 호전 가능

        - simple or single vessel dz.의 경우는 PCI도 가능 (기술적으로는 어렵지만, 최근 성적이 좋아지는 추세)
            e.g.) retrograde crossing via collaterals, newer guidance technologies

- DM 환자는 PCI 이후 합병증 및 재협착 위험 높음 → multivessel CAD면 CABG 시행 권장

■ Coronary stents의 종류

- BMS (bare metal stent) ; balloon angioplasty 단독에 비해 재협착(restenosis) 크게 감소

    - but, 그래도 angiographic restenosis 20~30%, clinical restenosis 10~15% 발생

    - 현재 10~20%에서만 사용함 (∵ DAPT 불가능한 경우가 m/c)

- drug-eluting stent (DES) ; 현재 대부분(80~90%) DES를 사용함

    - antiproliferative drug를 국소 방출하도록 stent에 코팅 → 1~3개월 이상 방출됨

        → intimal hyperplasia 억제 → clinical restenosis 50% 감소

    - PCI 후 재협착 빈도 크게 감소 (→ PCI 적응 확대), 장기적인 예후도 CABG 만큼 좋아짐

- 1세대 DES (sirolimus, paclitaxel) ; BMS보다 very late stent thrombosis 위험 더 높음
- 2세대 DES (everolimus, biolimus, zotarolimus) ; 1세대보다 더 효과적이고, 합병증
  (e.g., early or late stent thrombosis) 적음 → 현재 1세대를 대치하여 사용됨
- C/Ix. ; 심장 이외의 대수술을 받았거나 곧 받아야 될 환자 (∵ DAPT 불가능)

■ PCI 이후의 주요 합병증

- stent thrombosis (1~3%) ⇨ 대부분 ACS로 발현 (STEMI가 m/c), 사망률 높음(10~20%)
  - 발생시기 : acute (24시간 이내), subacute (1~30일), late (30일~1년), very late (1년 이후)
  - 위험인자 ┌ AMI, DM, renal failure, CHF, 이전의 brachytherapy, 항혈소판제 복용 중단
    │ 긴 병변, 작은 혈관, multivessel dz., 분지부 병변, polymer materials
    └ stent 팽창 부족, 불완전한 wall apposition, crush technique, overlapping stent ...
  - 1세대 DES는 endothelialization 억제에 의해 stent thrombosis 발생 위험을 높일 수 있음
    (but, DES의 긍정적인 작용으로 후기 사망률은 증가×)
    ⇨ PCI stent 시술 이후 DAPT [aspirin(평생) + P2Y$_{12}$ inhibitor] 1년 이상 복용 권장!!
  - 2세대 DES ; 후기 thrombosis 발생 감소, stable IHD 환자는 DAPT 기간 단축 가능 (6개월)
  - DAPT 중단이 필요한 elective surgery는 가능한 3개월(~6개월) 이후로 연기해야 됨
- 재협착(stent restenosis) – m/c
  - balloon angioplasty only 이후엔 20~50%, BMS 후엔 10~30%, DES 후엔 5~15%에서 발생
  - 기전 ; neointimal proliferation (m/i), negative vascular remodeling (lumen이 좁아짐),
    elastic recoiling (과거 풍선확장술만 하던 시절에)
  - 위험인자 ; unstable angina, DM, 남성, 흡연, hyperlipidemia, 신부전, 만성 완전폐색,
    심한 협착, 근위부 협착, LAD 병변, 길이가 긴 병변, 직경이 좁은 artery, 석회화 병변,
    굴곡/분지 병변, thrombi 포함 협착, saphenous vein graft 협착, incomplete dilatation ...
  - BMS로 시술시 antiplatelet therapy가 PCI 시술 중/직후 coronary thrombosis 예방에는
    도움이 될 수 있지만, 장기적으로도 재협착률을 감소시키는 지는 확실치 않음
  - Tx. ; repeat PCI (with balloon dilatation + another DES)
- no-reflow (PCI 시술 중 2~3%에서 발생)
  - flow-limiting stenosis가 없음에도 불구하고 anterograde perfusion이 감소된 것
  - 풍선확장, atherectomy, stent 삽입 등 때 atheromatous & thrombotic debris의 색전으로 발생
  - 시술관련 MI 5배↑, 사망률 3배↑, 치료해도 효과는 논란(e.g., intracoronary nitroprusside)
- vascular access Cx (PCI의 3~7%에서 발생)
  - 경미한 access site hematoma ~ 심각한 retroperitoneal bleeding까지 다양
  - 심한 Cx 발생 위험인자 ; 고령, 여성, large vascular sheath, low BMI, 신부전, 항응고제↑
  - retroperitoneal hematoma (0.15~0.44%) ; unexplained hypotension and/or Hct↓↓시 의심
    (inguinal ligament 상부에서 access시 발생 위험 증가)
    ┌ Dx : abdominal CT or 초음파
    └ Tx : 보존적 치료 먼저(e.g., 수혈), 저혈압/빈혈이 심하거나 대퇴신경 압박시 수술 고려

c.f.) brachytherapy : local radiation (intracoronary) ; ^{192}Ir, ^{32}P, ^{90}Sr/Y 등을 사용
  - intimal hyperplasia를 억제하여 재협착(restenosis)을 치료함 (but, DES보다 덜 효과적임)
  - 단점 ; late "catch-up" restenosis 발생, endothelialization 억제에 의한 stent thrombosis↑

(3) CABG (coronary artery bypass grafting)

PCI보다 CABG가 권장되는 경우 (∵ survival↑) ★
1. Severe (stenosis ≥50%) Lt. main CAD
2. (proximal LAD를 포함한) 3-vessel CAD 대부분, 특히 LV dysfunction (EF <40%)을 동반한 경우
3. LV dysfunction (EF <40%) or noninvasive test에서 high-risk CAD 소견을 보이고 severe proximal LAD CAD를 포함한 2-vessel CAD
4. Multivessel or severe CAD DM 환자
5. 이전에 CABG 받았던 환자, PCI 이후 재협착이 반복되는 환자, SCD or sustained VT에서 생존한 환자

* 심하지 않은 Lt. main CAD에서 수술 위험이 높은 경우는 PCI도 가능함

- 이식혈관(grafts)
  - 좌측 내흉동맥(internal mammary/thoracic artery)이 m/g (10년 뒤 재협착 10% 미만)
  - 기타 ; radial artery (근육형 동맥으로 연축이 많고, 투석환자에서는 금기), saphenous vein (10년 뒤 재협착 30% 이상), right gastroepiploic artery, inferior epigastric artery
- 새로운 기법들
  - MIDCAB (minimally invasive direct CABG) or OPCAB (off-pump CABG) ; 수술 부작용이 적고 회복이 빠르지만, 수술 후 신경인지기능장애 위험은 크게 감소시키지 못함
  - TMR (transmyocardial laser revascularization) ; PCI나 CABG를 시행할 수 없는 심한 CAD 환자에서 고려
- 수술 사망률↑ ; CHF and/or LV dysfunction, 초고령(>80세), 재수술, 응급수술, DM

PCI와 CABG의 비교 ★

	PCI	CABG
장점	덜 invasive, 반복 시행이 쉬움 입원 기간이 짧고, 정상 생활로의 복귀 빠름 초기 비용이 저렴함 뇌졸중 발생률이 CABG보다 낮음	완전한 revascularization 가능 초기 증상 감소에 더 효과적 DM 환자 등 일부에서 survival 향상! (앞의 표 참조) PCI보다 넓게 적용 가능
단점	불완전한 revascularization 더 많음 재협착(restenosis) 특정 해부학적 형태에 제한됨 심한 좌심실 부전시에는 효과 떨어짐 DM 환자에서는 예후 나쁨 예후(survival↑) 불확실, 자주 F/U 필요	초기 비용이 많이 듦 Late graft closure로 인한 재수술 위험 수술관련 사망률과 이환율이 높음 수술 이후 뇌졸중 및 신경인지기능장애 합병 위험

c.f.) 심근교(myocardial bridging of coronary artery)

- 주요 관상동맥이 심외막에 있지않고 심근 안으로 통과하는 것 → 수축기에 허혈 발생 가능
- 빈도 2~25%, LAD artery에서 호발, 대부분은 무증상으로 우연히 발견됨
- 드물게 angina, MI, VT, AV block, SCD 등을 일으킬 수 있음
- 진단 ; coronary angiography에서 수축기에 좁아지고 이완기에 회복되는 관상동맥 분절 확인
- 치료 (증상이 있으면)
  - 약물치료 ; β-blocker (1st) or non-DHP CCB → 심박수와 심근수축력 감소 (nitrates는 reflex sympathetic stimulation으로 증상을 악화시킬 수 있으므로 금기!)
  - 시술/수술 ; PCI, CABG, 동맥상부 심근절개술(supra-arterial myotomy) 등

무증상 심근허혈 (asymptomatic/silent myocardial ischemia)

- 흉통 등의 증상이 없지만, 검사에서는 ischemia의 증거가 자주 나타나는 CAD
  (e.g., ambulatory EKG상 ST depression)
- 유병률 ; 전체 2~4%, MI 20~30%, <u>stable angina</u> 40~50%, after MI 50%, UA 90%, SCD 100%
- 병인 (잘 모름)   (↳ ischemic episodes의 70~80%는 무증상임)
  ① symptomatic ischemic episodes에 비해 severity↓, duration↓
  ② 통증 자각의 변화 ; pain threshold↑, pain threshold↑
  ③ neural dysfunction ; DM, post-MI, cardiac afferent neural stunning
- DM, 비만, 노인, 차력사 등에서 나타날 수 있음
- symptomatic ischemia보다 장기 예후 나쁨 (MI 발생 및 사망률 높음)
- 진단 ; 24hr Holter monitoring, exercise stress test, 심근관류검사 등
- 치료는 환자의 ischemia 정도/위치, 나이, 직업, 일반 의학적 상태 등에 따라 다름
  (exercise EKG 상 ant. precordial leads 양성이 inf. leads 양성보다 예후 나쁨)
  - 45세의 민항기 조종사가 $V_{1\sim4}$에서 ST depression → coronary angiography 시행
  - 85세의 노인이 maximal activity leads Ⅱ, Ⅲ에서 ST depression → F/U (내과적 치료)
  - 3-vessel CAD, LV dysfunction → CABG 고려
- 약물치료(위험인자 조절) ; HTN 조절, dyslipidemia 조절, aspirin, β-blocker (→ 장기 예후 향상)

Non-ST Elevation Acute Coronary Syndrome (NSTE-ACS)
: Unstable Angina (UA) & Non-ST Elevation MI (NSTEMI)

1. 정의/임상양상

: ACS (acute coronary syndrome) : 혈전에 의한 급성 관상동맥폐쇄로 심근허혈/괴사 발생한 상태

■ UA (unstable angina)불안정 협심증 : 다음 중 1개 이상
  ① CAD 증세가 없던 환자에서 최근(2주 이내) 발생한 severe angina
  ② 기존의 stable angina가 악화되는 accelerating angina
     - 시간이 갈수록 증상의 빈도, 지속시간, 심도가 증가됨
     - 예전보다 적은 운동량에서도 흉통 발생
  ③ 10분 이상 지속되는 resting angina (휴식 중 or 작은 활동에 의해 흉통 발생)
     → variant angina와 혼동 주의

■ NSTEMI (non-ST-elevation MI)
  : UA의 임상양상 + 심근괴사의 증거(<u>cardiac marker↑</u>)

* UA/NSTEMI는 stable angina와 달리 갑작스런 coronary flow 저하로 발생하므로 임상적으로 매우 불안정한 상태임
* 심근괴사 표지자(cardiac marker) troponin의 analytical sensitivity 향상으로 과거의 UA가 현재는 NSTEMI로
  분류되기도 하므로, UA와 NSTEMI를 <u>NSTE-ACS</u>로 통칭하는 경향

2. 병태생리

- 대개 파열되기 쉬운 multiple plaques를 가지고 있음
- <u>발생기전</u>
  ① plaque rupture/erosion에 따른 nonocclusive <u>thrombus</u> 형성 (m/c)
    c.f.) thrombosis ; platelet adhesion (GP I b receptor, vWF) → platelet activation
      → platelet aggregation (GP II b/IIIa receptor, fibrinogen)
  ② dynamic obstruction (e.g., coronary vasospasm)
  ③ progressive mechanical obstruction
    - 기존 atheroma의 빠른 진행 (lipid-laden macrophage가 기여)
    - PCI 이후의 restenosis
  ④ 심근의 산소요구량 증가 (e.g., tachycardia, fever, thyrotoxicosis) and/or 공급 감소
    (e.g., anemia)에 의한 secondary UA

3. 검사/진단

(1) EKG (serial or continuous)

- 작은 변화도 의미가 있을 수 있으므로 최근의 EKG와 비교하는 것이 중요함
- ST-depression (>0.5 mm) : 약 1/3에서 발생, transient (dynamic) or persistent
- deep T-wave inversion (>2 mm) : 더 흔하지만 specificity 떨어짐
- transient(<20분) ST-elevation : ~10%에서 발생 → coronary vasospasm or aborted infarction

(2) Cardiac markers ; <u>troponin</u> (m/i), CK-MB

- 상승되면 ⇨ AMI (NSTEMI or STEMI)
- troponin level이 높을수록 AMI 진단의 양성예측도(PPV)↑, infarct size↑, 사망률↑
- but, ischemia의 증상이 불확실한 경우에도 troponin은 약간 상승 가능
  → 전형적 증상이 없을 때는 경미한 troponin 상승만으로 ACS를 진단할 수 없다

허혈성심장질환 외에 troponin이 상승할 수 있는 경우 ★
심장 외상/수술/시술, 울혈성 심부전, 심근병증(e.g., Tako-tsubo)
대동맥 박리, 대동맥판막 질환, 심한 고혈압
Coronary spasm
부정맥 or heart block
Apical ballooning syndrome
심장 손상을 동반한 rhabdomyolysis
폐색전증, 심한 폐고혈압
신부전, 급성 신경질환(e.g., stroke, SAH), hypo/hyperthyroidism
침윤성 질환(e.g., amyloidosis, hemochromatosis, sarcoidosis, scleroderma, malignancy)
염증성 질환(e.g., 심근염, 심내막염/심장막염의 심근 침범)
약물/독소, 위독한 환자(특히 호흡부전, 패혈증, shock), 화상(특히 30% 이상시), 극심한 운동
Heterophilic Ab (<0.5%, hsTn 검사에서는 적음), Cross-reaction (e.g., macro CK)

* 음주, 흡연은 troponin level을 낮춤!

- 전형적 증상 & EKG 소견 (ST elevation)이 있으면 troponin 상승이 없어도 AMI로 진단 가능
- 기존의 conventional troponin 검사만으로 AMI Dx or R/O이 곤란할 때에는 추가로
  copeptin or CK-MB 검사가 진단에 도움

c.f.) ACS의 새로운 biomarkers	
사망/허혈 예측	Chemokine ligand-5 & ligand-18, IL-6, IL-17, Growth differentiation factor-15, Heart-type fatty acid-binding protein, Membrane attack complex, Myeloperoxidase, Pentraxin 3, Pregnancy-associated plasma protein A, Placental growth factor, Secretory phospholipase A_2
심부전 예측	Copeptin, Midregional proadrenomedullin, Midregional proatrial natriuretic peptide, Neopterin, Osteoprotegerin

(3) Noninvasive (stress) testing
- NSTE-ACS 진단/의심 환자에서의 역할
  ① significant coronary obstruction의 존재 여부 확인
  ② 다른 원인에 의한 troponin 상승 가능성도 있는 환자에서 CAD의 진단
  ③ 약물치료 시작 이후 residual ischemia의 정도 평가 → 추후 치료방침 결정
  ④ multivessel CAD 환자에서 revascularization 시행 전 ischemia 부위 localization
  ⑤ LV function 평가
- 24시간 동안 증상, EKG & cardiac marker 이상, 혈역학적 불안정 등 없이 안정화되면 early stress testing 시행 가능
- exercise EKG(sensitivity 낮음), exercise or pharmacologic stress MPI/echo/CMR 등 → 앞부분 참조
- contrast-enhanced coronary CTA (CCTA) ; low-risk ACS 의심 환자에서 권장됨 (입원 전)
  - coronary atherosclerosis/obstruction을 정확하고 빠르게 진단 가능 (→ 응급실 체류시간↓)
  - angina 의심 환자에서 stress testing 필요성 감소 효과 (but, angiography 사용은 증가)

(4) Invasive coronary angiography
- 임상적으로 NSTE-ACS로 진단된 환자의 약 85%는 significant coronary obstruction을 가짐 (i.e., 1개 이상의 major coronary artery에서 50% 이상의 stenosis)
- angiography 상 협착 부위 ; left main (10%), 3-vessel (35%), 2-vessel (20%), 1-vessel (20%)
  *no significant stenosis (15%) → microvascular coronary obstruction, endothelial dysfunction, coronary artery spasm 등이 원인 (→ 예후 좋음)
- IVUS, OCT (optical coherence tomography), near-infrared spectroscopy, intravascular MRI, angioscopy 등 → 자세한 plaque morphology 확인, PCI guide로 활용 가능
  c.f.) angioscopy 상에서는 "white" (platelet-rich) thrombi 소견 (c.f., STEMI는 "red" thrombi)

(5) 진단 및 위험도평가
- 임상양상(증상), EKG, cardiac markers, exercise (stress) tests 등이 UA/NSTEMI의 진단, 예후, 치료방침 결정에 이용됨
- 기존의 conventional troponin 검사는 sensitivity가 낮아 발병 초기에는 진단 어려움
  → 6~9시간 이후까지 serial tests를 통해 확인해야 됨
- ★ 새로운 high-sensitivity (cardiac) troponin (hsTn, hs-cTn) 검사의 도입으로 더욱 빠른 AMI R/O or 진단(R/I) 가능 (2015 CE, 2017 FDA 허가, next generation troponin으로도 부름)
  c.f.) STEMI는 EKG 등으로 진단이 쉽지만, NSTEMI는 진단이 어려워 troponin의 역할이 중요함

• NSTEMI 진단 **3시간(0h/3h) 알고리즘**

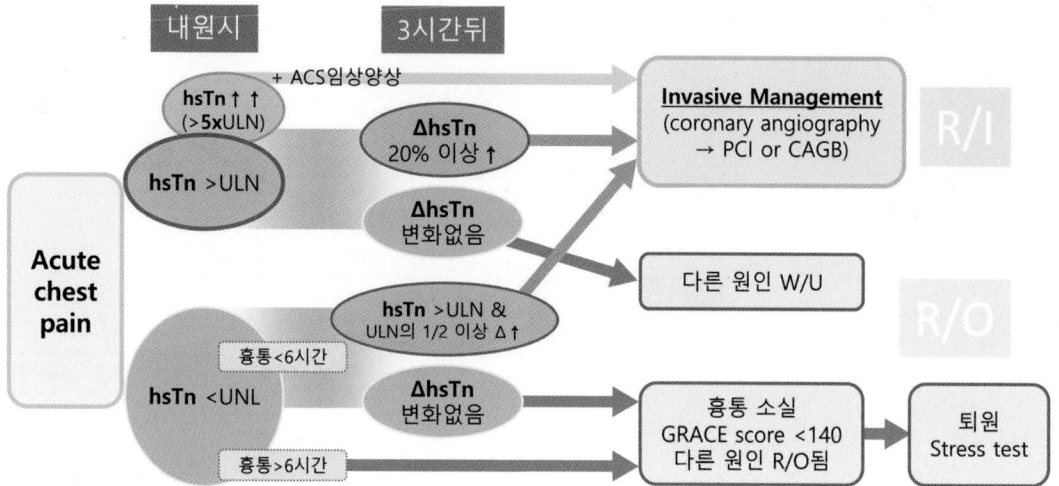

참고: **High-sensitivity troponin 검사의 ULN* (99% cutoff point) 예 (ng/L, pg/mL)**

시약(제조사)	남	여	전체	검출한계(LoD)**
Abbott ARCHITECT (TnI)	34.2	15.6	26.2	1.2
Beckman Coulter ACCESS (TnI)	20	12	18	2.1
Ortho Clinical Diagnostics (TnI)	16	7	15	1.0
Roche 5th Generation (TnT)	22	14	19	3.0
Siemens Centaur (TnI)	57.27	36.99	47.34	2.21

*ULN: upper limit of normal (99%), **LoD: limit of detection (정량 보고할 수 있는 최저값)
c.f.) 요즘에는 LoD 대신 LoQ (limit of quantitation, 신뢰성 있는 최저값, 대개 LoD보다 높음)를 인정

• NSTEMI 진단 **1시간(0h/1h) 알고리즘** ; 3시간 알고리즘과 진단 정확도는 비슷하게 나옴
 – 더욱 빠른 R/O(R/I)으로 응급실 체류↓, 신속한 치료 가능 (but, low-risk 환자에서는 의미 無)
 – 매우 낮은 값들을 활용하므로 기준치들을 남, 여 구분해 적용 권장

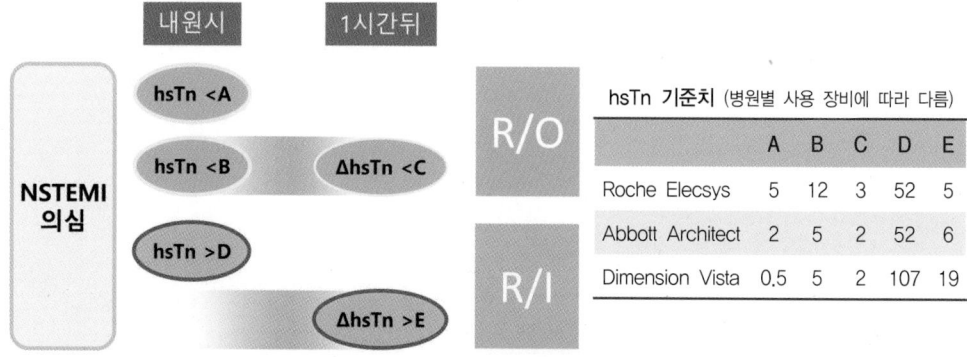

hsTn 기준치 (병원별 사용 장비에 따라 다름)

	A	B	C	D	E
Roche Elecsys	5	12	3	52	5
Abbott Architect	2	5	2	52	6
Dimension Vista	0.5	5	2	107	19

• serial tests로 변화(Δ↑↓)를 확인하는 이유 (∵ ACS에서는 처음에 급격히 상승했다가 서서히 감소)
 ① troponin level이 의미 있게 높지 않은 경우 small AMI or
   large AMI가 늦게 내원하여 이미 troponin 감소 추세일 수 있음
 ② 시간에 따른 변화가 없으면 ACS 이외의 다른 원인일 가능성이 높음

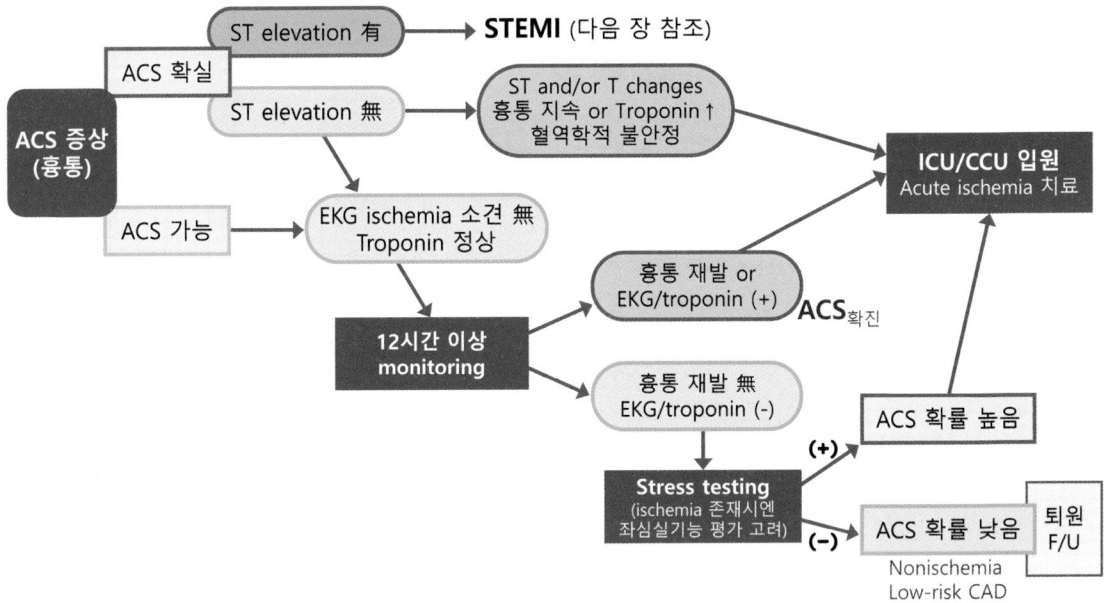

- ACS의 가능성이 낮은 환자
  ⇨ 증상 발생 0, 3~6, 12시간에 EKG & cardiac markers F/U 및 증상 재발 여부 감시
    → 이상 없으면 3일 이내에 <u>stress test</u> ± imaging 시행 → 이상 없으면 퇴원 & 외래 F/U

- <u>CAD에 의한 ACS (UA, AMI)의 가능성이 높은 경우</u> ⇨ STEMI R/O, NSTE-ACS에 대한 치료!
  ① 이전의 stable angina 때와 비슷한 양상의 흉통(or 좌측어깨통)이 주증상
  ② CAD의 과거력 (MI 포함)
  ③ 진찰소견 ; transient MR ⓜ, 저혈압, 발한, 폐부종(e.g., rales) 등 심부전 양상
  ④ EKG ; new or transient ST-segment deviation (≥1 mm),
           multiple precordial leads에서 deep T-wave inversion (≥3 mm)
  ⑤ cardiac markers 상승 (e.g., troponin, CK-MB)

- ACS로 진단 or 가능성이 높은 환자 ⇨ **위험도 평가** ⇨ 치료 방침 결정!
  : ACS 재발, MI 발생, urgent revascularization, 사망률↑ 등과 관련

TIMI (thrombolysis in MI) Risk Score for NSTE-ACS ★	
1. 고령(≥65세) 2. 3개 이상의 CAD 위험인자 존재 　(DM, HTN, dyslipidemia, IHD 가족력, 흡연 등) 3. Known CAD (stenosis >50%) 4. Aspirin 복용 중 (최근 7일 이내) 5. 최근 24시간 이내에 2회 이상 심한 흉통(angina) 발생 6. 새로운 ST deviation (≥0.5 mm) 7. Cardiac markers 상승 … 단독으로도 high risk factor 임	Low 0~1개 Intermediate 2~4개 High 5~7개

c.f.) GRACE risk score (TIMI보다 복잡함) : Low (<109), Intermediate (109~140), High (>140)
  – TIMI에는 없고 GRACE에는 있는 지표 ; Killip class, HR, systolic BP, serum Cr, 입원시 cardiac arrest
  – GRACE에는 없고 TIMI에는 있는 지표 ; 24시간 이내 흉통 병력, aspirin, CAD 위험인자, known CAD

4. 치료

NSTE-ACS의 위험도 및 치료 전략 ★

Risk	치료 전략	
Very-high ★	<u>Urgent (immediate) invasive</u> strategy (<2시간)	강력한 약물 치료에도 불구하고 흉통 지속(refractory angina) or 경미한 활동이나 휴식시 흉통/ischemia 발생 심부전의 증상/징후, MR 새로 발생 or 악화 혈역학적 불안정(hemodynamic instability) 심각한 부정맥(sustained VF or VT)
High ★	Early invasive strategy (<24시간)	[위(very-high)에 해당사항이 없으면서] <u>Troponin</u> level 상승 Dynamic ST or T wave changes GRACE risk score High (>140)
Intermediate	Delayed invasive strategy (25~72시간)	DM, 신부전(eGFR <60 mL/min/1.73m^2), LVEF <40% Early post-MI angina Prior PCI (6개월 이내), Prior CABG GRACE risk score Intermediate (109~140)
Low	Conservative strategy (ischemia-guided strategy)	위 모두에 해당사항 없음

- invasive strategy ▶ <u>coronary angiography</u> 시행 후 revascularization (<u>PCI</u> or CABG)
- conservative strategy ▶ <u>약물치료</u>(anti-ischemic & anti-thrombotic therapy)하면서 close F/U
  → 안정시 흉통, ST changes 재발, troponin↑, stress test에서 severe ischemia 등 나타나면 coronary angiography 시행

(1) 원칙

- anti-ischemic therapy : 허혈로 인한 증상 및 심근손상 감소/예방
- anti-thrombotic therapy : 병태생리에 가장 중요한 혈전 형성을 억제
- revascularization : 관상동맥 협착을 해소
- 위험인자에 대한 치료 : 장기적 예후 향상
- UA/NSTEMI 환자는 반드시 ICU/CCU에 입원(bed rest)하여 지속적 monitoring
- 12~24시간 동안 ischemia 재발의 소견이 없으면 ambulation 가능

c.f.) intensive therapy시 출혈 부작용 발생 위험이 높은 경우 ; 여성, 고령, 저체중, 빈혈, 빈맥, 수축기 고혈압(or 저혈압), 신부전, DM

(2) anti-ischemic therapy

- **nitrate** : nitroglycerin sublingual or buccal spray
  - 5분 간격으로 3번 투여해도 흉통이 지속되면 IV NG 투여
  - 통증이 해소되고 12~24시간 동안 재발이 없으면 topical/oral nitrates로 전환 가능
  - 절대 금기 ; hypotension, 24~48시간 이내에 sildenafil (Viagra)계 약물 사용 병력
- **β-blocker** : ACS 재발과 MI 발생을 감소시키므로, 금기가 없는 한 기본적으로 투여
  - 처음에는 oral β-blocker 권장 (목표 HR 50~60회/분)
  - acute HF 의심되면 IV β-blocker는 주의 (∵ cardiogenic shock 유발 위험)

- CCB (e.g., verapamil, diltiazem)
  - nitrates + β-blocker를 투여해도 흉통이 지속/재발되거나, β-blocker의 금기인 경우에 사용
  - pul. edema나 LV dysfunction의 경우는 사용하면 안 됨
  - short-acting CCB (e.g., nifedipine)은 절대로 β-blocker 없이 단독 투여하면 안됨 ($\because$ MI↑)
- ACEi/ARB : LV dysfunction이 있는 경우
- **statin** (HMG-CoA reductase inhibitor) : 입원 시부터 투여 (e.g., atorvastatin 80 mg/day)
  → PCI 전후 MI Cx 및 ACS 재발을 감소시킴
- statin에 반응이 부족하면 (LDL 50% 이상 하락× or >70 mg/dL) nonstatin therapy 추가
  (e.g., ezetimibe 10 mg/day) → 심혈관계 위험 추가 감소 효과
- morphine : 진통 및 항불안 작용, HR와 BP도 약간 감소 (C/Ix. ; hypotension, allergy)
  → 다른 약물 치료에도 흉통이 소실되지 않거나 자주 재발시 5~30분 간격으로 투여(IV) 가능

(3) anti-thrombotic therapy

- ASA (acetylsalicylic acid) : **aspirin** (non-enteric-coated, chewable)
  - 고용량으로 시작하여, 저용량(효과는 비슷, 출혈↓)으로 유지
  - 금기(e.g., ASA-induced asthma, nasal polyps) 때문에 복용 못하면 $P2Y_{12}$ inhibitors 사용
    (GI bleeding 때문에 복용 못하는 경우엔 clopidogrel로 대치)
- **dual antiplatelet therapy (DAPT)** : <u>aspirin + $P2Y_{12}$ inhibitor</u> (모든 NSTE-ACS 환자에서!)
- oral $P2Y_{12}$ inhibitors ; clopidogrel, prasugrel, ticagrelor
  - **clopidogrel** (thienopyridine) : inavtive prodrug / aspirin과 병합시 MI, CVA, 사망 등을
    20% 더 감소시키고, 심각한 출혈 발생 위험은 약간만 더 (1%) 증가됨
  - **prasugrel** (new thienopyridine) : clopidogrel보다 작용 빠르고 효과 19% 더 좋지만
    (stent thrombosis는 50% 감소시킴), 심각한 출혈 위험도 증가
    ⇨ conservative strategy 환자에서는 효과 없음 / stroke or TIA 과거력이 있는 경우에는 금기
  - **ticagrelor** (<u>reversible</u> $P2Y_{12}$ inhibitors, nonthienopyridine ADP blocker) : clopidogrel보다
    작용 빠르고, 사망률 22% 더 감소, stent thrombosis 33% 더 감소, 출혈 위험 증가는 없음
    ⇨ early invasive strategy와 conservative strategy 환자 모두에서 더 효과 있음!
  - 최근에는 clopidogrel보다 ticagrelor가 우선 권장됨 (prasugrel는 PCI 환자에서만 고려)
- IV direct & rapid $P2Y_{12}$ inhibitor (cangrelor)
  - oral $P2Y_{12}$ inhibitors 대비 장점 ; 작용 아주 빠름(2~3분), 흡수의 영향 없음, 반감기 짧음
    ↔ oral $P2Y_{12}$ inhibitors는 major surgery (e.g., CABG) 5~7일 전에 중단해야
  - oral $P2Y_{12}$ inhibitors or GP Ⅱb/Ⅲa inhibitors를 사용 안했던 환자에서 PCI 전후 MI 감소,
    coronary revascularization 재시행, stent thrombosis 등 때 PCI와 함께 사용 허가
- IV platelet GP Ⅱb/Ⅲa inhibitors (abciximab, eptifibatide, tirofiban)
  - oral dual antiplatelet therapy (DAPT) 대비 효과 향상은 거의 없고, 출혈 위험은 증가
  - DAPT (aspirin + $P2Y_{12}$ inhibitor) 복용 중인 NSTE-ACS 환자에서는 일반적으로 권장 안됨
    ⇨ $P2Y_{12}$ inhibitor를 복용하지 않았거나, ischemic Cx. 고위험군(e.g., DM, angiography에서
    다량의 혈전), 출혈 위험이 낮고 <u>PCI 예정이며 불안정한 환자</u>(e.g., recurrent resting pain,
    troponin↑, EKG changes), PCI 시행 중 thrombotic Cx. 치료의 경우 등에만 고려

(4) anticoagulation

- NSTE-ACS가 진단되면 dual antiplatelet therapy와 함께 parenteral anticoagulation 시작!
- unfractionated **heparin** (UFH) IV ; aPTT monitoring 필요
  - 출혈 부작용 발생시 antidote : protamine (but, heparin 항응고 작용의 약 60%만 중화시킴)
  - 드물지만 heparin-induced thrombocytopenia (HIT) 부작용 발생 위험
- **LMWH** (e.g., **enoxaparin**) ; subcutaneous (SC)로 투여, monitoring 필요 없음
  - 심장사건 재발 예방 효과는 UFH보다 우수함 (특히 conservative strategy 환자에서)
  - 출혈 부작용은 UFH와 비슷, HIT 발생은 적음 (HIT 병력이 있으면 금기)
- direct thrombin inhibitor (e.g., bivalirudin) ; LMWH과 효과 비슷하면서 출혈 부작용은 적음
  ⇨ early invasive strategy 환자에서 UFH/LMWH 대신 사용 가능
     (특히 출혈 위험이 높은 환자에서 PCI 직전~시행중 선호됨)
- factor Xa inhibitors
  - indirect Xa inhibitor (e.g., fondaparinux) ; LMWH과 효과는 동일하면서 출혈 부작용 적음,
    PCI 관련 thrombosis 발생 위험은 3배 이상 → 시술시 추가로 UFH or bivalirudin 필요
  - oral direct factor Xa inhibitors (e.g., rivaroxaban, apixaban) ; 출혈 위험이 높아 권장 안됨

★ thrombolytic therapy는 효과 없고 MI 발생을 높일 수 있으므로 시행안함!
  (∵ thrombus가 계속 저절로 형성되고 분해되기 때문에)

(5) invasive therapy (revascularization) → 앞부분 참조

■ 장기적인 치료 / 2차 예방 (→ 예후 향상)

- 위험인자의 조절 (e.g., 금연, 운동, HTN/DM/dyslipidemia 치료 등)
- β-blocker → MI 발생 감소
- statins (고용량) & ACEi/ARB → plaque 안정화
  (statin은 금기만 아니라면 LDL level이나 식이조절과 무관하게 투여해야 됨)
- DAPT (aspirin + P2Y$_{12}$ inhibitor) : 1년 이상 병합요법 시행, 이후에는 aspirin만
  - 출혈위험이 낮으면서 ischemia 고위험군은 3년까지 DAPT 시행 권장
    (e.g., prior MI, DM, vein graft stent, CHF)
  - DAPT + 경구항응고제 치료시에는 입원이 필요한 출혈 위험 3~4배 증가
- 약 10%의 환자는 경구항응고제 치료도 필요함 (e.g., AF, mechanical valves, thromboembolism)

약물치료/CABG 시행 환자	Dual therapy 1년 → 이후 평생 경구항응고제
PCI 시행 환자 (출혈 고위험군)	Triple therapy (low ischemic risk 환자는 dual therapy도 가능) 1개월 → Dual therapy 11개월 → 이후 평생 경구항응고제
PCI 시행 환자 (출혈 저위험군)	Triple therapy 6개월 → Dual therapy 6개월 → 이후 평생 경구항응고제

┌ Dual therapy: 경구항응고제 + clopidogrel (or aspirin)
└ Triple therapy: 경구항응고제 + DAPT (clopidogrel + aspirin)

* High ischemic risk 환자는 triple therapy만 1년도 가능 (e.g., prior stent thrombosis, left main stenting, 근위부의 multiple stenting, 분지부의 2 stents, diffuse multivessel CAD [특히 DM 환자에서])

c.f.) estrogen 보충요법을 받고 있던 폐경후 여성 환자는 ACS 진단시 호르몬치료를 중단해야 됨

5. 예후

- 예후는 매우 다양
- adverse events (death, MI, ACS 재발)는 대부분 퇴원 후 2~4개월 내에 발생 (단기 예후 불량)
- 3개월 내에 10~20%에서 AMI 발생

변이형 협심증 (Printzmetal's variant angina, PVA)

1. 병인

- vasospasm이 주된 기전
  - 주로 epicardial coronary artery의 focal spasm에 의해 발생
  - 특히 Rt. coronary artery에서 호발
- spasm의 원인은 정확히 모르지만, vasoconstrictor mitogens, leukotrienes, serotonin 등에 의한 혈관 평활근의 hypercontractility와 관련
- 일부에서는 migraine, Raynaud's phenomenon, aspirin-induced asthma 등과 같은 vasospastic disorders의 한 증상으로 나타날 수도 있음
- 흡연, 음주 등이 중요한 위험인자

2. 임상양상

- 다른 협심증에 비해 젊은 나이에 발생하고(30~40대) 흡연 이외의 CAD 위험인자도 적다, 남<여
- 안정시(resting), 한밤중·새벽·이른 아침에 흉통 발생 (특히 술 마신 다음 날 새벽에 잘 발생)
- 흉통은 매우 심하고, 대개 chronic stable angina로부터 진행되지는 않는다
- 운동과는 상관이 없는 경우가 많다!
- spasm에 의한 흉통 발생시 일시적인 ST elevation을 동반하는 것이 특징! (but, 일부에서는 ST depression도 일어날 수 있음)
- spasm이 오래 지속되면 MI로 진행할 수도 있고, spasm이 회복될 때 reperfusion arrhythmia (e.g., 전도장애, VT)에 의한 실신이나 급사도 가능
- 환자의 1/3~1/2에서는 한 개 이상의 major coronary artery의 stenosis (classic angina)도 동반 (→ 운동시 흉통 & ST depression + 안정시 흉통 & ST elevation 공존 가능)

3. 진단

- resting pain + transient ST elevation
  - 증상이 주로 수면 중에 발생하므로 Holter (24hr EKG) 검사가 유용
  - 증상 없이 ST elevation만 나타나는 경우(silent ischemia)도 많다!
- exercise EKG는 가치 없다! (∵ 반응이 다양 ; 1/3 ST depression, 1/3 ST elevation, 1/3 변화 無)
- coronary arteriography (CAG) : 진단에 가장 도움
  - transient coronary spasm ("diagnostic hallmark")

- 협착(obstructive CAD)이 없고, PVA가 의심되지만 확진이 안 될 때 provocation test 실시
- provocation tests for coronary spasm ⋯ 확진!
  - ergonovine (IV or intracoronary), acetylcholine (intracoronary, m/c), hyperventilation
  - 진단기준 ; 전형적인 흉통, ST elevation, CAG에서 focal spasm 중 2가지 이상 유발되면
  - C/Ix ; 임신, 심한 HTN, LV dysfunction, AS, Lt. main CAD
- intracoronary vasodilator (NG) → 협착 소실!

c.f.) ┌ Rt. coronary A. : 하나의 "C" 형으로 보임
      └ Lt. coronary A. : Lt. ant. descending A.와 Lt. circumplex A.의 2개의 가지

4. 치료

- 반드시 금연!, CCB ± long-acting nitrate가 주치료
- CCB (DOC) : PVA의 coronary artery spasm 예방에 매우 효과적, 최대 용량으로 처방
  - 모든 1세대와 2세대 CCB의 증상 감소 효과는 비슷함, asymptomatic ischemia도 감소시킴
  - nitrate와 기전이 다르므로 synergistic effect
- nitrate : classic angina와 PVA 모두에게 효과적, spastic artery의 vasodilation을 일으킴
  - sublingual/IV NG : PVA attack에 의한 흉통을 즉시 경감시킴
  - long-acting nitrates : PVA attack 예방에 효과적
- β-blocker에 대한 반응은 다양
  - fixed stenosis를 동반한 경우엔 exertional angina 감소에 효과적
  - 아닌 경우에는 nonselective β-blocker 사용시 α-receptor가 대신 항진되어 vasospasm 유발
- statins : 기전은 모르지만 주요 심장 위험을 감소시킴
- prazocin (selective α_1-blocker), nicorandil (coronary vasodilator) : 일부에서 효과적
- ASA (aspirin) : prostacyclin (coronary vasodilator) 합성 억제 → vasocontriction 악화 위험!
- ACEi는 효과 없음
- coronary revascularization (PCI or CABG) : discrete, proximal fixed stenosis를 동반한 경우 도움
  - 다른 부위에서 spasm이 발생할 수 있으므로 시술 이후 최소 6개월 이상 CCB 투여
  - fixed stenosis 없이 spasm만 있는 경우에는 revascularization 금기!
- 내과적 치료에도 불구하고 ischemia-associated VF가 지속되는 환자는 반드시 ICD 삽입
- 운동은 제한할 필요 없다

5. 예후

- 대체로 내과적 치료에 잘 반응하고 장기 예후도 좋다 (5YSR 90~95%)
- 처음 6개월 동안이 angina 및 ACS 발생 흔함 (acute active phase)
  → 생존한 환자의 대부분은 점차 안정화되어 시간이 지날수록 증상 및 ACS 발생도 감소함
- 흉통시 심각한 부정맥도 발생한 환자는 급사의 위험이 높음
- 5년 동안 최대 20%에서 nonfatal MI 발생 가능
- 일부는 몇 개월~몇 년의 안정된 시기 이후에 PVA 심하게 재발 (다행히 약물 치료에는 잘 반응)

7 급성 심근경색 (AMI)

개요

- ACS (acute coronary syndrome) : 혈전에 의한 급성 관상동맥폐쇄로 심근허혈 또는 괴사가 발생하는 질환 ⇨ EKG와 cardiac biomarker가 진단/분류에 중요

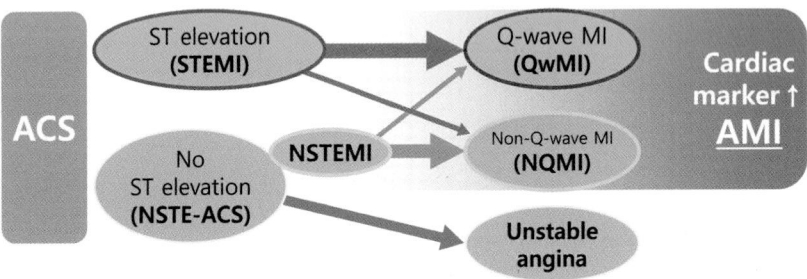

c.f.) STEMI는 3/4 이상이 남성, UA/NSTEMI는 약 1/2이 여성

- 원인 및 발생기전
  (1) coronary atherosclerosis (대부분)
    : plaque의 erosion, rupture, fissure, dissection → 혈소판 및 응고 활성화, thrombogenesis
      → "thrombotic occlusion" → necrosis
  (2) coronary atherosclerosis 이외의 드문 원인
    ① coronary emboli ; LA/LV thrombi, intracardiac tumor, prosthetic valve,
       infective endocarditis, fat emboli ...
    ② thrombotic coronary artery dz. ; hypercoagulability (e.g., AT-Ⅲ 결핍), 경구피임약,
       hemoglobinopathies, thrombocytosis, PV, leukemia, MM, macroglobulinemia 등의
       hyperviscosity 상태, TTP, DIC, malaria ...
    ③ coronary vasculitis ; Takayasu's dz., Kawasaki's dz., PN, SLE, RA, scleroderma, 심장이식
    ④ coronary vasospasm ; variant angina, nitrate withdrawal, cocaine or amphetamine abuse
    ⑤ infiltrative & degenerative dz. ; amyloidosis, connective tissue d/o., lipid storage d/o.,
       homocystinemia, DM, muscular dystrophies, Friedreich's ataxia ...
    ⑥ coronary ostial occlusion ; aortic dissection, luetic aortitis, aortic stenosis,
       ankylosing spondylitis ...
    ⑦ congenital coronary anomalies ; Lt. coronary artery의 기원 이상, coronary AV fistula or
       aneurysm ...

⑧ trauma ; coronary dissection/laceration, radiation ...

⑨ 심근의 산소요구량 증가 ; severe AS, AR, HCM, severe LVH, thyrotoxicosis ...

• 죽상반(plaque) rupture가 ACS의 m/c 기전이지만, plaque erosion도 점점 증가하고 있음

Plaque rupture	Plaque erosion
Lipid rich, Collagen (ECM) poor	Lipid poor, Proteoglycan & glycosaminoglycan rich
Fibrous cap 얇음	Fibrous cap 두꺼움
염증세포 풍부함, macrophages가 주	염증세포 적음, 이차적인 neutrophils 침범
Smooth muscle cells apoptosis	Endothelial cells apoptosis
남>여	남<여
LDL level↑	TG level↑
Red (fibrin-rich) thrombus 형성 (occlusive 흔함)	White (platelet-rich) thrombus 형성 (대개 nonocclusive)

• 심근 허혈 발생시 시간에 따른 경과 : 이완기능장애 → 수축기능장애 → EKG 변화 → 흉통
• AMI 발생 위험이 증가하는 경우
  (1) multiple coronary risk factors
      - 흡연, 비만, HTN, hyperlipidemia, DM ...
      - 고령(남>45, 여>55), 남성, 폐경(특히 조기 폐경) ..
      → 기타 CAD 및 동맥경화의 위험인자 참조
  (2) unstable angina or Prinzmetal's variant angina
  (3) 기타 coronary atherosclerosis 이외의 드문 원인들

  c.f.) 소량의 음주 → CAD risk 감소

• 유발인자 (약 1/2에서 존재)
  - 과격한 운동, 과로, 정신적 스트레스, 수술
  - 저혈압(e.g., hemorrhagic or septic shock), 심근 산소요구량 증가(e.g., AS, 발열, 빈맥, 초조)
  - 호흡기 감염, 저산소증, 폐색전, 저혈당, 맥각(ergot) 물질, cocaine, sympathomimetics,
    serum sickness, allergy, 벌에 쏘임 ...
  - 혹독한 기후 (여름보다 겨울에 2배 많이 발생)
  - 아침에 일어난 직후 (circadian variation)

※ 역학 (우리나라)
  - 발생률은 꾸준히 감소하는 추세임 (10만 명당 약 30명, 남자가 여자보다 약 2배)
  - STEMI (약 55%) > NSTEMI (약 45%), STEMI의 비율이 조금씩 감소 추세
  - STEMI는 (NSTEMI에 비해) 젊은 연령, 남자, 흡연자에서 더 호발
  - HTN, dyslipidemia, DM, prior IHD 등은 NSTEMI에서 더 많이 동반
  - 침범 혈관 : LAD (m/c, 50% 이상), RCA (2nd m/c)

※ 예후 : 꾸준히 좋아지고 있음
  - 입원 중 & 초기(30일 이내) 사망률 5~6%, 1년 째 사망률 7~18%
  - 입원 중 & 초기 사망률은 STEMI가 높지만, 1년 이후 장기 사망률은 NSTEMI와 비슷함
  - MI 이후 ischemic Cx. 발생 위험은 발병 6개월 이내가 가장 높음, 이후에는 일정

임상양상

1. 증상

(1) chest pain (m/c) : deep & visceral
- 지속적인 둔통으로.. 조이거나, 짓누르거나, 쥐어짜는 듯한 통증
- angina의 흉통과 비슷하지만, 심하고 더 오래 지속됨
- 전형적으로 가슴 한가운데 and/or 명치부(epigastrium)에서 발생
- radiation ; 좌측 팔(m/c), 목, 턱, 등 ... (배꼽 아래로는 ×)

(2) 흔히 weakness, sweating, N/V, dizziness, anxiety 등을 동반

(3) 호흡곤란, 의식상실, 혼돈, 심한 무력감, 부정맥, 말초색전증, 저혈압 등으로 나타날 수도 있음

* **30분** 이상 지속되는 substernal pain과 diaphoresis시 AMI를 강력히 의심!

■ <u>Silent (painless) MI</u> (= unrecognized MI)
- 전형적인 흉통이 없는 MI, 환자의 약 20~30%
- 특히 수술 직후, 고령, 여성, DM, HTN 등에서 많음
- 장/단기 예후는 symptomatic (recognized) MI와 비슷함

2. 진찰소견

(1) 안면 창백, 발한, 손발 차가움

(2) 심첨부 박동 촉지 ; ant. wall MI에서 dyskinetic bulging 때문

(3) 심실기능 부전시 ; S_4, S_3, 심음 감소, paradoxical splitting of S_2 (severe)

(4) mid/late-systolic ⓜ ; MV (papillary muscle)의 dysfunction

(5) pericardial friction rub ; transmural MI

(6) SV 감소로 인한 carotid pulse↓ (RV infarction시는 경정맥 확장)

(7) 체온 : 첫 1주 동안 약 38℃까지 상승할 수 있음 (38℃ 이상 상승하면 다른 원인을 고려해야)

(8) 심박수와 혈압
- MI 발생 1시간 이내에는 정상인 경우가 많다
  - ┌ ant. infarct의 약 1/4은 빈맥 & 고혈압 (∵ sympathetic 항진)
  - └ inf. infarct의 약 1/2은 서맥 & 저혈압 (∵ parasympathetic 항진)
- transmural infarct 환자의 대부분은 systolic BP가 10~15 mmHg 하강

* MI의 시간에 따른 stage
  ① acute : 처음 몇 시간 ~ 7일
  ② healing : 7~28일
  ③ healed : 29일 이후

검사소견

1. EKG

AMI의 EKG 소견
LBBB 없을 때 　1. New ST elevation (J point 기준, 연속하는 2 leads에서) 　　 − $V_{2\sim3}$ ≥0.2 mV (40세 이상 남성), ≥0.25 mV (40세 미만 남성), ≥0.15 mV (여성) 　　 − 나머지 leads ≥0.1 mV 　2. New ST depression (연속 2 leads에서 ≥0.05 mV) and/or 　　 T inversion (연속 2 leads에서 ≥0.1 mV) with prominent R-wave or R/S ratio >1
LBBB 존재시 　1. ST elevation ≥1 mm with (+) QRS complex − 5점 　2. ST elevation ≥5 mm with (−) QRS complex − 2점 　3. ST depression ≥1 mm (lead V_1, V_2, or V_3에서) − 3점 　[3점 이상이면 AMI specificity 98%]

- 전형적인 시간에 따른 변화 : tall T wave (가장 먼저) → ST elevation → T wave inversion
  → Q wave, ST normalization
  c.f.) acute pericarditis : ST elevation → ST normalization → T wave inversion
- 과거에는 Q wave 유무로 MI를 분류하였으나, 병리학적 분류(transmural MI)와 관련성이 낮음이
  밝혀지고, 조기 진단/재관류의 중요성이 높아져 요즘에는 ST elevation 유무에 따라 분류함
  - 관상동맥의 완전 폐쇄 : <u>ST elevation</u> → 대부분(약 3/4) Q-wave MI로 진행
  - 관상동맥의 불완전 폐쇄 or 일과성 폐쇄 or callateral 풍부 : <u>no ST elevation</u>
    - → NSTEMI → 대부분 non-Q-wave MI로 진행
      - unstable angina
- abnormal Q wave : R wave 높이의 1/4 이상, 폭 0.04 sec 이상, 원래 없는 leads ($V_{3\sim6}$)에 존재
- Q-wave MI (QwMI) : transmural infarction과 좀 더 관련

c.f.) MI가 아니면서 Q wave를 나타내는 경우 (pseudo-infarct Q wave)
1. Ventricular hypertrophy ; LVH or RVH, HCM 2. Chronic myocardial dz. ; myocarditis, idiopathic cardiomyopathy, tumor, amyloidosis, sarcoidosis, 　　Chagas' disease, echinococcus cyst ... 3. Acute myocardial injury ; acute myocarditis, myocardial ischemia, pericarditis, hyperkalemia, 　　myocardial trauma ... 4. 전도장애 ; LBBB, LAFB (left ant. fascicular block/hemiblock) or LPFB (left post. hemiblock), WPW 5. 기타 ; COPD, pulmonary embolism, Lt. pneumothorax, Lt. pneumonia, dextrocardia, MVP 6. 정상(physiologic or positional variants) ; lead III, aVL, aVF, $V_{1, 2}$의 Q wave는 정상인에서도 흔함

- non-Q-wave MI (NQMI) : 대개 subendocardial (nontransmural) infarction
- deep symmetrical T inversion ; non-Q-wave MI, ICH, LVH
- infarct size (→ Px. 결정에 중요) : ST elevation의 합이나 ST elevation이 있는 lead의 갯수와 관련
  (ST elevation의 높이와는 관련 없다)
- signal averaged EKG : late ventricular potential을 기록 → MI 후 VT or VF 발생 가능성 평가

■ localization

① inferior : Ⅱ, Ⅲ, aVF ⋯ RCA의 lesion (RV infarct 잘 동반)

② anteroseptal : $V_{1\sim3}$ ⋯ LAD의 lesion (c.f., new RBBB도 동반되면 proximal LAD의 폐쇄)

③ anterior : $V_{1\sim4}$ (complete AV block 잘 동반)

④ lateral : $V_{4\sim6}$ ⋯ LCX의 lesion

⑤ anterolateral : $V_{1\sim6}$, Ⅰ, aVL

⑥ posterior : $V_{1\sim3}$에서 reciprocal ST elevation, V_6에서 Q wave

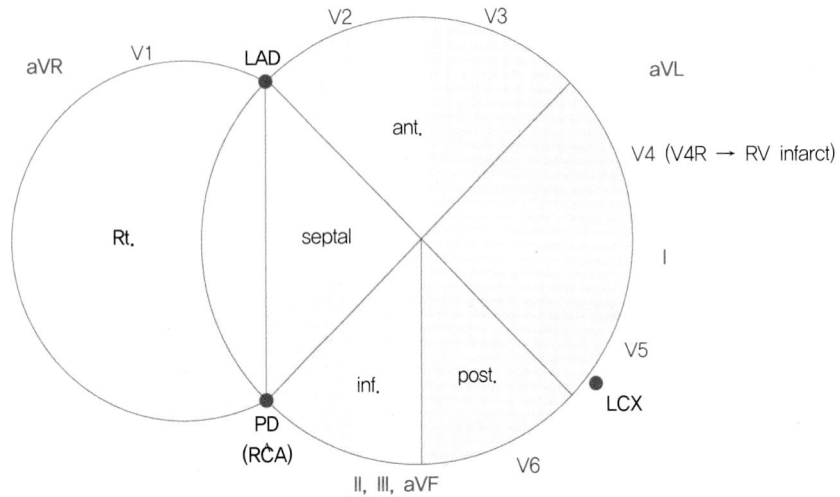

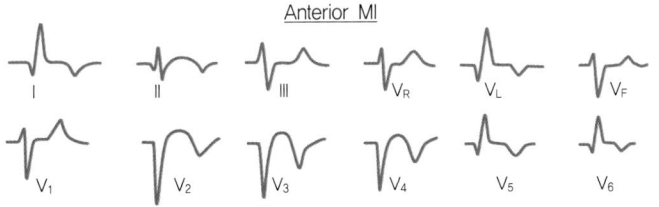

Anterior MI

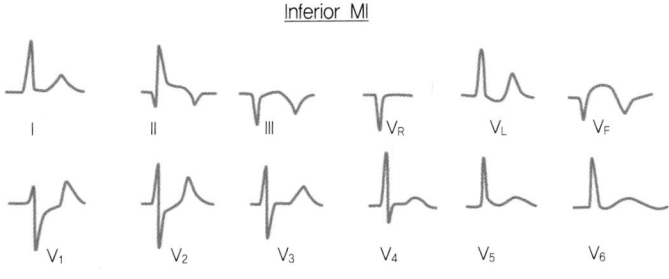

Inferior MI

2. Serum cardiac biomarkers

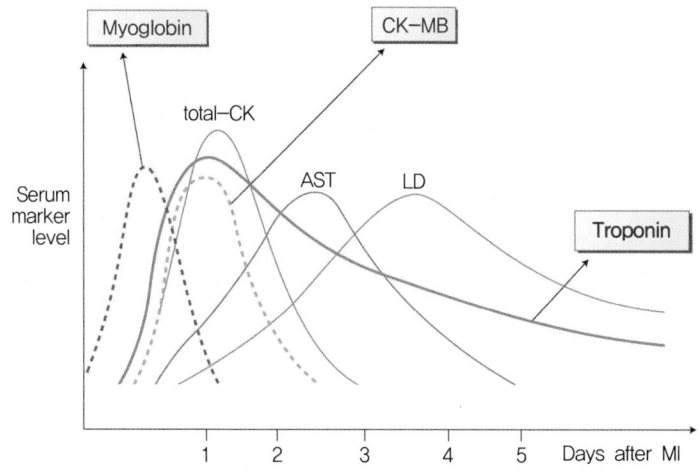

	상승 시작	최고 농도	정상화	Sensitivity	Specificity
Myoglobin	1~2시간	6~7시간	1일	↑↑	↓
Troponin ★	2~6시간	10~24시간	5~14일	↑↑	↑↑
CK-MB	3~6시간	12~24시간	2~3일	↑	↑
AST/ALT	12시간	1.5~3일	5일	↓	↓
LDH	24시간	3~4일	7~14일	↓	↓

* serum cardiac marker 출현의 해석
   ① 심근의 손상을 의미 (특히 cardiac specific protein의 경우)
   ② 총량 (graph 아래의 면적)은 infarct size와 비례!
      (peak level도 infarct size와 관련은 있지만 상관관계는 약함)
   ③ 재관류(reperfusion)시 조기에 고농도로 상승(∵ washout) & 빨리 감소
* sensitivity & specificity의 향상으로 MI 진단에 매우 중요
* AMI 진단에는 CK-MB보다 troponin을 선호하며, 둘 다 검사하는 것은 비용-효과가 떨어짐

(1) Troponin (Tn)

- cardiac-specific troponin-I (cTnI), -T (cTnT) [정상: 0~0.4, 0~0.1 μg/L]
- CK-MB보다 sensitivity & specificity 높아 더 선호됨, 요즘엔 hsTn → 앞 장 NSTEMI 부분 참조!!
- MI 발생 약 3시간 뒤부터 상승하여 12~14시간에 peak, cTnI는 7~10일, cTnT는 10~14일간 상승 지속됨 (신부전시 cTnT ↑ → 신기능 장애의 경우 cTnI가 더 specific)
- CK-MB나 myoglobin이 AMI 발병후 극히 짧은 시간 내에 소실되는 반면, troponin은 오래 지속되므로, 병원에 늦게 도착하여 흉통이 소실되었거나 CK-MB가 정상인 환자의 진단에도 유용
- 특히 ST elevation이 없고 CK-MB도 정상인 small MI의 진단이나, skeletal muscle injury가 의심되는 경우 진단에 매우 유용 (건강한 정상인에서는 상승 안함)
- troponin이 이미 상승되어 있는 recurrent MI/angina의 진단에는 반감기가 짧은 CK-MB나 myoglobin이 더 유용함!

(2) CK (creatine phosphokinase)

- nonspecific : skeletal muscle injury 때도 상승
- MI외에 CK가 상승할 수 있는 경우 ; IM injection, muscular dz, skeletal muscle damage, DC cardioversion, cardiac catheterization, surgery, stroke, hypothyroidism ... (심장수술, myocarditis, cardioversion 때는 CK-MB도 상승 가능)
- CK-MB isoenzyme : cardiac specificity 높다!
  - AMI : CK-MB가 최고 농도에 도달한 뒤엔 감소
  - skeletal muscle dz. : CK-MB 곡선이 plateau pattern을 보임

(3) Myoglobin

- 가장 빨리 상승되고, 소변으로 배설되어 가장 빨리 (24시간 이내) 정상화됨
- 조기 진단에 도움 되지만, cardiac specificity 부족이 단점
- AMI 이후 다시 myoglobin이 상승하는 것은 새로운 myocardial damage를 감별하는데 도움

* 기타 비특이적 염증반응
  - ① PMN leukocytosis (12,000~15,000/μL) : 몇 시간 이내에 나타나고, 3~7일 지속됨
  - ② 급성염증표지자 (CRP, ESR) ↑

3. Cardiac imaging

(1) echocardiography

- wall motion의 이상 확인 ; 거의 대부분의 MI에서 존재, EKG 소견이 불확실할 때 진단 크기, 위치 파악 및 치료방침 결정에 도움
- RV infarct, ventricular aneurysm, pericardial effusion, LV thrombi 및 AMI의 중요 합병증인 VSD와 MR도 발견 가능
  - 장점 ; 응급 상황에서 쉽고, 안전하게 진단 및 치료방침 결정에 이용
  - 단점 ; AMI, old MI, acute severe ischemia는 구별 못 함!
- 예후 평가에도 이용 - poor Px. ; systolic dysfunction (LVEF <40%), extensive infarction (WMSI ≥1.7), restrictive diastolic filling, LV enlargement, abnormal stress test

(2) nuclear imaging

- 번거롭고 sensitivity & specificity가 낮아 흔히 이용되지는 않음 (small infarction은 진단 못함)
- infarct avid imaging (^{99m}Tc-pyrophosphate) ; hot-spot image (infarct의 위치, 크기 판정), 재발 여부도 알 수 있음 (acute와 old MI 구별 가능)
- myocardial perfusion scan (^{201}Tl, ^{99m}Tc-sestamibi) ; cold-spot image (perfusion defect), old infarct 및 scar와 감별 못함
- ^{99m}Tc-labeled RBC ventriculography (multiple-gated blood pool scan) ; MI 이후의 혈역학적 결과를 평가, WM 장애 및 ventricular EF 등을 봄 (RV EF 감소시 RV infarct 진단에 도움)

(3) MRI (CMR)

- perfusion과 reperfusion, chamber size, segmental wall motion 등을 평가할 수 있고, 다른 심근 병변 및 dissecting aortic aneurysm 등도 발견 가능

- LGE (late gadolinium enhancement)-CMR ; infarct 부위 조영↑, myocardial viability 평가
- 단점 ; 환자를 CCU에서 MRI 실로 옮겨야 하므로 실제 사용에는 제약

(4) CT

- infarct 부위는 초기에는 조영↓ & 나중에는 조영↑, 관상동맥병변도 확인 가능
- pul. embolism, aortic dissection 등과의 감별진단 때 유용

■ 심근의 생존 가능성(myocardial viability) 평가하는 검사 ★ (hibernating myocardium의 detection)

① (FDG [^{18}F-2-deoxyglucose]를 이용한) PET ··· gold standard → 1장 참조

② (stress-redistribution-reinjection) SPECT (^{201}Tl)

③ **dobutamine stress echocardiography** : hypokinetic or akinetic segments가

┌ low-dose stimulation → contraction 향상

└ high-dose stimulation → recurrent contractile dysfunction

④ contrast echocardiography

⑤ contrast-enhanced MRI & dobutamine stress MRI

⑥ cardica CT (delayed enhancement) : 추가 시간과 방사선 노출 증가가 단점

⑦ (transcatheter) LV electromechanical mapping

- 심실의 전기적, 기계적, 구조적 정보를 동시에 획득 → 국소 심실 기능의 정확한 평가
- revascularization 치료 이후 on-line viability 평가를 통해 기능회복 예측 가능
- 심근재생술(e.g., transendocardial stem cell injection)의 localization에 도움

* RNV (radionuclide ventriculography)와 혈관조영술(catheterization)은 부적합!

진단/분류

Universal MI classification

분류	정의
Type 1	Primary coronary event (i.e., atherosclerotic plaque erosion, rupture, fissure, dissection)에 의한 spontaneous MI
Type 2	산소요구량과 공급량의 불균형에 의한 허혈로 발생한 MI (e.g., coronary endothelial dysfunction, spasm, anemia, hypotension)
Type 3	MI에 의한 SCD (sudden cardiac death), cardiac marker 측정 못함
Type 4a	PCI와 관련된 MI (troponin >5x URL or 20% 이상 상승)
Type 4b	Stent thrombosis에 의한 MI
Type 5	CABG와 관련된 MI (troponin >10x URL)

* <u>type 1 & 2 MI의 진단기준</u>

┌ cardiac biomarkers (troponin 선호)의 참고상한치(URL) 이상 상승 +
└ 심근허혈의 소견 : 아래 중 하나 이상

    - 허혈 증상

    - 허혈성 EKG 변화 (new significant ST-T changes *or* LBBB)

    - EKG에서 pathologic Q wave 발생

    - imaging ; 새로운 viable myocardium 소실 *or* regional WM abnormality

    - angiography (or autopsy)에서 intracoronary thrombus 확인

c.f.) 참고상한치(upper reference limit, URL) : 정상 참고군의 99% 이상

* prior MI의 진단기준 : 다음 중 하나 이상

① 허혈 이외의 원인 없이, 증상 유무에 관계없이 새로운 pathologic Q wave 발생

② 허혈 이외의 원인 없이, imaging 상 새로운 viable myocardium 소실 (심근이 얇아지고 수축 못함)

③ 치유된 또는 치유 중인 MI의 병리학적 소견

■ 치료

1. 내원전 관리

- AMI의 예후는 크게 ① electrical Cx. (arrhythmia)과 ② mechanical Cx (pump failure)과 관련
- 병원 도착 전 치료의 주요 요소

   ① 환자가 증상을 인식한 후 빨리 의료시설을 찾음 (m/i)

   ② 의료진의 신속한 배치 (defibrillation을 포함한 응급처치가 가능한)

   ③ advanced cardiac life support가 가능한 병원으로의 신속한 환자 이송

   ④ 신속한 재관류 치료(reperfusion therapy) 시행

- MI 환자의 병원에 오기 전 m/c 사망 원인은 VF

   (대부분 증상 발생 24시간 이내에, 이중 1/2 이상은 1시간 이내에 발생)

- **time 목표** : total ischemic time **120분** 이내 (golden time 60분 이내) 목표

   - 병원 도착 후 fibrinolysis 시작 (door-to-needle/FMCTN time) <u>30분</u> 이내 [진단 후 10분 이내] *or*
     PCI [catheter-based reperfusion] (door-to-balloon/FMCTB time) <u>90분</u> 이내 시행 권장

   - PCI가 30분 지연될 때마다 1년 사망률의 상대적 위험도는 8% 증가됨

- STEMI 환자의 ~1/3은 24시간 이내에 막힌 관상동맥의 자연 재관류 및 경색조직 치유도 가능함
- 내원전 저혈압

   - 심한 vagotonia에 의한 저혈압 → reverse Trendelenburg position

   - 동성 서맥 & 저혈압 → atropine IV

   - hypovolemia (HR↑) 의심 → normal saline IV (HF 발생 여부 monitoring하면서)

   - hypovolemia를 교정해도 저혈압이 지속되면 inotropes or vasopressors 투여

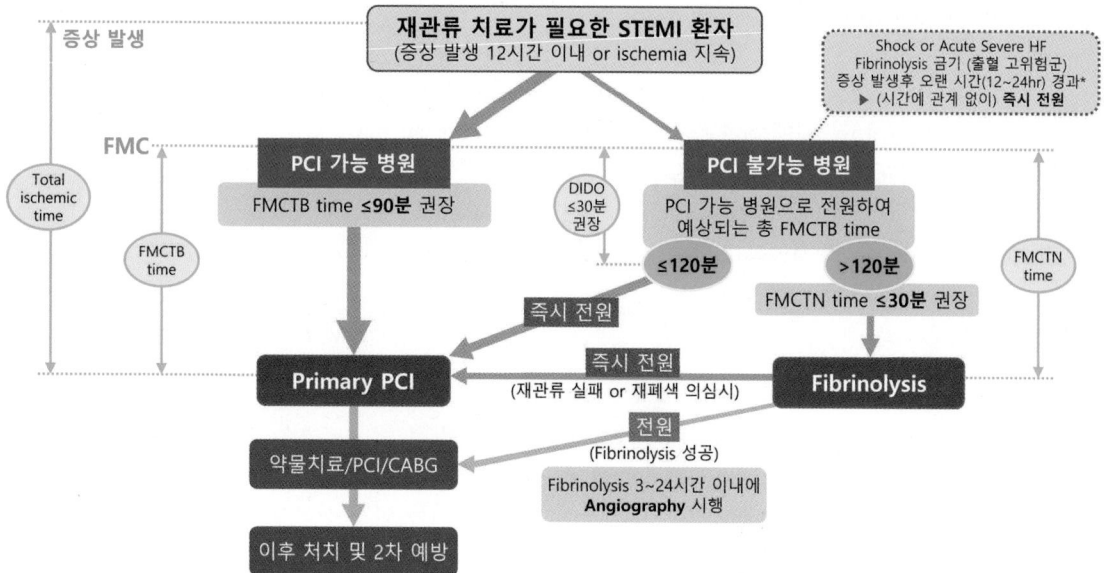

*증상 발생후 12~24시간이 지난 경우 PCI가 권장되지만, 불가능한 경우에는 fibrinolysis도 고려 가능 (but, 효과는 불확실)
FMC: first medical contact, FMCTB: FMC to balloon (PCI), FMCTN: FMC to needle (fibrinolysis),
DIDO: door-in-door-out (PCI 불가능 병원에 도착 후 가능 병원으로 떠나보내기까지의 시간)

2. 초기(급성기) 치료

(1) 즉시 aspirin 투여 / hypoxia 존재시엔 oxygen (2~4 L/min) 투여
- 발병 전 aspirin을 복용하지 않았으면 non-enteric-coated aspirin 162~325 mg 씹어먹음
  → 이후 75~162 mg으로 유지 (∵ 고용량은 효과는 비슷하면서, 출혈 부작용 위험만 증가)
- aspirin allergy 등으로 복용 불가능하면 $P2Y_{12}$ inhibitor로 대치
- 대부분의 환자에서 $P2Y_{12}$ inhibitor 추가가 권장됨　　　　　　　　　　→ 뒷부분 or 앞장 참조

(2) 흉통의 조절
① sublingual NG (nitroglycerin)
- morphine 투여하기 전에 가장 먼저 투여 (5분 간격으로 3회까지)
- NG IV : 지속적인 통증 or 고혈압이나 폐부종(HF) 동반시에만 권장
- 심근의 산소요구량을 감소시키고, 산소 공급을 증가시킴
- 금기 ┌ 저혈압 (systolic BP <90 or 기존보다 30 mmHg 이상 감소) → normal saline 투여
　　　│ 심한 서맥 (<50 bpm) or 빈맥 (>100 bpm)
　　　│ RV infarct 의심시 (e.g., EKG에서 inferior infarct, JVP↑, clear lungs, hypotension)
　　　└ 24시간 이내에 phosphodiesterase-5 inhibitor sildenafil (Viagra) 복용시
- nitrate에 대한 특이약물반응으로 갑자기 심한 저혈압 발생시 → atropine IV로 대개 회복됨
② morphine IV (저용량으로 5분마다) (subcut.는 흡수량을 예측할 수 없으므로 권장 안됨)
- AMI의 흉통 완화에 매우 효과적
- 부작용 : CO↓, 저혈압, 서맥, AV block, N/V, diaphoresis ...
- hypotension 발생시엔 (∵ sympathetic vasoconstriction↓) → leg elevation, IV saline
- bradycardia or heart block 발생시엔 (∵ vagotonic effect) → atropine 투여

③ β-blocker (e.g., metoprolol)
- 금기가 아닌 경우에만, 2~5분 간격으로 5 mg 씩 3번 IV 투여   → 뒷부분 참조

  (e.g., HR >60회/분, systolic BP >100 mmHg, PR interval <0.24초, rales 횡격막 10 cm 이내)
- 마지막 IV 15분 뒤에 oral regimen 시작 : 6시간마다 50 mg (~2일) → 12시간마다 100 mg
- 효과 ; 심근의 산소요구량 감소 (→ ischemia↓ → 통증↓), 재경색 및 VF 발생 위험 감소
- 입원 중 사망률 (특히 high-risk 환자에서) 감소 효과

c.f.) CCB는 응급상황에서는 도움 안됨 (short-acting DHP CCB는 사망률을 증가시킴)

3. 치료 전략

(1) ST elevation 존재시 (STEMI)
- reperfusion therapy (fibrinolysis or primary PCI) 시행
- 시기적절한 reperfusion therapy는 infarct size 감소 및 생존율 향상에 도움
  - 1~3시간 이내에 시행해야 가장 효과 좋음 (6시간까지는 어느 정도 효과적)
  - ongoing ischemia (흉통이 지속되고, EKG상 ST elevation 지속 & new Q wave 없을 때)
    경우는 12시간까지도 시행 권장
- 허혈된 심근의 보호 (→ reperfusion으로 심근을 살릴 수 있는 시간↑)
  ; 통증 조절, CHF 치료, 빈맥 및 고혈압 조절 등을 통한 심근의 산소요구량 감소

(2) ST elevation이 없는 경우 (NSTEMI)
- fibrinolysis는 도움이 안 되며, 오히려 해로울 수 있음
- fibrinolysis를 제외한 다른 약물요법은 STEMI와 동일함
- 통증 조절, anti-ischemic therapy, anti-thrombotic therapy, anticoagulation 등
  (c.f., morphine은 UA/NSTEMI에 사용시 부작용이 증가할 수 있음)
- 흉통(ischemia) 재발시엔 nitrates (NG)   → 앞 장 참조

4. PCI (percutaneous coronary intervention)

(1) 개요
- primary PCI : fibrinolysis를 실시하지 않고 응급으로 바로 PCI를 시행하는 것
- PCI 가능 병원이면 primary PCI를 우선적으로 고려! (∵ fibrinolysis보다 더 효과적)
- 경험이 풍부한 병원(≥36 primary PCI case/yr) 및 의사(≥75 case/yr)에 의해 시행되면
  fibrinolysis보다 단기 및 장기 예후 더 좋다 (→ 사망률, 비치명적 재경색, 뇌출혈 등 감소)
- 70~80%에서 관상동맥 협착을 성공적으로 재개통시킴

(2) 적응증 ★
- primary PCI가 fibrinolysis보다 효과적인 경우
  ① STEMI의 진단이 불확실할 때
  ② high-risk STEMI (특히 75세 미만에서) ; cardiogenic shock, killip class ≥3
  ③ 출혈 위험이 높을 때, 뇌출혈의 고위험군 (70세 이상, 여성, 입원시 고혈압)
  ④ 증상 발생 후 2~3시간 이상 경과시 (∵ clot이 커져서 fibrinolysis로 쉽게 용해되기 어려움)
  ⑤ fibrinolysis 금기인 환자

- "rescue (or salvage) PCI"의 적응
  ① fibrinolysis 실패 : 90분 이후에도 ischemia 지속/악화 (ST elevation 50% 이상 감소×
     and/or 흉통 지속/악화), cardiogenic shock or acute severe HF
     ▷ 12시간 이내에 rescue PCI가 불가능하면 fibrinolysis 재시행보다는 보존적 치료 권장
  ② threatened reocclusion : fibrinolysis 성공 이후, 조기에 ischemia 재발
     (ST 재상승 and/or 흉통 재발)
     ▷ 2시간 이내에 rescue PCI가 불가능하면 fibrinolysis 재시행 권장
  ⇨ 이런 이유로 fibrinolysis 시행 받은 환자는 가능한 빨리 PCI 가능한 병원으로 전원이 권장됨
- fibrinolysis 치료받고 안정된 환자 → routine angiography & "elective PCI" 권장
- CABG : fibrinolysis나 PCI가 불가능한 경우 고려

c.f.) STEMI 환자에서 emergency or urgent CABG의 적응
  ① PCI가 실패하여 흉통이 지속되거나 혈역학적으로 불안정한 경우
  ② 약물치료에 반응 없는 persistent or recurrent ischemia 환자가 심근 위험이 심각하고
     PCI나 fibrinolysis가 불가능한 경우
  ③ 경색 이후 심실중격 파열 or MV insufficiency의 수술적 교정시
  ④ 심한 multivessel or left main stenosis를 가진 75세 이하 환자에서 STEMI 36시간 이내에
     cardiogenic shock 발생하고 다른 치료법들이 효과가 없거나 불가능 or 환자가 원할 때
  ⑤ 50% 이상의 left main stenosis or triple-vessel dz.에서 생명을 위협하는 심실 부정맥 발생

(3) 방법
- PTCA (ballooning) + stenting 방법이 선호됨
- PCI 전후 antithrombotic therapy ; DAPT (aspirin + $P2Y_{12}$ inhibitor), anticoagulation,
  GP IIb/IIIa inhibitor (일부 고위험군에서만) → stent thrombosis 예방
  (발생률은 1% 정도로 드물지만, 사망률 7~45%로 치명적)

5. Fibrinolysis (thrombolysis)

(1) 개요
- PCI보다 fibrinolysis가 선호되는 경우 ; 내원 90분 이내에 PCI 시행이 불가능하고 fibrinolysis의
  금기가 없을 때 (ST elevation이 있는 경우에만 도움!) ▶ 가능하면 내원 30분 이내에 시행
  – 증상 발생 2시간 이내에 primary PCI 시행이 불가능할 때
  – fibrinolysis 가능 시간에 비해 PCI 가능 시간이 1시간 이상 지연될 것 같을 때
- 심근이 비가역적으로 손상되기 전에 재관류 시킴으로서 부분적 소생을 목적으로 함
  (infarct size ↓, LV dysfunction ↓, severe Cx ↓)
- 흉통 발생 1시간 이내에 시행하면 사망률을 최대 50% 줄일 수 있음
- fibrinolysis 성공의 정의 : 흉통 해소, 혈역학적 안정, 90분 째 ST elevation 70% 이상 감소
- 초치료로 fibrinolysis를 시행 받은 경우 (e.g., PCI 불가능한 병원에서)
  ┌ 저위험군 → PCI 병원으로 전원 권장 (특히 증상이 지속되거나, fibrinolysis 실패 의심시)
  └ 고위험군 → PCI 병원으로 전원!, 조기에 diagnostic **angiography** & PCI (or CABG) 시행
     (↳ 심한 ST-segment elevation, LBBB, 심한 CHF and/or pulmonary edema,
        hypotension, Killip Class ≥2, EF 35% 이하인 inferior MI 등)

(2) 금기 및 합병증

Fibrinolysis의 금기 ★

Absolute C/Ix.	Relative C/Ix.
뇌혈관 출혈의 병력	잘 조절되지 않았던 만성 severe HTN 병력
구조적 뇌혈관 질환(e.g., AVM)	내원시 심한 HTN (>180/110 mmHg)*
두개내 악성종양	3개월 이전의 허혈성 뇌졸중 병력
3개월 이내의 허혈성 뇌졸중	Absolute C/Ix.에 해당하지 않는 두개내 병변
(4.5시간 이내의 급성 뇌졸중은 제외)	외상에 의한 or 10분 이상의 CPR
3개월 이내의 심한 폐쇄성 두개/안면 외상	3주 이내의 큰 수술
2개월 이내의 두개/척추 수술	2~4주 이내의 internal bleeding
Aortic dissection 의심시	Active peptic ulcer
Active bleeding or 출혈체질 (월경은 제외)	혈관 천자 부위가 지혈 안됨
조절 안 되는 심한 고혈압	임신, 치매
Streptokinase : 최근 6개월 이내에 사용했던 경우!	경구 항응고제 복용 중

* Low-risk MI 환자에서는 absolute C/Ix.

- 고령(>75세)은 치료에 의한 손익을 고려하여 결정 (e.g., 금기가 없고 경색이 커 보이면 시행)
- 합병증

  ① hemorrhage (m/c) ; intracranial hemorrhage (0.5~0.9%, 치명적-가장 위험)

  ### 뇌출혈 위험이 증가되는 경우
  - tPA, rPA, TNK-tPA 등이 streptokinase보다 약간 더 위험
  - 고용량의 PA + heparin 투여
  - 고령 (70~75세 이상), 여성, 저체중, 입원시 고혈압

  ② allergic reaction (streptokinase, anistreplase의 ~2%) : 드물게 심각한 저혈압 발생 위험

(3) fibrinolytic agents의 선택

| | Streptokinase | Fibrin (clot)-specific plasminogen activators | | |
		Alteplase (tPA)	Reteplase (rPA)	Tenecteplase (TNK-tPA)
투여량/용법	1.5 MU (30~60분 동안 IV)	~100 mg (90분 동안 infusion)	10 U + 10 U (30분 간격 IV bolus)	30~50 mg (single IV bolus)
혈중 반감기	20분	4분	18분	20분
Fibrin clot specificity	Low	High	High	Very high
90분 뒤 개통률 (TIMI 2 or 3 flow)	60~68%	73~84%	84%	85%
TIMI grade 3 flow	32%	54%	60%	63%
부작용 뇌출혈	~0.4%	~0.7%	0.8%	~0.7%
부작용 fibrinogen 고갈	+++	+~++	++	±
부작용 알레르기	++	−	−	−

c.f.) Anistreplase : streptokinase와 비슷하면서 가격만 비싸

- fibrin (clot)-specific plasminogen activators (유전자 재조합 기술로 생산)
  - alteplase (tPA), reteplase (rPA), tenecteplase (TNK-tPA)
  - streptokinase보다 reperfusion (TIMI grade 3)에 약간 더 효과적이고, survival도 좀 더 증가됨
  - 단점 ; streptokinase보다 비쌈, 뇌출혈 위험이 약간 더 높음 (다른 부위 출혈 위험은 낮음)

  – 뇌출혈 고위험군(e.g., HTN, 여성)은 streptokinase 사용이 유리할 수도 있지만, 실제로는
   reteplase (rPA), tenecteplase (TNK-tPA) 같은 bolus agents가 선호됨

  – bolus agents : 투약 오류 가능성↓, noncerebral bleeding↓, 내원전 치료의 잠재력

• fibrinolytic agents 외에 보조적으로 antithrombotic therapy도 시행

• combination reperfusion regimens

  – IV GP Ⅱb/Ⅲa inhibitor + 저용량의 fibrinolytic agents

  – bolus fibrinolytics (rPA, TNK)와 효과는 비슷하지만, 출혈 위험 더 증가(특히 75세 이상에서)
   → 일상적으로 권장은 안됨

  – IV GP Ⅱb/Ⅲa inhibitor (± 저용량의 fibrinolytic agents)의 PCI 예정 환자에서의 사용
   (facilitated PCI) : infarct size↓ & 예후↑ 효과 없고, 출혈 위험↑ → 일상적으로 권장 안됨

■ **fibrinolysis 이후 성공적인 재관류(reperfusion)의 소견** ★

① chest pain이 갑자기 소실

② 빠르게 ST elevation 하강(정상화)

③ cardiac marker (e.g., troponin)가 급격히 상승 (∵ washout 되어)

④ reperfusion arrhythmia (특히 AIVR, PVCs, nonsustained VT) [but, reperfusion 실패시에도 흔함]

⑤ transient hypotension & bradycardia (특히 inferior MI에서 흔함)

■ initial reperfusion therapy 이외에 심실기능이 개선되고 사망률이 감소될 수 있는 기전

 (1) late coronary reperfusion ; infarct 부위의 tissue healing 증가 (ventricular remodeling),
   infarct 확장 방지, collateral flow 증가, 심근 수축력 향상, 부정맥 감소 (electrical stability↑)

 (2) hibernating (or stunning, viable) myocardium
  : coronary blood flow 감소 때 myocardial necrosis는 없이 ventricular dysfunction을
   보였다가 revascularization 이후에 정상 기능을 회복

c.f.) TIMI grading – angiography로 coronary artery flow를 평가	
Grade 0	막힌 지점 이후가 완전히 occlusion
Grade 1	막힌 지점 이후로 조영제가 약간 통과되지만, perfusion은 없음
Grade 2	막힌 지점 이후로 완전히 perfusion은 되지만, flow rate는 느림
Grade 3	막힌 지점 이후의 perfusion과 flow rate 정상 (→ 재관류치료의 일차 치료목표!)

6. 기타 약물 요법

(1) antithrombotic agents (antiplatelet & anticoagulant therapy)

 • 치료 목적

  ┌ (reperfusion therapy와 더불어) 경색 관련 동맥의 patency 유지 (∵ <u>stent thrombosis 예방</u>)
  └ thrombosis 경향 억제 → mural thrombus or DVT (→ pulmonary embolism) 예방

 • <u>dual antiplatelet therapy [DAPT]</u> (aspirin + P2Y$_{12}$ inhibitor) → 사망률↓, 반드시 투여!

  – new P2Y$_{12}$ inhibitor (prasugrel, ticagrelor) : 기존 clopidogrel보다 더 효과적이라 권장됨!

  – prasugrel : PCI 예정일 때만 사용함, stroke/TIA 병력 or 심한 출혈 위험시엔 금기

- ticagrelor : PCI or fibrinolysis 모두에서 사용 권장
- STEMI 환자는 최소 <u>1년</u> DAPT 권장 ; 심혈관사망률 감소 효과는 ticagrelor가 가장 좋음
  (c.f., thrombosis 재발 고위험군은 1년 이상 장기간 DAPT or ticagrelor 단독 투여도 고려)
- glycoprotein Ⅱb/Ⅲa receptor inhibitor (e.g., abciximab, eptifibatide, tirofiban)
  - NSTEMI/UA : PCI 시행 예정이며 clopidogrel을 복용하지 않았던 환자 or high-risk
    (e.g., troponin↑) 환자에서 효과적이므로 투여 권장
  - STEMI : 조기에(내원전 or 응급실에서) 투여하면 PCI 시 coronary patency는 향상되지만
    임상경과의 향상은 불확실하므로, 일부 primary PCI 예정 환자에서만 권장됨
    (dual oral antiplatelet therapy를 받아온 환자에서 입원시 routine 사용은 효과 없음),
    항응고제를 사용해도 PCI 시술 중에 혈전이 재발하는 경우에는 사용 권장
  - CABG 예정인 환자는 short-acting agents (eptifibatide, tirofiban)가 출혈 부작용 적음
- anticoagulants ; heparin (UFH or LMWH), warfarin
  - aspirin + fibrinolysis 치료에 heparin 추가시 fibrinolysis 촉진 및 coronary patency 향상
    (출혈 위험은 약간만 더 증가됨) → 최소 2일 이상 (~8일) 투여 권장
  - 2일 이상 투여할 경우에는 UFH 말고 다른 항응고제가 권장됨 (∵ HIT 위험)
    ⇨ LMWH (e.g., enoxaparin), factor Xa inhibitor (e.g., fondaparinux), direct thrombin
      inhibitor (e.g., bivalirudin) 등

LMWH (low-MW heparin)이 UFH (unfractionated heparin)보다 좋은 점

1. anti-factor Xa/Ⅱa ratio↑ (→ thrombin 생성을 더 효과적으로 억제)
2. platelet factor 4에 대한 sensitivity↓ (→ 중화 안됨)
3. 더 안정적인 효과 (→ aPTT monitoring 필요 없음)
4. bioavailability 높음 (→ 피하주사로 투여 가능), 반감기 긺 (→ 하루 1~2회 투여로 충분)
5. UFH에 비해 HIT (heparin-induced thrombocytopenia)의 부작용 적음

* 심각한 출혈 부작용은 약간 증가되지만 전체적인 이득이 더 크므로 LMWH 권장 (∵ 사망↓, 재경색↓)

- aPTT는 control의 1.5~2배로 정도 유지
- thromboembolism 발생 위험이 높은 경우 (e.g., ant. infarct, CHF, 심한 LV dysfunction,
    광범위한 regional WM abnormality, AF, embolism의 병력, mural thrombi 존재)
    ⇨ heparin 최대 용량 투여, 퇴원 후 3개월 이상 warfarin 투여 (LV thrombi 없어질 때까지)
- 항응고제를 투여 받던 환자에서 PCI 시행시
  ① 이전에 UFH 투여 → 추가적인 UFH or DTI (direct thrombin inhibitor) 투여
  ② 이전에 LMWH 투여 → LMWH 투여 뒤 8~12시간이 지났으면 IV LMWH 투여
  ③ 이전에 factor Xa inhibitor 투여 → DTI (direct thrombin inhibitor) 추가 투여 고려

(2) β-blockers (non-ISA)

- STEMI 환자에서의 β-blockers 투여 효과
  ① 초기(acute IV 투여) ; 심근 산소요구량↓, 통증↓, infarct 크기↓, 심각한 심실 부정맥↓
    - but, 대부분 재관류 요법이 확립되기 전 과거의 연구 결과
    - 최근의 연구 결과 사망률과 심정지에서는 차이가 없고 / 재경색과 부정맥(VF)은 감소함
    - cardiogenic shock 발생은 증가! [특히 moderate~severe LV dysfunction (Killip class Ⅱ↑) 환자에서]
      → 저혈압, 심부전 등의 금기가 없는 경우에만 투여 권장
  ② 장기 ; 사망률, 비치명적 재경색, 심정지 등 감소 … 2ndary prevention

- 금기인 경우를 제외하고, 모든 AMI 환자에게 24시간 이내에 투여 권장!

Heart failure (severe LV dysfunction) or **low–CO** 소견 (e.g., pulmonary edema)	
Cardiogenic shock 발생 고위험군	고령(>70세)
	Systolic BP <120 mmHg
	Sinus tachycardia (>110회/분) or bradycardia (<60회/분)
	STEMI 발병 후 오랜 시간 경과
기타 β –blockers의 상대적 금기	PR interval >0.24초
	2nd– or 3rd–degree <u>heart block</u>
	Active asthma or reactive airways disease
	심한 COPD, 심한 말초혈관질환 등

- 위 금기에 해당하지만 않으면 빈맥성부정맥이나 고혈압 동반 때도 투여하는 것이 합당함
- 특히 경색 초기에 심한 unrevascularized CAD, ischemia 재발 소견, 빈맥성부정맥 등이 있는 STEMI 환자에서는 더 큰 도움이 됨
- 초기에는 금기로 투여 못했던 환자도 24시간 이후 재평가를 거쳐 가능하면 투여 권장
- 장기 예후가 매우 좋은 환자군(사망률 <1%/yr)에서는 효과 적다
  (e.g., 55세 미만, 심실기능 정상, complex ventricular ectopy 無, angina 無)
- ISA (intrinsic sympathomimetic activity)[+] β –blocker는 MI or CHF에서 효과 적으므로 사용×

(3) RAA system inhibitors (ACEi, ARB, ARNI, AA)

- β –blocker와 aspirin의 효과에 더하여 추가적으로 사망률을 감소시킴
- 고위험군에서 가장 효과적! (e.g., 고령, ant. MI, prior MI, LV dysfunction, HF)
- 사망률 감소의 기전
  ① <u>ventricular remodeling</u> 감소 (∵ vasodilation → afterload↓)
  ② CHF, 재경색 감소
- 저혈압(systolic BP <100 mmHg) 및 ACEi의 금기가 없는 모든 STEMI 환자에서 초기부터 (24시간 이내에) 투여 권장!
- ACEi (ARB)를 평생 투여해야 하는 경우 ; 임상적으로 뚜렷한 HF, 전반적인 좌심실 기능 저하 (LVEF ≤40%), large regional WM abnormality, HTN, DM
- ACEi 대신 ARB or ARNI (angiotensin receptor–neprilysin inhibitor)도 장기간 투여 가능
- AA (aldosterone receptor antagonist)의 장기간 투여
  - LV dysfunction or HF 동반 STEMI 환자에서 투여시 심장관련 입원 및 사망률 감소
  - 이미 ACEi & β –blocker를 투여 받은 고위험 post-STEMI (EF ≤40%, HF, DM 등 동반) 환자에서 금기가 아니면(신기능이상[Cr ≥2.5(女 2.0)] or hyperkalemia[K+ ≥5.0] 無) 투여 권장

(4) 기타

- nitrates
  - 요즘에는 AMI 환자에서 β –blocker와 ACEi를 사용하므로 routine nitrate IV의 효과는 적음 (survival 차이 없음)
  - inf. MI (특히 RV infarct 동반시)에서는 과도한 preload 감소로 오히려 심근산소화 악화 위험
  - 발병 48시간 이후에도 angina or HF (LV failure) 지속시에만 투여 가능
    (but, reflex tachycardia or systemic arterial hypotension 발생하지 않도록 용량 조절)
  - 과량 투여시 드물지만 methemoglobinemia 발생 위험 (→ 혈액 산소 운반능 저하, ischemia 악화)

- magnesium
  - MI 환자에서 결핍된 경우가 흔하나, serum level은 정상일 수 있음 (∵ 주로 세포 내에 존재)
  - 모든 MI 환자는 입원시 Mg^{2+} level을 측정하여 감소된 경우 부정맥 예방을 위해 꼭 투여,
    TdP 환자는 정상이라도 투여 (모든 STEMI 환자에서 routine으로 투여하는 것은 아님)
- AMI & DM 환자에서 엄격한 혈당조절은 사망률을 감소시킴

■ 사용하면 안 되는 or 주의해야할 drugs

- steroid, NSAID (aspirin 제외) 금기!
  - ∵ 이유 ┌ infarct의 치유를 방해, 심장 파열의 위험 증가, infarct scar를 크게 할 수 있음
          └ 관상동맥 저항 증가 (→ 심근허혈 부위의 혈류↓)
- NSAIDs, COX-2 inhibitors : thrombosis 촉진 가능하므로 STEMI 이후에는 금기
  - 꼭 필요한 경우에는 통증을 조절할 수 있는 최소 용량으로 단기간만 사용
- CCB : STEMI에서 사망률 감소 효과가 없고, 일부에서는 오히려 해로울 수 있음
  - β-blocker가 효과 없거나 금기인 경우 심박수 조절을 위해 rate-slowing non-DHP CCB
    (diltiazem, verapamil)는 사용 가능 (Killip class II 이상의 LV dysfunction에서는 금기)
- nitroprusside : 관상동맥의 arteriolar dilatation 유발 → 좁아진 관상동맥의 coronary steal 유발
  (c.f., nitroglycerin은 coronary steal 현상 없음)

7. 기타 입원 중 관리

(1) activity
- 처음 12시간 동안은 반드시 bed rest
- 합병증이 없으면, 24시간 이내에 침대에 다리를 걸치고 앉거나 의자에 앉기를 권장
  (→ 생리적인 이득 및 PCWP↓ 효과)
- 2~3일까지 저혈압 등의 합병증이 없으면 보행 및 목욕 가능

(2) diet
- 처음 4~12시간 동안은 NPO 또는 맑은 미음만
- 지방은 30% 이하 (cholesterol 300 mg/day 이하), 복합 탄수화물은 50~55% 유지,
  potassium, magnesium, fiber 등은 충분히 공급, sodium은 낮게 공급

(3) bowels
- 변비 (∵ bead rest, narcotics 사용) → 실내 변기 이용, bulk diet, stool softner
  (e.g., dioctyl sodium sulfosuccinate) 권장
- AMI 환자에서도 rectal exam. 시행은 안전함

(4) sedation
- 많은 환자에서 입원중 sedation 필요 (e.g., diazepam, oxazepam, lorazepam)
- 주변 환경을 조용히 하는 것도 중요
- 불안/흥분 환자의 경우 (특히 노인) 약물에 의한 delirium 발생 가능성도 있으므로 확인 필요
  (e.g., atropine, H_2-RA, narcotics)

(5) DM ⋯ 입원 중 혈당 조절 목표 : 90~180 mg/dL

■ 합병증

1. 부정맥 (Arrhythmia, m/c)

: AMI 후 첫 24시간 이내에 흔히 발생 (수시간 내가 사망률 가장 높다)

(1) Ventricular premature contraction (VPC) – m/c

- infrequent, sporadic VPC는 거의 모든 환자에서 발생(→ 치료 필요 없다!)
- "warning arrhythmias" (frequent, multifocal, or early diastolic VPC) 소견을 보여도 항부정맥제 (e.g., lidocaine)는 사용하지 않는다! → sustained ventricular arrhythmia 시에만 사용
- 심한 ventricular tachyarrhythmia가 없을 때 lidocaine의 예방적 투여는 금기! (∵ bradycardia 유발 → asystole → 후기 사망률↑)
- β-blocker : frequent VPCs의 억제 및 VF 발생 예방에 도움 (금기가 아니면 반드시 투여)
- hypokalemia와 hypomagnesemia도 STEMI 환자에서 심실 부정맥 발생의 위험인자임
  → K^+ 4.5 mmol/L, Mg^{2+} 2 mmol/L 정도로 반드시 유지

(2) Ventricular tachycardia (VT) & fibrillation (VF)

- AMI 발병 24시간 이내에 warning arrhythmia 없이도 발생 가능 (VF : AMI의 m/c 사망원인!)
- 예방적 항부정맥제(e.g., lidocaine) 투여는 권장 안됨!
  (∵ 사망률 감소 효과 없고, 심장 외 합병증 및 bradycardia, asystole 발생 위험↑)
  ⎡ stable sustained VT ⇨ amiodarone or procainamide → 반응 없으면 즉시 DC cardioversion
  ⎣ VF or unstable VT ⇨ 즉시 defibrillation (200~300 J)
  → 반응 없으면 epinephrine or amiodarone 투여 뒤 다시 시도

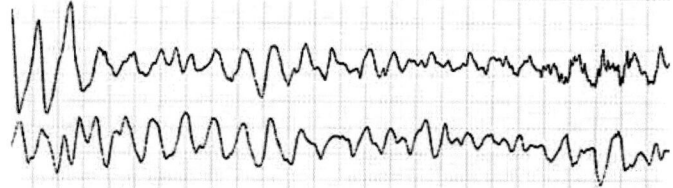

- TdP (torsade de pointes) : 대개 이차적인 원인이 있으면 발생
  (e.g., hypoxia, hypokalemia 등의 전해질이상, digoxin or quinidine)
- **primary VF** : STEMI의 primary response (acute ischemia)로 발생한 것 (2일 이내)
  – 기전 ; 허혈 심근의 전기적 불균일성에 의한 reentry
  – AMI 후 첫 4시간 동안 3~5%에서 발생, 이후 빠르게 감소
  – 단기 (입원중) 사망률은 높지만, 장기 예후는 좋다 (향후 부정맥 발생 증가×)
- **secondary VF** : CHF, shock, BBB, ventricular aneurysm 등과 관련되어 발생한 것
  – 대개 LV failure와 cardiogenic shock이 악화되는 과정의 마지막에 발생
  – 예후 나쁨!
- **late VT or VF** : STEMI 발병 48시간 이후에 발생한 VT/VF
  – large (or transmural) infarct 및 LV dysfunction에서 발생 증가, 혈역학적 불안정 흔함
  – 단기 & 장기 예후 모두 나쁨 → 반드시 EPS 시행 & ICD 삽입

- "입원기간 중 지속성 심실빈맥이 없었던 STEMI 환자"에서 향후 VF에 의한 SCD 예방 전략
  ⇨ AMI 발병 <u>40</u>일 이상 지난 뒤에 예방적 ICD 삽입 필요성 평가 ★
  - EF >40% → ICD 필요 없음!
  - EF <<u>30~40%</u> & NYHA class Ⅱ~Ⅲ → ICD 삽입
  - EF <30~35% & NYHA class Ⅰ → ICD 삽입

(3) Accelerated idioventricular rhythm (가속심실고유리듬, AIVR, slow VT)

- STEMI 환자의 ~20-50%에서 발생 (anterior MI와 inferior MI에서 비슷한 비율로)
  (기타 원인 ; 심장수술, cardiomyopathy, rheumatic fever, digitalis, cocaine 중독 등)
- AMI의 reperfusion 치료 이후 (보통 2일 내에) 호발 … reperfusion 이후 m/c 부정맥!
  (but, reperfusion 실패시에도 흔하기 때문에 reperfusion 성공의 단서는 아님)
- 기전 (enhanced automaticity) : pacemaker failure에 따라 발생한 심실의 escape rhythm *or*
  교감신경 자극에 의해 가속화된 심실의 abnormal ectopic pacemaker rhythm
- nonparoxysmal slow regular VT (<u>60~110회/분</u>, 대개 100 미만), 느리므로 capture beats 흔함

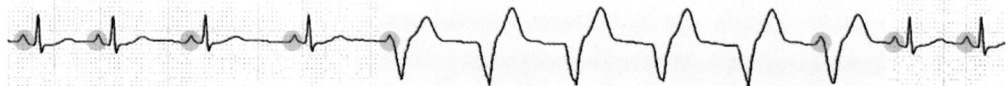

정상 sinus rhythm이 느려지다가... AIVR (wide QRS) 시작됨 : P파는 (시작과 끝을 빼고는) QRS에 흡수되어 안보임

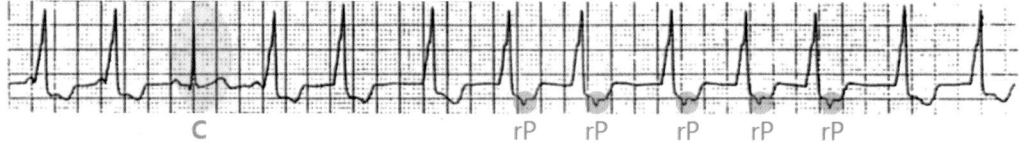

AIVR with AV dissociation : retrograde conduction (rP), capture beat (C)

- slow sustained VT와 감별 필요
  - AIVR : 점진적으로 시작/종료, cycle 다양, 대개 acute infarction/myocarditis와 관련
  - slow sustained VT : cycle 일정한 편, 대개 chronic infarction or cardiomyopathy와 관련
- 대부분 <u>일시적</u>이며, 증상을 일으키거나 더 심한 부정맥(VF)으로의 진행은 드묾 → 치료 불필요!
- 혈역학적으로 불안정하거나(대개 AV dissociation 때문) 더 심각한 부정맥과 동반되면 치료 고려
  → 대개 심방가속(e.g., atropine, atrial pacing)으로 sinus rate를 높여주면 AIVR 억제됨!

(4) Supraventricular arrhythmia

- sinus tachycardia (m/c) → β-blocker
- AF/Af (HF에 이차적으로 발생하는 경우가 흔함)
  - AF는 10~15%의 환자에서 대개 첫 24시간 이내에 발생
  - 발생 위험인자 ; 고령, large MI, HF, pericarditis, atrial infarct, hypoxia, hypokalemia,
    hypomagnesemia, pul. dz., hyperadrenergic state ...
  - Tx. ① β-blocker, verapamil, diltiazem (HF 없을 때)
       ② HF를 동반한 supraventricular arrhythmia시엔 digoxin이 TOC
       ③ 심실박동 120회/분 이상으로 2시간 이상 지속시 또는 HF, shock, ischemia 발생시
          → cardioversion (100~200 J)

(5) Sinus bradycardia

- 흔함 (AMI 관련 부정맥의 30~40% 차지), inferior MI에서 m/c,
  특히 발병 첫 1시간 이내 및 Rt. coronary artery의 재개통시 호발
- 혈역학적으로 불안정하면 <u>atropine</u> 투여 (→ 반응 없으면 pacemaker)
- isoproterenol은 금기 (∵ 부정맥 유발 위험, 심근 산소요구량↑)

(6) 전도장애(AV or intraventricular blocks)

① <u>inferior wall</u> MI에서 발생시
- AMI 발병 초기에 대개 vagal tone 증가 및 adenosine 분비에 의해 발생하므로 일시적
- ant. wall MI에서의 경우보다 예후 훨씬 좋다 (사망률 25~40%)
- 1st-degree AV block (m/c), Mobitz type I 2nd AV block이 주로 발생
- complete AV block ; 드묾(~5%에서 발생 가능), intranodal or supranodal lesion 때문,
  약 70%는 escape rhythm (HR >40 bpm & narrow QRS), 예후 좋음 (대개 자연 소실)
- Tx ; 대개는 필요 없음 / HR 50회 미만이고 증상이 있는 경우에 IV atropine
  - temporary pacemaker ; HF, hypotension, 심한 bradycardia, 심한 ventricular ectopic
    activity 등을 동반한 complete AV block 발생시에는 도움
  - RV infarct 동반시엔 → dual-chamber AV sequential pacing

② <u>anterior wall</u> MI에서 발생시
- AV node 이하 (His-Purkinje system, bundle branches)의 "광범위한" 손상에 의해 발생
  (∵ LAD의 폐쇄로 심한 심근괴사) → 심한 LV failure or shock (**사망률 60~75%!**)
- AMI 발병 12~24시간에 갑자기 complete AV block 발생 (HR <30 bpm & wide QRS),
  BBB도 잘 동반, 심박수는 대개 불안정하며 ventricular asystole 발생 위험도 높음
- intraventricular block, type II 2nd AV block 선행이 흔함 (1st or type I AV block은 드묾)
- external noninvasive pacing ("demand" mode) ; 약물치료에 반응 없는 bradycardia (<50
  bpm), bilateral BBB, Mobitz type II 2nd-degree, complete AV block 등에서 시행
  * complete AV block에선 이미 심근이 광범위하게 손상되어 예후에는 별 영향이 없어 논란
    이지만, asystole 및 일시적 저혈압(→ 경색 확대, 악성 심실 부정맥 유발) 방지에는 도움

③ intraventricular bifascicular (or bidivisional, bilateral) block
- 예 ; RBBB + Lt. anterior/posterior divisional block, RBBB + LBBB
- large infarct 및 고령에서 호발, 다른 부정맥의 동반 비율도 높음
- AMI 이후 새로 발생된 bifascicular block은 예후 나쁨 (complete AV block 발생 및 사망↑)
  → temporary pacemaker 권장

2. 심부전 (Heart failure, ventricular dysfunction)

(1) 개요

- ventricular remodeling : AMI의 결과로 심근세포 소실 및 형태의 변화, 심근조직의 섬유화로 심실 전체의 모양, 크기, 두께(얇아짐) 등이 변하는 것
  - infarct expansion : AMI 초기에 경색 부위의 급성 확장 & 심근벽 얇아짐(thinning)
  - ventricular dilatation : 비경색 부위의 확장으로 주로 수개월에 걸쳐 일어남
    - ↳ 관여 요소 ; 경색의 크기(m/i), 위치, 심실 부하(팽창압), 관상동맥 patency, scar 형성
- 전체적인 심실의 확장 정도는 경색의 크기 및 위치와 관련
  - LV apex의 경색시 확장이 심하고 HF도 흔하고 예후도 나쁨
  - 경색의 크기가 클수록 pump failure가 심하고 사망률(초기 & 후기)도 증가됨
    - 20~25% 경색시 → LV dysfunction 발생
    - 40% 이상 경색시 → cardiogenic shock 발생
- ACEi/ARB 사용시 ventricular remodeling 및 HF 완화에 도움!
- pump failure : AMI 이후 입원 중 사망의 주 원인

(2) 임상양상

- pulmonary rales, S_3 & S_4 gallop rhythms 등이 m/c
- CXR ; pul. congestion
- 혈역학적 특징 ; LV filling pr. (PCWP)와 pul. artery pr. 증가

(3) 치료

① O_2, elevation of trunk, morphine (폐울혈 환자에 유용)

② diuretics (furosemide 등의 loop diuretics) ; 폐울혈과 LV filling pr. (PCWP) 감소시킴
  - mild HF에서 매우 효과적이나 hypovolemia 및 전해질 이상 발생하지 않도록 주의

③ vasodilators (hypotension 발생하지 않도록 주의하며 사용)
  - nitrates (→ preload 감소, ventricular compliance 개선)
  - severe HF ; sodium nitroprusside

④ inotropic agents ; dopamine, dobutamine, norepinephrine (NE), levosimendan 등
  - severe LV failure (CI <2 L/min/m^2)에서 diuretics에 반응 없을 때 사용
    (산소요구량↑, HR↑, 부정맥↑ 등 위험이 있으므로, 가능한 최소 용량을 최단기간만 사용)
  - phosphodiesterase inhibitors (amrinone, milrinone) : (+) inotropic & vasodilator, dobutamine과 효과 비슷하나 PCWP를 더 감소시킴 (but, 작용 시간이 긴 것이 문제)
  - digitalis : AMI 초기에는 도움 안됨 (예외 ; AF에서 심실반응 조절)

⑤ ACEi/ARB : maintenance therapy에 사용 (systolic BP ≥100 mmHg 시)

■ Hypovolemia

- hypotension 환자의 20%
- hypotension, tachycardia, LV filling pr. (PCWP)↓
  (CVP는 LV보다는 RV filling pr.와 관련 있으므로 MI 환자의 volume 상태를 정확히 반영 못함)
- 원인 ① MI 초기의 수분섭취 감소
       ② diaphoresis, vomiting, venous tone 감소

③ 이전에 이뇨제, 혈관확장제(e.g., nitrates) 등의 약물 복용

- Tx : 수액 공급(N/S) → PCWP가 20 mmHg에 이를 때까지 주의 깊게 투여

* hypotension시 nitrates 및 ACEi는 금기!

3. 심장성 쇼크 (Cardiogenic shock)

- HF의 가장 심한 형태 (대개 좌심실의 40% 이상이 경색되었을 때 발생)
- 정의 ┌ 심하고 지속적인(30분 이상) 저혈압 : systolic BP <90 mmHg
  │ CI (cardiac index) <1.8 $L/min/m^2$
  └ PCWP (LVEDP) >18 mmHg ★
- tachypnea, oliguria (<30 mL/hr), cold extremities, cyanosis, acidosis ...
- AMI 환자의 5~8%에서 발생 (이중 90%는 입원 이후에 발생), 사망률 70~80%
- AMI 환자에서 cardiogenic shock의 원인 (→ 원인을 밝히기 위해 측시 심초음파 시행)
  ① 심한 AMI에 의한 LV dysfunction (>80%)
  ② 기계적 합병증 ; acute severe MR (papillary muscle rupture), VSR, free wall rupture,
     tamponade, predominant RV infarction, 심한 preload 감소 (e.g., hypovolemia) ...
- 발생기전
  ┌ systolic dysfunction → CO↓ → coronary perfusion↓
  └ diastolic dysfunction → pul. congestion → hypoxia → ischemia 더욱 악화
      → myocardial dysfunction 더욱 악화 (악순환)
- shock 발생의 risk (poor Px.) factors ; 고령, CI↓, 좌심실기능(EF) 감소,
  large MI (대개 **anterior MI**), previous MI or CHF, DM, renal insufficiency

- Tx. ① early revascularization (primary PCI or CABG) : 유일하게 사망률 감소 증명됨
    - AMI 36시간 이내 shock 발생, shock 발생 18시간 이내 시행 가능한 경우 (75세 이하에서)
    - fibrinolysis 시행시엔 생존율이 매우 낮아 PCI (or CABG)를 우선적으로 시행함!
    - PCI 시행 불가능하면 IABP & fibrinolysis 시행
  ② inotropic agents : 예후 개선 없고, 부작용(e.g., 부정맥) 위험 때문에 최소한으로만 사용
    - 저혈압 심하면 → norepinephrine (NE)우선 권장됨 or dopamine (NE보다 부작용 많음)
    - dobutamine, levosimendan → 혈관확장작용이 있으므로 혈관수축제와 병용해야 됨
  ③ IABP (intra-aortic balloon pumping) : aortic counterpulsation
    ┌ early diastole시 balloon은 자동적으로 inflation
    │   → coronary flow↑, peripheral perfusion (diastolic BP)↑
    └ early systole시엔 balloon deflation/collapse → LV afterload↓, CO↑
    - PCI/CABG 이전에 환자를 안정화시키는 데도 유용
    - Ix ; refractory HF or cardiogenic shock, 기계적 합병증 (acute MR, VSR),
        refractory post-MI ischemia, 혈역학적으로 불안정한 recurrent intractable VT/VF
    - C/Ix : AR, aortic dissection, large AV shunt (e.g., PDA)

  * volume replacement (saline infusion) → pul. edema를 더욱 악화시킴!

  * NG → hypotension을 더욱 악화시킴

4. 우심실 경색 (Right ventricular infarction, RVI)

(1) 임상양상

- mild RV dysfunction ~ cardiogenic shock까지 다양한 임상양상
- inferior LV infarction 환자의 약 1/3에서 임상적으로 의미 있는 RV infarction 동반
  - 대부분 proximal Rt. coronary artery의 폐쇄 때문
  - isolated RV infarction은 드묾
- RV failure sign ; JVP↑ (경정맥 확장, prominent y descent), Kussmaul's sign, hepatomegaly ...
- hypotension : RV dysfunction에 의한 preload 감소로 발생 (LV EF는 정상이라도 CI 감소)
- pulmonary congestion은 없다! (clear lung field)
- AMI 이후 unexplained hypotension or low CO, unexplained hypoxemia 발생,
  nitrate or morphine 투여 후 심한 hypotension 발생 등 때 의심!

(2) 검사소견/진단

- EKG ; Ⅱ·Ⅲ·aVF leads에서 ST elevation, sinus bradycardia, high-grade AV block도 흔함
  - ★ Rt-sided precordial lead (특히 V_4R)에서 ST elevation, Q wave
    (→ RVI 진단 민감도/특이도 높다, 빨리 진단 가능)

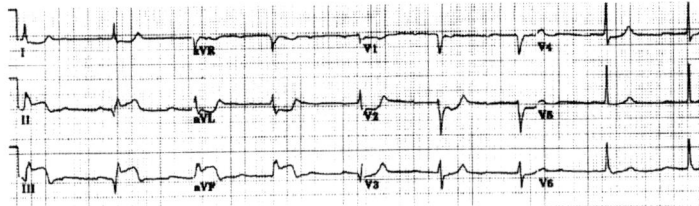 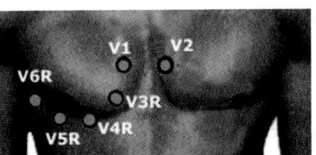

Rt. precordial leads

  ┌ proximal Rt. coronary occlusion : ST elevation, (+) T wave
  │ distal Rt. coronary occlusion : ST elevation 無, (+) T wave
  └ circumflex coronary artery occlusion : ST elevation, (−) T wave

- echocardiography ; RV dysfunction, RV 확장, RA 확장, RV EF↓, TR ...
  (→ RVI 진단 정확도는 V_4R보다 높고, 다른 합병증도 R/O 가능)
- PCWP 정상 or 감소 / RA pr. 증가
- constrictive pericarditis, tamponade와 증상 및 catheterization 소견이 비슷

(3) 치료

① early revascularization (PCI or fibrinolysis) : RVI 회복 및 사망률 감소에 m/i
② 수액공급(volume expansion)! (저혈압에 대한 1차 치료) → RV preload↑, LV performance↑
   (1 L 이상의 N/S bolus에도 저혈압이 지속되면 더 이상의 수액은 효과 없고, 폐울혈 위험)
③ inotropic agents (수액공급에도 저혈압이 지속되면) → 부수적으로 PCWP, 폐동맥압↓
   - dopamine 권장 (c.f., dobutamine은 말초혈관저항 감소로 저혈압 악화 위험)
   - 그래도 저혈압이 지속되면 (RV shock) → IABP or RV assist device 고려
④ sinus bradycardia : atropine, 심하면 temporary pacemaker
⑤ high-degree AV block : temporary pacemaker (atrial or atrioventricular sequential pacing)

* preload를 감소시키는 diuretics, NG, morphine 등은 금기! (β-blocker와 CCB도 주의)

(4) 예후

- isolated RVI는 LV infarction 보다 예후 좋다

  (이유) ① LV보다 pump 힘 덜 필요

  ② LV보다 collateral flow 좋음

  ③ RV wall 자체가 얇아 diffusion에 의해 직접 O_2를 공급 가능

- inferior MI에서 RV infarct이 합병되면 postinfarction tachyarrhythmia, AV block이 발생할 위험이 높아지고, inferior MI의 예후도 나빠짐

AMI의 Hemodynamic subsets ★

	CI	PCWP	Treatment	Comment
정상	>2.2	<15	필요없음	사망률 <5%
Hyperdynamic	>3.0	<15	β-blockers	tachycardia가 특징 사망률 <5%
Hypovolemic	<2.5	<10	Volume expansion	Hypotension, tachycardia 심초음파상 LV 기능은 정상 사망률 4~8%
LV failure	<2.2	>15	Diuretics	Mild dyspnea, rales, BP 정상 사망률 10~20%
Severe failure	<2.0	>18	Diuretics, vasodilators	Pulmonary edema, mild hypotension inotropic agents, IABC 필요할 수 있음 사망률 20~40%
Cardiogenic shock	<1.8	>20	Inotropic agents, IABC	IABC로 빨리 치료 안하면 사망률 >60%

* IABC = intra-aortic balloon counterpulsation.

5. 기계적 합병증

* free wall rupture, VSR, acute MR 등은 대개 STEMI 발병 1주일 이내에 호발 (각각 약 1%)

→ bimodal peak : <u>24시간 이내</u>, 3~5일째

(1) Ventricular free wall rupture (myocardial rupture)

- hemopericardium → cardiac tamponade → 死 (입원 중 사망한 STEMI 환자의 ~10% 차지)
- 갑자기 pulse/BP/의식 상실 (profound shock), EKG는 slow sinus rhythm
- 발생 위험인자 : <u>처음</u> 발생한 MI (이전에 angina 없던 경우), anterior MI, large Q wave, large transmural infarct, collateral 부족, 고령, 여성, HTN, fibrinolysis 이후 (PCI 대비)
- 대부분 LV에서 발생 (특히 anterior or lateral wall)
- 대개 large infarct이 확장된 이후, 경색 심근과 정상 심근의 경계 근처에서 발생
- Tx ; pericardiocentesis(확진 가능) & 응급 수술 (but, 사망률 75~90%)

* **Pseudoaneurysm (false aneurysm)** ; 불완전한 free wall rupture로, organized hematoma & thrombus 및 pericardium으로 구성된 벽 형성 (→ 좁은 입구로 LV cavity와 연결 유지됨 → 파열 위험 높음) → 치료 안하면 50% 사망 → 가능한 빨리 수술

(2) (inter)Ventricular septal rupture/defect (VSR/VSD)

- 갑자기 severe LHF (흉통, 호흡곤란, 저혈압 등), <u>pansystolic ⓜ</u>, parasternal thrill, S₃ 등 발생
- MR (papillary muscle rupture)과 감별해야!
- 발생 위험인자 ; single vessel dz. (특히 LAD), collateral network 발달 부족, 고령, 여성, CKD
  [↔ 발생위험 감소 ; prior MI (∵ ischemic preconditioning), chronic angina, HTN, DM 등]
- inferior MI에서 발생한 경우 (→ basal septum 침범) anterior MI 시보다 예후 나쁨
- Dx ; color flow Doppler echo., 심도자(flow-directed balloon catheter) ⇨ L→R shunt 발견
- Tx (사망률 40~75%)
  ① 내과적 치료 ; inotropic agent (e.g., dopamine, dobutamine), 저혈압 없으면 vasodilators
  　　(NG or nitroprusside)로 afterload 감소, 약물치료를 감당 못하거나 실패하면 IABP
  ② 가능한 빨리 수술 (일부 혈역학적으로 안정된 환자는 경색의 치유를 기대하며 2~4주 수술 연기 가능)
  ③ 수술 불가능하고 시술에 적합하면 transcatheter closure도 고려 가능

(3) Acute MR

- papillary muscle의 dysfunctin and/or rupture에 의해 발생
  - posteromedial m. (<u>inferior/posterior</u> MI)에서 anterolateral m. (anterolateral MI)보다 흔함
  - RV papillary muscle 파열도 드물게 발생 가능 (→ massive TR, RVF)
- 대개 VSR보다 작은 infarction에서 발생, 혈역학적 이상을 초래할 정도의 심한 장애는 흔치 않음
- <u>pansystolic ⓜ</u>, pul congestion, RHF에 의한 증상 (e.g., 갑작스런 호흡곤란, 저혈압)
- Dx (echo.) : flail or prolapsing MV leaflet (color flow Doppler : VSR과 감별에 유용)
  - acute severe MR에서 압력 평준화가 빨리 이뤄지면 TTE로는 진단이 어렵고 TEE가 필요함
- Tx : VSR와 비슷 (가능한 빨리 수술)

※ 혈압이 감소하며, pansystolic ⓜ 청진시 감별해야 할 합병증

　┌VSR (ventricular septal rupture) : LV failure 더 심함
　│　　　　　　　　　　　　　　　　　　　　　　　(⇨ color flow Doppler, 우측 심도자)
　└MR (papillary muscle rupture/dysfunction)

(4) LV aneurysm

- large/transmural (특히 <u>anterior</u> wall) MI 이후에 호발, STEMI 환자의 5% 미만에서 발생
- 심첨부에서 호발 (apical aneurysm이 m/c)
- double, diffuse, displaced apical impulse (ⓜ는 없음)
- AMI후 4~8주 뒤에도 ST elevation이 정상화되지 않으면 의심, echo.로 확인
- Cx (드묾) ; CHF, arterial embolism, ventricular arrhythmia
- true aneurysm은 심근의 scar tissue로 구성되어 있으므로 심장 파열의 위험은 없음!
  (pseudoaneurysm의 경우는 파열의 위험이 있으므로 반드시 수술)
- Tx : 장기간의 항응고제(warfarin) 요법 / 내과적 치료에도 불구하고 HF, VT, systemic
  embolization 등이 발생하면 수술(aneurysmectomy)

6. 흉통의 재발 (recurrent ischemia & reinfarction)

- PCI 치료 받은 STEMI 환자는 5% 미만에서만 재발 (fibrinolysis만 받은 경우엔 더 흔함)
- 원인 ; PCI에 의한 원위부/분지의 폐쇄 (e.g., acute or subacute stent thrombosis),   → 앞 장 참조
  개통 혈관의 재폐쇄, 새로운 다른 혈관의 폐쇄, coronary spasm
- Px ; 합병증(e.g., HF, AV block) 및 사망률 증가
- Tx ; 즉시 coronary angiography & PCI
- 비허혈성 원인 R/O ; infarct expansion, pericarditis, pul. embolism, 심장 이외의 질환 등

7. 심낭염 (pericarditis)

- acute pericarditis는 AMI 후 2~4일째, large transmural (특히 anterior wall) MI에서 호발
- 전형적인 흉통 (↔ 재경색과 감별해야)
  - 숨을 깊이 쉴 때, 기침, 체위변화시 악화 / 몸을 앞으로 숙이면 호전
  - trapezius muscle로 radiation (AMI는 ×)
  - pericardial friction rub 동반
- *Dressler's syndrome* (post-MI syndrome) : autoimmune pericarditis, pleuritis, pneumonitis
  - 대개 AMI 발병 1~8주 후에 발생 (최근에는 크게 감소되었음)
  - malaise, fever, pericardial discomfort, WBC↑, ESR↑, pericardial effusion
- EKG : ST elevation (위로 오목)
- Tx : 고용량 aspirin (4~6시간마다 650 mg)
  - steroid와 NSAIDs는 심근조직의 치유를 지연시킬 수 있으므로 금기!
  - anticoagulation : hemorrhagic pericarditis, tamponade 등의 발생 위험을 증가시킴
    → pericardial effusion이 많거나(≥1 cm) 계속 커지면 중단

  * **Pericardial effusion** : pericarditis 동반 없이 effusion만 발생한 경우가 많음
  - 대부분 혈역학적 불안정을 일으킬 정도로 심하지는 않음
  - 자연 치유(흡수)는 느려서 대개 몇 개월 걸림
  - tamponade 발생시엔 보통 ventricular rupture or hemorrhagic pericarditis가 원인

8. 혈전색전증 (thromboembolism)

- STEMI의 최대 10%에서 발생 (부검에서는 20%), 입원 중 STEMI 사망 원인의 25% 차지
- 발생위험 증가 ; large MI (특히 ant.), CHF, echo상 LV thrombi
- ant. MI 환자의 1/3에서 echo 상 LV thrombi 발견 (inf. or post. MI 환자에서는 드묾)
- LV mural thrombi는 systemic arterial embolism을 일으킬 수 있음
- 심초음파 등에서 mural thrombi 증명 or large regional WM abnormality 존재시
  systemic anticoagulation (대개 3~6개월간)

경색 이후의 예후평가 및 관리

1. 예후가 나쁜 경우 (경색 이후 심혈관계 위험↑)

① ischemia의 지속 (spontaneous or provoked)

② LV EF (ejection fraction) <40% ⋯ STEMI 이후의 장/단기 생존율에는 LV function이 m/i

③ HF ; rales, pulmonary congestion

④ symptomatic ventricular arrhythmias

⑤ 기타 ; 이전의 MI 기왕력, 75세 이상, DM, prolonged sinus tachycardia, hypotension, "silent ischemia", abnormal signal-averaged EKG, infarct-related coronary artery의 비개통성, 지속적인 advanced heart block or 새로운 심실내 전도장애

c.f.) STEMI 이후 30일 째 사망률 예측하는 TIMI risk score			
연령 65~74세	2점	Anterior STEMI or LBBB	1점
(75세 이상	3점)	DM, HTN, angina의 과거력	1점
Systolic BP <100 mmHg	3점	체중 <67 kg	1점
Heart rate >100 bpm	2점	치료 시작 시간 >4시간	1점
Killip Ⅱ ~ Ⅳ	2점	[총 0~14점]	

2. 예후 (재경색 및 부정맥 발생) 평가

• 퇴원전 submaximal exercise stress test 또는 AMI 4~6주 후 maximal (Sx-limited) stress test 시행

• 목적 : residual ischemia 및 ventricular ectopy 발견

• 부하검사시 high-risk groups (→ coronary angiography and/or EPS 시행!)

　① 상대적으로 낮은 부하(stress)에서 angina 발생

　② 영상검사에서 large reversible defect 존재 or EF↓

　③ ischemia가 증명된 경우

　④ symptomatic ventricular arrhythmia 발생

• 대개 LV function의 평가도 시행 (echo. or radionuclide ventriculography)

　→ ACEi 평생 투여 대상 결정 (앞의 ACEi 부분 참고)

• exercise test는 환자 개인별 운동 처방에도 도움이 됨

3. 퇴원 후 활동

• uncomplicated STEMI의 평균 입원 기간 : 약 5일

• 퇴원 후 첫 1~2주 : 걷기를 통해 활동량 증가, 성생활도 가능

• 2주 이후 : 환자 개인의 허용 운동량에 맞추어 활동량 조절

• 대부분 2~4주 이내에 직장 생활도 가능

재경색의 이차예방 (secondary prevention)

(⇨ 사망률 감소 / 생존율 증가)

■ 관상동맥 및 기타 동맥경화성 혈관질환의 2차 예방 지침 (Secondary prevention & long-term management)

1. 금연, 유산소운동, 체중조절(BMI 18.5~24.9 유지)
2. 혈압 조절(<140/90mmHg), 혈당 조절, lipid 조절
3. 항혈소판/항응고제 ; aspirin, clopidogrel, warfarin
4. RAAS blockers ; ACEi/ARB, aldosterone antagonist
5. β-blockers
6. influenza vaccination

(1) antiplatelet therapy → 재경색, CVA, 사망률 25%↓
 • PCI stent 삽입 환자는 반드시 DAPT (aspirin + P2Y$_{12}$ inhibitor) 1년 이상 권장
  – 1년 이내 중단시 BMS는 최소 1개월, DES는 최소 6개월 이상은 유지해야 됨
  – P2Y$_{12}$ inhibitor는 prasugrel or ticagrelor 권장 (ticagrelor가 더 효과적이고 1년 이상도 연구 중)
 • GI bleeding 고위험군(e.g., 고령, 항응고제/steroid/NSAID 병용) → PPI 투여

(2) ACEi/ARB → late ventricular remodeling과 재경색 예방
 • Ix ; CHF, EF↓(<40%), large regional WM abnormality, HTN, DM

(3) non-ISA β-blocker (2년 이상) → 사망률, SCD, (일부에서) 재경색↓

(4) warfarin → 후기 사망률, 재경색↓
 • 적응 : embolism 고위험군 (e.g., LV thrombi, large regional WM abnormality) → 앞부분 참조
 • aspirin + clopidogrel 병합요법 환자에게 warfarin 추가는 출혈 위험 증가
  → close monitoring (INR 2~2.5 유지) 및 PPI 투여 (GI bleeding 예방) 필요

(5) 동맥경화(AS)의 위험인자 교정
 • 금연, 운동, 스트레스 해소
 • HTN, DM, hyperlipidemia의 치료 (목표 LDL <100 mg/dL)
 • statin : 죽상판 안정화(plaque stabilization) 효과도 있음 → 새로운 CAD 발생 위험↓

* 예방적 항부정맥제 : 예후 개선 효과 없고, 오히려 사망위험 증가로 권장 안됨! (β-blocker 제외)

* AMI에서 회복된 폐경 후 여성에게는 HRT를 하면 안됨!
 – lipid profile 개선 효과는 있지만 coronary & venous thromboembolism 위험 크게 증가
 – STEMI 이전에 HRT를 받고 있던 환자도 중단해야 됨

* antioxidants
 – omega-3 polyunsaturated fatty acids : CAD 사망 및 비치명적 재경색 감소 효과
 – folate, vitamin E, vitamin C, beta-carotene 등 : CAD 예후 개선 효과 없음!

8
심근병증(Cardiomyopathies)

■ 개요

- 심근병증(cardiomyopathy) : 다른 원인에 의한 심근장애가 아닌 심근 자체의 질환
  - primary : 원인을 모르는 경우 (e.g., idiopathic, familial)
  - secondary : 원인이 있거나(e.g., CAD, 판막질환), 다른 장기도 침범하는 질환에 동반된 경우
- 유전적 원인인 경우가 많아 유전자에 따라 분류하기도 함
- 전통적으로는, 병태생리 및 임상양상에 따라 크게 3가지로 분류함
  ; dilated (m/c), hypertrophic, restrictive

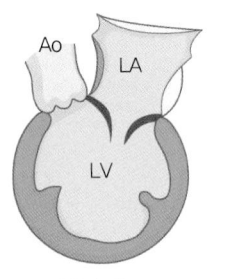
Dilated
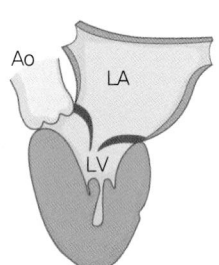
Hypertrophic
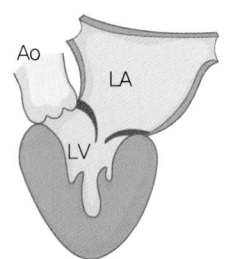
Restrictive

■ 비후성심근병증/비대심장근육병증 (Hypertrophic cardiomyopathy, HCM)

- LVH의 유발인자(e.g., HTN, AV dz.) 및 좌심실 확장 없이, 좌심실 벽(LV wall)이 두꺼워진 것
  - HCM without obstructive gradient (더 흔함) → but, 유발검사에서는 obstruction 많이 보임
  - HCM with obstructive gradient ; 과거에는 hypertrophic obstructive cardiomyopathy (HOCM),
    idiopathic hypertrophic subaortic stenosis (IHSS), asymmetric septal hypertrophy (ASH) 등으로 불리었음
- 유병률 약 1/500 (무증상인 경우도 포함하면 약 1/200), 남>여 (∵ 여자는 무증상이 많아 덜 진단됨)
- 젊은 성인에서 SCD의 주요 원인, 소아 때 발병하면 예후 나쁘고 성인 때 발병하면 양호한 편
- 보통 18~20세에 심실 벽 두께가 최대가 되고, 20세 이후에는 큰 변동이 없는 경우가 많음!

1. 병태생리

(1) <u>heterogeneous LV hypertrophy</u> ; 주로 asymmetric septal hypertrophy (ASH)

(2) myocardial ischemia

(3) <u>diastolic dysfunction</u> (이완기능의 장애) … 주 병태생리
- 심근 비후, 섬유화 등에 의해 경직도 증가 → diastolic filling pr. 증가
- but, 무증상 familial HCM 가족의 연구 결과, 비후보다 diastolic dysfunction이 먼저 발생함
  : resting EF & CO은 대개 정상이나, 운동시 peak CO은 높은 심박수에서 ventricular filling 감소로 EF & CO 감소될 수 있음

(4) <u>LV outflow tract (LVOT)의 pressure gradient (obstruction)</u> (at rest : HCM의 25~30%)
- 심실 수축기에 승모판 전엽의 전방 운동(systolic ant. motion [SAM] of MV ant. leaflet) + 좁아진 LV outflow tract → LV outflow tract obstructive pr. gradient, MR 발생
- resting LVOT obstruction 없는 환자의 다수도 부하(provocation)시에는 발생
  (latent obstruction : HCM의 60~70%)

■ Dynamic LVOT pressure gradient (obstuction) 증가시키는 기전 ★
(⇨ pressure gradient & systolic ⑩ 증가, 증상 악화)

① LV contractility 증가 (→ ejection velocity↑ → ventricular systolic volume↓ → MV의 SAM)
  예) exercise, sympathomimetic amines (e.g., isoproterenol, dobutamine), digitalis

② preload (ventricular end-diastolic volume) 감소 (→ outflow tract의 크기를 더욱 감소시킴)
  예) Valsalva maneuver, sudden standing, tachycardia, diuretics, NG, amyl nitrate, digitalis

③ afterload (aortic impedance & pr.) 감소
  (→ ejection velocity ↑ → ventricular systolic volume ↓ → SAM)

* ventricular volume ↑ ⇨ pressure gradient & ⑩ 감소
  ① arterial pr. ↑ ; phenylephrine, squatting, 등장(척)성운동(e.g., handgrip), Mueller maneuver
  ② venous return ↑ ; passive leg raising
  ③ blood volume ↑ ; saline infusion

* β-blocker ⇨ LV contractility 감소 & preload 증가로 pressure gradient & ⑩ 감소

여러 조작에 의한 systolic murmurs의 영향

	HCM	AS	MR	Mitral Prolapse
Valsalva maneuver	↑	↓	↓ or N	↑ or ↓
Standing	↑	↑ or N	↓ or N	↑
Handgrip or squatting	↓	↓ or N	↑	↓
다리를 높인 채 누움	↓	↑ or N	N	↓
운동	↑	↑ or N	↓	↑
Amyl nitrite	↑↑	↑	↓	↑

↑= 증가, ↑↑= 크게 증가, ↓= 감소, N = 변화 없음

2. 유전적 원인

- 1/2 이상에서 가족력을 가짐 (AD 유전 → 남:여 동일), ASH를 동반한 경우 더 흔함
- cardiac sarcomere와 관련된 11개 이상의 유전자에서 1500개 이상의 mutations 발견됨 (~60%에서)
  - myosin-binding protein C (*MYBPC3*)[50%]와 β-myosin heavy chain (*MYH7*)[25~40%]이 대부분
  - 기타 ; Troponin T/I/C (*TNNT2, TNNI3, TNNC1*), α-myosin heavy chain, α-actin, α-tropomyosin, myosin light chains, titin 등
  - 대부분 개별 가족에 고유한 경우가 많음 ("private" mutation)
- familial HCM 환자의 1차친족의 약 1/2에서 echo.상 HCM을 보임 (대부분은 경미)
  - ⇨ genetic testing (원인 유전자가 밝혀졌을 때에만 권장) *and/or*
    screening EKG & echo. (12세부터 18~21세까지 12~18개월 마다 /정상이면 이후 5년 마다)

3. 임상양상

- 매우 다양(∵ 유전자 多), 대부분은 증상이 없거나 경미함! (가족 검사 중 발견되는 경우도 많음)
- 처음 발현이 "급사(SCD)"일 수 있음 (30세 미만에서, 특히 운동 중/후)
- 증상이 나타나는 경우는 대개 20~40대에 발현
- exertional dyspnea (m/c), chest pain (25~30%), syncope, palpitation, fatigue ...
  (증상은 LVOT obstructive gradient 존재 여부 및 severity와 밀접한 관련은 없다!)
- HCM with LV outflow tract obstructive gradient의 소견
  - mid-systolic ⓜ : harsh, diamond-shaped (crescendo-decrescendo), S_1 뒤에 시작
    ; 흉골좌연, apex에서 (apex에선 holosystolic & blowing으로 → MR 때문)
  - pulsus bisferiens : "spike & dome" (처음에는 hypercontractile LV로 인하여 flow 증가,
    곧 outflow obs.으로 flow 감소) → 심한 LV outflow obs.을 의미, 심할수록 급사 위험 증가
  - double/triple apical impulse, rapidly rising carotid arterial pulse, S_4
- S_3 : AS에서와 같이 나쁜 징후는 아님
- JVP : a wave 증가 (∵ RV compliance 감소로 ← abnormal septum)

4. 검사소견/진단

(1) EKG
- 환자의 약 90%에서 비정상, 무증상 친척의 약 75%도 비정상 (EKG 정상이면 good Px.)
- LVH with strain (∵ septal hypertrophy 때문), LAE
- deep & narrow Q wave : pseudoinfarction
- $V_{2\sim6}$에서 deep symmetrical T wave inversion (giant negative T wave), R wave↓
  → apical hypertrophy일 가능성 높음
- ambulatory (Holter) monitoring에서 부정맥 흔함 (→ SCD 위험도 평가) ; VPC, VT, SVT, AF

(2) Chest X-ray
- 정상인 경우가 흔함 or mild cardiomegaly
- LV filling pr.↑ 시 pulmonary interstitial markings↑, LAE 관찰될 수 (특히 MR or AF 동반시)

(3) Echocardiography (m/i)

- LV hypertrophy ; 어느 부위에서건 최대 wall 두께 >15mm (정상 <13 mm)
  - <u>septal hypertrophy (ASH)</u> (m/c) : 심실중격 두께가 후벽의 1.3배 이상 (HTN 환자는 1.5배)
  - generalized hypertrophy도 있음 (LV free wall 침범)
- 특징적으로 LV cavity는 작음 (LVESD⇩), LA 확장
- systolic anterior motion (SAM) of MV (→ 심실중격과 접촉), MR도 흔히 동반됨
- Doppler echo. (resting & provocative maneuvers) ; <u>LVOT pr. gradient</u> 측정
  - 30 mmHg 이상이면 폐쇄성(HCM with obstructive gradient) ; SAM, eccentric MR 동반
  - pr. gradient가 없을 때는 유발검사에 의해 발견되는 경우가 많음
    (e.g., dobutamine, isoproterenol, amyl nitrate)
  - diastolic dysfunction ; E/A ratio↑, DT↓, IVRT↓, e'↓, E/e' ratio↑ 등
- 심실중격(ventricular septum)의 ground glass appearance (∵ fibrosis)
- posterior wall의 움직임은 큰 데 비해, septum의 움직임은 적음

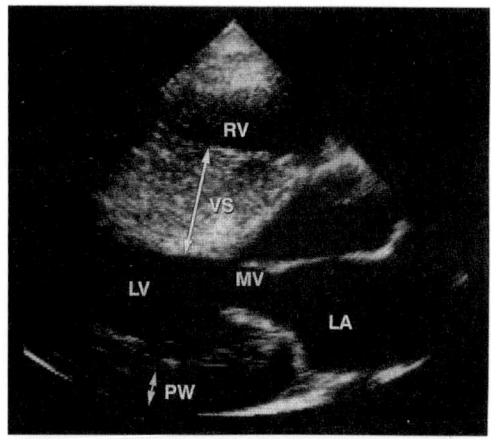

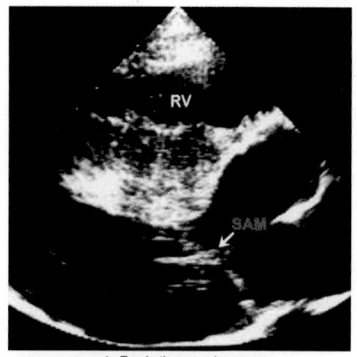

수축기에 MV의 SAM

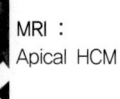

MRI :
Apical HCM

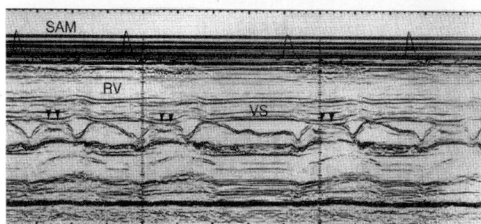

* 심첨부 비후성 심근병증(apical HCM)
  - 서양은 드물지만(1~2%), 동양에서는 흔함(HCM의 20~25% 차지), 예후는 양호한 편
  - EKG ; precordial leads에서 marked T-wave inversions
  - echo. ; 이완기에 "spade-shaped" LV cavity, 수축기에 LV cavity obliteration
  - CMR ; 심첨부에서 late gadolinium enhancement (LGE) 흔하게 발견됨

(4) 기타 영상검사

- MRI (CMR) : 고해상도로 심초음파보다 정확함 → 초음파에서 진단이 어려우면 MRI 시행!
  - 심근 두께를 정확히 측정 가능 → regional (asymmetric) LV hypertrophy가 HCM의 특징
  - LGE-CMR : LVH의 정확한 진단에 유용 → regional LGE (fibrosis) ; 비후 심벽 내부,
    ↳ fibrosis의 marker!   RV가 심실중격에 연결되는 지점 등에서

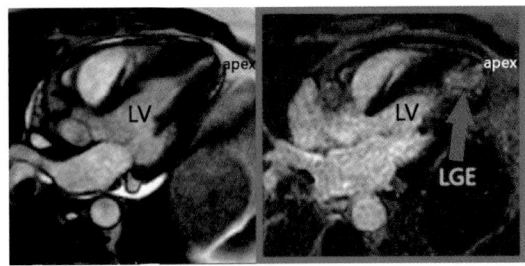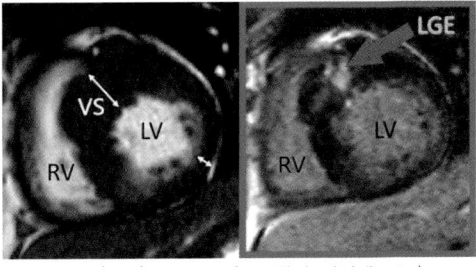

Apical HCM ⋯ **Late Gadolinium Enhancement (LGE)** ⋯ ASH (RV 연결 지점에 LGE)

- radionuclide scan (thallium 201) ; mycardial perfusion defects 흔함
- cardiac catheterization ; echo. ± CMR의 발전으로 거의 필요 없음
  - LVEDP ↑ (∵ LV의 compliance 감소로)
  - systolic LVOT pr. gradient의 정량 측정 (PVC 발생시 크게 증가 ; LV pr.↑↑, aortic pr.↓)

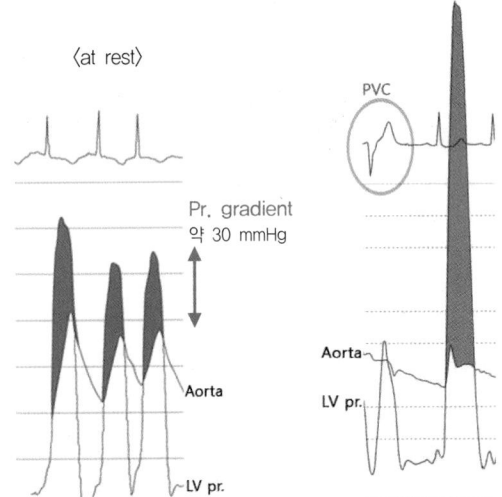

⟨at rest⟩

Pr. gradient
약 30 mmHg

Aorta

LV pr.

PVC

PVC에 의해 systolic pr. gradient가
엄청 크게 증가되었음 (약 200 mmHg)

"Braunwald-Brockenbrough
phenomenon"

Aorta

LV pr.

5. 치료

(1) 치료 원칙

- 전·후부하 증가, 심근수축력 억제
- 부정맥의 교정, 감염성 심내막염의 예방
- 격렬한 운동이나 과도한 육체활동 금기, 탈수는 반드시 피해야 됨

(2) 내과적 치료

① 증상이 있는 경우 (−) inotropes인 β-blocker or CCB로 치료 시작
- β-blocker (대개 1st choice) ; HR↓ → 심근 산소요구량↓, 심실 filling↑ (이완기능 개선)
  - 운동시 pr. gradient의 증가 예방, 1/3~1/2의 환자에서 angina와 syncope 감소
  - but, SCD를 감소시키는 지는 확실하지 않음
- non-DHP CCB (verapamil, diltiazem)
  - 효과 ; HR & contractility↓, 심실의 stiffness↓, diastolic pr.↓, exercise tolerance↑
    (일부에서는 LVOT pr. gradient↓)
  - but, nifedipine은 HR를 증가(→ LVOT 폐쇄 악화)시키므로 금기
- β-blocker + CCB 병합이 더 효과적이라는 근거는 없음 (오히려 HR, BP 과도한 하락 위험)
- 이뇨제(furosemide) : 대부분 필요 없지만, 주로 LVOT 폐쇄가 없는 환자에서 체액 저류로
  인한 호흡곤란 증상이 동반된 경우에는 조심스럽게 사용 가능
  (but, 체액 감소로 인한 LVOT obstruction 악화, 전해질 불균형에 의한 부정맥 발생에 주의)

② 증상이 지속되거나 LVOT pr. gradient 존재시
- disopyramide (class Ⅰa) (with AV nodal blocking agents) : (−) inotropic effect → pr. gradient↓
- amiodarone (class Ⅲ) : supraventricular/ventricular arrhythmia와 SCD 감소!
    ↳ 증상 조절 효과도 있지만, 대개는 부정맥 조절을 위해 사용함

③ systolic dysfunction & advanced HF → 일반 HF처럼 치료(e.g., BB, ACEi/ARB, AA, 이뇨제)

★ 사용하지 말아야 할 drugs (∵ LV outflow pr. gradient를 증가시킴)	
Digitalis	β-agonist (isoproterenol), dopamine
Vasodilator (nitrates)	DHP-CCB (e.g.,nifedipine)
Diuretics (체액 저류시엔 주의 깊게 사용 가능)	Alcohol (소량만 마셔도 vasodilatation 유발)

(3) 기타

① dual-chamber permanent pacing (DDD) ; 증상이 심한 환자에서 pr. gradient 30~50% 감소,
  증상 호전 (but, 대부분에서 운동 능력 향상은 미미함)
② ICD ; 심실부정맥을 예방하여 SCD 위험을 감소시킴! → SCD 고위험군에 삽입
③ 비후 중격의 제거(surgical ventricular septal myectomy)심실중격절제술
  - 수술적 치료의 적응 : 심한 LVOT 폐쇄(pr. gradient >50 mmHg) or
      약물치료에 반응 없는 증상이 심한(NYHA Ⅲ~Ⅳ) 환자
  - myectomy로 동반된 MR도 호전되므로, 대개 MV repair or MVR은 필요 없음
  - 95%에서 pr. gradient or 증상 호전 / 수술관련 사망률은 약 1%
④ 경피적 alcohol septal ablation (ethanol injection) ; 비후 중격의 경색/괴사 → obstruction↓
  *③,④는 증상 완화 & 삶의 질 개선이 목적이지, 수명 연장 효과는 없음

6. 합병증/예후

- 안정시 LV outflow tract pr. gradient 30 mmHg↑ → 심부전과 심혈관계 사망률↑ (SCD는 아님)
- AF (말기에 흔함, ~25%) ··· poor Px!
  - atrial contraction 소실로 HCM 증상 악화 (→ HF), systemic embolization 위험 매우 높음
    → 심박수 조절(BB or CCB), 저용량 amiodarone (동율동 유지), 장기간 anticoagulation 치료
  - 저혈압(shock)을 발생시 빨리 DC cardioversion을 시행해 동율동(sinus rhythm)으로 전환시켜야!
- infective endocarditis는 드묾 (0.14%/yr, LVOT obstruction 존재시 0.38%/yr)
  → 이전에 IE 병력이 있을 때에만 예방적 항생제 투여
- 5~10%는 벽이 얇아지고 pr. gradient도 사라지는 DCM (LV dilatation & systolic dysfunction)
  으로 진행 ("burned-out" HCM, EF↓) → refractory HF로 심장이식이 필요할 수 있음
- SCD (sudden cardiac death) ··· 주 사망원인 (1%/yr)

★ SCD의 고위험군 ⇨ 예방 조치 시행 : ICD 삽입!
Cardiac arrest or sustained VT의 병력
HCM에 의한 SCD의 가족력
설명되지 않는 or 잦은 실신 (특히 최근에 or 어린 나이에)
운동시 혈압 하강 or 상승X
Ambulatory EKG (Holter)에서 반복적인 non-sustained VT (NSVT)
Massive LV hypertrophy (최대 심실벽 두께 >3 cm)
CMR에서 extensive or diffuse late gadolinium enhancement (LGE) : LV mass의 15% 이상

- 증상의 severity는 SCD 위험과 관련 없다!

확장성심근병증/확장심장근육병증 (Dilated cardiomyopathy, DCM)

1.개요

- 심실의 수축기능 장애에 의한 심실의 확장(remodeling)과 그에 따른 심부전을 동반하는 증후군
  (전체 심부전 환자의 약 25% 차지)
- 유병률은 HCM의 약 2배로 추정됨 (증가 추세), 중년 이후 남성에서 호발, 흑인>백인
- 주 손상은 systolic dysfunction

2. 원인

- 30% 이상은 가족력을 보임 (familial DCM) ; 대부분 AD 유전, 30~50%에서 원인 유전자 존재,
  tinin (가장 큰 단백, sarcomere 운동에 중요) gene (*TTN*)이 m/c (~25%)
- reversible form of DCM ★ ; 알코올, 임신, myocarditis, ischemic cardiomyopathy,
  stress cardiomyopathy, hypophosphatemia, hypocalcemia, 갑상선 질환, hemochromatosis,
  chronic uncontrolled tachycardia, cocaine abuse, selenium 결핍 등

Inflammatory myocarditis (약 9%)
Infectious ; <u>viral</u> (m/c), rickettsial, bacterial, mycobacterial, spirochetal, parasitic, fungal
  – HIV–associated cardiomyopathy : ART (antiretroviral therapy) 도입 이후 크게 감소, poor Px.
  – Chagas dz. : *Trypanosoma cruzi*, 중남미 DCM의 중요 원인, LV apical aneurysm 발생이 특징
Noninfectious
  <u>Peripartum cardiomyopathy</u> (약 4%)
  Collagen vascular disease (e.g., SLE)
  Hypersensitivity myocarditis (e.g., drugs)
  Transplant rejection, radiation, chemicals ...
  Granulomatous inflammatory dz. ; sarcoidosis, giant–cell myocarditis
Ischemic cardiomyopathy (약 7%), HTN (약 4%)

Toxic
  <u>Alcoholic cardiomyopathy</u>
  Drugs ; CTx (e.g., <u>doxorubicin</u>, trastuzumab, cyclophosphamide, imatinib, 5–FU), TCA,
  phenothiazines, IFN–α , hydroxychloroquine, chloroquine, emetine, anabolic steroids ...
  Heavy metals ; lithium, lead, mercury
  Occupational exposure ; hydrocarbons, arsenicals
  Catecholamines ; amphetamines, cocaine

Metabolic/Systemic dz.
  Nutritional deficiencies ; thiamine (Beriberi), selenium, carnitine
  Electrolyte deficiencies ; calcium, phosphate, magnesium
  Endocrinopathy ; thyroid disease, DM, pheochromocytoma, hemochromatosis, obesity
  Neuromuscular dz. ; Duchenne's / Becker's dystrophy, limb–girdle dystrophy, Friedreich's ataxia
  Isolated cardiomyopathy – dystrophin promoter defect
  Mitochondrial myopathy ; Kearns–Sayre syndrom

Idiopathic DCM (약 50%)
  Familial (>30%)
    Arrhythmogenic RV cardiomyopathy/dysplasia (ARVC, ARVD) → 2장 참조
    LV noncompaction (LVNC) ...

---

3. 임상양상

- <u>HF의 증상</u>이 서서히 발생
  - exertional dyspnea, fatigue, orthopnea, pulmonary edema의 증상 등
  - palpitation, peripheral edema, hepatic congestion ...
  - HF 발생 위험 증가 ; 비만, sleep apnea
- vague chest pain도 가능 (typical angina는 드묾 → 발생시 IHD 동반 의심)
- systemic embolism, stroke, 부정맥에 의한 실신 등도 발생 가능
- narrow pulse pressure, dicrotic pulse, <u>pulsus alternans</u> (→ severe LV systolic dysfunction)
- JVP 상승 (prominent a, v wave), 경정맥 확장
- S₃, S₄ gallops, systolic ⓜ (∵ MR or TR)
- LV impulse의 lateral displacement

4. 검사소견/진단

- chest X–ray ; 전반적인 cardiomegaly (∵ LV dilatation), pul. edema
- EKG ; sinus tachycardia, AF, ventricular arrhythmias, LA 이상, 비특이적 ST–T 이상,
  심실내 and/or AV 전도장애 등이 나타날 수 있음

- 영상검사 (echocardiography, CT, MRI)
  - LV dilatation (다른 모든 chambers도 커짐) : LVEDV, LVESV 모두 증가!
  - 심장벽의 두께는 대개 정상 (or 약간 두꺼워지거나 얇아짐), systolic dysfunction (EF 감소)
  - 이완기능은 정상 ~ restrictive (restrictive 양상은 volume overload를 동반한 decompensated HF 환자에서 흔함 → 이뇨제 or 혈관확장제로 호전됨)
  - 심실 확장에 의한 MR, TR도 흔함 (ⓜ는 크기 않아도 regurgitation 심할 수 있음)
  - mural thrombi도 발견될 수 있음 (특히 LV apex에서)

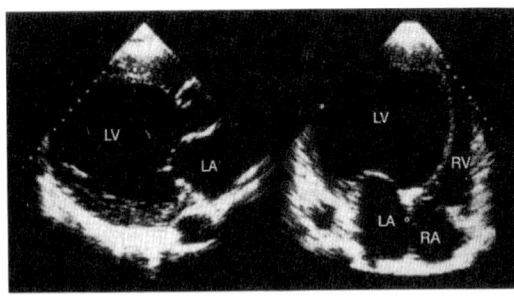 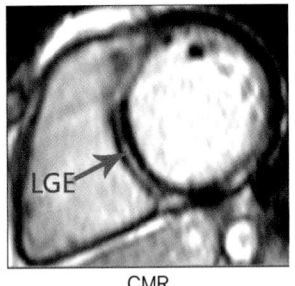

CMR

  - <u>CMR (MRI)</u> ; 심실의 크기와 기능 평가, 허혈성↔비허혈성 감별, mid-wall fibrosis 확인 등에 유용, 기저부 심실중격 내의 late gadolinium enhancement (LGE)가 특징
- catheterization & coronary angiography ; LVEDP ↑, LA pr ↑, PCWP ↑, CO ↓
  - dilated, diffusely hypokinetic LV (MR 동반 흔함)
  - 대개 IHD를 R/O하기 위해 시행 → CT로 noninvasive하게 감별 가능
- transvenous endomyocardial biopsy : idiopathic or familial DCM의 진단에는 대개 필요 없음
  - 2ndary cardiomyopathy 진단시 도움 (e.g., amyloidosis, acute myocarditis)
- BNP ↑ : HF의 진단에 도움, SCD 위험 증가

참고: 심근병증 CMR (MRI)에서 LGE (late gadolinium enhancement) 분포 양상		
Transmural LGE		Ischemic DCM (transmural infarct), Sarcoidosis*, Amyloidosis*, Myocarditis*
Regional subendocardial LGE		Ischemic DCM (transmural infarct), Sarcoidosis*, Myocarditis*, Chagas dz.*, Idiopathic DCM
Diffuse (global) subendocardial LGE		<u>Amyloidosis</u>, Systemic sclerosis, 심장이식
Epicardial LGE		Myocarditis, Sarcoidosis, Chagas dz., Post-CTx. cardiomyopathy
Mid-wall LGE		<u>Idiopathic DCM</u>, Myocarditis, HCM → (대개 RV와 접합부 or 비후된 부분에)
LGE 無		Tako-Tsubo cardiomyopathy, Peripartum cardiomyopathy, Idiopathic DCM, Myocarditis

* 대개 관상동맥 공급 영역과 관련 없음, multifocal일 수도

5. 치료

- 원인 질환의 치료가 m/i
- 원인을 모르는 DCM의 치료는 HFrEF와 비슷함 ; 염분제한, 이뇨제, ACEi/ARB/ARNI, AA,
  β-blocker, ivabradine, digitalis, ICD/CRT 등
  - HF처럼 ACEi/ARB/ARNI, AA, β-blocker, ivabradine, hydralazine+dinitrate, ICD/CRT 만이
    질병의 경과를 호전시킬 수 있음 (survival↑)
  - chronic anticoagulation therapy (∵ systemic embolism 흔함)
  - 항부정맥제 : 증상이 있거나 심한 부정맥이 아니면 안 씀 (∵ proarrhythmic effect)
  - advanced HF → VAD, 심장이식 등
- 피해야 할 약물 ; alcohol, CCB, NSAIDs 등

6. 예후

- HF 증상이 발생하면 5YSR 약 50% (약 1/4의 환자는 자연 호전 or 안정화됨)
- mild~moderate HF 때는 SCD가 m/c 사인이고, advanced HF 때는 주로 pump failure로 사망
- 원인 질환이 가장 중요한 예후인자 (e.g., PPCM은 예후 좋고, HIV cardiomyopathy는 예후 나쁨)
- Poor Px. - 원인과 별개로는 (LV dysfunction이 비가역적일 때) 일반적인 HF의 예후인자
  ; 증상(NYHA class↑), LVEF↓, LVEDV↑, RV dysfunction, 최대산소섭취량(VO$_2$max)↓,
  고령, 남성 등

7. 확장성 심근병증(DCM)의 예

(1) 알코올성 심근병증 (alcoholic cardiomyopathy)

- 서양에선 2ndary non-ischemic DCM의 m/c 원인 (미국 HF 원인의 10% 이상이 과도한 음주)
- 알코올과 대사산물(acetaldehyde)의 direct cardiotoxicity에 의해 발생
  - 매일 6잔씩 5~10년 마시면 DCM 발생 위험, 자주 폭음을 하는 것도 위험
  - 유전적 소인도 중요 (e.g., alcohol dehydrogenase, ACE gene)
  - 동반된 vitamin 결핍 및 toxic alcohol additives는 거의 관여 안함
- 대개 음주력 10년 이상인 남성에서 호발
- 환자의 상당수는 정신과적인 알코올중독의 특성을 보이지는 않음
- Tx. : 완전한 금주 → severe HF 발생 전이면 병의 진행을 막거나 호전 가능
  - 심한 증상을 가진 환자의 50% 이상에서도 호전을 보임 (일부는 LV EF도 정상화됨)
  - advanced HF 환자가 계속 음주하면 3YSR 25% 미만
  - anticoagulation : 순응도 및 간기능 문제로 절대적 적응 이외에는 권장 안됨!
- * Holiday heart syndrome : 과음 후 부정맥 발생 ; AF (m/c), Af, VPC 등
- * 하루 2잔 이하의 (20~30 g/day) 음주는 cardiovascular mortality를 감소시킴 (∵ HDL↑)
  ; IHD, ischemic stroke, metabolic syndrome 등의 발생 감소

(2) 분만전후 심근병증 (peripartum cardiomyopathy, PPCM)

- 발생률 1/3000~15000, 대부분 원인은 불분명
- 임신 마지막 달 ~ 분만 후 5개월 이내에 발생 (대개 분만 1주일 전후에 호발)
- <u>위험인자</u> ; 30세 이상, 다산, twins, malnutrition, toxemia, HTN, 흑인 ...
- Sx & Tx는 idiopathic DCM과 비슷함!
  - hydralazine, β-blockers, digoxin, diuretics 등
  - embolism이 아주 흔하므로 EF 35% 이하면 항응고 치료 시행 (c.f., warfarin은 임신 중 조심
    → 14~37주에만 사용, 1st trimester & 분만 3주 전부터는 unfractionated heparin을 사용)
  - 주의해야할 약물 ; ACEi/ARB는 금기! (∵ fetotoxic effects), AA중 eplerenone은 금기,
    spironolactone은 임신 후기에 조심스럽게 사용 가능, carvedilol 대신 metoprolol 사용
- 사망률 약 10% (사망원인 ; arrhythmia, embolism)
- 약 50%의 환자는 내과적 치료로 6개월 내에 회복됨 (특히 EF 30% 이상이었던 경우)
- Px. : HF의 첫 episode 뒤 심장 크기의 정상화 정도/기간에 달려있음
  - ┌ 심장 크기가 정상으로 돌아오면 → 다음번에 임신해도 괜찮을 수 있음
  - └ 6개월 뒤에도 심장이 계속 커져 있거나 LVEF 낮으면 → 또 임신시 refractory HF 및 사망↑
- 회복되더라도 향후 임신은 피할 것을 권장 (특히 LV dysfunction 지속시)

c.f.) 임신을 피하거나 중단해야 하는 심장질환
  ① pulmonary HTN
  ② DCM with HF
  ③ cyanotic congenital heart disease
  ④ Marfan syndrome with dilated aortic root
  * pul. HTN을 동반하지 않은 ASD, MR은 괜찮음

(3) 신경근육질환

- Duchenne's progressive muscular dystrophy
  - cardiac structural protein gene (dystrophin)의 mutation
  - 심근 침범시 특징적인 EKG 소견을 보임
    ① Rt. precordial leads의 tall R waves (R/S ratio >1.0)
    ② limb & lateral precordial leads의 deep Q waves
  - posterolateral LV와 관련된 papillary muscles의 selective necrosis 때문
  - 다양한 supraventricular & ventricular arrhythmias도 흔하다
  - 갑자기 progressive CHF가 발생 가능
- Myotonic dystrophy
  - 다양한 EKG 이상이 특징 (특히 impulse 형성 및 AV 전도 장애)
  - 적응이 되면 ICD and/or permanent pacemaker 삽입
- Friedreich's ataxia
  - 약 1/2에서 심장증상 발생
  - echo. : LVH, symmetric/asymmetric septal hypertrophy
  - 형태적으로 HCM과 일부 비슷하지만, cellular disarray는 없음

(4) 약물

- doxorubicin : anthracycline
  - HF 및 심실 부정맥 발생은 용량 및 <u>위험인자</u>와 관련 ; 기저 심질환, HTN, irradiation,
    연령(<4세, >70세), 이전의 anthracycline 및 기타 cardiotoxin 사용 병력,
    다른 CTx (e.g., cyclophosphamide, paclitaxel, trastuzumab) 병용
    (→ HF 발생위험 8~10배 증가)
  - troponin, echo (±stress) 등으로 LV 기능을 F/U하면서 독성이 생기지 않도록 투여량 조절
  - dexrazoxane (iron-chelator), 대용량 ACEi 등도 도움
- trastuzumab (herceptin) ; 단독 사용시 7%에서 심근병증 발생 (doxorubicin과 병용시 4배↑)
- high-dose cyclophosphamide
  - 투여 즉시 or 2주 이내에 CHF 발생 가능
  - 조직학적 특징 ; myocardial edema, hemorrhagic necrosis
- cocaine abuse
  - SCD, myocarditis, DCM, AMI 등을 일으킬 수 있음
  - Tx ; nitrates, CCB, antiplatelet agents, benzodiazepine (β-blocker는 금기)

(5) Viral myocarditis

- myocarditis의 m/c 원인, 원인이 밝혀진 DCM의 m/c 원인
- 원인 ; enterovirus (e.g., coxsackie B virus)[과거에 m/c], adenovirus, influenza, HCV, CMV,
  EBV, HIV 등 → 최근에는 HHV-6와 parvovirus B19가 m/c
- 감염 이후 면역학적 기전 작용, 직접 침범, 항바이러스제 등으로 인해 myocarditis/DCM 발생
- 임상양상 ; 무증상 ~ angina-like chest pain (26%), 부정맥(55%), acute HF까지 다양
  - <u>URI 증상</u> (fever, chills, myalgia 등) 선행이 흔함!
  - 진찰소견은 대개 정상 / 심한 경우 muffled S_1, S_3, MR의 ⑩ 가능
  - pericarditis도 동반 가능 (→ chest pain, pericardial friction rub) ↔ ACS와 감별해야
  - EKG ; nonspecific ST-T changes, pathologic Q waves, low QRS voltage
- 경과 (다양) ; 대부분은 후유증 없이 자연 치유됨, 초기의 주 사인은 심부전과 부정맥, 심한 LV
  dysfunction (EF <35%)시 DCM(advanced HF)으로 진행 위험, RV dysfunction 발생시 poor Px
- Dx ; echo., MRI, cardiac enzymes (troponin도 상승 가능!), viral markers (PCR) 등
  - endomyocardial biopsy (gold standard) ; sensitivity 매우 낮고 위험해 잘 시행 안함
    ↳ 일반적인 치료에 반응이 없는 HF 환자나 전신질환 의심시 시행
- Tx ; supportive care가 주, 감염 초기에는 심한 활동 및 운동 금지
  - 심부전시 일반적인 심부전 치료(e.g., ACEi, 이뇨제, β-blocker, 항응고제), digitalis는 주의
  - immunosuppressive agents나 steroid의 효과는 불확실 (권장 안됨)
  - fulminant myocarditis → mechanical cardiopulmonary support or 심장이식

(6) Tachycardia-induced cardiomyopathy

- 빈맥에 장기간 노출된 결과로 diastolic & systolic ventricular dysfunction이 발생한 것
  (심박수보다는 빈맥에 노출된 기간이 발생에 중요)
- 거의 모든 부정맥이 가능, 대개 소아와 청소년에서 발생
- 빈맥을 교정하면 대부분 3~6개월 이내에 심근 기능 회복됨 (→ 회복된 이후 진단 가능)

(7) Takotsubo cardiomyopathy/syndrome (stress-induced cardiomyopathy)

- AMI와 증상이 비슷한 acute <u>reversible</u> nonischemic cardiomyopathy
- troponin(+) ACS 의심 환자의 1~2% 차지, 중년(폐경) 이후 여성에서 호발! (평균 67세)
- 수축기에 apical LV dyskinesis + compensatory hyperdynamic basal LV segments contraction
  → apical ballooning : 입구가 좁은 병 (tako-tsubo일본의 문어 잡는 항아리) 모양의 LV cavity

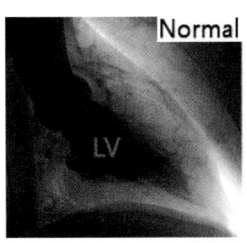 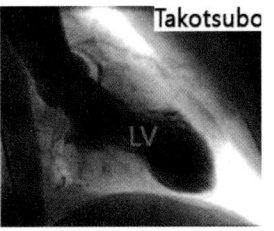 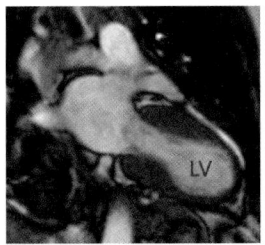

Ventriculography   MRI (CMR)

- 병인 ; catecholamine excess, coronary artery spasm, microvascular dysfunction,
  (dynamic mid-cavity or LVOT obstruction이 apical dysfunction 발생에 기여할 수도)
- 임상양상 … 대개 심한 정신적 or 육체적 스트레스 이후에 발생
  - 폐부종, 저혈압, AMI와 유사한 흉통/EKG/심근효소(troponin)↑ 양상 등
  - echo. ; 항아리 모양 LV cavity, MV의 SAM에 의한 LVOT obstruction도 발생 가능
  - CMR ; myocardial edema, LV thrombi / LGE는 안 보임 (↔ MI 및 다른 심근병증과 차이)
  - 특정 coronary artery의 혈류 공급 영역보다 훨씬 넓게 나타나는 LV 벽운동 장애
  - 일부에서는 acute QT prolongation 발생 → QT-prolonging drugs 사용에 주의
- ACS를 R/O하기 위해 coronary angiography 시행 (→ 대개 정상)
- 치료/예후 : 스트레스 해소되면 대부분 자연 회복되므로, 보존적 치료
  - severe (LVEF <45%, 저혈압, LVOT pr. gradient >40 mmHg) → ACEi and/or BB
  - 일부는 acute HF or shock 발생 → 일반적인 HF 치료와 비슷
  - LVOT obstruction 동반시 ; inotropes, vasodilators, volume depletion 등에 주의
  - anticoagulation (약 3개월) : severe LV dysfunction (EF <30%) or LV thrombi 존재시에만
    (LV rupture 위험으로 일상적으로는 시행 안함)
  - 대부분 1~4주 뒤 심장기능 이상은 완전히 회복됨!, 회복 이후 재발률은 약 2%/yr
  - 입원시 사망률 약 4% (주요 사인 ; cardiogenic shock, LV rupture, LV thrombi embolism)

c.f.) 좌심실 비치밀화증 (LV noncompaction, LVNC)

- 태아기에 심근의 치밀화 과정 장애로 과도한 trabeculae가 형성되고 그 사이에 깊은 함몰들 발생
  → 비치밀한 심내막 & 치밀한 얇은 심외막 구성된 두꺼운 2겹 심근을 보임 (spongy 모양)
  (c.f., 성인 때 발생할 수도 있음 ; 운동선수, 일부 임신, 혈액질환, myocarditis 등)
- "unclassified" cardiomyopathy로 분류되지만, LVNC는 형태학적 정의로 다른 cardiomyopathies,
  channelopathies, WPW syndrome, 선천성 심장병 등에 동반되어 주로 나타남
- 12~50%에서 가족력을 가짐, AD가 m/c, 독립적인 유전자는 없고 DCM, HCM, ARVC와 겹침
  예) tafazzin gene (*TAZ*) mutations ; Barth syndrome, XR 유전, 심근병증(90%), LVNC (53%)

- 임상양상 ; HF (e.g., dyspnea), embolism, arrhythmia 등이 3대 증상, SCD 위험도 있음
- 진단 (echo./CMR) : 비치밀층(심내막) 두께가 치밀층(심외막)의 2~2.3배 이상
- 치료 ; 동반된 심장질환에 따라 치료 ((isolated LVNC의 치료 여부는 논란)
    - anticoagulation의 적응 : LVEF <40%, AF 동반, embolism 과거력
    - ICD : LVEF ≤35% & NYHA Ⅱ~Ⅲ HF시 SCD 예방을 위해 삽입

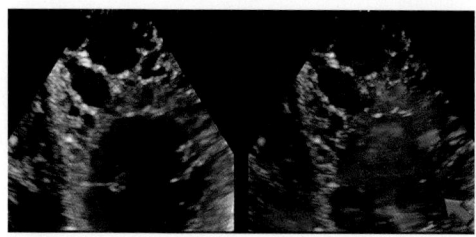 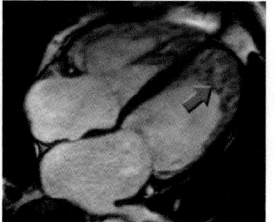

[LVNC] ;   Echo. & color Doppler   MRI (CMR)
(intertrabecular recesses 내부로 blood flow 관찰)   Hypertrabeculation (주로 apex에)

제한성심근병증/제한심장근육병증 (Restrictive cardiomyopathy, RCM)

1. 개요

- 원인

> **① Infiltrative : 간질을 침범**
> Amyloidosis (열대 이외의 지역에서는 m/c)
> Sarcoidosis
> Gaucher's disease : glucocerebroside-laden macrophages
> Hurler's disease : mucopolysaccharide-laden macrophages
> Neoplastic infiltration
>
> **② Storage : 심근세포를 침범**
> Hemochromatosis (storage dz. 중 m/c, good Px.)
> Fabry's disease
> Glycogen storage disease
>
> **③ Fibrotic**
> Radiation
> Scleroderma
> Doxorubicin
>
> **④ Metabolic**
> Carnitine deficiency
> Fatty acid metabolism defects
>
> **⑤ Endocardial**
> Endomyocardial fibrosis (열대 지방에서는 m/c)
> Hypereosinophilic syndrome (Löffler's endocarditis)
> Carcinoid syndrome
> Radiation
> Drugs ; serotonin, ergotamine
>
> **⑥ Idiopathic/primary (familial RCM은 드묾)**

- 심실의 충만 장애를 가진(diastolic dysfunction) 심근병증으로, 수축기능(EF)은 비교적 정상 유지됨
- 임상양상과 원인은 DCM 및 HCM과 일부 겹칠 수 있음, cardiomyopathy중 가장 드묾
- 병태생리 : <u>diastolic dysfunction</u>이 특징 … constrictive pericarditis와 매우 유사
    (차이점 ; RCM은 말기에 systolic dysfunction도 동반됨)

2. 임상양상

- 폐울혈 증상(dyspnea, fatigue, exercise intolerance 등)으로 시작 → pul. HTN & CHF
  (Rt. & Lt. 모두) 증상으로 진행, 판막 부근 침범시 atrioventricular valve regurgitation 발생 가능
- Rt-sided HF 증상이 더 흔함 ; 진행되면 edema, ascites, tender hepatomegaly 등
- P/Ex.은 pul. HTN & CHF 양상 (심장 크기는 정상 or 경미한 심비대에도 불구하고)
    - S_3 (m/c), S_4, distant heart sound
    - JVP 상승 (prominent x, y descent), Kussmaul's sign (흡기시에도 JVP↑)
- constrictive pericarditis와의 차이 ; apex impulse 촉진, MR 더 흔함
- 약 1/3에서 thromboembolism 발생 (∵ 심실 충만압↑ → 심방 수축↓)
- 말기에는 systolic dysfunction, 심실 부정맥, AV block 등 발생 (→ SCD 가능)

3. 검사소견/진단

- EKG ; low voltage, nonspecific ST-T wave changes, 다양한 arrhythmias (e.g., AF)
- CXR ; constrictive pericarditis에서 보이는 pericardial calcification은 없음
- echo/CT/MRI ; 심실 확장은 없이 양심방비대(<u>biatrial enlargement</u>)가 특징, LV wall 두께 정상,
    LV volume & function은 정상 or 약간↓
- catheterization ; <u>RV & LV EDP↑</u>, CO 정상~↓, square root sign
    (LVEDP, LA pr., PCWP, RVEDP, RA pr. 간의 차이가 5 mmHg 이하)

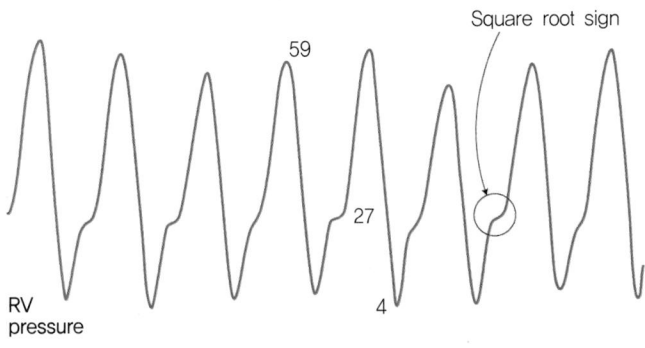

* constrictive pericarditis와의 감별
    - endomyocardial RV biopsy → RCM : myocardial infiltration or fibrosis
    - CT/MRI → constrictive pericarditis : 두꺼워진 pericardium

4. 치료

- HF에 대한 일반적인 치료, chronic anticoagulation도 필요
- 원인 질환의 치료 (hemochromatosis와 Fabry's dz.는 치료하면 RCM 호전됨)
- 심장이식 (c.f., amyloidosis는 금방 재발하므로 심장이식 대상에서 제외됨)
- 예후는 원인에 따라 다양하지만 대부분 나쁨

5. 제한성 심근병증(RCM)의 예

(1) Primary amyloidosis (AL amyloidosis)/Cardiac amyloidosis/Amyloid cardiomyopathy

- AL (amyloid light chain) Ig 과다 생산 형질세포질환(e.g., myeloma), ~50%에서 심장을 침범
  - 심장 침범이 m/c 사망원인 (2ndary [AA] amyloidosis에서는 심장 침범이 드묾)
  - 진행이 빠르고, 심장 외에도 여러 장기(e.g., 신장, 간, GI, 피부, 신경)를 침범하여 예후가 나쁨
- 임상양상 ; diastolic dysfunction (RCM), systolic dysfunction (진행되면), 심장전도계 침범
  (부정맥, 전도장애 → SCD[주 사망원인]), 실신, 기립성 저혈압 (약 10%에서)
  - thromboembolism 호발 (약 27%, 동율동인 경우에도 약 17%) → TEE로 심방내 혈전 확인!
  - EKG ; low voltage QRS와 pseudoinfarct 양상이 흔함, AF/Af (20%), 고도 AV block (3%)
- 진단 : 영상검사에서 합당한 소견 & 다른 조직의 biopsy or endomyocardial biopsy
  - echo. ; 심실벽 두께 증가(cavity는 정상~↓)-EKG에서는 low voltage인데도 불구하고,
    심실벽의 "speckled (starry-sky)" appearance, 심방 확장, 판막도 두꺼워질 수 있음

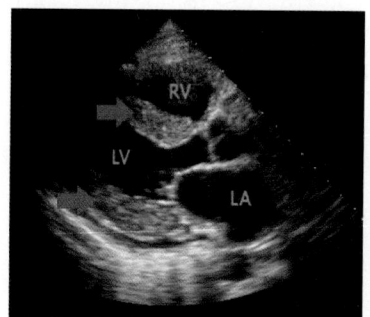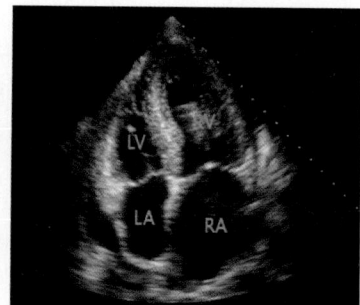

심실 벽 비후
(speckled/sparkled 모양)

양심방의 확장

Parasternal long-axis view   Apical 4-chamber view

  - CMR (sensitivity 높음) ; global transmural or global subendocardial LGE가 특징

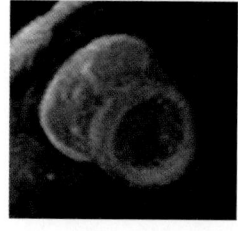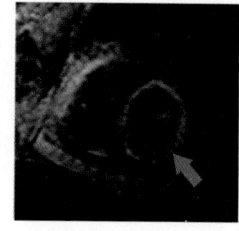

Global transmural LGE (좌)
Global subendocardial LGE (우)

  - biopsy ; 복부 지방, 대장내시경, BM, 심근(다른 검사들로 진단이 어려우면) → 편광현미경 (Congo red)
  - 기타 ; monoclonal gammopathy (e.g., IFE, FLC), BM plasma cells↑
- 치료 ; myeloma에 대한 CTx., 심장이식 (재발 흔함), 흔히 BMT 등 다른 장기이식도 필요
- 예후 ; 나쁨 (비후가 심할수록), primary amyloidosis에서 HF 발생시 평균 6~12개월 생존

(2) Endomyocardial fibrosis (EMF, 심근내막 섬유화증)

- 열대 지방에서 호발(기생충 or eosinophilia와 관련), 주로 심첨부 침범 (혈전도 동반 가능)
- 예후 나쁨 (HF 약물 치료를 해도 사망률 25%/yr)
- Tx. : endocardiectomy (decortication) + 필요시 mitral and/or tricuspid repair/replacement
  (수술 사망률이 15~20%로 높지만, 성공하면 결과 좋음)

(3) Hypereosinophilic syndrome (Löffler's endocarditis)

- endocardium이 심하게 비후되고, myocardium도 침범
- 영상검사 ; 심실 비후 (특히 posterobasal LV wall), MR
- 심실에서 large mural thrombi도 발생 가능 (→ 심실 용적↓, embolism)
- Tx. : steroid + cytotoxic drugs (e.g., hydroxyurea)

(4) Radiation-associated cardiac disease (RACD)

- 대부분 Hodgkin lymphoma, 유방암, 폐암 등의 RTx. 때문 (용량↓ & 차폐↑로 ~2.5%로 감소)
- pericardial dz. (m/c) ; acute pericarditis (± effusion), constrictive pericarditis (5~10년 뒤)
- myocardial dz. ; non-ischemic myocardial fibrosis, ischemic myocardial scar
  → overt cardiomyopathy (e.g., RT-RCM)는 드묾 (→ HF)
- valve dz. (약 20년 이후 발생) ; AV dz. (m/c), mitral annular calcification (MS ± MR)
- vasculopathy ; CAD (15~20년 뒤), macrovascular dz. (aorta calcification 등)
- conduction system dz. ; AV block (대개 infranodal), BBB (Rt>Lt), SSS, QT interval↑

(5) 기타

- Hemochromatosis (iron-overload cardiomyopathy)
  - cardiomyopathy가 DM, LC, 피부색소침착 등과 동반되면 의심
  - Dx. : endomyocardial biopsy, MRI (T2 signal 감소)
  - Tx. : phlebotomy, iron chelators (e.g., deferoxamine)
- Sarcoidosis
  - 폐실질 침범에 의한 pul. HTN (→ Rt. HF)이 흔함, 다양한 부정맥 발생 가능
  - Tx. : steroid, 면역억제제
- Carcinoid syndrome : endocardial fibrosis + TS (TR) or PS (PR)

Cardiomyopathy	Hypertrophic	Dilated	Restrictive
주 손상	diastolic dysfunction	systolic dysfunction	diastolic dysfunction
EF (정상 ≥55%)	>60%	<30%	>30–50%
LV diastolic dimension (정상 <55 mm)	↓	≥60 mm	<60 mm
LV wall 두께	↑↑	↓	N (~↑)
Atrial size	↑	↑	↑~↑↑
Congestive Sx.	exertional dyspnea	Lt > Rt	Rt > Lt
Cardiomegaly	↑~↑↑	↑↑~↑↑↑	↑
Familial (유전적 원인)	>50%	>30%	드묾

9 심장막 질환(Pericardial diseases)

개요

- 심장막의 구성 ; 장측심막(visceral pericardium, epicardium), 심낭액(pericardial fluid, 15~50 mL), 벽측심막(parietal pericardium)
- 심장막의 역할
  ① 운동이나 혈액량 증가시 심장의 갑작스런 확장 방지
  ② 심장의 해부학적 위치 유지 ; 심장과 주위 구조물들과의 마찰 줄임, 심장의 위치 변동 및 대혈관들의 꼬임 방지
  ③ 폐/늑막강의 감염이 심장으로 확산되는 것을 방지
- 시간에 따른 심장막염(심낭염)의 분류
  - acute pericarditis : 6주 이내
  - subacute pericarditis : 6주~6개월
  - chronic pericarditis : 6개월 이상

급성 심낭염/심장막염 (acute pericarditis)

1. 원인

(1) Idiopathic (80~90%) ▶ 대부분 감염성 심낭염
- viral (m/c) ; 최근에는 CMV, HHV-6, HIV 등이 흔한 원인 / 기타 coxsackie virus, echovirus, adenovirus, parvovirus B19, HSV, EBV, HBV, influenza, mumps, checkenpox ...
- 세균 ; 결핵과 *Coxiella burnetii* 외에는 드묾 / 기타 pneumococci, staphylococci, streptococci...
  ↳ 심낭삼출액 배양시 1/3에서만 결핵균이 검출됨
- 기타 (매우 드묾) ; fungi, syphilitic, protozoal, parasitic

(2) 비감염성 심낭염
- post-MI (early, late [Dressler syndrome]), myocarditis, pericardiotomy, aortic dissection
- 악성종양 (대부분 effusion 동반) ; <u>유방암</u>, <u>폐암</u>, lymphoma, leukemia, melanoma
  (c.f., mesothelioma : 심낭의 m/c 원발성 종양)

• 기타 ; 외상, RTx, 요독증(CKD), stress cardiomyopathy, cholesterol ("gold paint" pericarditis), chylopericardium, hypo-/hyperthyroidism, Whipple's dz., amyloidosis ...

(3) 자가면역/과민성 심낭염

• rheumatic fever
• 교원혈관병 ; <u>SLE</u>, Sjögren syndrome, RA, AS, SS, Behçet syndrome, sarcoidosis, Wegener's granulomatosis ...
• 약물 ; procainamide, hydralazine, phenytoin, INH, minoxidil, anticoagulants, methysergide ...

* 우리나라는 결핵 및 악성종양이 흔한 원인

2. 임상양상

• chest pain (m/i) : 예리하며 왼쪽으로 치우침 (목, 등, 어깨로 radiation)
  ┌ <u>흡기</u>, <u>기침</u>, 연하운동, 똑바로 <u>눕거나</u>, 체위변화시 **악화!**
  └ 앉거나 상체를 앞으로 숙이면 감소됨!
  – 수시간 또는 수일 지속되며, 운동으로 악화되지 않음
  ┌ 대개 원인이 감염, 자가면역/과민성인 경우 나타나며
  └ TB, RTx., neoplasm, uremia 등에서는 없는 경우가 흔함
• dyspnea, fever, malaise
• <u>pericardial friction rub</u> (특징적!) : 비비고 할퀴는 듯한 고음 (85%에서 들림, 항상 들리지는 않음)
  → 앞으로 구부리고 앉은 자세에서 호기 말에 가장 잘 들림 (흉골 좌하연에서)
• pericardial effusion : 거의 모든 심낭질환에서 발생 가능

* *viral or idiopathic pericarditis*
  – 젊은 성인에서 호발, fever와 chest pain이 거의 동시에 발생
  – 10~12일 전에 호흡기 증상 (viral URI) 선행이 흔함
  – pleural effusion과 pneumonitis도 흔히 동반
  – WBC↑ ; neutrophilia → lymphocytosis
  – 대개 며칠~4주 뒤 회복되나, 약 1/4에서는 한번 이상의 재발 경험
  – Cx. ; mild pericardial effusion (tamponade는 드묾), constrictive pericarditis

3. 검사소견

• EKG … 연속적 검사
  ① stage 1 : ST elevation – 광범위한 leads에서 reciprocal change 없이
       (reciprocal depression은 aVR 및 때때로 V_1에서만 발생)
  ② stage 2 (며칠 뒤) : ST 정상화, T wave flattening
  ③ stage 3 : 대부분의 leads에서 T wave inversion
  ④ stage 4 (수개월 뒤) : T wave 정상화 (but, T wave 이상은 오래 지속 가능)

  – ST elevation이 정상화된 뒤에 T wave inversion이 나타난다!
  – PR depression도 흔함 (→ atrial involvement 시사)

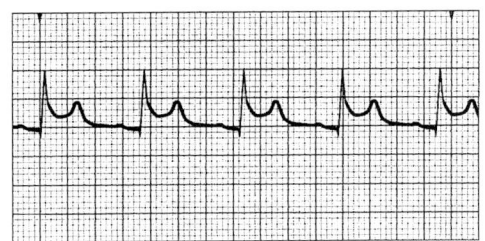

	Acute pericarditis	AMI
ST segment elevation	<u>위로 오목</u> (광범위한 부위)	위로 볼록 (혈관분포 부위)
ST reciprocal change	(−)	(+)
Q wave	(−)	(+)
ST elevation의 정상화	며칠 뒤	몇 시간 뒤

- early repolarization (normal variant)과의 감별
  - ┌ early repolarization : ST/T ratio <0.25
  - └ acute pericarditis : ST/T ratio >0.25
- 심근에 영향을 주어 arrhythmias도 생길 수 있음
- CXR ; 합병증이 동반되지 않은 경우엔 정상
- 심초음파 ; 대개 정상, 심낭 삼출을 R/O하기 위해 시행
- 심실수축기능은 대체로 잘 유지됨
- cardiac markers (CK-MB, troponin)도 상승할 수 있음 (but, AMI 때보다는 훨씬 낮음)
- 특정 원인이 의심되는 경우 해당 검사 (e.g., ANA → SLE)

4. 치료

(1) 원인 질환의 확인 및 치료가 가장 중요 (e.g., 결핵 → 항결핵 치료)

(2) acute idiopathic (or viral) pericarditis : 대부분 self-limited

> **입원이 필요한 경우 (≒ High Risk)**
>
> 고열(>38℃), subacute onset (급성 흉통 발생 無)
> Large pericardial effusion, cardiac tamponade
> 1주 이상의 aspirin or NSAIDs 치료에도 반응 없음
> 바이러스 이외의 원인 or AMI 의심시

① 안정(bed rest) (c.f., 운동선수라면 약 3개월, 증상과 검사 이상들이 완전히 정상화된 이후에 다시 운동 권장)

② empirical anti-inflammatory therapy
  - aspirin or NSAIDs (e.g., ibuprofen) : 대개 1~2주 투여하면 호전됨, 이후 (재발 방지 위해)
    매주 감량하며 2~3주 투여 뒤 중단 (반드시 증상 및 CRP 정상화 이후에 감량 시작)
  - colchicine : NSAIDs에 반응이 없거나 재발시, 3개월 투여하면 증상 호전 및 재발 방지 효과
    (설사가 m/c Cx. / 간기능 or 신기능 이상, macrolide 병용시엔 금기)

③ glucocorticoid
  - 세균성/결핵성 심낭염이 R/O이 된 이후 투여 가능, 최소 1달 이상 투여 뒤 tapering
  - Ix. ; aspirin/NSAID/colchicine의 금기 or 실패시, 원인 질환의 치료가 steroid인 경우,
    uremic pericarditis, 임신, 경구항응고제 치료 등으로 NSAID/colchicine의 상대적 금기시
  - moderate-dose로 시작한 뒤, 천천히 tapering (high-dose & rapid tapering은 재발↑)
  - colchicine도 3개월간 병용 투여 (재발한 경우엔 6개월)

④ pericardiocentesis : 화농성/결핵성 심낭염 의심되거나, 2~3주의 약물치료에도 효과 없을 때

⑤ pericardiectomy : 자주 재발하며 2년 이상 지속 & steroid에 반응 없을 때

* 항응고제는 금기! (∵ hemopericardium 및 tamponade를 일으킬 수 있음)

5. 심낭 삼출 (Pericardial effusion)

(1) 임상양상
- chest pain
- 주위 조직 압박에 의한 증상 ; dyspnea, cough, hoarseness, dysphagia
- 심음 약화(muffled heart sound), friction rub이나 apex impulse가 사라질 수 있음
- Ewart's sign : 좌측 견갑골 하부에서 dullness, fremitus, bronchial breath sounds 등이 증가
  (∵ 심낭액에 의해 좌측 폐의 하부가 눌려서)

(2) 검사소견/진단
- chest X-ray : 심장이 커져 보임 ("water bottle" 모양)
- EKG : acute pericarditis의 소견, 심하면 low-voltage QRS or electrical alternans
- echo. (m/g) : pericardial fluid의 위치 및 양 확인

  ┌ transudative effusion : echolucent (echo-free)
  └ organized/exudative, hemorrhagic effusion : echo-filled or ground-glass

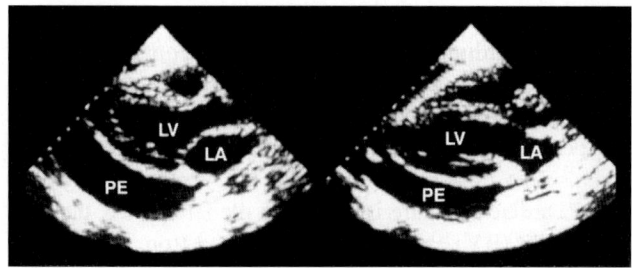

- CT/MRI : loculated pericardial effusion, pericardial thickening, pericardial mass 등을
  확인하는 데 echo.보다 우수함

(3) 심장막천자(pericardiocentesis) : 진단 및 치료 목적으로
① intrapericardial pr. 측정
② pericardial fluid ; 성상 확인, WBC count, cytology, microscopy, culture 등 검사

  ┌ exudate : 대부분
  │ transudate : 심부전(HF)
  └ bloody : 결핵, 종양 (but, 류마티스열, 심장손상, MI, uremic pericarditis 등에서도 가능)
  * TB PCR(+) or ADA >30 U/L면 TB pericarditis 의심

(4) 만성 심낭삼출
- 자체로는 증상이 거의 없으며, 흔히 CXR상 심비대로 발견됨
- 흔한 원인 ; TB (m/c), hypothyroidism/myxedema, uremia ...

6. 심장압전/심장눌림증 (Cardiac tamponade)

(1) 정의

- pericardial effusion 증가 → pericardial cavity pr. 증가 → diastole 내내 ventricular filling 방해 → CO 감소 (c.f., constrictive pericarditis : diastole 초기에는 ventricular filling 정상)
- tamponade를 초래할 수 있는 fluid의 양은 병의 진행 속도에 따라 200 mL부터 ~ 만성인 경우 2000 mL 이상까지 다양

(2) 원인

- pericardial effusion (pericarditis) or hemorrhage의 모든 원인이 가능
- 악성종양 (m/c), idiopathic pericarditis(tamponade로의 진행은 적음), 신부전(uremia) 등이 흔한 원인!
- 기타 ; 심장 수술/외상/손상(e.g., catheterization, PCI, aortic dissection), TB, hemopericardium
- 세균/진균/HIV 감염, 출혈, 악성종양에 의한 심낭삼출이 tamponade로의 진행이 빠름

(3) 임상양상

- 증상은 CO 감소 및 전신적 정맥울혈에 의한 것이 많음
- acute, severe tamponade (e.g., trauma, rupture) ; 동맥압 감소(hypotension), 전신 정맥압 상승 (경정맥 확장), 심음(S_1, S_2) 감소 → Beck's triad
  - 서서히 발생하는 경우는 HF의 증상과 비슷 ; dyspnea, orthopnea, hepatomegaly, ascites, edema, JVP↑ (폐울혈은 거의 안 생김)
- pulse pr. 감소, tachycardia, tachypnea ...
- **paradoxical pulse (기이맥)** ··· cardiac tamponade의 특징★
  - 흡기시 systolic pr.가 10 mmHg 이상 감소하는 것, 심하면 동맥의 맥박 감소/소실 (∵ inspiration → RV vol. ↑ → LV 압박 → CO ↓)
  - constrictive pericarditis의 1/3 및 hypovolemic shock, obstructive airway dz., pulmonary embolism 등의 일부에서도 관찰 가능
- Kussmaul's sign 및 pericardial knock은 드물다!
- JVP ↑ (경정맥 확장)
  - ① prominet x descent : carotid pulsation시, 동시에 int. jugular pulse가 sharp inward movement로 느껴짐
  - ② y descent 소실 (or 감소) (∵ diastole 전기간동안 ventricular filling의 장애로)
- * low-pressure tamponade ; 증상은 없거나 경미 (e.g., weakness, dyspnea)
  - CVP 정상 or 약간 상승 / 동맥압 정상
  - paradoxical pulse는 관찰 안됨

(4) 검사소견/진단

- EKG ; low voltage QRS, nonspecific ST-T change, electrical alternans (특이적이나 드묾)
- chest X-ray ; cardiomegaly (구형 or 물주머니[water bottle] 모양), 폐 울혈은 드묾 (폐야 깨끗)
- echocardiography (m/i)
  - large pericardial effusion, inadequate ventricular filling (diastole시 RA & RV의 collapse)
  - 흡기시 ┌ TV, PV의 flow rate 크게 증가
         └ pulmonary venous, MV, AV의 flow rate 감소

- TEE ; loculated or hemorrhagic effusion 진단에 도움

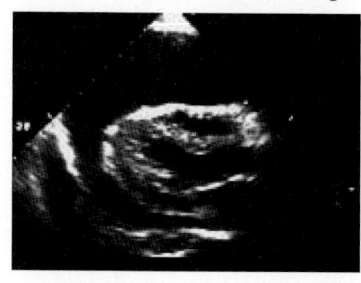 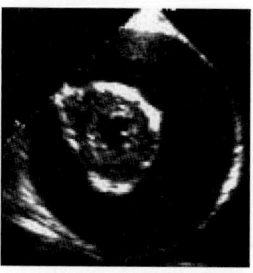

- catheterization ·
  - "holodiastolic 4 chamber pressure equalization" : 상승되어 같아짐
    : LVEDP = LA pr. = PCWP = RVEDP = RA pr.
  - 가장 확실하지만, 응급상황이므로 실시할 수 없는 경우가 대부분

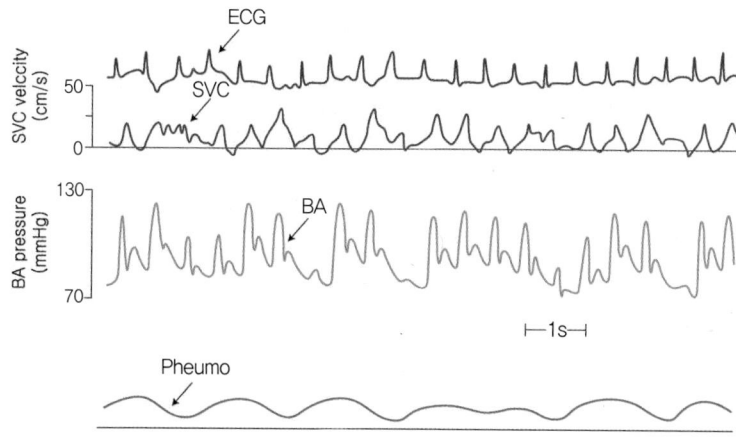

(5) 치료 (응급!)
- echo-guided <u>pericardiocentesis (심장막천자)</u> ; m/i
- catheter drainage : 심낭액이 다시 축적되면
- 수축기 혈압이 낮을 땐 수액 공급 (saline IV)
- surgical drainage : limited (subxiphoid) thoracotomy
  ; pericardiocentesis 경험 부족, recurrent tamponade, loculated effusion, biopsy 등 때 시행
- pericardiectomy ; 암이나 uremia로 effusion이 자주 재발할 때

7. 심낭염의 원인질환 예

(1) Post-cardiac injury syndrome
- 심낭 출혈을 동반한 myocardial injury 후에 발생
- 원인 ; 심장수술(post-pericardiotomy syndrome), 외상(e.g., stab wound),
  catheter에 의한 perforation, AMI (Dressler's syndrome) ...
- 기전 ; hypersensitivity로 생각됨 (myocardium에 대한 autoantibody 양성)

- 임상양상 ; pericarditis, pleuritis, pneumonitis, arthralgia
  - 대개 injury 후 1-4주 ~ 몇 달 뒤에 pericarditis의 흉통 발생
  - acute viral or idiopathic pericarditis와 비슷
  - tamponade는 드물다
  - 재발이 흔함 (injury 후 2년 뒤에도 재발 가능)
- 치료 ; aspirin, analgesics (재발이 반복되면 NSAIDs, colchicine, steroid)

(2) Uremic pericarditis (pericarditis of renal failure)

- CKD 환자의 1/3에서 발생하며, 만성 투석 환자에서 호발
- effusion과 friction rub은 흔하나, chest pain은 없거나 경미함
- 치료 ; anti-inflammatory agents, 혈액투석 강화
  (재발하거나 반응이 없으면 pericardiectomy)

만성교착성심낭염/협착심장막염 (chronic constrictive pericarditis)

1. 정의

- 어떠한 원인이든 염증 반응의 마지막 단계로 pericardium이 딱딱하게 비후되고 섬유화되어 ventricular filling이 제한된 것 (diastolic dysfunction)
- restrictive filling : ventricular filling이 diastole 초기에는 잘 유지되다가, 중후반에 pericardium의 탄성 한계에 이르면 갑자기 제한을 받아 감소됨 → "square root sign"
  (↔ cardiac tamponade에서는 diastole 전기간 동안 제한을 받음)

2. 원인

(1) 결핵 - 우리나라에서 m/c 원인 (↔ 서양은 viral/idiopathic, 심장수술, RTx. 등이 흔한 원인)
(2) viral or idiopathic pericarditis - 요즘 증가 (서양은 m/c)
(3) 기타 ; 외상, 심장수술, mediastinal RTx., purulent infection, histoplasmosis, neoplasms, RA, SLE, protein-losing enteropathy, uremia (CKD) ...

3. 임상양상

- LC와 비슷한 임상양상 (e.g., 황달, 복수, 간기능 이상) + 경정맥 확장 존재시 의심!
  (c.f., tricuspid stenosis에서도 비슷한 양상을 보임)
- ascites, hepatomegaly/splenomegaly, jaundice, 하지의 부종 (∵ 전신 정맥울혈로)
- pleural effusion : 우측보다는 좌측 or 양측이 흔함
- exertional dyspnea, orthopnea, fatigue, weakness, exercise intolerance (∵ CO의 감소로)
- skeletal muscle mass 감소, 복부팽만, 체중증가 ...
- protein-loosing enteropathy도 드물게 합병될 수 있음
- acute pul. edema (acute LVF)는 매우 드물다!

4. 진찰소견

- JVP ↑ (경정맥 확장) ; marked x & y descent ("M or W-shaped")
  - marked y descent : rapid early diastole 때문
    - ↳ carotid pulse가 없을 때 int. jugular pulse의 sharp inward movement로 느껴짐
  - effusive-constrictive pericarditis에서는 tamponade처럼 y descent 소실
- <u>Kussmaul's sign</u> : 흡기시 JVP가 감소되지 않거나 <u>상승</u>하는 것 (경정맥 확장) (↔ 정상은 감소)
  - 흡기시 증가된 정맥▷심장 유입 혈류를 RV에서 잘 받아들이기 어렵기 때문
  - chronic constrictive pericarditis의 특징 (but, TS, RCM, RV infarct 등에서도 나타날 수 있음)
- pulse pr. : 정상 or 감소
- paradoxical pulse (흡기시 맥박 감소/소실) : 약 1/3에서, 특히 effusive-constrictive pericarditis시
- distant heart sound, apical impulse↓ or 수축기 때 퇴축 가능 (Broadbent's sign)
- diastolic pericardial knock (= early loud S_3)
  - ventricular filling의 갑작스런 감속으로 심장이 심장막과 부딪치는 소리
  - S_2의 0.09~0.12초 뒤에 발생, 흡기시에 더욱 커짐, apex에서

5. 검사소견

(1) EKG

- low voltage QRS, T wave inversion or diffuse flattening
- P-mitrale (wide, notched P-wave) ← LA pr.의 만성적인 상승으로
- atrial fibrillation (약 1/3에서)

(2) chest X-ray

- 심장 크기 : 정상 ~ 약간 증가
- 약 1/4에서만 pericardial calcification 보임 (특히 결핵에 의한 경우)
- 폐야는 깨끗한 편 (때때로 pul. congestion or pleural effusion 동반 가능)

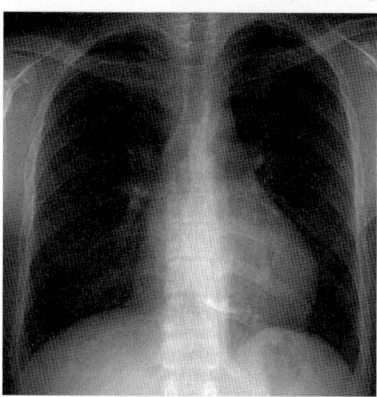 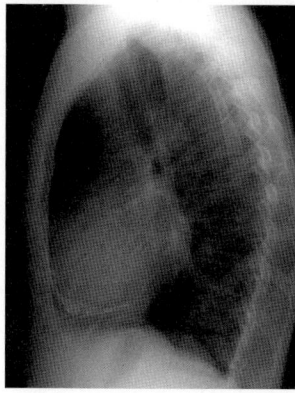

Pericardial calcification
: lateral or anterior oblique
view에서 잘 보임

(3) echocardiography
- pericardial thickening, IVC와 hepatic vein의 확장, 심방 확장(특히 병력이 오래된 경우)
- early diastole 때 ventricular filling이 갑자기 정지됨
- 심실 중격의 확장기 운동 이상(septal bounce), 확장기에 LV 후벽이 편평해짐
- ventricular systolic function은 정상 or 약간 감소, 호흡에 따라 LV 직경이 변화
- Doppler echo. : 호흡에 따른 transvalvular flow rate의 변화가 심함!
  (∵ 좌우 심실간의 상호의존interdependence 때문)

Flow velocity	흡기	호기
pul. vein → LA across MV (LA→LV)	↓↓	↑↑
vena cava → RA across TV (RA→RV)	↑↑	↓↓
Ventricular septum	좌측으로 밀림	우측으로 밀림

(4) CT/MRI (CMR)
- pericardial thickening 확인에 echocardiography보다 더 정확함
- 심장막 두께 측정 및 calcification 발견에는 CT가 더 sensitive
  (정상 심장막의 두께 : CT 2 mm, MRI 3~4 mm)
- MRI (CMR) : late gadolinium enhancement (LGE)로 염증 정도 평가에 유용

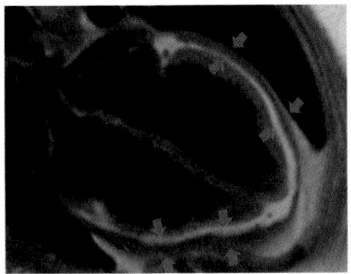 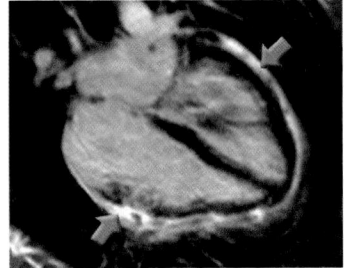

CMR (두꺼워진 심장막)   심장막의 LGE (→ inflammatory 시사)

(5) catheterization
- VEDV 및 stroke volume 감소
- CVP, RA & LA pr. : marked x & y descent ("M-shaped")
  (c.f., cardiac tamponade에서는 y descent 감소/소실)
- ventricular pr.
  ① "square root sign" (dip & plateau) : early diastolic dip & mid/late diastolic plateau
  ② 4 chambers의 이완기말 압력의 상승 및 평균화 (차이가 5 mmHg 이하)
     "equalization of diastolic pressure"

  c.f.) square root sign (+) ; constrictive pericarditis, restrictive cardiomyopathy
       ⇨ 감별은 biopsy or CT/MRI (앞 장 참조)

6. 치료

- 수술 (심장막제거술; <u>pericardiectomy</u>, pericardial resection)
  - 대부분의 환자에서 궁극적 치료법, 가능한 완전히 절제
  - 수술 사망률 높음(2~20%) ⋯ poor Px factor ; RTx-induced, 동반질환(특히 COPD, CKD), CAD, 이전의 심장수술, LVEF↓, 심한 HF 증상(NYHA class Ⅳ)
  - 수술 적응이 되면 가능한 빨리 수술하는 것이 좋음, 수술 후 심장 기능 정상화에는 몇 주 걸림
- 증상이 경미하고 건강하면, 약물치료 먼저 하면서 F/U 가능
  ; 저염식, 이뇨제 → 증상 호전 (c.f., sinus tachycardia는 보상성이므로 BB와 CCB는 금기)
- 50세 이상은 CAD R/O위해 수술 전 coronary angiography도 시행
- 결핵성인 경우 항결핵 화학요법도 시행해야 (수술 2-4주전 ~ 수술 후 1년간)

* transient or reversible constrictive pericarditis (inflammatory)
  - 원인이 염증성이면 약물치료로 호전될 수도 있음 (대개 2~3개월 걸림)
  - antiinflammatory drugs (e.g., NSAIDs, colchicine, corticosteroids)
  - CMR-LGE$^+$ (fibrosis & 염증 정도와 비례) 및 CRP↑면 약물치료에 반응 좋음

■ Effusive-Constrictive Pericarditis

- effusion/tamponade + constrictive pericarditis가 공존하고, 증상/혈역학/검사소견도 혼합된 양상
- pericardial fluid를 제거한 뒤에도 constrictive pericarditis의 양상이 남아있으면 진단 가능
- 원인이 염증성인 경우엔(e.g., idiopathic pericarditis, 심장수술[postpericardiotomy]) antiinflammatory drugs 먼저 시도 고려 / 많은 경우 결국에는 pericardiectomy가 필요하게 됨

		Cardiac tamponade	Constrictive pericarditis	RCM	RV-MI
임상 소견	Pulsus paradoxus (기이맥)	++	+/-	-/+	-/+
	JVP: prominent y descent	- (y 無)	+	-/+	-/+
	prominent x descent	++	+	++	-/+
	Kussmaul's sign	-	++	-/+	++
	Pericardial knock	-	+	-	-
EKG	Electrical alternance	+	-	-	-
심장 초음파	기본특징	심낭삼출, 이완기때 RV 및 RV의 collapse	심막비후, 석회화 흔함	심근두께 증가	RV 크기 증가 및 dyskinesia
	Early filling 및 Mitral flow rate 증가	-	+	+	+/-
	Atrioventricular flow rate의 호흡에 따른 변동 증가	++	++	-	++
심도자	Equalization of diastolic pr.	++	++	-	+
	Square root sign	-	++	+	-

10
심장 판막 질환(Valvular Heart Disease)

승모판 협착증 (mitral stenosis, MS)

1. 원인

- MS 및 MS+MR은 (과거에는) 대부분 rheumatic origin ; RHD 환자의 약 40%에서 MS 발생
  - 선진국에서는 ARF (acute rheumatic fever)의 급격한 감소에 따라 MS도 현저하게 감소되었음
  - 평균 10~12세 때 RF 발생 → 약 20년 뒤 MS의 증상 발생
    (잠복기는 선진국에서는 길고, 후진국에서는 짧다)
  - 만성 염증 → 승모판(leaflet) 비후, 경계부 유착(commissural fuse), 건삭(chordae tendineae)
    유착/단축, 석회화 등 → MV 면적 감소, 판막 첨부가 깔때기 모양("물고기 입")으로 좁아짐
    (석회화는 판막의 움직임을 제한하고 협착을 가중시킴)
- 기타 원인 ; severe mitral annular calcification (퇴행성, 주로 노인에서), SLE, RA, LA myxoma,
  IE (large vegetations)congenital (parachute valve, cor triatriatum) ...
- 2/3가 여자 (c.f., MR은 남자가 더 많음)

2. 병태생리

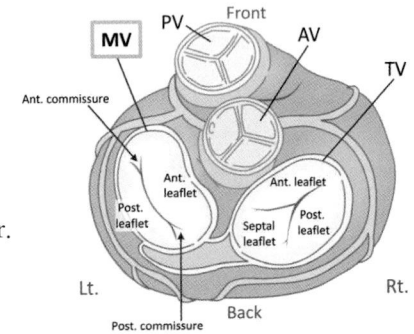

- 혈역학적 동태
  - LA pr.의 증가 (LA pressure overload)
  - LV와 LA간의 압력차이(pr. gradient) : LV pr. < LA pr.
  - LV filling (preload)의 감소
  - CO의 감소

- simplified Bernoulli equation : MV의 압력차 (다른 valve도 마찬가지로)

$$\triangle P = 4V^2$$ (V: peak velocity, $\triangle P$: pressure difference)

  - MV를 통과하는 혈류의 정상 속도 : 0.6~1.3 m/s
  - HR 또는 CO이 증가하면 $\triangle P$ 증가

- mitral valve area (orifice) ··· 정상 : 4~6 cm^2 (2 cm^2 이하면 LV-LA간 압력차 발생)

$$MVA \text{ (mitral valve area)} = \frac{220 \text{ (msec)}}{PHT \text{ (pressure half-time)}} \text{ (cm}^2)$$

- pressure half-time (PHT)
  - peak pr. gradient가 1/2로 감소하는데 걸리는 시간 (msec)
  - PHT = 0.29 × DT (deceleration time)
  - MS가 심할수록 PHT은 길어짐 (∵ MV area는 좁아짐) (c.f., AR은 심할수록 PHT이 짧아짐)

Very severe MS의 소견
1. Resting mean pr. gradient ≥10 mmHg
2. MVA (mitral valve area) ≤1 cm²
3. PHT ≥220 msec

- MS의 임상양상 및 혈역학적 특징은 폐동맥압과 밀접하게 관련
- MS 환자에서 pul. HTN의 발생 기전
  ① 상승된 LA pressure의 수동적 전달
  ② reactive pul. arteriolar constriction (LA 및 폐정맥 압력 상승에 의해 유발)
  ③ 소폐혈관 벽의 interstitial edema
  ④ 폐혈관계의 organic obliterative change
- 심한 MS → 폐혈관 저항 증가, pul. HTN 악화 → Rt-HF, TR, PR
- HR 증가 (e.g., 운동, 흥분, 임신, 발열, AF) → transvalvular pr. gradient↑, diastolic phase↓
  → LA pr. 상승↑, stroke volume↓ → Sx 악화

3. 증상 및 합병증

- 대부분 30대 이후에 증상 발생 (선진국에서는 고령에서 서서히 진행하는 MS 발생이 증가 추세)
- <u>dyspnea</u> (± cough, wheezing), 피로, 운동능력 저하 등이 m/c 증상
  - 운동, 흥분, 발열/감염, 빈혈, 빈맥(e.g., AF), 성교, 임신, 갑상선중독증 등에 의해 유발/악화됨
  - MS가 진행될수록 약한 자극에 의해 유발되며, 일상 활동에도 제한을 받게됨
- orthopnea, paroxysmal nocturnal dyspnea (∵ 폐로의 혈액 재분포 때문)
- chest pain (∵ coronary emboli, pul. HTN, RVH) : 약 15%에서
- <u>hemoptysis</u> (∵ 폐정맥압 상승으로 인한 소폐정맥 파열, 폐실질의 감염, 폐경색)
  : 폐혈관 저항의 큰 증가 없이 LA pr.만 증가된 경우 호발하며, 치명적이진 않음
- pul. edema (→ TLC↓, VC↓, maximal breathing capacity↓, O₂ uptake↓ 등)
- Rt-HF → edema, hepatomegaly, ascites, pleural effusion ...

- MS가 진행될수록 atrial arrhythmia의 발생도 증가됨 (∵ 좌심방의 확장)
  - <u>AF</u> → HF↑, LA의 thrombi↑ (→ embolism)
  - permanent AF 발생은 MS 경과의 분기점 → 증상 진행 가속을 의미! (poor Px.)
- systemic embolization : 10~20% (항응고제 치료로 감소), 대개 LA thrombus로부터 발생
  - 뇌혈관(약 1/2)→ CVA, 관상동맥→ MI/angina, 신장→ systemic HTN 등
  - 위험인자 ; <u>AF</u>, 고령, LA size↑, CO↓
  - but, 증상 없던 mild MS 환자의 첫 증상일 수도 있음
  - 약 20%는 sinus rhythm인데도 발생 → transient AF or IE 가능성 확인해야
- infective endocarditis : pure MS에서는 매우 드무나, MR 합병 시엔 드물지 않음

4. 진찰소견

- S_1 증가 : apex에서 (calcification시는 약하거나 안들릴 수 있음)
  (S_3, S_4는 들리지 않는다!)
- OS (opening snap, 승모판 개방음) : S_2 직후, MV가 열리면서 나는 소리
  - 호기시 심첨부 또는 그 내측에서 잘 들림, A_2 0.05~0.12초 뒤에 발생
  - calcification이 심하면 작아지거나 안들릴 수 있음
  - 운동시 증가, Valsalva maneuver시 감소

  * A_2-OS interval : LA pr. (severity) 증가할수록 짧아짐 (반비례)

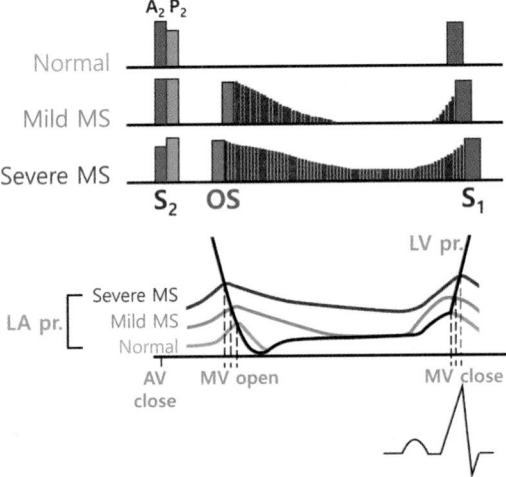

- diastolic rumbling (구르는 듯한) ⓜ : 저음(low-pitched)
  - 심첨부(apex)에서 잘 들림 (left lateral decubitus 자세에서)
  - 운동시 증가, MS가 심할수록 오래 들림(duration↑), intensity는 MS severity와 관련 없음
  - atrial contraction이 없어도 (e.g., AF) 들림
- presystolic ⓜ (→ AF 발생하면 약해지거나 소실됨!)
- soft systolic ⓜ : grade Ⅰ~Ⅱ/Ⅵ, MR 없이도 흔히 들림
- CO이 심하게 감소되면 MS의 특징적인 청진소견이 안들릴 수도 있음
- JVP
  - 심한 pul. HTN or TS가 동반된 환자 ; prominent *a* wave (∵ 강력한 RA의 수축으로)
  - AF 발생시 ; a wave 소실, single c-v wave만 보임
- pulse pressure 감소 (∵ CO↓)
- malar flush : "mitral face" (∵ 정맥의 확장으로)
- 아주 심한 경우엔 cyanosis도 관찰될 수 있음
- MS + MR 동반시 ; LVE, S_3 (S_1 및 OS는 잘 안 들림)

MS의 severity 증가와 관련있는 청진 소견 ★

1. A_2-OS interval (or QRS-OS) 감소 (<0.07초)
2. Q-S_1 interval 증가
3. Diastolic ⓜ의 duration 증가
4. OS와 S_1의 크기(instensity) 감소 (∵ ant. MVL의 mobility와 비례)

- pul. HTN의 청진 소견 (severe MS에서 발생)
  ① S_2 (P_2) 증가, S_2 splitting 감소 (single S_2)
  ② pul. ejection ⓜ, TR ⓜ
  ③ Graham Steell ⓜ of PR - 흉골좌연에서 : high-pitched, diastolic, decrescendo, blowing ⓜ
  ④ right ventricular S_4 (RVH), S_3 (RHF)

5. 동반 질환

- Lutembacher's syndrome = ASD + MS
- MR : S_1· OS 감소, apical systolic ⓜ 및 S_3 출현시 의심
- PR : Graham Steell ⓜ (but, AR의 ⓜ와 구분 어렵다)
- AR : diastolic blowing ⓜ - Lt 3rd ICS에서
- functional TR에 의한 pansystolic ⓜ (∵ severe pul. HTN)
  - ┌ 흡기시 증가, 호기시 감소 (Carvallo's sign)
  - └ Valsalva maneuver시에도 감소

6. 검사소견

(1) EKG

- LAE → P-mitrale
  - lead II에서 wide, notched P (⟋⟍)
  - lead V_1에서 biphasic P (⟍⟋)
- RAD, RVH (pul. HTN 심하면)
  - LVH는 없다 (LV 기능은 정상)
- AF (atrial fibrillation) 잘 동반

(2) Chest X-ray

- LA enlargement ; 심장 좌연의 직선화 (삼각형 모양의 심장)
- pul. vascularity의 redistribution, hilar prominence (main PA의 융기)
  → mean LA pr. (postcapillary pr. of lung)이 16~19 mmHg
- Kerley's B line (interstitial edema) → mean LA pr. (postcapillary pr. of lung) 20~25 mmHg
  (c.f., "alveolar edema"는 25~30 mmHg)

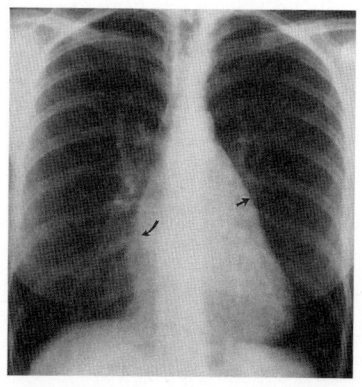
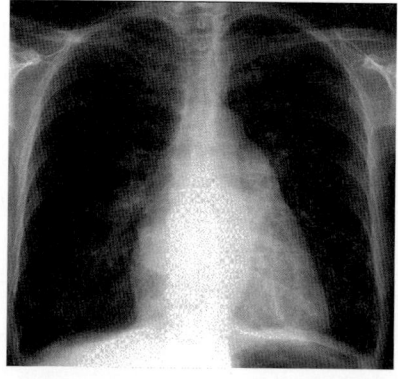

(3) Echocardiography (m/i)

① M-mode
- LA enlargement, thickened MV (calcification시), EF slope 감소
- diastolic ant. motion of PMVL ; "물고기입"모양 (PMVL이 AMVL과 동일 방향으로 움직임)

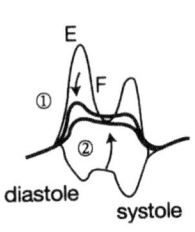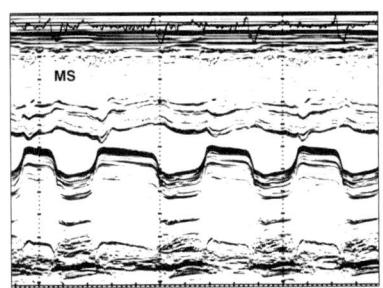

② 2D echo.
- diastolic doming & restricted motion of MV, decreased diastolic opening of MV, LAE
- short-axis image에서는 판막 개구면적(MVA)을 직접 구할 수 있음

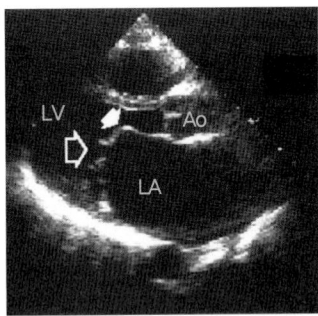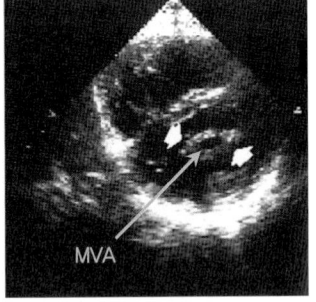

MS (diastole)의 long-axis view
; 경계부 유착(commissural fusion) →
ant. leaflet의 doming (둥근 지붕 모양)

short-axis view
; 물고기입 모양의 두꺼워진 leaflets
→ MVA (MV area) 감소

③ color flow Doppler
- 진단에 가장 sensitive & specific
- 판막 사이의 압력차, PHT을 통한 판막 개구면적(MVA), 폐동맥압 등을 구할 수 있음
- LA·LV의 크기 및 다른 판막의 이상 유무도 알 수 있음

④ TEE (transesophageal echo.)
- transthoracic imaging보다 해상도가 뛰어나, MV의 형태/기능 더 정확히 파악 가능
- 특히 LA thrombus 진단 능력이 우수하므로, PMBV 시행 예정이면 반드시 확인해야

(4) Cardiac catheterization

- 임상양상과 심초음파 등의 영상검사 소견이 일치하지 않을 때 유용
- 일반적으로는 필요 없으나 percutaneous mitral valvotomy (PMBV) 예정인 경우, 동반된 다른 심장 기형의 진단, CAD 위험이 높은 경우 (coronary angiography) 등 때 시행
- MS의 심도자 소견
  - PCWP (LA pr.) ↑ (정상: 2~10 mmHg)
  - diastole 때 PCWP (LA pr.) > LV pr.

Stages of Mitral Stenosis (MS) AHA/ACCF 2014

Stage	Definition	Hemodynamics	Symptoms
A	At risk of MS	이완기 때 경미한 valve doming, Transmitral flow velocity 정상	–
B	Progressive MS	Transmitral flow velocity 증가 MVA >1.5 cm^2, Diastolic PHT <150 ms Mild~moderate LAE, 휴식시 폐동맥압(PASP) 정상	–
C	Asymptomatic severe MS	MVA ≤1.5 cm^2, Diastolic PHT ≥150 ms Severe LAE, 폐동맥압(PASP) >30 mmHg (*Very severe MS: MVA ≤1 cm^2, Diastolic PHT ≥220 ms)	–
D	Symptomatic severe MS	" "	운동능력 저하 운동시 호흡곤란

7. 치료

(1) 무증상 환자

- 특별한 치료는 필요 없다 (운동시 호흡곤란 있으면 β-blocker or CCB)
- RF 재발 방지 : group A β-hemolytic streptococci의 재감염 예방 (benzathine penicillin G)
- <u>anticoagulation</u> (e.g., warfarin) : embolism 예방 위해 평생 복용 (INR 2~3 유지)
   ⇨ 적응 : AF 동반, embolism의 과거력, LA thrombus 존재
         (severe MS & sinus rhythm 환자도 LA size >5.5 cm or 자발초음파음영 존재시 고려)
- infective endocarditis에 대한 예방조치는 필요 없음!!
- F/U ; 진찰 매년, 심초음파 3~5년(mild)/1~2년(moderate) 마다/매년(severe MS) 시행

(2) 증상이 있는 severe MS 환자의 내과적 치료

- 약물 치료가 큰 효과 없음 / 대개 급성 악화, 시술치료 전후 증상 조절, 시술 불가능할 때 시행
- 염분제한, <u>이뇨제</u> (preload를 낮추어야) → 폐울혈에 의한 증상 호전에 도움
- digitalis ; 혈역학적 이상은 변화 못시키지만, AF or Rt-HF 환자에서 심박수 조절에 도움
- β-blocker, CCB (e.g., verapamil, diltiazem) → 운동능력 향상에 도움 (특히 AF 환자에서)
- hemoptysis → 폐정맥압 감소 ; sedation, upright position, aggressive diuresis
- ACEi는 안 씀 (∵ afterload 감소시키면, LA-LV간 압력차 더 커짐)

(3) AF의 치료

- 일반적인 AF 치료와 비슷하지만, MS 환자는 sinus rhythm으로의 전환 및 유지가 매우 어려움
- 혈역학적으로 불안정하면 즉시 electrical cardioversion
- <u>HR의 조절</u> (ventricular rate 떨어뜨림) ⋯ AF, RHF의 치료시 중요!
   ┌ acute AF ⇨ IV β-blocker or nondihydropyridine CCB → oral agents로 교체
   │   (반응 없으면 digoxin or amiodarone 고려)
   └ chronic AF ⇨ digitalis or β-blocker (심박수는 약 60 bpm으로 유지)
- conversion to sinus rhythm (정상 동성리듬으로의 전환, pharmacological or electrical)
   - Ix : MS가 심하지 않고 AF이 최근에 (6개월 미만) 발생했을 때
   - 3주 이상 warfarin 투여 후 시행 / 급하면 IV heparin 투여 & TEE로 LA thrombus R/O
   - 효과 없는 경우 ; 심한 MS (LA size >5 cm), 1년 이상 지속된 AF

(4) 경피적 승모판 풍선성형술(percutaneous mitral balloon valvotomy/valvuloplasty, PMBV)

PMBV의 적응	PMBV의 부적합/금기
MV morphology가 PMBV에 적합하면서..	LA thrombus (∵ embolism 위험)
증상이 있는 isolated MS (moderate ~ severe)	→ 반드시 TEE로 확인해야!
: 승모판 개구면적(MVA) <1 cm^2/m$^2_{[BSA]}$ or $\leq$1.5 cm^2	Moderate~severe MR
무증상의 severe MS with new-onset AF	Severe or bicommissural calcification
무증상의 very severe MS (MVA <1 cm^2)	Commissural fusion 無
NYHA Ⅲ~Ⅳ의 심부전 증상, PMBV or MVR 이후의 재협착	Severe AV or TV 질환 동반
있지만 수술 고위험군 (e.g., 고령, 가임기 여성, 심한 CAD,	CABG가 필요한 CAD 동반
complicated pulmonary/renal/neoplastic dz.)	⇨ 수술적 치료 고려
Mild MS & 운동시 폐고혈압(PCWP >25 mmHg)	Mild MS (MVA >1.5 cm^2)

- femoral vein → IVC → RA → foramen ovale 천자 → LA → MV → LV 순서로 유도철선을 삽입한 뒤 MV에서 balloon을 dilatation / 성공률 95% 이상으로 좋음
- 시술 이후 예후인자 ; 심초음파 점수[Wilkins score] (leaflet rigidity/mobility, valve thickening, calcification, subvalvular thickening 각 1~4점씩 총 16점 만점)
  - Wilkins score 8점 이하면 PMV 시술 후 장단기 예후 좋음 = PMBV 적합 morphology
  - 특히 severe valvular thickening or calcification이 없는 젊은 환자에서 효과 매우 좋음
- Cx : MR, iatrogenic ASD, pericardial tamponade, LA thrombus시엔 embolism 위험, 재협착
- 수술(open valvotomy)과 장단기 예후는 비슷하지만, 시술에 따른 morbidity & mortality 낮음

(5) Surgical valvotomy

- 적응 ; 수술 고위험군이 아니면서..
  - PMBV 불가능(e.g., LA thrombus, 심한 MR or AV/TV dz.), 실패 or 협착이 재발했을 때
  - MV 변형/석회화/섬유화 심하면서(PMBV 부적합 morphology) 증상이 심한 경우(NYHA class Ⅲ~Ⅳ)
- persistent AF 환자는 수술 중에 LA maze or AF ablation 치료도 가능(→ 동율동 전환)
- 방법 ; 가능하면 open valvotomy가 선호되지만, 의뢰 환자 대부분이 MV morphology가 불량하므로 MVR을 가장 많이 시행하게 됨
  ① closed mitral valvotomy (CMV) : transatrial or transventricular approach, 저렴하고 단순한 장점으로 후진국에서 선호되었지만, 현재는 대부분 PMBV로 대치되었음
  ② open mitral valvotomy : 개흉술(CPB$_{cardiopulmonary\ bypass}$) 하에 직접 눈으로 보면서 판막 성형
  - 동반된 MR (~moderate까지)도 함께 치료 가능(annuloplasty)
  - MV의 변형/석회화/섬유화가 심하면 성적 나쁨
  - MVR보다는 양호한 환자에서 시행되므로 수술 후 장기 예후는 우수함 (10YSR 80~100%)
  ③ mitral valve replacement (MVR) : PMBV or surgical valvotomy가 불가능한 경우 시행
  - MV의 변형/석회화/섬유화 여부나 severity에 관계없이, severe MR 동반되어도 시행 가능
  - 수술에서 생존한 환자의 10YSR는 약 70%
  - 장기 예후가 나쁜 경우 ; 고령, 수술전 심한 증상, cardiac index ↓↓
  - mechanical valve가 선호됨 (bioprosthetic valve는 항응고제를 복용할 수 없거나 고령인 경우 권장)
  * 경피적 transcatheter MV implantation/replacement (TMVI, TMVR)
    : MR에서는 제법 시행되나, MS에는 도입단계 (PMBV, MVR 모두 어려운 경우 고려)

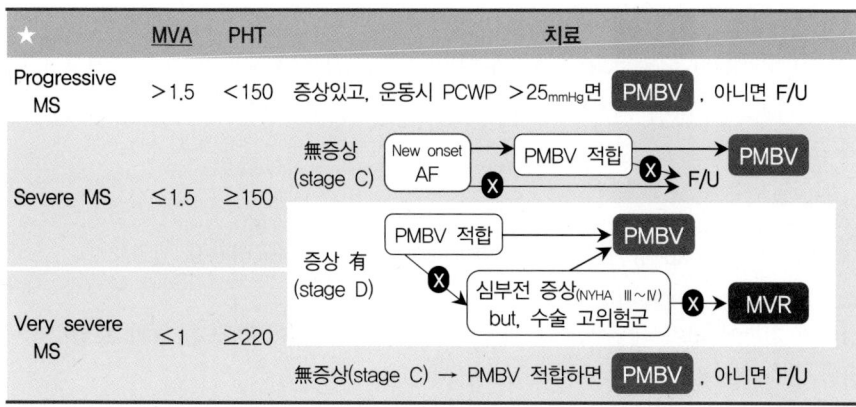

★	MVA	PHT	치료
Progressive MS	>1.5	<150	증상있고, 운동시 PCWP >25$_{mmHg}$면 **PMBV** , 아니면 F/U
Severe MS	≤1.5	≥150	無증상 (stage C) → New onset AF → ✕ → PMBV 적합 → ✕ → F/U / PMBV; 증상 有 (stage D) → PMBV 적합 → PMBV / ✕ → 심부전 증상(NYHA Ⅲ~Ⅳ) but, 수술 고위험군 → ✕ → MVR
Very severe MS	≤1	≥220	無증상(stage C) → PMBV 적합하면 **PMBV** , 아니면 F/U

*PMBV 적합 : MV morphology 양호 & No LA thrombus & No/mild MR

승모판 역류/폐쇄부전 (mitral regurgitation, MR)

1. 개요

MR의 원인
Acute   **Mitral annulus 장애** ; IE (abscess formation), valvular heart surgery   **Mitral leaflet 장애** ; IE (perforation or vegetation), balloon mitral valvotomy, chest injury, tumors (atrial myxoma), myxomatous degeneration, SLE (Libman–Sacks lesion)   **Chordae tendineae 파열** ; idiopathic, myxomatous degeneration (MVP, Marfan syndrome, Ehlers–Danlos syndrome), IE, RF, balloon valvotomy, blunt chest trauma   **Papillary muscle 장애** ; CAD (MI), acute LVF, infiltrative dz. (amyloidosis, sarcoidosis), trauma   **인공 판막 장애** ; perforation (endocarditis), degeneration, mechanical failure (strut fracture) 등
Chronic   <u>Primary</u> : 승모판엽(MV leaflets) and/or 건삭(chordae tendineae)의 문제   Myxomatous degeneration (MVP, Barlow click–murmur syndrome, forme fruste 등)   Rheumatic fever (RHD), SLE, scleroderma   IE (healed), Congenital (endocardial cushion defects [AV canal], MV clefts or fenestrations)   Radiation, trauma   <u>Secondary</u> : MV 자체는 이상이 없는 functional MR   Ischemic cardiomyopathy/healed MI (LV remodeling)   Hypertrophic cardiomyopathy (HOCM with SAM)   Dilated cardiomyopathy, Aneurysmal dilation of LV   Chronic AF에서 좌심방 확대와 승모판륜 확장(annular dilatation)이 합병된 경우   **MV annular calcification (MAC)** : 대개 퇴행성(degenerative), primary와 secondary 요소를 모두 가짐

    * Chronic MR에서는 병태생리/치료/예후가 다르므로 primary와 secondary의 감별이 중요함

(1) MVP (mitral valve prolapse) 등의 myxomatous degeneration : m/c (미국은 약 2/3)
　- chordae tendineae 파열시 acute-on-chronic MR 발생 가능
(2) rheumatic heart dz. (RHD) : 원인의 약 1/3 차지, 남>여　(c.f., rheumatic MS는 남<여)
(3) myocardial ischemia (CAD)
　- 치유된 MI에서의 ventricular remodeling or papillary ⑩의 전위/섬유화 → chronic MR
　- AMI : papillary muscle dysfunction/rupture (주로 posteromedial papillary ⑩) → acute MR
　- 협심증 발작 중에는 transient MR도 발생 가능

(4) cardiomyopathy ; HCM (HOCM with SAM), DCM (LVED 크기가 6 cm이 되면)

(5) mitral annular calcification (degenerative) : 고령의 (DM, HTN, CKD 동반) 여성에서 흔함

* chronic MR에서는 MR이 MR을 계속 악화시킴 (LAE → MV 기능 악화 → LAE & LVE 악화)

2. 병태생리

(1) LV volume overload (preload 증가), chronic MR에서는 LV contractility도 감소

　　⇨ LV failure ⇨ effective (forward) CO 감소

　　(LV와 LA 사이에 저항이 없기 때문에, LV 기능이 매우 떨어져 있어도 EF은 높아 보임

　　→ EF가 조금만 감소해도 심한 LV dysfunction을 시사)

(2) LA의 compliance가 MR의 임상적/혈역학적 소견 결정에 중요

　　① compliance 정상/감소 : **acute severe MR**

　　　　• LA & PV pr. ↑↑ (prominent *v* wave) / LA size는 정상 or 약간 증가

　　　　• pul. edema가 흔하며, 몇 달 뒤에는 RHF에 의한 증상이 나타남

　　② compliance 증가 : **chronic severe MR**

　　　　• LA size ↑↑ / LA & PV pr.는 약간만 증가 / 진행될수록 LV size↑ & contractility↓

　　　　• CO 감소에 따른 fatigue 등이 주증상 (초기에는 pul. edema 증상 경미), AF 흔함

　　* 실제 MR 환자는 두 가지 혈역학적 소견이 혼합된 형태가 가장 흔하다

	Acute MR	Chronic compensated MR	Chronic decompensated MR
주 기전	acute volume overload	eccentric hypertrophy	contractile dysfunction
LA compliance	N	↑	↑↑
LA size	N	↑	↑↑
LA pr.	↑↑	↑	↑↑
LVEDV	↑	↑↑	↑↑↑
LVESV	↓	N	↑↑
LV contractility	N	N	↓
LV EF	↑ (∵ 역류)	↑ (∵ 역류)	↓
역류 비율	50%	5%	5%
Forward CO (SV)	↓	N or ↓	↓

3. 임상양상

• fatigue, exertional dyspnea, orthopnea 등이 chronic severe MR의 흔한 증상

　　(mild~moderate chronic MR은 대개 무증상)

　– hemoptysis, systemic embolism은 MS보다 드물다

　– 폐혈관질환 및 심한 pul. HTN 동반시 Rt-sided HF의 증상 발생

　　(e.g., painful hepatic congestion, edema, 경정맥 확장, TR 등)

• acute severe MR ; acute pul. edema를 동반한 Lt-sided HF 증상(e.g., dyspnea, orthopnea) 및 심혈관계 허탈(e.g., arterial pressure↓, narrow pulse pressure)

4. 진찰소견

- systolic ⓜ : grade Ⅲ/Ⅵ 이상 (severe MR의 특징적 소견)
  - chronic MR : holosystolic & plateau 양상 (∵ LV-LA간 압력차가 거의 일정)
  - acute MR : 일찍 발생, decrescendo 양상, late systole (S_2 이전)에 종료
  - 대개 심첨부에서 가장 크게 들리고, <u>Lt. axilla로 radiation</u>
  - underlying mechanism에 따라 크기, 성상, radiation이 다름
  - 역류량(MR severity)과 ⓜ의 크기와는 상관관계가 낮음!
    (LV 기능저하, 인공판막 폐쇄부전, 폐기종, 비만, 흉부기형 등 때에는 ⓜ 잘 안들림: silent MR)
  - regurgitant space가 작고 pr. gradient가 높을수록 ⓜ 커짐
  - isometric exercise시 증가, Valsalva maneuver시 감소 (MVP가 원인이 아닌 경우)
- S_1 감소 (약하거나 들리지 않음)
- wide splitting of S_2 (∵ aortic valve가 일찍 닫혀서) ⋯ severe MR
- S_3 (ventricular gallop) (∵ 이완 초기 MV로의 flow 증가로) ⋯ severe MR
- S_4 - 최근에 발생한 acute severe MR에서 들림
- 혈압은 대개 정상 (severe MR에서는 arterial pulse가 sharp upstroke)
- 촉진 ; systolic thrill (apex), hyperdynamic LV, rapid filling wave (S_3) …

5. 검사소견

(1) EKG

- chronic MR ; LVH & LAE (pul. HTN 심하면 RAE도)
- chronic severe MR에서는 대부분 AF 발생 (AF는 독립적인 poor Px. factor)
- AMI에 의한 acute MR ; inferior or posterior MI

(2) chest X-ray

- chronic MR ; cardiomegaly (LA & LV enlargement)
- pul. venous congestion, interstitial edema, Kerly B line 등도 가끔 보임
  (lung field : MS에 비해 가벼운 변화)
- mitral leaflet의 calcification - 오래된 MR & MS에서 흔히 보임

(3) echocardiography

- Doppler echo : MR의 진단, severity 평가, LV function 측정에 유용 (MRI도 가능)
- TEE : TTE보다 해상도가 좋음

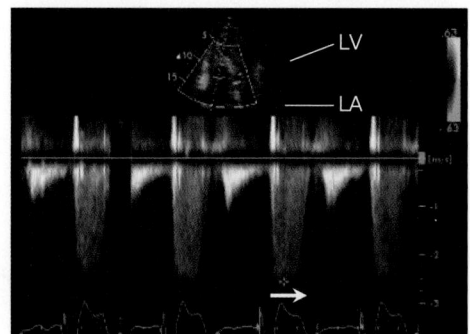

MR의 color Doppler echo.
: 수축기 때 LV에서 LA로 역류되는
  혈류가 관찰됨

(4) cardiac catheterization

- 심초음파로 severity 판정이 어렵거나, 수술 예정일 때 유용
- MR의 심도자 소견

  ⎡ systole 때 arterial pr. > LV pr.
  ⎣ late systole 때 LA pr. (PCWP) ↑

Severity of Chronic MR (primary & secondary)

Severity	Central MR jet	RV	RF	ERO	VC	Angiographic grade
Mild MR	No or small (<20% LA)	<30 mL	<30%	<0.2 cm^2	<0.3 cm	–
Moderate MR	20~40% LA or late systolic eccentric MR jet	<60 mL	<50%	<0.4 cm^2	<0.7 cm	1~2+
Severe MR ★	>40% LA or holosystolic eccentric MR jet	≥60 mL	≥50%	≥0.4 cm^2	≥0.7 cm	3~4+

RV: regurgitant volume, RF: regurgitant fraction, ERO: effective regurgitant orifice area, VC: vena contracta width

c.f.) MR severity의 정량적 평가 (color flow Doppler imaging)

- MR jet 면적측정법(%) = 역류 jet 최대 넓이 / LA 넓이 … 정량적이지 못해 권장은 안됨
- 근위부 등속면 면적법(proximal isovelocity surface area, PISA)
  - 역류용적(regurgitant volume, RV)
  - 역류분획(regurgitant fraction, RF)
  - 유효역류구면적(effective regurgitant orifice area, ERO)
- VC (vena contracta jet의 폭) 측정법
- PISA와 VC가 정량적 평가에 가장 많이 이용됨

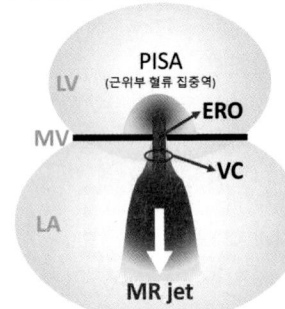

Stages of Chronic Primary MR AHA/ACCF 2014

Stage	Definition	Valve anatomy	Hemodynamic results	Symptoms
A	At risk of MR (mild MR)	판막접합(coaptation) 정상인 mild MVP 경미한 판막비후 및 판막엽(leaflet) 제한	–	–
B	Progressive MR (moderate MR)	판막접합 정상인 severe MVP 판막엽 제한 & 중심 접합 상실된 류마티스성 판막 변화 감염성심내막염(IE)의 과거력	Mild LAE No LV dilatation Normal PA pr.	–
C	Asymptomatic severe MR	접합 상실 or 판막엽 연약해진(frail) severe MVP 판막엽 제한 & 중심 접합 상실된 류마티스성 판막 변화 감염성심내막염(IE)의 과거력 판막이 두꺼워진 방사선 심장병	Moderate~severe LAE LV dilatation Pulmonary HTN 동반 가능 C1: LVEF >60%, LVESD <40mm C2: LVEF ≤60%, LVESD ≥40mm	–
D	Symptomatic severe MR	〃 〃	Moderate~severe LAE LV dilatation Pulmonary HTN 동반	운동능력 저하 운동시 호흡곤란

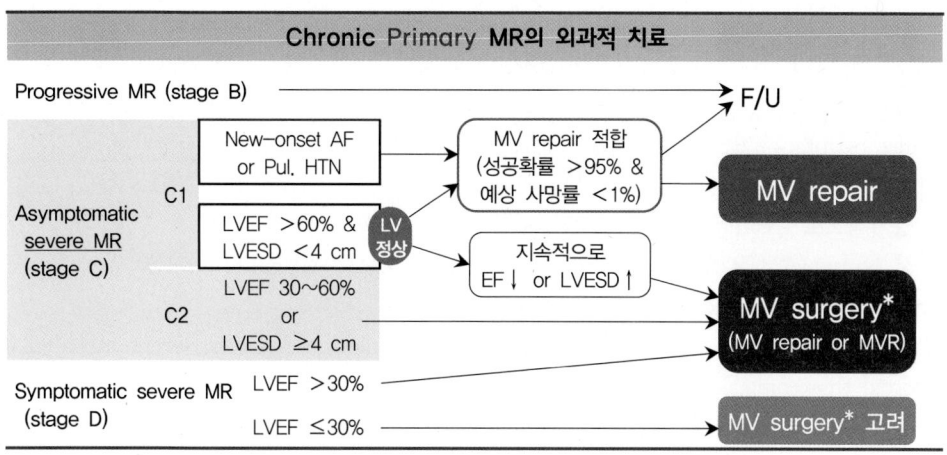

Chronic Primary MR의 외과적 치료

*MV surgery : 가능하면 MV repair, 불가능하면 MVR

Chronic Secondary MR의 외과적 치료

CAD 치료	Stage B	→ F/U
HF 치료 →	Stage C	
CRT 고려, etc.	Stage D (NYHA Ⅲ~Ⅳ 증상 지속) → MV surgery 고려	

6. 치료

(1) 내과적 치료

- acute severe MR (e.g., post-MI papillary muscle rupture) ⇨ 대개 응급 수술(MV repair)
    - diuretics, IV vasodilator (특히 sodium nitroprusside : afterload↓ → CO↑, regurgitation↓)
    - 혈압이 낮아 vasodilator를 쓸 수 없는 경우에는 IABP 등을 시행
- chronic severe MR : 원인 질환에 따라 다를 수 있음
    - HF에 대한 치료 ; 증상을 일으키는 활동의 제한, 염분섭취 제한, diuretics, β-blocker, ACEi, ARB, digitalis, biventricular pacing (CRT) 등
    - ACEi (e.g., lisinopril), ARB → afterload↓, LV volume↓, 증상 호전
    - AF → 항응고제(warfarin : INR 2~3 유지), 임상양상/LA크기에 따라 cardioversion 고려
    - Sx or HTN이 없는 경우 vasodilator는 권장 안됨! (∵ 대부분 afterload 증가 안 되었음)
- infective endocarditis (IE) 예방조치는 필요 없음

(2) 수술적 치료

- MS보다 operative mortality 높다 → 증상 없거나 경미하고 LV function이 정상이면 수술 안 함
- 수술의 적응
    ① 증상이 있는 chronic severe MR (LVEF가 30% 이하로 감소되어도 가능하면 수술 고려)
    ② 증상이 없거나 미미한 chronic severe MR
       (a) LV dysfunction이 진행되어 LVEF ≤60% and/or LV end-systolic dimension ≥4 cm
       (b) LVEF >60% & LVESD <4 cm이어도, 지속적으로 EF 감소되거나 LV 커지는 경우
       (c) LV function이 정상이어도 new-onset AF or pulmonary HTN 존재시
           (PA pr. 휴식시 50 mmHg 이상 or 운동시 60 mmHg 이상 ↵)

- 승모판 성형술(MV repair) : mitral valvuloplasty and/or mitral annuloplasty
  - 가능하면 MVR보다 MV repair가 선호됨, 수술 시기도 앞당기는 것이 추세
  - 특히 young age, MVP에 합병된 MR, annular dilatation, chordal rupture, IE에 의한 mitral leaflet perforation 등 때 효과적 (⋯ MR의 대부분을 차지)
  - 장점 ; 수술 사망률 낮음(MVR의 약 1/2), 합병증(e.g., embolism, IE, 출혈) 적음, 장기적으로 LV function 잘 유지됨, 항응고 치료 필요 없음
  - 단점 ; residual MR로 인한 MR 재발이 흔함, 기술적으로 MVR보다 어려움
- 승모판 치환술(MV replacement, MVR)
  - 고령에서 rheumatic fever 등으로 인한 rigid/calcified/deformed valves, severe subvalvular chordal thickening, leaflet substance 소실 등 때 시행
  - 단점 ; 수술 사망률 높음, 수술 후 LV function이 악화가 흔함, thromboembolism or 출혈성 부작용(mechanical/기계판막), late valve failure에 의한 재시술 필요(bioprosthetic/조직판막)
- 최근에는 MV repair or MVR 때 minimally invasive surgery도 시행됨(e.g., 로봇수술)

(3) 경피적 치료(intervention)
- 심장수술(e.g., 개흉, 체외순환)에 따른 부작용을 피할 수 있는 장점 / 장기 예후는 아직 모름
- transcatheter MV repair (annuloplasty) ; MitraClip® (Abbot) 등
  - MR을 완전히 교정은 못하지만 증상↓, 심기능↑에 도움, 수술 불가능/고위험군에서 고려 가능
  - 심부전에 이차적으로 발생한 functional MR에서 많이 시술됨 (미국은 primary MR에만 허가)
- transcatheter MV implantation/replacement (TMVI, TMVR)
  - valve-in-valve procedure, self-expanding stent-based bioprosthesis
  - 수술 불가능한 primary & secondary MR 고위험 환자에서 고려 가능
  - TAVI보다는 크고, 복잡하고, 고정이 어려움 → 이탈, thrombosis/embolization/obstruction 위험 높음
  - AS에 비해 MR은 원인/양상이 다양하고 젊은 사람이 많음 → MV repair가 선호됨 (특히 primary MR에서)

c.f.) 판막치환술시 판막 종류의 선택

기계판막(mechanical prosthesis)	조직판막(bioprosthesis)
50세 이하 항응고 치료에 따른 출혈 위험도 낮음 항응고 치료에 잘 따를 수 있음(e.g., INR monitoring) 다른 장기간 항응고 치료의 적응 존재(e.g., AF) 재시술의 고위험군(e.g., porcelain aorta, RTx.) 환자의 선호 (장래의 재시술 가능성 싫음) 작은 aortic root 크기 for AVR (장래의 TAVR 고려)	70세 이상 항응고 치료에 따른 출혈 위험도 높음 항응고 치료에 잘 따르기 어려움 (e.g., 병원이 멀거나, 용량 조절 곤란) 환자의 선호 (장기간 항응고 치료 싫음) 재시술/사망률이 낮은 우수한 병원 有

* 50~70세의 grey zone은 논란, 여러 장단점을 고려하여 선택

판막치환술 이후의 antithrombotic therapy

	Aspirin	추가 항혈소판제	VKA (vitamin K antagonist)
기계 판막	평생	–	평생, INR 2.5~3.5 (AVR은 2.0~3.0*)
조직 판막	평생	–	3~6개월, INR 2.0~3.0 (dual VR은 2.5~3.5)
TAVI	평생	Clopidogrel 3~6개월	적응 되면(e.g., AF), VKA 사용시엔 Clopidogrel 사용X

* 고위험군(e.g., AF, 이전의 embolism, LV dysfunction, hypercoagulable)은 2.5~3.5

승모판 탈출증 (MVP, mitral valve prolapse)

1. 개요

- systole 때 승모판엽(MV leaflets)이 LA 쪽으로 탈출(prolapse) 되는 것으로, 후엽(post. MV leaflet [MVL])의 prolapse가 더 흔함
- 동의어 ; floppy-valve syndrome, systolic click-murmur syndrome, Barlow's syndrome ...
- m/c valvular abnormality (인구의 5~10%), isolated severe MR의 m/c 원인
- 젊은 여성에서 흔하다 (15~30세), 일부에서는 가족력 有 (e.g., AD 유전)
- 임상경과 및 severity가 매우 다양
- 대부분은 양호한 경과 (but, 50세 이상 남성은 MR 및 endocarditis 발생 위험↑)
- 약 15%에서 10~15년 뒤 MR 발생

2. 원인/관련질환

- MV의 myxomatous degeneration 및 acid mucopolysaccharide 축적에 의한 판막조직의 과잉
- 대부분 원인은 모르고, isolated MVP로 존재
- 유전성 결합조직질환 ; Marfan syndrome, osteogenesis imperfecta, Ehlers-Danlos syndrome ...
- 선천성 흉부기형 ; straight back syndrome ...
- rheumatic heart dz., ischemic heart dz., cardiomyopathies ...
- ostium secundum ASD 환자의 20%에서도 동반됨

3. 임상양상

(1) 증상 : 대부분 무증상 / palpitation, syncope, chest pain, fatigue

(2) 청진 ┌ mid- or late-systolic **click** (MV가 LA쪽으로 빠지는 소리) : S_1 0.14초 이후에
    └ late systolic ⓜ (빠진 틈새로 역류되는 소리) : 고음의 바람부는 소리 같음

- <u>발생시기 및 크기의 변화</u>
  ① 일찍 발생 or 커짐(↑) : LV volume (preload) 감소시키는 조작시 prolapse 조장
    ; sudden standing, Valsalva maneuver, 흡기, amyl nitrate 흡입, isoproterenol
  ② 늦게 발생 or 소실(↓) : LV volume (LVEDV) 증가시키는 조작시 prolapse 감소
    ; squatting, isometric/handgrip exercise, leg elevation, 호기
- 일부에서는 click and/or ⓜ가 없을 수도 있음

(3) 합병증 ; TIA (∵ embolism), infective endocarditis (MR 동반시)

4. 검사소견

(1) EKG ; 대부분 정상, Ⅱ·Ⅲ·aVF에서 biphasic or interted T wave,
    간혹 supraventricular/ventricular premature contractions or tachycardia도 가능

(2) echocardiography (m/g)
- 정의 : 수축기에 MV leaflet이 2 mm 이상 LA 쪽으로 이동
  (parasternal long-axis view, mitral annulus의 plane 기준)

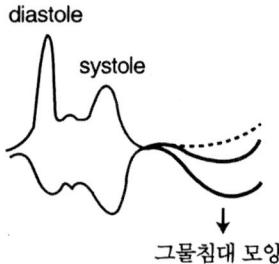

- MVL의 thickening → infective endocarditis, severe MR 발생위험↑
- color flow Doppler : MR 발견 및 평가에 유용

5. 치료

- severe MR or arrhythmia 없는 무증상 환자 → 치료는 필요없고, 환자를 안심시킴(reassurance)
- infective endocarditis (IE) 예방조치는 필요 없음 (이전에 IE 병력이 있을 때에만 시행)
- β-blocker ; chest pain, palpitation, autonomic dysfunction 등 완화
- symtomatic tachyarrhythmia → 반드시 항부정맥제로 치료
- antiplatelet agents (e.g., aspirin) ; TIA의 병력이 있거나 redundant leaflet 시
  → 효과 없으면 항응고제(e.g., warfarin) 투여 (AF 발생시에도)
- severe, symptomatic MR → MR과 동일하게 치료 (e.g., MV repair)

대동맥판 협착증 (aortic stenosis, AS)

1. 개요

- 원인
  (1) age-related calcific (degenerative or senile) AS : m/c, 남>여
    - congenital bicuspid or normal trileaflet valve에서 발생, 고령에서 호발 (고령화에 따라 증가)
    - aortic sclerosis : doppler jet velocity 2.5 m/s 미만이면서 valve cusps의 focal thickening or calcification을 보이는 것 (frank AS의 전단계), 65세 이상의 약 30%에서 관찰되고 약 2%는 실제 aortic stenosis를 보임 → CAD의 고위험인자
    - 동맥경화증의 위험인자는 모두 AV calcification의 위험인자 임
      (e.g., 고령, 남성, 흡연, DM, HTN, CKD, LDL↑, HDL↓, CRP↑)
  (2) 선천성 ; unicuspid, bicuspid, quadricuspid AV

> ■ **Bicuspid aortic valve (BAV)**
> - 3개의 cusps 중 2개의 융합으로 발생
> - 비교적 흔한 선천성 심질환(1~2%), AVR 수술 받은 환자의 53%는 bicuspid, 4%는 unicuspid
> - 남>여, 소아 때는 대개 정상 기능, 중년 이후 calcific AS 발생, 약 20%에서는 심한 AR도 발생
> - CoA 잘 동반, infective endocarditis 발생 위험 높음
> - 대동맥 합병증 ; ascending aorta의 dilatation, aneurysm, dissection (발생 위험 5~9배), rupture

(3) rheumatic AS : 대부분 MV도 침범하며, severe AR 동반

(4) 기타 ; infective endocarditis, radiation, hyperlipidemia ...

- 약 80%가 남자, 50~60대에서 호발
- valvular AS 이외의 LV outflow tract (LVOT) obstruction의 원인

① HOCM

② discrete congenital subvalvular AS

③ congenital supravalvular AS

2. 병태생리

- LV outflow obstruction → LV와 aorta 사이에 systolic pr. gradient 발생
- 보상기전 : 동심성(concentric) LVH → 오랫동안 LV output (CO) 유지
- 심근비후(LVH) → 심근의 산소요구량↑ 및 관상동맥 압박에 의한 관상동맥 혈류 예비능↓
  → CAD 없이도 심근(특히 subendocardium)의 허혈(angina) 발생 가능
- <u>severe AS</u> (→ Sx 발생↑)

  $\begin{bmatrix} \text{mean systolic pr. gradient} >40 \text{ mmHg} \\ \text{effective aortic orifice} <1.0 \text{ cm}^2 \ (0.6 \text{ cm}^2/\text{m}^2, \text{정상의 약 } 1/3) \end{bmatrix}$

  - LVEDP↑ (LV dilatation and/or compliance↓)
  - LA pr. pulse에서 large *a* wave가 흔함
- 말기에는 심실기능 저하로 CO과 LV-aortic pr. gradient 감소 (mean LA, PA, RV pr.는 증가)
- AF or AV dissociation 동반시에는 증상이 급격히 악화됨
- AV conduction system의 calcification도 동반 가능 → 전도장애 발생

3. 임상양상

- 3대 주요 증상

  ① <u>exertional dyspnea</u> (m/c) : LVEDP↑ → LA pr. (PCWP)↑ 때문

  ② <u>angina pectoris</u> : severe AS의 약 2/3에서 발생, CAD 동반도 드물지 않음

  ③ <u>syncope</u> : 전신혈관저항 감소(저혈압), 부정맥 등에 의해 발생
- aortic orifice가 0.5 cm^2/m^2 이하로 감소해야 임상적으로 의미있는 증상 발생

  (severe AS라도 증상 없이 수개월간 지속 가능)
- 일단 증상이 발생하면 경과가 급격히 나빠짐
- 말기에 이르면 LV failure의 증상 (e.g., orthopnea, paroxismal nocturnal dyspnea, pul. edema), severe pul. HTN 및 Rt-HF에 의한 증상, AF, TR 등도 발생 가능
- MS가 동반된 경우 : MS에 의한 CO의 감소 → pr. gradient↓ → AS의 여러 증상이 감춰질 수
- AV calcification시 → hemolytic anemia, GI bleeding (∵ angiodysplasia) 발생 ↑

4. 진찰소견

- early systolic ejection click (aortic valve의 OS)
  - congenital noncalcific valvular AS의 소아/청소년에서 흔함
  - severe or calcified & rigid AS에서는 사라짐 (e.g., 노인)
- (mid) <u>systolic ejection</u> ⓜ : "crescendo-decrescendo", low-pitched, rough, rasping
  - heart base (우측 2nd ICS)와 흉골좌연(중간부위)에서 제일 크게 들림
  - 목 부위 (common carotid artery)로 radiation!
  - severe AS 때는 최소한 grade III/VI 이상
- paradoxical splitting of S_2 : P_2가 A_2보다 먼저 발생 (∵ severe AS에서 LV systole이 길어져서)
- S_4 (atrial gallop) 현저 : severe AS에서 LVH, LVEDP↑를 의미
- S_3 : 말기에 LV dilatation시 발생
- systolic thrill (우흉골연 2nd ICS에서) : severe AS 때

Severe AS의 소견
1. Paradoxical splitting of A_2
2. Early systolic ejection click의 소실
3. S_4, systolic thrill
4. LV failure 소견 (e.g., 폐울혈 → rales)

- 동맥파(arterial pulse) : 맥이 작으면서 천천히 정점에 도달함(pulsus parvus et tardus)
- sustained apical impulse (특징!)
- systemic HTN은 드물다 (basal systolic BP가 200 mmHg 이상이면 severe AS는 R/O!)
- JVP : large a wave (∵ interventricular septum의 비대에 의한 RV compliance 감소 때문)

5. 검사소견

(1) EKG

- LVH, LV strain (ST-depression, T-wave inversion)
- obstruction의 심한 정도와 EKG 소견과는 밀접한 관련이 없음
  → EKG에서 LVH 소견이 없다고 severe AS를 R/O 하진 못한다

(2) chest X-ray

- 심장크기 : 정상 or 약간 확대 (∵ concentric LV hypertrophy)
  (확대 없는 hypertrophy시 → 심첨부가 둥글게 보임, LV cavity 감소)
- poststenotic dilatation of ascending aorta - severe AS
- AV (aortic valve) calcification (성인에서 calcification이 없다면 severe valvular AS는 아님을 시사함. but, calcification이 severe AS를 의미하는 것은 아니다)
- 말기에는 LV, LA, RA, RV 등의 확장 및 폐울혈 발생 증가

(3) echocardiography

- 주요소견 ; LVH, 대동맥판 협착, calcification
- 동반된 다른 판막질환(e.g., MS, AR) 발견에도 유용
- TEE ; 좁아진 valve orifice 매우 잘 보임, bicuspid valve와 상행대동맥 확장 확인에도 유용

- doppler echo. (continuous-wave doppler) : AV 사이의 pr. gradient 측정
- <u>dobutamine stress echo.</u> : LV systolic dysfunction (EF <35%) 환자에서 severity 평가에 유용!
  ($\because$ low CO 환자는 AV가 완전히 안 열려서 AV area가 underestimation)

Severity	Jet velocity (V_{max})	Mean pr. gradient (ΔP_{mean})	Valve area	Valve area index
Mild AS	2~2.9 m/s	<20 mmHg	1.5~2.0 cm^2	
Moderate AS	3~3.9 m/s	20~39 mmHg	1.0~1.5 cm^2	
Severe AS ★	≥4 m/s	≥40 mmHg	<1.0 cm^2	<0.6 cm^2/m^2
Very severe AS	≥5 m/s	≥60 mmHg		

(4) catheterization

- LV와 aorta 사이의 systolic pr. gradient (LV pr. > aortic pr.), LVEDP 상승,
  PCWP (LA pr)에서 large *a* wave
- coronary angiography ; 대개 수술 예정인 severe AS 환자에서 시행하며, 아래의 경우 특히 <u>적응</u>
  ① AS 및 myocardial ischemia의 증상 존재, CAD 의심시
  ② multivalvular dz.
  ③ 젊고 증상이 없는 non-calcific congenital AS
  ④ sub- or supravalvular obstruction 의심시 (AV level이 아니라)

6. 경과/예후

- 증상 발현 이후 사망까지의 평균 기간 (AS에 의한 증상이 발생하면 경미하더라도 예후 급격히 나빠짐)
  ① angina, syncope : 3년
  ② dyspnea : 2년
  ③ <u>heart failure</u> : 1.5~2년 (가장 예후 나쁨!, 사망의 m/c 원인)
- AS로 인해 사망한 환자의 80% 이상은 증상 발현 기간이 4년 미만
- 급사(SCD) ; AS로 사망한 환자의 10~20% 차지, 평균 60세, 주로 부정맥 때문
  – 대부분의 SCD는 증상이 있는 AS 환자에서 발생
  – 증상이 없는 severe AS 환자에서는 매우 드물다 (매년 0.3%)
- obstructive calcific AS는 진행성으로 매년 valve area가 약 0.1 mm^2 씩 감소,
  mean pr. gradient는 약 7 mmHg 씩 증가됨

Severe AS 환자에서 나쁜 예후인자

Asymptomatic	Symptomatic
Exercise test 이상, BNP↑ Moderate~severe valve calcification Aortic velocity 매우 높음(>5 or 5.5 m/sec) Aortic velocity가 빨리 증가 비후성 LV remodeling 증가 LV longitudinal systolic strain 감소 Myocardial fibrosis, Pulmonary hypertension	Low-flow, low-gradient, low-EF AS 환자에서 contractile reserve 감소 Mean pr. gradient 매우 낮음 (<20 mm Hg) BNP↑↑, 산소가 필요한 폐 질환 심한 ventricular fibrosis 쇠약, 심한 신부전 STS risk score 매우 높음

7. 치료

(1) 내과적 치료

- mild~moderate AS는 F/U : mild AS 3~5년, moderate AS 1~2년마다 심초음파
- HTN/CAD 치료제(e.g., β-blocker, ACEi) : 좌심실 기능이 보존된 무증상 환자에서는 대개
  안전하지만, LV systolic dysfunction시에는 주의/금기 (∵ 심실기능을 저하시켜 심부전 유발)
- severe AS : 증상이 없어도 심한 육체적 활동은 제한, dehydration/hypovolemia (→ CO↓) 주의
- 수술을 하지 못하는 <u>symptomatic</u> severe AS 환자
  - 염분 섭취제한, 이뇨제, digitalis 등의 HF에 대한 치료
  - ACEi : 저혈압 발생에 주의하면서 저용량으로 사용 가능 (다른 vasodilators는 금기)
  - β-blocker : 심실기능을 저하시켜 LV failure를 유발할 수 있으므로 금기
- nitroglycerin : CAD 환자에서 흉통 완화에 도움
- AF or Af (severe AS의 10% 미만에서만 발생) → 즉시 치료해야(e.g., cardioversion)
  (∵ SV 유지에 atrial kick이 매우 중요하므로 심각한 저혈압 발생 위험)
- infective endocarditis (IE) 예방조치는 필요 없음 (이전에 IE 병력이 있을 때에만 시행)
- HMG-CoA reductase inhibitors (statins) : AS의 진행을 늦춘다고 하였으나, 전향적 연구 결과
  AS의 예후에는 영향이 없는 것으로 나타났음 → CAD의 1, 2차 예방을 위해서는 투여!
- volume overload HF 환자 : AVR 이전에 조심스럽게 이뇨제, dobutamine, nitroprusside,
  phosphodiesterase 5 inhibitor 등을 사용 → 증상 & 혈역학 호전 (→ 더 안전하게 수술 가능)

(2) 대동맥판 치환술(AV replacement, AVR)

- 증상이 없고 LV 기능이 정상인(EF >50%) severe AS 환자는 가능한 AVR을 연기하는 것이 좋음
  (∵ 수술 사망률 > SCD) → echo. 등으로 추적 관찰

AVR의 적응 ★	Severe AS		Moderate AS
	≥4	V$_{max}$ (m/s)	3~3.9
	≥40	ΔP$_{mean}$ (mmHg)	20~39
Symptomatic	O		LV dysfunction : LVEF <50%

Asymptomatic	LV dysfunction : LVEF <50%
	AVR 가능하면서... (*불가능하면 내과적 치료)
	  Very severe AS [V$_{max}$ ≥5, ΔP$_{mean}$ ≥60] or
	  Rapid progression (ΔV$_{max}$ 3 m/s/yr 이상↑)
	다른 심장수술(e.g., CABG) 시행시
	Exercise treadmill test (ETT) 이상
	  (혈압↓ or exercise capacity↓)
			다른 심장수술 시행시

- 가능하면 frank LV failure가 발생하기 전에 AVR하는 것이 좋음
- percutaneous <u>transcatheter aortic valve implantation/replacement (TAVI, TAVR)</u>
  - balloon-expandable valve, self-expanding valve 두 종류가 있음
  - 수술 위험이 높은 고령의 severe AS 환자에서 주로 시행하다가, 점점 적응이 넓어지고 있음
  - 기술이 발전하여 surgical AVR과 성적 동등하고, 내구성도 좋고, 시술 편의성도 좋아졌음
    (TAVI 이후 early stroke, paravalvular AR, heart block 등의 부작용 위험이 있지만, 점점 개선되는 중)
  - AVR 적응이면서 수술 <u>중간 위험</u>, 고위험, 초고위험(불가능) 환자군에서 시행 권장
    (c.f., STS risk score : CABG 및 판막 수술 이후의 단기 mortality & morbidity 평가 지표)

- surgical AVR (SAVR) ; 과거 TOC였지만, TAVI로 많이 대치되어가고 있음 (유럽은 1/2 이상이 TAVI)

TAVI가 선호되는 경우	SAVR이 선호되는 경우
STS/EuroSCORE II ≥4%	STS/EuroSCORE II <4%
심한 동반질환 (위 지표에 포함되지 않은)	75세 미만
75세 이상	TAVI access에 부적합한 혈관
이전의 심장 수술	TAVI에 부적합한 AV 크기/형태
Transfemoral TAVI access에 적합한 혈관	Aorta or LV에 thrombi 존재
흉부 방사선치료의 후유증	CABG가 필요한 심한 CAD 동반 (→ 동시 수술)
Porcelain aorta, 심한 흉부 기형 or scoliosis	수술로 치유 가능한 심한 primary MV dz. 동반
Patient-prosthesis mismatch (PPM) 가능성	심한 TV dz. 동반
개흉술시 위험한 intact CABG 존재	Ascending aorta의 aneurysm
환자가 개흉술을 거부	Myectomy가 필요한 septal hypertrophy

* bicuspid aortic valve (BAV) ; AS or AR 합병 가능
  - AVR 예정시, 최대 상행대동맥 직경(end-diastole에 측정) 45 mm 이상이면 <u>대동맥치환술도</u> 시행
  - AV dz.가 없어도, 상행대동맥 직경 55 mm 이상이면 대동맥치환술 권장
  - 고위험군(e.g., CoA, 대동맥박리 가족력, 대동맥 크기↑[≥5 mm/yr])은 50 mm 이상시 권장

(3) percutaneous balloon aortic valvuloplasty (BAV, aortic balloon dilation)
- 소아/청소년의 congenital, noncalcific AS 때는 수술보다 선호됨
- 성인의 AS에는 효과가 떨어져 잘 안씀 (∵ 재협착↑↑)
- AVR or TAVI 시행이 불가능한 경우 or 심한 LV dysfunction시 전단계(bridge)로 사용 가능
c.f.) valvar PS에서는 balloon pulmonary valvuloplasty (BPV)가 TOC

대동맥판 역류/폐쇄부전 (aortic regurgitation, AR)

1. 원인

(1) primary valve dz.
- 약 3/4이 남성, MV dz.를 동반한 경우는 여성이 더 많음
- rheumatic heart dz. (m/c, AR의 2/3) : isolated AR은 비교적 드묾
- VSD (약 15%에서 aortic cusp prolapse 발생)
- congenital bicuspid AV, congenital membranous subaortic stenosis, congenital AV fenestration
- ankylosing spondylitis, syphilis, myxomatous (prolapse), trauma ...
* severe AS + AR은 거의 대부분 rheumatic or congenital AR

(2) primary aortic root dz. (aortic dilatation)
- 일차적인 AV의 침범 없이 aortic annulus가 넓어진 것
- aortic dissection
- cystic medial degeneration ; Marfan syndrome, bicuspid AV, familial aneurysm
- aortitis, severe HTN, osteogenesis imperfecta, syphilis, ankylosing spondylitis

■ <u>acute AR</u> ; infective endocarditis, aortic dissection, trauma, sinus Valsalva aneurysm rupture ...

2. 병태생리(chronic AR)

- MR과 달리 (높은 압력인 대동맥으로부터) 역류되는 양 많음 → 심장질환 중 volume overload 최대
- LV volume overload : LVEDV (preload) 증가 ⇨ <u>LV dilatation</u> (LV mass↑) … 주 보상기전
  - LV dilatation & hypertrophy로 인해 large SV 가능
  - total (forward + regurgitant) SV 증가 (→ LV ejection time↑ → diastolic time↓)
  - 따라서, severe AR에서도 effective forward SV 및 LV EF (total SV/EDV)는 정상일 수 있음
- LaPlace's law (wall tension = 압력×직경/벽두께)에 따라 LV dilatation이 심해지면 systolic wall tension (= afterload)↑ … LV preload와 afterload가 모두 증가 ⇨ eccentric hypertrophy
- compensated AR : 충분한 심실벽 비후로 정상 직경/벽두께 비율 유지 (wall tension 유지)
- AR이 장기간 심해지면 심실벽 비후가 더 이상 못 따라감 → wall tension 증가 (afterload ↑↑)
  - ⇨ 좌심실 기능 감소 ; forward SV↓ & EF↓ … LVED(S)V↑↑↑ (cor bovinum황소심장)
    (LVEDP 증가는 아주 심하지 않음 = LV compliance↑)
- 말기에는 LA, PCWP, PA, RV 등의 압력도 크게 증가하며, 안정시에도 forward CO 감소
- myocardial ischemia (angina)의 발생 기전
  ① LV dilatation & systolic tension↑ → 심근의 산소요구량↑
  ② aortic diastolic pr. & time↓, CO↓ → coronary perfusion↓

	Acute AR	Chronic compensated AR	Chronic decompensated AR
LV size	N	↑↑	↑↑↑
LVEDV	↑	↑↑	↑↑↑
LVESV	N	N	↑↑
LVEDP	↑↑↑	N (~↑)	↑
LV contractility	N	N	↓
Total SV	↑ (∵ 역류)	↑↑ (∵ 역류)	↑ (∵ 역류)
Forward SV	↓	N	↓
EF	↑	↑~N	↓
BP (systolic/diastolic)	↑/↓~N	↑↑/↓	↑~↑↑/↓

3. 임상양상

- chronic AR은 장기간(10~15년) 증상 없이 지낼 수 있음
- 초기 증상 ; 불쾌한 심장박동 느낌, 심계항진 등 (누우면 심해짐)
- Lt-HF의 증상이 m/c ; exertional dyspnea, orthopnea, paroxysmal nocturnal dyspnea, fatigue
- anginal chest pain : severe AR에서 흔함 (AS보다는 드묾)
  - resting, exertional, nocturnal (심한 발한 동반 가능)
  - 오래 지속되며 sublingual NG에 반응이 안좋을 수도 있음
- 말기에는 전신체액저류로 인한 울혈성 간비대, 부종 등도 발생 가능

■ acute severe AR : LV가 확장될 시간이 없으므로, LVEDP↑↑ (→ LA pr.↑) & SV↓
  → 빠르게 pul. edema and/or cardiogenic shock 발생 가능

4. 진찰소견

(1) 동맥파(arterial pulse)

- wide pulse pressure (chronic AR) ; systolic pr. ↑↑, diastolic pr. ↓
  ① Corrigan's pulse : 급격히 상승했다가("water hammer" pulse) 떨어짐
  ② Quincke's pulse : 손톱 끝을 누르면 손톱 바닥에서 pulsation이 보임
  ③ Traube's sign : femoral A. 위에서 booming, "pistol-shot" sound 들림
  ④ Duroziez's sign : 청진기로 femoral A.를 누르면 to-and-fro ⓜ 들림
  ⑤ Hill's sign : femoral A.의 수축기압이 brachial A.보다 40 이상 높음
  ⑥ De Musset's sign : 심장 수축에 따라 머리를 끄덕임
- pulse pr.의 크기는 AR의 severity와 반드시 일치하지는 않는다
- pulsus bisferiens (이단맥)

(2) 청진 : "double murmur"

- A$_2$는 감소 or 소실, S$_3$와 systolic ejection sound는 흔함, 때때로 S$_4$도 들릴 수
- diastolic ⓜ : high-pitched, decrescendo type ⋯ 특징적인 AR의 ⓜ
  - Erb's point (좌측 3rd ICS)에서 잘 들림 (우흉골연에서 들리면 aortic root dilatation을 시사)
  - AR이 심할수록 ⓜ가 커지고 길어진다
  - ⓜ가 작을 때는 청진기의 diaphragm으로, 앉아서 몸을 앞으로 기울이고, 숨을 크게 내쉰 후 멈춘 상태에서 잘 들림
- mid-systolic ejection ⓜ : 보통 heart base에서 가장 잘 들림
- Austin Flint ⓜ : soft, low-pitched, rumbling, middiastolic or presystolic ⓜ
  - diastolic AR flow에 의한 MV의 진동으로 발생
  - apex에서 가장 잘 들림 ⋯ severe AR 때
- * AR의 ⓜ ┌ 증가 ; isometric exercise (e.g., handgrip), squatting
          └ 감소 ; amyl nitrate 흡입, Valsalva maneuver

(3) acute severe AR

- pulse pr.의 widening이 경미하거나 없음 (∵ LVEDP↑↑), tachycardia
- S$_1$은 약하거나 안 들림
- AR의 diastolic ⓜ : soft, short
- mid-diastolic sound (∵ MV가 빨리 닫히면서 나는 소리 ← LVEDP↑↑)

5. 검사소견

(1) EKG

- severe chronic AR ; LVH, LV strain (ST depression, T wave inversion)
- LAD and/or QRS prolongation → diffuse myocardial dz., poor Px.

(2) chest X-ray

- severe chronic AR ; 심한 LV dilatation ("황소 심장")
- primary aortic root dz. ; aortic dilatation 소견 → echo/CT가 더 정확

(3) echocardiography

- 좌심실(LV)의 확장, 수축력(SV) 증가
- AR flow에 의한 MV의 diastolic fluttering (특징적 소견)
  - severe AR : regurgitant volume $\geq$60 mL/beat (fraction $\geq$50%), diastolic MR
  - acute AR : MV의 premature closure
- color flow Doppler : AR의 발견 및 severity 평가에 유용

(4) cardiac catheterization & angiography

- AR 및 LV function의 정확한 평가
- AR의 심도자 소견
  - diastolic 때 LV pr. = arterial pr.
  - severe AR : early diastole 때 LV pr. > LA pr. (PCWP)
- 심한 경우 proximal descending thoracic aorta에서 diastolic flow reversal이 나타날 수 있음
- coronary angiography : 수술 예정인 환자에서 시행

AR Severity	Jet width (% of LVOT)	Vena contracta (VC)	Regurgitant volume (RV)	Regurgitant fraction (RF)	ERO** (cm²)	Angiography grade
Mild AR	<25%	<0.3 cm	<30 mL	<30%	<0.1	1+
Moderate AR	25~64%	0.3~0.6 cm	30~59 mL	30~49%	0.1~0.29	2+
Severe AR*	≥65%	>6 cm	≥60 mL	≥50%	≥0.3	3~4+

* Severe AR의 추가 소견; 근위 복부대동맥에서 holodiastolic flow reversal, LV dilation
** ERO: effective regurgitant orifice

6. 치료

(1) 내과적 치료 (chronic AR)

- 다른 판막질환들과 마찬가지로, 판막질환의 진행을 늦추거나 사망률을 낮추는 약물치료는 없음
- AS와 비슷하게, 증상이 없으면 severe AR도 장기간 생존하며, 증상이 발생하면 급격히 생존율↓
- 동반 HTN, CAD, 심방 부정맥 등의 심장질환은 각각 가이드라인에 따라 치료 권장
- 혈압조절이 중요함 : 목표 <140 mmHg
  - vasodilator (e.g., ACEi, DHP-CCB, hydralazine, nitrates) : afterload↓, BP↓
    → LV 기능 개선이나 AVR 시기를 늦출 수는 없지만, Sx↓ or 특히 AVR 전 안정화에 도움
  - nitrates는 angina 감소 효과는 없지만 사용 가능, β-blocker도 기능적으로 도움
- AVR/수술 필요하지만 불가능 or 거부 환자는 HF에 대한 강력한 약물치료
  ; 염분 섭취제한, 이뇨제, ACEi/ARB, β-blocker, 혈관확장제 등
- β-blocker, ARB : 젊은 Marfan's syndrome 환자에서 aortic root 확장 속도를 늦출 수 있음
- severe AR 환자는 (특히 다른 대동맥 질환 동반시) isometric exercise 금기
- infective endocarditis (IE) 예방조치는 필요 없음! (이전에 IE 병력이 있을 때에만 시행)

(2) 대동맥판 치환술(AV replacement, AVR)

⌈ chronic AR은 LV dysfunction이 발생하기 전까지는 대개 증상이 없다
⌊ 너무 오래 지연되면 AVR을 해도 정상 LV 기능을 회복 못하는 경우가 흔함
→ severe AR 환자가 증상이 없고, 좌심실 기능도 정상이면 최대한 수술(AVR)을 연기
; careful F/U with noninvasive test (echo.) 6개월 마다

AVR의 적응 ★	Severe AR	Moderate AR (stage B)
Symptomatic	O (stage D)	다른 심장수술 시행시
Asymptomatic (stage C)	LV dysfunction : LVEF <50% Severe LV dilation : LVESD >5 cm LVEDD >6.5 cm (low surgical risk) 다른 심장수술(e.g., CABG) 시행시	다른 심장수술 시행시 (아니면 F/U: 1~2년 마다 echo.)

*Stage C중 (severe AS라도) LVEF ≥50%, LVESD ≤5 cm, LVEDD ≤6.5 cm인 경우엔 F/U

- 대부분 surgical AVR (SAVR), TAVI는 아직 연구중 (수술이 불가능한 경우 고려는 가능)
- aortic annulus는 대개 AS 때보다 크기 때문에 큰 인공판막이 필요함
- aortic aneurysmal dilation도 동반된 경우에는 대동맥치환술도 같이 시행

■ Acute severe AR
- 좌심실 정상이어도 acute, severe volume overload를 감당하기 힘듦 ⇨ 24시간 이내 응급 수술!
- 수술 준비 중 IV inotropics (dopamine or dobutamine) and/or vasodilator (nitroprusside) 투여
- IABC 및 β-blocker는 금기 (∵ 혈역학적 불안정 초래 위험)

삼첨판 역류/폐쇄부전 (TR, tricuspid regurgitation)

1. 원인

(1) functional (secondary) TR (m/c) : 우심실 or TV annulus의 확장에 이차적으로 발생
- severe pul. HTN을 동반한 CHF or MS 말기
- IHD (e.g., inf. wall MI with RV infarct), DCM, cor pulmonale (COPD) ...

(2) organic (primary) TR
- infective endocarditis (primary TR의 m/c 원인)
- rheumatic fever (흔히 TS, MV dz.도 동반), RV (papillary muscles) dysfunction/infarction, TV prolapse, carcinoid heart dz., endomyocardial fibrosis, trauma ...
- congenitally deformed TV ; AV canal defect, Ebstein's anomaly ...

2. 임상양상

- Rt-HF의 증상/징후 (+ LV dysfunction 동반시엔 exertional dyspnea)
- systemic venous congestion
  - 경정맥 확장 : prominent v wave, rapid y descent
  - 심한 hepatomegaly (→ RUQ pain), 간의 systolic pulsation
  - ascites, edema, pleural effusion ...
- CO 감소 → fatigue, peripheral pulse 감소 ...
- pul. HTN 환자에서 TR 발생시 → 폐울혈 증상↓, Rt-HF 증상↑
  (LV dysfunction or MS가 원인인 경우 pulmonary rales 들릴 수 있음)
- prominent RV pulsation : 좌흉골연 따라
- blowing pansystolic ⓜ : 좌흉골 하연(4th ICS)
  ┌ inspiration시 증가
  └ expiration, standing, Valsalva maneuver시 감소

3. 검사소견/진단

- EKG ; RVE (e.g., inferior wall MI, severe RVH), 대개 AF도 동반됨
- chest X-ray ; RA & RV enlargement
- echocardiography ; RV enlargement, tricuspid leaflet prolapse
  - Doppler echo ; TR의 severity, PA pr. 측정 등에 유용
  - severe TR ; paradoxical IVS motion, hepatic vein systolic flow 역전

4. 치료

(1) pul. HTN이 없는 isolated TR ; 대개 잘 견딤, 수술 필요 없음
    (e.g., infective endocarditis, trauma)
(2) fuctional TR ; 원인 질환의 치료 (e.g., CHF, MS 치료)
(3) 수술 (e.g., annuloplasty, valvuloplasty, TVR)
  - severe organic TV dz.
  - RF에 의한 TV의 변형에 따른 severe TR (특히 심한 pul. HTN 없을 때)

판막질환	심잡음	심잡음 위치	흉부 X선 소견
MS	diastolic	심첨부	LA 확장
MR	systolic	심첨부	LA & LV 확장
AS	systolic	흉골우연상부	LVH
AR	diastolic	흉골좌연하부	심한 LV 확장
TR	systolic	흉골좌연하부	RA & RV 확장
PS	systolic	흉골좌연상부	RVH

11
심장 종양

1. Primary cardiac tumors

Benign (>80%)	Malignant (약 20%)
Myxoma (m/c, 50%) Lipoma Rhabdomyoma (소아에서 m/c) Fibroma Hemangioma	Sarcomas (대부분) Lymphoma

2. Secondary cardiac tumors – 훨씬 흔함! (20~40배)

Direct extension	Venous extension	Metastatic spread
Lung ca. (m/c) Breast ca. Esophageal ca. Mediastinal tumors	RCC Adrenal ca. Liver ca.	Leukemia Lymphoma Melanoma

- 모든 종양이 심장에 전이 가능하며(1~20%), 전이의 상대 위험도는 malignant melanoma, leukemia, lymphoma 등에서 특히 높다
- 절대적인 빈도는 폐암(m/c), 유방암, 식도암 등이 가장 흔히 전이됨
- 침범 : <u>pericardium</u> (69%) > epicardium (34%) > myocardium (32%) > endocardium (5%) ...
  ↳ 흉부 종양의 직접 침범으로 인해 가장 흔히 침범됨

점액종 (Myxoma)

1. 개요

- m/c primary (benign) cardiac tumor
- 40~50대 여성에서 호발 (남:여 = 1:3)
- 발생부위 ; <u>LA</u> (>80%) > RA > RV > LV

- 양성 종양 (→ 악성 변화 안 함), 크기는 1~15 cm (대개 4~8 cm)
- 약 90%는 <u>sporadic</u> ; 대부분 solitary, 주로 심방에 위치 (특히 LA), 수술 후 재발 드묾
- 나머지는 familial (AD 유전) 또는 여러 질환들과 복합된 syndrome 형태 (Carney complex)
  ; 젊은 연령에서 호발, multiple 흔함, 심실에도 위치, 수술 후 재발 흔함
  ┌ myxomas ; 심장, 피부, 유방 등
  │ lentigines and/or pigmented nevi
  └ endocrine overactivity ; 부신피질질환(e.g., Cushing's syndrome), 고환종양, 뇌하수체선종 ...
- 병리 : gelatin 구조, glycosaminoglycans이 풍부한 기질과 myxoma cells로 구성

2. 임상양상

- mitral valve dz. 비슷한 양상 (m/c) : 특히 MS with "ball valve" thrombi
- systolic ⓜ (약 50%에서 들림) ; valves 손상, leaflets 이상, 종양에 의한 outflow 폐쇄 등 때문
- "tumor plop" : tumor가 움직임에 따라 들리는 diastolic sound (~15%에서 들림)
  → MS의 OS, diastolic rumbling ⓜ 등과 유사 (∵ functional MS)
- 특징적으로 Sx & signs (e.g., dyspnea)은 자세에 따라 변하고, 간헐적이며, 갑자기 발생함
  (∵ 중력에 따라 tumor의 위치가 변하므로)
- systemic embolization (e.g., CVA)도 일으킬 수 있음 (약 30%에서)
- LV outflow obs. Sx. : ventricular myxoma에 의해 발생
- 전신증상도 흔함 ; fever, weight loss, cachexia, malaise, arthralgia, clubbing, Raynaud 현상,
  anemia, polycythemia, leukocytosis, platelet ↑/↓, ESR↑, CRP↑, globulin↑ ...

3. 진단

- echocardiography : screening에 유용 (TTE보다 TEE가 훨씬 정확)
  ① 2D-echo (TTE)   ② TEE

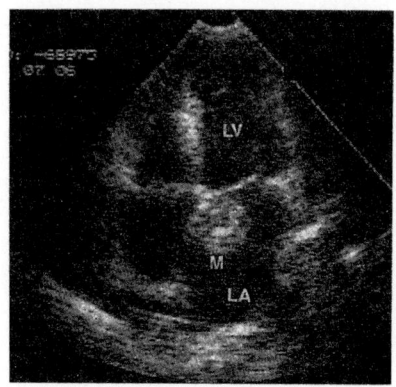
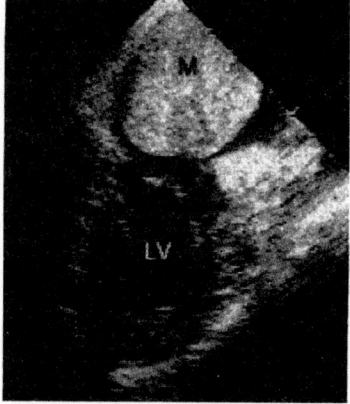

- CT/MRI
- catheterization (angiography) : 대개 필요 없다! (오히려 embolism 위험)

* MS와의 감별점
  ① systemic dz.의 소견을 보임
  ② OS 無
  ③ 체위변화에 따라 청진소견도 변화
  ④ LA에 echo-producing mass
  ⑤ angiography상 lobulating filling defect

* D/Dx ; endocarditis, collagen vascular dz., noncardiac tumor ...

4. 치료/예후

- embolization or cardiovascular Cx. (SCD 포함) 위험이 있으므로 발견되면 바로 치료함
- 크기에 관계없이 surgical excision (cardiopulmonary bypass 하에)
- 재발 가능 → 평생 F/U 필요
  ┌ sporadic : 1~2% (∵ inadequate excision)
  └ familial : 12~22% (∵ multifocal lesions)
- 약 26%의 환자에서는 수술 이후 심방 부정맥 or AV 전도 장애 발생 가능

기타 심장 양성 종양

1. 지방종(Lipoma)

- 2nd m/c benign cardiac tumor (8~12%), 남늑여, 모든 연령에서 발생 가능
- RA, atrial septum, LV 등에 호발
- MRI (다른 지방 조직과 같은 양상) ; T1-weighted images에서 high signal intensity
- 무증상이 흔하지만, 위치나 크기에 따라 다양한 증상/합병증 발생 가능(e.g., 부정맥 ~ SCD)
- 증상을 동반하거나 지속적으로 커지기 때문에 수술

2. 횡문근종(Rhabdomyoma)

- 소아의 m/c benign cardiac tumor, 대개 심실벽 or AV valves에서 발견됨
- 80~90%는 <u>tuberous sclerosis</u> (or tuberous sclerosis complex [TSC])와 관련, AD 유전
  ↳ TSC ; 뇌, 눈, 심장(48%), 폐, 간, 신장, 피부 등의 multiple benign hamartomas
- Sx. ; 대부분은 무증상, 일부 부정맥, HF ...
- 대개 나이가 들면 작아짐 (부정맥 등의 증상이 심한 경우에만 수술 고려) → F/U

육종 (Sarcoma)

- primary cardiac malignant tumor의 대부분을 차지, 30~40대에 호발
- angiosarcoma가 m/c (소아에서는 rhabdomyosarcoma가 m/c)
- <u>우측</u> 심장에 호발, rapid growth & pericardial space invasion
- Sx. ; dyspnea (m/c), chest pain ...
- CT/MRI ; 비균일한 signal density
- 증상 발생시에는 약 29%에서 원격전이 존재 (폐가 m/c) → 수술 불가능
- 다른 sarcomas와 달리 예후 매우 나쁨 : 진단 후 평균 6~25개월 생존
- Tx. ; 가능하면 수술 + adjuvant CTx. (e.g., doxorubicin + ifosfamide)
- 모든 치료에 반응은 안 좋음 (예외 ; lymphosarcoma는 CTx + RTx에 반응)

12 선천성 심장병(Congenital Heart Disease, CHD)

원인

(1) **비청색증형**(non-cyanotic CHD)
  - bicuspid aortic valve (m/c) : 전체 인구의 약 2%
  - ASD : 성인에서 발견된 CHD의 약 1/3 차지
  - VSD : 소아에서 m/c, 자연 폐쇄가 많아 성인에서는 덜 흔함
  - 기타 ; PDA, CoA, ECD, PS ...

(2) **청색증형**(cyanotic CHD)
  - TOF : 성인에서 발견되는 m/c cyanotic CHD
  - TGA (transposition of great arteries)
  - 기타 ; tricuspid atresia, Ebstein's anomaly ...

* 다른 여러 증후군, 약물, 감염 등에 관련되어서도 발생 가능
  - Down syndrome : ECD, ASD, VSD, PDA
  - Turner syndrome : CoA, bicuspid aortic valve
  - rubella : PDA, PS, AS, ASD
  - phenytoin : PS, AS, CoA, PDA

L-to-R Shunt를 동반한 비청색증형 CHD

1. 심방중격(사이막)결손 (ASD, atrial septal defect)

(1) 개요
  • 성인에서 발견된 CHD의 약 1/3 차지, 남:여 = 1:2~3
  • 해부학적 위치에 따른 분류(type)
    ① <u>ostium secundum</u> (foramen ovale) defect : 중격 중앙 부위의 결손 (m/c, 65~75%), ASD의 약 3/4 차지, patent foramen ovale와 감별 어렵다
    ② ostium primum defect (15~20%) : 중격 하부(atrioventricular valves 주위)의 결손, Down syndrome에서 호발 (흔히 복합 심장기형의 일부로)
    ③ sinus venous defect (or SVC type, 5~10%) : 중격 상부(SVC 입구 부근)의 결손
    ④ coronary sinus defect : coronary sinus roof 결손으로 발생, 드묾,

- Lutembacher's syndrome = secundum ASD + acquired MS
- 해부학적 위치와 관계없이 ASD를 통한 L-to-R shunt에 의해 혈역학적인 변화 발생
  ① 우심장의 용적 과부하 → RV & RA의 확장
  ② 폐혈류의 증가 → 폐혈관의 확장
  ③ LV와 aorta의 크기 감소
- 소아 때는 증상 발생이 드물고, 대부분 성인이 되어 운동능력 저하로 나타나 나이 들수록 심해짐

(2) 진찰소견

- S_2의 wide & fixed splitting (∵ 호흡에 따른 좌우 CO의 변화 감소)
- midsystolic ⓜ : pulmonic area (흉골좌연 2~3 ICS)에서 (∵ relative PS)
- middiastolic rumbling ⓜ : 흉골좌연 4th ICS에서 (∵ TV 지나는 혈류량↑)
  - L-to-R shunt 자체에 의한 ⓜ는 들리지 않음
- pul. HTN (폐혈관 저항 증가) 발생시 → Lt-to-Rt shunt 감소 (Qp/Qs 감소)
  → P_2↑, $A_2 \cdot P_2$ fusion, ⓜ↓ (PR의 diastolic ⓜ 발생)

* primum type에서는 apical thrill, holosystolic ⓜ

(3) EKG 소견

- RAD, incomplete RBBB (Rt. precordial lead에서 rSr'), RVH & RAE
- 30세 이후에는 atrial arrhythmia 발생 증가 (e.g., AF)
  ┌ primum type : LAD
  └ sinus venosus type : ectopic pacemaker, 1st-degree AV block

(4) chest X-ray

- cardiomegaly (RA & RV enlargement)
- 폐동맥 및 분지의 확장, 전반적인 폐혈관 음영 증가

(5) echocardiography

- PA, RV, RA dilatation / Lt→Rt shunt (Valsalva maneuver시 venous return 감소로 증가)
- RV volume overload → paradoxical IVS (interventricular septal) motion (anterior systolic or flat)
- MVP or MR 동반도 흔함
- TEE ; small shunt, patent foramen ovale 보는데 좋음 (TTE 소견이 애매하면 시행)

(6) catheterization

- SVC, IVC보다 RA의 O_2 saturation이 높음
- 진단이 불확실하거나, 심한 pul. HTN, 동반 기형, CAD 등 의심시 시행

(7) 경과/예후

- 1세 이후에는 자연 폐쇄 드묾, 5~15%는 20대에 pul. HTN or Eisenmenger synd.으로 사망
- ostium secundum 및 sinus venous type은 40대 이전에 사망하는 경우는 드묾
- 40~50대 이후 LV compliance↓ → Lt→Rt shunt 양↑ (HTN, CAD, 심근병증에 의해 더 악화)
  → 합병증 발생 증가(e.g., atrial arrhythmia, pul. HTN, MR, HF, respiratory tract infections)
- infective endocarditis의 위험은 매우 낮다 (∵ 압력차 작음)
  → 동반된 판막 질환이 없으면 예방적 항생제 투여 필요 없음!

(8) 치료

- surgical repair (*or* percutaneous transcatheter device closure [secundum ASD 환자 일부만])
- 적응 ⇨ significant ASD : pul./systemic flow ratio (Qp/Qs) >1.5 *or* RV volume overload
  (RA & RV enlargement) *or* 지속적인 증상 동반
- 소아에서는 2~5세 때에 수술하는 것이 m/g (RV volume overload 오래되어 HF 발생하기 전)
- 치료 안하는 경우
  ① small defect & 경미한 Lt-to-Rt shunt (Qp/Qs <1.5)
  　(c.f., paradoxical emboli의 과거력이 있거나 예방이 필요한 경우엔 치료 권장)
  　　　　　　　ㄴ 정맥 내 혈전이 심장내 결손을 통해 전신 동맥 순환계로 들어가 embolism을 일으키는 것
  ② severe pul. HTN (pul. HTN 환자도 Qp/Qs >1.5 or 혈관확장제에 폐동맥이 반응하면 repair 권장)

2. 심실중격(사이막)결손 (VSD, ventricular septal defect)

(1) 개요

- 해부학적 분류
  ① perimembranous (m/c, 70%) : 자연 폐쇄될 확률 높음
  ② muscular/trabecular (20%) : 동양인은 드묾, 영아기에 HF 및 pul. HTN 심함
  ③ subarterial (5%) : 동양인에 많음(25~30%), AR 오기 쉬움
- 5~10%에서 우심실 유출로 협착(RV outflow tract obstruction) 동반
- 혈역학적 변화와 증상 발생은 VSD의 크기(shunt의 양)에 좌우됨

(2) 진찰소견

- harsh, pansystolic ⓜ : 흉골좌연 하부에서 잘 들림
- apical mid-diastolic rumbling ⓜ (∵ MV 지나는 혈류량의 증가로)
  → pul/systemic flow ratio (Qp/Qs) >2 임을 의미!
- P_2 (A_2) 항진, S_2의 splitting (∵ AV가 일찍 닫혀서)

(3) 검사소견

- EKG ; LVH, biventricular hypertrophy (small VSD에서는 정상)
- chest X-ray ; PA와 양심실 커져, "inverted comma sign", 폐혈관음영 증가
- echocardiography (Doppler) ; shunt의 크기와 PA pr. 측정 가능
- 심도자술 ; RV의 O_2 농도↑ (RA보다 높음)

(4) 경과/예후

- 예후는 VSD의 크기와 폐혈관저항에 의해 결정됨
- 6세 이전에 약 90%가 자연 폐쇄됨 (small VSD에서 흔함), 이후 자연 폐쇄는 드묾!
  → 성인기에는 환자가 많지 않음, 성인에서 발견되면 대개 small or moderate VSD
- 심한 경우는 영아기에 심부전이나 반복되는 호흡기 감염으로 사망 (5%)
- large VSD 일부는 Eisenmenger syndrome (심한 폐혈관폐쇄, pul. HTN)으로 진행 → poor Px.
  - hemoptysis, exertional dyspnea, chest pain, syncope, Qp/Qs <1
  - Rt-to-Lt shunt에 의해 cyanosis, clubbing, erythrocytosis도 발생 가능

(5) 치료

- surgical repair (*or* percutaneous transcatheter device closure)
- 적응 : moderate~large defect (shunt), 비가역적 pul. HTN이 생기기전에 교정해야
  - pulmonary/systemic flow ratio (Qp/Qs) >2 & LV volume overload
  - 폐동맥압/저항이 전신동맥압/저항의 2/3 미만이면 Qp/Qs >1.5
  - infective endocarditis의 병력 (Qp/Qs에 관계없이)
- 심내막염의 병력이 없는 small VSD에서 Qp/Qs 1.5 미만이면 수술 권장 안됨
- 비가역적 심한 pul. HTN은 (Rp/Rs >0.7 or Rt→Lt shunt) 수술 불가능
  (∵ 수술 후 pul. HTN에 의한 Rt-HF 악화)
- infective endocarditis (<1%) : AR 등 다른 합병증 동반시엔 발생 위험 증가 → 예방적 항생제
- isolated noncomplicated VSD or 수술로 잘 교정된 경우 예방적 항생제 투여는 필요 없음

3. 동맥관 개존/열림증 (PDA, patent ductus arteriosus)

(1) 개요

- 출산후 정상적으로 폐쇄되어야 할 동맥관(ductus arteriosus, DA)이 막히지 않아
  aorta → DA (→ PA)로의 shunt 발생
- 발생↑ ; 고산지대, 미숙아나 산모의 풍진 감염
- L→R shunt 크기에 따라 분류
  - silent ; 검사(대개 echo.)를 통해서만 발견되는 tiny PDA
  - small ; continuous ⓜ 흔함, Qp/Qs <1.5
  - moderate ; continuous ⓜ 흔함, Qp/Qs 1.5~2.2
  - large ; continuous ⓜ 들릴 수, Qp/Qs >2.2
  - Eisenmenger syndrome ; continuous ⓜ 無, 심한 pul. HTN, differential hypoxemia/cyanosis

(2) 진찰소견

- bounding (= water hammer) pulse, wide pulse pressure
- continuous machinery ⓜ : 흉골좌연 상부에서 … 가장 큰 특징!
  (pul. HTN시에는 diastolic ⓜ는 사라지고, systolic ⓜ만 들리거나 들리지 않을 수, P_2↑)
- systolic ejection ⓜ : heart base에서
- diastolic decrescendo ⓜ (∵ pul. insufficiency로 인해)

(3) 임상양상

- PDA의 크기가 큰 경우 피로감, 호흡곤란, 두근거림 등의 증상 발생
- differential cyanosis : 심한 pul. HTN시 shunt가 역전(R→L)되어, 손가락은 정상이지만
  발가락의 cyanosis & clubbing 발생 ("Eisenmenger syndrome")
- chest X-ray ; LA, LV, PA enlargement, 폐혈관음영 증가
- 사인 ; infective endocarditis, HF, pul. HTN (치료하지 않으면 40세 이전에 약 1/3이 사망)

(4) 치료/경과

- 성인에서.. 교정하지 않으면 infective endocarditis의 위험이 높음 → 예방적 항생제
- (small 이상 크기면) 가능한 빨리 교정! … 대부분 transcatheter device closure 시행

- 비가역적 심한 pul. HTN (Rt→Lt shunt) 있으면 금기
- 수술 ; device closure가 어려운 매우 큰 or 복잡한 PDA의 경우
- 교정 이후에도 shunt 남아 있으면 예방적 항생제 필요 (silent or small PDA는 필요 없음)

■ Eisenmenger syndrome

- large VSD, PDA, ASD 등에서 large Lt-to-Rt shunt에 의한 결과로 severe pul. HTN이 발생하여 shunt가 Rt-to-Lt or bidirectional로 역전된 것
- 임상증세가 호전되었다가, 다시 CHF의 증상 발생 ; exertional dyspnea, syncope, chest pain, cyanosis, digital clubbing, hemoptysis, polycythemia, hyperuricemia, bleeding diasthesis ...
- JVP ; prominent a wave (PR 발생시엔 v wave)
- P_2 증가, RVH (Lt. parasternal heaving)
- TR의 ⓜ 흔하나, RVF 발생하면 carvallo's sign (흡기시 ⓜ 증가) 사라짐
- Graham-steell ⓜ ; blowing diastolic ⓜ (∵ PR)
- EKG ; RAE, RVH, RAD
- CXR ; RV, RA, PA 확장, hilar vascular marking 증가, peripheral marking은 감소
- 비가역적, 특별히 효과적인 치료법이 없고 수술 금기!
- 내과적 치료 ; oxygen, prostacyclin, endothelin receptor antagonist (bosentan), phosphodiesterase inhibitor (sildenafil)
- 이식 ; lung transplantation + intracardiac defect repair, total heart-lung transplantation

4. Aortic root to right heart shunts

(1) Valsalva sinus aneurysm

- aortic root의 base에 3개의 sinuses 존재
  - right coronary sinus (65%)
  - left coronary sinus (드묾)
  - non-coronary sinus (25%)
- sinus wall이 약해지면 aneurysm 발생
- "rupture" or fistula : Rt. heart 쪽으로 발생하는 것이 특징
  - 보통 20~30대에 발생, 심한 운동 후에 종종 발생
  - 갑자기 chest pain, dyspnea, bounding pulse, loud & continuous ⓜ, thrill 등
  - CXR ; cardiomegaly, shunt vascularity, pul. venous congestion
  - Dx ; echocardiography, catheterization, aortography 등
  - Tx ; 응급 수술

(2) coronary arteriovenous fistula

- coronary artery와 다른 cardiac chamber (e.g., coronary sinus, RA, RV) 사이의 교통
- 흉골 중하부에서 loud, superficial, continuous ⓜ
- shunt가 크면 coronary steal syndrome 발생 ; ischemia, angina, ventricular arrhythmias

(3) anomalous origin of Lt. coronary artery from pul. trun

Shunt를 동반하지 않은 비청색증형 CHD

1. 대동맥 축착 (coarctation of the aorta, CoA)

(1) 개요
- 대동맥이 좁아진 것, 대부분은(98%) Lt. subclavian artery 기시부의 바로 아래에서 발생
- 대부분 선천성 (CHD의 4~6% 차지), 남>여 (6:4), 대부분 sporadic
- gonadal dysgenesis 잘 동반 (Turner syndrome 환자의 약 ~30%에서 CoA 동반)
- 임상양상은 obstruction의 위치/정도, 동반 심장기형(bicuspid aortic valve [BAV]가 m/c [~50%])
  에 따라 정해짐, renal hypoperfusion에 의한 renin 상승도 혈압 상승에 일부 기여함

(2) 임상양상
- 대부분의 성인은 증상이 없는 경우가 많음 (고혈압으로 진찰 중 우연히 발견)
- 두통, 코피, 사지의 저온증, 운동시 호흡곤란/claudication
- 상지 BP↑(대개 우측>좌측) / 하지 BP↓, pulse의 지연 또는 심한 감소/소실
- 상체의 발육이 하체보다 좋음
- midsystolic ⓜ : 흉골좌연 및 등(interscapular area)에서 잘 들림
  (lumen이 좁아지면 continuous ⓜ로 될 수도 있음)
- collateral vessels에 의한 systolic & continuous ⓜ가 흉벽 측면에서 들릴 수도 있음
- 합병증 (주로 severe HTN에 의해) ; cerebral aneurysm/hemorrhage, aortic dissection and/or
  rupture, premature CAD, LVF, infective endocarditis ...

(3) 검사소견
- EKG ; LVH, 진행되면 LAE
- chest X-ray
  - "3 sign" : coarctation 부위의 indentation, pre- & poststenotic dilatation
  - rib notching (∵ collateral vessels의 박동에 의한 erosion으로) → CoA에 specific
- echo. ; CoA를 확인하기는 어려움 (TEE는 가능), 주로 동반 질환(e.g., BAV) 확인 위해
- **3차원 CT or MRI angiography** : obstruction 및 collateral vessels의 길이/중증도 확인
- aortography : CoA 전후의 압력차 측정, intervention (balloon or stent) 예정인 경우 시행

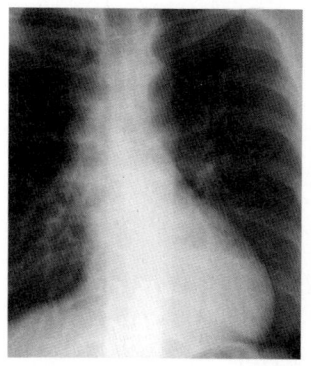
"3 sign"

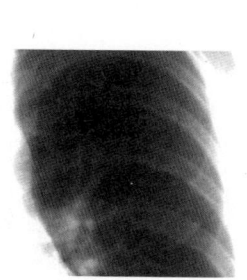
rib notching

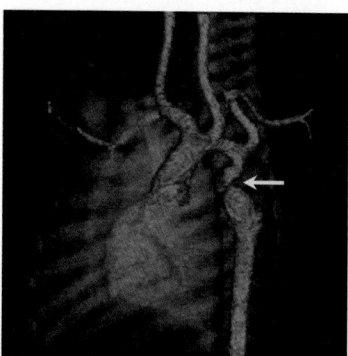
MDCT (3D)

(4) 치료
- 적응 ; CoA 전후의 최대 압력차가 20 mmHg 이상인 경우
  (20 mmHg 미만이라도 영상검사에서 현저한 collateral flow가 동반된 심한 CoA인 경우)
- 수술 (e.g., resection & end-to-end anastomosis)
  - 40세 이후에는 수술 후에도 약 50%에서 HTN이 지속됨
  - 수술 후 HTN 지속 여부는 수술 전의 HTN 기간과 관련 (c.f., 소아라면 가능한 어릴 때 수술)
- percutaneous catheter intervention : 수술 후 재협착시 or 초치료로 이용 증가 (성인에서)

2. Congenital aortic stenosis (AS)

3. Pulmonary stenosis (PS)
- 드물며, 대부분 판막의 선천성 기형으로 인해 발생 ; bicuspid, uni-/acommissural, dysplastic PV
  - Noonan syndrome (dysplastic PS), tetralogy of Fallot, Williams syndrome 등에서도 동반 가능
  - 후천적; rheumatic heart dz. (PV 침범은 매우 드묾), carcinoid syndrome, tumors 등
- 대개 무증상으로 지내다가 성인기에 진단되는 경우가 많음, 대부분 양호한 경과, Rt-HF는 드묾
  (심한 협착의 경우 운동시 흉통/실신 가능, 돌연사는 극히 드묾)
- systolic crescendo-decrescendo ejection ⓜ : 흉골좌연 상부에서 잘 들림
  (c.f., 기타 흉골좌연 상부에서 들릴 수 있는 ⓜ ; ASD, PDA, subarterial VSD)
- 흉골좌연에서 RV impulse, 흉골좌연 상부에서 systolic thrill도 촉지될 수 있음
- 심장초음파 (또는 우측 심실 조영술)에서 RA 및 RV의 확장, RV pr.↑
- 치료 (balloon valvotomy/valvuloplasty) : RV와 폐동맥의 수축기 압력차가 40 mmHg 이상이거나,
  RV 수축기 압력이 50 mmHg 이상인 경우

청색증형 CHD

1. Tetralogy of Fallot (TOF)
- 성인에서 발견된 cyanotic CHD의 m/c 원인 (CHD의 5~7%)
- 구성 (해부학적 특징)
  ① large VSD
  ② aorta가 LV + RV (interventricular septum)에 걸쳐있음(overriding)
  ③ RV outflow tract (RVOT) obstruction (pulmonary stenosis) ⇨ R→L shunt
  ④ RVH (∵ 위 ①, ②, ③ 때문)
- 혈역학적 변화와 임상양상은 RVOT obstruction (PS)과 VSD의 크기에 좌우됨
- 임상양상
  - RVOT obstruction이 심할수록 폐동맥 혈류↓↓ → VSD를 통해 다량의 비산소화된 혈액이
    전신으로 순환됨 → cyanosis, erythrocytosis, hypoxemia 등 발생

- 운동을 한 다음에 웅크리고 앉는 특징적인 자세를 취함
- 심부전은 잘 안 생김
- P_2 감소, single & large S_2
- systolic ejection ⓜ : PS 때문, 흉골좌연에서 (VSD에 의한 ⓜ는 안 들림!)
- EKG ; RAD, RVH
- chest X-ray ; 정상 크기의 장화 모양("boot-shaped") 심장, 폐혈관음영 감소
- 합병증 ; infective endocarditis, paradoxic embolism, 심한 erythrocytosis, coagulation defect, cerebral infarction/abscess ...
- 치료 : 수술적 교정 (수술 안 하면 1/2 이상이 5세 이전에 사망)

2. Ebstein's anomaly

- 특징 ; 삼첨판(TV)이 정상보다 아래쪽(RV apex 쪽)에 붙어 있음 (→ 대부분 TR 발생)
  → 우측 심장이 RA, atrialized RV, true RV의 3부분으로 나뉨
- 약 80%에서 ASD or patent foramen ovale 동반 (→ R→L shunt 발생)
- EKG ; RAE, giant P wave, RBBB, WPW syndrome (약 20%에서) ...
- CXR ; 크고 둥근 심장, 폐혈관음영 감소
- echocardiography
  - 삼첨판(TV)의 전위 (→ TV와 MV의 비정상적인 위치 관계)
  - RA enlargement, TR, R→L shunt
- 치료 ; TV repair (or replacement) 및 동반 기형, 부정맥의 교정 등

3. 폐동정맥기형 (pulmonary arteriovenous malformation, PAVM)

- 폐의 동맥과 정맥이 직접 연결 (폐내 Rt→Lt shunt) → hypoxia, dyspnea, hemoptysis, cyanosis, clubbing, paradoxical embolism (말초 정맥의 색전이 전신 순환으로 넘어가 뇌경색 발생 가능)
- 진단 - agitated saline contrast echocardiography (Rt→Lt shunt 확인)
  ; 정맥으로 agitated saline을 주입하여 미세기포를 생성시킨 뒤 좌심실(LV)에서 관찰
  - 미세기포(agitated saline bubble)는 폐에서 흡수되어 LV에서는 안 보여야 정상
  - 3~5회 심박동 이내에 LV에 나타나면 심장내 shunt, 6회 이후에 나타나면 폐내 AV shunt
- 기타 CT, MRI, pul. angiography 등으로도 진단 가능
- 치료 ; 수술로 기형 부위를 제거 (일부에서는 transcatheter intervention도 시도 가능)

13
대동맥 및 혈관 질환

대동맥류/대동맥자루 (aortic aneurysm)

1. 개요

- 정의 : 대동맥 내강이 정상의 1.5배 이상 비정상적으로 확장된 것
  - true aneurysm : 혈관벽의 3층이 모두 확장된 것
  - pseudoaneurysm (false aneurysm) : 내막/중막이 파열되어 터져나온 혈액이 외막에 의해 벽이 유지되는 것으로 실제 aneurysm은 아님
- 형태에 따른 분류
  - fusiform (m/c) : 혈관 둘레 전체를 침범 (→ 광범위하게 확장됨)
  - saccular : 혈관 둘레의 일부만 침범 (→ 일부만 삐져나옴)
- 위치에 따른 분류
  - ascending aorta (sinus of Valsalva 포함)
  - aortic arch
  - descending thoracic aorta (thoracoabdominal aneurysm)
  - abdomen (m/c) : 대부분 renal artery 아래에서 발생
  - c.f.) 흉부 대동맥류는 평균 1년에 4 mm, 복부 대동맥류는 3 mm 정도 커짐

2. 원인/위험인자

(1) atherosclerosis (m/c) : 3/4이 distal abdominal aorta를 침범
  - 원위부로 갈수록 atherosclerosis가 원인인 경우 증가
  - 복부 대동맥류의 경우 대부분 atherosclerosis가 원인

(2) cystic medial necrosis : 특징적으로 proximal aorta를 침범
  - 예 ; Marfan's syndrome, Ehlers-Danlos syndrome, 판막질환, 임산부, HTN
  - 대동맥류 환자의 약 20%는 가족력을 보임

(3) infections ; TB, syphilis, mycotic aneurysm

(4) vasculitides ; Takayasu's arteritis, giant cell arteritis, ankylosing spondylitis, RA, PsA, relapsing polychondritis, Reiter's syndrome, Behçet's dz. ...

(5) trauma : descending thoracic aorta를 가장 흔히 침범

(6) congenital ; primary or secondary (e.g., bicuspid AV, CoA)

(7) chronic aortic dissection

3. 흉부 대동맥류 (thoracic aortic aneurysm, TAA)

(1) 개요

- ascending aorta : cystic medial necrosis가 m/c 원인
- aortic arch & descending aorta : atherosclerosis가 m/c 원인
- 성장속도 : 0.1~0.2 cm/yr (Marfan syndrome 및 aortic dissection에서는 더 빠름)
- 파열 위험 : 크기 및 증상과 관련 (직경 <4.0 cm 이면 2~3%/yr, >6.0 cm이면 7%/yr)

(2) 임상양상

- 대부분은 무증상 (→ 검사중 우연히 발견되는 경우 많다)
- 흉통, 호흡곤란, 기침, 쉰소리, 연하곤란 등 (∵ 인접 조직의 압박/미란)
  - ascending aorta 침범시
    - AR → CHF 발생 가능
    - SVC 압박 → 머리, 목, 상지 등의 울혈 발생 가능

(3) 검사소견/진단

- CXR ; mediastinum의 확장, 기관 또는 좌측 주기관지의 전위/압박
- echo. ; 특히 TEE가 유용
- CT/MRI/aortography ; 흉부 대동맥류 진단/평가에 sensitive & specific

(4) 치료

- 내과적 치료
  - ① β-blocker : 동맥류의 팽창 속도를 감소시킴 (특히 Marfan's syndrome에서)
  - ② 혈압 조절을 위해 다른 항고혈압제도 반드시 투여
    - (e.g., ACEi/ARB는 Marfan 환자에서 동맥류 팽창 속도를 감소시킴)
  - ③ statin : 예후 향상에 도움 (∵ matrix metalloproteinases와 plasminogen activator 억제)
- 시술(repair)의 적응증
  - ① 증상이 있거나 파열된 TAA : surgical repair
  - ② 증상이 없는 TAA (bicuspid AV 포함) : 직경 ≥5.5 cm or 성장속도 >0.5 cm/yr
    - bicuspid AV 환자에서 AVR 시행시엔 직경 >4.5 cm
    - Marfan's syndrome 환자는 직경 ≥5.0 cm (고위험군*은 직경 ≥4.5 cm)
      - *고위험군 ; dissection의 가족력, progressive AR, 성장속도 >0.5 cm/yr
    - degenerative (sporadic) descending TAA : 직경 ≥6.0 cm
      - (endovascular repair는 증상이 없고 직경 ≥5.5 cm면 고려 가능)
    - ascending TAA → open surgical repair (OSR) : prosthetic graft
    - descending TAA → OSR or endovascular repair

4. 복부 대동맥류 (abdominal aortic aneurysm, AAA)

(1) 임상양상

- 남자에서 더 흔하며, 90% 이상이 atherosclerosis와 관련
- 대부분 renal artery 아래에서 발생 (infrarenal aneurysm)

- 대부분 증상이 없어서 진찰/검사시 우연히 발견되는 경우가 많음
  - palpable, pulsatile, nontender mass
  - 대동맥류 커지면 통증/압통 동반 가능 (→ 파열 위험 → 내과적응급)
- 예후는 동맥류의 크기 및 동반 CAD or CVA의 severity와 관련

(2) 합병증

- rupture (m/c) → severe back/abdominal/flank pain, hypotension
  - 선행 증상 없이 갑자기 발생하는 경우가 더 흔함
  - 파열(rupture) 위험은 동맥류의 크기와 비례 (여성이 좀 더 높음)
  - 5년 뒤 파열 확률 : 직경 <5 cm이면 1~2%, >5 cm이면 20~40%
- diatal embolization ($\because$ mural thrombi) → 하지 동맥 폐쇄 위험
- aortoenteric/aortocaval fistula
- infection
- chronic consumptive coagulopathy

(3) 검사소견/진단

- abdominal X-ray : 75%에서 동맥류 벽의 calcification 소견 (달걀 껍질 모양)

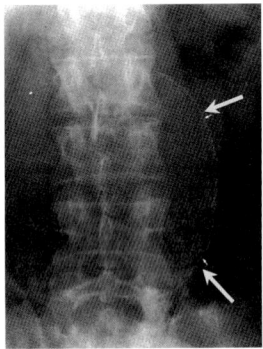

- ultrasonography : aneurysm 및 mural thrombi의 확인, F/U에 유용
  - ⇨ US를 이용한 복부 대동맥류 screening 권장 대상
    - 흡연력이 있는 65~75세 남성
    - 복부 대동맥류 환자의 형제/자녀
    - 흉부 대동맥류 or 말초 동맥류 환자
- CT (with contrast) 및 MRI : 대동맥류의 위치/크기를 정확히 진단, 치료 방침 결정에 도움
- aortography : 약간의 부작용 위험, mural thrombi에 의해 내강이 실제보다 작아보일 수 있음

(4) 치료

- 직경 5.5 cm 미만이고 증상이 없는 경우는 내과적 치료 & 6~12개월 마다 CT F/U
  (c.f., 심한 동반질환으로 기대 수명이 2년 미만인 경우에는 5.5 cm 이상이라도 repair or F/U 안함 권장)
- 내과적 치료
  - β-blocker : 수술 전후 이환율/사망률을 감소시킴
  - β-blocker를 포함한 항고혈압제들의 AAA expansion(팽창) 감소 효과는 거의 없음
  - AAA 환자는 coronary equivalent로 고려해 statin 및 aspirin도 투여 ($\because$ 심혈관 예후 향상)

- 시술(repair)의 적응증
  ① (증상이 없어도) 직경 ≥5.5 cm (여성은 >5 cm)
  ② 크기가 빨리 커질 때(>1 cm/yr or >0.5 cm/6months)
  ③ 동반질환 ; iliac/femoral/popliteal artery aneurysms, symptomatic peripheral artery dz. 등
  ④ 증상(복통, 압통) or 합병증 발생
- open surgical repair (OSR) : excision & prosthetic grafting (인조혈관)
  - 수술 사망률 : 약 1~2% (rupture시 응급수술 때는 45~50%)
  - 수술 고위험군 ; CAD, CHF, 폐질환, DM, 고령
- endovascular aortic aneurysm repair (EVAR) : stent graft … 미국은 80% 이상에서 시행됨
  - 개복수술의 위험이 높은 환자에서 해부학적으로 적합하면 시행 고려
  - 개복수술 대비 단기 이환율/사망률은 낮고, 장기 사망률은 비슷함, 합병증은 더 많음
  - 시술 1개월, 6개월, 이후 매년 CT로 F/U 필요 (∵ endoleaks 등의 합병증 감시)

  ┌ access site Cx. (9~16%) ; hematoma (m/c), distal embolization, dissection, AV fistula ...
  └ graft Cx. (16~30%) ; endoleak (∵ inadequate fixation), graft migration, vascular injury,
      endograft component separation, stent fracture, graft 꼬임/접힘, infection ...

대동맥 박리 (aortic dissection)

1. 개요

- 정의 : 대동맥의 내막이 찢어지고 혈류에 의해 내막과 중막이 박리되면서 false lumen을 만든 것
  (대부분 혈류 방향과 동일하게 박리가 일어나지만, 드물게 역행성 박리도 발생 가능)
- 응급상황이므로, 시간당 치사율이 약 1%
- 내막 파열(intimal tear)의 호발부위

  ┌ ascending aorta의 Rt. lateral wall
  └ ligamentum arteriosum 바로 아래의 descending thoracic aorta

- aortic dissection의 variants
  ① intramural hematoma (IMH) : AAS의 10~20% 차지 (동양인에 더 흔함)
    - intimal flap (tear) or false lumen이 없음, 맥관벽혈관(vasa vasorum)의 파열 때문
    - descending thoracic aorta에서 호발 (60~70%) → dissection or rupture로 진행 가능
    - 임상양상 및 치료는 classic aortic dissection과 유사함
      (but, 좀 더 고령에서 발생, descending aorta 침범이 더 흔함)
  ② penetrating atherosclerotic ulcer (PAU) : AAS의 2~7% 차지
    - 대개 한 곳에 국한되며 넓게 퍼지지 않음, 주로 descending thoracic aorta의 중하부에서 발생
    - 심한 동맥경화증이 원인, intramural hematoma를 동반하는 경우도 흔함
    - pseudoaneurysm, aortic rupture, late aneurysm 등으로 진행 가능

  ⇨ aortic dissection, aortic intramural hematoma, aortic ulcer, aortic rupture 등을 함께
    "acute aortic syndrome (AAS)"으로 통칭하기도 함

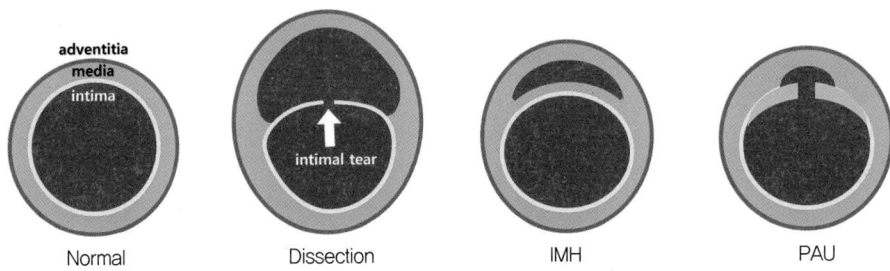

2. 분류

(1) DeBakey clasification

type Ⅰ : ascending aorta에서 intimal tear가 발생해서, descending aorta까지 침범된 것
type Ⅱ : ascending aorta에만 국한된 것 (subclavian A. 기시부 이전까지)
type Ⅲ : descending aorta에서 intimal tear가 일어나, 아래쪽으로 박리된 것
　　　　(IIIa : descending aorta에 국한, IIIb : abdominal aorta 이하까지 침범)

(2) Stanford classification

type A (proximal dissection) : ascending aorta를 침범 (type I, II) ⋯ 2배 더 흔함
type B (distal dissection) : descending aorta를 침범 (type III)

(3) clinical

acute : 박리 발생 2주 이내
chronic : 2주 이후

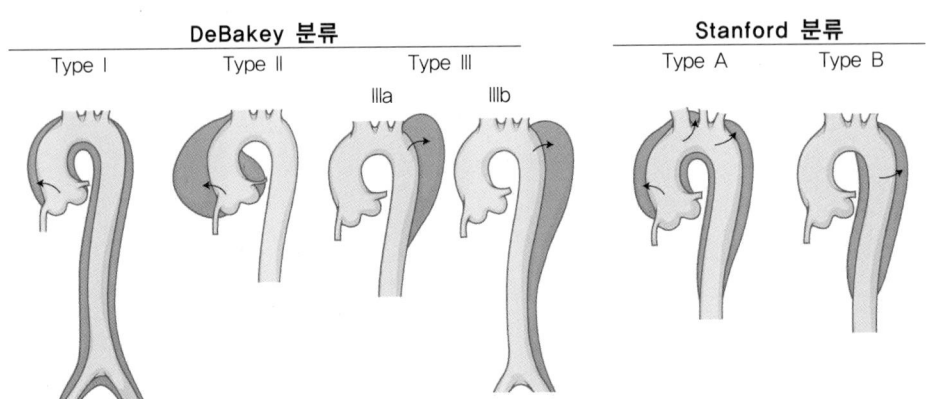

3. 원인/위험인자 (대동맥류와 비슷)

(1) HTN (m/c, 70%), 고령

(2) cystic medial necrosis (e.g., Marfan's syndrome, Ehlers-Danlos syndrome)

(3) inflammatory aortitis (e.g., Takayasu's aortitis, giant cell arteritis)

(4) congenital anomalies (e.g., bicuspid aortic valve, CoA, PDA)

(5) penetrating atherosclerotic ulcer

(6) 기타 ; 임신 (3rd trimester), 대동맥 외상/수술, cacaine 중독 ...

c.f.) Marfan's syndrome에서 발생할 수 있는 심장질환 ; dissecting aneurysm, AR, MVP

4. 임상양상/합병증

- 50~60대에 호발, 남:여 = 2:1
- **pain** (m/c) : <u>갑자기</u> 시작된 <u>극심한</u>(찢어지는 듯한) 통증으로 수시간 이상 지속
  - 위치 : 앞가슴 또는 등 (견갑골 사이가 흔함)
  - migrating pain : 대동맥 박리의 진행 경로와 관련
- syncope, dyspnea, diaphoresis, weakness ...
- hypertension or hypotension, pulse 소실 or 말초 pulse/<u>BP의 비대칭성</u>
- 관련된 동맥의 침범(폐쇄)에 의한 증상
  - 신경학적 증상 ; 편마비 (경동맥 폐쇄), 하반신 마비 (척수 허혈)
  - 기타 ; 맥박 소실, 장 허혈, 혈뇨, 심근 허혈 ...
- 인접 구조물 압박에 의한 증상 ; Horner's synd, SVC synd, hoarseness, dysphagia, dyspnea 등
- <u>acute AR</u> : proximal dissection의 50% 이상에서 발생 가능
  ; diastolic ⓜ, bounding pulse, wide pulse pr., CHF (pul. edema) ...
- <u>hemopericardium & cardiac tamponade</u> : proximal dissection의 약 20%에서 발생 가능
  ; 저혈압, 실신, 의식저하 ...
- 드물게 AMI를 동반 가능 (∵ 관상동맥 기시부로 dissection될 경우)

5. 검사소견/진단

(1) chest X-ray ; sup. mediastinum의 확장, 대동맥 음영의 확대, pleural effusion

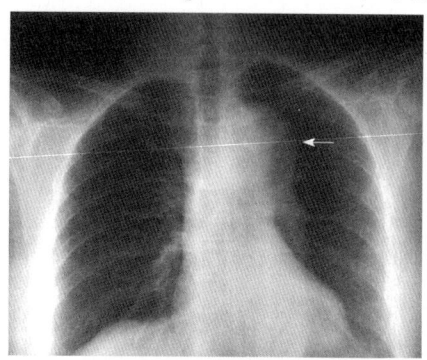 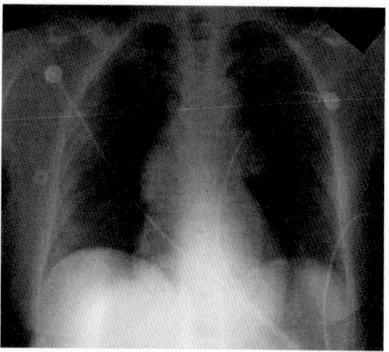

(2) EKG : AMI를 R/O하기 위해 시행
(3) echocardiography ; 신속하고 간편, 혈역학적으로 불안정한 경우에도 유용
- TTE : sensitivity 60~85%, aortic arch 및 descending thoracic aorta는 제대로 관찰할 수 없음
- <u>TEE (transesophageal echo.)</u>
  - ascending & descending thoracic aorta의 dissection 진단에 매우 유용
  - intimal flap/tear, false lumen을 정확하고 안전하게 진단 가능
  - ascending thoracic aorta의 윗부분과 aortic arch의 일부를 제대로 관찰할 수 없음
    → 다면식 경식도심초음파(multi-plane TEE)로 극복 가능

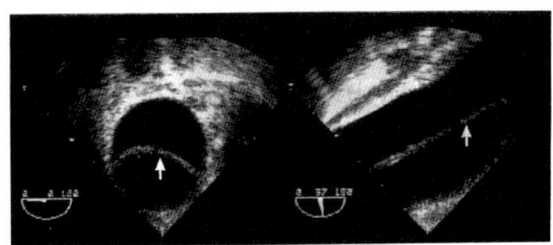

• pericardial effusion 및 판막기능(e.g., AR)도 확인 가능 → 수술 전 반드시 TEE 시행

(4) <u>contrast-enhanced CT</u>, MRI : 매우 정확 (sensitivity & specificity >90%)

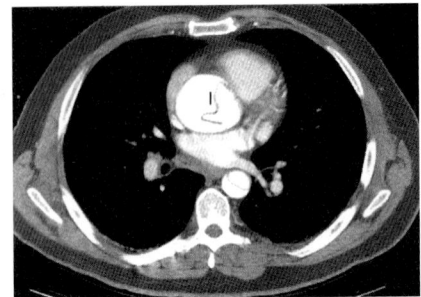

• intramural hematoma나 penetrating ulcer도 발견 가능

• MRI : blood flow의 방향도 알 수 있음 (but, 응급상황에서 빨리 시행하기 어려운 단점)

(5) aortography : CT/MRI보다 정확도가 떨어져 잘 이용 안함

* 진단 : 임상양상과 false lumen & intimal flap의 영상학적 증명

    (신속하게 시행 가능한 CT, TEE가 진단방법으로 선호됨)

* D/Dx ; ACS (UA, AMI), pericarditis, PE (pul. embolism), acute AR, aortic aneurysm, mediastinal tumors ...

6. 치료

(1) 내과적 치료

• 심박동수(PR)와 혈압(BP)을 동시에 낮추어야! (초기 치료원칙) → 대동맥부하(dP/dt) 감소

  ① PR↓ : 60 bpm 이하로 유지

    - IV β-blocker (propranolol, metoprolol, esmolol)

    - 반감기가 짧은 esmolol이 선호됨

  ② BP↓ : systolic BP를 100~120 mmHg로 유지

    - IV <u>labetalol</u> (α- & β-blocker) : 단독으로도 사용 가능!

      (→ 혈압, 심근수축력을 동시에 낮추어 단일 약제론 DOC)

    - IV <u>nitroprusside</u> : SBP 120 mmHg 이상이면 (반드시 β-blocker 먼저 투여!)

    - IV CCB (verapamil, diltiazem) : nitroprusside, β-blocker, labetalol 등을 사용 못할 때

    - IV ACEi (e.g., enalaprilat) : refractory HTN시에 유용

• 저혈압의 경우 → norepinephrine or phenylephrine 사용 (dopamine은 dP/dt를 증가시킴)

• pain control : morphine, fentanyl

내과적 치료의 적응
1. Uncomplicated distal (type B) dissection 2. Uncomplicated chronic proximal (type A) dissection 3. Aortic arch에 국한된 stable dissection

⇨ 6~12개월 마다 CT/MRI로 F/U

- 사용하면 안 되는 drugs (금기) ★
  ① direct vasodilator (diazoxide, hydralazine) : 대동맥부하(dP/dt)를 증가시켜 dissection 악화
  ② α-blocker : reflex tachycardia 유발
  ③ fibrinolytics : 심각한 출혈 유발 위험
- uncomplicated distal (type B) dissection은 내과적 치료를 먼저 시도하고, 추후 적응이 되면 수술
- chronic proximal (type A) dissection도 적합한 경우에는 수술이 권장됨
  (특히 5.5 cm 이상의 ascending aortic aneurysm, AR, 증상이 있는 경우 등)

(2) 수술(repair)

수술의 적응증 ★
1. <u>Acute proximal dissection</u> (type I & II / type A)의 모든 예 ⇨ 응급 수술

2. 합병증을 동반한 distal dissection (type III / type B)
  ① Rupture or impending rupture (크기 증가, saccular aneurysm 형성)
  ② Vital organ ischemia (malperfusion)
  ③ Ascending aorta로의 역행성 박리
  ④ Aneurysmal dilation (>5.5 cm)
  ⑤ Major branches까지 박리된 경우 (e.g., renal artery)
  ⑥ Marfan's syndrome 환자에서 박리 발생시
  ⑦ Pleural space로의 출혈 (hemorrhagic pleural effusion)
  ⑧ 내과적 치료에도 불구하고 통증 or HTN 지속

- 가능하면 응급 수술 전 우선 약물 요법(e.g., β-blocker)을 시행하여 환자 상태를 안정시켜야 됨
- 수술 고위험군에서 해부학적으로 적합하면 endovascular repair도 시행 가능

(3) cardiac tamponade의 치료

- pericardiocentesis : 대동맥 내압을 높여 false lumen에서 pericardial space로 빠져나가는 혈액량
  증가로 fatal cardiac tamponade로 악화 가능 (비교적 안정적인 환자에서는 위험이 더 큼!)
- 비교적 안정된 환자는 응급 수술
- 혈역학적으로 매우 불안정하면 (e.g., 무맥박, 불응성 저혈압) 수술 전에 pericardiocentesis 먼저
  시행 고려 → 환자를 안정화시킬 수 있는 정도의 양만 배액함

(4) aortic dissection의 variants의 치료

- intramural hematoma (IMH) → classic aortic dissection과 같음
- penetrating atherosclerotic ulcer (PAU)
  - ascending PAU → surgical repair
  - stable type B PAU → 내과적 치료 & close F/U (surgical/endovascular repair의 적응
    ; 출혈, hematoma, pseudoaneurysm 확장, saccular aneurysm 형성, 통증 지속, 파열 등)

7. 예후

- 적절히 치료를 받은 경우 장기 예후는 좋은 편임 : 10YSR 약 60%, type A와 B 비슷함
- 수술 받은 환자의 병원 내 사망률은 약 15~25%이고, 주요 사인은 MI, paraplegia, renal failure, tamponade, hemorrhage, sepsis 등임 (c.f., type A를 약물로만 치료한 경우 사망률 >50%)
- 내과적 치료를 받고 있는 환자의 병원 내 사망률은 10~20% (∵ 보통 uncomplicated case)
- poor Px. ; 70세 이상, 갑자기 흉통 발생, 발병시 저혈압/shock/tamponade, renal failure, pulse deficit, EKG 이상 (특히 ST elevation), prior MI, prior AVR ...

TAKAYASU'S ARTERITIS[TA] (= Pulseless disease)

1. 개요

- large- & medium-sized arteries의 inflammatory & stenotic dz.
- 대동맥(aorta)과 그 1차 분지들을 주로 침범함, aortic arch syndrome으로도 불림
- pathogenesis ; 잘 모름, cell-mediated immunity로 추정 (cytotoxic T cells이 주로 침범)
- 드묾(1.2~2.6명/100만), 동양의 젊은 여성에서 호발 (남:여 = 1:6~9, 대부분 10~40세에 발병)
- renovascular HTN의 흔한 원인 (우리나라 2nd m/c 원인)

2. 임상양상

- 대동맥으로부터 분지되는 large arteries의 기시부를 주로 침범 ⋯ 다양한 증상을 유발
  - subclavian A. (93%, m/c & 가장 먼저 침범) ; arm claudication (e.g., 저림), Raynaud 현상
  - common carotid A. (58%) ; 시력저하, 실신, TIA, stroke, carotidynia (~25%)
  - abdominal aorta (47%), celiac axis, superior mesenteric artery
    ; 대개는 증상이 없으나 복통, N/V 등이 발생 가능
  - renal A. (38%) ; renovascular HTN (abdominal bruit), renal failure
  - aortic arch or root (35%) ; aortic insufficiency (AR), CHF
  - vertebral A. (35%) ; 시력저하, 어지러움
  - pulmonary A. (10~40%) ; 비전형적 흉통, 호흡곤란
  - coronary A. (<10%) ; 흉통(angina), MI
- peripheral pulses의 감소/소실, 좌우 혈압의 차이 (>30 mmHg)
- HTN (50~60%) ; 상지의 맥박이 약하므로 인식하기 어려움
- arterial bruit : carotid, subclavian, axillary, renal, femoral, 복부대동맥 등에서 들릴 수 있음
- acute phase 때는 전신증상도 발생 가능 ; 피곤(m/c), 발열, 야간발한, 전신무력감, 관절통, 식욕부진, 체중감소 등 (혈관침범 증상이 현저해지기 몇 달 전에 발생)
- m/i Cx ; arterial occlusion

c.f.) 상하지의 혈압차이, peripheral pulses의 지연을 일으킬 수 있는 질환들
; coarctation of aorta, aortic dissection, Takayasu's arteritis

3. 진단

- 젊은 여성에서 말초 맥박의 감소/소실, 좌우의 혈압 차이, 동맥 잡음 등 발생시 의심!
- lab (acute phase) ; ESR↑, CRP↑, mild anemia, leukocytosis, immunoglobulin↑
  - 아직 dz. activity를 잘 반영하는 검사는 없음! (active phase 때라도 ESR/CRP 정상일 수 있음)
  - ANA, RF 등의 자가항체는 음성
- **arteriography** (확진) ; stenosis (<u>smoothly tapered luminal narrowing</u>), pre/poststenotic dilatation, irregular vessel wall, aneurysm, occlusion, collateral circulation 증가 등
  - 가능하면 complete aortic arteriography로 시행
  - 비침습적 방법인 CT (or MR) angiography (CTA or MRA)가 선호됨
  - 조영증강 CT/MRI에서 조영이 증가되는 부위가 active arteritis 부위로 생각됨
- PET-CT (or -MR) : SUV↑ 부위가 혈관 염증, dz. activity와 관련성이 있다는 연구도 있음
- 조직검사 (확진에 도움은 주지만, 조직을 얻기가 거의 불가능함)
  - ; mononuclear cells 침윤, media의 giant cells 및 granulomatous inflammation
    - ┌ 주로 동맥벽 바깥쪽(elastic lamin, muscular media) 손상시 → 동맥 확장(e.g., 동맥류)
    - └ 주로 동맥벽 안쪽의 염증/비후시 → 동맥 협착/폐색

4. 치료/예후

- <u>glucocorticoids</u> (e.g., prednisone)가 주 치료 → 약 1/2 정도는 호전됨
- 대부분 steroid + steroid-sparing agents 병합요법으로 치료함
  - nonbiologic DMARDs ; <u>MTX</u>, <u>azathioprine</u>, MMF, leflunomide, cyclophosphamide
    - ⇩ 반응 없으면
  - biologic DMARDs 추가 ; <u>TNF-α inhibitor</u> (e.g., etanercept, infliximab), tocilizumab (IL-6 receptor Ab)
- 심혈관계 위험인자의 철저한 조절 (dyslipidemia, HTN, 생활습관 등)
- anticoagulation & antiplatelet agents (e.g., aspirin) : thrombotic occlusion 방지
- angioplasty or surgical revascularization (bypass)의 적응 : 약물치료 이후 remission 기간에 시행!

> 1. Renovascular stenosis에 의한 고혈압
> 2. Coronary artery stenosis에 의한 심근허혈
> 3. 일상 활동에도 발생하는 팔다리의 파행(claudication)
> 4. 뇌허혈 and/or 3개 이상 뇌혈관의 심한 stenosis
> 5. Aortic regurgitation
> 6. 직경 5 cm 이상이 흉부/복부 대동맥류
> 7. 심한 대동맥협착(coarctation of aorta)

- progressive AR → surgical valve replacement/repair 고려 (판막의 염증으로 어려울 수)
- 대부분 진행/재발성이고 완치법은 없으며, 예후는 다양함 (5년 뒤 사망률 0~10%)
  - 예후가 나쁜 경우 ; major Cx (retinopathy, HTN, CAD, AR, aneurysm), progressive course
  - 주요 사인 ; CHF, CVA, MI, aneurysm rupture, renal failure

동맥경화성 만성 동맥폐쇄질환
: 말초동맥질환(Peripheral arterial disease, PAD)

1. 개요

- 대개 distal abdominal aorta 이하 (renal artery 아래)를 침범
- atherosclerosis가 PAD의 m/c 원인 (40세 이상에서)
  (기타 원인 ; thrombosis, embolism, vasculitis, FMD, trauma ...)
- 침범부위
  - abdominal aorta & iliac arteries (30%)
  - femoral & popliteal arteries (80~90%)
  - tibial & peroneal arteries 등의 원위부 동맥 (40~50%)
- CAD와 마찬가지로, 산소의 수요/공급 불균형에 의해 허혈 증상이 발생
- 50~60대 이상, 남자에 호발
- 위험인자 ; HTN, hyperlipidemia, DM, smoking, hyperhomocysteinemia, CKD
  (젊은이에서 발생한 atherosclerosis에서는 가족력이 중요할 수 있으나, 노인에서는 가족력 안 중요)

2. 임상양상

- 간헐적 파행(intermittent claudication) – m/c ··· 동맥폐쇄 부위의 아래쪽에서 발생
  - 보행시 다리에 쥐가 나는 것 같은 증상
  - 휴식시 소실, 심해지면 안정시에도 통증 발생
- 폐쇄 부위 아래의 pulse 감소/소실, 창백, 위축(muscle atrophy)
- 좁아진 artery 위에서 bruit 들림
- 발기부전도 동반될 수 있음 ("Leriche syndrome")
- 심한 경우 ulcer나 gangrene도 발생 가능
- DM 환자 : 다발성으로 원위부를 더 많이 침범, 증상이 흔하고 진행속도 빠름

3. 검사소견/진단

- 대개 병력과 진찰소견만으로도 진단 가능
- noninvasive tests
  - ① ABI (ankle-brachial index, 발목상완지수) = 발목의 SBP / 양팔의 SBP 중 높은 값
    - ABI에 의한 말초동맥질환(PAD)의 진단
      - 정상 : 1.0~1.4 (borderline 0.91~0.99) (∵ 정상적으로 발목이 약간 더 높음)
      - ≤0.9 ⇨ PAD 진단 (50% 이상의 stenosis 진단에 sensitivity 69~73%, specificity 83~99%)
      - ≤0.8 ⇨ leg claudication 증상, ≤0.5 ⇨ 심각한 허혈(critical limb ischemia, CLI)
    - 1.4 이상이면 noncompressible artery → toe-brachial index (TBI) 측정 등

② treadmill exercise test (운동부하 ABI test) : functional limitation을 평가
- resting ABI가 실제 허혈보다 양호하게 나왔다고 추정될 때 시행 (e.g., proximal PAD)
- 보행 이후 claudication 증상 & ABI 25% 이상 <u>감소</u>하면 PAD 진단

③ segmental limb pressure measurement (구획 하지 혈압 측정)

④ digital pulse volume recording

⑤ Doppler flow velocity waveform analysis

⑥ duplex ultrasonography (B-mode imaging + pulse-wave Doppler) : m/g

⑦ transcutaneous oximetry

⑧ tests of reactive hyperemia

⑨ photoplethysmography

- angiography (CT, MRA 포함) : revascularization (e.g., 수술, PTA) 예정일 때에만 시행

4. 예후

- 주로 동반된 관상동맥질환(CAD) 및 뇌혈관질환에 의해 결정됨
  (증상이 있는 PAD 환자의 1/3~1/2에서 CAD도 동반)
- 5년 뒤 사망률 15~25%, 사인은 대부분 <u>CAD</u> 때문 (e.g., SCD, MI)
- 흡연을 지속하거나, DM 환자의 경우는 예후 나쁘다
- critical limb ischemia (CLI)의 경우 20~50%에서 결국 절단, 1년 내 사망률 약 30%

5. 치료

(1) supportive care
- 발 관리 ; 청결 유지, 외상 방지, 보습 크림, 보호 신발 사용 등
  (elastic support는 피부의 혈류를 감소시키므로 금기!)
- <u>운동</u> (30~45분/day, 3~5회/주 & 12주 이상, 파행 발생까지 & 휴식, 증상 없어지면 재개)
  ; 걷기 , 자전거, 수영 등 → 근육 효율을 향상시키고, 걸을 수 있는 거리를 늘림 (증상 호전)

(2) 동맥경화의 위험인자 조절
- 금연, 생활습관교정 (체중 감소, 운동)
- DM, HTN, hyperlipidemia 등의 철저한 치료 ...
  - ACEi : 증상이 있는 PAD 환자의 심혈관 합병증 감소
  - severe PAD의 경우 β-blocker는 금기 (mild~moderate에서는 사용 가능, 특히 CAD 동반시)
  - LDL 치료 목표 : <100 mg/dL (PAD는 CAD equivalent)

(3) 약물 요법
- antiplatelet therapy (aspirin or $P2Y_{12}$ inhibitor) → symptomatic PAD에서 심혈관계 사건 감소
  - DAPT (aspirin + $P2Y_{12}$ inhibitor) : 논란, PAD or prior MI 환자에서는 추가적인 예후 향상
  - vorapaxar (protease-activated receptor-1 antagonist, thrombin 억제) 추가
    : 동맥경화(PAD 포함) 환자에서 심혈관계 사건 더욱 감소, acute limb ischemia도 감소
      (but, moderate~severe bleeding 위험이 증가하므로 주의)

- anticoagulants (warfarin) : 심혈관계 사건 예방 효과는 antiplatelet therapy와 비슷하지만 심각한 출혈 위험이 3배 이상 증가 → chronic PAD 환자에는 권장 안됨
  (rivaroxaban + aspirin : 심혈관계 사건 예방 효과는 증가하지만, 출혈 위험↑)
- 증상 호전(claudication 감소)을 위한 치료
  - <u>cilostazol</u> (phosphodiesterase inhibitor) : 혈관확장 & 혈소판억제 작용
    → 증상 호전 (claudication distance 40~60% 증가) 및 삶의 질 개선 (survival 향상은 없음)
  - pentoxifylline, statin, propionyl-L-carnitine, prostaglandins 등의 효과는 불확실함
  - α-blocker, CCB, papaverine, 기타 vasodilators는 효과 없음 ($\because$ 정상 부위로 steal 현상)
- angiogenic growth factors 및 progenitor cells 치료는 아직 효과 없음

(4) revascularization

- 적응증
  ① 내과적 치료에도 불구하고 계속 진행하는 심한 허혈 증상(claudication)
  ② 직업상 증상의 치료가 필요한 경우
  ③ critical limb ischemia (CLI)
- 비수술적 방법(endovascular interventions) ; PTA (percutaneous transluminal angioplasty), stent grafts, atherectomy 등
  - iliac artery 병변의 PTA & stenting 성공률은 그 아래 부위 병변들보다 높음
  - iliac PTA 시술의 초기 성공률 90~95%, 3년 patency >75%
  - femoral-popliteal PTA의 초기 성공률 약 90%, 3년 patency 60%
- 수술 : aortoiliac 및 femoral-popliteal 병변에서 선호
  - aortoiliac dz. : aortobifemoral bypass (m/c, knitted Dacron grafts 사용),
    axillofemoral bypass, femoral-femoral bypass, aortoiliac endarterectomy 등
  - femoral-popliteal dz. ; in situ & reverse autologous saphenous vein graft, PTFE
    (polytetrafluoroethylene) 등의 synthetic grafts, thromboendarterectomy 등
  - 5년 patency : aortoiliac (>90%) > femoralpopliteal (70~80%) > infrapopliteal (60~70%)
  - 수술 사망률 1~3%, 대부분 IHD 때문
  - 수술로 인해 심장 합병증 발생 위험이 높아지는 경우 ; 협심증 환자, 이전의 MI 과거력,
    ventricular ectopy, HF, DM
  - β-blocker : 수술 후 심혈관계 합병증 발생 위험↓

급성 동맥 폐쇄 (Acute arterial occlusion) Acute leg ischemia (ALI)

1. 개요/원인

: 동맥 순환이 갑자기 차단되는 경우로 크게 두 가지 원인으로 분류

(1) 급성 동맥 색전증 (acute arterial embolism)

- 대개 심장, 대동맥, 큰 동맥 등에서 유래한 emboli가 원인
  (심장질환 ; AF, AMI, ventricular aneurysm, cardiomyopathy, 판막질환, infective endocarditis, atrial myxoma, 인공심장판막 등)
- 혈관의 분지 부위에서 호발 (잘 걸림)
- 하지 : femoral A. 분지부 > iliac A. 분지부 > aorta 분지부 > popliteal A. 분지부

(2) 급성 동맥 혈전증 (acute arterial thrombosis)

- 대부분 atherosclerotic vessels에서 발생 (e.g., atherosclerotic plaque, aneurysm, bypass graft)
- 기타 원인 ; trauma, arterial puncture, catheterization, thoracic outlet compression syndrome, polycythemia, hypercoagulable dz., CHF ...
- superficial femoral artery에서 호발

┌ thrombosis를 시사하는 소견 ; 신체 다른 부위 (특히 사지)에 동맥경화성질환의 임상소견 존재, intermittent claudication의 과거력
└ embolism을 시사하는 소견 ; 심장질환(e.g., AMI, AF, 심장판막질환)의 임상소견이나 과거력 존재, 허혈 증상이 더 급격하고 심하게 발생, 측부혈행(collateral circulation) 無

2. 임상양상

- 증상 (6P) ; pain (m/c), pallor, pulseless, paresthesia, paralysis, poikilothermia (냉감)
- 증상은 폐쇄 부위, 기간(측부혈행의 발달 정도), 폐쇄 정도 등과 관련
- 진단은 대개 임상소견만으로도 가능
- 확진 : MRA, CTA, arteriography

3. 치료

- 진단 즉시 anticoagulation (heparin IV) : 혈전의 확산/증식 방지
- 재관류술(revascularization) : 심한 허혈로 특히 사지의 생존이 위험한 경우
  ① catheter-based intra-arterial thrombolysis + mechanical thrombectomy (m/c)
    - alteplase (tPA), reteplase, tenecteplase 등의 thrombolytic agents : 보통 24~48시간 사용
    - platelet GP IIb/IIIa inhibitors 추가는 thrombolysis 시간은 단축하지만 예후 개선은 없음
    - mechanical thrombectomy ; aspiration, fragmentation, high-energy ultrasound 등
    - 허혈 기간 14일 이내의 매우 심하지는 않은 ALI 환자에서 권장
  ② surgical revascularization : thromboembolectomy + arterial bypass
    - ①과 ② 이후의 사망률 및 절단(amputation)율은 비슷하지만, ①은 출혈 부작용↑
    - 매우 심각해 즉시 재관류가 필요하거나, 14일 이상 경과된 ALI 환자에서 권장

- 사지의 생존이 위험하지 않은 경우 → 보존적 치료

  ; anticoagulation (IV heparin → oral warfarin) 하면서 관찰
- long-term antithrombotic therapy (재발 예방)
  - long-term anticoagulation : 심장 유래 embolism인 경우(e.g., AF) 권장

    (IE, atrial myxoma, 인공심장판막 등은 원인을 제거하기 위한 수술도 흔히 필요함)
  - PAD 환자에서 발생한 ALI는 dual antiplatelet therapy 권장

ATHEROEMBOLISM (Cholesterol embolism syndrome)

- 급성 동맥폐쇄의 일종으로, fibrin/platelet/cholesterol의 작은 덩어리들이 근위부의
  동맥경화성병변/동맥류로부터 떨어져 나와 작은 혈관의 embolism을 일으킨 것
- 원인 ; large protruding aortic atheroma, intraarterial procedures
  - 가장 흔한 원인은 aorta의 instrumentation ; cardiac catherization (약 0.1% 에서 발생),
    PTCA, angioplasty, IABP 등
- 임상양상
  ① skin ; pulse는 보존, acute pain & tenderness, pallor, livedo reticularis
    - 손/발가락에 발생하면 "blue toe" syndrome, (cyanosis) necrosis, gangrene 등 일으킬 수 있음
  ② kideny ; nonoliguric AKI, CKD & ESRD로 진행
  ③ CNS (드묾) ; focal neurologic deficits, paralysis, encephalopathy ...
  ④ mesentric embolization
- 검사소견 ; eosinophilia, ESR↑, complement level↓
- 진단 ; 임상양상(cardiac instrumentation과 증상 발생의 시간 관계)
- 확진 ; skin/muscle biopsy (cholesterol crystal)
- 치료 ; surgical revascularization 이나 thrombolysis 모두 효과 없다
  - platelet inhibitors : 일부에서 atheroembolism 예방
  - recurrent atheroembolism을 일으키는 atherosclerotic vessel or aneurysm의 수술적 제거 또는
    bypass가 필요할 수 있음

폐쇄혈전혈관염 (Thromboangiitis obliterans [TAO], Buerger's disease)

1. 개요

- 상·하지 말단부의 small- & medium-sized arteries/veins을 침범하는 염증성 질환
  - cerebral, visceral, coronary vessels도 침범할 수 있음
  - large arteries는 침범하지 않음
- 아시아, 동유럽의 40세 이하의 남성에서 호발
- 원인 (잘 모름) : smoking, HLA-B5 & A9 등과 관련

2. 임상양상

- 증상(triad)
  ① intermittent claudication (m/c) : 주로 원위부에서 발생
  ② Raynaud's phenomenon (40%)
  ③ migratory superficial vein thrombophlebitis (40%)
- 진찰소견
  - radial / ulnar / tibial / dorsalis pedis pulses의 감소/소실 (brachial / popliteal pulses는 정상!)
  - severe digital ischemia의 경우 ulcer (pain), gangrene도 발생

3. 진단

- 임상소견 만으로도 진단이 가능!
- arteriography
  - distal vessels의 smooth, tapering segmental lesions이 특징
  - 폐쇄 부위의 collateral vessels (cork screw 모양)
  - 근위부의 atherosclerotic lesion은 없음!
- excisional biopsy (확진) : 궤양 발생 위험으로 흔히 이용은 안함

4. 치료

(1) 금연 (m/i) : 병의 진행을 막을 수 있는 유일한 방법
  - gangrene이 없는 환자가 금연하면 절단(amputation)이 거의 필요 없음
  - 흡연을 지속하면 40~45%에서 한번 이상의 절단이 필요
(2) 내과적 치료
  - PG analogue (iloprost), cyclophosphamide 등이 증상 개선에 도움
  - VEGF : 일부에서 ulcer 치유 및 증상(rest pain) 개선 효과
  - 필요시 antibiotics, local debridement ..
  - anticoagulants 및 glucocorticoids는 효과 없다
(3) 수술
  - arterial bypass surgery : 일부 환자에서 large vessels 침범시
    (but, segmental 양상과 원위부 혈관 침범으로 대부분 불가능)
  - autologous saphenous vein bypass graft
  - 절단(amputation) : 모든 치료에 실패시

정맥 질환

1. 깊은/심부정맥혈전증 (Deep vein thrombosis, DVT)

- 심부정맥 ; 장골정맥(iliac vein), 대퇴정맥(femoral vein), 슬와정맥(popliteal vein) 등
- Sx ; 통증/압통, 열감, 피부색 변화, 창백(blanching), 오목부종(pitting edema),
  측부(collateral) 표재정맥 확장 등
- Dx ; duplex sono, MRA, venography 등
- Tx ; 폐색전증(PE) 예방이 m/i → 항응고제(heparin, warfarin)
  (thrombolytic therapy : PE 예방에 항응고제보다 더 좋다는 증거는 없음)

→ 호흡기내과 12장 참조

2. 얕은/표재혈전정맥염 (Superficial thrombophlebitis / SVT)

- 병태생리 & 위험인자는 DVT와 비슷
- Sx ; 표재정맥의 확장(→ 단단하고 굵은 줄처럼 만져짐), 혈전 부위에 국한된 통증/압통
- Tx ; 보존적 (e.g., 온열찜질, 압박스타킹, NSAID 등)
- 드물지만 인접 심부정맥을 침범하여 DVT (± PE)로 진행할 수도 있음

림프관 질환

■ 림프부종 (lymphedema)

- primary ; 선천성(출생 직후), 조발(사춘기 시작 때), 지연(35세 이후 발생)
- secondary ; recurrent lymphangitis, filariasis, TB, 종양, 수술, RTx. ...
- 하지 림프부종의 임상양상 ; chronic dull heavy sensation
  - 발에서 시작되어 점차 위로도 파급됨
  - 부드러운 부종 → 단단하고 나무껍질 모양의 부종(non-pitting)으로 진행
- Dx ; 복부와 골반 US/CT, lymphoscintigraphy or lymphangiography
- Tx ; 피부 청결이 중요 (피부연화제 등), 이뇨제는 금기
  - 예방적 항생제도 도움 됨, 진균 감염 시엔 철저히 치료
  - leg elevation 등의 physical activity 장려
  - 물리 치료 ; 마사지, 압박 바지, 간헐적 공기압박장치
  - microsurgical lymphatico-venous anastomosis

14
류마티스 열(Rheumatic fever)

개요

- 정의 : group A streptococci 감염의 후유증으로 발생하는 염증 질환 (CTD or CVD로 분류)

  | GAS 인두염 | ⇨ | ARF | ⇨ (감염 재발/지속, ARF 재발) ⇨ | RHD (rheumatic heart dz.) |

- group A β-hemolytic streptococci (*S. pyogenes*)에 의한 <u>pharyngitis</u> 후에만 발생
  - 치료받지 않는 streptococcal pharyngitis 환자의 약 3%에서 발생
  - 다른 부위 (skin, soft tissue 등)의 감염은 ARF (acute rheumatic fever)를 일으키지 않음
- pathogenesis
  - "autoimmune" phenomena : streptococcal M protein이 인체 조직과 유사
  - 유전적인 감수성도 관여 (인구의 약 3~6%)
- 빈곤, 위생불량 지역에서 호발 (선진국/우리나라에서는 급격히 감소하여 매우 드묾)
- 주로 5~18세에서 발생 (약 20%는 성인에서도 발생)

임상양상

* streptococcal pharyngitis 뒤 ARF 증상이 나타나기까지의 잠복기 : 1~5주 (대개 2~3주)

1. 심염 (carditis)

Rheumatic carditis에 의한 판막역류 진단기준 - Doppler echo.
1. 최소한 2개 이상의 views에서 역류 관찰
2. 1개 이상의 view에서 역류 제트(regurgitant jet)의 길이 ≥2 cm (MR) / ≥1 cm (AR)
3. 최대 속도(peak velocity) ≥3 m/s
4. 1개 이상의 포락선(envelope)에서 pansystolic (MR) / pandiastolic (AR) jet
[1~4 모두 만족해야]

- ARF 환자의 약 40~60%에서 RHD (rheumatic heart dz.) 발생
- valve (m/i), endocardium, myocardium, pericardium 등을 다 침범 (pancarditis)
- 판막 침범(valvulitis) ; <u>MV</u> (m/c, 70~75%), MV & AV (20~25%), AV 단독 (5%)
  - 치유되면서 stenosis and/or regurgitation의 후유증을 일으킬 수 있음
  - infective endocarditis 발생 위험↑ (but, constrictive pericarditis는 안 일으킴)

- 빈맥, 판막역류에 의한 ⑩, pericarditis (friction rub), 심비대 등
- PR prolongation 및 심부전도 나타날 수 있으나 비특이적임
- 심각하고 영구적인 기질적 장애나 사망을 초래할 수 있으므로 가장 중요한 Sx
- Aschoff (-Geipel) bodies ; myocardial biopsy … rheumatic carditis의 특징

2. 관절염 (arthritis)

- 성인의 ARF의 m/c 첫 증상 (75%), 대개 fever도 동반, 보통 2~3주 뒤 자연소실
- asymmetrical & migratory polyarthritis, 발목, 손목, 무릎, 팔꿈치 등 주로 사지의 큰 관절을 침범 (손과 발의 작은 관절과 고관절의 침범은 드묾)
- 통증이 매우 심함 (→ 진단이 확정될 때까지 salicylates 등의 진통제로 조절)
- 항염증제 투여로 금방 호전됨, 영구적인 관절손상은 일으키지 않음

c.f.) post-streptococcal reactive arthritis (ReA) ; 작은 관절을 침범, 잠복기 짧음(대개 1주 미만), 치료에 대한 반응이 느림, ARF의 다른 양상(특히 심염)이 없음

3. 무도증 (Sydenham's chorea)

- 보통 단독으로 or 다른 Sx 들이 다 사라진 뒤 늦게 발생 (<10%)
- sudden, rapid, aimless, irregular, involuntary movements (수면시엔 증상 소실)
- 대부분 self-limited (수주~수개월 뒤 소실), 신경학적 후유증은 남기지 않음

4. 경계홍반 (erythema marginatum, 유연성홍반)

- 드물다(5~13%), 일과성의 담배연기 고리 모양의 홍반
- 몸통과 사지의 근위부에서 주로 발생 (얼굴엔 절대 안 생김)
- 가렵지 않고 induration 없고, 압력을 가하면 소실됨

5. 피하결절 (subcutaneous nodules)

- 드물다(0~8%), rheumatic heart dz.가 장기간 지속된 경우 발생, 처음 ARF가 발생했을 때에는 극히 드묾, 대개 1~2주 뒤 사라짐
- firm, painless, 다양한 크기(0.5~2 cm)의 작은 결절, 고정×
- 관절과 뼈의 extensor surface에 발생

6. 기타

- fever : 거의 모든 ARF 환자에서 발생, 대개 고열(≥39℃)
- arthralgia, abdominal pain, chest pain, epistaxis …
- acute phase reactants (ESR, CRP) ↑↑ : 대부분에서 상승, dz. activity를 반영!
- leukocytosis (PMN↑), anemia, prolonged PR interval
- RF (rheumatoid factor)는 음성임!

진단

AHA-Revised Jones criteria 진단기준 (2015)

	Low-Risk Populations (e.g., 선진국, 우리나라)	Moderate~high-Risk Populations
주증상 (Major criteria)	Carditis Arthritis (polyarthritis only) Chorea Erythema marginatum Subcutaneous nodules	Carditis Arthritis (mono-/polyarthritis, polyarthralgia 등) Chorea Erythema marginatum Subcutaneous nodules
부증상 (Minor criteria)	Polyarthralgia Fever (≥38.5℃) ESR ≥60 and/or CRP ≥3.0 Prolonged PR interval (carditis 없을 때)	Monoarthralgia Fever (≥38℃) ESR ≥30 and/or CRP ≥3.0 Prolonged PR interval (carditis 없을 때)
GAS 감염 증거	Streptococcal Ab test 양성 *or* Throat culture 양성 *or* Rapid antigen test 양성	

* 진단 : 선행 group A streptococci (GAS) 감염의 증거가 있고
  ARF 첫 진단 = 2개의 주증상 or 1개의 주증상 + 2개의 부증상 존재
  Recurrent ARF = 2개의 주증상 or 1개의 주증상 + 2개의 부증상 or 3개의 부증상 존재

■ A군 연쇄구균 (GAS) 감염의 확인

(1) Streptococcal antibody tests
- anti-streptolysin O (ASO) ; 가장 많이 사용, ARF의 80%에서 (+) (but, 정상인도 20% +)
- anti-deoxyribonuclease B (anti-DNase B, ADB) : ASO와 함께 검사하면 민감도 >95%

(2) rapid antigen tests ; 특이도는 높지만(>95%), 민감도가 낮음(60~80%)

(3) throat culture ; gold standard이긴 하지만, 민감도가 매우 낮음 (10~25%에서만 양성)

치료

1. 각 증상에 대한 치료

- ARF의 증상을 완화시키기 위한 치료 (RHD 발생 예방 효과는 없다)
- arthritis, arthralgia, fever
  - aspirin (salicylate)이 DOC ; 대개 12~24시간 이내 증상 호전, 2주 투여 뒤 2~3주간 감량
  - 투여 중단 이후 최대 3주까지 fever, 관절 증상, APR↑ 재발 가능
    → 질병의 재발이 아니므로 salicylate 단기간 재투여
  - NSAID (naproxen)도 증상 호전 효과 좋음
  - 관절 증상 단독으로는 steroid 사용하지 않음! (∵ 다른 질환을 masking할 수)
- mild~moderate carditis도 aspirin (salicylate) 4~8주
- severe carditis (HF 발생 위험) ⇨ steroid (prednisone or prednisolone) 단기간 (며칠 ~ 최대 3주)

- chorea
  - 경미한 경우는 조용한 주위 환경 조성
  - 심하면 항경련제 투여 (e.g., carbamazepine, valproic acid) : 증상 완화 효과만 있음
    → 증상이 소실된 뒤 반드시 1~2주 더 투여
  - IV Ig : 다른 치료에 반응 없는 심한 경우 고려할 수 있지만, 일반적으로 권장 안됨

2. A군 연쇄구균 감염의 치료

- 진단 당시 culture에서 균이 증명되지 않더라도 모든 ARF 환자에서 즉시 항생제 투여!
- penicillin (DOC) : oral (e.g., phenoxymethyl penicillin or amoxicillin 10일간) or
  IM benzathine penicillin G 120만 단위 single IM injection (penicillin allergy시는 EM)
- ARF의 경과나 carditis의 예방에는 영향을 못 미침, 다른 사람에게 전염되지 않도록 남아있는
  group A streptococci를 박멸하는 것이 목적

3. 이차 예방(2ndary prophylaxis)

- 재발을 방지하기 위해 초치료 뒤 반드시 시행 (∵ ARF는 재발 위험이 매우 높음)
- Benzathine penicillin G IM : 120만 단위 (2~4주 마다)^{가장 효과적!} or
  oral penicillin V (or penicillin allergy 시는 EM) 하루 2회 투여
- 최소한 5년 이상 투여 (∵ 발병 후 5년 이내가 재발 위험 가장 높음)
- 권장 투여기간
  ① carditis가 없었던 RF 환자 : 마지막 발병 후 5년 or 21세까지 중 긴 것
  ② carditis는 있었지만 판막 후유증은 없는 환자 : 마지막 발병 후 10년 or 21세까지 중 긴 것
  ③ 영구적인 판막 질환 발생 환자 : 마지막 발병 후 10년 or 40세까지 중 긴 것, 때때로 평생
  - streptococcal infection 고위험군(e.g., 군인, 학교 등 단체생활자, 병원종사자)은 더 오래

15
감염성 심내막염(Infective endocarditis, IE)

개요/분류

- 정의 : 심장 내막에 미생물이 감염되어 증식(<u>vegetation</u>)한 것으로, 판막을 가장 흔히 침범함
  ↳ 미생물 미세군집, platelet, fibrin 등의 덩어리
- 대개 인구 10만명당 매년 4~7명의 환자가 발생, 발생 연령 증가 추세, acute IE가 증가 추세
- 심장판막 질환 같이 와류(turbulent flow)가 생기는 경우 호발
- 병인 : 손상되지 않은 endothelium은 대부분의 세균에 저항을 가짐
  - endothelial injury → 독성균의 직접 감염 or NBTE 발생
  - NBTE (nonbacterial thrombotic endocarditis) : 감염 안된 platelet-fibrin thrombus
    → 향후 일시적인 균혈증 때 미생물 부착을 유발
    (NBTE의 유발인자 ; MR, AS, AR, VSD, complex CHD, hypercoagulable state 등)
  - 감염된 미생물이 증식하면서 fibrin 축적, 혈소판 응집과 함께 infected vegetation 형성

감염성 심내막염의 고위험군(risk factors)
환자요인 ; 고령, 남성, IV drug user, 구강 위생불량/감염
심장판막질환 ; rheumatic heart dz., MVP, AV dz. 등
선천성 심장질환, 교정된 경우 포함 (예외 ; isolated ASD, 교정된 VSD, 교정된 PDA)
인공심장판막, Transcatheter aortic valve implantation/replacement (TAVI, TAVR)
Cardiac implantable electronic device (CIED), Intravascular device, Chronic hemodialysis
↳ implantable cardioverter-defibrillator (ICD, 더 위험), permanent pacemaker에서 주로
Hypertrophic cardiomyopathy
이전의 감염성 심내막염 병력

Infective endocarditis (IE)의 원인균 (%)

Native Valve		Prosthetic Valve				CIED	IVDU	
			<2개월	2-12개월	>12개월			
Streptococci	40	CoNS	33	32	11	41	*S. aureus*	57
S. aureus	25	S. aureus	22	12	18	36	*Streptococci*	12
Enterococci	12	Gram(−) bacilli	13	3	6	6	*Enterococci*	9
CoNS	7	Fungi (candida)	8	12	1	2	Gram(−) bacilli	7
HACEK group	2	*Streptococci*	1	9	31	2	Polymicrobial	7
G(−) bacilli	1	*Enterococci*	8	12	11	4	Fungi	4
Culture-negative	6~7	Culture-negative	5	6	8	6	Culture-negative	3

* CIED = cardiac implantable electronic device, IVDU = Intravenous drug user, CoNS = Coagulase (−) *Staphylococcus*

1. Native valve endocarditis (NVE)

(1) 원인균

- *Streptococci* (m/c) : 30~50%, viridans (α-hemolytic) streptococci가 대부분
  - 주로 subacute IE를 일으킴, <u>community-acquired NVE</u>의 m/c 원인균
    - ↳ 구상, 피부, 상기도 등을 통해 감염
  - *S. gallolyticus* (이전의 *S. bovis*) : 소화기 상재균, 위장관의 polyps 및 colon tumor와 관련
- *Staphylococci* (2nd m/c) : 25~45% (증가 추세, 대형병원 위주로 조사하면 m/c)
  - 주로 acute IE를 일으킴, *S. aureus*가 대부분
  - <u>health care-associated (nosocomial) NVE</u>의 m/c 원인균 (증가 추세), 대개 MRSA
    - ↳ 혈관내조작(e.g., catheter, pacemaker), 혈액투석, nosocomial wound & UTI 등과 관련
  - catheter-associated *S. aureus* bacteremia의 6~25%에서 IE 발생
- *Enterococci (E. faecalis, E. faecium)* : 10~15%
  - 비뇨기계 및 소화기계 수술/시술에 의한 IE에서 흔함
  - acute or subacute IE를 일으킴
- group A β-hemolytic streptococci (*S. pyogenes*)와 *S. aureus*는 판막의 급격한 손상 유발 가능

(2) 역학

- 남>여, 대부분 50세 이상, 25~35%는 health care-associated
- rheumatic valvular dz. (mitral valve를 가장 흔히 침범)는 점점 감소 추세
- MVP, degenerative valvular dz., 심근경색후 등이 주요 기저질환으로 증가 추세
- 고령화 및 입원의 증가에 따라 *S. aureus*에 의한 acute IE가 점점 증가

	Acute	Subacute
진행	수일~수주	수주~수개월
주 원인균	*S. aureus*	*Streptococcus viridans*
발생	정상 판막에서	손상된 판막에서
증상	심함	심하지 않음
Metastatic infection	+	—
치료 안 하면	6주 내에 사망	6주~1년 뒤 사망
치료율	50% 이하	90% 이상

2. Prosthetic valve endocarditis (PVE)

- 어떠한 intravascular prosthesis도 endocarditis를 유발할 수 있음, 증가 추세
- 전체 endocarditis의 16~30% 차지, valve replacement 후 6~12개월에 발생률 가장 높음, 16~30%는 health care-associated
- <u>early-onset</u> endocarditis : 수술 2개월 이내에 발생한 IE
  - nosocomial infection (대개 수술 중 오염 때문)
  - coagulase(−) *Staphylococci* (<u>*S. epidermidis*</u>)가 m/c 원인균 (대부분 MRSE)

- late-onset endocarditis : 수술 2개월 이후에 발생한 IE
  - 2~12개월에도 coagulase(-) *Staphylococci*가 m/c 원인균
  - 1년 이후에는 streptococci가 m/c 원인균 (감염경로가 community-acquired NVE와 비슷)
- 인공판막 주위로 감염 확산 흔함 ; perivalvular abscess, ventricular septal abscess, valve dehiscence

* cardiac implantable electronic device (CIED) endocarditis
  - device가 접촉하는 부위에 호발, 때때로 AV or MV 감염도 동반 가능
  - 약 1/3은 3개월 이내에, 1/3은 4~12개월에, 1/3은 12개월 이후 발생
  - *S. aureus*와 CoNS가 대부분을 차지, MR (methicillin resistant) 흔함

3. IV drug abusers (IVDU)의 endocarditis

- *S. aureus*가 m/c 원인균 (50% 이상), 대부분 MRSA
- 보통 급성으로 정상 valve에서 잘 발생, 주로 젊은 남자에서 발생
- TV (tricuspid valve)를 가장 흔히 침범(>50%) (c.f., left-sided ; $AV_{(25\%)} > MV_{(20\%)}$)
  - *S. aureus*가 80~90% 차지 (↔ left-sided IVDU endocarditis의 원인균은 다양)
  - septic pulmonary emboli에 의한 pneumonia나 pulmonary embolism 흔함
- 심잡음이나 심부전은 드물다, 폐렴을 잘 동반
- non-IVDU의 NVE보다 완치율 높다 (>90%)

■ culture-negative endocarditis (5~15%)
- 약 1/3~1/2은 이전의 항생제 사용으로 인해 배양 음성
- 나머지는 배양이 까다로운(fastidious) 균
  - nutritionally variant organisms (*Granulicatella, Abiotrophia* spp.)
  - HACEK group (*Haemophilus, Actinobacillus, Cardiobacterium, Eikenella, Kingella*)
    ; 아주 큰 vegetation을 만듦
  - 기타 ; *Coxiella burnetii* (Q fever, 유럽), *Bartonella* spp. (유럽), *Brucella* spp. (중동),
    Tropheryma whipplei (indolent, afebrile endocarditis), *Abiotrophia* spp. ...
- 혈청검사, 조직검사, PCR 등으로 확인

임상양상

1. 전신 증상

- fever (m/c, 80~90%) ; subacute IE는 low grade (<39.4℃), acute IE는 high fever (~40℃)
  (fever가 없을 수 있는 경우 ; 고령, 심한 쇠약, 심부전, 신부전, 미리 항생제를 투여 받은 환자 등)
- chilling, arthralgia and/or myalgia, 피로감, 식욕감퇴, 체중감소

2. 심장 증상

- <u>murmurs</u> (∵ 판막의 손상/파괴나 chordae tendineae의 파열 때문) ; 대부분(80~85%) 나타나나, acute endocarditis의 초기나 IVDU에서 tricuspid valve가 침범된 경우는 나타나지 않는 때도 있음
- CHF (30~40%에서) ; valvular dysfunction (m/c), myocarditis, intracardiac fistula, coronary artery embolization 등에 의해 발생
- perivalvular abscess ; 감염이 valve leaflets을 넘어 인접 조직으로 확장되어 발생
  - 새로운 murmurs를 동반한 심장내 fistula 유발 가능
  - pericarditis ; aortic valve annular abscess가 epicardium으로 퍼진 경우 발생 가능
  - heart block ; 심실중격 상부로 퍼져 conduction system을 침범한 경우 발생 가능
- coronary emboli (2%) ; myocardial infarction 유발 가능 (transmural infarction은 드묾)

3. 심장 외 증상

(1) 전신 색전증 (systemic emboli)

- 20~50%%에서 발생 (→ 항생제 치료시 발생 감소)
- MV에 위치한 직경 1 cm 이상의 vegetation에서 호발
- 사지, 비장, 신장, 위장관, 뇌 등을 주로 침범
- embolic stroke (주로 middle cerebral artery를 침범)
- pulmonary embolism : IVDU의 endocarditis에서 흔함 (*S. aureus*)

(2) 신경계 증상

- 20~40%에서 발생, *S. aureus* 감염시 호발
- embolic stroke (m/c), 뇌출혈 (5%), mycotic aneurysm (2~10%)
  (c.f., mycotic aneurysm : 버섯모양 동맥류로 원인이 진균이란 뜻은 아님, 증상 없으면 치료×!)
- meningitis (aseptic > purulent)
- 기타 ; 심한 두통, seizure, encephalopathy ...

(3) 신장 증상

- 신부전 (<15%) : IC-mediated <u>GN</u>에 의해 발생 (→ 항생제 치료로 호전됨)
- embolic renal infarct ; flank pain, hematuria (신기능 장애는 거의 안 일으킴)

(4) 기타

- splenomegaly (15~50%), clubbing (10~20%)
- 근골격계 증상 ; myalgia/arthralgia, back pain ...
- 말초 증상/소견 (최근에는 드묾)

Petechiae (m/c, 10~40%) : 주로 결막, 구강점막, 사지 등에 발생
Splinter hemorrhages : 손톱 밑의 선상 출혈(linear, dark-red streaks)
Roth spots : oval retinal hemorrhages with pale center (2%에서 발생)
Osler nodes : 손/발가락의 small tender nodules
Janeway lesion : 손/발바닥의 painless erythematous hemorrhagic lesions

검사소견/진단

1. Blood culture (m/i)

- 3회 혈액배양에서 95% 이상 양성 (2회 이상 동일균이 동정되야 진단)

  (→ 음성이면 *Haemophilus* 같이 까다로운 균 or 진균이 원인일 가능성이 높음)
- 최근 2주 이내에 항생제를 사용한 적이 없어야 됨
- 2시간 이상의 간격을 두고 서로 다른 부위에서 3회 시행 (24시간 동안)
- 2~3일 뒤에도 음성이면

  ① 2~3회 추가 배양 실시 (lysis-centrifugation culture 포함)

  ② 까다로운 균에 대한 검사 (e.g., 배양시간↑, 특수배양)
- bacteremia : continuous (지속적으로 균 배출)

  → 특정 시기나 체온일 때만 시행할 필요는 없다 (아무 때나 가능)
- 동맥혈이나 골수가 정맥혈보다 더 도움이 되지는 않는다

* 원인균에 대한 혈액배양 이외의 검사법

  ① 혈청검사 : 일부 배양 어려운 균 확인에 이용(e.g, *Brucella, Bartonella, Legionella, C. burtnetii*)

  ② vegetation or emboli의 culture, special stains, PCR 등

2. Echocardiography

- 목적 ; IE의 해부학적 확인, 우종(vegetation)의 크기 결정, 심장내 합병증 발견, 심장 기능의 평가

  ⌈ TTE : noninvasive, 2 mm 미만의 vegetation은 발견 못함 (sensitivity 65~80%)

  ⌊ TEE : sensitivity >90%, PVE 및 심장내 합병증 진단에 더 좋음
- IE 의심되는 모든 환자에서 TTE 먼저 시행, TTE 음성이면 IE 위험군은 TEE 시행

  (위험군 ; *S. aureus* bacteremia, 새로운 ⑩, prior IE, 선천성심장질환, 인공심장판막 or intracardiac device 등)
- 모두 음성이라도 IE를 R/O할 수는 없음 (6~18%는 위음성) ⇨ 반드시 7~10일 뒤 재검
- blood culture가 음성일 때 IE 진단에 유용하나 sterile vegetation도 있을 수 있음 (e.g., 치료된 IE)
- 예후나 수술 가능성 결정에도 도움 (큰 vegetation 있으면 예후 나쁨)
- 치료 중 vegetation의 크기 변화로 치료 효과를 판정할 수는 없음

3. 기타

- 다른 영상검사 ; 3차원 TEE, cardiac MRI/CT, cardiac CT angiography (CTA), PET-CT 등
- catheterization : 수술 예정인 고령의 환자에서 관상동맥 평가 위해 주로 시행
- normocytic normochromic anemia (70~90%), leukocytosis (20~30%)
- ESR, CRP, RF (6주 이상 지속된 환자의 1/2 이상에서 +), circulating IC 등의 상승, complement는 감소
- proteinuria, microscopic hematuria (30~50%)

IE 진단기준 (modified Duke criteria, 2000)

■ **Definitive diagnosis** : (1) or (2)
  (1) 임상적 기준
    ① 2 major criteria *or*
    ② 1 major + 3 minor criteria *or*
    ③ 5 minor criteria
  (2) 병리학적 기준 : 수술/부검시 얻은 vegetation, abscess의 pathology or microbiology (+)

■ **Possible diagnosis**
  (1) 1 major + 1 minor criteria
  (2) 3 minor criteria

Major Criteria ★

1. **Blood culture 양성**
  (1) 2회의 배양검사에서 전형적인 원인균 증명 *or*
    (e.g., Viridans streptococci, *S. gallolyticus*, *S. aureus*, enterococci, HACEK)
  (2) 지속적인 균혈증 *or*
    ① 12시간 이상 간격으로 시행한 혈액배양 양성 *or*
    ② 3회 이상 (대개 4회 이상) 시행한 혈액배양에서 3회 양성 (처음과 마지막은 1시간 이상의 간격)
  (3) *Coxiella burnetii* 한번 양성 or phase Ⅰ IgG Ab titer >1:800

2. **Endocardium 침범의 증거**
  (1) Echocardiography : Oscillating intracardiac mass (vegetation), valve ring abscess, new partial dehiscence of prosthetic valve
  (2) 새로운 valvular regurgitation 발생 (기존의 ⑩가 커지거나 변화한 것은 해당 안됨)

Minor Criteria

1. 질병의 소인 ; 기저 심장질환 or IVDU
2. 발열 ≥38℃
3. 혈관계 소견 ; 동맥색전증, 폐색전증, 진균성동맥류, 뇌출혈, 결막출혈, Janeway 병변
4. 면역학적 소견 ; 사구체신염(GN), Roth 반점, Osler 결절, RF(+)
5. 미생물학적 소견 ; 혈액배양은 양성이나 위의 major criteria에는 미흡 or IE에 합당한 원인균의 serologic test (+)

■ **IE가 아닌 경우**
  ① 다른 진단이 확정되었을 때
  ② 4일 이내의 항생제 치료로 증상이 소실된 뒤 재발이 없을 때
  ③ 4일 이내의 항생제 치료 뒤 시행한 수술/부검에서 병리학적 소견 음성
  ④ possible diagnosis의 기준에도 못 미치는 경우

치료

* 치료의 목표 ┌ 원인균 제거
          └ 감염으로 인한 각종 합병증 교정

1. 항생제 치료

(1) 원칙

① 살균성(bactericidal) 항생제를 사용

② 혈중농도를 높게 유지하기 위해 IV로 투여 (→ vegetation에 투과되도록)

③ 장기간의 치료로 완전 멸균을 목표로 함

(2) 경험적 항생제 요법 (acute IE)

• IE가 강력히 의심되는 급성 병색 환자는 30~60분 간격으로 최소 2회의 (가능하면 3회)
  혈액배양용 검체 채취 뒤 즉시 시작! (심하지 않거나 IE 가능성이 낮으면 혈액배양 결과 나온 이후로 연기)

• 일반적으로 staphylococci (methicillin 감수성 & 내성), streptococci, enterococci 모두를 대상
  ⇨ vancomycin + GM + ciprofloxacin

(3) 원인균별 항생제 요법

① penicillin-susceptible streptococci, *S. gallolyticus* (MIC ≤0.12 μg/mL)

• penicillin G 4주 (4/day) or

  ┌ ceftriaxone (1/day) : nonimmediate penicillin allergy시
  └ vancomycin (2/day) : severe/immediate β-lactam allergy시

• penicillin G (or ceftriaxone) + GM 2주

② relatively penicillin-resistant streptococci (MIC 0.12~0.5 μg/mL)

• penicillin G (or ceftriaxone) 4주 + GM 2주

③ penicillin-resistant streptococci (MIC ≥0.5 μg/mL), nutritionally variant organisms

• penicillin G (or ceftriaxone) + GM 6주

④ enterococci

  ┌ oxacillin, nafcillin, cephalosporins 등에는 내성
  └ penicillin, ampicillin, teicoplanin, vancomycin에만 감수성

• penicillin G + GM/SM 4~6주

• ampicillin + GM (cepha.나 carbapenem은 쓰면 안 됨) 4~6주

• vancomycin + GM (penicillin allergy or resistance시) 4~6주

■ enterococci 감염시엔 반드시 GM과 SM에 대한 고도내성 검사, β-lactamase 검사,
  penicillin/ampicillin/vancomycin의 감수성검사 등을 시행해야 됨!
  (1) AG 고도내성시엔 (MIC; GM ≥500 µg/mL, SM 1000~2000 µg/mL) AG 사용 금지
      → AG 빼고 8~12주 치료 or *E. faecalis*는 high-dose ampicillin + ceftriaxone/cefotaxime
      → 실패하거나 모든 항생제에 내성을 보이면 수술 고려
  (2) β-lactamase 양성이면 → ampicillin/sulbactam or vancomycin
  (3) penicillin/ampicillin MIC >16 µg/mL → vancomycin 사용
  (4) vancomycin MIC >8 µg/mL → penicillin/ampicillin 사용 고려

- VRE (vancomycin-resistant enterococci) ⇨ 8주 이상 linezolid, quinupristin-dalfopristin, teicoplamin, imipenem/cilastatin + ampicillin, ceftriazxone + ampicillin 등

⑤ *Staphylococci*
- MSSA NVE ⇨ nafcillin/oxacillin/flucloxacillin 4~6주 or

　┌ penicillin 6주 : penicillin 감수성이면 사용 가능 (β-lactamase를 생산하지 않는 균주)
　│ cefazolin/cephalothin 6주 : nonimmediate penicillin allergy시
　└ vancomycin 6주 : severe or immediate penicillin allergy시

- MSSA PVE ⇨ nafcillin/oxacillin/flucloxacillin 6~8주 + GM 2주 + rifampin 6~8주
- MRSA NVE ⇨ vancomycin 4~6주
- MRSA PVE ⇨ vancomycin 6~8주 + GM 2주 + rifampin 6~8주
　　or daptomycin, linezolid

⑥ 기타
- HACEK organisms ⇨ 3세대 cepha. (e.g., ceftriaxone) or ampicillin/sulbactam 4주
- *Enterobacteriaceae* ⇨ potent β-lactam + AG
- *P. aeruginosa* ⇨ ticarcillin/piperacillin/ceftazidime + high-dose tobramycin
- *Corynebacteria* ⇨ penicillin + AG or vancomycin
- *Candida* ⇨ amphotericin B + flucytosine + 조기에 수술 (항진균제 1~2주 투여 후)

⑦ culture-negative subacute IE ⇨ ampicillin/sulbactam(or amoxicillin-clavulanate) + GM
　or vancomycin + GM + ciprofloxacin
　　(*Bartonella* spp. 가능성이 있으면 doxycycline 추가)

* rifampin을 빼고는 모두 IV (or IM)

(4) 치료의 반응
- 항생제의 투여는 임상증상이 호전된 뒤에도 4주 이상 계속 되어야
- PVE의 최소 치료기간 : 6주
- 투여 후 1주 내에 75%에서 발열 호전, 2주 내에 90%에서 해열
- 적절한 항생제 치료 후에도 7일 이상 발열이 지속되거나 재발했을 때의 원인 ★
　① 심장내 합병증 (e.g., paravalvular abscess) : m/c
　② metastatic infection (e.g., spleen or kidney abscess)
　③ nosocomial infections의 공존
　④ embolism, drug fever, 기타 동반 질환
- 혈청검사(CRP, ESR, RF)는 정상화가 느리며, 치료에 대한 반응을 반영하지 못함
- vegetation : 작아질 수도 있지만, 치료 3개월 뒤에 약 1/2은 변화가 없고, 약 1/4은 커짐

c.f.) anticoagulation
- 효과 없다, 오히려 출혈 (특히 뇌출혈) 위험만 증가
- mechanical valve 같은 절대적인 Ix. 시에만 사용
- septic embolism은 Ix. 아님

■ CIED endocarditis
- 가능한 모든 장치를 제거함, percutaneous lead전극 extraction이 선호됨 → 남아있으면 수술
- 항생제 치료도 NVE처럼 시행 ; bacteremia 동반시 4~6주, bacteremia 없으면 10~14일
- 장치를 유지하면서 항생제 치료하는 것은 생존율 저하로 권장 안됨
  (장치를 제거할 수 없는 경우에만 유지하면서 치료)
- 2 cm 이상의 lead vegetation은 pulmonary embolism 위험
- 계속 CIED가 필요하면 최소한 10~14일의 항생제 치료 뒤에 재삽입

2. 수술

수술의 적응증 ★	
1. Emergent op. (당일)	폐부종이나 심장성쇼크를 동반한 MV의 조기 폐쇄를 동반한 acute AR Valsalva sinus의 abscess가 우측 심장으로 파열시 Pericardial sac으로의 파열 or fistula
2. Urgent op. (1~2일 이내)	Acute AR or MR에 의한 moderate~severe CHF (m/i) Vegetation에 의한 판막 폐쇄 인공판막(삽입물)의 불안정(dehiscence), 구멍 폐쇄 중격 천공 감염이 판막 주위로 전파 효과적인 항생제의 부족 (e.g., *Brucella*) 색전 위험이 높은 크고(>1 cm) 운동성이 있는 vegetation
3. Elective op. (가능한 조기에)	점진적인 판막주위 prosthetic regurgitation 7~10일 이상의 항생제 치료에도 불구하고 감염이 지속되는 판막 부전 (e.g., 항생제 고도내성 enterococci or GNB) 심장내 합병증을 동반한 Staphylococcal PVE Early (수술 2개월 이내 발생한) PVE 적절한 항생제치료 후 재발한 PVE 진균성 심내막염 (e.g., mold, candida)

* 수술 후 항생제 치료
- 제거된 판막에서 Gram stain or PCR로 균이 발견된 경우
  - 반드시 항생제 치료 실패를 의미하는 것은 아님 (치료 성공 환자의 45%에서도 발견됨)
  - 7%만 culture (+) : 대부분 드문 균이거나 내성균
  - 균이 발견되어도 수술 이후에 endocarditis 재발은 드묾
- uncomplicated NVE에서 valve culture (-)인 경우 항생제 투여 기간
  : 수술 전 + 수술 후 = 권장 투여 기간 (수술 후에는 2주 이상 투여)
- paravalvular abscess, 부분적으로 치료된 PVE, valve culture (+) : 수술 후 full course 투여

예후

- 예후가 나쁜 경우
  ① 고령, 남자, health care-associated endocarditis
  ② 심한 동반 질환, DM
  ③ 진단 지연시
  ④ prosthetic valve 또는 aortic valve 침범
  ⑤ invasive (*S. aureus*) or resistant (*P. aeruginosa*, yeast) pathogen
  ⑥ 심장내 합병증 ; valve ring or myocardial abscess, cardiac arrhythmias 등
  ⑦ 심한 신경계 합병증
  ⑧ CXR상 CT ratio 증가, heart failure 발생 ...
- NVE의 일반적인 생존율은 85~90%
- *S. aureus*에 의한 NVE의 생존율 : 55~70% (IVDU에서는 85~90%로 더 좋다)
- PVE : 판막치환술 후 2개월 이내에 발생시 사망률 40~50% (2개월 뒤에는 10~20%로 크게 감소)
- 사망원인 ; CHF (m/c), embolism, mycotic aneurysm의 파열, renal failure

항생제 예방요법

- 실제 감염성 심내막염 예방효과는 미미한 것으로 밝혀져, 최근에 적응증을 많이 줄였음
  - 치과/비뇨기과/소화기 시술에 따른 균혈증보다 일상생활에서 발생하는 균혈증으로 더 많이 발생
  - 치과/비뇨기과/소화기 시술시 항생제 예방요법으로 IE 발생의 아주 적은 부분만을 예방 가능
  - 항생제 투여로 기대되는 이익보다 항생제의 부작용에 대한 위험부담이 큼
  - 구강위생과 치아건강으로 일상생활 관련 균혈증을 줄이는 것이 항생제 예방요법보다 더 효과적
- 치과시술 전 항생제 예방요법이 필요한 고위험군 (AHA, 2007) ★
  ① 인공심장판막
  ② 감염성 심내막염의 과거력
  ③ 교정 안 된 cyanotic CHD (palliative shunt/conduit 포함)
  ④ 완전히 교정된 CHD의 수술/시술 이후 6개월 동안
  ⑤ 불완전하게 교정된 CHD (인공삽입물 인접 부위에 defect 잔존)
  ⑥ 심장이식 이후에 발생한 판막 질환
  * 이 외의 심장질환에서는 치과시술 전 항생제 예방요법이 필요 없음!
- amoxicillin PO (경구 투여가 불가능하면 ampicillin IV/IM) 1시간 전
- pencillin allergy 있으면 ; clarithromycin, azithromycin, cephalexin, clindamycin PO (1시간 전)
- pencillin allergy 있으면서 경구투여가 불가능한 경우 ; cefazolin or ceftriaxone IV/IM (30분 전) or clindamycin IV/IM (1시간 전)

■ 시술에 따른 심내막염의 항생제 예방요법 필요성 ★

	예방 권장	예방 불필요
치과	발치 잇몸출혈을 일으키는 치주과적 시술 인공치아 삽입, 적출치아 재삽입 치근첨 이상의 근관 시술/수술 기타 출혈이 예상되는 시술	교정 시술, 의치나 교정장치 삽입 감염 안된 부위의 국소 마취주사 치근관내 근관치료 유치가 빠진 경우 입술/구강점막 외상으로 인한 출혈
호흡기	점막이 포함되는 수술 (e.g., 편도선 절제) 경직성 기관지내시경	기관내 삽관 연성 기관지내시경
소화기	식도정맥류 경화술, 식도협착증 확장 ERCP (담도폐쇄시), 담도계 수술 점막이 포함되는 장관수술 (e.g., 치핵 수술)	내시경 (± 조직검사), EVL 경식도초음파(TEE) ERCP (단순)
비뇨 생식기	방광경 or 요로 시술 (UTI or enterococci 증식시) 전립선 또는 요도의 수술	자연 분만, 제왕절개술 질식 자궁절제술, 치료적 유산 불임시술, IUD의 삽입/제거 방광경 or 요로시술, 포경수술
기타	감염된 조직의 절개/배농	동맥조영술, 심도자술(풍선확장술 포함) 인공심박동기, 제세동기 등의 삽입 관상동맥 스텐트 삽입 소독 후 피부 절개나 조직검사

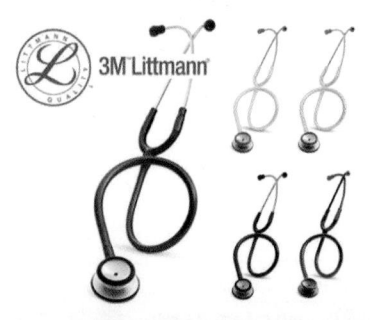

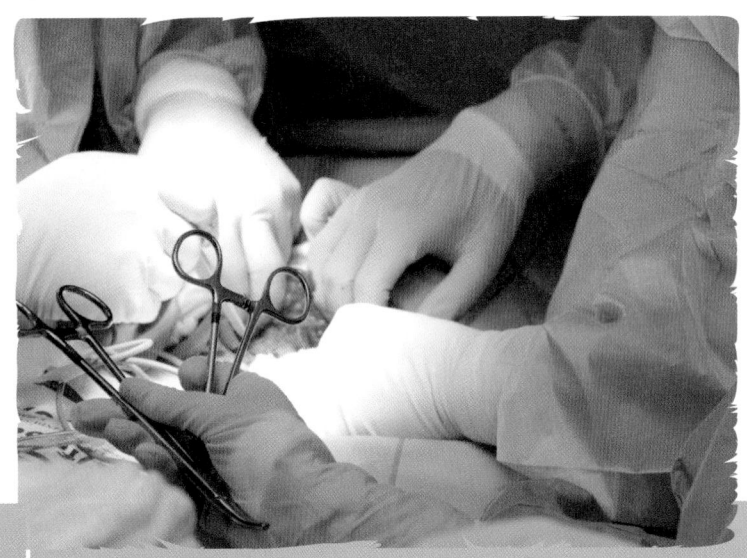

대한민국 의학출판의 자부심, 군자출판사를 소개합니다.

40년 역사에 빛나는 군자출판사

전문적인 출판 시스템을 바탕으로
매년 문화체육관광부와 교육과학기술부에서
선정하는 우수학술도서 '의학' 분야의
최다 수상을 이끌어내고 있습니다.

| 사옥 테마 |

메디테리움은 의학서적을 테마로 한 국내 최대 규모의 BOOK CAFE와,
가족 단위로 즐길 수 있는 박물관부터, 강연이 가능한 세미나실까지 갖추고 있는
여러분들의 **복합 힐링 공간**입니다.

4층   본사 사무실

3층   성의학연구소 /
         이벤트 및 세미나실

2층   의학역사박물관 / 갤러리

1층   카페 메디테리움 /
         병원체험관

지하 주차장

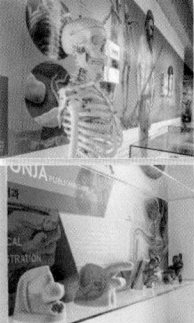

www.koonja.co.kr

파주출판도시 경기도 파주시 서패동 474-1 종합출판그룹 **(주)군자출판사** 031-943-1888   군자출판사

POWER MANUAL SERIES

의사국가고시 | 레지던트시험 | 내과 전문의시험 준비를 위한

Korea Medical Licensing | 약자풀이, 찾아보기
Examination

POWER
Internal Medicine

Abbreviation,
Index

군자출판사

파워내과 약자풀이, 찾아보기

(Power Internal Medicine 10th ed)

[파워내과의 발자취]
첫째판 발행 | 1997년 4월
둘째판 발행 | 1998년 5월
셋째판 발행 | 1999년 9월
넷째판 발행 | 2001년 6월
다섯째판 발행 | 2003년 4월
여섯째판 발행 | 2005년 9월
일곱째판 발행 | 2007년 3월
여덟째판 발행 | 2009년 8월
아홉째판 발행 | 2012년 11월
열째판(1,2권) 발행 | 2019년 5월
열째판(3권) 발행 | 2020년 3월
열째판(4권) 발행 | 2020년 8월

저   자 신규성
발 행 인 장주연
출 판 기 획 김도성
표지디자인 김재욱
발 행 처 군자출판사(주)
　　　　　등록 제4-139호(1991. 6. 24)
　　　　　본사 (10881) **파주출판단지** 경기도 파주시 회동길 338(서패동 474-1)
　　　　　전화 (031) 943-1888 팩스 (031) 955-9545
　　　　　홈페이지 | www.koonja.co.kr

ISBN 979-11-5955-449-0(세트)

비매품
세트 185,000원

약자풀이
찾아보기

A1AT	α_1-antitrypsin		ADPKD	autosomal dominant polycystic kidney dz.
AA	aplastic anemia, amino acid, aldosterone (receptor) antagonist		ADR	adverse drug reaction, acquired drug resistance
AAA	abdominal aortic aneurysm		ADTKD	autosomal dominant tubulointerstitial kidney dz
AAC	antibiotics-associated colitis		AE	acute exacerbation
AAE	acquired angioedema		AEC	absolute eosinophil count
AAH	atypical adenomatous hyperplasia		AEP	acute eosinophilic pneumonia
AAP	acetaminophen		AERD	aspirin-exacerbated respiratory disease
AAS	acute aortic syndrome		AF	atrial fibrillation
AAT	alpha-1-antitrypsin		Af (AFL)	atrial flutter
AAV	ANCA-associated vasculitis		AFAP	attenuated familial polyposis syndrome
Ab	antibody		AFB	acid-fast bacilli
AB	α-blocker		AFF	atypical femur fracture
ABD	adynamic bone disease, amphotericin B deoxycholate (original AmB)		AFLP	acute fatty liver of pregnancy
			AFP	alpha-fetoprotein (α-FP)
ABC	activated B-cell		A/G ratio	albumin/globulin ratio
ABGA	arterial blood gas analysis		AG	aminoglycosides, anion gap
ABI	ankle-brachial index		Ag	antigen
ABMR	antibody-mediated rejection (= AMR)		AGC	advanced gastric cancer
Abn	abnormal		AGE	advanced glycation end products
ABPA	allergic bronchopulmonary aspergillosis		AGHD	adult GH deficiency
ABPM	ambulatory BP monitoring		AGS	alpha-gal syndrome
ABSSSI	acute bacterial skin & skin-structure infections		AH	atrium-His interval
ACAOS	Anomalous origin of Coronary Artery from Opposite Sinus		AHA	American Heart Association
			AHCT	autologous hematopoietic cell transplantation
ACC	adrenocortical carcinoma American College of Cardiology		AHR	airway hyperresponsiveness
			AHTR	acute hemolytic transfusion reaction
ACD	anemia of chronic disease, allergic contact dermatitis		AI	avian influenza, aromatase inhibitor, artificial intelligence
ACE	angiotensin-converting enzyme		AIH	autoimmune hepatitis
ACEi	angiotensin-converting enzyme inhibitor		AIHA	autoimmune hemolytic anemia
Ach	acetylcholine		AIN	acute interstitial nephritis
aCL	anti-cardiolipin antibody		AIP	acute interstitial pneumonia, autoimmune pancreatitis
AC(M)V	assist control (mode) ventilation		AIS	androgen insensitivity syndrome adenocarcinoma in situ
ACPO	acute colonic pseudo-obstruction			
ACR	albumin/creatinine ratio, acute cellular rejection, amylase-creatinine clearance ratio, American College of Rheumatology		AIT	amiodarone-induced hyperthyroidism
			AITL	angioImmunoblastic T-cell lymphoma
			AIVR	accelerated idioventricular rhythm
ACS	acute coronary syndrome		AJCC	American Joint Commission on Cancer
ACT	artemisinin-based combination therapy		AKA	alcoholic ketoacidosis
ACTH	adrenocorticotropic hormone		AKI	acute kidney injury (과거 ARF)
AD	autosomal dominant		Al	aluminium
ADA	adenosine deaminase		AIT	allergen immunotherapy
ADH	alcoholic dehydrogenase, antidiuretic hormone (= AVP : arginine vasopressin)		ALA	amebic liver abscess
			ALCAPA	Anomalous origin of LCA from Pulmonary Artery
ADHF	acute decompensated HF (heart failure)		ALCL	anaplastic large-cell lymphoma
ADL	activities of daily living		ALD	alcoholic liver disease, adrenoleukodystrophy
ADM	amyopathic dermatomyositis		ALDH	acetaldehyde dehydrogenase
ADP	adenosine diphosphate		ALF	acute liver failure

ALG	anti-lymphocyte globulin	aPTT	activated partial thromboplastin time
ALI	actue leg/limb ischemia	APUD	amine precursor uptake & decarboxylation
ALK	anaplastic lymphoma kinase	AR	aortic regurgitation, autosomal recessive,
ALL	acute lymphoblastic leukemia		atrial rhythm (rate), androgen receptor,
ALP	alkaline phosphatase		allergic rhinitis
ALT	alanine aminotransferase (= GPT, SGPT)	ARA	aldosterone (mineralocorticoid) receptor antagonist
AMA	antimitochondrial antibody	Ara-C	cytarabine, cytosine arabinoside
AmB	amphotericin B	ARB	angiotensin Ⅱ receptor blocker
AMH	anti-Müllerian hormone		(= angiotensin Ⅱ receptor antagonist)
AMI	acute myocardial infarction	ARF	acute renal failure, acute rheumatic fever
	acute mesenteric ischemia	ARFI	acoustic radiation force impulse
AML	acute myeloid (myelogenous) leukemia,	ARM	alveolar recruitment maneuver
	angiomyolipoma	ARNI	angiotensin receptor blocker + neprilysin inhibitor
AML-MRC	AML with myelodysplasia-related changes	ARP	acute recurrent pancreatitis
AMR	antibody-mediated rejection (= ABMR)	ARR	aldosterone-renin ratio
ANA	antinuclear antibody	ART	anti-retroviral therapy
ANC	all nucleated cell, absolute neutrophil count,	ARVD(C)	arrhythmogenic RV dysplasia(cardiomyopathy)
	acute necrotic collection	AS	atherosclerosis, aortic valve stenosis
ANCA	anti-neutrophilic cytoplasmic antibody		ankylosing spondylitis, Alport syndrome
	(p-: perinuclear, c-:cytoplasmic)	ASA	acetylsalicylic acid
ANNA	anti-neuronal nuclear antibody	ASB	asymptomatic bacteriuria
ANP	A-type (atrial) natriuretic peptide	ASCA	anti-*Saccharomyces cerevisiae* Ab
	(= ANF; atrial natriuretic factor)	ASCT	autologous stem cell transplantation, autoHCT
ANS	autonomic nervous system	ASCVD	atherosclerotic cardiovascular disease
ant	anterior	ASD	atrial septal defect
A/N/V/D	anorexia/nausea/vomiting/diarrhea	ASH	asymmetric septal hypertrophy
AOBP	automated office BP	ASMA	anti-smooth muscle antibody
AOI	anemia of inflammation	ASO	antisense oligonucleotide
AOSD	adult onset Still's disease	ASS	antisynthetase syndrome
AoV	ampulla of Vater	AST	aspartate aminotransferase (= GOT, SGOT),
AP	anteroposterior, accessory pathway,		antimicrobial susceptibility test
	accelerated phase, angina pectoris,	AT	antithrombin, antitrypsin, atrial tachycardia
	acute pancreatitis, adenomatous polyp	ATC	anaplastic thyroid cancer
AP2	adaptor-related protein complex 2	ATG	anti-thymocyte globulin
APA	aldosterone-producing adrenal adenoma,	ATLL	adult T-cell leukemia/lymphoma
	aminopenicillanic acid	ATN	acute tubular necrosis
APB, APC	atrial premature beat, complex (= PAC)	ATO	arsenic trioxide
APC	activated protein C, Ag-presenting cell	ATRA	all-trans-retinoic acid
APD	automated peritoneal dialysis	AUA	asymptomatic urinary abnormalities
APFC	acute peripancreatic fluid collection	AUC	area under curve
APhN	acute phosphate nephropathy	AUL	acute undifferentiated leukemia
APL	acute promyelocytic leukemia	AUPBD	anomalous union of pancreaticobiliary duct
aPL	anti-phospholipid (antibody)	AUR	acute urinary retention
APN	acute pyelonephritis	AUS	atypia of undetermined significance
app.	appearance	AV	arteriovenous, atrioventricular, aortic valve
APR	acute phase reactant	AVdm	AV delay management
APRV	airway pressure release ventilation	AVF	AV fistula
APS	anti-phospholipid (antibody) syndrome,	AVM	arteriovenous malformation
	autoimmune polyendocrine syndrome	AVN	atrioventricular node, avascular necrosis

AVNRT	atrioventricular nodal reentry tachycardia	BOS	bronchiolitis obliterans syndrome
AVP	arginine vasopressin (= ADH)	BP	blood pressure, blast phase
AVR	aortic valve replacement	BPAP	bilevel PAP
AVRT	atrioventricular reentry tachycardia	BPF	bronchopulmonary fistula
AVS	adrenal vein sampling	BPG	benzathine penicillin G
AVT	acute vasoreactivity test	bpm	beats (breaths) per minute
AvWD	acquired von Willebrand's disease	BRCA	BReast CAncer gene
axSpA	axial spondyloarthritis	BRIC	benign recurrent intrahepatic cholestasis
AYA	older Adolescent & Young Adult	BrS	Brugada syndrome
AZA	azathioprine	BRTO	balloon occluded retrograde transvenous obliteration
AZT	azidothymidine (= zidovudine)	BS	bowel sound, blood sugar
α-Gi	α-glucosidase inhibitor	BSALP	bone-specific ALP
		BSI	blood stream infection
BAC	bronchioloalveolar carcinoma	BSL	biosafety level
BAE	bronchial artery embolization	BSS	bismuth subsalicylate
BAFF	B-cell activating factor of the TNF family	BT	bleeding time
BAL	bronchoalveolar lavage	BTC/BTD	bridge to candidacy/decision
BAO	basal acid output	BTK	Bruton's tyrosine kinase
BAP	blood agar plate	BTR	bridge to recovery
BAV	bicuspid aortic valve, balloon aortic valvuloplasty	BTT	bridge to transplantation
BB	β-blocker	BU	Bethesda unit
BBB	bundle branch block, blood-brain barrier	Bx.	biopsy
BBS	blind bronchial sampling		
BC	blastic crisis	$\bar{c}$	with (cum)
BCAA	branched-chain amino acid	C1-INH	C1 esterase inhibitor
BCG	Bacille Calmette Guerin	C3NeF	C3 nephritic factor
BCMA	B cell maturation Ag	ca.	carcinoma, cancer
BCP	basal core promotor, basic calcium phosphate	Ca	calcium
BCS	Budd-Chiari syndrome	CA	cholic acid
BD	Behçet's disease, Becton & Dickinson	CABG	coronary artery bypass grafting
BDG	bilirubin diglucuronide	CABSI	catheter-associated bloodstream infection
bDNA	branched-chain DNA	CAC(S)	coronary artery calcium score
BES	bare metal stent	CAD	coronary artery disease
BFU	burst-forming unit	CADM	clinically amyopathic dermatomyositis
BHL	bilateral hilar lymphadenopathy	CAG	coronary arteriography
BJ	Bence Jones	CAH	chronic active hepatitis,
BL	β-lactamase, Burkitt lymphoma		congenital adrenal hyperplasia
BLI	β-lactamase inhibitor	CAI	carbonic anhydrase inhibitor
BM	bone marrow, basement membrane	CALLA	common ALL antigen (= CD10)
BMD	bone marrow density	CALR	calreticulin
BMF	bone marrow failure	CAP	community-acquired pneumonia
BMG	bilirubin monoglucuronide	CAPD	continuous ambulatory peritoneal dialysis
BMI	body mass index	CAR	chimeric antigen receptor
BMP	bone morphogenetic protein	cART	combination antiretroviral therapy
BMR	basic metabolic rate	CaSR	calcium-sensing receptor
BMT	bone marrow transplantation	CAT	chloramphenicol acetyltransferase
BMU	basic multicellular unit	Cath	catheterization
BNP	brain natriuretic peptide	CAUTI	catheter-associated UTI
BOOP	bronchiolitis obliterans $\bar{c}$ organizing pneumonia	CAVH	continuous arteriovenous hemofiltration

CAVHD	continuous arteriovenous hemodialysis	CFU	colony-forming unit
CBA	chromosome banding analysis	CGA	comprehensive geriatric assessment
CBC	complete blood count (WBC, Hb, platelet)	CGD	chronic granulomatous disease
CBD	common bile duct, chronic beryllium dz.	CGM	continuous glucose monitoring
CBF	core-binding factor	ch	chromosome
CBG	cortisol-binding globulin	CHA	calcium hydroxyapatite
CBS	colloidal bismuth subcitrate	CHB	chronic hepatitis B
CCA	cholangiocarcinoma	CHC	chronic hepatitis C
CCAR	cortisol-corrected aldosterone ratio	CHD	coronary/congenital heart disease, common hepatic duct
CCB	calcium channel blocker		
CCD	clinical cardiovascular dz, cortical collecting duct	CHF	congestive/chronic heart failure
CCH	C cell hyperplasia	CHIP	clonal hematopoiesis of indeterminate potential
CCK	cholecystokinin	CHL	classical HL (Hodgkin lymphoma)
CCL	C-C chemokine ligand	chol	cholesterol
CCP	cyclic citrullinated peptide	CHR	complete hematologic response
CCPD	continuous cycling peritoneal dialysis	CI	cardiac index
CCR	chemokine receptor	CIA	chemiluminescent immunoassay
CCRT	concurrent chemoRTx	cIAI	complicated intraabdominal infection
CCTA	coronary CTA (CT angiography)	CIED	cardiac implantable electronic device
CCU	coronary care unit	CIK	cytokine-induced killer
CCUS	clonal cytopenia of undetermined significance	CIMP	CpG island methylator phenotype
CCyR	complete cytogenetic response	CIMT	carotid intima-media thickness
CD	Crohn's disease, cystic duct, collecting duct, classification determinant, cluster of differentiation/designation	CIN	contrast-induced nephropathy, chromosomal instability
		CIPO	chronic intestinal pseudo-obstruction
C/D	constipation/diarrhea	CIS	carcinoma in situ (상피내암종)
CDAI	Crohn's disease activity index	C/Ix	contraindication
CDC	complement-dependent cytotoxicity	CJD	Creutzfeldt-Jakob disease
CDCA	chenodeoxycholic acid	CK (CPK)	creatine phosphokinase, cytokeratin
CDI	Clostridium difficile infection, clinically documented infection	CKD	chronic kidney disease
		CKD-MBD	CKD-mineral & bone disease
CDT	catheter-directed thrombolysis	cKP	classic K. pneumoniae
CE	contrast enhancement (enhanced)	CLAD	chronic lung allograft dysfunction
CEBPA	CCAAT/enhancer-binding protein alpha	CLD	chronic liver disease
cEBRT	conventional external beam RTx	CLI	critical limb ischemia
CECT	contrast-enhanced CT	CLIA	chemiluminescent immunoassay
CEID	cardiac implantable electronic device	CLL	chronic lymphocytic leukemia
CEL	chronic eosinophilic leukemia	CLP	common lymphoid progenitor
CEP	chronic eosinophilic pneumonia, congenital erythropoietic porphyria	CLR	C-type lectin receptor
		CLSI	Clinical & Laboratory Standards Institute
cepha	cephalosporin	CM	chylomicron, clindamycin, Community Master
CERA	continuous erythropoietin receptor activator	CMC	carpometacarpal
CETP	cholesteryl ester transfer protein	CMCC	chronic mucocutaneous candidiasis
CEUS	contrast-enhanced US	CMI	cell-mediated immunity
CF	complement fixation, commercial film	CML	chronic myeloid (myelogenous) leukemia
cfDNA	cell-free DNA (보통 혈중 free DNA를 의미)	CMML	chronic myelomonocytic leukemia
CFR	coronary flow reserve	CMP	cardiomyopathy, common myeloid progenitor
CFTR	cystic fibrosis transmembrane conductance regulator	CMR	cardiac MRI
		CMV	cytomegalovirus, control mode ventilation,

	continuous mandatory ventilation, closed mitral valvotomy	CSA	central sleep apnea
CN	copy number	CSF	cerebrospinal fluid, colony-stimulating factor
CNI	calcineurin inhibitor	CSII	continuous subcutaneous insulin injection
CNL	chronic neutrophilic leukemia	CSME	clinically significant macular edema
CNS	central nervous system	CSS	Churg-Strauss syndrome
CO	cardiac output, carbon monoxide	CSVV	cutaneous small vessel vasculitis
CoA	coarctation of aorta	CT	computed tomography, connective tissue
C(o)NS	coagulase-negative *Staphylococci*	CTA	CT angiography
COLD	chronic obstructive lung disease	cTAL(H)	cortical TAL (thick ascending limb) of the loop of Henle
COP	cryptogenic organizing pnuemonia (= BOOP)	CTCL	cutaneous T-cell lymphoma
COPD	chronic obstructive pulmonary disease	CTD	connective tisssue disease/disorder
CoV	coronavirus	CTE	CT enterography
COVID-19	coronavirus disease 2019	CTL	cytotoxic T-lymphocyte
COX	cyclooxygenase	CTLA	cytotoxic T-lymphocyte-associated protein (Ag)
CP	chronic pancreatitis, chronic phase	CTO	chronic total occlusion
CPA	costophrenic angle	CTP	Child-Turcotte-Pugh, CT peritoneography
CPAP	continuous positive airway pressure	CTPA	CT pulmonary angiography/arteriography
CPB	cardiopulmonary bypass	CTS	carpal tunnel syndrome
CPE	carbapenemase-producing *Enterobacteriaceae*, cardiogenic pulmonary edema	CTSI	CT severity index
		CTU	CT urography
CPET	cardiopulmonary exercise test	CTx	chemotherpay
CPH	chronic persistent hepatitis	CTX	C-terminal telopeptide of type 1 collagen, cholera toxin
CPO	carbapenemase-producing organisms		
CPP	calcium pyrophosphate dihydrate	CU	chronic urticaria
CPPD	calcium pyrophosphate crystal deposition	CUP	carcinoma of unknown primary
CPPV	continuous positive-pressure ventilation	cUTI	complicated urinary tract infection
cPRA	calculated panel-reactive antibody	CVA	cerebrovascular accident (attack), costovertebral angle
CPVT	catecholaminergic PMVT		
Cr	creatinine	CVC	central venous catheter
CR	complete remission (response), controlled-release	CVD	cardiovascular dz., collagen vascular dz.
CRAB	carbapenem-resistant *A. baumannii*, hyperCalcemia-Renal insuf.-Anemia-Bone lesion	CVP	central venous pressure
		CVVH	continuous veno-venous hemofiltration
CR-BSI	catheter-related bloodstream infection	CVVHD	continuous veno-venous hemodialysis
CRC	colorectal cancer	CVVHDF	continuous veno-venous hemodiafiltration
CRE	carbapenem-resistant *Enterobacteriaceae*	CWP	coal worker's pneumoconiosis
CREST	calcinosis, Raynaud 현상, esophageal dysmotility, sclerodactyly, telangiectasia	Cx	complication
		CXCR	C-X-C chemokine receptor
CRF	chronic renal failure (→ CKD)	CXR	chest X-ray
CRH	corticotropin-releasing hormone	CyC	cystatin C
CRI	chronic renal insufficiency	CYP	cytochrome P450
CRP	C-reactive protein	CyR	cytogenetic response
CRRT	continuous renal replacement therapy		
CRS	cardiorenal syndrome, chronic rhinosinusitis , cytokine release syndrome	DAA	direct-acting antiviral
		DAD	delayed afterdepolarization
CRT	cardiac resynchronization therapy	DAG	diacylglycerol
C/S	cesarean section	DAH	diffuse alveolar hemorrhage
CS	Cushing's syndrome, coronary sinus	DAI	disease activity index
CsA	cyclosporin/cyclosporine/ciclosporin A	DAMP	damage-associated molecular pattern

DAN	diabetic autonomic neuropathy,
DAPD	daytime ambulatory peritoneal dialysis
DAPT	dual antiplatelet therapy
DAS	disease activity score, MB가
DAT	direct antiglobulin test
DBO	diazabicyclooctane
DBP	diastolic BP, vitamin D-binding protein
DC	doxycycline, divert-current, dendritic cell
DCA	deoxycholic acid
DCI	distal contractile integral
DCM	dilated cardiomyopathy
DCT	distal convoluted tubule
DD	diastolic dysfunction, diaphragm disease
DDAVP	1-deamino-8-D-arginine vasopressin
	(= desmopressin)
DDD	dense deposit disease
ddI	didanosine
DDS	dialysis disequilibrium syndrome
D/Dx	differential diagnosis
DECT	dual-energy CT
def.	deficiency
DEJ	dermal-epidermal junction
DES	drug-eluting stent,
	diffuse (or distal) esophageal spasm
DEXA	dual-energy x-ray absorptiometry, DXA
DFA	direct fluorescent (immuno)assay
DFA-TP	direct fluorescent antibody to *T. pallidum*
DGF	delayed graft function
DGI	disseminated gonococcal infection
DHEA(-S)	dehydroepiandrosterone (sulfate)
DHF	Dengue hemorrhagic fever
DHFR	dihydrofolate reductase
DHP	dihydropyridine
DHPS	dihydropteroate synthetase
DHT	dihydrotestosterone
DHTR	delayed hemolytic transfusion reactions
DI	diabetes insipidus
DIA	differentiation immunoassay
DIC	disseminated intravascular coagulation
DiHS	drug-induced hypersensitivity syndrome
DIL	drug-induced lupus
DILD	diffuse interstitial lung disease
DILI	drug-induced liver injury
DIP	distal interphalangeal,
	desquamative interstitial pneumonia
DKA	diabetic ketoacidosis
DKD	diabetic kidney disease
DL	distal latency
DLBCL	diffuse large B-cell lymphoma

DLCL	diffuse large cell lymphoma
DLT	dose-limiting toxicity
DM	diabetes mellitus, dermatomyositis
DMARD	disease-modifying antirheumatic drug
DME	diabetic macular edema
DMST	dexamethasone suppression test
DN	diabetic nephropathy
d/o	disorder
DOAC	direct oral anticoagulant (= NOAC)
DOC	drug of choice, deoxycorticosterone
D/P	dialysate to plasma ratio
DPB	diffuse panbronchiolitis
DPD	deoxypyridinoline
DPP-4i	dipeptidyl peptidase-4 inhibitor
DR	diabetic retinopathy
DRE	digital rectal examination
DRESS	drug rash/reaction eosinophilia & systemic Sx
DRI	direct renin inhibitor
DRSP	drug-resistant *S. pneumoniae*
DSA	donor-specific antibody
DSB	double-strand break
DSD	disorder of sex development
DSE	dobutamine stress echocardiography
DSPN	distal symmetric polyneuropathy
DSS	Dengue shock syndrome
DST	drug susceptibility test
DT	destination therapy
DTI	direct thrombin inhibitor
DTR	deep tendon reflex
DU	duodenal ulcer
DVT	deep vein thrombosis
DW	dextrose in water
Dx	diagnosis
DXA	dual-energy x-ray absorptiometry, DEXA
DxWBS	diagnostic whole body scan
dz	disease
D5	5% dextrose
EA	early antigen
EAA	essential amino acids
EACA	ε-aminocaproic acid
EAD	early afterdepolarization
EAEC	enteroaggregative *E. coli*
EBNA	Epstein-Barr nuclear antigen
EBRT	external-beam radiation therapy
EBS	endoscopic biliary sphincterotomy (= EST)
EBTB	endobronchial tuberculosis
EBUS	endobronchial US
EBV	Epstein-Barr virus

EC	enteric-coated	ENA	extractable nuclear antigens
ECCO₂R	extracoporeal carbon dioxide removal	ENaC	epithelial sodium channel
ECD	endocardial cushion defect	ENBD	endoscopic nasobiliary drainage
ECF	extracellular fluid	ENKL	extranodal NK/T-cell lymphoma
ECF-A	eosinophil chemotactic factor of anaphylaxis	EP	electrophoresis, eosinophilic pneumonia
ECFV	extracellular fluid volume	EPEC	enteropathogenic *E. coli*
ECG (EKG)	electrocardiography	Epi.	epinephrine
echo	echocardiogram	EPO	erythropoietin
ECL	enterochromaffin-like	EPP	erythropoietic protoporphyria
ECLIA	electro-chemiluminescent immunoassay	EPS	electrophysiologic study, extra-pyramidal synd.,
ECLS	extra corporeal life support (과거 ECMO)		encapsulating peritoneal sclerosis
ECM	extracellular material (matrix)	EPT	esophageal pressure topography
ECMO	extracorporeal membrane oxygenation (→ ECLS)	ER	estrogen receptor
ECOG	Eastern Cooperative Oncology Group	ERA	endothelin receptor antagonist
ECP	eosinophilic cationic protein	ERBD	endoscopic retrograde biliary drainage
EDHF	endothelium-derived hyperpolarizing factor	ERCP	endoscopic retrograde cholangiopancreatography
EDPVR	end-diastolic pressure-volume relationship	ERO	effective regurgitant orifice area
EDRF	endothelium-derived relaxing factor	ERPD	endoscopic retrograde pancreatic drainage
	(= nitric oxide; NO)	ERT	estrogen replacement therapy
EDV	end-diastolic volume	ESA	erythropoiesis-stimulating agents
EEM	external elastic membrane	ESBL	extended-spectrum β-lactamase
EF	ejection fraction	ESC	European Society of Cardiology
e.g.	exampli gratia (예를 들면)	ESD	endoscopic submucosal dissection
E:G	erythroid : granulocytic (≒ M:E)	ESH	European Society of Hypertension
EGC	early gastric cancer	ESLD	end-stage liver disease
EGD	esophagogastroduodenoscopy	ESPVR	end-systolic pressure-volume relationship
EGF(R)	epidermal growth factor (receptor)	ESR	erythrocyte sedimentation rate
eGFR	estimated GFR	ESRD	end-stage renal disease
EGJ	esophago-gastric junction	ESS	empty sella syndrome
EGPA	eosinophilic granulomatosis with polyangiitis	EST	endoscopic (biliary) sphincterotomy
EHEC	enterohemorrhagic *E. coli*	ESV	end-systolic volume
EHF	Ebola hemorrhagic fever	ESWL	extracorporeal shock-wave lithotripsy
E:I	expiration/inspiration ratio	ET	essential thrombocythemia, enterotoxin,
EI	entry inhibitor		exfoliative toxin, endotracheal
EIA	enzyme immunoassay	ETEC	enterotoxigenic *E. coli*
EIAn	exercise-induced anaphylaxis	EUA	emergency use authorization
EIB	exercise-induced bronchoconstriction	EUS	endoscopic ultrasonography
EIEC	enteroinvasive *E. coli*	EUS-BD	EUS-guided biliary drainage
EIS	endoscopic injection sclerotherapy	EVD	Ebola virus disease
ELISA	enzyme-linked immunosorbent assay	EVL	endoscopic variceal ligation
EM	electron microscope, erythromycin,	EVO	endoscopic variceal obturation
	erythema migrans	exam	examination
EMB	ethambutol	exp.	expiratory
EMC	essential mixed cryoglobulinemia	ExPEC	extraintestinal pathogenic strains of *E. coli*
EMF	endomyocardial fibrosis		
EMG	electromyogram	FA	fatty acid
EML	Echinoderm microtubule-associated protein-like	FAB	French-American-British
EMR	endoscopic mucosal resection	FAH	functional adrenal hyperandrogenism
EMZL	extranodal marginal zone lymphoma	FANA	fluorescent antinuclear antibody

FAP	familial adenomatous polyposis
FBS	fasting blood sugar (glucose)
FC	functional class, Football Club
FCHL	familial combined hyperlipidemia
FCM	flowcytometry
FCS	familial chylomicronemia syndrome
FCXM	flowcytometric crossmatch
FDBL	familial dysbetalipoproteinemia
FDEIAn	Food-dependent exercise-induced anaphylaxis
FDG	fluoro-deoxyglucose
FDP	fibrin degradation product
FEIA	fluorescence enzyme immunoassay
FENa	fractional excretion of Na
F_ENO	fractional exhaled NO
FEV_1	forced expiratory volume at 1 sec
FFA	free fatty acid
FFP	fresh-frozen plasma
FFR	fractional flow reserve
FGF(R)	fibroblast growth factor (receptor)
FGP	fundic gland polyp
FH	familial hypercholesterolemia
FHH	familial hypocalciuric hypercalcemia
FHHt	familial hyperkalemic hypertension
FHTG	familial hypertriglyceridemia
FHVP	free hepatic venous pressure
F/Hx	family history
FIA	fluorescence immunoassay
FISH	fluorescent in situ hybridization
FIT	fecal immunochemical test
FL	follicular lymphoma
FLAER	fluorescent aerolysin
FLAIR	fluid attenuation inversion recovery
FLC	free light chain
FLT	fms-like tyrosine kinase
FLUS	follicular lesion of undetermined significance
FM	fibromyalgia
FMD	fibromuscular dysplasia
FMT	fecal microbiota transplantation
FNA	fine needle aspiration
FNH	focal nodular hyperplasia
FNHTR	febrile nonhemolytic transfusion reaction
FNMTC	familial non-medullary thyroid cancer
FOB(T)	fecal occult blood (test)
FOH	functional ovarian hyperandrogenism
FPG	fasting plasma glucose
FRC	functional residual capacity
FSH	follicle-stimulating hormone
FSP	fibroblast-specific protein
FT_4	free T_4

FT_4I	free T_4 index
FTA-ABS	fluorescent treponemal Ab-absorbed test
FTC	follicular thyroid cancer
F/U	follow up
FVC	forced vital capacity
FXR	farnesoid X receptor
G(+)	gram positive
G(-)	gram negative
G6PD	glucose-6-phosphate dehydrogenase
GA	glycated albumin
GABA	γ-aminobutyric acid
GAD	glutamic acid decarboxylase
GAS	group A Streptococci
GAVE	gastric antral vascular ectasia
GB	gallbladder
GBM	glomerular basement membrane
GBS	group B Streptococci, Guillain-Barré syndrome
GCA	giant cell arteritis
GCB	germinal center B-cell
GCS	graduated compression stocking
GEC	gene expression classifier
GEJ	gastroesophageal junction
GEM	gemcitabine
GEP	gene expression profiling
GERD	gastroesophageal reflux disease
GFR	glomerular filtration ratio
GGO	ground-glass opacities
GGT	γ-glutamyl transpeptidase
GH	growth hormone
GHRH	growth hormone-releasing hormone
GHRP	growth hormone-releasing peptides
GI	gastrointestinal
GINA	Global INitiative for Asthma
GIO(P)	glucocorticoid-induced osteoporosis
GIP	gastric inhibitory peptide
GIST	gastrointestinal stromal tumor
GLP	glucagon-like peptide
GLUT	glucose transporter
GM	gentamicin
GMS	Gomori methenamine silver
GN	glomerulonephritis
GNB	gram-negative bacilli (rods)
GnRH	gonadotropin-releasing hormone
GO	gemtuzumab ozogamicin
GOLD	Global initiative for chronic Obstructive Lung Dz.
GOV	gastroesophageal varix
GP	glycoprotein
GPA	granulomatosis with polyangiitis

GPC	gram-positive cocci
GPCR	G protein-coupled receptor
GPI	glycophosphatidyl inositol
GR	glucocorticoid receptor
GRH	gonadotropin-releasing hormone
GS	Gilbert's syndrome
GSD	glycogen storage disease
GT	glycosyltransferase
GU	gastric ulcer, genitourinary
GVHD	graft-versus-host disease
GVL	graft-versus-leukemia
GVT	graft-versus-tumor
GWAS	genome-wide association study
h(r)	hour
H.	hormone
H_2-RA	histamine-2-receptor antagonist
HA	hemolytic anemia, hemagglutination, hepatocellular adenoma, hydroxyapatite
HAAF	hypoglycemia-associated autonomic failure
HAART	highly-active antiretroviral therapy
HAdV	human adenovirus
HAE	hereditary angioedema
HAI	hospital-acquired infection
HAIC	hepatic arterial infusion chemotherapy
HAP	hospital-acquired pneumonia
HAPE	high altitude pulmonary edema
Hb	hemoglobin
HBA	hydroxybutyric acid
HBE	His bundle electrogram
HBV	hepatitis B virus, high biologic value
HBIG	hepatitis B immune globulin
HC	hemorrhagic cystitis
HCAP	health care-associated pneumonia
HCC	hepatocellular carcinoma
hCG	human chorionic gonadotropin
HCL	hairy cell leukemia
HCM(P)	hypertrophic cardiomyopathy
HCoV	human coronavirus
HCPS	hantavirus cardiopulmonary syndrome
HCQ	hydroxychloroquine
Hct, HCT	hematocrit, hematopoietic cell transplantation
HCTZ	hydrochlorothiazide
HCV	hepatitis C virus
HD	hemodialysis, Hodgkin's disease ($\rightarrow$ HL)
HDAC	histone deacetylase
HDL	high density lipoprotein
HDN	hemolytic disease of newborn
HDT	high-dose (chemo)therapy

HE	hypereosinophilia, hepatic encephalopathy
heFH	heterozygous familial hypercholesterolemia
HELLP	hemolysis, elevated LFT, low platelet
HER	human epidermal growth factor receptor
HES	hypereosinophilic syndrome
HF	heart failure
HFNC	high-flow nasal cannula
HFOV	high-frequency oscillatory ventilation
HFpEF	HF with preserved EF
HFrEF	HF with reduced EF
HGA	human granulocytic anaplasmosis
HGBL	high-grade B-cell lymphoma
HGF	hepatocyte growth factor
HH	hereditary hemochromatosis
HHM	humoral hypercalcemia of malignancy
HHS	hyperglycemic hyperosmolar state
HHV	human herpes virus
HI (HAI)	hemagglutination inhibition
HIAA	hydroxyindoleacetic acid
Hib	*H. influenzae* type b
HIT	heparin-induced thrombocytopenia
HIV	human immunodeficiency virus
HIVAN	HIV-associated nephropathy
HL	Hodgkin lymphoma
HLA	human leukocyte antigen
HLH	hemophagocytic lymphohistiocytosis
HLR	high-level resistance
HMA	hypomethylating agent
HME	human monocytic ehrlichiosis
hMG	human menopausal gonadotropins
hMPV	human metapneumovirus
HMV	home mechanical ventilation
HMW-NCF	high molecular weight - neutrophil chemotactic factor
HN	hypertensive nephrosclerosis
HNF	hepatocyte nuclear factor
HNPCC	hereditary nonpolyposis colorectal cancer
HOCM	hypertrophic obstructive cardiomyopathy
hoFH	homozygous familial hypercholesterolemia
HOM	hypercalcemia of malignancy
HOT	home oxygen therapy
HP	hypersensitivity pneumonitis, hyperplastic polyp, hereditary pancreatitis
HPA	hypothalamic-pituitary-adrenal
HPC	hematopoietic progenitor cell
HPF	high-powered field
HPLC	high-performance liquid chromatography
HPOA	hypertrophic pulmonary osteoarthropathy
HPS	hepatopulmonary syndrome,

	hantavirus pulmonary syndrome
HPT	hyperparathyroidism
HPV	human papilloma virus
HR	heart rate
HRA	high RA (right atrium)
HRCT	high-resolution CT
HRM	high-resolution manometry
HR-pQCT	high-resolution peripheral QCT
HRS	hepatorenal syndrome
HRT	hormone replacement therapy
HS	hereditary spherocytosis, histicytic sarcoma
HSA	hip structure/strength analysis
HSAT	home sleep apnea test
hsCRP	high-sensitivity CRP
HSC	hematopoietic stem cell
HSCT (HCT)	hematopoietic (stem) cell transplantation
hsTn	high-sensitivity troponin
HSP	Henoch-Schönlein purpura
HSV	herpes simplex virus
HT	hydroxytryptamine, hypertension
HTLV	human T-cell lymphotropic virus
HTN	hypertension
HUS	hemolytic uremic syndrome
HV	His-ventricle interval
HVA	homovanillic acid
hvKP	hypervirulent *K. pneumoniae*
HVPG	hepatic venous pressure gradient
i	isochromosome
IAA	anti-insulin (auto)antibody
IABC/P	intra-aortic balloon counterpulsation/pumping
IAI	intraabdominal infection
IAPP	islet amyloid polypeptide
IAS	insulin autoimmune syndrome
IB	immunoblot
IBD	inflammatory bowel disease
IBM	inclusion body myositis
IBS	irritable bowel syndrome
IBW	ideal body weight
IC	immune complex, ischemic colitis
ICA	islet cell (auto)antibody
ICAM	intercellular adhesion molecule
ICC	interstitial cell of Cajal
ICD	implantable cardioverter/defibrillator
ICF	intracellular fluid
ICG	indocyanine green
ICH	intracranial hemorrhage
ICP	intracranial pressure
ICS	intercostal space, inhaled corticosteroid

ICT	immunochromatographic test
IDA	iron deficiency anemia
IDDM	insulin-dependent diabetes mellitus
IDH	intradialytic hypotension,
	isocitrate dehydrogenase
IDV	indinavir
I&D	incision & drainage
IE	infective endocarditis, internet explorer
IEE	image-enhanced endoscopy
IEP	immunoelectrophoresis
IF	immunofluorescence, intrinsic factor
IFA	indirect immunofluorescence Ab. assay/test
IFE	immunofixation EP (electrophoresis)
IFG	impaired fasting glucose
IFM	immunofluorescent microscope
IFN	interferon
Ig	immunoglobulin
IgAN	IgA nephropathy
IgAV	IgA vasculitis
IGF	insulin-like growth factor
IGFBP	insulin-like growth factor-binding protein
IgG4-RD	immunoglobulin G4-related disease
IGRA	in vitro IFN-γ release assay
IGT	impaired glucose tolerance
IGV	isolated gastric varix
IHA	idiopathic hyperaldosteronism,
	indirect hemagglutination
IHC	immunohistochemistry (면역조직화학염색)
IHD	ischemic heart disease, intermittent HD
IHH	idiopathic hypogonadotropic hypogonadism
IHR	intrinsic heart rate
IICP	increased intracranial pressure
IIF	indirect immunofluorescence (assay)
IIM	idiopathic inflammatory myopathy
IIP	idiopathic interstitial pneumonia
IIV	inactivated influenza vaccine
IL	interleukin
ILD	interstitial lung disease
IM	intramuscular injection, infectious mononucleosis
IMA	invasive mucinous adenocarcinoma
IMH	intramural hematoma
IMiD	immunomodulatory (imide) drug
IMNM	immune-mediated necrotizing myopathy
IMV	intermittent mandatory ventilation
inf	inferior, infection
INH	isoniazid
INR	international normalized ratio
insp.	inspiratory
INSTI	integrase strand transfer inhibitor

IPAH	idiopathic pulmonary arterial HTN
IPC	intermittent pneumatic compression
IPF	idiopathic pulmonary fibrosis
IPH	idiopathic pulmonary hemosiderosis
IPI	international prognostic index
IPJ	interphalangeal joint
IPMN	intraductal papillary mucinous neoplasm
IPMT	intraductal papillary mucinous tumor
IPN	intraductal papillary neoplasm
IPPV	intermittent positive-pressure ventilation
IPSS	International Prognostic Scoring System
IRIS	immune reconstitution inflammatory syndrome
IRMA	intraretinal microvascular abnormalities
IRP	integrated relaxation pressure
IRV	inverse ratio ventilation
ISA	intrinsic sympathomimetic activity
ISE	ion-selective electrode
ISH	isolated systolic hypertension
ISRT	involved site RTx.
IST	immunosuppressive therapy
IT	intrathecal
ITP	idiopathic thrombocytopenic purpura
ITT	insulin tolerance test
IU(C)D	intrauterine contraceptive device
IUGR	intrauterine growth restriction/retardation
IVDU	intravenous drug user
IVIG	intravenous immune globulin
IVP	intravenous pyelography
IVUS	intravascular US
Ix	indication
JAK	Janus kinase
JCA	juvenile chronic arthritis
JDM	juvenile dermatomyositis
JEV	Japanese encephalitis virus
JG	juxtaglomerular
JIA	juvenile idiopathic arthritis
JPC/JPB	AV junctional premature complex/beat
JRA	juvenile rheumatoid arthritis
JSF	Japanese spotted fever
JT	junctional tachycardia
JVP	jugular venous pressure/pulse
KF	Kayser-Fleischer
KI	potassium iodide
KIM	kidney injury molecule
KMT2A	lysine methyltransferase 2A
KP	*Klebsiella pneumoniae*
KPS	Karnofsky performance status (score)

KT	kidney transplantation
LA	left atrium, latex agglutination, lupus anticoagulant, liver abscess
lab	laboratory
LABA	long-acting β_2-agonist
LAD	left axis deviation, left anterior descending artery
LADA	latent autoimmune diabetes in adults
LAE	left atrial enlargemnet
LAIV	live-attenuated intranasal vaccine
LAM	lymphangioleiomyomatosis
LAMA	long-acting muscarinic antagonist
LAMP	loop-mediated isothermal amplification
LAP	leukocyte alkaline phosphatase
LAR	long-acting release
lat	lateral
LBBB	left bundle branch block
LBP	low back pain
LBW	low birth weight
LC	liver cirrhosis, light chain
LCA	leukocyte common antigen, lithocholic acid
LCCN	light chain cast nephropathy
LCDD	light chain deposition dz.
LCR	ligase chain reaction
LCX	left circumflex artery
LD	lactate dehydrogenase, lamina densa, Legionnaires' disease
LDAC	low-dose cytarabine
LDCT	low-dose spiral CT
LDH	lactate dehydrogenase
LDL	low density lipoprotein
LDLR	LDL receptor
LEMS	Lambert-Eaton myasthenic syndrome
LE	leukocyte esterase
LES	lower esophageal sphincter
LFA	lymphocyte function-associated antigen
LFT	liver function test
LGE	late gadolinium enhancement
LGI	lower gastrointestinal
LGL	large granular lymphocytic leukemia
LGV	lymphogranuloma venereum
LH	luteinizing hormone
LIF	leukemia inhibitory factor
LKM	liver/kidney microsome
LLR	large local reaction
LM	light microscope
LMW	low molecular weight
LMWH	low molecular weight heparin

LN	lymph node, lupus nephritis		MALT	mucosa-associated lymphoid tissue
LNL	lower normal limit (level)		MAO	maximal acid output, monoamine oxidase
LO	lipoxygenase		MAOi	MAO (monoamine oxidase) inhibitor
LOH	loss of heterozygosity,		MAP	mean arterial pressure
	local osteolytic hypercalcemia		MAPK	mitogen-activated protein kinase
LOM	limitation of movement		MAST	multiple allergen simultaneous test
LOS	lipo-oligosaccharide		MAT	multifocal atrial tachycardia,
Lp	lipoprotein			microscopic agglutination test
LPD	lymphoproliferative disease		MBC	minimum bactericidal concentration
LPF	low-powered field		MBD	mineral & bone disorder
LPH	lipotropic hormone		MBL	monoclonal B-cell lymphocytosis
LPL	lipoprotein lipase			metallo-β-lactamase
LPS	lipopolysaccharide		MBP	major basic protein,
LQTS	long QT syndrome			maximal sterile barrier precaution
LRE	lamina rara externa		MCD	minimal change dz., medullary collecting duct
LRI	lamina rara interna,		MCE	myocardial contrast echocardiography
	lower respiratory tract infection		MCHC	mean cell hemoglobin concentration
LRP	lipoprotein receptor-related protein		MCL	mantle cell lymphoma
LRT	loco-regional therapy		MCN	mucinous cystic neoplasm
LT	leukotriene, liver transplantation		MCP	monocyte chemoattractant protein,
LTBI	latent tuberculosis infection			metacarpophalangeal
LTOT	long-term oxygen therapy		MCS	mechanical circulatory support,
LTRA	leukotriene receptor antagonist			mixed cryoglobulinemia syndrome
LTVV	low tidal volume ventilation		MCTD	mixed connective tissue disease
LV	left ventricle, leucovorin		MCV	mean cell volume
LVAD	left ventricular assist device		MDCT	multi-detector CT
LVED(S)P	left ventricular end diastolic (systolic) pr.		MDI	metered dose inhaler, multiple daily injections
LVED(S)V	left ventricular end diastolic (systolic) volume		MDR	multi-drug resistance
LVEF	left ventricular ejection fraction		MDS	myelodysplastic syndrome
LVF	left ventricular failure		M:E	myeloid : erythroid ($\fallingdotseq$ G:E)
LVH	left ventricular hypertrophy		MELD	Model For End-Stage Liver Disease
LVMI	LV masss index		MEN	multiple endocrine neoplasia
LVNC	LV noncompaction		MEP	maximal expiratory pressure,
LVOT	left ventricular outflow tract			megakaryocyte-erythroid progenitor
			MERS	middle east respiratory syndrome
ⓜ	murmur		MesPGN	mesangioproliferative GN
m.	muscle		MET	metabolic equivalent
m/c	most common		metz	metastasis
m/g	most good		MFI	median fluorescence intensity
m/i	most important		Mg	magnesium
MA	metabolic acidosis, megaloblastic anemia		MG	myasthenia gravis
MAA	myositis-associated antibodies		MGN	membranous glomerulopathy (GN)
mAb	monoclonal Ab		MGUS	monoclonal gammopathy of undetermined
MAC	*Mycobacterium avium* complex,			significance
	MV annular calcification,		MHA-TP	microhemagglutination assay for *T. pallidum*
	membrane attack complex		MHC	major histocompatibility complex
MAHA	microangiopathic hemolytic anemia		MHT	menopausal hormone therapy
MALDI-TOF	matrix-assisted laser desorption ionization		MI	myocaridal infarction
	time-of-flight MS (mass spectrometry)		MIA	minimally invasive adenocarcinoma

MIC	minimum inhibitory concentration		MS	mitral stenosis, mass spectrometry, metabolic syndrome
MIF	microimmunofluorescent test, macrophage inhibitory factor		MSA	myositis-specific antibodies
MIP	maximal inspiratory pressure minimally invasive parathyroidectomy		MSC	mesenchymal stem cell
			MSCC	malignant spinal cord compression
miRNA	microRNA		MSH	melanocyte-stimulating hormone
MKI	multi-targeted kinase inhibitor		MSI	microsatellite instability
MLC	mixed lymphocyte culture		MSK	medullary sponge kidney
MLL	mixed-lineage leukemia		MSM	men who have sex with men
MLN	myeloid/lymphoid neoplasm		MSS	Milwaukee shoulder syndrome
MM	multiple myeloma		MSSA	methicillin-sensitive *Staphylococcus aureus*
MMA	maxillo-mandibular advancement		MSU	monosodium urate
MMC	migrating motor complex		MT	Masson's trichrome, massive transfusion
MMF	mycophenolate mofetil		mTAL(H)	medullary TAL (thick ascending limb) of the loop of Henle
MMM	myelofibrosis with myeloid metaplasia			
MMP	matrix metalloproteinase		MTC	medullary thyroid cancer
MMR	measles-mumps-rubella, mismatch repair, major molecular response		MTCT	mother-to-child transmission
			MTD	maximal tolerated dose
MN	myeloid neoplasm, membranous nephropathy		mTORi	mammalian target of rapamycin inhibitor
MNG	multinodular goiter		MTP	metatarsophalangeal, microsomal TG transfer protein
MNT	medical nutrition therapy			
MODY	maturity-onset diabetes of the young		MTT	molecular targeted therapy
MODS	multiple-organ dysfunction syndrome		MTX	methotrexate
MOF	multiple organ failure		MUFA	monounsaturated fatty acid
MOTT	*Mycobacterium* other than tuberculosis		MV	mitral valve, mechanical ventilation, minute ventilation (분당 환기량)
m.p.	muscularis propria			
MP	mercaptopurine		MVL	mitral valve leaflet
MPA	microscopic polyangiitis		MVP	mitral valve prolapse
MPAL	mixed phenotype acute leukemia		MVR	mitral valve replacement
mPAP	mean pulmonary artery pressure		MVT	mesenteric venous thrombosis
MPD	main pancreatic duct		MW	molecular weight
MPI	myocardial perfusion imaging			
MPL	myeloproliferative leukemia		N	nerve, normal
MPN	myeloproliferative neoplasm		NA	neuraminidase
MPO	myeloperoxidase		NADKD	nonalbuminuric diabetic kidney disease
MR	mitral regurgitation, magnetic resonance, molecular response		NaF	sodium fluoride
			NAFLD	non-alcoholic fatty liver disease
MRA	MR angiography, mineralocorticoid receptor antagonists		NAG	*N*-acetylglucosamine
			NAI	neuraminidase inhibitor
MRAB	multidrug-resistant *A. baumannii*		NAM	*N*-acetylmuramic acid
MRC/MRCP	magnetic resonance cholangiography/ cholangiopancreatography		NARES	nonallergic rhinitis with eosinophilia syndrome
			NASBA	nucleic acid sequence–based amplification
MRD	minimal/measurable residual disease		NASH	non-alcoholic steatohepatitis
MRI	magnetic resonance imaging		NAT, NAAT	nucleic acid amplification test
MRONJ	medication-related osteonecrosis of the jaw		NAVA	neurally adjusted ventilator assist
MRPA	multidrug-resistant *P. aeruginosa*		NB	nasobiliary
MRS	mandibular repositioning splint		NBTE	nonbacterial thrombotic endocarditis
MRSA	methicillin-resistant *Staphylococcus aureus*		NCC	Na$^+$-Cl$^-$ cotransporter, neurocysticercosis
MRSE	methicillin-resistant *Staphylococcus epidermidis*		NCF	neutrophil chemotactic factor

NCI	National Cancer Institute	NSAIDs	nonsteroidal anti-inflammatory drug
NDI	nephrogenic diabetes insipidus	NSCLC	non-small cell lung carcinoma
NE	norepinephrine	NSE	non-specific esterase, neuron specific enolase
NEC	non-erythroid cell	NST	non-myeloablative HSCT, non-stress test
NECP	national cholesterol education program	NSTEMI	non-ST elevation myocaridal infarction
NEFA	nonesterified fatty acid	NSTE-ACS	non-ST elevation acute coronary syndrome
NERD	non-erosive reflux disease	NT	neutralization
	NSAID-exacerbated respiratory disease	NTHi	nontypeable *H. influenzae*
NET	neuroendocrine tumor	NTI	nonthyroidal illness
NG	nasogastric, nitroglycerin	NTM	nontuberculous *Mycobacteria*
NGAL	neutrophil gelatinase associated lipocalin	NTS	non-Typhoidal *Salmonella*
NGF	next-generation flowcytometry	NUD	nonulcer dyspepsia
NGS	next generation sequencing	NVE	native valve endocarditis
NHL	non-Hodgkin's lymphoma	N/V	nausea, vomiting
NIDDM	non insulin-dependent diabetes mellitus	NYHA	New York Heart Association
NIPD	nocturnal intermittent peritoneal dialysis		
NIPHS	Noninsulinoma pancreatogenous hypoglycemia S.	OA	osteoarthritis
NIPPV	noninvasive positive-pressure ventilation	OAF	osteoclast activating factor
NIV	noninvasive ventilation	OAS	oral allergy syndrome
NK	natural killer, neurokinin	OB	occult blood
NK$_1$R	neurokine-1 receptor	obs	obstruction
NKCC	Na$^+$-K$^+$-2Cl$^-$ cotransporter	OC	osteocalcin
NKHC	nonketotic hyperosmolar coma	OCG	oral cholangiography
NLPHL	nodular lymphocyte predominant HL	OCIF	osteoclastogenesis inhibitory factor
NLR	NOD-like receptor	OCS	oral corticosteroid, order communication system
NM	necrotizing myopathy	ODD	once-daily dosing
NMS	neuroleptic malignant syndrome	ODS	osmotic demyelination syndrome
NNRTI	non-nucleoside reverse transcriptase inhibitor	OGTT	oral glucose tolerance test
NO	nitric oxide (= EDRF)	OHA	oral hypoglycemic agent
NOAC	new oral anticoagulant	OHP	hydroxprogesterone
NOD	nucleotide-binding oligomerization domain	OHL	oral hairy leukoplakia
NODAT	new-onset diabetes after transplantation	OLV	open lung ventilation
NOMI	nonocclusive mesenteric ischemia	OM	otitis media, osteomyelitis, overlap myositis
NOS	not otherwise specified		(overlap syndrome with myositis)
NP	nasal polyp	OMP	outer membrane protein
NPDR	nonproliferative diabetic retinopathy	ONJ	osteonecrosis of the jaw
NPH	neutral protamine Hagedorn	op, OP	operation, organizing pneumonia
NPHP	nephronophthisis	OPG	osteoprotegerin
NPO	nulla per os (nothing by mouth)	OPV	oral polio vaccine
NPV	negative predictive value	ORR	overall response rate
NPWT	negative pressure wound therapy	ORS	oral rehydration solution
NQMI	non Q wave myocardial infarction	OS	overall survival, opening snap, overlap syndrome
NPDR	nonproliferative diabetic retinopathy	OSA	obstructive sleep apnea
NPPV	noninvasive positive pressure ventilation (NIPPV)	OSAHS	obstructive sleep apnea/hypopnea syndrome
nr-axSpA	nonradiographic axial spondyloarthritis		
nRBC	nucleated RBC	P1NP	N-terminal propeptide of type 1 procollagen
NRTI	nucleoside reverse transcriptase inhibitor	PA	pulmonary artery, plasminogen activator,
NS	nephrotic syndrome, neurosurgery		pernicious anemia
N/S	normal saline	PABA	para-aminobenzoic acid

PAC	pulmonary artery catheter	pDXA	peripheral/portable DXA
PAD	peripheral arterial disease	PE	pulmonary embolism
PAE	post-antibiotic effect	PEEP	positive end expiratory pressure
PAF	platelet-activating factor	PEG	polyethylene glycol, pegylated,
PAH	pulmonary arterial hypertension		percutaneous endoscopic gastrostomy
PAI	plasminogen activator inhibitor,	PEI(T)	percutaneous ethanol injection (therapy)
	pathogenicity island	PEP	protein electrophoresis,
PAMP	pathogen-associated molecular pattern		post-exposure prophylaxis
PAN	polyarteritis nodosa	PES	postembolization syndrome
PAP	pulmonary artery pressure	PET	positron emission tomography,
PARP	poly ADP ribose polymerase		pancreatic endocrine tumor
PAS	periodic acid schiff	PEW	protein-energy wasting
PAU	penetrating atherosclerotic ulcer	P/Ex	physical examination
PAV	proportional assist ventilation	PFAS	pollen-food allergy syndrome
PAVM	pulmonary arteriovenous malformation	PfEMP	*P. falciparum* erythrocyte membrane protein
PB	peripheral blood	PFIC	progressive familial intrahepatic cholestasis
PBC	primary biliary cholangtitis (과거 cirrhosis)	PFS	progression-free survival, pollen-food syndrome
PBL	peripheral blood lymphocytes	PFT	pulmonary function test
PB(S)	peripheral blood smear	PG	prostaglandin
PBP	penicillin-binding protein	PGA	polyglandular autoimmune syndrome
PBSCT	peripheral blood stem cell transplantation	PGD	primary graft dysfunction
PC	platelet concentrate, penicillin, precore	Ph	philadelphia, phosphate
PCC	prothrombin complex concentrate	PH	pulmonary hypertension
PCD	primary ciliary dyskinesia	PHG	portal hypertensive gastropathy
PCH	paroxysmal cold hemoglobinuria	PHN	post-herpetic neuralgia
PCI	percutaneous coronary intervention,	PHP	pseudohypoparathyroidism
	pneumatosis cystoides intestinalis	PHPT	primary hyperparathyroidism
PCM	plasma cell myeloma	PI	protease inhibitor
PCNA	percutaneous needle aspiration,	PID	pelvic inflammatory disease
	proliferative cell nuclear antigen	PIE	pulmonary infiltrates with eosinophilia
PCP	*Pneumocystis* pneumonia	PIF	prolactin inhibitory factor
PCR	polymerase chain reaction,	PIP	proximal interphalangeal,
	protein catabolic rate, protein/creatinine ratio		peak inspiratory pressure
PCSK9	proprotein convertase subilisin/kexin type 9	PIRRT	prolonged intermittent RRT
PCT	procalcitonin, porphyria cutanea tarda	PISA	proximal isovelocity surface area
PCV	pneumococcal conjugate vaccine,	PIV	parainfluenza virus
	protein-conjugate vaccine	PK	pyruvate kinase
PCWP	pulmonary capillary wedge pressure	PKC	protein kinase C
PD	peritoneal dialysis, pancreatic duct	PLA	pyogenic liver abscess
PD-1	programmed cell death protein 1	PLA2R	phospholipase A2 receptor
PDA	patent ductus arteriosus,	PLCH	pulmonary Langerhans cell histiocytosis
	posterior descending artery	PLL	prolymphocytic leukemia
PDAC	pancreatic ductal adenocarcinoma	PLV	partial liquid ventilation
PDE	phosphodiesterase	PM	polymyositis
PDE5i	phosphodiesterase-5 inhibitor	PM(B)V	percutaneous mitral balloon valvotomy,
PDGF(R)	platelet-derived growth factor (receptor)		percutaneous mitral balloon valvuloplasty
PD-L1	programmed death-ligand 1	PMC	pseudomembraneous colitis
PDR	proliferative diabetic retinopathy	PMF	primary myelofibrosis,
PDT	photodynamic therapy		progressive massive fibrosis

PML	promyelocytic leukemia, progressive multifocal leukoencephalopathy		penicillin-resistant pneumococci
		PrP^C	cellular prion protein
PMN	polymorphonuclear leukocyte (neutrophil)	PrP^{Sc}	scrapie-associated prion protein
pMN	primary Membranous Nephropathy	PRR	pattern recognition receptor
PMR	polymyalgia rheumatica	PRSP	penicillin-resistant streptococcus pneumoniae
PMVT	polymorphic VT	PS	performance status
PN	pyelonephritis, peripheral neuropathy	PsA	psoriatic arthritis
PNA	protein nitrogen appearance	PSA	prostate-specific antigen
PND	paroxysmal nocturnal dyspnea, paraneoplastic neurologic disorder	PSB	protected specimen (double-sheathed) brush
		PSC	primary sclerosing cholangitis
pNET	pancreatic neuroendocrine tumor	PSG	polysomnography
PNL	percutaneous nephrolithotomy	PSGN	poststreptococcal glomerulonephritis
PNS	peripheral nervous system, paranasal sinus	PSIS	post. sup. iliac spine
PO	per oral	PSV	pressure-support ventilation
POCT	point-of-care test (신속검사, 간이검사)	PSVT	paroxysmal supraventricular tachycardia
POEM	per oral endoscopic/esophageal myotomy	PT	prothrombin time, physical therapy, proximal tubule
POEMS	Polyneuropathy, Organomegaly, Endocrinopathy, M-protein, Skin changes	pt.	patients
POI	primary ovarian insufficiency (조기 폐경)	PTA	percutaneous transluminal angioplasty
POMC	pro-opiomelanocortin	PTBD	percutaneous transhepatic biliary drainage
PORT	postoperative RTx.	PTCA	percutaneous transluminal coronary angioplasty
Posm	plasma osmolality	PTCD	percutaneous transhepatic cholangial drainage
post	posterior	PTCL	peripheral T-cell lymphoma
PP	pancreatic polypeptide, portal pressure	PTCS	percutaneous transhepatic choledochoscopy
PPCM	peripartum cardiomyopathy	PT(H)C	percutaneous transhepatic cholangiography
PPD	purified protein derivative of tuberculin	PTEN	phosphatase and tensin homolog
PPE	personal protective equipment	PTGBD	percutaneous transhepatic GB drainage,
PPH	primary pulmonary hypertension	PTH	parathyroid hormone
PPHP	pseudopseudohypoparathyroidism	PTH-rP	parathyroid hormone-related peptide
PPI	proton pump inhibitor	PTLD	post-transplant lymphoproliferative dz.
PPL	penicilloyl-polylysine, product placement	PTU	propylthiouracil
PPM	permanent pacemaker	PUD	peptic ulcer disease
PPO	predicted postoperative	PUFA	polyunsaturated fatty acid
PPPD	pylorus-preserving pancreatoduodenectomy	pul	pulmonary
PPSV	pneumococcal polysaccharide vaccine	PV	polycythemia vera, portal vein, pulmonic valve
PPV	positive predictive value	PVA	Printzmetal's variant angina
PP2	postprandial 2hr	PVD	peripheral vascular disease
pr.	pressure	PVE	prosthetic valve endocarditis
PR	pulse rate, progesterone receptor, pulmonary regurgitation, partial remission/response	PVR	pulmonary vascular resistance
		PVT	portal vein thrombosis
PR-3	proteinase-3	PW	pulsed-wave
PRA	plasma renin activity, panel-reactive antibody	PZA	pyrazinamide
PRCA	pure red cell aplasia		
PrEP	pre-exposure prophylaxis	q(RT)PCR	quantitative (reverse transcription) PCR
PRL	prolactin	QCT	quantitative CT
P.R.N.	pro re nata (as required)	QFFS	post-Q fever fatigue syndrome
PRNT	plaque reduction neutralization test	QUS	quantitative US
PROM	premature rupture of membrane		
PRP	platelet-rich plasma,	RA	right atrium, rheumatoid arthritis, rapid acting,

	refractory anemia, receptor antagonist	ROM	range of motion
RAA(S)	renin-angiotensin-aldosterone (system)	ROMK	renal outer medullary potassium channel
RACD	radiation-associated cardiac disease	ROS	review of system, reactive oxygen species
RAE	right atrial enlargement, renal artery embolism	RP	Raynaud's phenomenon
RAIU	radioacitve iodine uptake	RPC	recurrent pyogenic cholangitis, relapsing polychondritis
RANK(L)	receptor activator of nuclear factor kappa-B (ligand)	RPF	renal plasma flow
RANTES	regulated on activation, T cell expressed and secreted	RPGN	rapidly progressive GN
		RPI	reticulocyte production index
RARA	retinoic acid receptor-α	RPR	rapid plasma reagin test
RAS	renal artery stenosis, renin-angiotensin system	RQ-PCR	real-time quantitative PCR
RAST	radioallergosorbent test	RR	respiration rate
RAT	rapid Ag test	R/R	relapsed or refractory
RB	respiratory bronchiolitis	RRT	renal replacement therapy
RBBB	right bundle branch block	RS	Reed-Sternberg (=HRS, Hodgkin/RS)
RBF	renal blood flow	RSV	respiratory syncytial virus
RBP	retinol-binding protein	RTA	renal tubular acidosis
RCA	right circumflex (coronary) artery	RTH	resistance to thyroid hormone
RCC	renal cell carcinoma	RTK	receptor tyrosine kinase
RCM	restrictive cardiomyopathy	RT-PCR	reverse transcriptase PCR
RDT	rapid diagnostic test (신속검사)	RTx	radiation therapy, radiotherapy
RDW	red cell distribution width	RUNX	Runt-related transcription factor
ReA	reactive arthritis	rUTI	recurrent urinary tract infection
REM	rapid eye movement	RV	right ventricle, residual volume, regurgitant volume
RES	reticuloendothelial system		
resp	respiratory	RVA	RV (right ventricle) apex
RF	rheumatoid factor, rheumatic fever, renal failure, respiratory failure, radiofrequency	RVF	right ventricular failure
		RVH	renovascular hypertension, right ventricular hypertrophy
RFA	radiofrequency ablation		
RFI	renal failure index	RVI	right ventricular infarction
RFP	rifampin	RVOT	right ventricular outflow tract
RFT	renal function test	RVT	renal vein thrombosis
RGM	rapidly growing mycobacteria		
RGP	retrograde pyelography	$\bar{s}$	without (sine)
RHD	rheumatic heart disease	SA	sinoatrial, sideroblastic anemia
RHF	right-sided heart failure	SAAG	serum-ascites albumin gradient
RI	rapid-acting insulin, regular insulin	SAB	single Ag bead
R/I	rule in	SABA	short-acting β_2-agonist
RIA	radioimmunoassay	SARS	severe acute respiratory syndrome
RIBA	recombinant immunoblot assay	SASP	senescence-associated secretory phenotype
RIG	rabies immune globulin	SACT	sinoatrial conduction time
RIST	reduced intensity SCT (HCT)	SAH	subarachnoid hemorrhage
RLS	restless leg syndrome	SAM	systolic anterior movement (of MV)
RMSF	rocky mountain spotted fever	SAMA	short-acting muscarinic antagonist
RNI	radionuclide imaging	SANRT	sinoatrial nodal reentrant tachycardia
RNP	ribonucleoprotien	SARS	severe acute respiratory syndrome
RNV	radionuclide ventriculography (RVG)	SBB	Sudan black B
R/O	rule out	SBE	subacute bacterial endocarditis
ROD	renal osteodystrophy	SBP	spontaneous bacterial peritonitis, systolic BP

SBRT	stereotactic body RTx	SNRT	sinus node recovery time
SC	subcutaneous	SNS	sympathetic nervous system
SCC	squamous cell carcinoma, spinal cord compression	SNSA	seronegative spondyloarthropathy
		SO(D)	sphincter of Oddi (dysfunction)
SCD	sudden cardiac death	SOL	space-occupying lesion
SCF	stem cell factor	SOS	sinusoidal obstruction syndrome
SCFA	short-chain fatty acid	SOT	solid organ transplantation
SCJ	squamo-columnar junction	SP	*S. pneumoniae*, serrated polyp
SCLC	small cell lung carcinoma	SpA	spondyloarthritis
SCLE	subacute cutaneous lupus erythematosus	SPC	single-pill combination
SCN	serous cystic neoplasm	SPD	sum of the products of diameters, surfactant protein D
sCr	serum creatinine		
SCT	stem cell transplantation (HSCT, HCT)	SpeB	streptococcal pyrogenic exotoxin B
SCUF	slow continuous ultrafiltration	SPECT	single-photon emission CT
SD	standard deviation (표준편차)	SPEN	solid and papillary epithelial neoplasm
SDH	subdural hematoma	SPN	solitary pulmonary nodule, solid pseudopapillary neoplasm
SE	specific esterase, staphylococcal entotoxin		
SER	smooth endoplasmic reticulum	spp.	species
SERM	selective estrogen receptor modulator	SPS	sodium polystyrene sulfonate
SES	sick euthyroid syndrome	SPT	skin prick test
S/E	side effect	SR	sustained release (서방정)
SFGR	spotted fever group Rickettsia	SRC	sclerodermal renal crisis
sFLC	serum free light chain	SRIF	somatotropin-release inhibiting factor
SFTS	severe fever with thrombocytopenia syndrome	SRNS	steroid-resistant nephrotic syndrome
SG	specific gravity	SRS	somatostatin receptor scintigraphy
SGLT	sodium-glucose co-transporter	SS	Sjögren's syndrome
SGLT2i	sodium-glucose co-transporter 2 inhibitor	SSA	sulfosalicylic acid
SI	serum iron	SSB	single-strand break
SIAD	syndrome of inappropriate antidiuresis ≒	SSc	systemic sclerosis
(SIADH)	syndrome of inappropriate secretion of ADH	SSI	surgical site infection
SIg	surface immunoglobulin	SSP/A	sessile serrated polyp/adenoma
SIHD	stable ischemic heart dz.	SSRI	selective serotonin reuptake inhibitor
SIMV	synchronized intermittent mandatory ventilation	SSS	sick sinus syndrome
SIR	standardized incidence ratio (표준화 암발생비)	SSSS	Staphylococcal scalded skin syndrome
SIRS	systemic inflammatory response syndrome	SSTI	skin and soft tissue infection
SJS	Stevens-Johnson syndrome	SSTR	somatostatin receptor
SLB	surgical lung biopsy	ST	sinus tachycardia, Shiga toxin
SLE	systemic lupus erythematosus	STD	sexually-transmitted disease
SLL	small lymphocytic lymphoma	STEAR	selective tissue estrogenic activity regulator
SM	somatomedin, streptomycin	STEC	Shiga toxin-producing *E. coli*
SMA	smooth muscle Ab/actin,	STI	sexually-transmitted infection
SMA(E/T)	superior mesenteric artery (embolus/thrombosis)	STIR	short tau inversion recovery
SM(B)G	self-monitoring of (blood) glucose	STK	serine threonine kinase
SMC	smooth muscle cell	SU	sulfonylurea
SmIg	surface monoclonal immunoglobulin	sup	superior
SMT	submucosal tumor	SUV	standardized uptake value
SMZL	splenic marginal zone lymphoma	SV	stroke volume
SND	sinus node dysfunction	SVC(S)	superior vena cava (syndrome)
SNHR	sensorineural hearing loss	SVR	sustained virologic response

SVT	supraventricular tachycardia, superficial vein thrombosis		Tg	thyroglobulin
			TG	triglyceride
			TGF	tumor growth factor, transforming growth factor, tubuloglomerular feedback
TA	Takayasu's arteritis			
TAA	thoracic aortic aneurysm		TIA	transient ischemic attack
TA(C)E	trans(hepatic)arterial (chemo)embolization		TIBC	total iron-binding capacity
TAF	tenofovir alafenamide		TID	tubulointerstitial disease
TAFI	thrombin-activatable fibrinolysis inhibitor		tid	ter in die (three times a day), 하루 3회 복용
TAL(H)	thick ascending limb of the Henle's loop		TIF	transoral incisionless fundoplication
TAO	thromboangiitis obliterans		TIG	tetanus immunoglobulin
TARC	thymus & activation-related chemokine		TIMI	Thrombolysis in Myocardial Infarction
TARE	transarterial radioembolization,		TIMP	tissue inhibitor of metalloproteinase
TAT	turnaround time		TIN	tubulointerstitial nephritis
TAVI	transcatheter aortic valve implantation,		TINU	tubulointerstitial nephritis with uveitis
TAVR	transcatheter aortic valve replacement		TIPS	transjugular intrahepatic portosystemic shunt
TB, tbc	tuberculosis		TK(I)	tyrosine kinase (inhibitor)
TBB	transbronchial biopsy		TLC	therapeutic lifestyle change, total lung capacity
TBD	tubulin-binding drug		TLR	Toll-like receptor
TBG	thyroxine-binding globulin		TLS	tumor lysis syndrome\
TBI	total body irradiation		TM	tobramycin
TBII	TSH-binding inhibitory immunoglobulin		TMA	thrombotic microangiopathy, transcription-mediated amplification
TBLB	transbronchial lung biopsy			
TBM	thin basement membrane		TMB	tumor mutational burden
TBNA	transbronchial needle aspiration		TMJ	temporomandibular joint
TBPA	thyroxine-binding prealbumin		TMP-SMX	trimethoprim-sulfamethoxazole (Bactrim, Co-trimoxazole)
TBS	trabecular bone score		TMVI/TMVR	transcatheter mitral valve implantation, transcatheter mitral valve replacement
TBUT	tear film break-up time			
TBW	total body water		TNF	tumor necrosis factor
TC	tetracycline, transcobalamin, total cholesterol		TOC	treatment of choice
TCA	tricyclic antidepressant		TOD	target organ damage
TCBS	thiosulfate citrate–bile salts–sucrose		TOF	tetralogy of Fallot
TCC	transitional cell carcinoma		TP	transpeptidase
TCMR	T cell-mediated rejection		TP53	tumor protein 53
TCR	T cell receptor		t-PA	tissue plasminogen activator
Td	tetanus, diphtheria		TPE	therapeutic plasma exchange
TDD	total daily dose		TPHA	T. pallidum hemagglutination
TDF	tenofovir disoproxil fumarate		TPN	total parenteral nutrition
TDI	tissue doppler imaging		TPO	thrombopoietin, thyroid peroxidase
TDM	therapeutic drug monitoring		TPP	thyrotoxic periodic paralysis
TdP	torsade de pointes		TPPA	T. pallidum particle agglutination
TDR	transmitted drug resistance		TR	tricuspid regurgitation
TdT	terminal deoxynucleotidyl transferase		TRAb	TSH receptor antibody
TE	thromboembolism		TRALI	transfusion-related acute lung injury
TEE	transesophageal echocardiography		TRH	thyrotropin-releasing hormone
TEN	toxic epidermal necrolysis		TRP	transferrin receptor protein
TF	tissue factor		TRUS	transrectal prostate US
TFPI	tissue factor pathway inhibitor		TS	tricuspid stenosis
TfR	transferrin receptor		TSA	transsphenoidal approach, traditional serrated adenoma
TFT	thyroid function test			

TSAT	transferrin saturation		URS	ureteroscopic stone removal
TSBAb	TSH-R-blocking Ab		US	ultrasonography, ultrasound
TSC	tuberous sclerosis complex		UTI	urinary tract infection
TSEC	tissue-selective estrogen complex		UTO	urinary tract obstruction
TSH	thyroid-stimulating hormone (= thyrotropin)		UV	ultraviolet light, urine volume
TSH-R	TSH receptor		UVJ	ureterovesical junction
TSI	thyroid-stimulating immunoglobulin			
TSLP	thymic stromal lymphopoietin		VA	ventriculoatrial
TSS	toxic shock syndrome		VAD	ventricular assist device
TST	tuberculin skin test		VAP	ventilator-associated pneumonia
TT	thrombin time		VATS	video-assisted thoracic surgery
TTA	transtrachial aspiration		VC	vital capacity, vena contracta
TTE	transthoracic echocardiography		VCA	viral capsid antigen
TTKG	transtubular K^+ concentration gradient		VCAM	vascular cell adhesion molecule (protein)
TTNA/B	transthoracic needle aspiration/biopsy		VCD	vocal cord dysfunction
TTP	thrombotic thrombocytopenic purpura		vCJD	variant Creutzfeldt-Jakob disease
TTR	transthyretin		VCUG	voiding cytourethrogram
TTT	tilt table test, thymol turbidity test		VDR	vitamin D receptor
TUR(-P)	transurethral resection (of the prostate)		VDRL	venereal disease research laboratories test
TUS	transabdominal US		VEDP	ventricular end-diastolic pressure
TV	tricuspid valve, tidal volume (V_T)		VEDV	ventricular end-diastolic volume
Tx	treatment, therapy		VEGF	vascular endothelial growth factor
TZD	thiazolidinedione		VF	ventricular fibrillation
			Vf	ventricular flutter
U	unit		VFA	vertebral fracture assessment
U/A	urinalysis		VFSS	videofluoroscopic swallow study
UA	unstable angina		VHF	viral hemorrhagic fever
UACS	upper airway cough syndrome		VILI	ventilator-induced lung injury
UAG	urine anion gap		VIP	vasoactive intestinal polypeptide
UARS	upper airway resistance syndrome		VISA	vancomycin-intermediate *S. aureus*
UAT	urinary Ag test		VIT	venom immunotherapy
UBT	urea breath test		VKA	vitamin K antagonist
UC	ulcerative colitis		VLDL	very low density lipoprotein
UCB	unconjugated bilirubin		VMA	vanillyl mandelic acid
UDCA	ursodeoxycholic acid		VOC	volatile organic compound
UES	upper esophageal sphincter		vol	volume
UFF	ultrafiltration failure		VPB, VPC	ventricular premature beat/complex (= PVC)
UFH	unfractionated heparin		V/Q	ventilation/perfusion
UGI	upper gastrointestinal		VR	venous return, ventricular rate,
UIBC	unsaturated iron-binding capacity			ventricular response
UIP	usual interstitial pneumonia		VRE	vancomycin-resistent enterococci
UNL	upper normal limit (ULN: upper limit of normal)		VRSA	vancomycin-resistent *S. aureus*
UO	urine output		VSD	ventricular septal defect
Uosm	urine osmolaltiy		VSR	ventricular septal rupture
UPD	uniparental disomy		VT	ventricular tachycardia
UPJ	ureteropelvic junction		VTE	venous thromboembolism
UPPP	uvulopalatopharyngoplasty		VUR	vesicoureteral reflux
URI	upper respiratory tract infection		VVS	vasovagal syncope
URL	upper reference limit		vWD/S	von Willebrand's disease/syndrome

vWF	von Willebrand's factor	WT	wild type, Wilms tumor
VZV	varicella zoster virus	W/U	work up
WB	western blot, whole blood	XM	crossmatch
WBCT	whole blood coagulation time	XOI	xanthine oxidase inhibitor
WBS	whole body scan	XR	X-linked recessive
WDHA	Watery Diarrhea, Hypokalemia, Achlorhydria	YSR	year survival rate, year OS (overal survival)
WG	Wegener's granulomatosis	ZES	Zollinger-Ellison syndrome
WHVP	wedged hepatic venous pressure	Zn	zinc
WM	(ventricular) wall motion	ZTT	zinc sulfate turbidity test
	Waldenström's macroglobulinemia		
WMSI	wall motion score index	5-HT	5-Hydroxytryptamine (serotonin)
WNV	West Nile virus		
WON	walled-off necrosis		
WPW	Wolff-Parkinson-White		

A

C

M

W

X, Y, Z, Etc